DESARROLLO PSICOLÓGICO

OCTAVA EDICIÓN

Grace J. Craig
University of Massachusetts

con la colaboración de

Don Baucum
University of Alabama at Birmingham

TRADUCCIÓN:
José Carmen Pecina Hernández
Traductor Profesional

REVISIÓN TÉCNICA:
María Elena Ortiz Salinas
Maestra en Psicología
Facultad de Psicología
Universidad Nacional Autónoma de México

PEARSON
Educación ®

México • Argentina • Brasil • Colombia • Costa Rica • Chile • Ecuador
España • Guatemala • Panamá • Perú • Puerto Rico • Uruguay • Venezuela

Datos de catalogación bibliográfica

CRAIG, GRACE J. y BAUCUM, DON
Desarrollo psicológico / Octava edición

PEARSON EDUCACIÓN, México, 2001

ISBN: 968-444-516-4
Área: Universitarios

Formato: 21 × 27 cm   Páginas: 720

Versión en español de la obra titulada *Human Development, Eighth Edition*, de Grace J. Craig con la colaboración de Don Baucum, publicada originalmente en inglés por Prentice Hall Inc., Upper Saddle River, New Jersey, E.U.A.

Esta edición en español es la única autorizada.

Original English language title by
Prentice Hall, Inc., a company of Pearson Education
Copyright © 1999
All rights reserved
ISBN 0-13-922774-1

Edición en español:
Editora: Rocío Cabañas Chávez
         e-mail: rocio.cabanas@pearsoned.com
Supervisor de Traducción: Armando Castañeda
Supervisor de Producción: José D. Hernández Garduño

Edición en inglés:
Editorial director: Charlyce Jones-Owen
Editor-in-chief: Nancy Roberts
Executive editor: Bill Webber
Acquisitions editor: Jennifer Gilliland
Editor-in-chief of development: Susanna Lesan
Development editor: Carolyn Smith
Assistant editor: Anita Castro
Editorial assistant: Kate Ramunda
AVP, Director of manufacturing and production: Barbara Kittle
Senior managing editor: Bonnie Biller

Production liaison: Fran Russello
Editorial/production supervision: Bruce Hobart
(Pine Tree Composition)
Manufacturing manager: Nick Sklitsis
Prepress and manufacturing buyer: Tricia Kenny
Permissions editor: Jill Dougan
Copyeditor: Carolyn Ingalls
Creative design director: Leslie Osher
Interior designer: Diana McKnight, Joseph Rattan Design
Line art coordinator: Guy Ruggiero/Margaret Van Arsdale

El material citado en las páginas 202-203 fue tomado de: *Winnie-the-Pooh* de A. A. Milne, ilustrado por E. H. Shepard. Derechos reservados, 1926, por E. P. Dutton Children's Books, una división de Penguin Putnam Inc. Agradecemos a los dueños de los derechos de las fotos con derechos reservados su permiso para reproducirlas en esta obra. Los créditos correspondientes aparecen en la página 673. El resto de las fotografías pertenece al banco de imágenes de Simon and Schuster: Simon and Schuster Corporate Digital Archive.

OCTAVA EDICIÓN, 2001

D.R. © 2001 por Pearson Educación de México, S.A. de C.V.
Atlacomulco Núm. 500-5° Piso
Col. Industrial Atoto
53519, Naucalpan de Juárez, Edo. de México

Cámara Nacional de la Industria Editorial Mexicana. Reg. Núm. 1031

ISBN 968-444-516-4

Impreso en México. *Printed in Mexico.*

1 2 3 4 5 6 7 8 9 0 - 04 03 02 01

Resumen de Contenido

Contenido

3 ■ HERENCIA Y AMBIENTE

PARTE DOS

NIÑEZ

4 ■ DESARROLLO FÍSICO, COGNOSCITIVO Y LINGÜÍSTICO EN LA INFANCIA

**6 ■ EL PREESCOLAR: DESARROLLO FÍSICO,
COGNOSCITIVO Y LINGÜÍSTICO**

8 ■ NIÑEZ MEDIA Y NIÑOS EN EDAD ESCOLAR: DESARROLLO FÍSICO Y COGNOSCITIVO

9 ■ NIÑEZ MEDIA Y NIÑOS EN EDAD ESCOLAR: DESARROLLO DE LA PERSONALIDAD Y SOCIALIZACIÓN

P A R T E   T R E S

ADOLESCENCIA

10 ■ ADOLESCENCIA: DESARROLLO FÍSICO Y COGNOSCITIVO

11 ■ ADOLESCENCIA: DESARROLLO DE LA PERSONALIDAD Y SOCIALIZACIÓN

PARTE CUATRO
ADULTEZ

12 ■ JUVENTUD: DESARROLLO FÍSICO Y COGNOSCITIVO

13 ■ JUVENTUD: DESARROLLO DE LA PERSONALIDAD Y SOCIALIZACIÓN

14 ■ Adultos de edad madura:
          desarrollo físico y cognoscitivo

16 ■ LA VEJEZ: DESARROLLO FÍSICO Y COGNOSCITIVO

Prefacio

En cualquier ambiente cultural la historia de la vida humana es un drama rico y atrayente. El estudio sistemático del desarrollo humano dentro de su contexto constituye un reto para estudiantes e investigadores por igual. Este libro utiliza varias disciplinas (psicología del desarrollo, sociología, antropología, historia, enfermería, medicina y salud pública, por citar algunas) para exponer en forma actualizada los principales temas, problemas y controversias en el estudio del desarrollo a lo largo del ciclo vital.

En esta edición cuento con un coautor, Don Baucum —escritor y profesor de psicología—, quien ha logrado dar vida y voz a la exposición gracias a sus observaciones personales, a su muy amplia experiencia docente y a un estilo muy ameno. Con la esperanza de estimular la reflexión, hemos tratado de presentar un panorama de la investigación y las teorías contemporáneas, así como aplicaciones a la vida diaria. Por tratarse de una materia tan interesante, abierta y controvertida, se ofrecen abundantes oportunidades a los estudiantes para que examinen muchas teorías y pruebas. Los alentamos a comparar los datos con su experiencia personal, a hacerse una perspectiva bien fundamentada y crítica de cómo llegamos a ser lo que somos como seres humanos, y lo que podemos esperar en los años venideros.

DIVERSIDAD DE LOS ESTUDIANTES

En la actualidad los estudiantes universitarios son más diversos que en cualquier otra época. Un aula puede tener una sección transversal de alumnos de distintas edades, procedencia étnica, experiencias personales y actitudes. También varían por su formación académica, intereses profesionales y contacto con las ciencias sociales. Los factores anteriores y muchos otros crean "filtros" a través de los cuales perciben el desarrollo humano y la vida en general. Muchos de los que estudian el desarrollo humano se dedicarán a actividades relacionadas con el servicio humano: trabajo social, educación, enfermería, consejería, varias ramas de la psicología y administración de programas. Algunos ya son asesores, consultores, tutores o padres de familia. Muchos serán padres de familia algún día. La mayoría siente curiosidad por su niñez, su adolescencia y las circunstancias actuales.

Este libro está dirigido a esa diversidad. Presentamos a las personas tal como son en muchos ambientes culturales del mundo. En lugar de generalizar a partir de un grupo de personas, procuramos explicar cómo son los fenómenos del desarrollo. La diversidad se refleja en los estudios de casos contemporáneos y en las investigaciones incorporadas al texto. Confiamos en que los estudiantes se vean retratados en las páginas del libro, cualquiera que sea su procedencia, y que al mismo tiempo se conviertan en personas universales.

ORGANIZACIÓN CRONOLÓGICA

En el desarrollo humano siempre se plantea la cuestión de cómo organizar las investigaciones y las teorías: por temas como cognición, genética y desarrollo moral o bien describir el desarrollo del niño y del adulto tal como ocurre -en forma cronológica- destacando las interrelaciones holistas. En este libro hemos optado por explicarlo en las divisiones clásicas de la edad: periodo prenatal, infancia, niñez temprana, niñez media, adolescencia, juventud o adultez temprana, madurez o adultez media y vejez o adultez tardía. Con excepción del desarrollo prenatal, cada intervalo de edad abarca dos capítulos: uno dedicado al desarrollo físico y cognoscitivo, y el otro al desarrollo social y de la personalidad. Otros capítulos se concentran en temas esenciales: los principios básicos y los métodos utilizados para investigar el desarrollo humano; la muerte y el proceso de morir. Un tema central del libro es la compleja interacción de factores biológicos y ambientales que moldean el desarrollo humano. En consecuencia, al inicio del libro se incluye un capítulo íntegro sobre la herencia y el ambiente. En éste definimos las cuestiones contemporáneas en torno a los procesos del desarrollo dentro de los contextos multiculturales del mundo moderno.

CARACTERÍSTICAS ESPECIALES Y AYUDAS DE ESTUDIO

A lo largo del libro, en la exposición hemos combinado la diversidad cultural y la importancia personal. Hay tres tipos de recuadros especiales en que esto se pone de relieve. Los titulados *Tema de controversia* analizan las polémicas concernientes al desarrollo humano y estimulan al mismo tiempo el pensamiento y el análisis. En los titulados *Estudio de la diversidad* se examinan los problemas étnicos, raciales, sexuales e interculturales relacionados con el desarrollo. Por último, los titulados *Teoría y hechos* se concentran en los conceptos populares que algunas veces, pero no siempre, reciben el apoyo de la investigación.

Además, los capítulos comienzan con los objetivos y cada sección incluye las preguntas *Repase y aplique* para consolidar los objetivos. Cerca del final de cada capítulo se integra una sección titulada *Utilice lo que aprendió,* que alienta a los estudiantes a aplicar el material del texto en ejercicios, por ejemplo, observando y entrevistando a las personas o investigando un tema importante. Los capítulos contienen, además, un resumen detallado y una lista actualizada de lecturas que complementan el aprendizaje. Por último, en cada capítulo, los puntos más importantes se sintetizan en tablas, figuras y diagramas de estudio; los términos básicos se definen en el margen.

SUPLEMENTOS

Los materiales de apoyo destinados al estudiante son más sólidos en esta edición. Ahora, es posible consultar el Companion Website para obtener una buena guía de estudio. Los capítulos contienen un esquema, preguntas de inicio de capítulo que estimulan la reflexión, objetivos de aprendizaje, repasos guiados detallados y exámenes de opción múltiple.

RECONOCIMIENTOS

Como sucedió en las ediciones anteriores, ésta recoge las aportaciones de muchos individuos: personas de todas las edades a quienes Don y yo conocimos en el aula, en las clínicas, en las entrevistas; estudiantes y asistentes de investigación; colegas, profesores y mentores; miembros de la familia y amigos. Sus experiencias, ideas e intuiciones enriquecen la obra.

Me gustaría agradecer a los revisores que leyeron los primeros borradores de los capítulos: Dorothy J. Shedlock de State University of New York, Oswego; Bradley J. Caskey de University of Wisconsin, River Falls; John S. Klein de Castleton State University, Frank R. Asbury de Valdosta State University; Rick Caulfield de la University of Hawaii en Manoa; Sander M. Latts, de University of Minnesota; Pamela Manners de Troy State University; Jack Thomas de Harding University.

Gracias especiales a mi investigadora principal, Albertina Navarro-Ríos por su búsqueda incansable y minuciosa de la investigación básica y aplicada. Siempre estuvo combinando varios temas al mismo tiempo para mantenerse al día con un programa muy riguroso. En gran parte, gracias a su profesionalismo, junto con sus ideas y sugerencias tan valiosas, esta edición incluye las tendencias más recientes en la investigación y los temas actuales de controversia.

Me gustaría agradecer a nuestra editora principal, Jennifer Gilliland, quien dirigió la planeación general y mostró una fe inquebrantable en el producto final. Nuestra editora de desarrollo, Carolyn Smith, realizó verdaderos milagros en las primeras etapas del proyecto, trabajando con Don para lograr un estilo nuevo y más accesible para el lector. Sus ideas, su sentido del humor, sus recomendaciones y una revisión esmerada lograron hacer que el proyecto despegara y fluyera. Un testimonio especial de gratitud a Bruce Hobart, editor de producción, por las largas horas que dedicó a la coordinación, organización y administración del manuscrito, de las fotografías, de las pruebas y por conseguir que todos cumpliéramos con los plazos. El diseño tan atractivo y agradable para los estudiantes, así como la presentación del texto, son obra de Diana McKnight y de Leslie Osher, que lo crearon y lo dirigieron, y de Kathy Ringrose que obtuvo las fotografías. Finalmente, Fran Russello merece un reconocimiento especial por resolver los problemas, suavizar los momentos difíciles e integrar las etapas finales del proyecto.

GJC

Teorías y métodos de investigación

CAPÍTULO 1

TEMARIO

OBJETIVOS DEL CAPÍTULO

Cuando termine este capítulo, podrá:

1. Definir los procesos del desarrollo biológicos y los que son producto de la experiencia y explicar cómo interactúan.
2. Explicar de qué manera influyen los factores históricos, socioeconómicos y culturales en nuestro conocimiento del desarrollo humano.
3. Utilizar una teoría histórica para explicar cómo han cambiado las actitudes hacia los niños y los adolescentes.
4. Mencionar y explicar los métodos descriptivos con que se recaban datos sobre el desarrollo.
5. Comparar las teorías de Freud y Erikson sobre la personalidad.
6. Comparar el conductismo tradicional con la psicología cognoscitiva contemporánea.
7. Mencionar y explicar algunas consideraciones importantes en la investigación del desarrollo.
8. Exponer las ideas fundamentales en que se funda la teoría de Piaget sobre el desarrollo cognoscitivo.
9. Explicar los principios éticos que deben observarse cuando se realiza una investigación sobre el desarrollo.

Complejo y rico, con muchas preguntas y retos, el desarrollo humano es producto de muchos factores: la combinación de lo biológico y lo cultural, la interacción de pensamientos y sensaciones, la síntesis de los impulsos internos y de las presiones externas. A manera de introducción, examine las siguientes características del ciclo vital humano:

- Un recién nacido respira con dificultad para llenar de aire sus pulmones y luego llora (o quizá gorjea y barbotea) para anunciar su llegada a este mundo. Si bien el nacimiento marca el inicio de una vida independiente e individual, el viaje comenzó mucho antes, en el momento de la concepción.
- Normalmente los niños establecen vínculos de apego con quienes los cuidan, y aprenden a confiar en el mundo en la medida en que ven atendidas sus necesidades.
- Los niños que empiezan a caminar tocan, jalan, empujan, trepan, bajan y cruzan para descubrir cómo funciona el mundo y el lugar que ocupan en él.
- Un preescolar utiliza las complejidades del lenguaje para ordenar, preguntar, persuadir, bromear y atacar, todo ello con el propósito de conocer mejor el mundo y a quienes lo habitan.
- Un grupo de escolares de un vecindario crea para sí rituales, costumbres y reglas, prácticas que reflejan y, a veces, ridiculizan a los adultos.
- Los adolescentes deben elegir y decidir, examinar y afirmar lo que es importante y significativo en su vida.
- Un joven adulto sueña y planea un estilo de vida que, según confía, incluirá una carrera ascendente, hijos inteligentes y una vida satisfactoria en el trabajo y el hogar.
- Los hombres y las mujeres de edad madura evalúan de nuevo su vida e intentan conciliar las exigencias del trabajo con las necesidades, a menudo antagónicas, de sus hijos ya crecidos y de sus padres ancianos.
- Los ancianos revisan el significado de sus experiencias y logros, preguntándose si han aprovechado las oportunidades de su vida.
- Por último, para bien o para mal, el ciclo de vida llega a su fin.

El desarrollo comienza con la concepción y se prolonga durante toda la vida; de manera arbitraria, a veces lo dividimos en etapas (vea la tabla 1-1) para contar con puntos de referencia. Pero el ciclo vital toma tantos derroteros como personas hay en el mundo. Todo ser humano se desarrolla en forma única en el seno de su **contexto** o de su ambiente. En los capítulos siguientes, habremos de referirnos de manera reiterada al tema del contexto: familiar, social, cultural, etc. El contexto pone de relieve que el desarrollo no se realiza en el vacío; además de depender de procesos biológicos esenciales para todos los seres humanos, en el desarrollo influyen de modo profundo los mundos que el niño y más tarde el adulto experimentan en el proceso. Esto quiere decir que los cambios que ocurren durante el ciclo vital "se deben a una combinación de factores biológicos, psicológicos, sociales, históricos y evolutivos, así como al momento de su aparición en la vida del individuo" (Featherman, 1983).

En este libro nos proponemos analizar tendencias, principios y procesos del desarrollo que se dan a lo largo del ciclo vital y entre muchas disciplinas. Analizaremos el organismo humano por edades y etapas, concentrándonos en los factores biológicos, antropológicos, sociológicos y psicológicos que influyen en su desarrollo. Nos concentraremos sobre todo en las relaciones humanas, puesto que contribuyen a definir lo que somos y cómo nos relacionamos con el mundo que nos rodea. Las relaciones ejercen un profundo impacto en el desarrollo, sin importar si son sensibles y frágiles, sólidas y positivas, tormentosas y llenas de ansiedad o serenas y consoladoras. Somos, ante todo, criaturas *sociales*, y los complejos cambios que tienen lugar a lo largo de nuestra vida no se entienden si uno no los considera a la luz de los acontecimientos históricos, las experiencias individuales, las fuerzas sociales y culturales que definen los tiempos (Stoller y Gibson, 1994). Asimismo, es preciso estudiar la manera en que los individuos interpretan y reaccionan ante estas fuerzas, con la perspectiva de que participan activamente en la forma en que actúa el desarrollo. No son simples peones de un juego ajedrez; son el juego propiamente dicho. Éste es el marco de referencia fundamental que usaremos en el estudio del desarrollo. Por razones prácticas, dividiremos el crecimiento y el cambio durante cada etapa en tres áreas o dominios: 1) el crecimiento y el desenvolvimiento físico, 2) el desarrollo cognoscitivo que, entre otras cosas, abarca el lenguaje y 3) el desarrollo y la socialización de la personalidad. También por razones prácticas, al iniciar la segunda parte agruparemos de manera un tanto arbitraria el desarrollo físico con el cognoscitivo y explicaremos el desarrollo de la persona-

TABLA 1–1   CICLO VITAL HUMANO

ETAPA	EDADES
Periodo prenatal	De la concepción al nacimiento
Infancia	Del nacimiento a los 18-24 meses de edad
Comienza a caminar	De 12-15 meses a 2-3 años de edad
Periodo preescolar	De 2 a 6 años de edad
Niñez media	De 6 a 12 años de edad aproximadamente
Adolescencia	De 12 años a 18-21 años de edad
Juventud o adultez temprana	De 18-21 a 40 años de dad
Madurez o adultez media	De 40 a 60-65 años de edad
Vejez o adultez tardía	De 60 a 65 años de edad hasta la muerte

contexto Ambiente o situación particulares en que se realiza el desarrollo; el "trasfondo" del desarrollo.

lidad y la socialización por separado. Pero no olvidemos que, conforme a la **aproximación holista**, los individuos son criaturas "totales" que no están divididas, de ninguna manera, en compartimentos.

ASPECTOS FUNDAMENTALES DEL DESARROLLO HUMANO

Con el término **desarrollo** aludimos a los cambios que, con el tiempo, se producen en el cuerpo y el pensamiento o en otras conductas, y los cuales se deben a la biología y la experiencia. La descripción parece bastante simple, pero las preguntas que surgen son prácticamente infinitas. ¿Qué nos mueve? ¿Qué nos hace cambiar y convertirnos en individuos únicos? ¿Qué proporción de quienes somos y de lo que somos es innata y cuál es resultado de lo que nos sucede en la vida? ¿De qué manera estas fuerzas interactúan y contribuyen a moldearnos? ¿Cómo participamos en nuestro propio desarrollo? ¿Y cómo influyen en lo que llegamos a ser las relaciones con los **otros significativos**, es decir, las personas que son importantes para uno?

Quizá incluso los prehistóricos miembros de la especie *homo sapiens* se plantearon las preguntas anteriores al tratar de conocerse a sí mismos y a sus hijos. Sin embargo, por lo que sabemos, no *estudiaron* el desarrollo, por lo menos no con técnicas científicas. En pocas palabras, el método científico recalca que la investigación debe efectuarse lo más objetiva y sistemáticamente posible y que las teorías han de ser a la vez comprobables y verificables; además, especifica los procedimientos con que se alcanzan tales metas. El conocimiento del método científico es un punto de partida indispensable, si queremos concebir el desarrollo desde un punto de vista crítico.

Al aplicar el método científico al desarrollo humano o a cualquier otro aspecto de la conducta, identificamos dos causas posibles: el comportamiento es biológico y fundamentalmente automático (cuando se dan las condiciones necesarias para que se realice) o bien proviene de las experiencias únicas de cada individuo. Todo lo que somos, pensamos, sentimos o hacemos se reduce a estas dos causas básicas (que casi siempre interactúan para determinar el desarrollo).

Lo anterior no significa que la ciencia sea la única manera de observar las cosas, sino sencillamente lo que *es*: un método. Éste, si bien tampoco es por fuerza la mejor forma de observarlo todo, ofrece ciertas ventajas, como veremos posteriormente.

FUNCIONAMIENTO DEL DESARROLLO

Algunos procesos del desarrollo, entre los que se cuentan el crecimiento durante el periodo prenatal o el inicio de la pubertad, son esencialmente biológicos. Otros dependen sobre todo de la experiencia. La adquisición de los patrones del habla y del acento del barrio donde crecemos o donde aprendemos un idioma mientras vivimos en otro país son ejemplos de un desarrollo influido principalmente por la experiencia personal.

Sin embargo, la mayor parte del desarrollo a lo largo de la vida proviene de la *interacción* entre la biología y las experiencias. No podemos clasificarlo de manera absoluta como biológico o como producto de la experiencia, pues consiste más bien en una interacción dinámica y permanente entre los dos conjuntos básicos de causas. Por ejemplo, tal vez usted nació con un potencial intelectual que se basa en la naturaleza de su sistema nervioso central; es decir, su estructura biológica estableció un rango en el que cabe la inteligencia. Pero la inteligencia que alcance dependerá de sus experiencias infantiles en el hogar y en la

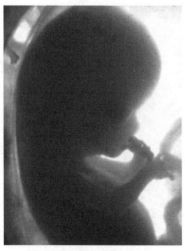

La primera etapa del ciclo vital es el desarrollo prenatal.

aproximación holista Las personas son criaturas "totales" y de ninguna manera están "compartimentadas".

desarrollo Cambios que con el tiempo se producen en la estructura, el pensamiento y la conducta de una persona como resultado de influencias biológicas y ambientales.

otros significativos Personas a cuyas opiniones un individuo da mucha importancia.

escuela, lo mismo que de muchos otros factores. Acaso nació con ciertas tendencias de personalidad como la timidez o con un carácter sociable. Su personalidad actual, sin embargo, depende también de las interacciones con otras personas, del autoconcepto que comenzó a desarrollar en la infancia, de los contextos culturales y sociales en que creció y de muchos otros factores.

Ya pasó la época en que los teóricos se concentraban en aspectos individuales del desarrollo y descartaban todo lo demás. Los debates ya no giran en torno a aspectos de *cognición* y personalidad que están en función de la biología *o* de la experiencia. Por ejemplo, es claro que el lenguaje se desarrolla a partir de la interacción de las capacidades innatas con la experiencia: todos los infantes normales poseen al nacer la capacidad del habla y pasan de modo espontáneo por una secuencia que va de la emisión de sonidos simples al balbuceo de sílabas sin sentido. Pero los niños deben tener contacto con un lenguaje, pues de lo contrario no podrán producir sus primeras palabras y oraciones. También muestran con espontaneidad emociones como la ira y el malestar, pero acaban aprendiendo a controlarlas en el seno de su cultura (Hebb, 1966).

Vemos, también, una interacción en la relación entre las características físicas heredadas (como el somatotipo, el color de la piel o la estatura) y el autoconcepto y la aceptación social. Además, en la conducta pueden influir expectativas que se basan en estereotipos: las personas obesas son joviales, los adolescentes son torpes, los individuos altos son líderes.

Los teóricos discrepan en cuanto a *qué proporción* de una característica o conducta es resultado de la biología o de la experiencia. Como veremos posteriormente, sirviéndonos de la inteligencia como ejemplo, algunos teóricos atribuyen la capacidad intelectual a la biología en un porcentaje de entre 75 y 80 por ciento. En el otro extremo, algunos consideran que apenas 25 por ciento tiene origen biológico. Como vemos, las controversias del pasado no están del todo enterradas. Tres contextos estrechamente relacionados, en los que continúa el debate, son la naturaleza y la crianza, la herencia y el ambiente, la maduración y el aprendizaje.

NATURALEZA Y CRIANZA   La forma más antigua de contrastar lo que es innato y lo que se adquiere con la experiencia es la dicotomía de "naturaleza" o "crianza". En este contexto, *naturaleza* quiere decir biología en un sentido global y en general inmutable, según se advierte en expresiones como "naturaleza humana" o "es así por naturaleza". La *crianza* significa experiencia, haciendo hincapié en los cuidados, la socialización y, en especial, la aculturación (aprender las características de la cultura en la que se vive y adaptarse a ellas). Por ejemplo, en el pasado se debatía si los niños al nacer son en esencia "buenos" o "malos". Si nacen con tendencias a comportarse en forma positiva con ellos mismos y con los otros, a compartir, cooperar y trabajar por el bien común, entonces será necesario explicar que la agresividad, la delincuencia y otras conductas indeseables han sido aprendidas a raíz de experiencias de la niñez o posteriores. De lo contrario, deberíamos limitarnos a decir que esas personas han nacido "anormales", afirmación tautológica y que no significa nada: ¿por qué algunos niños son antisociales y malos? Porque son anormales. ¿Cómo sabemos que son anormales? Porque son malos. Por el contrario, si suponemos que nacen básicamente malos, entonces la conducta socialmente aceptable deberá ser resultado de la experiencia. Son muy importantes las consecuencias de ambas posturas. Retomaremos este tema más adelante en el capítulo.

HERENCIA Y AMBIENTE   Si bien en la actualidad, el problema de la biología frente a la experiencia suele darse dentro del contexto de la *herencia* y del *ambiente*, el enfoque se desplaza: ahora nos concentramos más en los factores genéticos que pueden originar y predisponer y, por tanto, preparar el terreno para el desarrollo en interacción con efectos específicos del ambiente físico y social

La segunda etapa del ciclo vital es la infancia.

La tercera etapa del ciclo vital es la del niño que empieza a caminar.

La cuarta etapa del ciclo vital es el periodo preescolar.

del individuo. Los teóricos partidarios de la herencia suponen que hay estructuras biológicas subyacentes, y citan pruebas de experimentos realizados con animales y procedimientos estadísticos utilizados con seres humanos para corroborar su punto de vista. Señalan asimismo que se han identificado determinados genes que rigen el desarrollo y el comportamiento, resaltando los que ocasionan defectos como el retraso mental. Por otra parte, las explicaciones ambientales se concentran en experiencias del individuo que pertenecen al pensamiento y el razonamiento, y las cuales comprenden factores ambientales como la nutrición y la salud que pueden favorecer el retraso mental. Como dijimos, en la actualidad cada punto de vista reconoce la existencia del otro: la herencia y el ambiente interactúan, pero los teóricos no se ponen de acuerdo respecto de las contribuciones de cada planteamiento. La postura que adopten determina la orientación y la índole de su investigación.

Los intrincados detalles de cómo la herencia y el ambiente rigen el desarrollo son el tema del capítulo 3.

MADURACIÓN Y APRENDIZAJE Cuando el desarrollo se estudia en términos de la maduración y el aprendizaje, a menudo el énfasis se desplaza hacia el *tiempo*. Por ejemplo, ¿cómo interactúa el desarrollo de músculos y esqueleto, que tienen origen biológico, con la práctica, cuyo origen es la experiencia? En particular, ¿a qué tipo, a qué momentos y frecuencia de la práctica se debe un desarrollo óptimo de la musculatura y de las habilidades motoras? Surgen preguntas semejantes al examinar el desarrollo cognoscitivo y de la personalidad, en el cual la maduración neurológica y hormonal interactúa con la experiencia. ¿De qué manera puede verse influido el inicio de la pubertad, un proceso biológico, por la experiencia infantil del individuo? En este mismo orden de ideas, ¿en qué forma influye o no el estilo de vida de una mujer en la menopausia (suspensión de los periodos menstruales por cambios hormonales)? ¿Cuáles son las contribuciones relativas de la maduración y del aprendizaje? ¿Hay periodos "críticos" en que ambos procesos deban interactuar para alcanzar el desarrollo óptimo? En muchos pasajes de los capítulos siguientes surgirán preguntas como las anteriores.

TEMAS ADICIONALES SOBRE EL DESARROLLO

Hay otras tres consideraciones que ayudan a hacerse una idea general del desarrollo. En algunos aspectos, coinciden con los temas que acabamos de exponer. Tales consideraciones son las siguientes: etapas o continuidad, periodos críticos o sensibles, y desarrollo activo o pasivo.

ETAPAS O CONTINUIDAD EN EL DESARROLLO Conforme avanza el desarrollo, ¿se van agregando conductas y capacidades de manera que se acumulan gradualmente comportamientos, habilidades y el conocimiento del mundo circundante? ¿O bien el desarrollo se realiza por **etapas** cualitativamente distintas, de modo que aprendemos de repente formas nuevas de interpretar nuestro mundo?

Algunos cambios son sin duda graduales y acumulativos y dan por resultado una organización y un funcionamiento cada vez mayores. Por ejemplo, en el desarrollo motor, el niño primero mueve los brazos y las piernas de manera aleatoria y luego empieza a alcanzar y sujetar los objetos con un propósito. Más tarde, adquiere y perfecciona poco a poco la capacidad de usar símbolos, en especial las palabras, hasta que aprende a leer, manejar conceptos numéricos, y por último accede al pensamiento de nivel superior.

En general, la continuidad del desarrollo a lo largo del ciclo de vida es el enfoque que predomina en nuestros días. No obstante, algunos teóricos ponen de relieve las etapas del desarrollo como veremos más adelante en este capítulo y en otras partes del libro. Entre ellos sobresalen los teóricos del desarrollo cog-

etapas Periodos diferenciados, a menudo con transiciones abruptas de uno al siguiente.

noscitivo, para quienes las habilidades cognoscitivas se adquieren en etapas diferenciadas durante las cuales el niño concibe el mundo en una forma cualitativamente distinta del adulto. Dicho en pocas palabras, piensa de modo distinto al adulto, afirmación que está respaldada por pruebas convincentes.

En general, sin embargo, la verdad parece encontrarse entre los extremos de continuidad gradual y etapas abruptas. Se cuenta con pocas pruebas de que el ser humano realice transiciones rápidas y bruscas de una etapa a la siguiente, incluso en las teorías que dan mucha importancia a las etapas. Por el contrario, en la medida en que éstas son significativas, pasamos de manera gradual de una a otra y con frecuencia fluctuamos entre ellas.

PERIODOS CRÍTICOS O SENSIBLES   La pregunta de cómo interactúa la maduración con el aprendizaje conduce a otra interrogante afín: ¿hay **periodos críticos** durante los cuales ciertos tipos de desarrollo *tienen* que ocurrir o, por lo contrario, que *nunca* se darán? Pongamos el caso de los efectos de algunas enfermedades durante el embarazo (capítulo 2). Si una mujer encinta sin inmunidad contra la rubéola se expone al virus unos dos meses después de la concepción, es probable que se presenten graves defectos congénitos como sordera e incluso que aborte. Pero si la exposición ocurre seis meses después de la concepción, el virus no afectará a la criatura en desarrollo.

Otro ejemplo proviene del mundo animal. Hay un periodo crítico que se da varias horas después de salir del cascarón, durante el cual los gansos quedan "ligados" a la madre por el mero hecho de que ésta se encuentre presente; a este proceso se le llama *impronta* (capítulo 3). No se observa antes ni después del periodo crítico. ¿Podría haber un lapso similar en que los bebés adquieren un apego emocional con sus cuidadores? En términos más generales, ¿existen periodos críticos para aprender cierto tipo de habilidades y de conductas?

Los teóricos no coinciden a este respecto. Si bien las pruebas recientes indican que las experiencias tempranas producen un impacto decisivo y permanente en la arquitectura del cerebro y que inciden directamente en la forma en que éste se "conecta" (Shore, 1997; vea también Ramey y Ramey, 1998), a menudo es más exacto pensar en función de **periodos sensibles** u **óptimos** en los que se realizan eficaz y adecuadamente ciertos tipos de aprendizaje y de desarrollo, aunque no de modo exclusivo. Por ejemplo, si aprendemos un segundo idioma en la niñez, nos será más fácil conversar como un hablante nativo que si lo aprendemos después de la adolescencia. Además, el aprendizaje de ciertos aspectos del lenguaje resulta más rápido y sencillo en la niñez que en momentos posteriores de la vida. Sin embargo, *podemos* aprender un segundo idioma en cualquier momento y, con el esfuerzo suficiente, nos es posible aprender a expresarnos casi como un hablante nativo.

Sin duda existe lo que llamamos *aprestamiento*, es decir, llegar a un nivel de madurez en el que es posible aprender una conducta determinada; antes de alcanzarlo, no es posible. Por ejemplo, un niño de tres meses, por mucho entrenamiento que le demos, no podrá caminar sin ayuda; en ese nivel de maduración, simplemente carece de los músculos y de la coordinación necesarios para la marcha.

Todavía no se conoce la naturaleza exacta de los tiempos del desarrollo humano, y siguen siendo tema de investigación los periodos óptimos de adquisición ciertas conductas.

DESARROLLO ACTIVO O PASIVO   Este último tema proviene de la filosofía, pero resulta muy práctico en la educación y en la vida diaria. Sobre todo cuando somos niños, ¿buscamos *en forma activa* conocer y entender el mundo, la moral, los valores o bien reaccionamos *pasivamente* a lo que experimentamos y nos "enseñan"?, ¿nos moldeamos a nosotros mismos o somos moldeados por otros y por el ambiente físico?

La quinta etapa del ciclo vital es la niñez media.

periodo crítico   Único momento en que determinado factor ambiental puede producir su efecto.

periodos sensibles u **óptimos**   Aquellos en que ciertos tipos de aprendizaje y desarrollo se realizan en la forma más adecuada y eficaz, pero no de modo exclusivo.

Los teóricos que destacan el desarrollo activo, a menudo llamados "organísmicos", sostienen que participamos activamente en nuestro desarrollo. Los individuos buscan interactuar con otras personas y también con los sucesos, y al hacerlo cambian. Actúan sobre los objetos y los sucesos modificándolos también, mientras piensan en lo que experimentan e intentan interpretarlo y entenderlo. La curiosidad y el deseo de conocer y comprender son parte esencial del desarrollo.

Los teóricos para quienes el desarrollo es un proceso pasivo, conocidos como "mecanicistas", piensan que el hombre reacciona de manera pasiva ante los fenómenos de su ambiente. Desde este punto de vista, se cree que al hombre lo mueven sus pulsiones y motivaciones internas junto con los incentivos externos que ofrecen otras personas y el ambiente en general. El desarrollo lo determinan sobre todo los premios y castigos que nos forman y moldean. Advierta que, en este contexto, el verbo *determinar* significa también que todo cuanto sabemos o hacemos se basa en las condiciones presentes o pasadas.

¿Cuál es entonces la perspectiva correcta?

La respuesta es: ambas. La mayor parte del tiempo enfrentamos activamente el mundo en toda su complejidad y elaboramos una idea personal de él que nos orienta. Sin embargo, a menudo no nos queda otra opción que reaccionar a lo que nos ofrece el mundo físico y social. En otras palabras, nuestra mente *interactúa* con las fuerzas de la sociedad y de la naturaleza, y esa interacción determina lo que hacemos y lo que llegamos a ser.

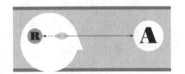

REPASE Y APLIQUE

1. ¿Qué se entiende por *desarrollo* y qué funciones cumplen en él los procesos biológicos y la influencia de las experiencias?
2. En concreto, ¿de qué manera interactúan herencia y ambiente para influir en el desarrollo? ¿Hay otros factores que lo modifiquen?
3. De las principales controversias del desarrollo, ¿cuáles se han resuelto y cuáles no? ¿Por qué?

TEORÍAS HISTÓRICAS Y CONTEMPORÁNEAS DEL DESARROLLO

Como señalamos al inicio del capítulo, en la civilización occidental se considera que la niñez se prolonga hasta los 12 años de edad. Viene después la adolescencia que termina a los 18 años y entonces empieza la adultez.

Sin embargo, esa forma de dividir la vida del hombre no siempre ha sido así.

¿QUÉ ES LA NIÑEZ?

A lo largo de la historia, las actitudes hacia la niñez han variado mucho. En la Edad Media a los niños los consideraban menores hasta los seis o siete años. Después de los siete los veían como adultos pequeños y se les trataba como tales en la conversación, en las bromas, en la música, en la comida y en otras actividades recreativas (Aries, 1962; Plumb, 1971). Los pintores medievales por lo común no distinguían entre niños y adultos, salvo por su tamaño físico. La ropa, el peinado y las actividades eran casi idénticas para las personas de todas las edades.

Sin embargo, en el siglo XVII empezó a verse la niñez como un periodo de inocencia, como sucede en buena medida actualmente; y los padres de familia comenzaron a tratar de proteger a sus hijos contra los excesos y pecados del mundo de los adultos. A los niños se les veía menos como integrantes anóni-

DIAGRAMA DE ESTUDIO · PRINCIPALES ASPECTOS DEL DESARROLLO HUMANO	
TEMA	**PREGUNTA**
Naturaleza y crianza	¿En qué medida el desarrollo es resultado de factores biológicos innatos ("naturaleza") y en qué medida es producto de la socialización del individuo ("crianza")?
Herencia y ambiente	¿En qué medida los factores genéticos específicos preparan el terreno para el desarrollo y en qué medida influyen, en el desarrollo, factores específicos del ambiente del individuo como el condicionamiento y el aprendizaje?
Maduración y aprendizaje	¿En qué forma la maduración, de origen biológico, interactúa con el aprendizaje, cuyo origen son las experiencias, para moldear el desarrollo?
Etapas o continuidad	¿Se realiza el desarrollo en etapas cualitativamente diferentes o el individuo acumula de modo gradual conductas, habilidades y conocimientos en un proceso continuo?
Periodos críticos o sensibles	¿Hay periodos críticos durante los cuales deben ocurrir ciertos tipos de desarrollo o, de lo contrario, que nunca ocurren?
Desarrollo activo o pasivo	¿Los individuos buscan activamente el conocimiento y la comprensión de sí mismos o reaccionan de manera pasiva ante lo que experimentan o se les enseña?

mos de un clan o comunidad y más como miembros de una familia. En el siglo XVIII, esta actitud había ganado amplio apoyo en las clases medias altas, y los niños se ganaron una condición por derecho propio (Aries, 1989; Gelis, 1989).

Si bien parece que al menos ciertas descripciones del niño como "adulto en miniatura" son exageradas (Pollock, 1983, 1987; Elkind, 1986; Hanawalt, 1993), no cabe duda de que en la Edad Media se le daba un trato distinto al que recibe hoy en día. La diferencia se aprecia cuando recordamos la promulgación de leyes referentes al trabajo infantil y la enseñanza obligatoria impuesta a fines del siglo XIX (Kett, 1977). Ya no era posible introducir al niño en el mundo del adulto en cuanto era físicamente capaz de trabajar.

CAMBIOS EN LAS PRÁCTICAS DE CRIANZA   Al cambiar la actitud hacia los niños, también se modificaron las prácticas de crianza. De ahí que los métodos de disciplina hayan variado a lo largo de la historia. El castigo físico severo era la norma en algunas regiones de la antigua Grecia, lo mismo que en la Europa y en la América del siglo XIX. Una forma difundida de control consistía en aterrorizar a los niños con historias de fantasmas y de monstruos (DeMause, 1974).

El siglo XX no sólo significó una transición a prácticas más humanas de crianza, con protección legal de los derechos del niño, sino que también se pusieron en tela de juicio las ideas preconcebidas acerca de los niños y del desarrollo. En nuestros días se ha generalizado la aceptación de algunas conductas infantiles juzgadas antaño como peligrosas o si no inconvenientes, digamos, chuparse el pulgar y masturbarse. Los rígidos programas de alimentación, entrenamiento en el control de esfínteres y juego han dado lugar al interés por el aprestamiento del niño (Wolfenstein, 1955).

Las actitudes hacia los niños también varían entre las culturas. Por ejemplo, los investigadores descubrieron que, hasta los tres años, los niños japoneses duermen con sus padres, con sus abuelos o sus hermanos, nunca solos. Esta práctica parece haber aparecido como parte de un proceso de socialización que trata de favorecer una relación estrecha entre los niños y sus padres en una cultura que aprecia la armonía colectiva. En cambio, a esa misma edad los niños estadounidenses duermen solos en una habitación aparte, práctica que fo-

En nuestros días, los niños estadounidenses suelen dormir solos en una habitación aparte, práctica que fomenta la individualidad y que les ayuda a adaptarse a una sociedad que da mucho valor a la independencia.

menta la individualidad y que les ayuda a adaptarse a una sociedad que da mucho valor a la independencia (Nugent, 1994).

Las actitudes hacia la niñez en distintas culturas varían según el porcentaje de niños (y de adolescentes) que haya. Por ejemplo, las sociedades con más niños sienten a veces la presión de colocarlos en la fuerza laboral más temprano, en vez de mantenerlos en la escuela. En la figura 1-1 se aprecian los porcentajes de la población menor de 15 años en algunos países.

¿QUÉ ES LA ADOLESCENCIA?

Aunque en los documentos de la antigüedad, entre éstos los de Grecia, Roma y China, se menciona un periodo intermedio entre la niñez y la adultez, la adolescencia prolongada como un periodo independiente del desarrollo es mucho más reciente y en general se limita a las naciones industrializadas. En los siglos XVIII, XIX y a principios del XX, cuando la mano de obra no calificada tenía gran demanda, los jóvenes que podían trabajar se convertían en adultos y se inte-

FIGURA 1–1 PORCENTAJE DE LA POBLACIÓN MENOR DE 15 AÑOS, ALGUNOS PAÍSES

Fuente: Britannica Book of the Year, 1997.

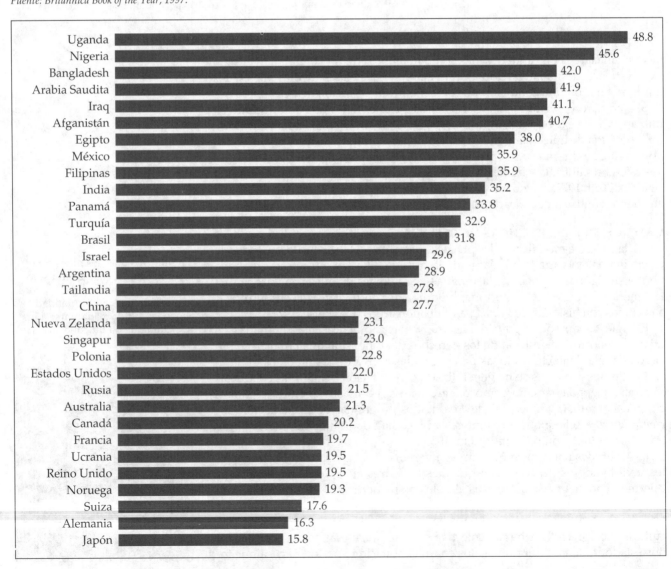

graban muy pronto a la vida de los mayores. Pero, terminada la Primera Guerra Mundial, el avance tecnológico y el cambio social rápido obligaron a los jóvenes a permanecer más tiempo en la escuela y esto los hizo depender financiera y psicológicamente de sus padres. Así, la industrialización conformó lo que conocemos hoy por adolescencia.

Ya en 1904, G. Stanley Hall anunció la concepción moderna de la adolescencia como un periodo individual de dependencia y no de autosuficiencia. A mediados del siglo XX, otros teóricos atrajeron la atención sobre esta etapa (por ejemplo, Clark, 1957).

Los adolescentes son muy sensibles a la sociedad que los rodea: a sus reglas no escritas, sus valores, sus tensiones políticas y económicas. Trazan planes y se hacen expectativas respecto de su futuro, y éstas dependen en parte del ambiente cultural e histórico en el que viven. Por ejemplo, los adolescentes cuya niñez transcurre en un periodo de expansión económica, cuando abunda el empleo y el ingreso familiar es elevado, esperan encontrar condiciones similares cuando entran en el mercado laboral. Confían en que su nivel de vida sea al menos semejante al de sus padres y no estarán preparados para aceptar uno más bajo, en caso de que las condiciones económicas empeoren cuando inicien la adultez (Greene, 1990).

La sexta etapa del ciclo vital es la adolescencia.

Las condiciones económicas y culturales pueden hacer de la adolescencia un preludio brutalmente corto de la independencia o prolongar la dependencia de la familia. Así, en la Irlanda del siglo XIX, la mala cosecha de papas ocasionó hambrunas que dieron lugar a pobreza y sufrimiento en toda la población. Los jóvenes permanecieron en el hogar paterno porque debían trabajar y ayudar a la supervivencia de su familia, lo que retrasó su transición a la independencia cómo adultos. En cambio, en Estados Unidos la Gran Depresión de los años treinta impuso responsabilidades imprevistas a los jóvenes: los adolescentes debían crecer lo más rápido posible. Muchos de ellos asumieron obligaciones de adultos y entraron en el mercado laboral antes de lo que lo hubieran hecho en condiciones normales.

Los factores culturales e históricos pueden representar una fuente importante de estrés psicológico durante la adolescencia (consulte "Estudio de la diversidad", p. 14). Así, en los cincuenta los adolescentes solían recurrir a los adultos en busca de respuestas a sus múltiples preguntas acerca de la vida y de cómo ganarse el sustento. Pero cuando los jóvenes de los sesenta buscaban figuras de autoridad, se encontraban con incertidumbre y valores antagónicos, lo mismo que con lo que les parecía hipocresía y egoísmo. Muchos pensaban que el orden social estaba derrumbándose, situación que favoreció el consumo de drogas, la promiscuidad sexual y la deserción escolar. Algunos nunca se recuperaron ni siquiera como adultos, aunque muchos lograron por lo menos aprovechar la experiencia y en su adolescencia se conocieron mejor a sí mismos y sus valores.

Kenneth Keniston (1975) consideraba que los problemas de los adolescentes nacen de la "tensión entre el yo y la sociedad", es decir, una falta de correspondencia entre los sentimientos respecto a lo que son y lo que la sociedad quiere que sean. Según Keniston, los adolescentes sienten una ambivalencia no sólo ante el orden social, sino ante sí mismos. Es posible que piensen que la sociedad es demasiado rígida y dominante; de ahí que intenten escapar asumiendo identidades y roles temporales.

En suma, ahora los investigadores comprenden que el contexto social e histórico del desarrollo es tan importante para la etapa de la adolescencia como las diferencias individuales (Jessor, 1993). De la misma manera que los niños, los adolescentes alcanzan la mayoría de edad en un *nicho cultural* que influye en todos los aspectos de su vida, desde las novedades y las modas hasta la economía y las oportunidades educacionales, desde el tiempo libre y la salud hasta la nutrición. El nicho cultural define pues lo que es la adolescencia.

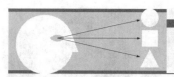

ESTUDIO DE LA DIVERSIDAD

CUANDO LA GUERRA INTERRUMPE LA NIÑEZ

¿Qué sucede al desarrollo del niño cuando su vida se ve interrumpida por la guerra? Los diarios publicados de Zlata Filipovic, niña bosnia atrapada en el horror de la guerra civil de su país, nos permiten asomarnos a lo que significa crecer en medio de bombardeos, muerte y destrucción (Filipovic, 1994). A pesar de los sufrimientos, en los diarios se refleja la fortaleza de su personalidad, de su espíritu y de su unidad familiar. En efecto, la investigación ha demostrado que cinco factores intervienen para determinar el nivel de sufrimiento que experimenta un niño durante la guerra: su estructura psicobiológica; la ruptura de la unidad familiar; el colapso de la comunidad; las influencias positivas ejercidas por la cultura; la intensidad, el carácter repentino y la duración de la experiencia bélica (Elbedour y otros, 1993).

Antes que el conflicto entre los bosnios, los servios y los croatas hundiera a su país en una devastadora guerra civil, Zlata llevaba una vida normal de preadolescente en Sarajevo. Tenía buenos amigos, amaba la música popular, sobresalía en la escuela y vivía con sus padres en un amplio departamento donde concurrían amigos y parientes. Su vida cambió en la primavera de 1992, cuando Sarajevo se convirtió en el blanco de un intenso ataque serbio. Durante los dos años siguientes, Zlata

presenció los horrores de la guerra y dejó de ser una niña inocente para convertirse en una adolescente que anhelaba la paz. La transformación se narra de modo cronológico en las páginas de su diario —"Mimmy"— del cual transcribimos algunos extractos:

Jueves, 07/05/92. Querido diario, estaba casi segura de que la guerra terminaría, pero hoy... Hoy una bomba cayó en el parque delante de mi casa, el parque donde jugaba y me sentaba a platicar con mis amigas. Muchas personas fueron heridas. Y NINA ESTÁ MUERTA. Un fragmento de granada de metralla se le incrustó en el cerebro y murió. Era una niña dulce y agradable. Asistimos juntas al jardín de niños, y solíamos jugar en el parque. ¿Es posible que nunca vuelva ver a Nina? Nina, una inocente niña de 11 años, víctima de una estúpida guerra. Me siento triste. Lloro y me pregunto ¿por qué? No hizo nada malo. Una terrible guerra ha destruido la vida de una niña pequeña...

Lunes, 29/06/92. Querido diario, ¡¡¡aburrimiento!!! ¡¡¡Gritos!!! ¡¡¡Bombardeo!!! ¡¡¡Personas que son asesinadas!!! ¡¡¡Desesperación!!! ¡¡¡Hambre!!! ¡¡¡Dolor!!! ¡¡¡Miedo!!! ¡Así es mi vida! La vida de una inocente niña de 11 años. Una niña en edad escolar sin escuela, sin la diversión ni la emoción del colegio. Una niña sin juegos, sin amigos, sin el sol, sin los pájaros, sin la naturaleza, sin fruta, sin chocolate ni dulces, sólo con un poco de leche en polvo. En una palabra, una niña sin infancia.

Lunes, 02/08/93. Querido diario, algunas personas me comparan con Ana Frank [la niña judía holandesa que fue asesinada por los nazis durante la Segunda Guerra Mundial y que también dejó un diario]. La comparación me atemoriza. No quiero tener su mismo final.

Domingo, 17/10/93. Querido diario, ayer nuestros amigos de las colinas nos recordaron su presencia, y ahora tienen el control y pueden matar, herir, destruir... ayer fue un día horrible. Quinientas noventa bombas. De las cuatro y media de la mañana y durante todo el día. Hubo 6 muertos y 56 heridos. Esa fue la cuota de ayer...

A veces pienso que sería mejor si siguieran disparando, para que no nos parezca tan duro cuando comiencen de nuevo. En cambio, ahora cuando empezamos a relajarnos, comienza OTRA VEZ. Estoy convencida que esto nunca terminará. Porque algunos quieren que no termine, personas malvadas que odian a los niños y a la gente común. No hemos hecho nada. Somos inocentes. ¡Pero estamos indefensos!

Aunque la guerra marcó para siempre la niñez de Zlata, la intimidad con sus padres fortaleció su voluntad de soportarla. En efecto, la investigación señala que los adultos contribuyen a que los niños procesen y enfrenten los horrores de la guerra e influyen en su desarrollo moral durante periodos difíciles (Garbarino y otros, 1991).

¿QUÉ ES LA ADULTEZ?

En las naciones industrializadas, los años de la edad adulta representan aproximadamente tres cuartas partes de la vida. Distinguiremos tres periodos: juventud o adultez temprana (de 20 a 30 años), madurez o adultez media (de 40 a 50 años) y vejez o adultez tardía (de 60 o 65 años en adelante). Sin embargo, las normas de la edad no siempre reflejan cómo se ve un individuo a sí mismo en relación con la vida adulta. El nivel socioeconómico, el ambiente rural o urbano, la procedencia étnica, los periodos históricos, las guerras, las depresiones financieras y otros sucesos influyen de manera profunda en las definiciones, en las expectativas y en las presiones de la adultez, lo mismo que los sucesos de la niñez y de la adolescencia.

Por ejemplo, los adultos que efectúan trabajo físico arduo para sostenerse pueden alcanzar la plenitud de la vida a los 30 años e iniciar la "vejez" cuando tienen 50. En cambio, los profesionistas necesitan adquirir tanto una habilidad analítica madura como seguridad en sí mismos para alcanzar su plenitud. El reconocimiento y el éxito financiero quizá les lleguen entre los 40 y 50 o pocos años después de cumplir 50; y su productividad puede prolongarse hasta después de los 65 y más adelante. En parte, los periodos o las etapas de la vida adulta dependen también del nivel socioeconómico; cuanto más elevada sea la clase social de la persona, mayores probabilidades habrá de que se retrase la transición de las primeras etapas a las últimas (Neugarten y Moore, 1968).

En conclusión, los periodos de la juventud y la madurez son los más variables del ciclo de vida. Por el contrario, en la vejez la mayoría de las personas encontrarán los mismos hitos sociales asociados con la edad avanzada, como la jubilación y los cambios físicos.

La juventud o adultez temprana es la séptima etapa del ciclo vital.

EL DESARROLLO Y LAS FAMILIAS CAMBIANTES

Con los años, también han ido cambiando las actitudes respecto del tamaño de la familia, su estructura y su función. Antes de los años veinte, las familias estadounidenses eran numerosas, en general abarcaban a miembros de tres o más generaciones. Los abuelos, los padres y los hijos vivían a menudo bajo el mismo techo y realizaban el mismo tipo de trabajo. Se acostumbraba que los hijos permanecieran cerca del hogar, porque sus padres necesitaban ayuda para administrar la granja o la tienda de la familia. Los padres tenían muchos descendientes, no sólo porque necesitaban su ayuda en el trabajo, sino también porque muchos morían de enfermedades infecciosas como las de garganta y el sarampión.

Actualmente la mayoría de los niños dependen económicamente de sus padres hasta los 24 o 26 años. Las familias son más pequeñas por el elevado costo de criar a los hijos hasta que alcancen la madurez, por el uso generalizado de anticonceptivos y el número creciente de mujeres que trabajan. Los hijos reciben una gran atención individualizada en las familias pequeñas. Por su parte, los padres de familia les ofrecen mayores cuidados psicológicos. Para ejemplificar esto último, en la tabla 1-2 se incluyen los porcentajes de los adultos jóvenes que, de 1960 a 1995, vivieron con su familia o en dormitorios universitarios en Estados Unidos.

Las actitudes, los valores y las expectativas de los hijos están relacionados con la forma en que fueron criados. Incluso en la misma cultura, las familias aplican prácticas diversas. Por ejemplo, las de las familias de ingreso doble se ven influidas por su situación social, sus creencias y sus valores (Jordanova,

Los roles de algunos hermanos cambian a veces con el nacimiento de un hermano.

TABLA 1–2 ADULTOS JÓVENES QUE VIVEN EN CASA O EN DORMITORIOS UNIVERSITARIOS, ESTADOS UNIDOS, 1960–1995

AÑO	VARONES		MUJERES	
	NÚMERO	% DE LA POBLACIÓN	NÚMERO	% DE LA POBLACIÓN
1960	1,185,000	11	853,000	7
1970	1,129,000	9	829,000	7
1980	1,894,000	10	1,300,000	7
1985	2,685,000	13	1,661,000	8
1990	3,213,000	15	1,774,000	8
1995	3,166,000	15	1,759,000	8

Fuente: U.S. Census Bureau, 1997.

1989). Si la madre de una familia numerosa trabaja fuera de casa, los niños de mayor edad a menudo cuidan a sus hermanos menores. En esas familias los niños aprenden muchos de sus roles, valores y competencias sociales de otros niños y no de sus padres. Los niños de mayor edad aprenden una conducta responsable y protectora; los más pequeños suelen establecer vínculos estrechos con sus hermanos y un sentido de competencia entre sus compañeros. Casi siempre se consolidan los vínculos familiares y la afiliación (Werner, 1979). En cambio, los hijos de padres ricos a menudo son atendidos por nanas. Como tienen menos contacto con sus padres y hermanos, es posible que no establezcan fuertes vínculos familiares (Coles, 1980).

Las familias adquieren su identidad y aprenden los patrones de crianza del periodo histórico que les toca vivir, de las normas culturales que los moldean y de las etapas de desarrollo de sus miembros. La función de la familia se modifica para atender los cambios de las necesidades sociales y los de la propia familia.

REPASE Y APLIQUE

1. ¿En qué han cambiado con el tiempo las actitudes hacia la niñez?
2. ¿En qué se han modificado las actitudes hacia la adolescencia en el siglo XX?
3. ¿En qué han cambiado las actitudes hacia la familia?

ESTUDIO DEL DESARROLLO HUMANO: MÉTODOS DESCRIPTIVOS

Ahora que ya hemos considerado brevemente la naturaleza del desarrollo humano y sus principales periodos, veremos *cómo* obtienen sus conocimientos los estudiosos del desarrollo, concentrándonos en la forma en que realizan su trabajo. Primero explicaremos los métodos relacionados con la descripción del desarrollo, lo cual es a veces su meta propiamente dicha. Otras veces estas técnicas se combinan con métodos experimentales que abordaremos más adelante. Al mismo tiempo, iniciaremos el estudio de los teóricos más importantes del desarrollo.

EL MÉTODO DE ESTUDIO DE CASOS Y LAS TEORÍAS DE LA PERSONALIDAD

Los hoy legendarios teóricos de la personalidad que vivieron a principios y a mediados del siglo XX se sirvieron de un procedimiento llamado *estudio de casos*. Se trata de una técnica basada en mucho más que la simple observación del desarrollo. El investigador trata de hacerse una idea completa del individuo combinando entrevistas, observaciones, pruebas formales y cualquier otra información accesible (como entrevistas con padres y hermanos). A menudo los individuos estudiados son personajes famosos, como los ganadores del Premio Nobel o personas tan viles como los asesinos en serie. Algunas veces se emplea esta técnica para estudiar algunos trastornos psiquiátricos poco comunes, ya que no puede recurrirse a otros métodos de investigación por el reducido número de personas que los padecen.

Si bien un buen estudio de casos puede ser útil porque aporta detalles minuciosos, el nivel de detalle es al mismo tiempo una desventaja; se requiere mucho tiempo para ordenar e interpretar los pormenores. También es difícil determinar qué causa qué. Por ejemplo, el maltrato físico, el abuso sexual u otros traumas emocionales de la niñez temprana casi siempre aparecen en los casos de adultos afectados por el trastorno de personalidad múltiple (Frischholz, 1985). ¿Significa esto que el maltrato del niño es la *causa* de dicho trastorno? Si lo afirmamos en el caso de un individuo, ¿podemos hacer una generalización a todas las personas como él?

Los estudios de casos pocas veces se emplean en la investigación moderna del desarrollo, pero siguen siendo importantes en el diagnóstico y en el tratamiento clínicos, ya que nos dan una descripción pormenorizada del individuo cambiante e *íntegro* dentro de un contexto ambiental. Los principales usuarios de esta técnica han formulado, además, complejas teorías del desarrollo de la personalidad humana y de su funcionamiento. A continuación, exponemos dos de las más conocidas.

TEORÍA PSICOANALÍTICA DE FREUD   Sigmund Freud (1856-1939) se sirvió de los estudios de casos clínicos de sus pacientes adultos, lo mismo que de sus propias reminiscencias infantiles, para elaborar lo que más tarde se conocería como **teoría psicoanalítica.** Durante más de 40 años, la depuró y convirtió en una concepción muy compleja del desarrollo y de la naturaleza humana. Aquí trataremos los aspectos fundamentales de la teoría freudiana, y en capítulos posteriores examinaremos sus repercusiones.

En la teoría psicoanalítica clásica hay dos secuencias de desarrollo que se superponen en algunos puntos. La primera se refiere a la estructura de la personalidad y a sus componentes fundamentales; la segunda, a las etapas durante las cuales el desarrollo de la personalidad se ve influido de diversas maneras.

Según Freud, desde el nacimiento el niño está dominado por el **id** (ello), el componente primitivo y egoísta de la personalidad. Es decir, representa el "animal" que nos habita y genera impulsos de origen biológico o "deseos instintivos" que *es preciso* enfrentar de una u otra manera. Los impulsos tienen que ver con cosas como obtener comida y agua y satisfacer otras necesidades de la supervivencia, lo mismo que con el sexo y la agresión (en la teoría freudiana estos dos últimos son esenciales y en torno a ellos se estructura de manera dinámica la personalidad). El id se rige por el *principio del placer:* busca la satisfacción inmediata y evita el dolor. Forma parte de una *mente inconsciente* más grande que, de acuerdo con Freud, rige la mayor parte de la conducta sin que nos percatemos de ello. Por ejemplo, cuando empezamos a caminar (e incluso antes) estamos acumulando temores, culpas y conflictos inconscientes que habremos de encarar a lo largo de la vida.

A medida que avanza el desarrollo, el **ego** (yo) evoluciona en forma gradual a partir del id, y con el tiempo se convierte en un componente individual de la personalidad. Es como el "agente ejecutivo" de los impulsos del id. Es la *mente consciente* y se compone de lo que sabemos y pensamos en un momento dado; y nos sirve para conciliar los impulsos del id con la realidad externa. Por ejemplo, si el id envía un impulso sexual, el ego lo enfrentará de alguna manera, ya sea satisfaciéndolo o desviándolo mediante los *mecanismos de defensa* (que se explican más adelante en este capítulo y en el 7). Por tanto, el ego se rige por el *principio de realidad* y constantemente debe conciliar los impulsos y otras fuerzas inconscientes con las exigencias y restricciones de la sociedad.

El **superego** (superyó) empieza a evolucionar a partir del ego durante el periodo preescolar. Consta de lo que llamamos *conciencia*, además de lo que Freud denomina *ego ideal:* las imágenes y las creencias de lo que deberíamos ser como personas. Podemos decir que se rige por el *principio de moralidad.* Interactúa de manera dinámica con el id y el ego; por ejemplo, si el id produce un impulso sexual y el ego encuentra la manera de satisfacerlo, el superego intervendrá en caso de que desapruebe lo que el ego se propone hacer. ¿Cómo po-

Sigmund Freud, autor de la teoría psicoanalítica. Su hija Anna mantuvo viva la tradición psicoanalítica, a la vez que profundizó en el ego y los mecanismos de defensa.

teoría psicoanalítica   Teoría que se basa en las ideas de Freud, quien propuso una concepción determinista de la naturaleza humana. Pensaba que la personalidad está motivada por pulsiones biológicas innatas.

id (ello)   Componente primitivo y hedonista de la personalidad.

ego (yo)   Componente de la personalidad consciente y orientado a la realidad.

superego (superyó)   Componente consciente que abarca al ego ideal.

dría intervenir el superego? Podría amenazar y, quizá, liberar grandes dosis de vergüenza y culpa.

En lo que respecta a la personalidad como un todo, los tres componentes de Freud pueden desarrollarse con diferente fuerza: una persona con un id "fuerte" y un superego "débil" tendrá poco control ético y moral sobre su conducta. Una persona con un superego "muy desarrollado" se sentirá abrumada por sentimientos de culpa y será muy insegura.

Desde un punto de vista distinto, el desarrollo evoluciona a través de las **etapas psicosexuales** que se incluyen y describen en la tabla 1-3. Aquí, con todo, el interés se concentra en las *zonas erógenas* que cambian en los primeros años de vida. Una zona erógena es una parte del cuerpo que procura intensa gratificación cuando se la estimula. En la primera etapa, que corresponde a gran parte de la infancia, esa área se concentra en los labios y la boca; de ahí que Freud la haya llamado *etapa oral*. La siguiente es la *etapa anal*, en la cual la zona erógena se desplaza a la región que rodea el ano y durante la cual suele efectuarse el entrenamiento en el control de esfínteres. Viene después la *etapa fálica*, en que la zona erógena se desplaza a los genitales y permanece allí por el resto de la vida. Después de esta etapa, de acuerdo con Freud, habría un *periodo de latencia* en la niñez media, en el cual las pulsiones sexuales se desactivan, y, por último, aparece la verdadera *etapa genital*, que comienza en la pubertad cuando los impulsos sexuales predominan una vez más.

Freud tuvo mucho menos que decir respecto de las dos últimas etapas; la mayor parte de su vida la dedicó a las tres primeras. La observación informal de las conductas del niño durante las etapas oral, anal y fálica parecen corresponder a lo que él destacó. Los lactantes interactúan fundamentalmente "llevándose los objetos a la boca"; cuando empieza a caminar, al niño le preocupan las funciones eliminatorias; y el preescolar posee al menos una sexualidad primitiva que le permite sentir la excitación sexual. Freud fue el primer teórico en llamar la atención sobre estos aspectos del comportamiento, aunque sus explicaciones se parecen muy poco a las que se aceptan hoy en día.

Freud sostuvo que, durante las etapas psicosexuales, pueden presentarse *fijaciones* capaces de influir en la personalidad por el resto de la vida. Se trata de "detenciones" que hacen que el adulto siga buscando gratificación en formas

TABLA 1–3   ETAPAS PSICOSEXUALES DE FREUD

Oral: del nacimiento al año o al año y medio. El niño obtiene placer y gratificación sobre todo de la estimulación de la boca y de los labios.

EJEMPLO DE FIJACIÓN: *oral-incorporativo*. El individuo sigue obteniendo una gratificación importante de actividades como comer, beber y fumar.

Anal: de uno a tres años. El niño obtiene placer y gratificación principalmente de las funciones de eliminación.

EJEMPLO DE FIJACIONES: *anal-retentiva*. La personalidad del individuo se caracteriza por la tacañería y la obstinación, así como por el "estreñimiento emocional" y por la dificultad para expresar sus sentimientos; anal-expulsiva, en la cual el individuo sufre "diarrea emocional" y no puede contener sus pensamientos ni sus sentimientos.

Fálica: de los tres a los cinco o seis años. La zona erógena se desplaza a los genitales y adquiere carácter sexual.

PRINCIPAL PROBLEMA A RESOLVER: Complejo de Edipo o de Electra.

Latencia: de los cinco o seis a los 12 años. Los impulsos sexuales permanecen latentes.

Genital: de los 12 años en adelante. El predominio de los impulsos sexuales retorna con la adolescencia y la pubertad.

etapas psicosexuales Etapas freudianas del desarrollo de la personalidad que se concentran en las zonas erógenas.

que sólo son apropiadas para niños. Por ejemplo, si a un niño se le da demasiada o muy poca alimentación durante la infancia, podrá convertirse en un adulto que mastica chicle, fuma, bebe o habla en exceso. No obstante, aunque nadie niega que las experiencias tempranas afectan en forma profunda la personalidad posterior, las investigaciones realizadas muchos años después de que Freud formulara su teoría han ofrecido poco sustento, si acaso, a la influencia de las fijaciones. Sin embargo, es probable que el lector escuche en las conversaciones cotidianas algunos de los términos de la tabla 1-3.

La dinámica freudiana del desarrollo psicosexual ha despertado acaloradas polémicas, pero vale la pena explorarla porque resalta algunos de los problemas que plantea el estudio de casos. Basándose en los informes de sus pacientes y en su propia niñez, Freud sostuvo que todos los niños experimentan lo que denominó *complejo de Edipo*, por el legendario rey de Tebas que mató a su padre, Layo, y sin saberlo se casó con su madre Yocasta. Según Freud, durante la etapa fálica el niño siente deseos sexuales por su madre, pero teme que su padre lo castre como castigo (*ansiedad de castración*). Sin embargo, con el tiempo *se identifica* con su padre y procura parecerse lo más posible a él, sobre todo en lo referente a los principios morales. Está convencido de que su padre no lo castrará si se le asemeja. Y así, a raíz del complejo de Edipo, se forma el superego del niño.

Las mujeres, propuso Freud, experimentan el *complejo de Electra*, en la etapa fálica. La designación también proviene de la mitología griega: Electra planeó matar a su madre, Clitemnestra, por haber asesinado a su padre, Agamenón. En este complejo, la niña siente deseos sexuales por su padre lo mismo que *envidia del pene*, que la impulsan a querer poseer el miembro de su padre. Con el tiempo resuelve el conflicto de manera simbólica ya sea identificándose con la madre o bien por la esperanza de tener un hijo varón. Sin embargo, de acuerdo con Freud, la envidia del pene no genera tanta fuerza motivacional como la ansiedad de castración; así que las niñas adquieren con menos firmeza los principios morales y la ética personal. De hecho, las mujeres terminan teniendo un superego más débil.

Como se habrá de imaginar, las investigaciones posteriores no confirmaron la hipótesis de los conflictos de Edipo y de Electra en los preescolares. Pero examinaremos las pruebas en el capítulo 7, en el que las explicaremos dentro del contexto del desarrollo sexual.

A pesar de su subjetividad e hincapié en la sexualidad, la teoría psicoanalítica revolucionó la forma en que concebimos la personalidad y la motivación, preparando así el terreno para otras teorías más objetivas y precisas. Las aportaciones perdurables de Freud incluyen la idea de la mente inconsciente, la cual conserva su vigencia aunque hoy no reciba tanta atención. No siempre sabemos por qué hacemos las cosas y por lo menos parte de lo que hacemos es resultado de necesidades y deseos como los que Freud le atribuyó al id. Asimismo propuso la hipótesis de mecanismos de defensa del ego como la *negación* (no querer enfrentar la realidad) y la *racionalización* (alejarse de lo que deseamos cuando no podemos obtenerlo), las cuales todavía son formas aceptables en que el ego supera la frustración y otros aspectos desagradables de la vida cotidiana.

En conclusión, la teoría freudiana constituye un ejemplo excelente de la necesidad de ser *eclécticos* al estudiar las teorías del desarrollo y de la conducta en general; tomemos pues lo bueno y lo que funciona y no desechemos en su totalidad una teoría tan sólo porque una parte no se sostiene.

En cuanto a la opinión de que nuestros motivos básicos son por completo egoístas y "malos" en cierto modo, consulte el recuadro "Tema de controversia" (página 20) en el cual encontrará más información de éste y otros planteamientos sobre la naturaleza humana.

La madurez o adultez media es la octava etapa del ciclo vital.

TEORÍA PSICOSOCIAL DE ERIKSON   A Erik Erikson (1904-1994) se le considera *neofreudiano*, porque su teoría del desarrollo de la personalidad se deriva de la

TEMA DE CONTROVERSIA

¿SON LAS PERSONAS INTRÍNSECAMENTE BUENAS, MALAS O NINGUNA DE LAS DOS COSAS?

La naturaleza esencial del hombre (y de la mujer) es una cuestión antiquísima que aparece en los escritos filosóficos y religiosos y que en la actualidad sigue vigente. ¿Somos intrínsecamente buenos en el "fondo" de la personalidad, con motivos positivos hacia nosotros mismos y hacia los demás? ¿Somos intrínsecamente malos con propensión a la agresión y a la conquista? ¿O nacemos con una esencia neutral en este aspecto? Reflexione sobre su opinión de la gente en general, basándose en personas que conoce y en aquellas de que ha leído u oído hablar en los medios, tanto en términos positivos como negativos. ¿Cómo llegaron a ser así? ¿Son los individuos altruistas, orientados a la gente y buenos por naturaleza o es su conducta un medio para alcanzar fines egoístas? ¿Son los malos (los que abusan de los niños, los violadores y los asesinos en serie) personas intrínsecamente buenas que en algún momento de su vida fueron pervertidas por la sociedad? ¿O son así por la crianza y por las experiencias de la vida, pues al nacer no eran ni buenos ni malos?

John Locke (1632-1704) fue un filósofo inglés para quien todo hombre es al nacer una tabula rasa, expresión latina que significa "pizarra en blanco". Este argumento se deduce lógicamente de la posición empirista de que todo lo que sabemos y todo lo que somos nos llega de la experiencia a través de los sentidos. Por tanto, nada puede ser "congénito" fuera de los procesos biológicos fundamentales que nos permiten desarrollarnos y crecer. John B. Watson (1878-1958) profundizó en las ideas de Locke. Watson era un conductista radical quien una y otra vez afirmó que podría tomar un niño normal y, con control absoluto sobre su ambiente, podría convertirlo en el tipo de persona que quisiera: hábil o torpe, buena o mala (por ejemplo, vea Watson, 1925). En conclusión, lo que somos y lo que seremos depende por completo de la sociedad. Poco tenemos que decir al respecto según la concepción mecanicista de que somos pasivos y de que el ambiente nos moldea (página 10).

Mientras tanto otro empirista, Thomas Hobbes (1588-1679), propuso que el hombre es intrínsecamente egoísta y necesita una formación estricta y un control permanente para convertirse en miembro cooperativo de la sociedad. En una postura muy similar se basa la teoría psicoanalítica de Freud: la idea central son los motivos egoístas de supervivencia, de sexo y de agresión; no hay nada positivo ni altruista. Estas ideas son muy semejantes a la doctrina cristiana del pecado original: el ser humano posee tendencias heredadas que lo impulsan a buscar el interés personal y a violar los derechos de los demás. En conclusión, la vida diaria exige que tratemos de controlar nuestros impulsos y deseos obscuros.

Por último, Jean Jacques Rousseau (1712-1778) adoptó un punto de vista contrario, pues sostuvo que el hombre es intrínsecamente bueno al nacer, pero que lo corrompen los "males" de la sociedad. De manera parecida, Abraham Maslow y Carl Rogers, fundadores de la psicología humanista (tema que se estudia en el capítulo 13), afirman que el yo interno es básicamente bueno, con motivos positivos para sí y para los otros. En forma activa buscamos el crecimiento y la realización personal; al mismo tiempo nos interesan el amor, la afiliación y el bienestar de quienes nos rodean.

¿Cuál de las dos concepciones es correcta? No hay una respuesta tajante. Se sabe que los niños de muy corta edad perciben el malestar de la gente y se sienten perturbados (Hoffman, 1981), lo cual indica que la empatía es innata; pero es evidente que, ante todo, están orientados a procurarse placer y evitar el dolor. También es evidente que deben aprender los principios y valores morales de su ambiente social. En conclusión, sigue discutiéndose si aprendemos a ser buenos miembros de la sociedad después de ser malos, buenos o neutrales por nacimiento.

---

de Freud, si bien con un acento ligeramente distinto. Erikson, discípulo de Freud, ideó una teoría que no contradice en forma directa el psicoanálisis, pero que concede menos importancia a las fuerzas inconscientes y mucho más a las funciones del ego. Erikson se concentró fundamentalmente en cómo la interacción social contribuye a moldear la personalidad; de ahí el nombre de su método: **teoría psicosocial**. Basándose en estudios de casos y en minuciosas observaciones de personas de diversas culturas, su teoría se distingue de la de Freud porque abarca el ciclo de vida humano completo en lugar de limitarse a los primeros años.

Erikson se decepcionó de la teoría psicoanalítica, pues pensaba que ésta se ocupaba tan sólo de los extremos de la conducta. Si bien estaba convencido de que el desarrollo se realiza por etapas y que las primeras correspondían a las propuestas por Freud, subrayó la forma en que las "crisis" o conflictos sociales se resuelven en cada etapa (vea la tabla 1-4). Este énfasis difiere mucho de la

teoría psicosocial Según Erikson, hay fases del desarrollo durante las cuales la capacidad de individuo para experimentar determina los grandes ajustes al ambiente social y con el yo (o sí mismo) mismo.

importancia concedida por Freud a la maduración sexual como elemento decisivo del desarrollo de la personalidad. Aunque coincidía con él en que las experiencias tempranas ejercen un influjo muy significativo, veía en el desarrollo de la personalidad un proceso dinámico que se prolonga durante toda la vida. Además, a pesar de aceptar al menos de modo tácito que la gratificación de los impulsos y pulsiones es el factor que rige la vida, consideraba igualmente importante la "síntesis" del ego, la ordenación y la integración de las experiencias.

El concepto medular de la teoría de Erikson es el de *identidad del ego,* sensación fundamental de lo que somos como individuos en cuanto al autoconcepto y la imagen personal. Una parte de nosotros se basa en la cultura en la que crecemos y comienza por las interacciones con quienes nos cuidan durante la infancia y sigue con las que tenemos con otras personas fuera del hogar conforme crecemos y maduramos. Aunque la teoría de Erikson sigue siendo descriptiva, es menos subjetiva que la de Freud. Al insistir en las interacciones sociales, indica que los progenitores y otras personas podrían favorecer un buen desarrollo, así como lo que podríamos hacer sin ayuda.

En relación con las ocho etapas de la tabla 1-4, Erikson propuso que cada una se basa en lo que sucedió antes. Aun cuando los ajustes que el individuo realiza en cada etapa pueden alterarse o invertirse más adelante, el curso adecuado del desarrollo es la resolución "positiva" en cada etapa. Por ejemplo, los niños a quienes se niega afecto y atención durante la infancia lo compensan si se les ofrece más atención en etapas posteriores. Pero el desarrollo se realiza con mayor facilidad cuando los niños obtienen lo que necesitan e inician su vida con un buen sentido de confianza en los demás y en el mundo que los rodea. Además, cada conflicto está presente a lo largo de la vida aunque sólo es "decisivo" en una etapa. Por ejemplo, las necesidades de autonomía cobran especial valor para el niño que comienza a caminar, pero durante toda la vida necesita probar el grado de autonomía que puede expresar en cada nueva relación.

MÉTODOS OBJETIVOS DE OBTENCIÓN DE DATOS SOBRE EL DESARROLLO

En seguida nos ocuparemos de medios más objetivos con que se estudian el desarrollo y la conducta. Entre ellos figuran los siguientes: la observación sistemática, los cuestionarios, las encuestas y las pruebas psicológicas. También explicaremos la correlación como herramienta descriptiva.

OBSERVACIÓN SISTEMÁTICA   Según el ambiente en el que se lleva a cabo la investigación, hay dos métodos generales para observar y describir el comportamiento: la **observación naturalista** u **observación de campo** (en las que los investigadores abordan situaciones cotidianas para observar y registrar el comportamiento, procurando mantenerse lo más objetivos posible) y la **observación de laboratorio** (en la cual se crean situaciones controladas para provocar la conducta de interés). Un ejemplo de observación de campo se ofrece en "Estudio de la diversidad" en la página 23. A continuación incluimos un ejemplo hipotético. Supongamos que al investigador le interesa saber cómo juegan los niños cuando están juntos y si comparten o no los juguetes. Una vez filmado a un niño con una cámara de vídeo mientras juega y definidas en forma rigurosa las conductas de interés, el observador registrará de modo independiente los casos en que se dan las conductas y comparará los resultados con los de sus colegas para eliminar cualquier error o subjetividad. Al final tendrá un registro objetivo de la conducta tal como se da espontáneamente y no cómo tendría lugar en condiciones artificiales como las de un laboratorio.

¿De veras lo tendrá? Descartando problemas prácticos (entre éstos que las conductas de interés no se produzcan), existe siempre la posibilidad de que las cosas cambien ante la mera presencia de un observador, en especial si usa una

observación naturalista o de campo   Método en que el investigador acude a las situaciones comunes, observa y registra la conducta procurando mantenerse lo más objetivo posible.

observación de laboratorio   Método en que el investigador crea situaciones controladas, cuyo fin es producir la conducta de interés.

TABLA 1–4 ETAPAS PSICOSOCIALES DE ERIKSON

1. *Confianza frente a desconfianza* (del nacimiento al año de edad). Desde los primeros cuidados que recibe, el niño descubre la confiabilidad fundamental de su ambiente. Si sus necesidades se satisfacen en forma constante y si recibe atención y afecto, se forma una impresión global del mundo como un lugar seguro. En cambio, si su mundo es incongruente, doloroso, estresante y amenazador, aprende a esperar más de lo mismo y a pensar que la vida es impredecible y que no vale la pena.

2. *Autonomía frente a vergüenza y duda* (del año a los tres años). Los niños descubren su cuerpo y la manera de controlarlo. Exploran la comida y la ropa, aprenden a controlar los esfínteres y nuevas formas de exploración. Cuando comienzan a hacer las cosas sin ayuda, adquieren el sentido de seguridad y de control de ellos mismos. En cambio, aprenden a sentir vergüenza y a dudar de ellos si fracasan, si se les castiga o se les considera desordenados, torpes, impropios o malos.

3. *Iniciativa frente a culpa* (de los tres a los seis años). Los niños exploran el mundo por sí mismos. Descubren cómo funciona y la manera de influir en él. Para ellos, contiene personas y cosas reales e imaginarias. Si sus exploraciones y actividades suelen ser eficaces, aprenden a tratar con las cosas y con las personas en forma constructiva y aprenden el sentido de iniciativa. Pero si se les critica o se les castiga en forma excesiva, aprenden a sentirse culpables por muchos de sus actos personales.

4. *Laboriosidad frente a inferioridad* (de los seis a los 12 años). Los niños adquieren numerosas habilidades y competencias en la escuela, en el hogar y en el mundo exterior. De acuerdo con Erikson, el sentido del yo se enriquece con el desarrollo realista de tales competencias. La comparación con los compañeros es cada vez más importante. En esta etapa perjudica muchísimo una evaluación negativa del yo en comparación con otros.

5. *Identidad frente a difusión del ego* (de los 12 a los 18 años aproximadamente). Antes de la adolescencia, el niño aprende varios roles: estudiante o amigo, hermano mayor, atleta, músico. Durante la adolescencia es importante ordenar e integrar estos roles en una sola identidad congruente. El joven busca los valores y actitudes fundamentales comunes a tales roles. Se produce lo que Erikson llama *difusión del ego*, si no se forma una identidad central o si no logra resolver un gran conflicto entre dos roles con sistemas de valores antagónicos.

6. *Intimidad frente a aislamiento* (aproximadamente de los 18 a los 40 años). Este es el conflicto central en los últimos años de la adolescencia y en los primeros de la adultez. La intimidad abarca más que la sexualidad. Es la capacidad de compartir con otra persona de uno u otro sexo, sin miedo a perder la identidad personal. El establecimiento de la intimidad se ve influido por la solución de los cinco conflictos anteriores.

7. *Generatividad frente a ensimismamiento* (de los 40 a los 65 años). En la adultez, una vez resueltos en parte los conflictos precedentes, los hombres y las mujeres pueden concentrarse más en ayudar a otros. A veces los padres "se encuentran a sí mismos" al ayudar a sus hijos. Los individuos pueden dirigir su energía a la solución de los problemas sociales, sin que experimenten conflicto alguno. Pero si no se resuelven los conflictos anteriores, a menudo predomina la preocupación por el yo en cuestiones de salud, de necesidades psicológicas y de comodidad entre otras.

8. *Integridad frente a desesperación* (de los 65 años en adelante). En las últimas etapas de la vida, es normal que las personas examinen su vida anterior y se juzguen. El resultado será un sentido de integridad, si descubren que les satisface el hecho de que su vida haya tenido significado y haya sido participativa. Pero las invadirá la desesperación, si su vida les parece una serie de esfuerzos mal encaminados y de oportunidades fallidas.

Fuente: adaptado de *Childhood and Society* de Erikson (1963).

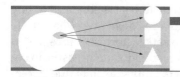

ESTUDIO DE LA DIVERSIDAD

ESTUDIO NATURALISTA DE LA CONDUCTA SOCIAL DEL NIÑO

David Day y sus colegas (1979) se sirvieron de un estudio naturalista de la conducta social del niño, para evaluar lo que sucede cuando a los que tienen necesidades especiales por una incapacidad física o mental se les integra con niños comunes en los grupos preescolares. Se les observó mientras el profesor y sus asistentes participaban con ellos en actividades como construcción de bloques, arte y relato de historias.

El procedimiento de evaluación comenzó con la realización de un perfil de cada niño. El perfil contenía el número de hermanos, el orden de nacimiento y las experiencias preescolares; el historial médico del niño; la estructura de su familia y, entre otras cosas, las razones por las que sus padres lo habían inscrito en el programa; las necesidades especiales del niño debidas a una discapacidad física o intelectual,

a abuso real o posible y a estrés emocional. Se incluyeron varios índices del desarrollo, entre ellos los resultados de las pruebas del desarrollo y las mediciones de los psicólogos.

Una vez realizados los perfiles, se comenzó a observar a los niños. Cada uno fue observado varias veces durante un periodo de entre cinco y 10 días, a intervalos de 30 segundos y en varios momentos de la jornada escolar. Tras cada serie de observaciones, se codificó su conducta en hojas de datos bajo los encabezados: participación en el trabajo, cooperación, autonomía, interacción verbal, uso de materiales, mantenimiento de la actividad y consideración. También se anotaron las observaciones de la conducta de los miembros del personal.

Los datos obtenidos podían servir para contestar preguntas como: ¿los niños comunes prestan atención a su trabajo o son distraídos por los que tienen necesidades especiales?, ¿terminan la tarea?, ¿muestran consideración por otros, tanto los de la población general como

los que tienen necesidades especiales?, ¿cómo es la interacción verbal?, ¿qué discapacidades interferirán más con las interacciones normales?

Los datos de los estudios preliminares en los que se aplicó este procedimiento contenían resultados interesantes. Algunos niños con discapacidades físicas graves se comunicaban con bastante normalidad con otros, pero les era muy difícil hacerlo a quienes tenían problemas de habla. Y los niños comunes que convivían con compañeros discapacitados mostraban mayor consideración por otros, sin que disminuyera la interacción verbal ni el aprendizaje (Day y otros, 1979).

Queda todavía mucho por evaluar, pero al parecer los niños con necesidades especiales se benefician de los ejemplos y de la ayuda que reciben de sus compañeros sanos. Y éstos a su vez mejoran sus habilidades sociales y sus actitudes positivas, sin menoscabo de los logros de lenguaje y de aprendizaje (Turnbull y Turnbull, 1990).

cámara. Incluso los niños pequeños juegan en forma diferente cuando los observa un adulto, además de que no siempre es posible o ético observarlos sin que lo sepan. Esto resulta más problemático en el caso de niños de mayor edad y de adultos. Hay otros problemas más en lo referente a la ética: si un niño empieza a golpear a otro en un conflicto por un juguete, ¿debe intervenir el observador? Sin embargo, si pueden resolverse estos problemas, la observación naturalista será un método muy útil que suministra abundante información sobre lo que la gente hace en la vida real.

En el laboratorio se aplican diversas técnicas para obtener las conductas de interés, las cuales después pueden observarse en condiciones rigurosamente controladas. Un ejemplo es la prueba de "la situación desconocida" ideada por Mary Ainsworth (1973) para estudiar la calidad del apego entre madre e hijo (vea el capítulo 5). Varios niños experimentan los mismos hechos en orden idéntico: un extraño entra en la habitación, la madre sale y regresa, el extraño sale y regresa. Desde una cámara de observación, los investigadores registran las reacciones de los niños. Compare estas condiciones con lo que podría suceder si intentáramos estudiar esas conductas en situaciones no controladas de campo como el hogar de los sujetos, donde quizá habría que esperar largo tiempo para ver lo que hace el niño frente a un desconocido.

¿Pero se comportan los niños necesariamente igual en un ambiente de laboratorio y en su hogar "natural"? Es probable que lo hagan en los ambientes de investigación como en la prueba de la situación desconocida, pero quizá no

La novena etapa del ciclo vital es la vejez o adultez tardía.

podamos decir lo mismo de todas las conductas ni de todas las edades. No hay forma de estar absolutamente seguros. Ni los resultados de la investigación de campo ni los de la de laboratorio son por completo satisfactorios; ambos tienen ventajas y desventajas. Cuando se interpretan los resultados de un estudio sobre el desarrollo, siempre hay que tener en cuenta el ambiente en el que se realizó y evaluarlos en función de éste.

CUESTIONARIOS Y ENCUESTAS En el método de "lápiz y papel" se formulan preguntas sobre la conducta pasada y actual. La limitación más evidente es que el investigador sólo recibe la información que la gente está dispuesta a dar o que puede ofrecer. El aspecto positivo, sin embargo, es la posibilidad de incluir a un gran número de participantes y de calificar las respuestas por computadora. Pese a sus limitaciones, las encuestas pueden ser de gran utilidad.

Un ejemplo es la Encuesta Nacional sobre el Consumo de Drogas (*National Household Survey on Drug Abuse*, NHSDA), que se expone en el capítulo 11. Se trata de un cuestionario confidencial aplicado cada año por una división del Departamento de Salud y Servicios Humanos de Estados Unidos (*U.S. Department of Health and Human Services*) a miles de personas (más de 18,000 en 1996) de 12 años en adelante, que viven en el hogar o en otros ambientes no institucionales. Es, sin duda, la mejor encuesta de su tipo, pues ofrece muchos detalles sobre los consumidores de drogas por edad, sexo, raza u origen étnico, escolaridad y condición de empleado o desempleado, en relación con las drogas de consumo común. Sin embargo, las cifras tienden a ser menores que las reales. Por ser la drogadicción reprobable e ilegal, algunos consumidores o adictos no dicen la verdad por más que se les garantice una absoluta confidencialidad. Otro problema, característico también de las encuestas en general, radica en que no todos los que se seleccionan para llenar el cuestionario aceptan participar (por lo normal se registra 20 por ciento de negativas en la encuesta del NHSDA), lo que puede inflar el número de "no consumidores" en los resultados.

EVALUACIÓN PSICOLÓGICA En la investigación del desarrollo con frecuencia se aplica la evaluación de la inteligencia. Como veremos con más detalle en capítulos posteriores, la evaluación consta fundamentalmente de preguntas y problemas con los que se evalúa el cociente intelectual (CI), o sea una medida aproximada del funcionamiento intelectual reciente. En este contexto, también es común el uso de las pruebas de personalidad. En el caso de los niños, dichos instrumentos consisten a veces en listas de cotejo que llenan los padres u otros cuidadores. Los ejercicios de asociación de palabras y las pruebas para completar oraciones pueden usarse directamente con los niños. Por ejemplo, podría pedírseles que completen una idea como "Mi padre siempre...".

Algunas veces también se recurre a pruebas "proyectivas" en las cuales se presenta a los niños una serie de imágenes ambiguas y se les pide que las interpreten, reaccionen ante ellas, las analicen o las ordenen para crear una historia. Se supone que al hacerlo proyectarán sus ideas, actitudes y sentimientos. Por ejemplo, en un estudio, un grupo de niños de cuatro años de edad participó en un juego denominado paseo campestre de osos. El experimentador contó una serie de historias referentes a una familia de osos de peluche. A los niños les entregaban uno de los osos y los invitaban a terminar la historia (Muelle y Tingley, 1990).

Hay que tener presentes tres consideraciones cuando se interpretan los resultados conseguidos con la evaluación psicológica. Primero, las pruebas han de ser *confiables*, o sea que deben generar puntuaciones similares en aplicaciones consecutivas. Segundo, deben tener una *validez* satisfactoria, es decir, tienen que medir lo que se proponen. Y, tercero, las mejores pruebas de este tipo están *estandarizadas*. Esto significa que han sido aplicadas a muestras representativas de personas para establecer *normas* con las cuales comparar después las respuestas del individuo. La estandarización abarca también la inclusión de instrucciones y de procedimientos que permitan aplicarlos en la misma forma en cada ocasión.

Si una prueba no es confiable, ni válida, ni ha sido estandarizada, no es posible saber lo que significan los datos obtenidos. Por tal razón, la Asociación Psicológica Americana (*American Psychological Association*, APA) establece que esa información debe acompañar a las pruebas estandarizadas. Por su parte, los investigadores del desarrollo suelen utilizar los instrumentos que han resultado más confiables y válidos.

DISEÑOS DE INVESTIGACIÓN DEL DESARROLLO

Por ser el desarrollo un proceso dinámico y continuo, su estudio, a diferencia de otras investigaciones, suele concentrarse en el cambio a lo largo del tiempo. ¿Cómo recaban los investigadores datos acerca de las modificaciones en el desarrollo? Hay tres formas: el diseño longitudinal, el diseño transversal y un diseño híbrido de secuencias de cohortes; los tres se ilustran en forma gráfica en la figura 1-2.

EL DISEÑO LONGITUDINAL   En un **diseño longitudinal**, se estudia en repetidas ocasiones a un grupo de individuos en varios momentos del ciclo vital. Por ejemplo, los investigadores siguen el desarrollo en áreas como la adquisición del lenguaje, el desarrollo cognoscitivo y las habilidades físicas. O bien realizan el seguimiento desde la niñez hasta la adultez para averiguar si persisten las características de la personalidad temprana.

Algunos procesos del desarrollo se analizan a fondo examinando a los sujetos cada semana o incluso diariamente. Por ejemplo, podría evaluarse de manera semanal a un grupo de niños de dos y tres años de edad para hacerse una idea detallada de su desarrollo lingüístico. Los diseños longitudinales han sido utilizados en los estudios del cambio durante muchos años. Un ejemplo famoso es el estudio clásico realizado con niños "superdotados" que Lewis Terman

diseño longitudinal   Estudio en que a los mismos sujetos se les observa sin interrupción durante un periodo.

FIGURA 1–2

Diseños de investigación longitudinal, transversal y de secuencias de cohortes. Los renglones diagonales (vea el renglón de la parte inferior casi horizontal) representan estudios longitudinales y las columnas verticales (vea columna de la izquierda destacada en una pantalla) representan estudios transversales. La ilustración completa es un diseño de secuencias de cohortes; muestra las cuatro cohortes de edad que van a estudiarse en diferentes momentos.

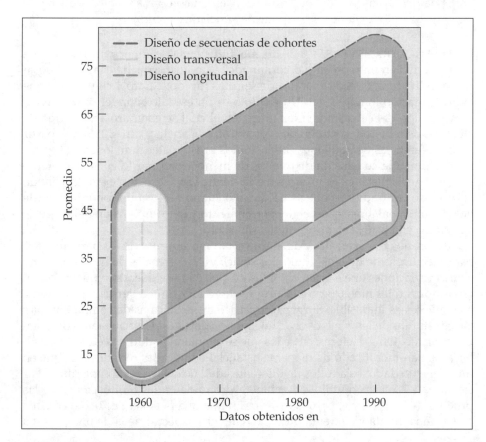

inició en 1921 y que todavía continuaba en 1987 (Schneidman, 1989). Se planea concluirlo después del año 2000.

Los estudios longitudinales tienen algunas desventajas. Por ejemplo, cuando se investiga la inteligencia, los sujetos pueden adquirir experiencia y familiarizarse con las pruebas y mostrar avances muy distintos a los relacionados con el desarrollo. Además, existe un límite al número de estudios longitudinales que un investigador puede efectuar durante su vida. En general, la investigación longitudinal exige mucho tiempo tanto de los investigadores como de los sujetos.

Otro problema es la posibilidad de *sesgo*. Inicialmente, el investigador elige a sujetos que son representativos de la población de interés. Al avanzar el estudio, algunos se enferman, se van de vacaciones, se mudan de domicilio o simplemente dejan de participar en el proyecto, de modo que los restantes ya no son representativos de la población elegida. Por ejemplo, un estudio dedicado al cambio de personalidad podría sesgarse porque los sujetos restantes tienden a mostrar mayor cooperación y estabilidad emocional, lo cual haría pensar a los investigadores que las personas suelen ser más cooperativas y estables conforme envejecen. Por lo demás, los que participan en este tipo de investigación a veces son más sanos, ricos y sensatos que sus compañeros (Friedrich y Van Horn, 1976).

El investigador puede mudarse también, perder interés e incluso morir si el estudio dura mucho tiempo. Terman murió en 1956 aunque su trabajo no se ha interrumpido. Otro ejemplo es el Estudio de Orientación de Berkeley (*Berkeley Guidance Study*) del cambio de personalidad (Casper y otros, 1987, 1988), que comenzó en 1928 y en el que han intervenido muchos investigadores importantes durante 60 años. Los propósitos y métodos originales pueden volverse obsoletos por la dificultad de incorporar nuevas técnicas y aun así obtener resultados comparables a los anteriores.

Pese a todo, los estudios longitudinales aportan datos pormenorizados sobre el desarrollo individual que no se consiguen con otros medios; de ahí que sigan realizándose cuando se dispone de suficientes recursos.

El diseño transversal El **diseño transversal** compara a personas de distinta edad en un momento determinado. Aunque no puede evaluar el desarrollo individual, ofrece la ventaja de ser más rápido, barato y controlable que la investigación longitudinal. Un ejemplo es un estudio sobre el cambio en la comprensión del sarcasmo en los niños, en el cual se comparó a un grupo de alumnos de tercero y sexto grados con adultos (Capelli y otros, 1990). A partir de las diferencias de aquello a que los niños prestan atención, los investigadores llegaron a la conclusión de que los de menor edad por lo general no reparan en algunas pistas cuando alguien está siendo sarcástico, por ejemplo, cuando el contexto contradice lo que se ha dicho o cuando se usa un tono distinto de voz. En otras palabras, el nivel del pensamiento y de comprensión del lenguaje determina en parte la compresión del sarcasmo.

Los diseños transversales exigen una selección rigurosa de los participantes, para asegurarse de que los resultados se deban a diferencias de desarrollo y no a otras variaciones que existen entre los grupos. No suele ser un requisito difícil de cumplir en los niños, pero con adultos de edades muy diversas no resulta fácil y a veces es imposible. Surgen, en particular, problemas de comparabilidad en los estudios de los cambios en la inteligencia del adulto relacionados con el envejecimiento. Otros factores, entre los que se cuentan la salud y la educación pública, se han modificado de manera sustancial en décadas recientes; así que en un momento dado los adultos de diferente edad no suelen ser comparables. Por ejemplo, la educación influye de manera profunda en las puntuaciones de las pruebas de inteligencia, pero la instrucción que una persona de 70 años recibió en los años treinta y cuarenta difiere en muchos aspectos de la de una persona

diseños transversales Método para el estudio del desarrollo en que se observa una muestra de individuos de una edad y se compara con una o más muestras de individuos de otras edades.

de 30 años en las décadas de los setenta y ochenta. A tales diferencias se les llama *efectos de cohorte*: diremos que una cohorte de 30 años se distingue en muchos aspectos importantes de una cohorte de 70 años. Por esta razón las primeras investigaciones dedicadas al cambio intelectual mostraron una exagerada disminución en la vejez. En el capítulo 16 las examinaremos a fondo.

DISEÑO DE SECUENCIAS DE COHORTES   Dados los problemas que plantean los dos métodos que acabamos de describir, en la actualidad los investigadores tienden a combinarlos en lo que se conoce como **diseño de secuencias de cohortes.** Así, un investigador podría comenzar con un grupo de niños de cuatro años de edad, otro de seis y otro más de ocho y estudiar luego cada cohorte durante algunos años. Esto le permite realizar comparaciones longitudinales o transversales.

LA CORRELACIÓN COMO HERRAMIENTA DESCRIPTIVA

¿Ver la violencia en la televisión hace a los niños más violentos y agresivos? La respuesta es afirmativa, aunque en formas que los investigadores todavía tratan de descifrar por medio de investigaciones experimentales.

Antes que tales investigaciones comenzarán a realizarse, sin embargo, las pruebas de una posible relación entre la violencia en la televisión y la agresión infantil se realizaban más o menos así: se medía el número de horas que un grupo de niños pasaba viendo programas violentos, luego se utilizaba una segunda medida, digamos una escala de agresividad y, por último, se comparaban las dos medidas. Había a todas luces una relación si los niños que veían muchos programas violentos eran más agresivos y los que veían programas poco violentos eran menos agresivos.

La técnica estadística con que los investigadores miden tales relaciones es la **correlación**; ésta produce un número que fluctúa entre 0 y +1.00 o entre 0 y –1.00. A la primera se le llama *correlación positiva*. En nuestro ejemplo, al aumentar una variable (ver programas violentos), también aumenta la otra (agresividad). Lo que significa que las dos variables "cambian" en la misma dirección: los niños que pasan más horas viendo ese tipo de programas son también más agresivos en la escala y a la inversa.

Para ilustrar la *correlación negativa*, suponga que descubrimos que los niños que ven más programas violentos en la televisión son *menos agresivos* (resultado que un freudiano podría predecir al señalar que ver esos programas es una forma aceptable de liberar los impulsos agresivos que de lo contrario se expresarían en la realidad). De ser así, un mayor número de horas dedicadas a ver programas violentos correspondería a puntuaciones *más* bajas en la escala de agresividad mientras que un menor número de horas de ver violencia en la televisión correspondería a puntuaciones más *altas*. En otras palabras, las medidas se invertirían: cuando una aumenta, la otra disminuye y a la inversa. Las medidas cambian en dirección opuesta, produciendo un número negativo.

Como marco general de referencia, las correlaciones entre 0 y .20 o entre 0 y –.20 se consideran *débiles* o inexistentes; las correlaciones entre .20 y cerca de .60 —tanto positivas como negativas— son *moderadas*; y las que rebasan el .60, tanto en dirección positiva como negativa, son *fuertes*.

Conviene tener presente que la correlación no nos indica nada sobre la causalidad, es decir, sobre las causas y los efectos. Contamos con abundantes pruebas experimentales de que ver violencia en la televisión vuelve a los niños más agresivos, pero esto no podemos deducirlo exclusivamente de la correlación positiva. Una correlación nos señala que existe un patrón y nada más. Basándonos sólo en la correlación, *podría* ser verdad que ver violencia en la televisión intensifica la agresividad, pero también podría ser cierto lo contrario: quizá los niños agresivos por naturaleza prefieren ver programas violentos. En tal caso, la agresividad sería la causa que los hace verlos. Hay muchas otras posi-

¿Se debe la estatura al peso o viceversa, o más bien son resultado de alguna combinación de factores genéticos y ambientales? Los investigadores aplican la técnica de la correlación para medir la relación entre estas dos variables.

diseño de secuencias de cohortes   Combinación de diseños longitudinales y transversales.

correlación   Proposición matemática de la relación o correspondencia entre dos variables.

bilidades: tal vez los niños más agresivos son así porque sus padres son violentos y les imponen castigos muy severos (conducta que tiende a hacerlos más agresivos) y porque los padres también eligen programas violentos para toda la familia.

En suma, aunque la correlación no es un indicador de la causa ni de los efectos, constituye una herramienta excelente de la investigación cuando se emplea e interpreta en forma correcta.

REPASE Y APLIQUE

1. Al desarrollar su teoría, Freud se basó en estudios de casos de sus pacientes; ¿cómo pudo este procedimiento producir un sesgo en su teoría?
2. Mencione dos métodos de observación objetiva lo mismo que las ventajas y desventajas de cada uno.
3. Describa los problemas de los cuestionarios y de las encuestas.
4. Explique por qué la confiabilidad, la validez y la estandarización son importantes en las pruebas psicológicas.
5. Describa los procedimientos, las ventajas y limitaciones más importantes de los tres diseños de la investigación dedicada al desarrollo.
6. Explique por qué la correlación no es lo mismo que la causalidad y dé un ejemplo original.

ESTUDIO DEL DESARROLLO HUMANO: MÉTODOS EXPERIMENTALES

En la sección anterior se aludió a que sólo los experimentos suministran información confiable respecto de las relaciones causales. En ésta, examinaremos con mayor detalle el método experimental en el contexto de varias aproximaciones teóricas que son importantes para estudiar y entender el desarrollo.

LA BÚSQUEDA DE LA CAUSALIDAD

El ser humano siempre ha sentido curiosidad por el funcionamiento de las cosas. Las usa, las modifica y las manipula para ver qué sucede. Construye una balsa con piedras y ésta se hunde. La construye con ramas y troncos y flota. Deja que se llene de agua y entonces vuelve a hundirse. Asusta a un animal salvaje y éste huye. Lo sorprende y le clava una lanza y el animal no llega lejos. Estas pruebas simples, a menudo realizadas por la necesidad de sobrevivir, son algunos de los primeros experimentos.

A lo largo de su historia, el hombre ha seguido realizando experimentos; éstos se han vuelto cada vez más intrincados y complejos. Sin embargo, la verdadera experimentación no se aplicó a todos los aspectos del desarrollo humano sino hasta principios del siglo XX, a partir de los **conductistas radicales**. En el conductismo radical (de "estímulo-respuesta" o de "E-R"), se considera que sólo vale la pena estudiar lo directamente observable. Pensamientos, sentimientos, conocimiento y cosas afines son *conductas encubiertas* que no se ven ni se miden. Esta escuela psicológica postula que los investigadores deben limitarse a analizar la *conducta manifiesta*, o sea la que puede observarse y medirse de modo objetivo.

En esta teoría, y también en las contemporáneas que expondremos más adelante, los experimentos psicológicos adoptan dos modalidades principales: los que se concentran en los individuos, estudian y evalúan el comportamiento de

conductismo radical Suposición de que sólo la conducta observable y mensurable puede estudiarse en forma científica.

un sujeto tras otro; y los que se concentran en grupos de individuos y los evalúan de manera colectiva mediante promedios. El *diseño experimental*, expresión
general que designa las consideraciones necesarias para efectuar experimentos
significativos, depende del método que se escoja.

EXPERIMENTOS QUE SE CONCENTRAN EN LOS INDIVIDUOS

Los *diseños de un solo sujeto* están ejemplificados en la obra de B. F. Skinner, cuya investigación se expone a fondo en el capítulo 3. Un sujeto —una rata, una
paloma, un chimpancé o un ser humano— es expuesto a **contingencias** que se
prevé alteren o modifiquen el comportamiento. Una contingencia es la relación
entre el comportamiento y sus consecuencias. Los diseños de un solo sujeto casi siempre se realizan en el contexto del *condicionamiento*, el cual consiste en
aplicar las contingencias a la conducta. La demostración del condicionamiento
suele empezar con el registro de las conductas conforme ocurren para obtener
una línea de base. Se procede luego a manipular las contingencias para ver cómo cambia el comportamiento. La *modificación de la conducta*, que puede ser un
método eficaz para eliminar los comportamientos negativos y establecer los
adecuados, por lo general se realiza de la siguiente manera: primero se identifican y se definen en forma rigurosa los casos de la conducta y se registra la línea
de base con que se dan; después se proporcionan de manera contingente recompensas o castigos para comprobar si la conducta cambia para mejorar.

CONDICIONAMIENTO Y APRENDIZAJE   El **aprendizaje** es un cambio más o
menos permanente del potencial de conducta debido a la práctica o a la experiencia. La definición consta de tres elementos esenciales: 1) el cambio es permanente y lo normal es que persista durante toda la vida del sujeto; 2) lo que
en verdad cambia es el *potencial* de conducta (el sujeto puede aprender algo
que influirá o no más tarde en la conducta), y 3) el aprendizaje exige cierto tipo
de experiencia (no proviene ni del crecimiento ni de la maduración). En comparación con los experimentos de condicionamiento, en los concernientes al
aprendizaje y a los procesos cognoscitivos suelen participar grupos de sujetos.

contingencia   Relación entre la
conducta y sus consecuencias.

aprendizaje   Proceso básico del
desarrollo en que el individuo
cambia por la experiencia o la
práctica.

Los conductistas suponen que el
hombre es un ser reactivo, por lo
cual estudian cómo responden las
personas al ambiente en vez de investigar lo que piensan o sienten
en relación con esas respuestas.

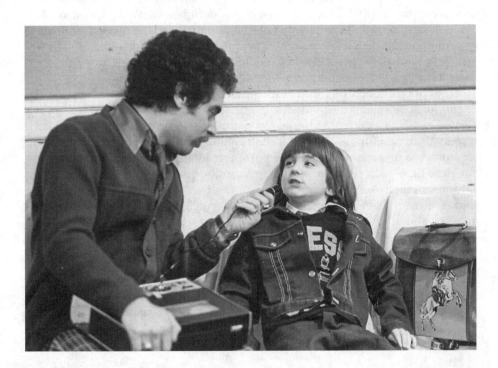

EXPERIMENTOS QUE SE CONCENTRAN EN LOS GRUPOS

Los psicólogos experimentales que estudian el desarrollo tienden a realizar experimentos de grupos para descubrir los principios generales aplicables a todos los seres humanos. Desde este punto de vista, las diferencias individuales representan un problema. Por ejemplo, se supone que la memoria funciona esencialmente de la misma manera en todos. Pero a algunas personas les resulta más fácil memorizar la información, diferencia que puede estar relacionada con diferencias neurológicas o con experiencias tempranas de aprendizaje y práctica. Tales diferencias interfieren cuando se trata de formular una teoría general. ¿Cómo resuelven los investigadores el problema de las diferencias individuales? En esencia con el uso de promedios. Investigan la memoria en grupos de personas y luego promedian las puntuaciones.

Como veremos posteriormente, hay que considerar muchas cosas cuando se efectúan experimentos de grupos que aportan información decisiva sobre el desarrollo y el comportamiento. Examinémoslas en su contexto, comenzando con la teoría del aprendizaje, escuela de pensamiento e investigación psicológica que sentó las bases de este tipo de experimentación.

TEORÍA DEL APRENDIZAJE Y CONDUCTISMO Los primeros **teóricos del aprendizaje** estudiaron lo que llamaron conductas *instrumentales*, es decir, las que sirven para producir determinadas consecuencias; por ejemplo, estudiaron conductas como el recorrido de una rata por un laberinto para alcanzar una "caja meta" y obtener comida, usando para ello medidas como el tiempo que tarda el animal en llegar a la meta en *ensayos* repetidos. Un ensayo consiste en colocar a la rata al inicio del laberinto y medir luego su avance hacia la caja meta. Entre otras cosas, el análisis se concentra en la cantidad de ensayos que realiza antes de recorrer el laberinto sin cometer errores (por ejemplo, entrar en corredores sin salida).

Los teóricos del aprendizaje emplearon conceptos como aprendizaje, motivación, pulsiones, incentivos e inhibiciones que son conductas encubiertas. Como afirma Clark Hull (1884-1952), se trata de términos científicos en la medida en que se definen a partir de operaciones observables (por ejemplo, vea Hull, 1943). Así, una **definición operacional** de la "pulsión del hambre" se formula como el número de horas de privación alimenticia que sufre la rata antes del experimento o quizá como el porcentaje de disminución de su peso corporal por debajo del normal. El aprendizaje puede definirse de modo operacional en función de la reducción progresiva del tiempo que tarda la rata en alcanzar la caja meta luego de varios ensayos. ¿Se aprende con mayor rapidez si se aumenta la motivación mediante la pulsión del hambre? Hasta cierto punto. Después, el animal estará demasiado débil para recorrer el laberinto.

Los teóricos diseñaron fórmulas de aprendizaje y de conducta promediando la conducta de sujetos individuales, lo que con el tiempo les permitió proponer "leyes" generales del aprendizaje. Un ejemplo es la *curva clásica de aprendizaje* que aparece en la figura 1-3. El aprendizaje de una habilidad, como tocar un instrumento musical, se caracteriza por un mejoramiento inicial acelerado que luego se hace cada vez más lento. Supongamos que un niño está aprendiendo a tocar la guitarra. Al principio mejorará rápidamente en la colocación de los dedos, en la pulsión de las cuerdas y en la creación de acordes, pero pasarán muchos años antes que se convierta en virtuoso si es que lo logra. La curva de aprendizaje puede explicar la adquisición de habilidades complejas, a pesar de haberse obtenido de las observaciones sobre cómo mejora con el tiempo el recorrido de una rata por los laberintos.

ELEMENTOS DEL DISEÑO EXPERIMENTAL DE GRUPOS En los primeros experimentos, como el anterior, percibimos los elementos básicos del diseño experimental que se aplican en general actualmente. He aquí un ejemplo que los ilustra. En la ya clásica investigación de cómo aprenden los niños la conducta

teóricos del aprendizaje Designación que se aplica generalmente a los conductistas radicales que se concentran en este proceso.

definiciones operacionales Procedimientos que emplea el investigador al realizar experimentos.

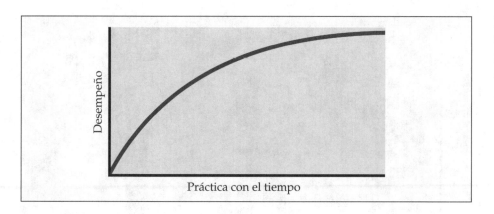

FIGURA 1–3   CURVA
CLÁSICA DEL APRENDIZAJE

Fuente: adaptada de Hull, 1943.

agresiva por observación e imitación (Bandura, 1965; vea también Bandura, 1969), preescolares de ambos sexos fueron asignados en forma aleatoria a tres grupos y éstos veían una película en que un modelo adulto "golpeaba" de ciertas maneras a un muñeco inflado. Al final de la película, un grupo veía que el modelo era "recompensado" con elogios por otro adulto; el segundo grupo veía que el modelo era "castigado" mientras que en el tercer grupo el modelo no recibía consecuencia alguna. Había, pues, tres tratamientos experimentales que constituían la **variable independiente**, es decir, la que manipula el experimentador para comprobar los efectos que tiene en la conducta.

A continuación, los investigadores permitieron a los niños jugar con el muñeco y contaron los actos agresivos que reproducían, es decir, los que habían visto realizar al modelo. Estos actos representaban la **variable dependiente**, lo que el experimentador mide para determinar si la variable independiente produjo algún efecto. Los resultados se incluyen en la figura 1-4, en la que las barras de color gris oscuro representan el número promedio de actos imitados en cada grupo en esta fase del experimento, a la cual se dio el nombre de *prueba de desempeño.* Como habrá notado, las consecuencias que recibió el modelo influyeron profundamente en la imitación de los niños: la imitación de las conductas agresivas fue mucho menor entre los niños y las niñas que vieron al modelo castigado. Pero adviértase que los niveles globales de ambos sexos fueron muy diferentes en la prueba de desempeño.

En la siguiente fase del experimento, llamada *prueba de aprendizaje,* los investigadores ofrecieron recompensas a todos los niños por reproducir en lo posible la conducta del modelo. Ahora las cosas cambiaron de modo considerable. Observe con atención las barras de color gris claro: *todos* reprodujeron elevados niveles de agresión sin importar lo que habían visto que le ocurría al modelo, y las diferencias antes grandes entre varones y mujeres se redujeron considerablemente. La conclusión fue que los niños aprenden pronto a realizar actos agresivos cuando los ven en las películas o en la televisión, ya sea que los exterioricen o no en ese momento.

En comparación con la investigación hipotética de la rata que ya explicamos, el experimento de Bandura tuvo una buena **validez ecológica**: lo que se hizo en el laboratorio corresponde bastante a lo que podría suceder en el mundo real. Urie Bronfenbrenner (vea el capítulo 3) caracteriza a la psicología estadounidense del desarrollo como "la ciencia de la conducta extraña del niño en situaciones igualmente extrañas con adultos extraños durante un corto periodo" (1979). No siempre es así.

Sin embargo, los investigadores no hacen generalizaciones absolutas a partir de un solo experimento como el de Bandura; por ejemplo, no afirman que ver a los adultos comportarse de manera agresiva aumenta la agresividad del niño. Por el contrario, querrán repetir o **replicar** el experimento utilizando a

variable independiente   Variable que se manipula en un experimento para observar sus efectos en la variable dependiente.

variable dependiente   Variable que cambia en un experimento cuando se manipula la variable independiente.

validez ecológica   Nivel en que el investigador aplica lo que sucede en el mundo real.

replicación   Repeticiones sistemáticas de experimentos para determinar si los resultados son válidos y generalizables.

FIGURA 1–4

Imitación que hacen los niños de un modelo adulto al que vieron era recompensado, castigado o que no sufría consecuencia alguna por la conducta agresiva contra un muñeco.

Fuente: adaptado de Bandura, 1969.

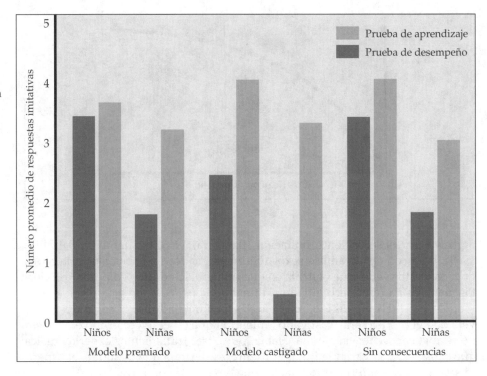

otros niños, varias clases de agresión filmada o televisada, lo mismo que varias medidas de la conducta infantil.

En resumen, la investigación experimental con grupos consta de los siguientes pasos:

1. Definir el problema y formular hipótesis sobre las causas y sus efectos.
2. Definir las variables independientes y dependientes.
3. Efectuar el experimento y recabar los datos.
4. Interpretar lo que sucedió y extraer conclusiones que se basen en los resultados.

REPASE Y APLIQUE

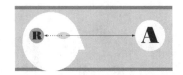

1. ¿Por qué es importante entender la causalidad en el desarrollo humano?
2. ¿Cuáles fueron las aportaciones perdurables de los primeros conductistas?
3. ¿Cómo diseñaría usted un experimento para estudiar la relación entre el hecho de que los niños ven televisión y la conducta *prosocial*, como ayudar y compartir? Especifique las definiciones operacionales y las variables dependientes.

LA COGNICIÓN EN LAS TEORÍAS DEL DESARROLLO

La psicología experimental ha recorrido un largo camino y se ha alejado de la concepción tan estrecha postulada por los conductistas radicales; en la actualidad los estudiosos del desarrollo *prefieren* ocuparse de procesos internos como pensar y sentir. Pero siguen insistiendo en la necesidad de verificarlos a través de la conducta observable o mensurable. Lo que algunos llaman el "conductismo cognoscitivo" moderno estudia, con la vista puesta siempre en pruebas basadas en la investigación objetiva, la forma en que procesamos la información,

DIAGRAMA DE ESTUDIOS ▸ MÉTODOS DE INVESTIGACIÓN

MÉTODO	DESCRIPCIÓN
Estudio de casos	Mediante una combinación de entrevistas, observaciones, pruebas formales y otro tipo de información, el investigador trata de obtener una idea completa de un individuo en particular.
Observación naturalista	Los investigadores acuden a ambientes cotidianos, observan y registran la conducta manteniéndose lo más objetivos posible.
Observación de laboratorio	El investigador organiza situaciones controladas que producirán la conducta de interés.
Encuesta	Por medio de cuestionarios o entrevistas, el investigador hace preguntas sobre la conducta pasada y actual.
Pruebas psicológicas	A un individuo se le formula una serie de preguntas y problemas cuyo fin es evaluar su inteligencia o su personalidad.
Correlación	Se emplean métodos estadísticos para determinar hasta qué punto dos variables aumentan o disminuyen una en relación con la otra.
Experimento con un solo sujeto	Un sujeto es expuesto a la vez a contingencias que supuestamente alteran o influyen en la conducta.
Experimento de grupo	Se somete a dos o más grupos de sujetos a tratamientos que difieren en una sola variable, llamada variable independiente. Si la conducta de los grupos difiere, el investigador llegará a la conclusión de que la diferencia se debió a la variable independiente.

cómo influyen las interacciones con los otros en el concepto del yo, cómo se desarrolla la cognición y muchos otros temas relacionados con la mente y su funcionamiento. No obstante, el conductismo tradicional sigue vivo en lo tocante a los procesos fundamentales del aprendizaje.

Las teorías cognoscitivas adoptan diversas formas. Aquí expondremos tres aproximaciones generales, cada una con temas que retomaremos varias veces a lo largo de los siguientes capítulos: la teoría del procesamiento de información, la teoría cognoscitiva social y la teoría del desarrollo cognoscitivo.

TEORÍA DEL PROCESAMIENTO DE INFORMACIÓN

Desde los años sesenta, los psicólogos del desarrollo han concentrado la atención en los procesos cognoscitivos internos. Sin duda la forma más popular de estudiar la cognición humana es la **teoría del procesamiento de información.**

El ser humano procesa información sin cesar. Es lo que usted hace en este preciso momento al fijarse en las letras y en las palabras, y al excluir los estímulos visuales y sonoros irrelevantes del entorno. Mientras lee, traduce las palabras y las oraciones en hechos y en ideas, reflexiona sobre ellos y (en teoría) los almacena para consulta posterior; por ejemplo, cuando realice un examen acerca de estos temas.

Muchos teóricos recurren a analogías computacionales cuando construyen modelos de cómo funcionan la memoria y otros aspectos de la cognición. Una computadora consta de *hardware* (la máquina propiamente dicha) y de *software* (los programas que dirigen sus operaciones). Por analogía también nosotros tenemos *hardware* (el sistema nervioso central) y *software* (las estrategias naturales y aprendidas con que procesamos la información). La información se introduce en las computadoras, que después efectúan con ella ciertas operaciones, la guardan y generan una salida. Nosotros prestamos atención selectiva a la información, la percibimos, la asociamos, la calculamos y la manipulamos de diversas maneras. Después la almacenamos en la memoria y la recuperamos

teoría del procesamiento de información Teoría del desarrollo humano que se sirve de la computadora como analogía de la forma en que la mente humana recibe, analiza y almacena la información.

conforme vamos necesitándola. Por último, podemos generar una "salida" en forma de respuesta, ya sea en palabras o acciones.

Pero esto no significa que la computadora y el hombre aprendan y recuerden las cosas exactamente de la misma manera. En primer lugar, el *hardware* electrónico de una computadora es muy distinto a nuestro cerebro: no guardamos la información en *bits* (ceros y unos) como hace la computadora. En segundo lugar, ésta lleva a cabo un procesamiento *serial*, es decir, procesa un elemento de información después de otro, aunque las más modernas funcionan con tanta rapidez que tendemos a olvidarlo. En cambio, el hombre puede prestar atención a más de una cosa y pensar en varias al mismo tiempo, usando para ello el procesamiento *en paralelo*. Por ejemplo, si usted es un conductor experto y se encuentra en un trayecto de la autopista, podrá pensar en lo que se requiere para mantener el automóvil en el camino y al mismo tiempo pensar en otras cosas, por ejemplo, en los maravillosos momentos que pasará al lado de la persona a quien va a ver.

En términos generales, el modelo de la computadora funciona muy bien y ha generado muchísimas preguntas importantes de investigación. Por ejemplo, algunos investigadores estudian cómo se desarrolla el procesamiento de la información en el niño, dando prioridad a la *codificación*, proceso consistente en identificar los aspectos centrales de un objeto o hecho para formarse una representación interna de ellos (Siegler, 1986). En comparación con los adultos, ¿los niños de diversas edades seleccionan diferentes aspectos, o quizá menos, de un objeto para guardarlos como imagen mental?, ¿los niños de edades diferentes utilizan distintas estrategias para codificar o recuperar la información de la memoria? Apenas en los últimos años los teóricos han diseñado experimentos para dar respuesta a las preguntas anteriores o, en palabras de algunos de ellos, para descubrir cómo se reprograma a sí misma la "computadora humana" para trabajar con material nuevo (Klahr y otros, 1987).

TEORÍA COGNOSCITIVA SOCIAL

Veremos también muchos otros ejemplos de una aproximación distinta al estudio de la cognición, inspirada más en la psicología social que en el mundo de las computadoras. Conocida con el nombre de **cognición social,** pone de relieve las creencias, las actitudes y otras "unidades" del conocimiento, junto con su origen. Estas teorías se valen de conceptos como el *yo* (o el *sí mismo*), o sea el sentido que tiene el individuo de lo que es. Además, los teóricos de la cognición social a menudo se concentran en la forma en que influyen las situaciones sociales —en comparación con las características del individuo— en su desarrollo y en su conducta. Estudian cómo difiere la conducta entre situaciones señalando, por ejemplo, que una persona normalmente honesta podría comportarse de manera muy distinta si tiene buenos motivos para ello.

Los teóricos cognoscitivos sociales admiten que los niños y los adultos observan su propia conducta, la de otros y también las consecuencias, como vimos en el experimento de aprendizaje por observación realizado por Bandura. Hasta los niños de corta edad prevén las consecuencias a partir de la observación de hechos pasados. Los individuos se forman opiniones sobre sí mismos y sobre otros y después se comportan de manera congruente con aquéllas (Miller, 1989). En conclusión, estos teóricos también se apartan mucho del conductismo radical que los antecedió.

TEORÍA DEL DESARROLLO COGNOSCITIVO

La **teoría del desarrollo cognoscitivo** se concentra en el pensamiento, el razonamiento y la solución de problemas, dando especial importancia a cómo se desarrollan estos procesos desde la infancia. Jean Piaget (1896-1980) ejemplifica esta línea de investigación, aunque en la actualidad se ha generado un gran

cognición social Pensamiento, conocimiento o comprensión que incluyen el mundo social.

teoría del desarrollo cognoscitivo Enfoque que se concentra en el desarrollo del pensamiento, del razonamiento y de la solución de problemas.

A lo largo de su vida, Piaget nunca perdió su interés por los pensamientos y la conducta de los niños.

interés por el método de Lev Vygotsky que se orienta a la cultura y el cual se expone en el capítulo 4.

Piaget pensaba que la mente no se limita a responder a los estímulos sino que crece, cambia y se adapta al mundo. Él y otros psicólogos cognoscitivos, entre ellos Jerome Bruner y Heinz Werner, reciben el nombre de *estructuralistas*, por su interés en la organización del pensamiento y la forma en que la mente manipula la información (Gardner, 1973b).

Las investigaciones de Piaget se inspiraron en su trabajo inicial con las pruebas de inteligencia (vea el capítulo 8), para cuya estandarización fue contratado. Pronto empezaron a interesarle los errores más que los aciertos, porque le daban pistas sobre la manera en que pensaban los niños. Captó patrones uniformes en las respuestas equivocadas, lo cual le indicaba que los niños piensan en formas cualitativamente distintas a los adultos. En otras palabras, las diferencias no se limitan sólo a cuánto saben los pequeños, sino que incluyen además la *forma* en que conocen.

Como veremos más a fondo en capítulos posteriores, Piaget y sus colegas diseñaron pruebas para evaluar el desarrollo del niño y averiguar cómo piensan en varios niveles cognoscitivos. Basándose en sus hallazgos, Piaget propuso las etapas del desarrollo cognoscitivo que se resumen en la tabla 1-5.

Un aspecto central de la teoría piagetana es considerar a la mente como un participante activo en el proceso de aprendizaje. La persona **asimila** la información o la experiencia si corresponde a su estructura mental. En caso contrario, simplemente la rechaza o la **acomoda**. Así, pues, la asimilación consiste en interpretar las nuevas experiencias a partir de las estructuras actuales de la mente, llamadas **esquemas,** sin modificarlas. Por el contrario, la acomodación consiste en modificar los esquemas para integrar las nuevas experiencias. En general, en las situaciones de aprendizaje se da una interacción entre ambos procesos: interpretamos lo que experimentamos basándonos en lo que ya sabemos y, como las nuevas experiencias pocas veces son idénticas a las anteriores, advertimos y procesamos también las diferencias. Pongamos el caso de una persona que, después de manejar únicamente vehículos automáticos, aprende

asimilación   En la teoría de Piaget, proceso de integrar la nueva información a los esquemas existentes.

acomodación   Término con que Piaget designa el acto de modificar los procesos del pensamiento cuando un objeto o suceso nuevos no encajan en los esquemas actuales.

esquemas   Término con que Piaget designa las estructuras mentales que procesan la información, las percepciones y las experiencias; los esquemas del individuo cambian con el crecimiento.

TABLA 1–5 ETAPAS DEL DESARROLLO COGNOSCITIVO DE PIAGET

1. *Etapa sensoriomotora* (del nacimiento a los dos años). El niño descubre el mundo observando, tomando las cosas con las manos, llevándoselas a la boca o por medio de otras acciones. La inteligencia se basa en los sentidos y en el movimiento corporal, comenzando con los reflejos simples que dan origen a conductas voluntarias más complejas.

2. *Etapa preoperacional* (de los dos a los siete años aproximadamente). El niño se forma conceptos y utiliza símbolos como el lenguaje para comunicarse mejor. Los conceptos se limitan a su experiencia personal inmediata. En esta etapa posee nociones muy estrechas, a veces "mágicas", de la causalidad y le es difícil clasificar los objetos o los hechos. No tiene teorías globales y generales, sino que se sirve de sus experiencias diarias para crear conocimientos específicos. No hace generalizaciones sobre las clases de objetos (por ejemplo, todas las abuelas) ni percibe las consecuencias de una cadena de eventos.

3. *Etapa de las operaciones concretas* (de los siete a los 11 o 12 años). El niño comienza a pensar de manera lógica, a clasificar a partir de varias dimensiones y a entender los conceptos matemáticos, a condición de que aplique esas operaciones a objetos o hechos concretos o por lo menos imaginables en forma concreta. Empieza a utilizar la lógica en su pensamiento, pero le cuesta mucho entender que un animal puede ser al mismo tiempo "perro" y "terrier"; sólo puede realizar una clasificación a la vez. Sin embargo, un niño de siete años sabe que los terriers son un grupo más pequeño dentro del grupo más grande, el de todos los perros. También ve como "perros pequeños" a otros subgrupos como los "terriers" y los "poodles", y como "perros grandes" a los "golden retrievers" y a los "San Bernardo". En este tipo de pensamiento se refleja el conocimiento de la jerarquía en la clasificación.

4. *Etapa de las operaciones formales* (de los 11 o 12 años en adelante). El niño puede analizar las soluciones lógicas a los conceptos concretos y abstractos. También puede pensar en forma sistemática en todas las posibilidades y encontrar soluciones lógicas; puede realizar proyecciones al futuro, recordar el pasado en la solución de problemas y razonar mediante la analogía y la metáfora. Este tipo de pensamiento no necesita ya estar ligado a objetos ni a hechos físicos. Permite preguntar y contestar preguntas hipotéticas ("¿Qué sucedería si le digo esto a esa persona?"); permite además "entrar en la cabeza" de los otros y asumir sus roles e ideales.

a conducir un automóvil de cinco velocidades. Asimilará maniobras como manipular el volante, el acelerador y los frenos; al mismo tiempo acomodará el embrague y el cambio de velocidades.

Como veremos más adelante, otros investigadores han aplicado las teorías de Piaget no sólo al conocimiento del mundo físico sino también a aspectos como el razonamiento moral y la forma en que adquirimos el sentido del yo. Aunque Piaget ha recibido críticas, no podemos negar que su teoría ha ejercido un influjo significativo y que sigue ampliándose.

REPASE Y APLIQUE

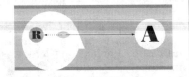

1. ¿En qué se distinguen la teoría del procesamiento de información y la teoría cognoscitiva social?
2. ¿En qué se distinguen la teoría de Piaget, la del procesamiento de información y la del aprendizaje social?

Según Piaget, los niños aprenden explorando activamente lo que está en su ambiente.

LA ÉTICA EN LA INVESTIGACIÓN DEL DESARROLLO

Los investigadores deben observar, desde luego, algunos principios éticos cuando efectúan sus estudios con seres humanos. Nunca deberán perjudicarlos de manera consciente ni violar los derechos básicos del hombre, y tampoco querrán hacerlo. Este principio cobra especial importancia cuando realizan trabajos con grupos "dependientes", como los niños o las personas muy ancianas. Pero la ética de la investigación del desarrollo a menudo resulta más compleja de lo que parece a simple vista, como se advierte en la siguiente situación hipotética.

Ema, una niña de tres años que acaba de separarse de su madre en el primer día de clases, entra en un cuarto con un adulto desconocido vestido con bata blanca de laboratorio. El investigador le pide que se siente en una silla alta y que introduzca la cabeza en un aparato en forma de casco a través del cual observará algunas fotografías. Para mantener inmóvil la cabeza, la niña deberá morder una barra de goma dura. Ema retrocede, frunce el ceño y comienza a temblar. A pesar de la insistencia de su maestra para que haga lo que le dice el "doctor", parece incapaz de seguir las instrucciones. Pronto aparecen lágrimas en sus mejillas.

El escenario anterior podría ocurrir cuando se investigan los movimientos oculares y el procesamiento visual de los niños. Parece un procedimiento inofensivo, pero la ansiedad que crea puede ser un serio problema para un pequeño. Los investigadores han de hacerse siempre preguntas como las siguientes: ¿son los resultados de la investigación lo bastante importantes como para justificar que se someta a estrés a individuos vulnerables?, ¿es ético probar a las personas sin darles información que les permita entender el propósito del experimento?

NORMAS PARA UNA INVESTIGACIÓN ÉTICA

Casi todos coinciden en que los experimentos con seres humanos son necesarios, sobre todo si queremos conocer y controlar el impacto de fenómenos am-

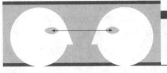

TEMA DE CONTROVERSIA

EL EXPERIMENTO DE WATSON CON EL PEQUEÑO "ALBERT"

Dado a conocer inicialmente en 1920, el experimento de John B. Watson y Rosalie Rayner con "El pequeño Albert" marcó un hito en los anales de la psicología: es uno de los más citados. Se incluye casi en todos los libros de introducción a la psicología y al desarrollo, casi siempre al abordar el condicionamiento y el aprendizaje. Aquí vamos a examinarlo desde otra óptica: la de la ética en la investigación psicológica.

El experimento se realizó de esta manera: a un niño de 11 meses llamado Albert B. se le enseñó a temer a una rata blanca de laboratorio por medio del condicionamiento clásico (capítulo 3). En un principio no sentía miedo. Luego se realizaron varios "ensayos" en que un experimentador le presentaba la rata mientras otro, situado detrás de Albert, producía un ruido fuerte y aterrorizador al golpear una barra de acero con un martillo. Albert adquirió así un gran temor a la rata y (en menor grado) a cualquier objeto blanco, afelpado o peludo. Aunque las condiciones del experimento eran más complejas y, a veces, azarosas y aunque la respuesta de temor no siempre era tan predecible ni tan profunda como se lee en muchos libros, Albert aprendió reacciones compatibles con las de una fobia, esto es, un temor extremo e irracional a un objeto o a una situación.

¿Fue ético el experimento de Watson y Rayner a juzgar por los criterios contemporáneos? Hoy nos sentimos inclinados a contestar con un rotundo

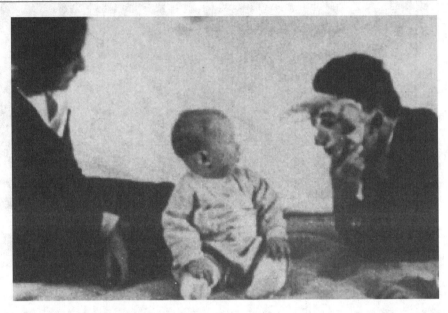

J. B. Watson, Rosalie Rayner y Albert.

"¡No!" por varias razones. Por ejemplo, no parece ético exponer varias veces a un niño indefenso a una situación tan aterradora. Además, se corre el riesgo de causarle un daño psicológico permanente: las fobias tienden a persistir una vez adquiridas. Y no sabemos si su madre sabía lo que iba a suceder y mucho menos si dio un consentimiento informado para que lo sometieran a los procedimientos.

Por otra parte, en aquella época no existían las normas éticas modernas que rigen la investigación psicológica, de modo que al menos desde el punto de vista técnico ni Watson ni Rayner son culpables. Otro aspecto es que en ese momento se conocía poco sobre la ad-

quisición de fobias y de otros miedos por parte del niño. Por tanto, podría afirmarse que los riesgos de Albert se compensaban con los posibles beneficios que aportaría conocer los orígenes de esos temores. Watson y Rayner no podían saber si persistiría el miedo de Albert; de hecho, ésa era una de las preguntas de su investigación.

Pese a todo, una cosa es evidente: el experimento realizado con el pequeño Albert no podría ni debería llevarse a cabo hoy día.

Fuente principal de los detalles del experimento: Harris, 1979.

bientales potencialmente nocivos. Un caso frecuente es la investigación de los efectos que la violencia en la televisión tiene en los niños, otro es la investigación de los efectos que los anuncios televisados tienen en conductas nocivas como el tabaquismo, como se advierte en la reciente controversia (y eliminación) del personaje "Joe Camel" (de la marca de cigarrillos del mismo nombre) por su atractivo para los niños.

No obstante, los posibles beneficios han de conciliarse con los derechos de los participantes en el estudio. Para alcanzar el equilibrio, el investigador tiene que considerar si un proyecto podría producir "un efecto negativo en la dignidad y en el bienestar de los participantes" (American Psychological Association, 1973), que no pueda justificarse por los posibles resultados de la investigación. ¿Justificarían tales resultados el daño que le causaría a Ema? ¿Qué decir del experimento de J. B. Watson con un bebé que se menciona en el recuadro "Tema de debate" de la página anterior?

Los siguientes principios básicos han sido propuestos por la Asociación para la Investigación del Desarrollo Infantil (*Society for Research in Child Development* -1990) para orientar a los investigadores honestos y de prestigio.

Protección contra daño   Ningún tratamiento ni condición experimental deberá causar daño mental o físico. El daño físico se evita con facilidad; en cambio, a menudo resulta difícil determinar lo que es el daño psicológico. Por ejemplo, en los estudios dedicados a la obediencia, ¿es razonable dar órdenes a los niños para averiguar si las obedecerán? Otro ejemplo lo constituye el fracaso en las pruebas. Supongamos que un investigador quiere demostrar que un niño de nueve años entiende un concepto en particular y no así uno de cinco. Todos los que tengan cinco años experimentaran fracaso tras fracaso, se percaten o no de ello. ¿Es ético someter a los pequeños (o a cualquier persona) a la vergüenza de tratar de solucionar un problema que supera su capacidad? ¿Les comunicamos la verdad o les mentimos haciéndoles creer que lo resolvieron sin importar los resultados?

La mayoría de las asociaciones de investigación cuentan con comités de evaluación, los cuales se cercioran de que los proyectos no perjudiquen a los participantes. En Estados Unidos, las normas federales para la investigación social y psicológica con seres humanos estipulan que el estudio deberá entrañar un riesgo mínimo, o sea que éste no deberá ser mayor al que afrontamos en la vida diaria ni en la realización de pruebas psicológicas ordinarias (U.S. Department of Health and Human Services, 1983). Los comités de evaluación, por ejemplo, sienten la responsabilidad de proteger el derecho de la gente a la autoestima y no aprueban situaciones que no mejoren su autoconcepto (Thompson, 1990).

Consentimiento informado   Las asociaciones profesionales más importantes están convencidas de que las personas deben participar en los experimentos en forma voluntaria, que tiene que informárseles la naturaleza y las consecuencias de los experimentos y que no debe ejercerse sobre ellas ninguna coacción. Cada una de las condiciones anteriores refleja un aspecto del *consentimiento informado*. Como ni los infantes ni los niños de corta edad pueden dar este tipo de autorización, sus padres lo dan por ellos. Los investigadores deben ser sensibles también a otras formas de inducción. Por ejemplo, a un alumno de nueve años o a un anciano de 70 no les es nada fácil decir que "no" a alguien que parece ser un profesor o un administrador (Thompson, 1990). Además, los adultos y los niños deben estar en libertad de suspender su participación en cualquier momento, por cualquier razón y sin que se intente evitar esa decisión.

Sin embargo, hay un conflicto entre el consentimiento informado y el "engaño" que a veces es necesario en la investigación con seres humanos. La regla general establece que no podrá engañarse a los sujetos en formas que puedan influir en su decisión de participar, aunque pueda ocultárseles los propósitos de la investigación. Pero en el segundo caso, debe informárseles todo con oportunidad y tiene que explicárseles la verdadera naturaleza de la investigación.

Privacidad   La información obtenida en un proyecto de investigación debe ser confidencial. La mayoría de los investigadores publican sus "cifras", pero no pueden darse a conocer los nombres ni la información de los sujetos sin su autorización por escrito. Fuera de los investigadores, ningún organismo ni persona tendrá acceso a los registros de los participantes: información sobre su vida privada, sobre sus ideas y fantasías. Las puntuaciones de las pruebas han de protegerse contra el mal uso por individuos o grupos ajenos al proyecto.

CONOCIMIENTO DE LOS RESULTADOS   Los individuos tienen el derecho a conocer los resultados de la investigación en un lenguaje comprensible para ellos. Cuando participan niños, los resultados se darán a conocer a sus padres.

TRATAMIENTOS BENÉFICOS   Todo niño que interviene en un estudio tiene el derecho a aprovechar los tratamientos benéficos que se ofrezcan a otros participantes. Por ejemplo, si un niño es asignado a un grupo de comparación en el estudio de una nueva vacuna y no la recibe, tendrá el derecho de recibirla más tarde. En términos generales, el investigador deberá ofrecer los beneficios del proyecto a todos los sujetos a cambio de su participación.

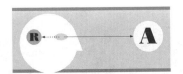

REPASE Y APLIQUE

1. Explique cómo concilian los investigadores los conflictos entre el principio del consentimiento informado y la necesidad del engaño.
2. ¿Por qué la privacidad y la confidencialidad son importantes en la investigación del desarrollo?

RESUMEN

Principales aspectos del desarrollo humano

■ El desarrollo son cambios producidos a lo largo del tiempo en el cuerpo, en el pensamiento o en la conducta de una persona, debidos a la biología y a la experiencia.

■ La controversia entre naturaleza o crianza alude a si ciertos rasgos tienen origen biológico ("naturaleza") o se adquieren a través de la experiencia ("crianza"). (Vea el diagrama de estudio de la página 11.)

■ En la actualidad, la controversia se concentra en los factores genéticos que rigen el desarrollo y la forma en que interactúan con factores en el ambiente del individuo.

■ Un problema afín es determinar qué tanto depende el desarrollo de la maduración y en qué medida se ve influido por el aprendizaje.

■ Otras preguntas concernientes al desarrollo son si éste se realiza en forma gradual o por etapas, si hay periodos críticos en que deben ocurrir ciertos tipos de desarrollo y si la gente busca activamente el conocimiento o reacciona de manera pasiva ante sus experiencias.

Teorías históricas y contemporáneas del desarrollo

■ Hasta fines del siglo XIX, los niños eran introducidos en el mundo de los adultos tan pronto como estaban preparados físicamente para el trabajo.

■ Poco después del siglo XVII se reconoció que la niñez es un periodo de inocencia, y entonces comenzaron a cambiar las actitudes hacia los niños.

■ En el siglo XX se produjo una transición a prácticas más humanas en la crianza del niño.

■ La adolescencia prolongada como un periodo separado del desarrollo es un concepto reciente que predomina sobre todo en las naciones industrializadas. En la experiencia de la adolescencia influyen en forma poderosa factores económicos, culturales e históricos.

■ La adultez suele dividirse en tres periodos de edad: juventud o adultez temprana, madurez o adultez media y vejez o adultez tardía. Cada individuo los experimenta de modo diferente dependiendo de factores como el nivel socioeconómico, la procedencia étnica y los sucesos históricos.

■ Las familias adquieren su propia identidad y sus patrones de crianza de los hijos, que se ven influidos por las condiciones históricas y culturales.

Estudio del desarrollo humano: métodos descriptivos

■ En el método de estudio de casos, el investigador procura hacerse un panorama completo del individuo mediante entrevistas, observaciones, pruebas formales y otro tipo de información. (Vea el diagrama de estudio de la página 33.)

■ Freud basó su teoría psicoanalítica en el estudio de casos de sus pacientes adultos.

■ Freud pensaba que el infante está dominado por el id (ello), el cual genera deseos instintivos que ha de enfrentar. El id se rige por el principio del placer.

■ De acuerdo con Freud, el ego (yo) se forma a partir del id y funciona como su "agente ejecutivo". El ego se rige por el principio de realidad.

■ En la teoría freudiana, el superego (superyó) se forma a partir del ego y constituye lo que llamamos conciencia; se rige por el principio de moralidad.

■ Freud propuso además que el desarrollo se realiza en una serie de etapas psicosexuales que se concentran en determinadas zonas erógenas.

■ Freud pensaba que los niños experimentan el complejo de Edipo y sienten deseos sexuales por su madre, pero que terminan identificándose con el padre y tratando de parecerse a él en lo posible; por su parte, las niñas experimentan un complejo similar, al que denominó complejo de Electra.

■ Erik Erikson formuló una teoría psicosocial del desarrollo, en la cual las "crisis" o conflictos sociales se resuelven en cada una de las etapas.

■ El concepto central de la teoría de Erikson es la identidad del ego, o sea el sentido básico de lo que somos como individuos.

Métodos objetivos de obtención de datos sobre el desarrollo

■ En una observación naturalista o de campo, los investigadores acuden a ambientes comunes, observan y registran la conducta, procurando mantenerse lo más objetivos posible en relación con los sujetos; en la observación de laboratorio, crean situaciones controladas que provocan la conducta de interés.

■ En los cuestionarios y en las encuestas se formulan preguntas sobre la conducta pasada y actual.

■ En el estudio del desarrollo, a veces se emplean pruebas de inteligencia y de personalidad. Éstas han de ser confiables, es decir, producir puntuaciones similares en una y otra aplicación; deben ofrecer una gran validez, o sea medir lo que se proponen. Se estandarizan para poder comparar las puntuaciones con normas establecidas.

■ En un diseño longitudinal, se estudia a un grupo de individuos varias veces en diversos momentos de la vida. En los diseños transversales, se compara a individuos de distinta edad en un momento determinado. Se da el nombre de diseño de secuencias de cohortes a la combinación de los dos diseños anteriores.

■ La correlación estadística sirve para establecer una relación entre dos variables. La correlación no es sinónimo de causalidad.

Estudio del desarrollo humano: métodos experimentales

■ En los diseños experimentales de un solo sujeto, a éste se le somete a contingencias que se supone que modifican su conducta o en todo caso influyan en ella.

■ El aprendizaje es un cambio relativamente permanente en el potencial de la conducta atribuible a la práctica o a la experiencia.

■ Los primeros teóricos del aprendizaje estudiaron las conductas instrumentales, que sirven para producir consecuencias.

■ En un experimento de grupo, los sujetos son asignados al azar a grupos diversos a los que se aplica con exactitud el mismo tratamiento en todos los aspectos menos uno. La diferencia de tratamiento es la variable independiente y la conducta obtenida es la variable dependiente.

La cognición en las teorías del desarrollo

■ Una aproximación muy común en el estudio de la cognición humana es la teoría del procesamiento de información. En este enfoque se comparan los procesos mentales con el funcionamiento de una computadora.

■ En la teoría cognoscitiva social, el interés se concentra en las creencias, en las actitudes y en otras unidades de conocimiento. Un concepto importante es el yo (o sí mismo), esto es, el sentido que tiene el individuo de lo que es.

■ La teoría del desarrollo cognoscitivo se concentra en el pensamiento, en el razonamiento y en la solución de problemas, con hincapié especial en cómo se desarrollan tales procesos.

■ Jean Piaget investigó la forma en que el individuo crece, cambia y se adapta al mundo. Un aspecto central de su teoría establece que la mente participa de manera activa en el proceso de aprendizaje.

■ En la teoría de Piaget, la información que se presenta a una persona es asimilada si encaja en una estructura mental existente (esquema). Si no encaja, la mente la rechazará o se acomodará a ella modificando sus esquemas. La mayoría de las situaciones de aprendizaje suponen una interacción entre ambos procesos.

Ética de la investigación del desarrollo

■ La Asociación para la Investigación del Desarrollo Infantil (*Society for Research in Child Development*) propone los siguientes principios básicos para orientar a los investigadores: 1) ningún tratamiento ni condición experimental debe causar daño mental o físico; 2) las personas tienen que participar en forma voluntaria en los experimentos y debe comunicárseles los detalles de su naturaleza y posibles consecuencias; 3) la información obtenida en un proyecto ha de ser confidencial; 4) a los participantes se les comunicarán los resultados de la investigación; 5) todos ellos tendrán el derecho de aprovechar los tratamientos benéficos que se den a los otros participantes.

CONCEPTOS BÁSICOS

contexto
aproximación holista
desarrollo
otros significativos
etapas
periodos críticos
periodos sensibles u óptimos
teoría psicoanalítica
id (ello)
ego (yo)
superego (superyo)
etapas psicosexuales

teoría psicosocial
observación naturalista o de campo
observación de laboratorio
diseño longitudinal
diseño transversal
diseño de secuencias de cohortes
correlación
conductismo radical
contingencia
aprendizaje
teóricos del aprendizaje
definición operacional

variable independiente
variable dependiente
validez ecológica
replicación
teoría del procesamiento
  de información
cognición social
teoría del desarrollo cognoscitivo
asimilación
acomodación
esquemas

UTILICE LO QUE APRENDIÓ

Imagine que lo ha contratado una empresa de investigación para que estudie la influencia que la computadora tiene en varias cohortes de edad en su país. Sospecha que "la revolución de la computación" ejerce hoy un efecto más generalizado sobre la sociedad de lo que suele creerse y que probablemente es diferente en los niños, los adultos jóvenes y los adultos de mayor edad. Debe colaborar para definir lo que quiere averiguar con la investigación y ayudar a la empresa de investigación a diseñar el proyecto. Para cumplir estas metas es necesario que se formule las siguientes preguntas:

■ ¿Cuáles son algunos de los problemas importantes de la investigación?
■ ¿Qué corazonadas tiene que podría formular a modo de hipótesis?
■ ¿Qué grupos de edad va a estudiar?
■ ¿Desea realizar una encuesta simple de actitudes y de prácticas o efectuar un experimento?
■ ¿Qué tipos de problemas podrían dificultar la investigación?

LECTURAS COMPLEMENTARIAS

BELL-SCOTT, P., GUY-SHEFTALL, B., JOYSTER, J., SIMS-WOOD, J., DECOSTA-WILLIS, M. Y FULTZ, L. (1991). *Double stitch: Black women write about mothers and daughters.* Boston: Antología de historias, poemas y ensayos escritos por afroamericanas. La metáfora del bordado prepara la escena para las ricas imágenes de redes eficaces entre madres, hijas y el clan familiar.

BOWLBY, J. (1990). *Charles Darwin: A new life.* Nueva York: Norton. Riguroso análisis psicológico de las luchas internas de Darwin y de su vida familiar, lo mismo que sus logros como naturalista.

COLES, R. (1990). *The spiritual life of children.* Boston: Houghton Mifflin. Por medio de palabras y fotografías de niños, este famoso maestro y psiquiatra infantil comparte con el lector algunas ideas sorprendentes y profundas sobre el significado de la vida y de la experiencia humana.

FILIPOVIC, Z. (1994). *Zlata's diary: A child's life in Sarajevo.* Nueva York: Viking. Libro que contiene el diario personal de una muchacha atrapada en la lucha por tomar Sarajevo durante la guerra entre Bosnia y Servia.

GIES, F. Y GIES, J. (1990). *Life in a medieval village.* Nueva York: Harper & Row. Dos hábiles historiadores reconstruyen las costumbres, las prácticas y las condiciones sociales en la Inglaterra rural de la Edad Media.

HEWETT, S. (1991). *When the bough breaks: The cost of neglecting our children.* Nueva York: Basic Books. Impactante comentario social sobre la difícil situación actual de los niños en Estados Unidos.

KAGAN, J. (1984). *The nature of the child.* Nueva York: Basic Books. Este renombrado psicólogo del desarrollo presenta la investigación de las últimas décadas. Explica los efectos de las experiencias tempranas y, al mismo tiempo, afirma que hay numerosas oportuni-dades de lograr transformaciones en los últimos años de la niñez y de la adolescencia.

MILLER, P. (1989). *Theories of developmental psychology* (2a. ed.). Nueva York: W. H. Freeman. Miller ofrece una excelente síntesis de las principales teorías del desarrollo, lo mismo que una explicación muy útil sobre la función que tienen en la psicología del desarrollo.

STOLLER, E. P. Y GIBSON, R. C. (1994). *Worlds of difference: Inequality in the aging experience.* Thousand Oaks, CA: Pine Forge Press. Los autores ofrecen lecturas, tomadas de las ciencias sociales y de la literatura, que describen la diversidad de fuerzas que dan forma a la vida de las personas cuando envejecen. En el libro se subraya la influencia tan importante que los factores históricos y sociales ejercen sobre el desarrollo a lo largo de la vida.

Desarrollo prenatal y parto

TEMARIO

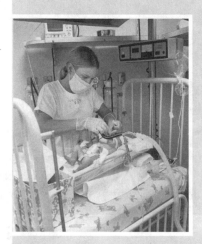

OBJETIVOS DEL CAPÍTULO

Cuando termine este capítulo, podrá:

1. Describir los tres periodos del desarrollo prenatal y las principales características de cada uno.
2. Explicar las tendencias generales que se observan en el crecimiento y el desarrollo prenatales.
3. Explicar la importancia de los periodos críticos en el desarrollo prenatal, sobre todo en lo referente a los teratógenos.
4. Resumir los factores ambientales que influyen en el desarrollo prenatal.
5. Mencionar y describir las tres etapas del parto.
6. Explicar los beneficios y limitaciones de los avances médicos en el parto.
7. Describir el parto natural o preparado.
8. Resumir los cambios necesarios para hacer la transición a la paternidad o a la maternidad.
9. Explicar los factores del apego entre progenitor e hijo.

S e concibe un nuevo ser, y aproximadamente a la semana el padre y la madre saben que existe. No todos están preparados para la experiencia de la procreación. Pero, para quienes lo están, la noticia de que se ha dado la concepción es un momento maravilloso. Las pruebas son positivas: "¡Vamos a tener un hijo!"

Además de las compras y los préstamos que obtienen para prepararle todo al bebé y que caracterizarán buena parte de los siguientes nueve meses, los futuros padres comienzan a reflexionar sobre muchos aspectos, sobre todo si se trata de su primer hijo. "La vida ya no será igual en casa..." "¿Qué tipo de progenitor seré?" "¿Será niño o niña?" "¿Debemos averiguarlo o esperar hasta que nazca?" "¡Hemos *decidido* seguir adelante, vamos a tener un bebé! Excelente..." "¿Cómo será?" "¿Y qué nombre le pondremos....?"

Todo es alegría. Pero los meses anteriores al nacimiento generan a veces gran tensión. Los padres primerizos, sobre todo, suelen preocuparse demasiado. La madre imagina que su hijo será atractivo, tranquilo e inteligente y que algún día cumplirá sus sueños; pero también podría imaginar que el hijo presentará malformaciones, será débil o feo, o traerá el caos a la familia (Bruschweiler-Stern, 1997). Lo mismo sucede con el padre. Los futuros padres se preguntan si el parto habrá de ser una prueba difícil y si será doloroso o peligroso. Quizá convenga que no sepan lo que les espera cuando nazca su hijo y que no empiecen a consumir buena parte de su tiempo y energía.

En este capítulo, examinaremos la secuencia biológicamente programada de procesos que culminan en el nacimiento de un niño, resaltando lo que marcha con normalidad pero también señalando lo que puede salir mal (tema que retomaremos en el capítulo 3 al hablar de la herencia). El desarrollo prenatal suele darse en un ambiente seguro y rigurosamente controlado —el útero materno— y sigue una secuencia ordenada. Pero incluso en el útero hay influencias ambientales que inciden en el desenvolvimiento. En consecuencia, hasta un recién nacido puede mostrar características individuales que no siempre son **congénitas** (innatas o hereditarias). Las expectativas y ansiedades, ventajas y privaciones, estabilidad y alteraciones, salud y enfermedades de la familia influyen no sólo en la vida del niño después del nacimiento, sino también en su desarrollo prenatal. El parto

congénito Innato o hereditario.

El baby shower es una de los rituales de preparación para el nacimiento.

es un proceso biológicamente programado, pero en gran medida lo definen los contextos culturales, históricos y familiares donde tiene lugar.

CRECIMIENTO Y DESARROLLO PRENATAL

El desarrollo de un individuo comienza con la fertilización. Un óvulo unicelular fertilizado, que sólo se ve con un microscopio, contiene toda la información genética necesaria para crear un nuevo organismo. Sin embargo, a menudo éste no se desarrolla. Se estima que entre 50 y 70 por ciento de los óvulos fertilizados se pierden en las dos primeras semanas (Beller y Zlatnik, 1994; Grobestein y otros, 1983). Y quizá 25 por ciento de los supervivientes desaparezcan por abortos espontáneos durante el embarazo.

PERIODOS Y TRIMESTRES

El desarrollo prenatal puede estudiarse a partir de **trimestres** o de **periodos** o etapas relacionadas con el niño en crecimiento. Los trimestres dividen los nueve meses del embarazo en segmentos de tres meses. El primer trimestre abarca desde la concepción hasta las 13 semanas de vida, el segundo de las 13 semanas a cerca de las 25 semanas y el tercero desde las 25 semanas hasta el nacimiento, que por lo regular tiene lugar a las 38 semanas (266 días) después de la concepción. Los periodos son más específicos que los trimestres y reflejan los hitos del desarrollo. Éstos se describen en el diagrama de estudio de la página 48.

CONCEPCIÓN Y PERIODO GERMINAL

Las mujeres nacen con todos los **óvulos**, u ovocitos, que tendrán en su vida (unos 400,000), que suelen "madurar" uno tras otro a lo largo de los años reproductivos. Hacia el décimo día después de iniciado el periodo menstrual regular, un óvulo es estimulado por hormonas y comienza un periodo repentino de crecimiento que dura de tres a cuatro días. Al terminar el decimotercero o decimocuarto día, se rompe el folículo (saco) que rodea al óvulo y éste se libera.

Esquema de un óvulo humano al momento de la concepción. Sólo un espermatozoide fertilizará el óvulo, aunque varios han comenzado a penetrar la parte que lo cubre.

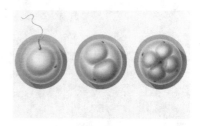

trimestre Los tres segmentos temporales de igual duración que comprenden el periodo de gestación.

periodos Etapas.

óvulos Células reproductoras de la mujer.

Diagrama de estudio · Principales hitos del desarrollo prenatal

Trimestre	Periodo	Semanas	Tamaño y peso	Principales procesos
Primero	Germinal	1		El cigoto monocelular se multiplica y origina un blastocisto.
		2		El blastocisto se adhiere y penetra en el revestimiento uterino. Empiezan a formarse las estructuras que alimentan y protegen al organismo en desarrollo: saco amniótico, corión, saco vitelino, placenta y cordón umbilical.
	Embrionario	3–4	6 milímetros	Aparecen un cerebro y una médula espinal primitivos. Empiezan a desarrollarse el corazón, los músculos, la espina dorsal y el aparato digestivo.
		5–8	2.54 centímetros	Se forman algunas estructuras externas (cara, brazos, piernas, dedos de las manos y de los pies) y órganos internos. Empieza a desarrollarse el sentido del tacto y el embrión puede moverse.
	Fetal	9–13	Ocho centímetros; menos de 28 gramos	Se inicia un crecimiento rápido de tamaño. El sistema nervioso, los órganos y los músculos se organizan y se conectan; aparecen nuevas capacidades de conducta (pataleo, succión del pulgar, apertura de la boca y práctica de la respiración). Los genitales externos están bien formados y se observa el sexo del feto.
Segundo		13–25 o 26	30.5 centímetros; 817 gramos	El feto sigue creciendo rápidamente. En la mitad de este periodo la madre siente sus movimientos. El vernix y el lanugo aparecen para evitar que la piel del feto se agriete con el líquido amniótico. En la semana 24 ya están presentes todas las neuronas que producirá el cerebro. Los ojos son sensibles a la luz, y el niño reacciona frente al sonido.
Tercero		25 o 26–38	51 centímetros; 3.4 kilogramos	En este periodo el feto tiene probabilidades de sobrevivir en caso de nacer. Sigue aumentando de tamaño. Los pulmones maduran gradualmente. Las capacidades sensoriales y conductuales aumentan con el rápido crecimiento del cerebro. En la mitad de este periodo aparece una capa de grasa debajo de la piel. Los anticuerpos de la madre se transmiten al feto para protegerlo contra las enfermedades. Casi todo los fetos giran y se colocan con la cabeza hacia abajo en preparación para el parto.

Emprende entonces su recorrido descendente por una de las dos **trompas de Falopio** (figura 2-1). Se da el nombre de **ovulación** a la liberación del óvulo.

La mayor parte del tiempo la ovulación ocurre hacia el decimocuarto día después de comenzada la menstruación. Un óvulo maduro sobrevive tres días aproximadamente. Los **espermatozoides** del varón, que en un adulto normal se producen a un ritmo de mil millones diarios, sobreviven hasta dos o tres días después de ser eyaculados en la vagina. Este tiempo significa que hay un lapso de varios días antes y después de la ovulación, durante el cual las relaciones sexuales pueden dar por resultado la concepción. Si no se fertiliza el óvulo, éste sigue su recorrido por las trompas de Falopio y se desintegra en el *útero,* como se aprecia de manera gráfica en la figura 2-1.

Los espermatozoides y los óvulos son células individuales; cada una contiene exactamente la mitad de la estructura genética del nuevo ser, como veremos en el capítulo 3. Los procesos que culminan en la unión de las dos células resultan notables. En el periodo de máxima fertilidad en la juventud del varón, unos 300 millones de espermatozoides se depositan en la vagina en cada coito. Pero sólo uno de ellos penetrará y fertilizará el óvulo, lo que determinará el sexo y los rasgos genéticos del niño.

Para los diminutos espermatozoides, el recorrido hasta un posible encuentro con el óvulo en una de las trompas de Falopio es largo y difícil. Deben ascender por un conducto de unos 30 centímetros de longitud que contiene fluidos ácidos potencialmente letales y obstáculos como la mucosidad. Sin embargo, al final sólo uno de ellos llega al sitio correcto en el momento oportuno y penetra la membrana celular del óvulo para iniciar la fertilización. En las siguientes 24 horas, el material genético de los padres se "fusiona" y se traduce en un ser vivo (Beller y Zlatnik, 1994), denominado **cigoto** (palabra griega derivada de un verbo que significa "acoplar o unir".

Así pues, el **periodo germinal** comienza con la concepción y la fertilización, prosigue hasta que el organismo en desarrollo llega al útero y se *implanta* (co-

trompas de Falopio   Dos conductos que dan a la parte superior del útero y que transportan los óvulos del ovario al útero.

ovulación   Liberación del óvulo hacia una de las dos trompas de Falopio; se realiza por lo regular a los 14 días posteriores a la menstruación.

espermatozoide   Célula reproductora masculina, llamada también gameto.

cigoto   Primera célula de un ser humano que se produce con la fertilización; óvulo fertilizado.

periodo germinal   Después de la concepción, periodo de división muy rápida de la célula y de la diferenciación celular inicial que dura unas dos semanas.

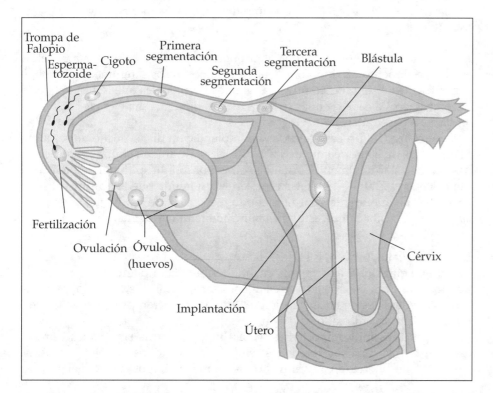

FIGURA 2–1

Se muestra el recorrido del huevo fertilizado mientras se dirige del ovario al útero. El desarrollo fetal comienza con la unión del espermatozoide y del óvulo en la parte superior de la trompa de Falopio. En los siguientes días, el huevo fertilizado, o cigoto, desciende por la trompa de Falopio y comienza a dividirse. Las divisiones celulares continúan durante una semana hasta que se forma la blástula. En este momento, la blástula ha llegado al útero. En los siguientes días se anidará en la pared uterina.

Los gemelos idénticos (fotografía superior) tienen los mismos genes y rasgos físicos, entre ellos el sexo; los gemelos fraternos (fotografía inferior) pueden ser semejantes o diferentes como los hermanos que nacen en diferentes periodos.

gemelos monocigóticos (idénticos) Los que proceden de la división de un solo óvulo fertilizado.

gemelos dicigóticos (fraternos) Los que proceden de la fertilización de dos óvulos distintos por dos espermatozoides.

blástula Esfera hueca y líquida de células que se forma varios días después de la concepción.

periodo embrionario Segundo periodo prenatal que abarca del final de la segunda semana al término del segundo mes posterior a la concepción. En esta etapa se constituyen las estructuras y órganos principales del nuevo ser.

embrión De un verbo griego que significa "engrosarse".

mo veremos luego), y la implantación concluye unas dos semanas después de la concepción.

En el periodo germinal, la célula se divide y se organiza con rapidez. Al cabo de las 48 horas posteriores a la concepción, el cigoto unicelular se divide y genera dos células. Luego, se efectúa la segunda división celular en cada célula, que genera cuatro, etc. La tasa de división celular se acelera, de modo que en el sexto día se han producido más de 100 células (todas más pequeñas pero con copias exactas del material genético del cigoto original).

¿POR QUÉ SE DAN LOS GEMELOS? A veces la primera división celular del cigoto produce dos células idénticas que se separan después y se convierten en dos individuos. El resultado son los **gemelos monocigóticos (idénticos).** Como provienen de una misma célula, siempre son de igual sexo y comparten los mismos rasgos físicos.

En otros casos dos óvulos son liberados al mismo tiempo y *cada uno* se une a un espermatozoide distinto, originando así **gemelos dicigóticos (fraternos).** Los rasgos genéticos heredados por estos gemelos pueden ser tan similares o diferentes de los de cualquier otra pareja de hermanos. Es posible que sean del mismo sexo o no. Algunos medicamentos para la fertilidad, que aumentan el número de óvulos que maduran en un determinado mes, incrementan también las probabilidades de concebir gemelos, trillizos y hasta sixtillizos.

DIFERENCIACIÓN Hacia el final de la primera semana, las células se han convertido en una **blástula** —conglomerado de células en torno a un centro lleno de líquido— la cual se ha abierto camino hasta el útero. Entonces, las células inician el proceso de *diferenciación*, es decir, empiezan a separarse en grupo según su función futura. Algunas se desplazan hacia un lado de la esfera hueca y forman un disco embrionario de donde se desarrollará la criatura. El otro grupo de células comienza a transformarse en las estructuras de apoyo que alimentarán y protegerán al embrión. Es el momento en que el embarazo puede diagnosticarse con algunas pruebas urinarias caseras: las células de las estructuras de apoyo comienzan a segregar una hormona fácil de detectar llamada *gonadotropina coriónica humana* (GCH), que impide la siguiente ovulación y ciclo menstrual (Nilsson y Hamberger, 1990).

IMPLANTACIÓN La blástula, que ahora flota en el útero, comienza a penetrar en el revestimiento uterino, rompiendo pequeños vasos sanguíneos para obtener nutrientes. Este proceso provoca cambios hormonales que indican el inicio del embarazo. Al cabo de unos cuantos días, si todo marcha bien, la blástula se anida en la pared uterina.

Sin embargo, el proceso decisivo de implantación dista mucho de ser automático. Más de 50 por ciento de las blástulas no se anidan exitosamente: algunas por no estar totalmente formadas, otras por lo inhóspito del ambiente del útero (Beller y Zlatnik, 1994). Una implantación fallida puede ocasionar lo que parece ser un abundante y tardío periodo menstrual, de modo que la mujer ni siquiera se percata de que estuvo embarazada temporalmente.

EL PERIODO EMBRIONARIO

El **periodo embrionario** principia cuando termina la implantación. Se trata de un lapso de gran desarrollo y crecimiento estructural que se prolonga hasta dos meses después de la concepción (el término **embrión** proviene de un verbo griego que significa aflorar o engrosarse).

Dos procesos muy importantes tienen lugar en forma simultánea durante esta etapa: 1) la capa externa de las células produce todos los tejidos y las estructuras que albergarán, nutrirán y protegerán al niño por el resto del periodo prenatal; 2) las células del disco embrionario interior se diferencian y se convierten en el embrión propiamente dicho.

LAS ESTRUCTURAS DE SOSTÉN   La capa externa de las células da origen a tres estructuras: el **saco amniótico**, membrana llena de una sustancia acuosa, denominada **líquido amniótico,** que sirve para amortiguar y proteger al embrión; la **placenta,** masa de tejido en forma de disco que crece en la pared del útero y hace las veces de filtro parcial, y el **cordón umbilical,** cuerda de tejido con dos arterias y una vena que conecta a la madre con el niño.

La placenta está formada en parte por los tejidos de la pared uterina, y sigue creciendo hasta el séptimo mes de embarazo. Permite que la madre y el embrión intercambien materiales, no deja entrar las partículas mayores de materia extraña pero sí los nutrientes. Así, llegan al embrión enzimas, vitaminas e incluso anticuerpos que protegen contra las enfermedades, mientras que los productos de desecho de la sangre del embrión llegan a la madre para ser eliminados. Los azúcares, las grasas y las proteínas también la atraviesan para llegar al embrión, no así algunas bacterias o sales. Advierta que la madre y el embrión no comparten el mismo sistema sanguíneo. La placenta permite el intercambio de materiales nutritivos y de desecho por difusión a través de las membranas celulares, casi siempre sin intercambio de células sanguíneas.

Por desgracia, los virus contraídos por la madre durante el embarazo sí pueden atravesar la barrera de la placenta, lo mismo que drogas dañinas y otras sustancias que alcanzan a llegar al torrente sanguíneo de la madre (aspecto que lo estudiaremos más adelante en este capítulo).

EL EMBRIÓN   Durante las seis semanas de este periodo, el embrión desarrolla los brazos, las piernas, los dedos de las manos y de los pies, un corazón que late, el cerebro, los pulmones y el resto de los órganos principales. Al finalizar el periodo, podemos reconocerlo como un ser humano como se aprecia en la figura 2-2.

El embrión crece con mucha rapidez y cambia todos los días. Inmediatamente después de la implantación, aparecen tres capas bien diferenciadas: el *ectodermo*, o capa exterior, se convertirá en la piel, los órganos sensoriales y el sistema nervioso; el *mesodermo*, o capa intermedia, se transformará en músculos, sangre y sistema excretorio; el *endodermo,* o capa interior, se convertirá en el sistema digestivo, en los pulmones, en la tiroides, en el timo y en otros órganos. Al mismo tiempo, empiezan a desarrollarse el *tubo neural* (rudimento del sistema nervioso y del cerebro) y el corazón. Al terminar la cuarta semana después de la concepción (y por tanto, apenas a las dos semanas de haberse iniciado el periodo embrionario), el corazón empieza a palpitar y el primitivo sistema nervioso ya está funcionando. Sin embargo, a las cuatro semanas el embrión mide apenas seis milímetros de largo.

Durante el segundo mes, se desarrollan con rapidez todas las estructuras que reconocemos como propias del ser humano. Los brazos y las piernas crecen a partir de pequeños botones situados a los costados del tronco. Hacia el primer mes, los ojos se vuelven visibles, en apariencia a ambos lados de la cabeza; el rostro cambia casi todos los días. Los órganos internos —pulmones, aparato digestivo y sistema excretorio— empiezan a formarse aunque todavía no son funcionales.

ABORTOS ESPONTÁNEOS   Muchos **abortos espontáneos** ocurren en el periodo embrionario. Suelen deberse a un desarrollo inadecuado de la placenta, del cordón umbilical y del embrión (Beck, 1988) o a una implantación fallida. Una vez más, muchas sustancias tóxicas pueden atravesar la placenta, entre éstas algunas que provocan el aborto espontáneo. Como veremos luego, también son factor de riesgo una salud precaria y la desnutrición de la madre. En promedio, casi 90 por ciento de los abortos espontáneos se da a las 12 o 13 semanas, pero son muy infrecuentes después de la vigésima semana.

saco amniótico   Membrana llena de líquido que alberga al embrión o al feto.

líquido amniótico   Líquido que sirve de amortiguador al embrión o al feto y que los protege.

placenta   Masa de tejido en forma de disco que se forma a lo largo de la pared del útero, por la que el embrión recibe nutrientes y elimina los desechos.

cordón umbilical   "Cuerda" de tejido que conecta la placenta al embrión; contiene dos arterias y una vena fetales.

abortos espontáneos Expulsión del organismo prenatal antes que sea viable.

FIGURA 2–2
PERIODO EMBRIONAL

Esta ilustración de tamaño normal muestra el crecimiento del embrión y del feto de los 14 días a las 15 semanas.

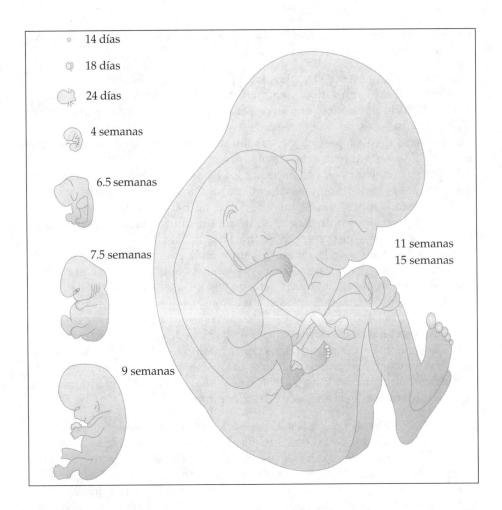

14 días

18 días

24 días

4 semanas

6.5 semanas

7.5 semanas

9 semanas

11 semanas
15 semanas

periodo fetal Etapa final del desarrollo prenatal que comprende desde el inicio del segundo mes posterior a la concepción hasta el nacimiento. Durante este periodo todos los órganos maduran y se vuelven funcionales.

feto Palabra de origen francés que significa "embarazado" o "fecundo".

EL PERIODO FETAL

El **periodo fetal** abarca desde el inicio del tercer mes hasta el nacimiento, es decir, cerca de siete meses del periodo prenatal de 266 días. Durante esta etapa, los órganos y sistemas maduran y se vuelven funcionales. El **feto** (palabra francesa que significa "embarazado" o "fecundo") comienza a patear, se agita, voltea la cabeza y, finalmente, gira también el cuerpo. Aun con los ojos todavía cerrados herméticamente, comienza a entrecerrarlos. También frunce el ceño, abre la boca, practica la respiración dentro del líquido amniótico y efectúa movimientos de succión (quizá hasta se chupa el pulgar).

En el tercer mes se perfeccionan las estructuras físicas. Aparece el iris de los ojos (todavía situados a los costados de la cabeza) y se forman todos los nervios necesarios para conectar los ojos con el cerebro. Los dientes empiezan a desarrollarse debajo de las encías; los oídos comienzan a surgir a ambos lados de la cabeza; y empiezan a formarse las uñas de los dedos de las manos y de los pies. En el feto comienzan a desarrollarse la glándula tiroides, la glándula del timo, el páncreas y los riñones. Los órganos sexuales alcanzan su desarrollo completo en el varón y en la mujer. El hígado empieza a funcionar y el estómago comienza a moverse.

En la duodécima semana se han desarrollado ya las cuerdas vocales y los botones gustativos; y las costillas y las vértebras han comenzado a osificarse (se endurecen y se convierten en hueso). Aunque el feto todavía no puede sobrevivir por sí mismo, ha adquirido casi todos los sistemas orgánicos. En esta fase, mide apenas 7.5 centímetros de largo todavía y pesa cerca de 14 gramos.

Los detalles estructurales, como los labios, uñas de los dedos de los pies y las yemas de los dientes adultos, aparecen en los siguientes meses. Órganos básicos como el corazón, los pulmones y el cerebro maduran y alcanzan el nivel indispensable para la supervivencia.

En el cuarto mes, el cuerpo aumenta de tamaño, de modo que la cabeza ya no parece tan desproporcionada como antes. El músculo cardiaco se fortalece y empieza a latir rápidamente, de 120 a 160 veces por minuto.

En el quinto mes, el feto adquiere la fuerza suficiente para asir, lo que aumenta el número y la fuerza de sus movimientos. La madre siente los codos, las rodillas y la cabeza del feto mientras se mueve en los periodos de vigilia.

En el sexto mes, el feto mide cerca de 30 centímetros y medio de largo y pesa cerca de 680 gramos. Los ojos están ya totalmente formados y los párpados permanecen abiertos. Continúa la formación de huesos; el cabello de la cabeza sigue creciendo, y el feto comienza a enderezar su postura para que los órganos internos adopten su posición correcta.

En esta fase es particularmente notable el desarrollo del cerebro, cuyo tamaño se sextuplica (Moore, 1988). Al comenzar el segundo trimestre, prácticamente no existen ondas cerebrales y los patrones eléctricos se parecen a los de la muerte cerebral en el adulto. Pero antes de cumplirse las 24 semanas, se observan barruntos de actividad eléctrica, lo que indica que el cerebro empieza a ser funcional. Se sientan las bases para percibir el dolor y efectuar asociaciones corticales (Kuljis, 1994). El desarrollo del cerebro permite regular otras funciones orgánicas como la respiración y el sueño.

Un feto sano alcanza la **edad de viabilidad** al final del segundo trimestre, o sea, después de 24 semanas. Ahora tiene 50 por ciento de probabilidades de sobrevivir fuera del útero, a condición de que reciba cuidados intensivos de excelente calidad. Sin embargo, más de la mitad de los fetos que nacen en este momento presentan defectos serios. En cambio, en la vigesimoquinta semana casi el 80 por ciento sobrevive (69 por ciento sin problemas serios); en la vigesimonovena semana sobrevive más de 90 por ciento con buenos pronósticos, siempre que se le proporcione una atención esmerada (Allen y otros, 1993; Kantrowitz, 1988).

A pesar de los adelantos de la medicina y de cuidados muy especializados, no es favorable el pronóstico para los niños que nacen en periodos anteriores. Por ejemplo, a las 23 semanas apenas sobrevive el 15 por ciento, y cinco de cada seis sufren defectos o problemas médicos serios (Allen y otros, 1993). Además, la atención especializada de niños muy prematuros es muy costosa.

EL TERCER TRIMESTRE Considere el primer trimestre como el periodo en que se constituyen las principales estructuras y el segundo trimestre como el periodo en que maduran los órganos, sobre todo el cerebro, en preparación para la supervivencia básica. El tercer trimestre es un lapso de maduración generalizada del cerebro y de "prueba" para el sistema: el frágil feto se transforma en un bebé vigoroso y adaptable.

A los siete meses, el feto pesa alrededor de 1.360 kg. Su sistema nervioso está lo suficientemente maduro como para controlar la respiración y la deglución. Durante el séptimo mes, el cerebro se desarrolla rápidamente, formando los tejidos que se convertirán en centros localizados de varias actividades sensoriales y motoras. El feto es sensible al tacto y puede percibir el dolor; hasta puede poseer el sentido del equilibrio.

¿El feto puede oír a los siete meses? Por supuesto. Desde hace mucho se sabe que puede sobresaltarse al escuchar sonidos fuertes emitidos cerca de la madre, reacción casi ausente cuando oye sonidos moderados. Esto se debe, en parte, a que los sonidos provenientes del exterior de la madre se amortiguan, pero también a que el feto está rodeado por varios sonidos que se producen *en el interior* de ella. Hay sonidos digestivos que produce la madre al beber, al co-

edad de viabilidad Edad (hacia las 24 semanas) en que el feto tiene 50 por ciento de probabilidades de sobrevivir fuera del vientre materno.

Etapas del desarrollo prenatal
(A) Un organismo bicelular muestra la primera segmentación pocas horas después de la fertilización.
(B) El periodo germinal a los dos días: todavía no se efectúa la diferenciación celular. **(C)** Embrión a los 21 días. Advierta lo primitivo de la médula espinal. **(D)** Embrión a las cuatro semanas. Se distinguen ya la cabeza, el tronco y la cola. Para entonces ya comenzaron a funcionar el corazón y el sistema nervioso. **(E)** Embrión a las cinco semanas. Los brazos y las piernas empiezan a formarse partiendo de los lados del tronco. **(F)** Feto de nueve semanas que muestra el cordón umbilical que lo conecta a la placenta. **(G)** Feto de 16 semanas que muestra la conexión del cordón umbilical con la placenta. Todos los órganos internos son ya por completo funcionales.
(H) Feto de 20 semanas. En esta etapa todos los órganos internos han comenzado a funcionar y el feto es capaz de patear, girar la cabeza y hacer expresiones faciales.

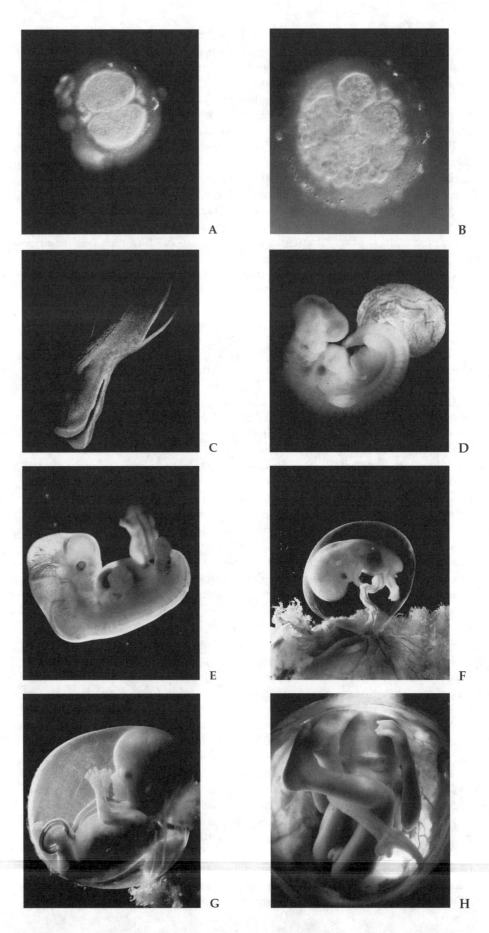

mer y al deglutir. Hay sonidos que produce la respiración. Y los hay del sistema circulatorio que corresponden al ritmo cardiaco de la madre. De hecho, se afirma que el nivel de ruidos internos en el útero alcanza la misma altura que el de una fábrica pequeña (Aslin y otros, 1983; Restak, 1986).

En lo que respecta al desarrollo motor global, el feto puede asir y hacer muecas desde las 15 semanas, hacia el inicio del segundo trimestre; responde con movimientos reflejos a la estimulación de las plantas de los pies o los párpados. A las 20 semanas, aparecen los sentidos del gusto y del olfato. A las 24 semanas, está más desarrollado el sentido del tacto. Las respuestas a los sonidos son más uniformes después de 25 semanas. A las 27 semanas, el feto gira la cabeza al proyectarse luz sobre el abdomen de la madre, y las exploraciones cerebrales permiten verificar sus reacciones. Algunas de estas reacciones —expresiones faciales, voltear, patear y agacharse— pueden ser movimientos intencionales que lo hacen sentirse más cómodo (Fedor-Freybergh y Vogel, 1988).

En el octavo mes, el feto aumenta hasta 227 gramos de peso por semana. Comienza a prepararse para vivir en el mundo exterior. Aparecen capas de grasa bajo la piel que lo protegerán contra los cambios de temperatura que enfrentará al nacer. El índice de supervivencia de los niños que nacen al octavo mes es superior a 90 por ciento en hospitales bien equipados, pero sigue habiendo riesgos. La respiración a veces es difícil; la pérdida inicial de peso puede ser mayor que en el caso de niños a término; y el control de la temperatura puede representar un problema porque no se han formado por completo las capas de grasa. Por tal razón, a los niños que nacen en esta etapa suelen colocarlos en incubadoras y se les brinda el mismo tipo de atención que a los que nacen antes.

La sensibilidad y la conducta del feto también se desarrollan con rapidez en el octavo mes. Hacia mediados de este mes, el feto abre los ojos y puede verse las manos (aunque el útero esté a oscuras). Es posible que la *conciencia* aparezca a las 32 semanas más o menos, pues muchos de sus circuitos nerviosos ya están perfeccionados. Los registros cerebrales muestran periodos de reposo que se parecen a los del sueño.

Durante el noveno mes, el feto presenta ciclos diarios de actividad y sueño. Se piensa que su capacidad auditiva ha alcanzado plena madurez (Shatz, 1992). El feto sigue creciendo a lo largo del mes. Coloca la cabeza hacia abajo en preparación para recorrer el canal de parto. La *vernix caseosa* (capa protectora parecida al queso) comienza a descamarse, y por lo regular se disuelve el fino vello corporal (llamado *lanugo*) con que nacen algunos niños. Los anticuerpos que protegen contra enfermedades pasan de la madre al feto y complementan sus incipientes reacciones inmunológicas. Una o dos semanas antes del nacimiento, el futuro bebé desciende a medida que el útero se sitúa más abajo en la zona pélvica. Aumenta de peso a una tasa más lenta; los músculos y el útero de la madre inician contracciones esporádicas e indoloras; y las células de la placenta empiezan a degenerarse.

Así, en unos nueve meses más o menos, el cigoto unicelular se convierte en 10 billones de células organizadas en órganos y sistemas. El niño está listo para nacer. Pero antes de explicar este proceso, debemos considerar otros aspectos del periodo prenatal.

TENDENCIAS DEL DESARROLLO

En el periodo prenatal (y a lo largo de la niñez), el crecimiento físico y el desarrollo motor presentan tres tendencias generales. Si bien se observan diferencias individuales en el momento en que aparecen los diversos aspectos y las tendencias son sólo eso (no leyes ni principios), los niños suelen seguir las mismas secuencias a medida que su cuerpo crece y que se perfeccionan sus habilidades motoras.

Primero, el desarrollo se efectúa de arriba del cuerpo hacia abajo, o de "la cabeza a la cola"; a esto se le llama **tendencia cefalocaudal**. En el periodo prenatal, la

tendencia cefalocaudal
Secuencia del crecimiento que ocurre primero en la cabeza y que avanza hacia los pies.

cabeza del feto está desproporcionadamente más grande que el resto del cuerpo y pasarán años antes de que haya una mejor proporción. (A propósito, la tendencia cefalocaudal del crecimiento físico explica en parte por qué los primeros pasos del niño son vacilantes: su cabeza es muy pesada.) Algo semejante se observa en el desarrollo motor: el niño controla primero los movimientos oculares y de la cabeza, después los de brazos y manos y, finalmente, los de las piernas y los pies.

Segundo, el desarrollo avanza de la porción media del cuerpo hacia afuera o de "lo próximo a lo lejano"; es la **tendencia proximodistal.** Primero se desarrolla la parte interna de los brazos y la parte superior de las piernas; y los bebés extienden la mano y cogen los objetos con toda la mano, mucho antes de que puedan tomar cosas como los guisantes y los trozos de zanahoria con los dedos y el pulgar.

Por último, está la **tendencia de lo general a lo específico:** en un principio el feto reacciona a un pinchazo en la piel con movimientos gruesos, generalizados y de todo el cuerpo; pero éstos se vuelven más localizados y específicos después del nacimiento y en la niñez temprana. Pero advierta que incluso los niños pequeños mueven todo el cuerpo cuando aprenden a escribir, quizá hasta la lengua. Sólo más tarde limitan la acción a movimientos de los dedos, a la mano y a la muñeca.

REPASE Y APLIQUE

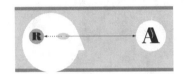

1. ¿Por qué es tan notable la unión de un espermatozoide con un óvulo para generar a un ser humano?
2. ¿Qué problemas especiales se presentan durante el desarrollo prenatal?
3. Explique las tres etapas prenatales y los progresos que se dan en cada una.
4. Describa las tres tendencias generales del crecimiento y dé un ejemplo de cada una.

INFLUENCIAS PRENATALES DEL AMBIENTE

Hasta ahora nos hemos concentrado principalmente en los procesos normales del desarrollo, pero que ocurren sólo en condiciones ambientales normales. Las condiciones ideales comprenden un saco amniótico bien desarrollado, con un amortiguador de líquido amniótico; una placenta y un cordón umbilical plenamente funcionales; suficiente suministro de oxígeno y de nutrientes; y, cosa no menos importante, ausencia de organismos patógenos y productos químicos tóxicos.

En Estados Unidos, casi todos los embarazos (entre 92 y 95 por ciento) dan por resultado bebés sanos y a término. Con todo, cada año, unos 150,000 o más niños (entre 5 y 8 por ciento de partos con producto vivo) nacen con defectos congénitos. Estas deficiencias abarcan desde defectos físicos o mentales mínimos que inciden poco en el desarrollo futuro hasta anomalías graves que causan una muerte segura y casi inmediata. Aunque con frecuencia suponemos que estas anomalías se manifiestan sólo en familias con una estructura genética defectuosa (según veremos en el capítulo 3), en realidad pueden sucederle a cualquiera y sólo una pequeña proporción es resultado de factores heredados. La mayoría de los defectos congénitos provienen de influencias ambientales presentes en el periodo prenatal o durante el parto. En conclusión, la herencia y el ambiente interactúan para originarlos.

En esta sección, empezaremos a examinar la edad y la salud de la madre en general. Después estudiaremos las cosas nocivas que puede ingerir o a las que está expuesta y la manera en que afectan al niño que se desarrolla dentro de su cuerpo.

EDAD DE LA MADRE

La edad de la madre interactúa con el desarrollo prenatal del niño en formas que todavía no conocemos del todo. Las madres muy jóvenes están más expuestas a abortos espontáneos o a procrear hijos con defectos congénitos, quizás por-

tendencia proximodistal
Secuencia del crecimiento que se realiza de la parte media del cuerpo hacia afuera.

tendencia de lo general a lo específico   Tendencia a reaccionar ante los estímulos primero con movimientos generalizados del cuerpo entero, los cuales después se vuelven locales y específicos.

que su organismo aún no está maduro. La tasa de mayor éxito corresponde a las madres de 20 a 30 años. En lo que respecta a las madres de mayor edad, hay una teoría que señala sencillamente que estas mujeres cuentan con óvulos más viejos (recuerde que los óvulos se formaron al nacer). El envejecimiento puede hacer que los óvulos se vuelvan defectuosos y afectan al desarrollo. O podría haber más riesgo de que se dañen, porque el envejecimiento significa más tiempo de contacto con agentes nocivos (Baird y Sadornick, 1987). El cuerpo de las madres de edad también es más viejo, y esto podría generar una implantación imperfecta. Otro factor podría ser que tienen un equilibrio hormonal distinto.

Cualquiera que sea la causa, el índice de algunos defectos o anomalías prenatales aumenta con la edad, sobre todo en las primerizas. Por ejemplo, el índice del síndrome de Down -que incluye importantes malformaciones físicas y retraso mental- muestra un incremento sostenido en las mujeres de más de 35 años. En las mujeres de 45 o más años, el riesgo crece en uno en cada 25 nacimientos, en comparación con el riesgo de uno en cada 800 nacimientos en las mujeres menores de 35 años. Aun cuando las estadísticas citadas no significan por fuerza que las mujeres mayores no deban procrear (uno de cada 25 representa apenas una probabilidad de cuatro por ciento), las mujeres mayores deben tener esta información presente al decidir si se embarazan o no. La edad avanzada en el embarazo es uno de los primeros puntos que surge en la orientación prenatal a los futuros padres, como veremos en el capítulo 3.

El equilibrio hormonal y el desarrollo de tejido en madres primerizas de edad avanzada pueden constituir un factor en el elevado índice de defectos o anomalías prenatales que registra esta población.

SALUD Y NUTRICIÓN DE LA MADRE

Si la mujer empieza el embarazo sana y en buenas condiciones físicas, si consume una dieta balanceada rica en proteínas y en calcio y si aumenta unos 11.3 kilogramos, tendrá mayores probabilidades de dar a luz un niño saludable. Pero en algunas partes del mundo -entre ellas ciertas regiones de Estados Unidos-, las madres están desnutridas o mal alimentadas y no aumentan el suficiente peso durante el embarazo.

La desnutrición fetal puede deberse a una dieta mal balanceada de la madre y a deficiencias de vitaminas, proteínas u otras sustancias, lo mismo que a problemas en los procesos digestivos o del metabolismo global. Los síntomas más notorios de la desnutrición fetal son bajo peso al nacer, tamaño más pequeño de la cabeza y tamaño general menor que el de recién nacidos que han permanecido el mismo tiempo en el seno materno (Metcoff y otros,1981; Simopoulos, 1983). Las mujeres mal alimentadas también sufren más abortos espontáneos, dan a luz en forma prematura o pierden a su hijo poco después del nacimiento.

Los efectos que la desnutrición tiene en el desarrollo del niño son evidentes en los países azotados por la hambruna o la guerra. Se registran índices elevados de abortos espontáneos y de partos con producto muerto; los niños de madres mal alimentadas contraen pronto enfermedades y no crecen en forma normal si no se hacen ajustes dietéticos de inmediato. Otro resultado lamentable es que la desnutrición puede disminuir el desarrollo del cerebro al final del periodo fetal y al inicio de la infancia, problema que tal vez nunca logre superarse ni siquiera con una buena alimentación. Incluso en una sociedad tan desarrollada como la estadounidense, se estima que entre 3 y 10 por ciento de los infantes manifiestan signos de desnutrición (Simopoulos, 1983). Como observan Zeskind y Ramey (1981), la mayor parte de los casos de desnutrición fetal se da en familias pobres.

Sin embargo, es posible obtener excelentes beneficios con los programas de suplementos alimenticios que se inician en el momento del nacimiento. En un gran estudio a largo plazo efectuado en Guatemala, la salud de los niños que los recibieron en la infancia y en la niñez temprana mejoró casi de inmediato. Aun más sorprendentes fueron los beneficios a largo plazo conseguidos con un programa especial de suplementos proteínicos. Años más tarde, los adolescentes y los adultos jóvenes a quienes se les habían suministrado dichos suplementos desde el nacimiento lograron puntuaciones mucho más elevadas en las

Los efectos que la desnutrición tiene en el desarrollo del niño son dolorosamente evidentes en los países asolados por la hambruna o la guerra.

pruebas de conocimientos, de aritmética, de lectura, de vocabulario y de rapidez en el procesamiento de información que aquellos a quienes no se les ha dado complementos nutricionales antes de los dos años de edad. La diferencia fue notable en los miembros de las familias más pobres y en los que recibieron una buena instrucción primaria (Pollitt y otros, 1993).

¿Cómo afecta al feto la *duración* de un periodo de enfermedad y desnutrición? La investigación con animales ha demostrado que la madre puede proteger al feto contra los efectos de la desnutrición a corto plazo, utilizando sus propias reservas almacenadas. También puede proteger sus propios tejidos contra efectos serios y prolongados. Al parecer, tanto la madre como el feto están en condiciones de recuperarse de una desnutrición moderada (Jones y Crnic, 1986). Por tanto, si una madre bien alimentada pasa por un periodo de desnutrición durante el embarazo, es posible que los efectos no duren mucho tiempo siempre que el niño reciba una buena dieta y cuidadores responsables (Stein y Susser, 1976). Asimismo, en caso de que la desnutrición fetal haya sido relativamente breve, a veces puede compensarse con programas de nutrición infantil o con programas combinados de salud, nutrición y cuidado del niño.

ATENCIÓN MÉDICA PRENATAL

Uno de los mejores indicadores de niños sanos y a término son las cinco o más visitas prenatales al médico o a un centro de atención médica que comienzan en el primer trimestre de embarazo. Una buena atención suele abarcar un historial médico completo, un examen exhaustivo y asesoría sobre los riesgos posibles. Incluye asimismo una evaluación y recomendaciones respecto de la alimentación adecuada durante el embarazo. En Estados Unidos los programas de salud pública destinados a la población general, cuyo fin es ofrecer atención prenatal a las embarazadas que de lo contrario no la recibirían, han logrado reducir la mortalidad infantil y los índices de nacimientos prematuros (Murphy, 1993).

PERIODOS CRÍTICOS EN EL DESARROLLO PRENATAL

Los efectos de algunas influencias ambientales dependen del momento del desarrollo en que ocurran. Por desgracia, muchos de ellos se producen antes de que la mujer se entere de que está embarazada.

FIGURA 2–3

Periodos críticos en el desarrollo prenatal. El color verde representa periodos de extrema
sensibilidad; el azul, periodos menos sensibles.

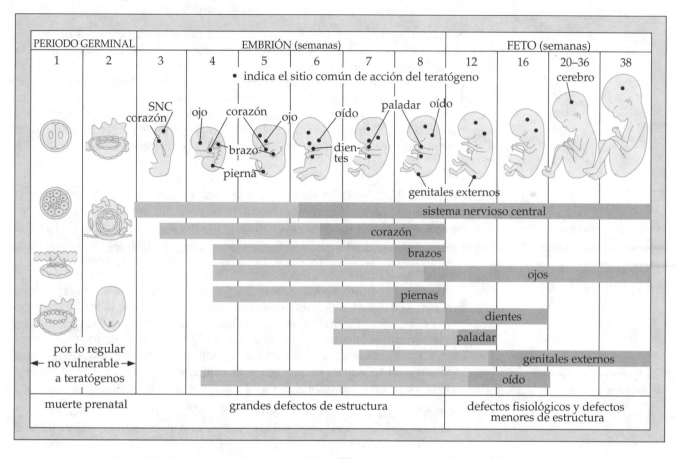

La figura 2-3 indica los *periodos críticos* del desarrollo prenatal, es decir, aquellos en que el niño es más vulnerable a desarrollar diversos defectos por acción
de **teratógenos**, o sea enfermedades, sustancias químicas o cualquier otra cosa
capaz de dañarlo. (Teratógeno proviene de una palabra griega que significa
"creador de monstruos".) Advierta que los principales defectos del sistema nervioso central y del corazón pueden deberse a enfermedades que la madre contrae o a sustancias que ingiere al inicio del periodo embrionario. (Antes de la
implantación, el niño no suele ser vulnerable a los teratógenos porque todavía
no está conectado con el cuerpo de la madre.)

Algunas veces la exposición de la madre a un teratógeno en particular daña
sin remedio al embrión o al feto. De esta manera operan los venenos ingeridos
en forma accidental. Pero, por lo regular los teratógenos *aumentan el riesgo* de
daño. Una compleja interacción de factores determinará si se produce el daño:
el grado y duración de la exposición, la etapa de desarrollo del feto, la salud
general de la madre y algunos factores genéticos.

Un ejemplo trágico lo constituye la talidomida, tranquilizante moderado
que ingirieron algunas embarazadas entre 1959 y 1960 para atenuar las náuseas y otros síntomas de los mareos matutinos. Se pensaba que era inofensiva,
pero en los siguientes dos años nacieron 10,000 niños con graves deformidades
por consumirla. Un estudio minucioso de los embarazos reveló que la índole
de la deformidad dependía del momento en que se consumía el medicamento.
El niño nacía sin oídos, si la madre lo ingería entre los días trigésimo cuarto y

teratógenos   Agentes tóxicos
de cualquier tipo que causan
anomalías o defectos
congénitos.

trigésimo octavo después de su último periodo menstrual. Si lo consumía entre los días trigésimo octavo y cuadragésimo séptimo, nacía sin brazos o con brazos cortos; y si lo ingería durante la última parte de ese lapso, el niño venía al mundo sin piernas o con piernas cortas (Schardein, 1976).

Nivel y duración de la exposición   Una pequeña exposición a un agente tóxico quizá no cause efecto alguno, porque el metabolismo de una madre sana puede descomponer o eliminar con rapidez las sustancias tóxicas. A menudo un medicamento o agente químico debe alcanzar cierta concentración, o nivel de *umbral*, en un órgano fetal o en una capa tisular para surtir efecto. Por otra parte, a veces hasta una dosis pequeña de medicamento se desplaza en poco tiempo por el cuerpo de la madre sin provocarle daño permanente, pero puede quedar atrapado en el tejido inmaduro del feto (Hutchinson, 1991).

LOS TERATÓGENOS Y SUS EFECTOS

Es sorprendente la diversidad de factores ambientales capaces de deteriorar el desarrollo prenatal. Medicamentos, enfermedades, hormonas, factores hematológicos, radiación —así como la edad de la madre, la alimentación, el estrés y el tipo de atención prenatal— intervienen de modo significativo en el desarrollo del embrión y del feto. Es posible que haya otras drogas y agentes ambientales cuya influencia aún no se conoce.

Algunos medicamentos y sustancias químicas pueden ser convertidos en productos de desecho y eliminados por el cuerpo maduro de la madre, pero no por el embrión ni el feto. Así pues, pueden causar daño grave los que atraviesan la barrera de la placenta, los que quedan "atrapados" y se acumulan en el niño y que alcanzan el nivel de umbral. Desde este punto de vista, casi ningún medicamento ni sustancia química —ni siquiera un producto por lo regular inofensivo como la aspirina— es inocuo durante el embarazo.

Enfermedades de la madre   No todas las enfermedades afectan al embrión ni al feto. Por ejemplo, en general las **bacterias** no atraviesan la barrera normal de la placenta; por tanto, incluso una infección bacteriana grave causa poco o ningún efecto al feto, a condición de que se trate y no deteriore mucho la salud general de la madre. Sin embargo, organismos más pequeños como algunos **virus** —en especial la rubéola o el sarampión, el herpes simple y muchas variedades de virus causantes de resfriado y de influenza— sí la atraviesan y pueden ocasionar daño. La rubéola, por ejemplo, puede causar ceguera, defectos cardiacos, sordera, lesión cerebral y deformidad de las extremidades al feto o al embrión, según el periodo en que la madre la contraiga. En la tabla 2-1 se da un resumen de algunas de las enfermedades de la madre y de otros problemas de salud que pueden afectar al embrión o al feto.

Por lo regular, las enfermedades pueden llegar al niño por tres rutas: en forma directa a través de la placenta, como sucede en el caso de la rubéola y del virus de inmunodeficiencia humana (VIH); indirectamente a través del líquido amniótico, como a veces ocurre con la sífilis y la gonorrea; durante el trabajo de parto y el parto, cuando se da un intercambio de sangre y de otros líquidos corporales. El VIH también puede contraerse después del nacimiento por amamantamiento.

Las infecciones de la madre afectan al embrión o al feto en varias formas. Pueden originar abortos espontáneos o partos con producto muerto. Pueden producir tejidos y órganos defectuosos o malformados, y a veces provocar la muerte. En otras ocasiones no tienen efecto alguno, sobre todo cuando la madre posee anticuerpos contra la enfermedad.

El virus de inmunodeficiencia humana (VIH), causante del **síndrome de inmunodeficiencia adquirida (SIDA)** es uno de los más devastadores que pueden transmitirse al embrión o al feto. Aunque el número de niños con esta enfermedad todavía es reducido, ha venido aumentando con rapidez. En 1989, 547

bacterias   Microorganismos que causan infecciones pero que no pueden atravesar la barrera de la placenta.

virus   Organismos ultramicroscópicos que se reproducen sólo en células vivas y que pueden cruzar la barrera de la placenta.

síndrome de inmunodeficiencia adquirida (SIDA)   Enfermedad mortal causada por el virus de inmunodeficiencia humana. Cualquier persona puede contraerla por contacto sexual o por exposición a la sangre o agujas infectadas.

Tabla 2–1 Efectos de las enfermedades de la madre durante el embarazo

Síndrome de inmunodeficiencia adquirida (SIDA). Es una enfermedad incurable, por lo general intratable y casi siempre mortal, ocasionada por el virus de inmunodeficiencia humana (VIH). El sistema inmunológico se colapsa y el paciente muere a causa de lo que normalmente serían infecciones bacterianas o virales menores. (Vea en el texto la explicación de cómo la madre puede contagiar a su hijo.)

Diabetes. La diabetes de la madre puede originar numerosas malformaciones físicas; a veces, también, parto con producto muerto. El feto puede alcanzar un crecimiento mayor al normal, lo que aumenta las probabilidades de que haya problemas durante el parto. La diabetes se controla en general con una dieta especial.

Gonorrea. Muchos son portadores de esta infección bacteriana, pero no manifiestan los síntomas. La gonorrea puede causar ceguera si la madre la transmite durante el parto. Por tal razón, después del nacimiento al recién nacido se le administran de manera rutinaria gotas de nitrato de plata. La gonorrea puede tratarse con antibióticos, aunque siguen evolucionando cepas cada vez más resistentes a los antibióticos.

Herpes simple. El virus del herpes genital puede cruzar la barrera de la placenta, pero la infección es mucho más común en el momento del parto. Entre los riesgos para el recién nacido se encuentran la ceguera, problemas neurológicos, retraso mental y muerte en un elevado número de casos. Se recomienda la cesárea si la madre sufre herpes activo en el momento en que habrá de nacer el niño. En la actualidad, el herpes simple es incurable.

Hipertensión. La elevada presión crónica puede tratarse con medicamentos, pero a veces causa abortos espontáneos si no se controla durante la gestación.

Influenza. Las cepas de este virus atraviesan la barrera placentaria. Los efectos más comunes son el aborto espontáneo al inicio del embarazo o un trabajo prematuro de parto. Si no se controla la fiebre de la madre, el feto puede morir.

Factor Rh. Este tipo de incompatibilidad entre la madre y su hijo es una enfermedad, porque un componente proteínico de la sangre de ella puede originar defectos congénitos graves o hasta la muerte del feto. La mayoría de las mujeres son Rh positivas, pero algunas no tienen este componente sanguíneo y son Rh negativas. Si una madre Rh negativa tiene un hijo Rh positivo y la sangre de los dos entra en contacto a través del intercambio placentario o durante el nacimiento, el torrente sanguíneo de la madre comienza a acumular anticuerpos que atacan y destruyen los eritrocitos fetales. El primogénito por lo general no corre peligro alguno (y la madre nunca); pero los hijos siguientes están muy expuestos si son Rh positivos. Puede tratarse a las madres Rh negativas para evitar que acumulen los anticuerpos (Kiester, 1977; Queenan, 1975).

Rubéola. Si el virus de esta enfermedad se contrae en las primeras 16 semanas de gestación (pero después de la implantación), por lo común se recomienda interrumpir el embarazo pues son muy elevados los riesgos de daño al embrión o al feto. No obstante, a veces los progenitores deciden continuarlo y algunos procrean hijos normales.

Sífilis. Es una infección bacteriana que pocas veces atraviesa la barrera de la placenta durante la primera mitad del embarazo. Tiene mayores probabilidades de transmitirse conforme se aproxima el nacimiento o durante éste. Puede ocasionar trabajo prematuro de parto y aborto espontáneo, ceguera, úlceras y lesiones cutáneas. Se trata con antibióticos y éstos no afectan al feto ni al embrión. A menudo se recomienda la cesárea temprana de una a dos semanas antes del nacimiento.

Toxemia gravídica. Se desconocen las causas de la preeclampsia y de la eclampsia que sufren algunas mujeres en el tercer trimestre. Los síntomas maternos son hipertensión, visión borrosa e hinchazón de la cara y de las manos. La eclampsia puede ocasionar daño o muerte al cerebro del feto. Ambas formas de toxemia pueden controlarse con reposo en cama y con una dieta especial.

Fuente: *Complete Home Medical Guide* (1985), The Columbia University College of Physicians and Surgeons.

infantes murieron de SIDA; en 1993, cerca de 1,800 nacieron con el padecimiento (Nozyce, M. y otros, 1994). Aún se desconoce por qué algunos hijos de madres seropositivas se infectan con el virus, pero muchos otros no. Algunas encuestas indican un promedio aproximado de 24 por ciento (Gabiano y otros, 1994); otras citan un promedio de 15 a 40 por ciento, entre ellos los que lo contraen *in utero* (en el útero), en el trabajo de parto, en el parto o en el amamantamiento (Conner y otros, 1994).

MEDICAMENTOS LEGALES E ILEGALES   Los estudios señalan que muchas mujeres consumen diversos medicamentos cuando están embarazadas. Un estudio efectuado en Michigan con cerca de 19,000 mujeres reveló que ingerían un promedio de tres medicamentos que requieren prescripción médica (Piper y otros, 1987). Se ha demostrado que algunos de éstos, como la tetraciclina —un antibiótico— causan efectos negativos en los dientes y huesos del feto que originan además otros defectos congénitos. Algunos anticonvulsivos administrados a las epilépticas pueden producir malformaciones estructurales, retraso del crecimiento, defectos cardiacos, retraso mental leve o anomalías del habla en los bebés (Vorhees y Mollnow, 1987). Otro ejemplo trágico son los anticonceptivos orales, que pueden ocasionar malformación en los órganos sexuales del feto. Las mujeres que tomaron la hormona dietilestilbestrol para prevenir el aborto espontáneo procrearon hijas con un índice mayor al normal de cáncer vaginal o de anomalías cervicales y sus hijos eran estériles o estaban propensos a contraer cáncer testicular.

Además de los medicamentos que requieren receta médica, muchos otros que no la necesitan pueden dañar al embrión o al feto. Algunos de ellos se incluyen en la tabla 2-2, junto con otras sustancias perjudiciales. Muchos fármacos pueden deteriorar al niño en crecimiento cuando los ingiere la madre. Hay, además, los contaminantes químicos industriales que penetran en el sistema de la madre y causan daño.

ALCOHOL   Es la droga "recreativa" más común en la sociedad moderna y puede causar defectos congénitos de carácter grave y permanente. Aún no se sabe cuánto alcohol pueda consumirse durante el embarazo sin que se manifiesten los efectos negativos; tampoco se conocen con seguridad los periodos más críticos al respecto. Pero sí se sabe que una ingestión copiosa, 120 mililitros o más por día, puede provocar un daño considerable. En un estudio, se descubrió que una tercera parte de los hijos de madres que bebían mucho presentaban anomalías congénitas (Ouellette y otros, 1977). En otro se observó que basta ingerir 60 mililitros de alcohol al inicio del embarazo para que aparezcan deformidades faciales (Astley y otros, 1992). En una rigurosa investigación realizada en Irlanda con mujeres que no consumían drogas, se observaron efectos perceptibles en los hijos de las que ingerían apenas tres vasos de cerveza a la semana (Nugent y otros, 1990).

Los hijos de mujeres que ingieren grandes cantidades de alcohol durante el embarazo pueden nacer con el **síndrome de alcoholismo fetal (SAF).** Los síntomas de esta afección incluyen bajo peso al nacer y anomalías físicas y neurológicas, como cerebro pequeño y malformación del corazón y las extremidades. Los niños presentan además características faciales bien marcadas como labio superior delgado, depresión mal desarrollada en el labio superior, amplio espacio entre los márgenes de los párpados y pómulos planos (Rosett y otros, 1981). Se da el nombre de **efectos del alcohol en el feto (FAE)** a anomalías semejantes pero menos graves debidas al consumo de alcohol durante el embarazo (Vorhees y Mollnow, 1987).

El síndrome del alcoholismo fetal ocurre en uno de cada mil nacimientos y es la tercera causa más importante de retraso mental en Estados Unidos (Streissguth, 1997; Streissguth y otros, 1983). Es 10 veces más frecuente en las familias afroamericanas y en las nativas de bajos ingresos que en la población general (Abel, 1995).

síndrome de alcoholismo fetal
Anomalías congénitas que comprenden tamaño
pequeño, bajo peso al nacer, ciertos rasgos faciales y retraso mental, debidos al consumo de alcohol por parte de la madre durante el embarazo.

efectos del alcohol en el feto
Anomalías similares pero más moderadas que se deben a la ingestión de alcohol durante el embarazo.

TABLA 2–2   ALGUNOS MEDICAMENTOS Y PRODUCTOS QUÍMICOS Y SUS EFECTOS DURANTE EL EMBARAZO

Alcohol. La ingestión de alcohol puede causar el síndrome de alcoholismo fetal y efectos menos graves en el feto. Éstos son iguales sin importar qué bebida se consuma: cerveza, vino o licor.

Anfetaminas. Los fármacos de esta familia se prescribían antaño para facilitar la dieta porque suprimen el apetito. En la actualidad, pocas veces se recetan, pero algunas variedades como las metanfetaminas se distribuyen en el mercado negro. Durante el embarazo las anfetaminas pueden ocasionar parto con producto muerto y prematurez, lo mismo que muchos de los efectos de la cocaína.

Cocaína. Su consumo durante la gestación, tanto en polvo como en crack, produce en el niño muchos efectos duraderos de tipo físico y psicológico.

Mariguana. Todavía no se conocen bien sus efectos en el embrión ni en el feto cuando la madre fuma esta droga (u otras variedades como el hashish).

Mercurio, plomo y otros contaminantes. El envenenamiento por mercurio, por plomo y otros productos industriales secundarios suele ocurrir por contaminación del suministro de agua. Los contaminantes entran en la cadena alimenticia por medio del pescado (Reuhl y Chang, 1979) y de otras fuentes. También se ingieren sustancias químicas peligrosas por el consumo directo de agua o aire contaminados (Vorhees y Mollnow, 1987) que pueden ocasionar retraso mental profundo y deterioro neurológico al niño en desarrollo. Otros productos nocivos son los bifenilos policlorados, que se encuentran en los transformadores eléctricos y en la pintura (Jacobson, Schwartz, Fein y Dowler, 1984), lo mismo que los conservadores de alimentos, los insecticidas y hasta algunos cosméticos y tintes para el cabello.

Narcóticos. En general, algunos como la codeína, la morfina, la heroína, la dilaudida e incluso la metadona (fármaco de mantenimiento que suprime los síntomas de abstinencia de los narcóticos) deprimen la respiración fetal y pueden provocar alteraciones de la conducta del niño. Los hijos de las mujeres que los consumen manifiestan síntomas de abstinencia: irritabilidad extrema, llanto estridente, vómitos, temblores y un deficiente control de la temperatura. Tienen poco apetito y dificultades para succionar; su patrón de sueño no es uniforme, por lo menos en las primeras semanas de vida. A los cuatro meses, están más tensos y rígidos y su coordinación es menor a la del niño normal. Hasta los 12 meses les es difícil mantener la atención; los investigadores sospechan que las deficiencias de atención y de lenguaje pueden persistir hasta bien entrada la niñez (Vorhees y Mollnow, 1987).

Medicamentos que no requieren receta médica. Muchos de éstos, como analgésicos, antitusígenos, laxantes y pastillas antialérgicas son seguros cuando menos. En grandes dosis, la aspirina puede ocasionar sangrado excesivo y otros problemas (Briggs y otros, 1986). A veces no son del todo seguras grandes dosis de tabletas de antiácidos o los jarabes para la tos, en especial los que contienen codeína (Brackbill y otros, 1985). Hasta las vitaminas son arriesgadas si se ingieren en exceso. Además, no se eliminan del sistema del feto con la misma facilidad que del sistema de la madre.

Tabaco. Fumar —cigarros, puros o pipas— e inhalar o masticar tabaco puede ocasionar serios problemas de nacimiento y defectos congénitos.

Tranquilizantes y somníferos. Son depresores, lo mismo que el alcohol, del sistema nervioso central. Si bien no se piensa que sus efectos son graves (salvo el caso de la talidomida) pueden hacer que el niño nazca sedado y aumentan el riesgo de apnea y anoxia.

Cuanto más alcohol se consuma durante el embarazo, mayor riesgo correrán el embrión o el feto. Los investigadores han descubierto que aun cuando se ingiera en cantidades moderadas —digamos 57 a 85 gramos al día—, el recién nacido presenta tasas más elevadas de anomalías respiratorias y de frecuencia cardiaca, problemas para adaptarse a los sonidos y a la iluminación normal, y puntuaciones más bajas en el desarrollo mental a lo largo de la infancia (Streissguth y otros, 1984). Otros efectos incluyen una menor atención y obediencia a los adultos en la etapa preescolar; mayor probabilidad de presentar dificultades de aprendizaje, problemas de atención e hiperactividad (Briggs y otros, 1986; Streissguth y otros, 1989; Barr y otros, 1990; Newman y Buka, 1991).

Observe también que incluso un consumo moderado de alcohol puede interactuar con el estrés (que puede favorecer la ingestión inicial). Un estudio reciente con madres chimpancés que consumían alcohol reveló que, más tarde, las crías mostraban un deterioro significativo en la atención y en la actividad neuromotora (Schneider y otros, 1997). Los efectos eran más fuertes en los niños cuyas madres habían sido expuestas de manera experimental a un estrés "moderado". Este resultado podría contribuir a explicar por qué los hijos de mujeres que viven en barrios pobres y agobiados por el estrés muestran índices más elevados de defectos congénitos relacionados con el alcohol.

Es, pues, fácil extraer una conclusión final: *cualquier* nivel de consumo de alcohol durante el embarazo es arriesgado.

TABACO   Se ha establecido una relación clara entre anomalías fetales y tabaco, con su ingrediente principal: la nicotina. En las madres que fuman mucho, los índices de aborto espontáneo, de parto con producto muerto y prematuro son mucho más elevados que en la población en general. Los hijos de las fumadoras suelen pesar menos al nacer que los de las mujeres que no fuman y presentan un retraso de crecimiento que puede prolongarse por años (Naeye, 1979, 1980, 1981; Streissguth y otros, 1989; Vorhees y Mollnow, 1987). Los hijos de mujeres que fuman de manera regular tienen un desempeño escolar más bajo y lapsos de atención más breves que los hijos de las que no fuman (Naeye y Peters, 1984; Vorhees y Mollnow, 1987).

¿En qué forma el tabaquismo perjudica o incluso mata al feto? Las investigaciones señalan que por la placenta, sitio en el que intercambian nutrientes la madre y el hijo mediante el torrente sanguíneo. Ciertas formas de daño a esta membrana que obstaculizan el intercambio se dan en forma exclusiva en las fumadoras; otras modalidades ocurren más a menudo en las que fuman que en las que no fuman (Naeye, 1981). Los investigadores señalan, además, que fumar constriñe los vasos sanguíneos del útero y aminora el flujo de nutrientes (Fried y Oxorn, 1980). Ambos efectos pueden reducir el flujo de oxígeno, con un posible daño al tejido cerebral.

MARIGUANA   Se recomienda no fumar mariguana durante el embarazo, aunque sus efectos no se han examinado en forma tan exhaustiva como los del alcohol y del tabaco. Vale la pena mencionar los resultados de una serie de estudios realizados en Jamaica. En algunos segmentos de la población de ese país se consume en dosis más elevadas que en Estados Unidos. Los recién nacidos que fueron expuestos a la mariguana antes del nacimiento muestran un llanto relativamente agudo y se comportan en forma parecida a la de los niños que sufren una abstinencia moderada a los narcóticos (vea la tabla 2-2). En conclusión, al parecer las dosis elevadas de mariguana afectan el sistema nervioso central y, por ende, el control neurológico del niño (Lester y Dreher, 1989).

COCAÍNA   En los años setenta y ochenta se observó un extraordinario incremento en el consumo recreativo de polvo de cocaína y "crack". Al mismo tiempo se registró un aumento de problemas congénitos relacionados con esta droga. Aunque las dos variedades tal vez tengan igual fuerza (según el grado de disolución que empleen los vendedores para elevar sus ganancias), al fumar "crack" la

Se ha demostrado que el tabaquismo tiene una relación clara con las anomalías del feto.

droga penetra en el sistema del individuo, llega al cerebro y a otras partes del organismo de manera mucho más rápida que cuando el polvo se inhala o se inyecta. Por ello, el *crack* genera concentraciones mucho más fuertes de cocaína y puede dañar al embrión o al feto (e incluso al recién nacido a través de la leche materna).

Los primeros estudios sobre la exposición a la cocaína durante el periodo prenatal revelaron ciertos efectos negativos (Madden y otros, 1986), y algunas embarazadas, sumergidas en un falso sentido de seguridad, consumían cocaína para facilitar el trabajo de parto. Pero investigaciones más exhaustivas han demostrado que el feto está expuesto a un daño grave. Las mujeres que la consumen sufren más complicaciones durante el trabajo de parto y sus hijos presentan un gran riesgo de ser prematuros, sufrir retraso de crecimiento, retraso mental e incluso la muerte por hemorragia cerebral (Bateman y otros, 1993). Los bebés tienden a sonreír menos, son más difíciles de consolar, succionan y buscan el pecho materno con menor intensidad que los niños normales (Phillips y otros, 1996). A muchos hijos de madres que consumen la droga les resulta difícil lograr el control motor, orientarse hacia los estímulos visuales o hacia los sonidos y regular de manera normal la marcha y el sueño.

Podemos clasificar como "frágiles" a la mayoría de los niños expuestos a la cocaína. Tienden a sentirse abrumados por la estimulación normal del ambiente, padecen problemas para controlar el sistema nervioso, a menudo lloran en forma frenética y sufren de insomnio. Incluso después de un mes, les es difícil prestar atención a la estimulación normal sin perder el control y sin romper en llanto agudo e insistente (Chasnoff, 1989). Aun años después, una vez que han desaparecido los síntomas más obvios, presentan índices mucho más elevados de trastorno por déficit de atención, retrasos del lenguaje y dificultades de aprendizaje (Hutchinson, 1991).

Es evidente que, durante el embarazo, las madres deben abstenerse de consumir cocaína. Más aún, como su consumo es ilegal, algunos piensan que deberían imponerse sanciones legales a las que la ingieren sabiendo que están embarazadas. (Vea "Tema de controversia", página 66.)

Finalmente, recuerde que la mayoría de las embarazadas que abusan de las drogas son *poliadictas:* las consumen en combinaciones que agravan los efectos en el hijo en desarrollo. A veces es muy difícil identificar los efectos de algunos teratógenos en particular, ya que ellas a menudo sufren además problemas médicos y de desnutrición (Newman y Buka, 1991). Con todo, algo parece claro: cuanto más drogas se consuman durante el embarazo, peor estará el niño.

---

1. Resuma los aspectos de edad, salud, y nutrición de la madre que pueden favorecer o perjudicar a su hijo.
2. Explique los tipos de daño que pueden ocurrir en cada periodo crítico del desarrollo prenatal.
3. De las drogas que se mencionan en esta sección, ¿cuáles son las que producen peores efectos durante el embarazo y por qué?

REPASE Y APLIQUE

PARTO

El nacimiento de un niño normal se ajusta al mismo cronograma biológico, pero las actitudes hacia el embarazo y los métodos de parto varían de una cultura a otra. En la presente sección examinaremos a fondo las etapas del parto y las características del recién nacidpo.

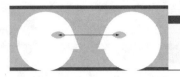

TEMA DE CONTROVERSIA

JUICIO LEGAL O TRATAMIENTO A LAS MADRES QUE CONSUMEN "CRACK"

El consumo de crack entre las embarazadas puede tener efectos graves y duraderos en su hijo en desarrollo. En Estados Unidos fue la "epidemia" del crack que apareció a principios de la década de 1980, lo que atrajo la atención de los sistemas judiciales, de los organismos de servicio social y especialmente de la comunidad médica sobre su utilización durante el embarazo.

En Estados Unidos es común someter a juicio a las madres que consumen la droga, aplicándoles la legislación actual relacionada con el maltrato infantil, lo que puede culminar en condenas por delito mayor. Sin embargo, es difícil lograr una condena pues a menudo los juicios se empantanan en vericuetos legales. Por ejemplo, en un caso de 1997, uno de los puntos más discutidos fue si se aplican al feto las leyes concernientes al maltrato del niño. Las resoluciones de la no aplicabilidad han anulado las condenas en algunos estados.

En una encuesta de 1996, la Asociación de Abogados Especiales Asignados al Tribunal Nacional (National Court Appointed Special Advocate Association CASA) estudió 35 casos criminales en 20 estados, casi todos relacionados con acusaciones de maltrato infantil o suministro de drogas a menores de edad. Los investigadores comprobaron que en casi la mayor parte de los casos, se retiraron o se anularon los cargos. Los juicios civiles por maltrato y negligencia -basados en el resultado positivo de las pruebas de consumo de drogas hechas en el momento del nacimiento del bebé-, han tenido más éxito, pues por lo menos han logrado quitarles la custodia del niño y ponerlo bajo el cuidado de familias adoptivas. Pero incluso los procesos criminales o civiles exitosos abordan el problema de los efectos prenatales sólo para sentar un precedente que disuada a los futuros infractores.

¿Podemos dar tratamiento a las mujeres durante el embarazo? El primer problema es la detección: no se les practican exámenes sistemáticos para investigar el consumo de drogas, en parte porque muchas optarían por no recibir atención prenatal con tal de evitar el riesgo de ser descubiertas. Cuando los especialistas en atención prenatal logran detectar el consumo, las madres no necesariamente se someten por su voluntad al tratamiento.

El tratamiento obligatorio impuesto por los tribunales a veces da buenos resultados, aunque se requiere investigar más a fondo su eficacia. Más aún, en muchas ocasiones no es un método práctico. La futura madre suele carecer de recursos para pagarlo, y escasean los recursos para financiar programas públicos o privados destinados a ellas. Por eso, muchas veces a las adictas condenadas o procesadas en los tribunales civiles se les envía a la cárcel en espera de tratamiento. En la cárcel no siempre reciben atención prenatal. Finalmente, cuando la reciben y de pronto dejan de consumir la droga, el embrión o el feto corren mayor riesgo, de aborto o de un parto prematuro, a causa de la abstinencia in utero.

¿La solución? Ni el proceso criminal ni el encarcelamiento han dado resultado; por ello, la Comisión para el Estudio del Abuso de Sustancias de la Academia Estadounidense de Pediatría recomienda programas de educación preventiva para todas las mujeres en edad de procrear antes que se embaracen.

Fuentes primarias: The National Center on Addiction and Substance Abuse at Columbia University (1996); American Academy of Pediatrics (1996).

ETAPAS DEL PARTO

El proceso de parto se divide en tres etapas: trabajo inicial de parto, trabajo de parto y parto, y expulsión de secundinas.

TRABAJO INICIAL DE PARTO   La primera etapa es el periodo en que la abertura cervical del útero comienza a dilatarse para permitir el paso del niño. Aunque el **trabajo inicial de parto** dura de unos cuantos minutos a más de 30 horas, por lo regular es de 12 a 15 horas en el caso del primer hijo y de seis a ocho horas en los siguientes. Comienza con ligeras contracciones del útero, por lo general a intervalos de 15 a 20 minutos. A medida que pasa el tiempo, aumentan la frecuencia y la intensidad de las contracciones hasta que ocurren a intervalos de apenas tres a cinco minutos. Las contracciones musculares son involuntarias, y lo más conveniente es que la madre procure relajarse en esta fase.

Algunas mujeres experimentan un *falso trabajo de parto* (denominado *contracciones de Braxton-Hicks*), sobre todo con su primer hijo. A veces es difícil distinguirlo del verdadero trabajo de parto, pero una prueba eficaz consiste en hacerlas caminar un poco. Los dolores del parto falso suelen disminuir, mientras que los de un trabajo verdadero se tornan más incómodos.

Otros dos procesos ocurren en el trabajo inicial de parto. Primero, se libera un tapón mucoso que cubre la cervix o cuello uterino. Este proceso puede provocar

trabajo inicial de parto
Primera etapa del trabajo de parto en que la abertura cervical del útero comienza a dilatarse para permitir el paso del niño.

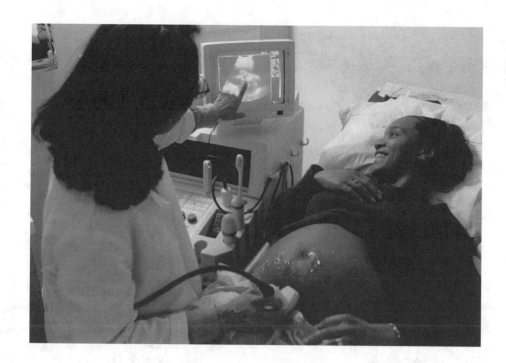

La seguridad y la confiabilidad de la imagenología por ultrasonido con que se inspecciona el feto explican el uso generalizado de esta técnica entre los médicos.

un poco de sangrado. Segundo, el saco amniótico a veces se rompe; parte del líquido amniótico se derrama como cuando "se rompe la fuente" de la madre.

Trabajo de parto y parto   La segunda etapa del parto comienza con contracciones cada vez más fuertes y regulares y termina con el nacimiento del niño. Una vez que la cervix está dilatada en su totalidad, las contracciones empiezan a impulsar el producto por el canal de parto. El **trabajo de parto y el parto** suelen tardar de 10 a 40 minutos, y al igual que el trabajo inicial de parto, tienden a ser más breves en los embarazos subsecuentes. Las contracciones ocurren a intervalos de entre dos y tres minutos y son más prolongadas e intensas que las que se observan en el trabajo inicial de parto. Si la madre está totalmente consciente, puede facilitar el parto controlando la respiración y "empujando" o impulsando el producto hacia abajo con sus músculos abdominales durante cada contracción.

Por lo regular, la cabeza es la primera parte que surge del canal de parto. Primero "corona" —o se vuelve visible— y luego surge más con cada contracción. El tejido materno del *perineo* (región situada entre la vagina y el recto) debe alargarse en forma considerable para permitir que salga la cabeza del niño. En los hospitales, el médico a menudo practica una incisión denominada **episiotomía** para agrandar la abertura vaginal. Se piensa que la incisión cicatrizará mejor que el desgarre que ocurriría en caso contrario. Las episiotomías se practican mucho menos en Europa Oriental.

Finalmente, en los partos normales el niño nace con la cara hacia abajo. Una vez que aparece la cabeza, su cara se voltea a un lado para que el cuerpo salga con la menor resistencia posible.

Expulsión de secundinas   La expulsión de la placenta, el cordón umbilical y los tejidos correspondientes marca la tercera etapa del parto, llamada **expulsión de secundinas.** Es indolora y ocurre 20 minutos después del parto. Una vez más, la madre puede facilitar el proceso impulsando este producto hacia abajo. Se revisa las secundinas en busca de defectos que pudieran indicar alguna lesión del recién nacido. (Esta fase también se conoce como "alumbramiento" en la jerga ginecológica.)

trabajo de parto y parto
Segunda etapa del parto que comienza con contracciones más fuertes y regulares y que termina con el nacimiento del niño. Una vez dilatada la cérvix en su totalidad, las contracciones empiezan a impulsar el producto por el canal de parto.

episiotomía   Incisión que se practica para agrandar la abertura vaginal.

expulsión de secundinas
Tercera y última etapa del parto; por lo general ocurre 20 minutos después del parto y durante esta fase se expulsan del útero la placenta y el cordón umbilical. (El término también es llamado "alumbramiento" en la jerga ginecológica.)

Secuencia del parto.

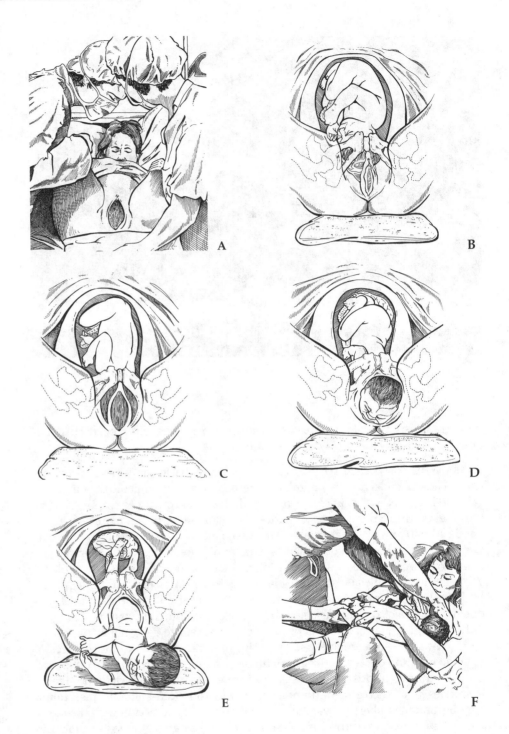

A

B

C

D

E

F

PRIMERAS IMPRESIONES

Ha nacido un nuevo miembro de la familia, y todos quieren saber cuánto pesa y cómo es. ¿Cómo son los **neonatos** y cómo reaccionan ante el nacimiento?

TAMAÑO Y ASPECTO   Al nacer, el niño promedio a término pesa entre 2.5 y 4.3 kilogramos y mide entre 48 y 56 centímetros. Es posible que su piel todavía esté cubierta por la *vérnix caseosa* y el lanugo (que se desprenden en el primer mes de vida).

La cabeza parece desproporcionada y demasiado larga por un proceso de deformación que ocurre para facilitar el parto. Las placas blandas y óseas del crá-

neonatos   Bebés durante el primer mes de vida.

neo, conectadas sólo por unas superficies cartilaginosas llamadas **fontanelas**, se comprimen en el canal del parto para permitir el paso de la cabeza. En virtud de que las **fontanelas** aún no se endurecen ni se amalgaman al cráneo sino hasta tiempo después, nunca debe golpearse ni oprimirse el cráneo. Los genitales externos pueden parecer agrandados por la presencia de las hormonas que llegaron al niño antes del nacimiento.

El aspecto del hijo puede impactar a sus padres. Transcurrirán meses antes de que se convierta en el niño rollizo y de piel suave que aparece en los anuncios de televisión y de revistas.

¿ES TRAUMÁTICO EL NACIMIENTO?   Prescindiendo de si el nacimiento es "traumático" o de si, como propuso Freud, se relaciona con la ansiedad del adulto, el nacimiento *sí es* una transición radical del ambiente protegido y seguro del útero al ambiente externo, mucho menos seguro y más duro. Como no se le proporcionarán ya oxígeno y nutrientes cuando los necesite, el recién nacido debe respirar por sí mismo, aprender a comunicar sus necesidades y deseos en un mundo social que quizá no le muestre sensibilidad.

El nacimiento es un acontecimiento sumamente estresante para el recién nacido. Pero el niño a término está preparado para enfrentar el estrés (Gunnar, 1989). En los últimos momentos del nacimiento, aumenta mucho la secreción de adrenalina y noradrenalina, hormonas que contrarrestan el estrés. La adrenalina también contribuye a compensar cualquier deficiencia inicial de oxígeno y prepara al recién nacido para respirar por los pulmones. Las primeras respiraciones son difíciles porque el líquido amniótico presente en los pulmones debe ser expulsado y es necesario llenar millones de diminutas bolsas de aire en los pulmones. Pese a ello, en unos cuantos minutos la mayoría de los niños respiran normalmente.

¿Y el sufrimiento? El recién nacido tiene niveles relativamente elevados de un analgésico natural denominado betaendorfina, que circula por la sangre. Junto con las hormonas estimulantes, el analgésico hace que los bebés estén muy alertas y receptivos poco después del nacimiento. En opinión de muchos expertos, este periodo de mayor alerta, que puede durar una hora o más, es el momento ideal para que los padres se familiaricen con su hijo (Nilsson, 1990).

PERIODO DE AJUSTE   A pesar de su aspecto indefenso, los niños a término son criaturas corpulentas que empiezan a adaptarse a su nueva vida: el cuerpo de su madre ya no hace todo por ellos y empiezan a funcionar como individuos independientes. Hay cuatro áreas decisivas de ajuste físico: respiración, circulación sanguínea, digestión y regulación de la temperatura.

Con las primeras respiraciones, los pulmones se llenan de aire y empiezan a funcionar como el órgano principal del aparato respiratorio. En los primeros días después del nacimiento, los neonatos pasan por periodos de tos y de estornudos. A menudo los padres se sienten alarmados, pero tales manifestaciones sirven para eliminar el moco y el líquido amniótico de las vías respiratorias. La respiración marca también un cambio importante en el sistema circulatorio. El corazón ya no necesita bombear sangre a la placenta para obtener oxígeno. Se cierra entonces una válvula en el corazón del niño y se canaliza el flujo de sangre hacia los pulmones. La transición de la circulación fetal a la circulación independiente y al sistema respiratorio comienza inmediatamente después del nacimiento y tarda varios días. La **anoxia** (ausencia de oxígeno) puede causar daño cerebral permanente, si se prolonga varios minutos en el momento de nacer.

Antes del nacimiento, la placenta suministra nutrientes, pero ahora el sistema digestivo del neonato debe empezar a funcionar. Esta transición es más larga y lenta que los cambios tan drásticos de la respiración y la circulación que ocurren justo después del nacimiento. El sistema de regulación de la tempera-

fontanelas   Placas blandas y óseas del cráneo, conectadas sólo por cartílago.

anoxia   Ausencia de oxígeno que puede causar daño cerebral.

tura también se ajusta al ambiente de manera gradual. En el interior del útero, la piel del niño se mantenía a una temperatura constante. Después del nacimiento, su propio metabolismo deberá protegerlo incluso contra alteraciones pequeñas de la temperatura externa. Por tal razón, salvo que se encuentre en una incubadora, debe abrigarse con cuidado para conservarlo caliente en los primeros días y semanas de vida. Poco a poco podrá mantener una temperatura corporal constante, con ayuda de una capa de grasa que va acumulándose durante las primeras semanas.

La prueba de Apgar   No todos los recién nacidos están preparados de igual manera para adaptarse a los cambios que se dan con el nacimiento; de ahí la necesidad de descubrir cuanto antes cualquier problema o debilidad. En 1953, Virginia Apgar ideó un sistema de calificación estándar que permite a los hospitales evaluar con rapidez y de manera objetiva su estado. La **Escala de Apgar** se presenta en la tabla 2-3. Al minuto de nacido y de nuevo a los cinco minutos, el evaluador observa el pulso, la respiración, el tono muscular, la respuesta de los reflejos generales y el tono general de la piel del neonato. La puntuación perfecta es 10 puntos, pero se considera normal una de siete en adelante. Las puntuaciones menores a siete indican que algunos procesos orgánicos no están funcionando a plenitud y que tal vez se necesiten procedimientos especiales. Una puntuación de cuatro o menos exige medidas inmediatas de urgencia. Más adelante, en los primeros días de vida, se evaluará al neonato con la Escala de Evaluación Neuroconductual de Brazelton, que explicaremos en el capítulo 4.

MÉTODOS DE PARTO

Aunque la biología del parto es universal, las formas en que nacen los niños y se les atiende varían mucho de una generación a otra y entre las culturas y las familias. Por ejemplo, para algunas culturas, el parto es como una enfermedad. Entre los indios cuna de Panamá, la embarazada visita al curandero todos los días para recibir drogas, y durante el trabajo de parto y el parto se le administran sedantes. Entre los *kungsan*, sociedad tribal del noroeste de Botswana, las mujeres no comunican a nadie el inicio del trabajo de parto y se refugian en los arbustos, donde alumbran sin ayuda. Dan a luz al niño, cortan el cordón umbilical y estabilizan al recién nacido, todo ello sin asistencia alguna (Komner y Shostak, 1987).

En algunas culturas todavía se acostumbra dar a luz en el hogar. En la mayor parte de las naciones industrializadas, los partos se realizan por lo general

Tabla 2–3   Sistema de calificación de Apgar para infantes

	Puntuaciones		
	0	1	2
Pulso:	Ausente	Menos de 100	Más de 100
Respiración:	Ausente	Lenta, irregular	Llanto fuerte
Tono muscular:	Débil	Ligera flexión en las extremidades	Movimiento activo
Respuesta refleja:	Sin respuesta	Mueca	Llanto vigoroso
Color*:	Azul, pálido	Cuerpo rosado, extremidades azules	Completamente rosado

*En los niños que no son de raza blanca se emplean otras pruebas de membranas, palmas y plantas mucosas de los pies.
Fuente: "Proposal for a New Method of Evaluating the Newborn Infant", de V. Apgar, Anesthesia and Analgesia, 1953, 32, 260. Reimpreso con autorización de la International Anesthesia Research Society.

Escala de Apgar   Sistema estándar de calificación que permite a los hospitales evaluar de manera rápida y objetiva el estado del recién nacido.

en los hospitales (aunque los nacimientos en el hogar empiezan a aumentar en Estados Unidos). La participación del padre en este proceso también varía mucho según la cultura.

PARTO "TRADICIONAL" Hace 150 años, esta expresión designaba al parto que ocurría en el hogar con ayuda del médico de la familia o una *partera*, mujer experta en este proceso que podía o no tener un entrenamiento formal (las más de las veces carecía de éste). Con la llegada de la medicina moderna, los partos pasaron a los hospitales, en donde la madre era atendida por personal médico especializado y con equipo de urgencias por si se presentaban complicaciones. Gracias a ello disminuyó en forma considerable la mortalidad de los niños y de las madres. Por eso hoy, cuando hablamos del **parto tradicional**, nos referimos al que se lleva a cabo en el hospital.

Hasta hace algunos años, el padre no participaba en las salas de trabajo de parto ni en las de parto. (Recuerde las viejas películas en que el padre camina arriba y abajo fuera de la sala de partos y ve finalmente, a través de una ventana, a su hijo por primera vez.) A la madre se le anestesiaba y se le sedaba, pues se suponía que el parto era en extremo doloroso. Como buena parte de los medicamentos cruzaban sin dificultad la barrera de la placenta, también el niño quedaba anestesiado y sedado. Y aunque esta práctica no necesariamente ocasiona efectos nocivos a largo plazo, a los niños se les ve atontados y menos alertas al nacer y, en consecuencia, responden menos ante sus padres y otras personas. Si bien nadie pone en tela de juicio la importancia de aliviar el dolor de la madre, es evidente que los medicamentos tienen que emplearse con cautela (Broman, 1986).

PRÁCTICAS CONTEMPORÁNEAS En general, lo que una mujer siente durante el parto depende de su experiencia, actitud y conocimientos de lo que puede esperar. En esto se basa lo que se conoce como **parto "natural" o preparado,** el cual puede adoptar diversas formas pero se basa en los procedimientos ideados por el obstetra francés Fernand Lamaze (1958). Sin importar si se practica en su totalidad o no, ha ejercido una fuerte influencia en los métodos que emplean los hospitales durante el proceso.

En el parto preparado la mujer y su entrenador (el padre, un miembro de la familia o un amigo) asisten a una serie de lecciones. Aprenden la biología del parto, y con ayuda de su entrenador la madre practica ejercicios de relajamiento y control de la respiración. (Los ejercicios alivian el dolor del trabajo de parto y del parto mismo; la respiración y otras técnicas sirven para evitar que la madre se concentre en el malestar que siente.) Cuando llega el día del nacimiento, el entrenador está presente durante todo el proceso para brindarle apoyo y ayudarle a permanecer lo más relajada posible. Se administra un mínimo de medicamentos o quizá no se utilicen, a fin de que la madre permanezca consciente y alerta y facilite en lo posible el parto.

Por lo regular, el trabajo de parto dura menos tiempo y causa menos estrés al hijo y a la madre, si ésta y su entrenador saben bien lo que va a suceder en cada etapa (Slade y otros, 1993; Mackey, 1995). Conviene usar pocos medicamentos y que la madre logre participar. Hay menos temor y tensión muscular cuando sabe lo que va a ocurrir, en especial si es su primer parto. Así, los dos padres sienten que tienen mayor control sobre el proceso (Leventhal y otros, 1989).

En la actualidad, la mayor parte de los hospitales de Estados Unidos permiten al padre o a otro entrenador asistir al trabajo de parto y al parto mismo. Algunos ofrecen, además, salas más hogareñas de parto y de recuperación o **centros de nacimiento** en sus instalaciones o fuera de ellas. Los centros están diseñados para realizar allí todo el proceso, desde el trabajo de parto hasta el parto y la recuperación (Parker, 1980). Combinan la privacidad y la intimidad

Una enfermera instruye a un grupo de embarazadas en técnicas de relajación de músculos y respiración.

parto tradicional Trabajo de parto y parto en el hospital.

parto "natural" o preparado Parto que adopta diversas modalidades, pero se basa siempre en los procedimientos ideados principalmente por el obstetra francés Fernand Lamaze.

centros de nacimiento Sitios en que se realiza el proceso íntegro de parto, desde el trabajo de parto y el parto hasta la recuperación.

de un parto en casa con la seguridad y el respaldo de la tecnología médica, pues atender las necesidades sociales, psicológicas y estéticas de los padres es tan importante como las consideraciones médicas (Allgaier, 1978). Del parto se encarga por lo regular una enfermera partera titulada y no un médico.

En casi todos los centros se fomenta el parto preparado y un pronto regreso a casa, casi siempre en un plazo de 24 horas. También alientan a las madres para que pasen el mayor tiempo posible con su hijo a fin de favorecer el apego (Allgaier, 1978; Parker, 1980). Esta práctica ahora es habitual en los hospitales modernos, a diferencia de los métodos anteriores en que se separaba al niño de los padres después del nacimiento y se le mantenía en un cunero.

Para la mayoría de los padres, los centros de nacimiento son muy satisfactorios. La principal preocupación es la familia y les ofrecen a los padres la mayor independencia y control posibles (Eakins, 1986). En general ha cambiado la filosofía del parto. Ahora se considera un proceso natural, y no una enfermedad, durante el cual debe procurarse que la intervención tecnológica sea mínima.

Sin embargo, los centros de nacimiento no están equipados para atender a todos. Descartan a mujeres que presentan factores de alto riesgo o complicaciones. Las normas suelen excluir a las primerizas de 35 años, a las que van a dar a luz gemelos, a quienes sufren enfermedades como diabetes o problemas cardiacos y a las que han tenido partos por cesárea (Lubic y Ernst, 1978). Se recomienda el parto en hospital cuando se detectan signos de posibles problemas del niño o del parto.

ALTA TECNOLOGÍA PARA EMBARAZOS DE ALTO RIESGO La rama de la medicina denominada **perinatología** ve en el parto no el momento culminante de un proceso, sino un periodo que comienza con la concepción y continúa durante los primeros meses de vida. Los perinatólogos, que se especializan en la atención de embarazos y partos de alto riesgo, suelen trabajar en los grandes hospitales que cuentan con recursos para ello. Vigilan a la madre y al niño durante el embarazo y el parto, sirviéndose de procedimientos de detección prenatal como la amniocentesis y la fetoscopia (que se describen en el capítulo 3) para descubrir posibles problemas que requieren tratamiento médico inmediato (consúltese "Estudio de la diversidad", página 73).

En los últimos 25 años, la obstetricia ha logrado avances impresionantes. Los niños que no habrían sobrevivido en los años setenta ahora se desarrollan de manera normal en porcentajes sin precedentes. Por ejemplo, en la actualidad, 80 por ciento de los bebés prematuros con un peso de entre 750 y 1000 gramos sobreviven en una unidad bien equipada de cuidados intensivos para recién nacidos (Ohlsson y otros). En 1972, sólo sobrevivía uno de cada cinco.

Entre los adelantos modernos cabe citar los medicamentos, la microcirugía, las herramientas de diagnóstico y las medidas preventivas. Por ejemplo, en muchos hospitales se emplean en forma sistemática los **monitores fetales,** aparatos que pueden aplicarse tanto externa como internamente. El monitor externo registra la intensidad de las contracciones uterinas y los latidos cardiacos del niño por medio de dos cinturones colocados alrededor del abdomen de la madre. El monitor interno es un tubo de plástico con electrodos, que se introduce por la vagina y se sujeta a la cabeza del niño. Sirve para medir la presión uterina, la respiración fetal y la compresión del cráneo (Goodling, 1979). El monitor señala la compresión del cordón umbilical, si hay una oxigenación deficiente del feto y otras clases de sufrimiento fetal (*Pediatrics*, 1979). Por lo regular el monitor interno se utiliza sólo en situaciones de alto riesgo. En la actualidad, el Colegio Superior de Ginecobstetricia de los Estados Unidos (*American College of Obstetrics and Gynecology*) desaconseja el uso de monitores fetales en los embarazos de bajo riesgo, práctica antes muy común (BIRTH, 1988), en parte porque

perinatología Rama de la medicina que estudia el parto como un lapso que abarca la concepción, el periodo prenatal, el parto y los primeros meses de vida.

monitor fetal Monitor externo que registra la intensidad de las contracciones uterinas y los latidos cardiacos del niño por medio de dos cinturones que se colocan alrededor del abdomen de la madre. El monitor externo es un tubo de plástico con electrodos que se introduce en la vagina y se sujeta a la cabeza del niño.

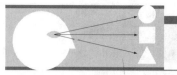

ESTUDIO DE LA DIVERSIDAD

RECIÉN NACIDOS EN RIESGO

En Estados Unidos, 90 por ciento de los niños nacen a término y sanos, con una puntuación de 9 o 10 en la Escala de Apgar. Sólo 10 por ciento nace antes de término; apenas 7 por ciento pesa menos de 2.40 kilogramos; y menos de 1 por ciento muere en el primer año de vida. Gracias a los adelantos médicos y a la educación en la salud, la mortalidad infantil en casi todas las naciones desarrolladas ha disminuido en forma constante en las últimas cinco décadas, de 47 fallecimientos por cada 1,000 nacimientos en 1940 a la cifra más baja de todos los tiempos de 8.1 en 1995 (Children's Defense Fund, 1991; National Center for Health Statistics, 1993a; 1993b; 1995).

A pesar de estadísticas tan optimistas, algunos niños todavía corren serios riesgos en el momento de nacer. Examinemos más de cerca el 10 por ciento de los niños estadounidenses que llegan al mundo luchando por sobrevivir. ¿Quiénes son? ¿Pueden prevenirse algunos de sus problemas?

La probabilidad de morir en el primer año de vida es dos veces más grande entre los niños negros y los de familias pobres que entre los de raza blanca y los de las familias por encima del nivel de pobreza. El nacimiento de niños prematuros o con bajas puntuaciones en la Escala de Apgar es más probable cuando la madre es menor de 15 años o mayor de 44, cuando es pobre o soltera (National Center for Health Sta-

tistics, 1993a). ¿Este patrón acaso ofrece tendencias comunes?

Uno de los mejores indicadores de bajo peso al nacer es la ausencia de atención prenatal a partir de los tres primeros meses de gestación. Las madres adolescentes, las de grupos minoritarios, las solteras y las mujeres que viven en la pobreza tienen una probabilidad mucho mayor de posponer la atención prenatal que las mujeres casadas, más ricas y mayores de 20 años (National Center for Health Statistics, 1993a). Algunos lugares carecen de los servicios básicos de salud para familias pobres, servicios que pueden resolver los problemas médicos de la madre como hipertensión, anemia o desnutrición antes que se conviertan en factores de riesgo para el hijo; no se cuenta con programas educativos para remediar conductas potencialmente nocivas (tabaquismo, ingestión de alcohol y consumo de drogas) y tampoco con los aspectos básicos de la atención del niño.

Las madres jóvenes están más expuestas al riesgo que el resto de la población. Por lo regular son inmaduras tanto en lo físico como en lo emocional y no tienen la energía, la paciencia ni los conocimientos para atender por lo menos a un niño sano. A menudo la falta de la instrucción básica, junto con el aislamiento de los compañeros y parientes dificulta aún más que se haga frente a las obligaciones de la maternidad. Al respecto observa una trabajadora social:

Nunca olvidaré la mirada de cansancio que vi en el rostro de una joven de 14 años que cuatro meses antes había dado a luz un par de gemelos. Su aspecto era el de una mujer envejecida de manera prematura cuando la vi sentada en el porche de la casa de sus padres en la región rural de Carolina del Sur. Su madre y su hermano estaban en el trabajo, mientras ella permanecía en casa para atender a sus hijos y a su hermano menor. El padre había tratado de ayudarla; pero como entonces se había marchado a cientos de kilómetros de allí en busca de trabajo, recaía sobre ella todo el peso del cuidado de sus hijos. A una edad en que las mujeres de su edad comienzan la enseñanza media, sueñan con su futuro y empiezan a salir con el novio, parecía que a ella el futuro nada le deparaba. Se hallaba en casa, sola, cuidando a un niño que empezaba a caminar, cambiando pañales y tranquilizando a dos bebés muy inquietos.

A pesar del progreso de la tecnología médica, la mortalidad de los niños de poco peso al nacer se ha elevado en los años noventa (National Center for Health Statistics, 1993b), sobre todo en los casos en que aumenta la pobreza, se generaliza el consumo de drogas y se extiende el SIDA (Wiener y Engel, 1991). Ante la frialdad de las estadísticas, Marian Wright Edelman De la Fundación para la Defensa de los Niños se pregunta (1992): "¿Es esto lo mejor que podemos hacer en Estados Unidos?"

---

los monitores fetales se relacionan con un aumento innecesario de cesáreas como veremos más adelante.

En general, la nueva tecnología de parto es una bendición para muchas familias, sobre todo cuando el parto es prematuro o entraña alto riesgo. Pero algunos críticos señalan que con mucha frecuencia se aplica en casos rutinarios. Por ejemplo, para algunos defensores del consumidor, la elevada tasa de cesáreas se debe al perfeccionamiento de la tecnología en la sala de partos.

COMPLICACIONES DEL PARTO

PRESENTACIÓN DE NALGAS   Ocurren partos más difíciles cuando el producto se encuentra en posición de **presentación de nalgas** (las nalgas primero) o de presentación posterior (con la cara hacia el abdomen de la madre y no hacia su espalda). En ambos casos hay peligro para la madre o de anoxia por estrangu-

presentación de nalgas
Posición del niño en el útero en la cual las nalgas son lo que aparecen primero; generalmente, en tales casos se requiere ayuda para que el niño no se lastime ni sufra anoxia.

FIGURA 2–4

Dos tipos de presentación de nalgas. En esta posición el parto es difícil tanto para la madre como para su hijo.

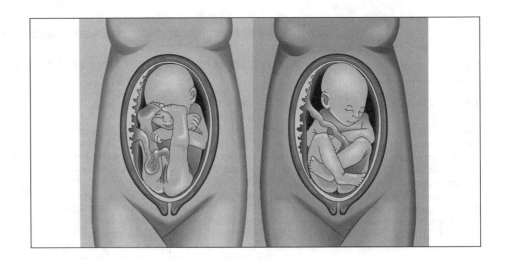

lamiento para el niño. En la figura 2-4 se aprecian los dos tipos de presentación de nalgas. Se intenta voltear al niño y colocarlo en la posición adecuada para el parto; en caso de que no se logre, puede practicarse una cesárea.

CESÁREA Durante el embarazo pueden darse otras complicaciones. He aquí algunas de éstas además de la presentación de nalgas: ruptura prematura del saco amniótico sin trabajo de parto (con lo cual el feto queda desprotegido), imposibilidad de iniciar el trabajo de parto o de reaccionar a los intentos por inducir el trabajo de parto postérmino y urgencias fetales serias. En tales casos, el equipo de parto puede recurrir a la **cesárea**, en la cual se extrae al niño por la pared abdominal de la madre. Este procedimiento se efectúa muchas veces con anestesia local para que la madre esté despierta y alerta. Por tratarse de un procedimiento rápido, muy poca anestesia llega al producto. En casi todos los casos, el resultado es excelente para ambos.

No obstante, muchos creen que la tasa de partos por cesárea es demasiado elevada (LoCicero, 1993). El porcentaje de intervenciones en Estados Unidos fue de 5.5 por ciento en 1970. En 1980 llegó a 18 por ciento y a 24.4 por ciento en 1987 (Cohen y Estner, 1983; Marieskind, 1989). Aunque su frecuencia ha disminuido un poco en los últimos años, todavía es la cirugía mayor más común. Cada año se efectúa casi un millón; en algunos hospitales es el método de elección en más de 40 por ciento de los partos.

¿Por qué constituye un problema la tasa tan elevada de cesáreas si se trata de un procedimiento de relativa seguridad? En primer lugar, es una cirugía abdominal mayor y exige un periodo de recuperación mucho más largo que el parto normal. En segundo lugar, es costosa y genera más problemas a los padres y a sus agentes de seguro médico. En tercer lugar, algunos defensores del consumidor observan que el notable incremento del porcentaje de cesáreas se debe a la generalización de algunas técnicas médicas que parecen interrumpir el proceso natural del trabajo de parto. La utilización de monitores fetales y la administración sistemática de cuatro o cinco medicamentos, entre ellos los analgésicos o fármacos que lo inducen, crean en realidad situaciones que hacen necesario el parto quirúrgico.

cesárea Procedimiento quirúrgico con que se extraen el niño y la placenta del útero mediante una incisión en la pared abdominal.

Por último, y quizá lo más importante, la reacción psicológica a este tipo de parto puede ser negativa en extremo. Muchas madres dicen que se sienten molestas y decepcionadas, sobre todo las que recibieron anestesia general en vez de local y "se perdieron del acontecimiento". Varios estudios indican que algunas mujeres manifiestan desaliento y hasta enojo, posponen la elección del nombre de su hijo, obtienen calificaciones más bajas en las pruebas de autoestima después de dar a luz y les cuesta mucho amamantarlo (Oakley y Richards, 1990). Además, se observa una depresión posparto más intensa después de la intervención quirúrgica que luego de un parto vaginal normal (Cohen y Estner, 1983; Kitzinger, 1981).

NIÑOS PREMATUROS El indicador más común de prematurez es un peso bajo al nacer. Como lo establece la Organización Mundial de la Salud, a un recién nacido que pese menos de 2.5 kilogramos se le clasificará por lo general como de poco peso y será necesario darle atención especial.

No obstante, suelen confundirse dos indicadores de bajo peso. El primero es la **condición de pretérmino.** A esta categoría pertenecen los niños que nacen antes del periodo de gestación de 35 semanas (o de 37, contados a partir del último periodo menstrual). La mayoría de esos niños pesa menos de 2.5 kilogramos. El segundo indicador es si el bebé es **pequeño para la fecha de nacimiento.** A esta categoría pertenece un recién nacido a término con un peso menor a los 2.5 kilogramos. Se da este caso, por ejemplo, cuando existe desnutrición fetal.

La prematurez se debe a varias causas. La más común es el parto múltiple, en el cual dos o más niños nacen al mismo tiempo. Otras causas comprenden enfermedades o discapacidades del feto, tabaquismo de la madre o consumo de drogas y desnutrición. Además, algunas enfermedades de la madre, como la diabetes o la poliomielitis, pueden dar lugar al nacimiento de un bebé antes de término.

Justo después del nacimiento, a los prematuros les cuesta más adaptarse al mundo exterior que a los niños a término. Un problema frecuente es el control de la temperatura: los bebés prematuros tienen menos células adiposas y les resulta más difícil conservar el calor corporal. Por ello, a los que pesan menos de 2.5 kilogramos se les coloca en incubadoras inmediatamente después de nacer. Otro problema común es la dificultad de igualar el ambiente nutricional que hay al final del periodo fetal. En los primeros meses de vida, los prematuros parecen incapaces de alcanzar el mismo peso y estatura que los niños a término.

En opinión de algunos investigadores, los efectos de la prematurez pueden prolongarse mucho después de la infancia. Los estudios indican que los prematuros sufren más enfermedades en los tres primeros años de vida, reciben calificaciones más bajas en las pruebas de inteligencia y están un poco más propensos a problemas de conducta que los niños a término (Knobloch y otros, 1959). No obstante, la investigación más reciente indica que esas dificultades se presentan en menos de una cuarta parte de los niños prematuros (Bennett y otros, 1983; Klein y otros, 1985). Con todo, se ha descubierto una elevada tasa de prematurez entre los niños a quienes después se les diagnosticó alguna dificultad de aprendizaje, problemas de lectura, tendencia a distraerse o hiperactividad.

Los informes anteriores deben interpretarse con mucha prudencia. No podemos llegar a la conclusión, por ejemplo, de que la prematurez *ocasione* tal es defectos. Aunque a estos niños les resulta más difícil adaptarse a la fuerte impresión del nacimiento, la relación entre la prematurez y los problemas anteriores es mucho más compleja. Por ejemplo, circunstancias como la desnutrición, un desarrollo defectuoso de la placenta o el apiñamiento dentro del útero originan varios síntomas, uno de los cuales es el bajo peso al nacer. En conclusión, la prematurez a menudo es *síntoma* de una discapacidad o disfunción y no su causa.

Algunos de los problemas posteriores del bebé prematuro provienen de la forma en que se le trata durante las primeras semanas de vida. Dada la necesidad de mantenerlo dentro de una incubadora, su contacto normal con los cuidadores es menor que el de los recién nacidos en general. A pocos se les amamanta; a pocos se les sostiene en los brazos mientras se les alimenta; y al-

condición de pretérmino Niño que nace antes de un periodo de gestación de 35 semanas.

pequeño para la fecha de nacimiento Recién nacido a término que pesa menos de 2.50 kilogramos.

gunos no pueden succionar durante las primeras semanas. Se ven privados, pues, de las experiencias sociales del amamantamiento que crean en forma normal un vínculo temprano entre el cuidador y el niño a término. Y a veces los cuidadores se esmeran menos en la atención de los prematuros, porque son poco atractivos, de aspecto enfermizo o porque su llanto es agudo y crispante.

A lo largo de la infancia se observan las consecuencias del escaso contacto inicial atribuibles a la prematurez (Goldberg, 1979). Por lo regular, los progenitores los sostienen menos cerca del cuerpo, los tocan y los miman menos. Más tarde, tienden a jugar menos que los niños a término y asimilan los estímulos externos con mayor dificultad. Pese a ello, muchas de las diferencias con los niños normales desaparecen al final del primer año, sobre todo cuando los padres procuran compensarlos, dedicándoles más tiempo y tratando de estimularlos por todos los medios. En muchos hospitales, se alienta a los padres a participar en el cuidado del prematuro. Usan máscaras y batas, entran en la unidad de cuidados intensivos para colaborar en la alimentación, en el cambio de pañales y en otras tareas. Estimulan a su hijo, acariciándolo y hablándole; el resultado es un mayor apego y una atención más esmerada cuando se lo llevan a casa.

Se han realizado estudios de seguimiento a niños prematuros cuyos padres participaron en la atención que se les brindó en el hospital. Los padres aprendieron a ser sensibles a conductas con frecuencia sutiles de sus hijos que acaso reflejaban necesidades y malestar; y los niños mejoraron en cada etapa del desarrollo. En la infancia aprendieron a realizar actividades sociales e intelectuales mejor que aquellos cuyos padres no los cuidaron en el hospital. A los 12 años de edad, mostraron mayor competencia intelectual y social (Beckwith y Cohen, 1989; Goldberg y otros, 1988).

Durante el primer año de vida, algunos de los efectos nocivos de la prematurez pueden compensarse con un ambiente enriquecido. En un programa piloto destinado a bebés que habían nacido prematuramente por desnutrición fetal (Zeskind y Ramey, 1978), se les proporcionó atención diaria de gran calidad además de servicios médicos y nutricionales. La mayoría alcanzó los niveles normales de desempeño a los 18 meses de vida. Un grupo de infantes desnutridos recibió los mismos servicios médicos y nutricionales, pero se les atendió en casa. Alcanzaron niveles normales con mayor lentitud, y manifestaban incluso ciertas deficiencias de desempeño a los dos años de edad.

NIÑOS DE ALTO RIESGO Los niños de alto riesgo, es decir, los que nacieron con discapacidades físicas, plantean problemas similares a los de los bebés pretérmino en lo que respecta a la experiencia temprana. Por razones médicas se separa de sus padres a los niños enfermos o minusválidos y, a menudo, éstos presentan problemas de desarrollo que reducen su capacidad para comunicarse con sus padres y manifestarles que aprecian sus atenciones. El resultado: por una parte, niños apáticos, exigentes y confundidos; por otra, cuidadores demasiado atentos.

A los padres puede resultarles demasiado difícil establecer el apego con un hijo minusválido. Además de problemas como la separación temprana y la hospitalización, algunas discapacidades, por ejemplo, de orden visual o auditiva, pueden limitar mucho las habilidades de respuesta del niño. Más aún, los padres pasan con frecuencia por un periodo de duelo por el niño "perfecto" que no llegó, antes de aceptar, cuidar y crear un vínculo emocional con el que les tocó. En tales casos son de gran utilidad los grupos de apoyo formados por padres con hijos discapacitados. Les ayudan a darse cuenta de que no están solos y reciben consejo de otras personas que están pasando por experiencias parecidas.

REPASE Y APLIQUE

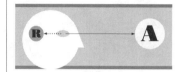

1. Describa las tres etapas del parto. ¿Qué puede hacer la madre en cada una para facilitar el proceso?
2. ¿Por qué causa estrés el parto al recién nacido? ¿Está preparado el niño a término para superar el proceso?
3. Compare el parto "tradicional" con los métodos modernos.
4. ¿Por qué hay quienes se oponen al nacimiento por cesárea?
5. Explique los efectos a corto y a largo plazo de la prematurez.
6. ¿Qué han descubierto los investigadores sobre los efectos que un ambiente enriquecido tiene en los prematuros?

EL DESARROLLO DE LA FAMILIA

Como hemos visto, el parto no es sólo un proceso médico sino también un auténtico hito psicológico y social para la familia. El sistema familiar ya nunca será igual. El recién nacido comienza de inmediato a manifestar su presencia, su estado de salud y su estilo personal; los padres, los abuelos y los hermanos reaccionarán según sus creencias personales y culturales. En esta sección, examinaremos varios aspectos de la adaptación de la familia al nuevo miembro.

TRANSICIÓN A LA PATERNIDAD Y LA MATERNIDAD

La expresión "estamos esperando un hijo" conlleva la idea de que los futuros padres realizan cambios en su vida que suponen nuevos roles y relaciones. Además de preparar un sitio en la casa para el hijo, el ajuste a la paternidad y a la maternidad constituye un cambio radical en la vida de los adultos, sobre todo tratándose del primogénito. Y a veces los grandes cambios de vida se acompañan de estrés y de la necesidad de comunicarse y resolver problemas. Los padres deben hacer ajustes sociales y económicos, y a menudo deben reevaluar y modificar las relaciones actuales. A esto se aúnan las actitudes culturales de la familia hacia la procreación y la crianza del niño.

Los motivos para procrear varían mucho de una cultura a otra. En algunas sociedades, entre ellas la estadounidense en años pasados, a los niños se les consideraba un activo económico o un sostén para los padres en su vejez. En otras sociedades, se encargan de mantener la tradición familiar, de satisfacer las necesidades personales de los padres y sus metas. Otras veces se les considera como una obligación o una carga necesaria. En algunas culturas se les acepta como una parte natural e inevitable de la vida que no requiere una decisión deliberada. Por ejemplo, en la India las mujeres tradicionales quieren tener hijos para garantizarse una buena vida y la felicidad eterna (LeVine, 1989).

En todas las culturas, las embarazadas se adaptan a los cambios físicos, psicológicos y sociales de la maternidad. Ocurren importantes cambios corporales que no es posible ignorar. Aun antes de que el feto sea lo bastante grande para modificar el aspecto de la madre, ésta puede sentir náuseas, saciedad u hormigueo en los senos. A veces se le ve fatigada e hipersensible durante las primeras semanas de la gestación, lo cual incide de manera directa en los otros miembros de la familia. En cambio, durante la etapa intermedia del embarazo puede sentirse muy bien. De hecho, algunos sistemas corporales, entre ellos el circulatorio, pueden mostrar mayor capacidad y funcionamiento. Finalmente, en las últimas etapas del embarazo aparece un ligero malestar físico, a veces junto con la sensación de una carga emotiva. Entre los cambios comunes se encuentran

Las motivaciones para tener hijos varían de una cultura a otra.

los siguientes: aumento de peso, reducción de la movilidad, alteración del equilibrio y presión en los órganos internos por el crecimiento del feto. El malestar empeora con otros síntomas: venas varicosas, acidez estomacal, micción frecuente y disnea. Se registran notables diferencias individuales en el *grado* de malestar, de fatiga o de carga que la mujer experimenta en las últimas semanas. A algunas les parecen más fáciles las últimas etapas de la gestación.

Los cambios físicos del embarazo influyen en el estado psicológico de la futura madre. Debe aceptar la nueva imagen corporal y el cambio de autoconcepto, además de las reacciones de quienes la rodean. Algunas se sienten especiales o "alejadas" de sus amigos; otras desean amistad y protección. El embarazo se acompaña también de gran incertidumbre ante el porvenir. A veces la futura madre no tiene planes profesionales firmes para después del embarazo, se siente insegura de su capacidad para cuidar al hijo, teme que presente defectos congénitos, le preocupan el aspecto económico o la idea de ser madre. La ambivalencia es común: puede desear con fervor tener un hijo y, al mismo tiempo, le molesta compartir con él su tiempo, su energía y a su marido (Osofsky y Osofsky, 1984). En ocasiones se pregunta si logrará cumplir con las expectativas de quienes la necesitan: el nuevo bebé, los hijos mayores, el esposo, los padres ancianos, los amigos cercanos y, quizá, los supervisores y los compañeros de trabajo.

EL ROL CAMBIANTE DEL PADRE   A primera vista, el rol de padre parece fácil en comparación con los grandes cambios físicos y emocionales de la madre. Pero rara vez es así. Dicen sentir emoción y orgullo, aunque algunos ven al futuro hijo como un rival. La mayoría siente tanta responsabilidad que a veces les parece abrumadora. A algunos les causa envidia la capacidad reproductora de su esposa y otros aseguran sentirse como meros espectadores (Osofsky y Osofsky, 1984). A los padres les preocupa el futuro tanto como a las madres. Les inquieta su capacidad para sostener a la nueva familia y cumplir bien su papel de progenitores. Desean que el hijo los aprecie y respete, y quieren atender sus exigencias emocionales (Ditzion y Wolf, 1978; Parke, 1981). Algunos aprovechan la oportunidad para obtener información sobre la crianza infantil. Otros modifican sus planes financieros. Muchos tratan de dar mayor apoyo emocional a su esposa. Cuando ya tienen otros hijos, a menudo les dedican más tiempo y les ayudan a prepararse para recibir a su hermano.

En ocasiones los futuros padres pasan por una fase en que se identifican con la esposa y llegan a manifestar los síntomas del embarazo (Pruett, 1987). Un ejemplo algo radical se observa entre los nativos de Yucatán (México): el embarazo se "confirma" cuando el *compañero* de la futura madre sufre náuseas, diarrea, vómitos o calambres (Pruett, 1987). En Estados Unidos, los futuros padres muestran los antojos tradicionales de fresas con crema, además de tener sueños angustiosos y presentar cambios extraños en su deseo sexual como ocurre con las mujeres.

NORMAS CULTURALES   Es fácil advertir que la cultura a menudo moldea las actitudes de *ambos* progenitores ante el embarazo y el parto. Así, en Estados Unidos el embarazo se veía antes como un estado anormal. A las embarazadas no se les veía en público, en la escuela ni haciendo carrera en una oficina. Pero desde hace 150 años comenzaron a realizarse cambios masivos en la estructura familiar, en los roles y en las percepciones de la gestación; en el siglo XX se registraron más cambios, sobre todo en los años posteriores a la Segunda Guerra Mundial. Aumentó con rapidez el número de madres que trabajaban fuera de casa y de familias sin padre (Hernandez, 1997), tendencia que prosigue hoy en día: la fuerza laboral está abierta a más embarazadas y no embarazadas. En la actualidad, a la mujer se le alienta a trabajar hasta los últimos días de la gravi-

La madre y el padre comparten la alegría de admirar a su hijo recién nacido.

dez. Aceptan con naturalidad el malestar y la fatiga del embarazo y prosiguen su vida normal.

En resumen, las actitudes sociales aunadas a las necesidades y emociones de los futuros padres pueden hacer del embarazo un periodo de estrés, de cambio y de ajuste. Tales conflictos pueden ser más intensos en los progenitores jóvenes, sobre todo en los que no cuentan con el apoyo de parientes y amigos (Osofsky y Osofsky, 1984). Ninguna de estas actitudes perjudicará en forma directa al feto, a menos que la madre sufra un estrés emocional grave o prolongado. No obstante, las actitudes y el estrés de los padres influyen en la dieta de las madres, en la concentración de hormonas, en el descanso, en el ejercicio, en el uso de medicamentos y en la resistencia a la enfermedad, circunstancias que pueden influir en el niño. Estas actitudes y tensiones contribuyen a crear el ambiente social en el que entrará el niño al nacer.

LOS INICIOS DEL APEGO

El **apego** es un vínculo emotivo entre progenitores e hijo. Incluye sentimientos de cercanía y afecto. Por supuesto, opera en ambas direcciones: en teoría, los progenitores se sienten íntimamente vinculados al niño y él a ellos. Esta relación recíproca comienza en el nacimiento y sigue desarrollándose y cambiando en formas sutiles a lo largo de toda la niñez, como veremos a fondo en el capítulo 5.

Tras el llanto o gorgoteo inicial y de llenar los pulmones, un recién nacido alerta empieza a tranquilizarse y tiene tiempo para relajarse en el regazo de la madre, si se le da la oportunidad. Luego de un breve descanso, trata de concentrarse en el rostro de su madre o de su padre. Parece escuchar mientras los padres lo contemplan fascinados y comienzan a hablarle. Examinan todo: los dedos de las manos y de los pies, el rostro arrugado pero quizá sonriente, los pequeños y graciosos oídos. Se da un estrecho contacto físico, arrullos y caricias. Muchos niños localizan el seno materno y de inmediato comienzan a mamar, con pausas para observar a su alrededor. Los que han recibido poca o ninguna anestesia pueden mostrar un incremento en la alerta por la adrenalina y explorar durante media hora o más mientras sus padres los abrazan, establecen contacto ocular y les hablan.

Actualmente queda claro que los bebés saben imitar un poco. Mueven las manos, abren y cierran la boca y hasta sacan la lengua en respuesta a los gestos faciales de sus padres (Meltzoff y Moore, 1989). Más aún, sus respuestas físicas desencadenan procesos en el interior del cuerpo de su madre. Cuando lamen o succionan los pezones, aumenta la secreción de prolactina (hormona importante para el amamantamiento) y de oxitocina (hormona que hace que se contraiga el útero y aminora el sangrado). También al niño le beneficia la lactancia materna. Aunque la leche no suele estar disponible todavía, la madre produce una sustancia llamada *calostro* que al parecer contribuye a limpiar el sistema digestivo del niño y transfiere al recién nacido muchas de las inmunidades de ella (en el capítulo 4, se establece la comparación entre el amamantamiento y la alimentación con biberón).

Algunos investigadores han propuesto que las primeras interacciones entre el niño y sus progenitores son importantes también desde el punto de vista psicológico. En un estudio de 28 madres primerizas, de bajos ingresos y, por lo mismo, de alto riesgo (Klauss y Kennell, 1976), el personal del hospital dio a la mitad de las madres 16 horas adicionales de contacto con su hijo durante los tres primeros días posteriores al parto. Los dos grupos de madres y niños fueron examinados después de un mes, de un año y de dos años. A lo largo del periodo de dos años, las que habían tenido contacto adicional mostraron un apego mucho más fuerte con su hijo. Las investigaciones subsecuentes han restado importancia al vínculo inicial tal como lo definieron Klauss y Kennell (por ejemplo, Field, 1979). Por ejemplo, también los padres que adoptan niños mucho después

apego   Vínculo emocional que se crea entre un niño y otro individuo. El primer lazo del niño suele caracterizarse por gran interdependencia, intensos sentimientos mutuos y relaciones emocionales vitales.

de las primeras horas, días o semanas del parto pueden sentirse muy ligados a ellos. No obstante, el contacto temprano contribuye a comenzar con una buena relación, en especial para las madres adolescentes, de las que tienen poca o ninguna experiencia con recién nacidos y de las madres de niños prematuros o de alto riesgo.

Los padres que participan en el nacimiento de su hijo sienten una atracción casi inmediata por él, acompañada de sentimientos de alegría, orgullo y mayor autoestima (Greenberg y Morris, 1974). Algunos estudios indican que tienen un vínculo y apego más fuertes con el hijo que los que no intervienen en el nacimiento ni en los cuidados iniciales (Pruett,1987). Estos últimos suelen sentirse más distantes de su esposa y un poco ignorados cuando llega el hijo. A menudo decae mucho la camaradería entre los cónyuges (Galinsky, 1980). En general, muchas investigaciones señalan que los padres que comienzan desde el nacimiento una relación con sus hijos seguirán brindándoles más cuidado directo y jugarán más con ellos.

Una mayor participación del padre aporta muchos beneficios. En un estudio, los bebés cuyos padres colaboraban en su cuidado obtenían calificaciones más altas en las pruebas de desarrollo motor y mental (Pederson y otros, 1979). En otro estudio, se comprobó que mostraban mayor sensibilidad social que el grueso de la población infantil (Parke, 1979). Pero recuerde que los padres que deciden tener contacto temprano con su hijo pueden distinguirse en muchos otros aspectos de los que no optan por tener tal contacto (Palkovitz, 1985); de ahí que no tengamos la seguridad absoluta de que el contacto temprano produzca en sí los beneficios posteriores del desarrollo.

En capítulos posteriores examinaremos una y otra vez pruebas en favor de la importancia del apego. También analizaremos los efectos que el ambiente familiar tiene en múltiples aspectos del desarrollo. En el siguiente capítulo, profundizaremos en su dimensión biológica -la herencia- y en la manera en que interactúa con el ambiente para originar los rasgos peculiares de cada individuo.

REPASE Y APLIQUE

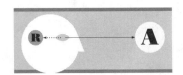

1. ¿Cuáles son algunos de los cambios que los miembros de la familia deben realizar para dar cabida al primer hijo?
2. Describa algunos de los cambios físicos, psicológicos y sociales que influyen en las experiencias de la futura madre durante el embarazo.
3. ¿Cómo podría un contacto adicional temprano favorecer los vínculos de apego entre los infantes y sus cuidadores?

RESUMEN

Crecimiento y desarrollo prenatal

■ El desarrollo prenatal suele dividirse en trimestres. El primero abarca desde la concepción hasta la decimotercera semana; el segundo de la decimotercera semana a la vigesimoquinta; el tercero desde la semana vigesimoquinta hasta el nacimiento.

■ Cada mes los ovarios liberan un óvulo o huevo, que desciende por las trompas de Falopio. Allí puede fertilizarlo un espermatozoide (consulte el diagrama de estudio de la página 48).

■ Consumada la fertilización, el material genético del óvulo y del espermatozoide se fusionan para formar un cigoto, el cual emigra hacia el útero y se implanta en la pared uterina.

- Si la división del cigoto produce dos células que se transforman en dos individuos independientes, el resultado será un par de gemelos monocigóticos (idénticos). El resultado será un par de gemelos dicigóticos (fraternos), si dos óvulos son liberados al mismo tiempo y cada uno se une a un espermatozoide diferente.
- El periodo embrionario principia con la implantación y se prolonga dos meses. Durante ese lapso la capa exterior de células origina el saco amniótico, el líquido amniótico, la placenta y el cordón umbilical. Las células de la capa interna se diferencian y se convierten en el embrión propiamente dicho.
- Durante el segundo mes se desarrollan con rapidez las estructuras del embrión: brazos y piernas, ojos y órganos internos.
- Durante el periodo fetal, los órganos y sistemas maduran y se vuelven funcionales; el feto comienza a moverse. Se terminan las estructuras físicas.
- En el segundo trimestre aparecen los detalles estructurales: labios, uñas de los dedos de los pies y yemas de los dientes del adulto. Aumenta el tamaño del cuerpo, y el corazón empieza a latir. Es importante destacar en esta etapa el desarrollo del cerebro.
- Al finalizar el segundo trimestre, un feto sano alcanza la edad de viabilidad, es decir, tiene 50 por ciento de probabilidades de sobrevivir fuera del seno materno si recibe cuidados intensivos.
- Durante el tercer trimestre, el cerebro madura y el feto crece rápidamente. Se observan sensibilidad y actividades en el feto; y éste pasa por ciclos diarios de actividad y reposo.
- El desarrollo se realiza de la parte superior del cuerpo hacia abajo; a este proceso se le llama tendencia cefalocaudal. También avanza de la parte media del cuerpo hacia afuera; es la tendencia proximodistal.

Influencias prenatales del ambiente

- Aunque en Estados Unidos la mayor parte de los embarazos produce niños sanos a término, algunas veces se presentan defectos congénitos. La mayoría se debe a influencias ambientales que ocurren durante el periodo prenatal o el parto.
- El índice de defectos o anomalías prenatales aumenta de manera estable con la edad de la madre, sobre todo en las primerizas.
- La desnutrición fetal puede deberse a una dieta desequilibrada de la madre, a deficiencias de vitaminas, de proteínas o de otros nutrientes, lo mismo que a problemas en los procesos digestivos y en el metabolismo de la futura madre.
- El mejor indicador de niños sanos a término son las visitas al médico o a un servicio médico a partir del primer trimestre de gestación.

- Hay periodos críticos en que el niño está más expuesto a varias clases de defectos debidos a teratógenos: enfermedades, sustancias químicas y factores afines.
- Muchos virus -en especial la rubéola, el herpes simple y el VIH- pueden cruzar la barrera de la placenta y originar defectos como ceguera, sordera, lesión cerebral o deformidad de las extremidades.
- Algunos medicamentos que exigen receta médica y muchos de los que no la necesitan pueden dañar al feto.
- La ingestión de grandes cantidades de alcohol puede ocasionar un daño generalizado al feto. Los síntomas del síndrome de alcoholismo fetal son bajo peso al nacer y anomalías físicas y neurológicas.
- Se ha comprobado que el tabaquismo se relaciona con algunas anomalías fetales y también con índices más elevados de aborto espontáneo, de partos con producto muerto y de prematurez.
- Las altas dosis de mariguana afectan al sistema nervioso central.
- A los bebés que han sido expuestos a la cocaína antes del nacimiento les es muy difícil controlar el sistema nervioso, a menudo lloran con frenesí y parecen incapaces de dormir. Más adelante, en la niñez, muestran mayores índices del trastorno por déficit de atención y dificultades de aprendizaje.

Parto

- El parto se realiza en tres etapas: el trabajo inicial de parto, en el cual el cérvix o cuello del útero empieza a dilatarse; el trabajo de parto y el parto, en la cual se dilata por completo y el niño es expulsado por el canal de parto; la expulsión de secundinas, etapa en que se expulsan la placenta y el cordón umbilical.
- El niño normal a término pesa entre 2.5 y 4.3 kilogramo y mide de 48 a 56 centímetros de largo.
- Aunque el parto genera estrés al recién nacido, éste comienza de inmediato a adaptarse al nuevo ambiente. Inician la respiración, la circulación sanguínea, la digestión y la regulación de la temperatura.
- Con la Escala de Apgar se evalúa al recién nacido al minuto y a los cinco minutos después de haber nacido, para detectar problemas o debilidades.
- Con la llegada de la medicina moderna, el parto se desplazó del hogar al hospital, donde a la madre la atiende personal médico especializado en lugar de la partera.
- En la actualidad muchas mujeres prefieren el parto natural o preparado. Asisten a clases en las que aprenden la fisiología del parto y practican ejercicios de relajación. El padre o un amigo sirven de "entrenador" durante el trabajo de parto y el parto mismo.
- Los perinatólogos se especializan en el manejo de embarazos y partos de alto riesgo, aplicando tecnologías avanzadas como los monitores fetales.

- Las complicaciones de parto comprenden la presentación de nalgas, la ruptura prematura del saco amniótico sin trabajo de parto, la imposibilidad de comenzar el trabajo de parto y alguna emergencia fetal seria. En tales casos se extrae el producto por la pared abdominal de la madre mediante un procedimiento conocido como cesárea.
- El niño que nace antes de un periodo de gestación de 35 semanas es pretérmino; al niño a término que pesa menos de 2.5 kilogramos se le considera pequeño para la fecha de nacimiento. Los prematuros suelen tener más dificultades para adaptarse al mundo exterior, y los efectos pueden prolongarse mucho después de la infancia.
- Como a los prematuros se les mantiene en una incubadora, a los cuidadores les resulta más difícil establecer un vínculo afectivo con ellos. El problema se agrava en el caso de niños minusválidos.

El desarrollo de la familia

- Adaptarse a la paternidad y a la maternidad es un cambio radical en la vida de los adultos, en especial con el primer hijo. Los progenitores deben hacer ajustes socioeconómicos y modificar las relaciones actuales.
- Las embarazadas deben adaptarse a muchos cambios físicos, psicológicos y sociales.
- Los padres también reaccionan al embarazo de su esposa de manera emocional.
- La cultura moldea las actitudes de los progenitores hacia el embarazo y el parto.
- El apego es un vínculo emocional entre los progenitores y el hijo. Se trata de una relación recíproca que comienza con el nacimiento. Es más fuerte cuando los progenitores mantienen un estrecho contacto con su hijo justo después del parto.

CONCEPTOS BÁSICOS

congénito	cordón umbilical	episiotomía
trimestres	abortos espontáneos	expulsión de secundinas
periodos	periodo fetal	neonatos
óvulos	feto	fontanelas
trompas de Falopio	edad de viabilidad	anoxia
ovulación	tendencia cefalocaudal	Escala de Apgar
espermatozoides	tendencia proximodistal	parto tradicional
útero	tendencia de lo general a lo	parto "natural" o preparado
cigoto	específico	centros de nacimiento
periodo germinal	teratógenos	perinatología
gemelos monocigóticos (idénticos)	bacterias	monitor fetal
gemelos dicigóticos (fraternos)	virus	presentación de nalgas
blástula	síndrome de inmunodeficiencia	cesárea
periodo embrionario	adquirida (SIDA)	condición de pretérmino
embrión	síndrome de alcoholismo fetal	pequeño para la fecha de
saco amniótico	efectos del alcohol en el feto	nacimiento
líquido amniótico	trabajo inicial de parto	apego
placenta	trabajo de parto y parto	

UTILICE LO QUE APRENDIÓ

¿Han cambiado los métodos de parto desde que usted nació? Entreviste a una amiga que haya dado a luz hace poco. Después entreviste a su madre, a su abuela o a la madre de un amigo respecto a estas prácticas. Pídale que describa el ambiente, las expectativas, las técnicas médicas y las costumbres. ¿Qué personal médico estuvo presente? ¿Quién más asistió? ¿Qué medicamentos le administraron? ¿Hubo momentos críticos durante el parto? ¿Cuáles fueron algunos de los significados del acontecimiento; por ejemplo, como proceso médico-quirúrgico, como reto personal o como hito en la historia de la familia? ¿Cuáles son algunas de las ventajas y desventajas de la práctica moderna en comparación con la de décadas anteriores?

LECTURAS COMPLEMENTARIAS

DAVIS, E. (1997). *Heart & Hands: A Midwife's guide to pregnancy and birth* (3a. ed.). Berkeley, CA: Celestial Arts. Recurso muy completo para padres y madres que deseen conocer la atención obstétrica, que comprende, entre otras cosas, respuestas detalladas a preguntas sobre el embarazo, el parto y el posparto.

DORRIS, M. (1989). *The broken cord.* Nueva York: Harper & Row. Relato interesante y conmovedor de la lucha de un padre por criar a un niño víctima del síndrome de alcoholismo fetal. Exposición más amplia de este problema tan complejo entre la población indígena de Estados Unidos.

EISENBERG, A., MURKOFF, H. E., Y HATHAWAY, S. E. (1996). *What to expect when you're expecting.* Nueva York: Workman Publishing. Guía práctica y popular que examina los intereses de los futuros padres y madres, desde la etapa de planeación hasta el periodo de posparto.

KITZINGER, S. (1996). *The complete book of pregnancy and childbirth.* (ed. rev.). Nueva York: Knopf. Una de las mejores guías sobre la salud y el bienestar para futuros padres y madres, con ilustraciones y diagramas de gran utilidad.

NILSSON, L. (1990) *A child is born.* Nueva York: Delacorte Press. Fotografías a todo color del desarrollo prenatal con un texto actualizado sobre los hechos psicológicos y médicos relacionados con el desarrollo prenatal y el parto.

SILBER, S. J. (1991). *How to get pregnant with the new technology.* Nueva York: A Time-Warner Book. Este famoso libro combina una excelente reseña de las investigaciones actuales y un estilo ameno. Con un enfoque positivo y optimista, expone de modo pormenorizado el proceso normal de la concepción, así como las causas de la infertilidad masculina y femenina.

STREISSGUTH, A. P., Y KANTOR, J. (Eds.). *The challenge of fetal alcohol syndrome: Overcoming secondary disabilities.* Seattle: University of Washington Press. En esta colección de lecturas, los autores resumen los hallazgos recientes y analizan las opciones educativas y terapéuticas de los niños con síndrome de alcoholismo fetal.

Herencia y ambiente

TEMARIO

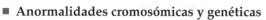

CAPÍTULO

3

OBJETIVOS DEL CAPÍTULO

Cuando termine este capítulo, podrá:

1. Explicar los principios y los procesos de la reproducción genética.
2. Describir las causas y las características de las anomalidades genéticas.
3. Explicar la utilidad de la consejería y de la investigación genética, incluyendo los métodos de detección prenatal.
4. Describir las aportaciones y las controversias en la etología, la sociobiología y la genética conductual.
5. Explicar y comparar el condicionamiento clásico y el operante.
6. Explicar la relación de la teoría del aprendizaje social y el autoconcepto con el desarrollo.
7. Describir el ambiente a partir del modelo de los sistemas ecológicos.
8. Describir la familia como vehículo primario de la cultura.
9. Explicar cómo influyen en el desarrollo las condiciones históricas y sociales.

Poco después de que Leonardo da Vinci murió en 1519 a la edad de 67 años, su medio hermano menor Bartolomeo emprendió la tarea de reproducir una copia viva del gran pintor, escultor, ingeniero y autor. Como ambos estaban emparentados, Bartolomeo se eligió como padre del futuro Leonardo. Seleccionó por esposa a una mujer cuyos antecedentes se parecían a los de la madre de Leonardo. Una joven que provenía de una familia de campesinos, y que se había criado en la aldea de Vinci. El matrimonio procreó un hijo, Piero, que fue criado con esmero en la misma región de la campiña toscana, entre Florencia y Pisa, que había visto crecer a Leonardo. El pequeño Piero pronto mostró talento artístico y a los 12 años de edad fue llevado a Florencia, donde trabajó de aprendiz con algunos de los artistas más destacados, de los cuales al menos uno había trabajado con Leonardo. Según Giorgio Vasari, el principal historiador del arte de la época, el joven Piero "dejaba maravillados a todos... y en cinco años de estudio había logrado un progreso que otros consiguen al cabo de toda una vida y de haber experimentado muchas cosas". De hecho, a Piero se le consideraba como un segundo Leonardo.

Sin embargo, a los 23 años murió de fiebre, de modo que es imposible predecir con certeza lo que hubiera obtenido, aunque es revelador el hecho de que sus obras hayan sido atribuidas al gran Miguel Ángel. Tampoco sabemos qué proporción de su genio se debía a la herencia o al ambiente. En promedio, los hermanos carnales comparten 50 por ciento de los genes, pero Bartolomeo y Leonardo eran medios hermanos y por lo mismo compartían sólo una cuarta parte. Al parecer, la madre de Piero y la de Leonardo no eran parientes; pero en una aldea como Vinci con parentescos tan estrechos, es posible que tuvieran antepasados y algunos genes en común. Tampoco puede excluirse una fuerte influencia del ambiente. El joven Piero conocía sin duda la fama de su ilustre tío; su padre le brindó todas las oportunidades que podía comprar con dinero para que lo emulara. Pero es probable que estos esfuerzos por darle al mundo otro Leonardo por medio de la herencia y el ambiente adecuado tuvieran poca influencia después de todo. Piero tal vez no fue más que otro de muchos talentos florentinos de su época (extracto de *Humankind*. Copyright © 1978 de Peter

Farb. Reimpreso con autorización de Houghton Mifflin Co. and Jonathan Cape. Todos los derechos reservados).

Naturaleza o crianza, herencia o ambiente: esta vieja controversia no sólo ha generado muchas teorías e investigaciones sino que sigue haciéndolo. En el presente capítulo analizaremos a fondo las características y el funcionamiento de la herencia, el ambiente, comenzando por los mecanismos genéticos que preparan el escenario para la concepción y el desarrollo prenatal y que continúan influyendo en el desarrollo a lo largo de la vida. Luego profundizaremos en el funcionamiento de varios *niveles* de entorno, empezando con los procesos básicos del condicionamiento y del aprendizaje para proseguir con los sistemas familiares, la cultura y la sociedad en general. En todo esto, siempre tendremos presente que las influencias de la herencia y el ambiente están relacionadas de un modo indisoluble.

En otras palabras, el desarrollo humano no se realiza en el vacío. "Es resultado de la vida cultural y, por tanto, se halla asociado de manera irremediable a determinados contextos" (Goodnow, Miller y Ressel, 1995). En consecuencia, un tema central en el estudio del desarrollo es la forma dinámica, *recíproca*, en que la naturaleza interactúa con el ambiente: el niño influye en su familia y viceversa.

MARCO TEÓRICO PARA ESTUDIAR LA HERENCIA Y EL AMBIENTE

La herencia puede dividirse en dos áreas de estudio: 1) lo que heredamos como especie, es decir, lo que todos los seres humanos tenemos en común; 2) lo que distingue a una persona de la otra, o sea, las combinaciones específicas y únicas de genes heredados por cada una. Del mismo modo, podemos dividir el ambiente en dos áreas: 1) lo que todos experimentamos necesariamente y 2) lo que nos diferencia de los demás.

La *herencia de la especie* comprende las necesidades de oxígeno y de alimento además de las conductas que realizamos, entre ellas respirar y comer. Necesitamos, asimismo, una madre biológica. Por tanto, es posible considerar que otras cosas son comunes a todo ser humano normal; por ejemplo, los inicios del desarrollo del lenguaje y la formación de los vínculos de apego entre infantes y cuidadores.

La *herencia individual*, en cambio, predispone a las diferencias de origen biológico que nos distinguen de los demás. Quizá una persona hereda la necesidad de más oxígeno que otra, por las peculiaridades de su metabolismo básico. O es posible que un niño pase por un periodo prenatal más largo que otro debido a las diferencias genéticas, o bien que adquiera el lenguaje con mayor facilidad que otro. Debemos, pues, tener en cuenta la herencia cuando estudiamos una conducta que difiere de manera clara entre los individuos.

Las *influencias ambientales de la especie* son las experiencias por las cuales todos *debemos* de pasar para desarrollarnos. Un niño es una criatura desvalida y, en consecuencia, hay que alimentarlo y atenderlo durante la infancia pues de lo contrario morirá. Así, pues, parte de lo que será nuestra personalidad de adulto la compartimos con el resto de los hombres en lo que respecta a la experiencia y la biología. Además, la gente suele estar en contacto con alguna forma de lenguaje, crecer en algún tipo de cultura, etc.; sin duda, esta experiencia produce ciertos aspectos comunes en el desarrollo y en el comportamiento.

Finalmente, las *influencias ambientales individuales* son aquellas que cambian de una persona a otra. Por ejemplo, la alimentación adopta muchas modalida-

DIAGRAMA DE ESTUDIO · INTERACCIÓN ENTRE HERENCIA Y AMBIENTE

HERENCIA:

De la especie: necesidades y funciones innatas pertenecientes a la supervivencia

Del individuo: necesidades y funciones peculiares del individuo

AMBIENTE:

De la especie: experiencias que normalmente comparten todas las personas

Del individuo: experiencias propias de cada persona

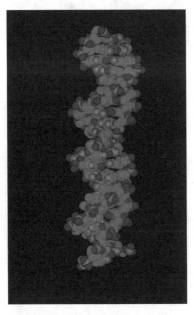

El ADN contiene el código genético que regula el funcionamiento y el desarrollo del organismo. Es una gran molécula compuesta por átomos de carbono, hidrógeno, oxígeno, nitrógeno y fósforo.

genes Unidades básicas de la herencia.

ácido desoxirribonucleico (ADN) Molécula grande y compleja que se compone de carbono, hidrógeno, oxígeno, nitrógeno y fósforo. Contiene el código genético que regula el funcionamiento y el desarrollo del organismo.

des: en culturas distintas, la gente come con cuchillos y tenedores, con cucharas, con palillos, en un recipiente de madera o con los dedos. De manera similar, y principalmente por el ambiente en el que vivimos, consumimos muchas clases de alimentos, algunos de los cuales causarían náuseas en otras culturas. También aprendemos idiomas muy distintos. Todas estas diferencias influyen en el desarrollo del individuo.

En resumen, cuando evaluamos el desarrollo, atendiendo a lo que las personas tienen en común, casi siempre es necesario distinguir los efectos *tanto* de la herencia *como* del ambiente. Lo mismo hemos de hacer al juzgar las diferencias individuales. A ello se agrega la complejidad que surge cuando analizamos la interacción recíproca entre esas dos variables como cuando, por ejemplo, el temperamento innato y las conductas relacionadas del infante influyen en los padres y al mismo tiempo contribuyen a *determinar* el ambiente familiar en el que se desarrollará (Saudino y Plomin, 1997). Incidimos en nuestro ambiente en formas que a su vez nos afectan. Además, *pensamos* en lo que está sucediendo, moldeamos el ambiente y escogemos nuestras experiencias (Rutter, 1997; Rutter y otros, 1997).

CÓMO FUNCIONA LA HERENCIA

GENES

Los **genes** "organizan el material inerte dentro de los sistemas vivientes" (Scott, 1990). Dirigen las células para formar el cerebro, el corazón, la lengua, las uñas de los dedos de los pies. Hacen que una persona tenga hoyuelos en las mejillas y que otra sea pelirroja. Están constituidos por **ácido desoxirribonucleico (ADN)**, que se compone de átomos de carbono, hidrógeno, oxígeno, nitrógeno y fósforo. Se ha señalado que "si extendiéramos en una línea el ADN del cuerpo humano, sería suficiente para llegar a la luna y regresar 20,000 veces" (Rugh y Shettles, 1971).

La estructura del ADN se asemeja a una escalera en espiral. Dos cadenas largas constan de fosfatos y azúcares alternos, con eslabones cruzados de cuatro bases diferentes de nitrógeno que se parean. El orden de pareamiento de las bases cambia y es precisamente esta variación lo que distingue a los genes. Un solo gen podría ser una parte de la escalera del ADN quizá con 2000 peldaños (Kelly, 1986). Por tanto, algunas variaciones relativamente pequeñas de su estructura originan notables diferencias entre los individuos.

Cuando una célula está lista para empezar a dividirse y reproducirse, la escalera de ADN se desenrolla y las dos cadenas se separan. Después, cada una atrae nuevo material de la célula para sintetizar una segunda cadena y crear

ADN. En ocasiones se da una mutación, una alteración, en las largas cintas del ácido nucleico. Casi siempre la mutación es negativa y la célula muere, pero un pequeño número de las mutaciones sobreviven y quizá hasta beneficien al organismo.

El ADN contiene el código genético, o programa, que regula el desarrollo y el funcionamiento del organismo. Es el *qué* y el *cuándo* del desarrollo. El ADN se encuentra confinado en el núcleo de la célula. El **ácido ribonucleico (ARN)**, sustancia que se forma a partir del ADN, sirve de mensajero a otras partes de la célula. Es el *cómo* del desarrollo. Sus cadenas cortas se desplazan por la célula y sirven de catalizadoras en la formación del tejido.

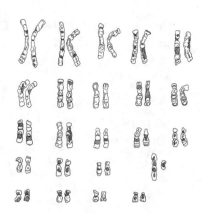

Para que se convierta en un ser humano normal, el cigoto debe tener 23 pares de cromosomas, es decir, 46 cromosomas.

CROMOSOMAS

El gen es un diminuto *lugar* bioquímico en un **cromosoma.** Este último consta de miles de lugares enlazados que producen casi un millón de genes en total (Kelly, 1986).

En el ser humano normal, una célula contiene exactamente 46 cromosomas distribuidos en 23 pares. Pueden fotografiarse bajo un microscopio de luz cuando la célula se prepara para dividirse, con lo que se obtiene ilustraciones llamadas **cariotipos.** Veintidós de los pares, numerados del más grande al más pequeño, se llaman **autosomas** y se caracterizan por no participar en la determinación del sexo. El par 23 lo constituyen los **cromosomas sexuales;** XX en las mujeres y XY en los varones. Por tanto, la ilustración de la parte superior es femenina y la de la parte inferior masculina.

LA DIVISIÓN CELULAR Y LA REPRODUCCIÓN

En el proceso de la **mitosis**, las células se dividen y hacen una réplica exacta de sí mismas. Primero, se reproduce el ADN de los genes. Después cada cromosoma se divide y reproduce su orden anterior en la célula original. Así se forman dos células nuevas que contienen 46 cromosomas en 23 pares iguales a la célula original, según se aprecia en el lado izquierdo de la figura 3-1.

En la figura 3-1 se observa la **meiosis**, o sea la manera en que se forman las células reproductivas (óvulos y espermatozoides). Este proceso genera los **gametos**, células que contienen sólo 23 cromosomas en comparación con los 46 de los 23 pares. En los varones la meiosis se realiza en los testículos y presenta dos divisiones que dan por resultado cuatro espermatozoides fértiles. También es un proceso de dos etapas la meiosis de la mujer, que tiene lugar en los ovarios y que termina antes del nacimiento. Pero el resultado final es un óvulo plenamente funcional y tres *cuerpos polares* más pequeños no susceptibles de ser fertilizados.

Gracias a la meiosis, los niños no son réplicas iguales de sus progenitores. La variación individual ocurre en diversas formas. Primero, cuando los cromosomas de los progenitores se separan al iniciarse la división celular, el material genético *cruza* en forma aleatoria y se intercambia entre los cromosomas, originando otros totalmente distintos. A esto se añade la posibilidad de las mutaciones viables, ya mencionadas, del material genético. A continuación, en la etapa final de la división meiótica, la suerte determina qué cromosomas entrarán en el espermatozoide o en el óvulo. (A este proceso se le llama *agrupamiento independiente.*) Lo mismo sucede en el momento de la fertilización y de la concepción. Por estas posibilidades de variación, se estima que dos progenitores podrían procrear cientos de billones de niños diferentes, cifra muy superior al número de personas que han vivido. En conclusión, podemos suponer que no hay dos personas genéticamente idénticas, con excepción de los gemelos monocigóticos.

ácido ribonucleico (ARN) Sustancia que se forma a partir del ADN y que se asemeja a éste. Sirve de mensajero en la célula y como catalizador de la información referente al nuevo tejido.

cromosoma Cadenas de genes, visibles bajo el microscopio.

cariotipo Fotografía de los cromosomas de una célula dispuestos por pares según su tamaño.

autosomas Todos los cromosomas menos los que determinan el sexo.

cromosomas sexuales El vigesimotercer par de cromosomas que determina el sexo.

mitosis Proceso de división celular normal que produce dos células idénticas a la célula madre.

meiosis Proceso de división celular en las células reproductoras que produce una cantidad infinita de arreglos cromosómicos diferentes.

gametos Células reproductoras (espermatozoides y óvulos).

FIGURA 3–1 COMPARACIÓN ENTRE LA MITOSIS Y LA MEIOSIS

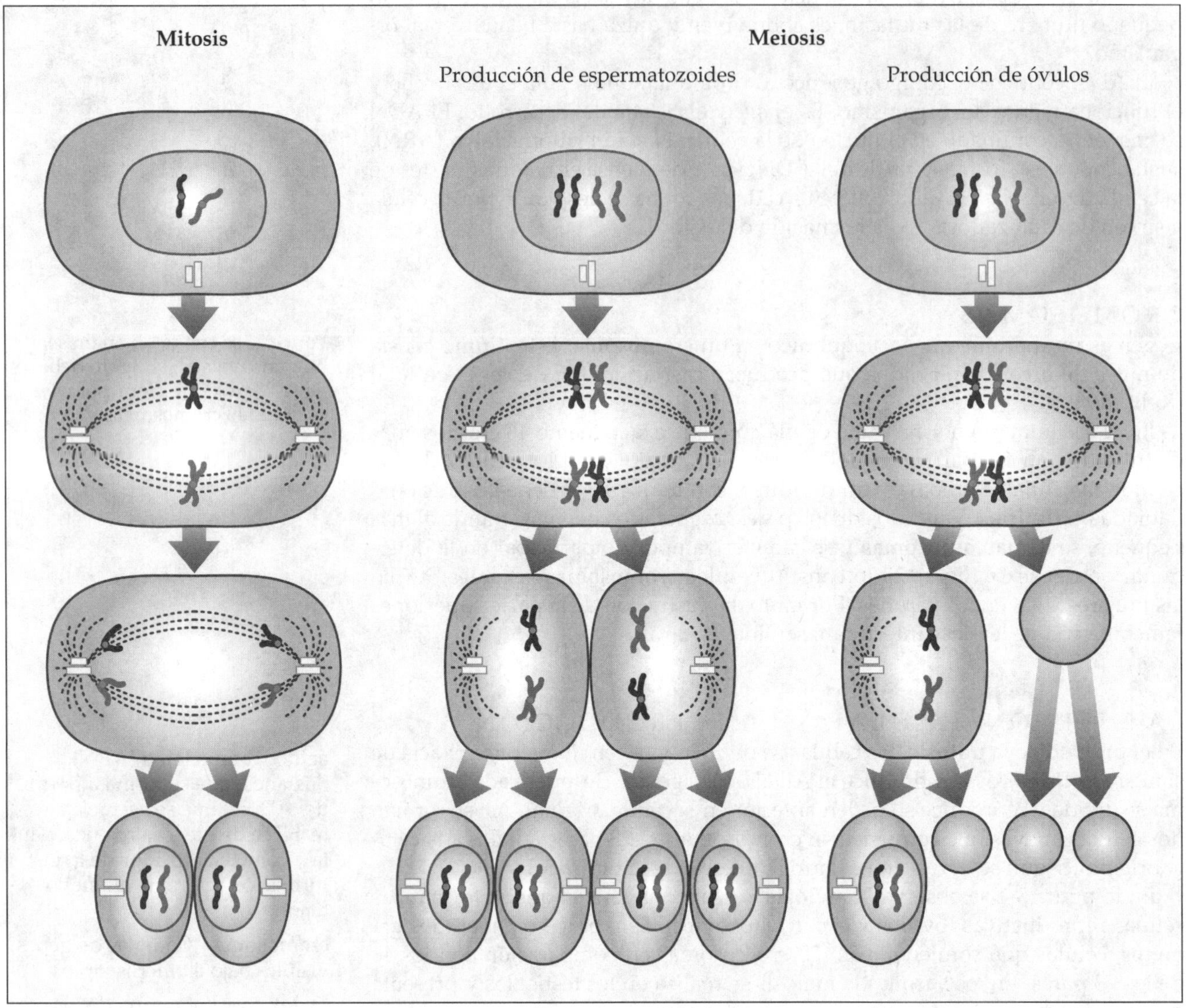

CÓMO SE COMBINAN LOS GENES

Los miles de genes presentes en los 22 pares de autosomas están duplicados. Se da el nombre de **alelos** a las formas alternas de un mismo gen; un alelo se hereda de la madre y el otro del padre. Los pares de alelos de una célula constituyen el **genotipo**, o estructura bioquímica. En la mujer, los genes vienen en parejas de alelos duplicados ya que los cromosomas sexuales son XX. Pero en el varón (XY) muchos genes del cromosoma X no tienen su correspondiente en el cromosoma Y.

DOMINANCIA Y RECESIVIDAD SIMPLE Algunos rasgos heredados, entre ellos el color de los ojos, están determinados por un solo par de genes. Un niño podría heredar un alelo de ojos castaños (B) del padre y un alelo de ojos azules (b) de la madre. Por tanto, el genotipo correspondiente al color de los ojos sería Bb en este caso. ¿Pero qué **fenotipo** —color real de los ojos en este caso— mostrará? Sucede que el alelo de los ojos castaños (B) es **dominante** y el de los ojos azules (b) es **recesivo.** Cuando un alelo es dominante, su presencia en un par

alelos Par de genes, presentes en los cromosomas correspondientes, que influyen en el mismo rasgo.

genotipo Estructura genética de un individuo o grupo.

fenotipo En genética, rasgos que se expresan en el individuo.

dominante En genética, gen de un par que hace que se exprese un rasgo determinado.

recesivo En genética, uno de un par de genes que determina un rasgo en el individuo, sólo si el otro miembro del par también es recesivo.

Herencia y ambiente en interacción. La niña se parece a su madre (herencia) y está aprendiendo a escuchar los latidos del corazón como ésta lo hace en su profesión (ambiente).

de genes hará que el rasgo se exprese como fenotipo. Así, una persona con el genotipo *BB* o *Bb* tendrá el fenotipo de ojos castaños.

Si los dos alelos de un rasgo dominante-recesivo simple son iguales, se dice que el individuo es **homocigoto** en ese rasgo. En relación con el color de los ojos, un homocigoto podría ser *BB* o *bb*. Si los alelos difieren, el individuo será **heterocigoto**: *bB* o *Bb*. Así, por ejemplo, el hijo de una pareja con ojos castaños puede tener ojos azules, un rasgo recesivo, si *ambos* progenitores son heterocigotos para ese rasgo. ¿Qué probabilidades hay de que los padres heterocigotos de ojos castaños procreen a un niño de ojos azules? En este caso son posibles cuatro combinaciones: *BB, bB, Bb* y *bb*. Como sólo la última puede producir un niño de ojos azules, las probabilidades son una de cuatro, o sea 25 por ciento. Advierta que, si uno de los progenitores de ojos castaños es homocigoto, no podrá procrear un hijo de ojos azules.

Otros rasgos que se determinan por dominancia-recesividad simple son el color y el tipo del cabello, la pigmentación de la piel, la forma de la nariz, los hoyuelos en las mejillas, lo mismo que muchos defectos y trastornos genéticos que examinaremos más adelante en el capítulo.

DOMINANCIA INCOMPLETA Y CODOMINANCIA Los alelos dominantes pueden serlo sólo de manera parcial y lo mismo sucede con los recesivos. Un ejemplo de la *dominancia incompleta* lo constituye el rasgo del *drepanocito* que a menudo aparece en los individuos de origen africano: las personas con un gen recesivo simple para ese rasgo tienen un elevado porcentaje de eritrocitos "en forma de hoz" que entorpecen la conducción de oxígeno por el organismo, pero también tienen eritrocitos normales. Los portadores de drepanocitos suelen padecer dolor en las articulaciones, formación de coágulos, hinchazones e infecciones en situaciones en las que disminuye el oxígeno, como en las grandes alturas. Sin embargo, la *anemia drepanocítica* ocurre cuando un individuo hereda ambos alelos recesivos. Los síntomas son mucho más graves; los pacientes no sobreviven después de la adolescencia si no reciben transfusiones sanguíneas.

La *codominancia* es un mecanismo afín al anterior, pero opera de manera diferente. Ninguno de los dos alelos domina, y el fenotipo resultante es una combinación equilibrada de ambos. Un ejemplo de ello son los tipos sanguíneos A y B: si un individuo recibe un alelo de cada uno, el resultado será el tipo sanguíneo AB.

homocigoto Indica el caso en que son iguales dos alelos de un rasgo dominante-recesivo simple.

heterocigoto Indica el caso en que son diferentes los dos alelos de un rasgo dominante-recesivo simple.

HERENCIA POLIGÉNICA   Los rasgos más complejos no provienen de los alelos de un par de genes, sino de una combinación de muchos pares. Así, para determinar la estatura se combinan varios genes y producen fenotipos más altos o bajos, aunque algunos factores ambientales como la alimentación influyen en ella de manera decisiva. Se da el nombre de *herencia poligénica* al sistema global de interacciones entre los genes y sus pares. A menudo las interacciones originan fenotipos que difieren mucho de los de los progenitores.

HERENCIA RELACIONADA CON EL SEXO   En la *herencia relacionada con el sexo* interviene el par número 23 de los cromosomas. El cromosoma X contiene más genes que el Y, razón por la cual la expresión de los rasgos recesivos es más probable en los varones que en las mujeres. Si por lo regular un alelo recesivo aparece en el cromosoma X del varón, muchas veces no habrá un alelo en el cromosoma Y que lo contrarreste y el rasgo recesivo se expresará como fenotipo del individuo. En cambio, en las mujeres el rasgo recesivo se expresará sólo si ocurre en los dos cromosomas X.

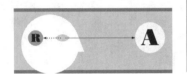

REPASE Y APLIQUE

1. Compare la herencia de la especie con la del individuo.
2. Compare las influencias ambientales de la especie con las del individuo.
3. ¿En qué se distinguen la mitosis y la meiosis y qué función cumplen?
4. Explique cómo funcionan la dominancia y la recesividad, la codominancia y la herencia poligénica.

ANORMALIDADES CROMOSÓMICAS Y GENÉTICAS

En la célula humana hay cerca de 100,000 genes que contienen cerca de *tres mil millones* de códigos. Sin embargo, rara vez se producen anomalías. La mayoría de las que ocurren son pequeñas y no afectan al desarrollo normal. Pero otras sí como veremos en la presente sección.

El 94 por ciento de los niños nacidos en Estados Unidos son sanos y normales. Los que tienen defectos representan 6 por ciento de los nacimientos y 25 por ciento de las muertes en el primer año de vida (Wegman, 1990). Se piensa que 70 por ciento de los defectos congénitos se deben a complicaciones del parto según vimos en el capítulo 2. Esta proporción nos da cerca de 2 por ciento que puede atribuirse a anomalías cromosómicas o genéticas. Muchos de los defectos son letales y producen aborto espontáneo al inicio de la gestación. Otros originan malformaciones serias.

ANORMALIDADES RELACIONADAS CON EL SEXO

Este tipo de anomalías corresponde a defectos en el número de cromosomas sexuales o en los genes contenidos en ellos. También, pueden asociarse con los patrones dominantes recesivos simples.

CROMOSOMAS ADICIONALES O FALTANTES   Algunas veces los varones nacen con cromosomas X (XXY o XXXY) o Y (XYY o XYYY) adicionales. Estos cromosomas generan los problemas que se resumen en la tabla 3-1. También las mujeres pueden tener cromosomas accesorios (XXX, XXXX o más) o tener sólo uno (XO). Éstas son condiciones que pueden causar deficiencias o anormalidades.

TABLA 3–1   ALGUNAS ANORMALIDADES RELACIONADAS CON EL SEXO

Hemofilia. Trastorno genético que impide la coagulación normal (véase el texto).

Síndrome de Klinefelter (XXY, XXXY, XXXXY). Se presenta en uno de cada 1000 varones. El fenotipo incluye esterilidad, genitales externos pequeños, testículos no descendidos y agrandamiento de los senos. Los síntomas son más pronunciados conforme aumentan los cromosomas X. Cerca de 25 por ciento de los varones que sufren el síndrome muestran retraso mental. Las manifestaciones físicas disminuyen con la terapia de reposición de hormonas en la adolescencia. Sin embargo, es necesario inyectar testosterona toda la vida para conservar las características masculinas secundarias.

Síndrome del "superhombre" (XYY, XYYY, XYYYY). Su incidencia es también de uno en cada 1000 hombres. Éstos tienden a ser más altos que el promedio, a mostrar mayor incidencia de acné y anormalidades esqueléticas menores. Aunque no sufren retraso mental, su inteligencia suele estar un poco por debajo del promedio. Antaño se suponía que eran más agresivos y que se desarrollaban de manera diferente a los hombres con un genotipo normal. Pero esa conclusión ha resultado exagerada. Aunque en promedio los varones XYY tienen menor control de sus impulsos que los XY y aunque algunos son más agresivos con su esposa o pareja sexual, hay poca o ninguna diferencia entre unos y otros en una amplia serie de mediciones de la agresión (Theilgaard, 1983). Por eso, hace poco la Academia Nacional de Ciencias (National Academy of Sciences) llegó a la conclusión de que no hay pruebas que corroboren alguna relación de un cromosoma Y adicional con la conducta agresiva y violenta (Horgan, 1993).

Síndrome de la "supermujer" (XXX, XXXX, XXXXX). Se registra en una de cada 1000 mujeres. Se trata de mujeres fértiles con un aspecto normal, que pueden procrear hijos con conteos normales de cromosomas sexuales, pero que en las pruebas de inteligencia tienden a obtener calificaciones un poco por debajo del promedio. Los déficits se vuelven más pronunciados al aumentar los cromosomas X.

Síndrome de Turner (XO). Ocurre en una de cada 10,000 mujeres y se caracteriza por la ausencia o inactividad de uno de los cromosomas X. Las afectadas suelen tener una apariencia femenina inmadura (porque no desarrollan las características sexuales secundarias) y carecen de los órganos reproductores internos. Pueden ser demasiado pequeñas y a veces sufren retraso mental. Una vez detectado el problema, puede iniciarse la terapia por reposición de hormonas para que tengan un aspecto más normal. Sin embargo, la esterilidad nunca desaparece.

RUPTURA DE LOS CROMOSOMAS   Tanto hombres como mujeres pueden verse afectados por un trastorno genético hereditario denominado *síndrome de X frágil*, que tiene una frecuencia de uno en 1200 varones nacidos vivos y en 2500 mujeres nacidas vivas. (Las razones son distintas porque mientras los hombres sólo tienen un cromosoma X, las mujeres tienen dos, por lo cual el cromosoma X normal de las mujeres *puede* compensar al frágil.) La designación alude al posible rompimiento de una pequeña parte del extremo del cromosoma, lo cual puede tener efectos profundos. Entre las anormalidades resultantes figuran las siguientes: macrocefalea, peso mayor al normal en el momento de nacer, oídos grandes y protuberantes, y cara alargada. Algunos niños afectados por el síndrome muestran patrones conductuales atípicos: aplaudir, morderse las manos e hiperactividad. El síndrome de X frágil es el segundo defecto cromosómico más común asociado con el retraso mental.

El síndrome del X frágil afecta de manera diferente a ambos sexos, pues supone la existencia de un gen recesivo en el cromosoma X. Los varones suelen verse afectados de manera más grave porque carecen de un segundo cromosoma X capaz de contrarrestar los efectos. No obstante, casi 20 por ciento de los hombres con un cromosoma X frágil no sufre el síndrome (Barnes, 1989). La investigación reciente indica que la mutación del gen inestable es la causa. Una de las subunidades del gen recesivo se repite miles de veces. Y cuando más se repite, más graves son los síntomas (Sutherland y Richards, 1994).

DEFECTOS DOMINANTES-RECESIVOS RELACIONADOS CON EL SEXO Los genes recesivos del cromosoma X tienen una probabilidad mayor de expresarse como fenotipos en el varón. Un ejemplo común es la calvicie típica. A partir de los 20 años muchos hombres muestran líneas de calvicie y de cabellos adelgazados, lo cual se observa en pocas mujeres. Por la misma razón, algunas variantes de la ceguera al color por genes recesivos son más comunes en ellos.

La *hemofilia* es el ejemplo más trágico de anormalidad relacionada con el sexo que se da más frecuentemente en el sexo masculino. Se debe a un gen recesivo bastante raro del cromosoma X que no tiene su contraparte en el cromosoma Y. El hemofílico no tiene un elemento del plasma sanguíneo necesario para la coagulación. Sangra de manera interminable cuando sufre una herida pequeña que en las personas normales sanaría en unos cuantos momentos. La hemorragia interna es muy peligrosa, pues puede pasar inadvertida y causar la muerte. Aunque la hemofilia es un padecimiento muy infrecuente y ocurre apenas en uno de cada 4000 o 7000 varones, en los años ochenta cobró gran importancia en los medios por su relación con el SIDA. Muchos hemofílicos que habían recibido transfusiones lo contrajeron, porque la sangre donada no se analizaba en forma sistemática para detectar el virus.

ANORMALIDADES AUTOSÓMICAS

De igual manera que los trastornos y defectos relacionados con el sexo, las anormalidades asociadas con los 22 pares restantes de cromosomas pueden deberse a cromosomas adicionales, a genes defectuosos o a patrones de genes recesivo-dominantes. En la tabla 3-2 se describen algunas de estas anormalidades.

El *síndrome de Down* es el defecto autosómico más común. Constituye la principal causa de retraso mental de origen genético. La versión más frecuente es la *trisomía 21*, en la que se agrega un cromosoma adicional al par 21. El síndrome se presenta en uno de cada 800 nacimientos de madres menores de 35 años y su frecuencia crece conforme aumenta la edad de la madre. Las personas afectadas presentan características físicas distintivas como cara redonda, ojos oblicuos sin pliegues en los párpados (origen de la anterior designación peyorativa "idiota mongoloide"). También se observan a menudo anormalidades del corazón, problemas auditivos y respiratorios.

Los afectados por el síndrome de Down muestran grandes variaciones individuales, en especial en lo relacionado con el grado de retraso mental. Es un mito, por ejemplo, que no pueden vivir en la sociedad. También es errónea la idea de que los niños son felices y que no tienen problemas y que los adultos son obstinados y poco cooperativos.

Por tradición, los investigadores ofrecen un panorama sombrío de la vida de quienes sufren el síndrome de Down y de su funcionamiento en la adultez; pero sus conclusiones se basaban principalmente en adultos cuya educación y salud habían sido descuidadas o que habían pasado largos años "recluidos" en ambientes institucionalizados. Hoy la educación especial contribuye a mejorar mucho la vida de estas personas. Algunos adultos jóvenes han alcanzado grandes logros en el trabajo, en la vida independiente y hasta en las artes (Turnbull y Turnbull, 1990).

CONSEJERÍA GENÉTICA

La mayoría de los genes recesivos y de los genes no relacionados con el sexo no se expresa. De ahí que muchos nunca sepamos qué tipo de genes defectuosos portamos; sin embargo, es muy probable que llevemos al menos de cinco a ocho genes recesivos letales, junto con muchos menos nocivos.

La **consejería genética** proporciona información valiosa sobre nuestra estructura genética y la de una posible pareja. Es un servicio muy accesible que además de ayudar a los futuros padres a evaluar los factores de riesgo en la procreación les permite tomar decisiones inteligentes (Garber y Marchese,

consejería genética Tipo de asesoría que ayuda a los futuros padres a evaluar los factores de riesgo de tener un hijo con trastornos genéticos.

TABLA 3–2   ALGUNAS ANORMALIDADES AUTOSÓMICAS

Fibrosis quística. Es la enfermedad infantil ocasionada por genes recesivos más común entre los estadounidenses de raza blanca, pues afecta aproximadamente a uno de cada 1000 niños. Los síntomas se manifiestan en las glándulas endocrinas que producen moco en todo el organismo afectando a los pulmones y al tubo digestivo, y también producen sudoración para enfriar el cuerpo. Por la severidad de este defecto los pacientes a menudo mueren en los primeros años de la adultez. Varias veces al día se administra una terapia física generalizada para liberar el moco, proceso lento y fatigoso. La mayoría de los varones son estériles. Aunque fértiles, las mujeres sufren durante el embarazo problemas respiratorios que afectan la salud del feto.

Síndrome de Down. Ocurre en uno de cada 1000 niños. El riesgo aumenta con la edad de la madre: los embarazos después de los 35 años de edad (entre cinco y ocho por ciento de los embarazos) representan 20 por ciento de los niños que nacen afectados con este síndrome (vea también el texto).

Corea de Huntington. A diferencia de otros defectos que aquí se explican, éste lo porta un gen dominante, es decir, basta que lo transmita uno de los progenitores. Se presenta entre cinco y 10 personas por cada 100,000 y se caracteriza por demencia progresiva, movimientos espasmódicos aleatorios y marcha vacilante, síntomas que por lo general aparecen después de los 38 años. Por ello, muchas de las personas que desarrollan la enfermedad no se saben portadores de un gen defectuoso y, por tanto, pueden tener hijos que lo heredarán. Se piensa que la corea de Huntington se debe a un gen inestable o repetido; de ahí que en algunas personas sea mucho más grave (Sutherland y Richards, 1994).

Fenilcetonuria. Es un defecto recesivo en el metabolismo de los aminoácidos; se debe a la incapacidad de éstos para eliminar la fenilalanina contenida en su cuerpo. La fenilalanina se acumula en el cerebro; daña así a las células y provoca su muerte. Es un padecimiento que origina síntomas neurológicos graves: irritabilidad, movimiento atetoide (sacudidas y movimientos musculares incontrolables), hiperactividad, convulsiones y retraso mental de grave a profundo. Se detecta mediante una prueba hematológica que se administra a todos los recién nacidos en Estados Unidos. Si el resultado es positivo, de inmediato se les somete a una dieta estricta para controlar la ingestión de fenilalanina. Con la dieta se controlan los peores síntomas del trastorno, en especial el retraso mental. Los pacientes tratados tienen una esperanza normal de vida y pueden procrear. Sin embargo, las mujeres fértiles muestran un altísimo riesgo de aborto espontáneo o de tener hijos con defectos congénitos porque el feto crece en un ambiente uterino anormal. Nutrasweet, un edulcorante artificial, los refrescos dietéticos y otros productos que contienen fenilalanina llevan una etiqueta en la que se informa al público los riesgos relacionados con su consumo.

Enfermedad drepanocítica y anemia drepanocítica. En Estados Unidos este trastorno es más común entre los afroamericanos: aproximadamente uno de cada 12 son heterocigotos del gen recesivo que causa esta configuración en los eritrocitos. Cerca de una de cada 100 parejas afroamericanas son portadoras del gen recesivo, lo cual significa un riesgo de 25 por ciento de tener un hijo afectado. Sin embargo, apenas uno de cada 650 afroamericanos presenta este problema. Los síntomas comprenden privación de oxígeno, dolor e inflamación de las articulaciones, coágulos, infecciones y daño tisular de las células. Ha mejorado el tratamiento médico de la anemia drepanocítica y pocas veces es mortal en la generalidad de los casos.

Enfermedad de Tay-Sachs. La causa parece ser un gen recesivo llamado enzima hex a, que regula la producción de una enzima individual. Cuando está defectuosa, el organismo no desdobla las substancias grasosas de las células del cerebro (llamadas esfingolípidos), lo que genera concentraciones letales y muerte celular. La enfermedad es muy infrecuente en la población en general, pues se observa en uno de cada 200,000 a 500,000 nacimientos. Sin embargo, entre los judíos askenazi, uno de cada 30 es portador, de modo que un niño de cada 5,000 nace afectado. A los seis meses, el niño, que parecía normal en el momento de nacer, comienza a mostrar una debilidad ligera pero perceptible. A los 10 meses el problema ya es evidente. Los niños que, según admiten sus padres, parecían felices y físicamente normales, empiezan a sentirse demasiado débiles para mover la cabeza, los sonidos los irritan y no pueden controlar los movimientos oculares. Después del primer año se observa un deterioro físico constante. A los 14 meses suelen aparecer convulsiones y a los 18 hay que alimentarlos por sonda. Su pequeño cuerpo yace inmóvil, sus piernas tienen el aspecto de ancas de rana y su cabeza empieza a agrandarse. Casi siempre mueren de pulmonía entre los dos y los cuatro años de edad.

Esta niña tiene el síndrome de Down, un trastorno cromosómico. Escucha con atención lo que su hermano le dice al oído.

1986; Behrman, 1992). Comprende un análisis de los expedientes médicos de los progenitores y el historial clínico de la familia, exámenes de diagnóstico de su sangre y un estudio prenatal del feto. En este último se detectan los accidentes cromosómicos o genéticos que ocurren de manera fortuita o a través de las mutaciones. Por ejemplo, una pareja de 20 a 25 años de edad y sin antecedentes familiares del síndrome de Down puede tener no obstante un hijo con esta anormalidad por la aparición aleatoria de la trisomía.

Si la consejería genética revela la presencia de una anormalidad genética heredable, el consejero evaluará y explicará el riesgo de tener un hijo afectado con este trastorno y recomendará otras opciones de reproducción (entre ellas la adopción y la inseminación artificial del óvulo o del espermatozoide del donador), si la pareja decide que el riesgo es demasiado grande. En la tabla 3-3 se resumen las características de los individuos a quienes se recomienda este tipo de orientación.

TABLA 3–3 Características de candidatos a recibir consejería genética

- Los que conozcan algún antecedente familiar de trastornos genéticos heredados o tengan un trastorno o defecto genético.
- Los padres de un niño que presente una anormalidad o defecto congénito serio.
- La pareja que haya tenido más de tres abortos espontáneos o un aborto en que el análisis del tejido fetal reveló una anormalidad cromosómica.
- Una mujer embarazada de más de 35 años o un padre de más de 44 años que por su edad están más expuestos a un daño cromosómico.
- Los futuros padres que pertenecen a determinados grupos étnicos con alto riesgo de algunos problemas como la enfermedad de Tay-Sachs, la anemia drepanocítica o la talasemia.
- Una pareja que sabe que estuvo expuesta a una dosis excesiva de radiación, medicamentos o a otros agentes ambientales que pueden originar defectos congénitos.

Fuente: adaptado de Lauersen (1983).

EXÁMENES DE DIAGNÓSTICO PRENATAL   Estos exámenes se emplean para determinar si el niño presenta defectos genéticos (o de otra índole). Aquí se explican tres procedimientos de uso común; otros más se incluyen en la tabla 3-4.

El **ultrasonido** es el método menos invasor y más usual con que se obtiene información sobre el crecimiento y la salud del feto. En éste se utiliza ondas sonoras de alta frecuencia para generar una imagen denominada *sonograma*. Con este recurso puede detectarse problemas estructurales como malformaciones de la cabeza, sobre todo anomalías del cráneo —entre ellos la *microcefalia*, cabeza exageradamente pequeña— que siempre se acompañan de retraso mental grave. Aunque se suele realizar en la quinceava semana, el ultrasonido puede efectuarse antes en los embarazos de alto riesgo. Por ejemplo, si el médico sospecha que puede darse una gestación ectópica (tubaria), que es muy peligrosa para la madre, puede realizarlo entre la tercera y la cuarta semanas después de la concepción para obtener una imagen del saco gestacional.

En la **amniocentesis**, se extrae líquido del saco amniótico, introduciendo una jeringa por la pared abdominal de la madre. El líquido contiene las células fetales desechadas, mediante las cuales pueden analizarse los cariotipos e investigarse anormalidades cromosómicas importantes y algunas anomalías genéticas. Por lo general se practica en la quinceava semana del embarazo; los resultados se obtienen al cabo de dos semanas pues es necesario cultivar las células fetales. Aunque la amniocentesis incrementa ligeramente el riesgo de aborto, los obstetras la recomiendan siempre a las mujeres mayores de 35 años

ultrasonido   Método que se sirve de ondas sonoras para obtener una imagen del feto en el útero.

amniocentesis   Prueba para detectar anormalidades cromosómicas que se efectúa en el segundo trimestre del embarazo; consiste en extraer y analizar el líquido amniótico con una jeringa.

TABLA 3–4   MÉTODOS DE EVALUACIÓN PRENATAL

Amniocentesis: Procedimiento con que se obtienen células fetales de desecho por medio de una jeringa. Se determina el cariotipo de las células y se analizan para diagnosticar importantes trastornos cromosómicos y algunos de origen genético (consúltese el texto).

Muestreo de vello coriónico: En este método, se obtiene el cariotipo de las células fetales que con una jeringa o catéter se extraen de las membranas que rodean al feto (consúltese el texto).

Fetoscopia: Sirve para inspeccionar posibles defectos faciales y de las articulaciones del feto. Se introduce una aguja con una fuente luminosa en el útero para visualizar en forma directa al feto y se extrae una muestra de sangre o de tejido a fin de diagnosticar algún trastorno genético. No suele realizarse sino a las 15 o 18 semanas después de la concepción. El riesgo de aborto espontáneo y de infección es mayor que en la amniocentesis.

Análisis de la sangre materna: Dado que las células fetales entran en el flujo sanguíneo de la madre al inicio del embarazo, este método puede ser una excelente herramienta de diagnóstico a las ocho semanas después de la concepción. La muestra se obtiene y se analiza en busca de fetoproteína alfa, sustancia que se incrementa en caso de enfermedad renal, cierre esofágico anormal o defectos graves del sistema nervioso central.

Diagnóstico genético antes de la implantación: Este procedimiento se asocia con la fertilización in vitro, en la que los espermatozoides y los óvulos se mezclan fuera del cuerpo de la madre y se implantan en el útero o en las trompas de Falopio. Las células se extraen del embrión y se analizan en busca de defectos antes que el embrión se implante en el cuerpo de la madre. Hace poco nació una niña saludable, hija de padres portadores del gen de la fibrosis quística luego de practicar este método (Handyside y otros, 1992). Los investigadores británicos responsables del nacimiento comentan que este procedimiento tan costoso puede facilitar el diagnóstico prenatal de trastornos como la distrofia muscular de Duchenne, la anemia drepanocítica y la enfermedad de Tay-Sachs.

Ultrasonido: Procedimiento en que se utilizan ondas sonoras de alta frecuencia para producir una imagen del feto denominada sonograma. Con los sonogramas pueden detectarse problemas estructurales (consúltese el texto.)

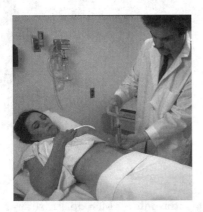

En la amniocentesis se introduce una aguja en la pared abdominal de la madre para obtener una muestra de líquido amniótico. Después las células del líquido se examinan para detectar anormalidades genéticas.

porque el riesgo de defectos congénitos, sobre todo el síndrome de Down, aumenta cuando la madre es mayor.

Hay procedimiento más reciente, denominado **muestreo de vello coriónico,** que se efectúa mucho antes que la amniocentesis, de ocho a 12 semanas después de la concepción. Con una jeringa o con un catéter se extraen células de la membrana que rodea al feto. Si bien la prueba es más rápida y se obtienen más células que con la amniocentesis, resulta un poco más arriesgada: un pequeño porcentaje de fetos es abortado en forma espontánea (Wyatt, 1985). Además, la investigación reciente ha relacionado este método con algunas anormalidades de las extremidades y con la muerte del feto.

Dado que el peligro es mayor, cerca de la mitad de las madres de alto riesgo prefieren esperar y utilizar la amniocentesis combinada con el ultrasonido (Reid, 1990). Las que optan por el muestreo de vello coriónico a menudo lo hacen por que hay grandes probabilidades de que su hijo tenga algún defecto genético serio. El aborto al inicio del embarazo (antes de 12 semanas) es más seguro y produce efectos psicológicos menos graves que en fecha posterior. En términos generales, los hospitales que aplican esta prueba logran no dañar al feto (Kuliev y otros, 1992).

TOMA DE DECISIONES DE LOS PROGENITORES   La función principal de la consejería genética es ayudar a los futuros padres a tomar una decisión bien informada antes o durante el embarazo. La recomendación del consejero dependerá del trastorno en cuestión. Por ejemplo, cuando la evaluación genética indica que ambos progenitores tienen el gen recesivo de la enfermedad de Tay-Sachs (véase la tabla 3-2), que es mortal, el consejero les explica que hay 25 por ciento de probabilidades de que su criatura tenga la enfermedad. Las parejas que quieren procrear pueden decidir utilizar las pruebas de diagnóstico prenatal para saber si el feto sufre o no el padecimiento; si las pruebas son positivas, casi siempre optan por terminar el embarazo.

La función del consejero es menos clara en el caso de portadores de la anemia drepanocítica. Como ya mencionamos, en su peor modalidad ocasiona dolor grave y quizá muerte prematura. Sin embargo, los pacientes pueden llevar una vida de relativa normalidad, y las pruebas prenatales todavía no pueden determinar la gravedad del padecimiento.

AVANCES EN LA INVESTIGACIÓN Y EN EL TRATAMIENTO GENÉTICOS

La investigación genética y el conocimiento de los factores genéticos han venido progresando en forma acelerada. Se han descubierto y catalogado casi 5000 tipos de defectos (McKusick, 1994). La **terapia génica (o terapia correctiva de genes)** —reparación o substitución de los genes para corregir defectos— también ha avanzado, aunque con mayor lentitud y debe superar muchos obstáculos para alcanzar su pleno potencial (Friedmann, 1997; Felgner, 1997; Blaese, 1997; Ho y Sapolsky, 1997).

Se han conseguido notables avances en la ingeniería genética de las plantas, las bacterias e incluso los animales. Por ejemplo, hoy en día es posible trasplantar material genético de una especie a otro, proceso denominado **injerto genético.** El resultado es un híbrido con características de ambos donadores. Con este procedimiento se ha creado una cepa de bacterias que producen una hormona del crecimiento humana de gran utilidad médica (Garber y Marchese, 1986). La **clonación** es un proceso más controvertido pues permite a los científicos duplicar un animal a partir de una célula somática. En 1997 el mundo se maravilló ante el anuncio de la clonación exitosa de una oveja, pero esto suscitó una polémica generalizada sobre la posibilidad de clonar seres humanos (consulte "Tema de controversia").

muestreo de vello coriónico Extracción de células de las membranas que rodean al feto; este método se realiza con una jeringa o con un catéter. Esta prueba puede llevarse a cabo más rápidamente que con la amniocentesis, ya que se obtienen más células.

terapia génica (o terapia correctiva de genes) Reparación o substitución de genes individuales para corregir defectos.

injerto genético Transplante de material genético de una especie a otra, con lo cual se obtiene un híbrido con características de ambos donadores.

clonación Método por medio del cual los científicos hacen una réplica de un animal a partir de una célula somática.

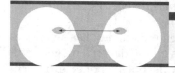

TEMA DE CONTROVERSIA

CLONACIÓN HUMANA

En febrero de 1997, Ian Wilmut y sus colegas del Instituto Roslin en Escocia anunciaron la primera clonación exitosa de un mamífero adulto: la oveja Dolly. Desde entonces los investigadores de la Universidad de Massachusetts han perfeccionado el procedimiento y han logrado producir una pequeña manada de ganado genéticamente idéntico; además, ya está en marcha la clonación de otros mamíferos.

El éxito de Wilmut provocó de inmediato un debate relacionado con la clonación futura de seres humanos, tema muy frecuente en las historias de ciencia ficción pero que se consideraba imposible en la vida real. La clonación de Dolly también dio origen a declaraciones e intentos por legislar y prohibir así la investigación sobre la clonación humana por motivos morales, éticos y religiosos. A raíz de esto, los hombres de ciencia temen que se impida la investigación genética en general.

Examinemos algunas de las cuestiones relacionadas con la clonación en el ser humano. Una observación obvia: la tierra ya está sobrepoblada y el número de habitantes sigue creciendo geométricamente. ¿Necesitamos la clonación que sólo vendría a agravar el problema? Un segundo punto es que la exitosa clonación de Wilmut estuvo precedida por cientos de intentos fallidos; situación que probablemente se repetiría en el caso de los seres humanos. Esto plantea serias preguntas éticas; por ejemplo, ¿qué ocurriría si un procedimiento "parcialmente" exitoso produjera clones humanos muy malformados? ¿No tendrían el mismo derecho a la vida que el resto de los hombres? Además, es posible que se clonaran personas pa-

Clonación de la oveja Dolly.

ra obtener órganos y tejidos perfectos de reposición y que luego se les sacrificara. ¿Sería aceptable esto desde el punto de vista ético? La respuesta de muchos sería negativa, pero no es difícil imaginar el florecimiento de una industria informal de "repuestos" humanos para quienes puedan pagarlos.

Algunos sostienen que la clonación podría ser aceptable en ciertos casos. Una pareja tendría la posibilidad de reemplazar a un hijo en agonía (suponiendo que no muriera por un trastorno genético), las parejas estériles podrían clonar un hijo a partir del cónyuge, una pareja de homosexuales o de lesbianas podría tener sus propios hijos. Tal vez sea posible clonar los órganos destina-

dos a la reposición sin producir una criatura entera, con lo cual se eliminarían los problemas éticos. Y si alguna vez estalla una guerra, si sobreviene una peste u otra calamidad que amenace a la totalidad de la población, la tecnología de la clonación impediría que se extinguiera la especie humana.

Algo parece cierto: ahora que la clonación humana parece una posibilidad cercana, se intentará conseguirla con o sin la aprobación y el financiamiento de los gobiernos. Por eso, quizá debamos discutir qué actitud adoptaremos ante la clonación humana cuando se haga una realidad.

Fuente: *Scientific American* (1997).

La terapia génica se ha utilizado en el hombre en pocos casos. En los años setenta se obligó a un niño a vivir en una burbuja estéril por un trastorno genético del sistema inmunológico que lo ponía en riesgo de morir ante la más ligera infección. Este padecimiento infrecuente, denominado inmunodeficiencia combinada (que al final lo llevó a la tumba), se convirtió en objeto de los primeros ensayos clínicos de terapia génica que aprobó el gobierno federal de Estados Unidos. Así, en septiembre de 1990, una niña de cuatro años, víctima de la enfermedad, empezó a recibir, en una solución salina aplicada por vía intravenosa, cerca de 1,000 millones de células del sistema inmunológico con genes alterados. En 1993 su cuerpo ya producía sus propias defensas y se había convertido en una niña sana y activa de siete años.

Se contempla extender la terapia génica a otras enfermedades. Las afecciones en las que esta técnica es más prometedora son las que se deben a un gen individual que puede aislarse en una etapa temprana y después reponerse, desactivarse o repararse. Por ejemplo, en el caso de la fibrosis quística, el tratamiento puede administrarse con un rociador de aerosol que se aplica a los pulmones. La curación de la anemia drepanocítica es más complicada, ya que el gen sano debe hacerse llegar a la sangre, junto con otro capaz de desactivar las versiones dañadas. El objetivo es extraer las células dañadas, modificarlas y reintegrarlas al paciente. En todos los casos, los genes deben alcanzar el objetivo correcto —la médula ósea, el hígado o las células de la piel— y el proceso resulta complejo en extremo (Verma, 1990).

Otras enfermedades que se tratan en pruebas clínicas de la terapia génica son el cáncer, la hemofilia y la artritis reumatoide. Se han conseguido avances en la búsqueda de genes resistentes al SIDA que explicarían el hecho de que muchos portadores no lo contraigan (O'Brien y Dean, 1997).

Se ha conseguido progresar en otras áreas. Una estrategia prometedora consiste en crear cepas sintéticas del ADN que ataquen virus y cánceres sin dañar el tejido sano. El objetivo es obtener cepas que localicen el gen objetivo e inhiban su capacidad de producir proteínas patógenas (Cohen y Hogan, 1994; Friedmann, 1997). Otra estrategia consiste en sintetizar algunas de las proteínas reguladoras o desencadenadoras de los genes (Tjian, 1995).

El Proyecto del Genoma Humano (Wertz, 1992), investigación de 15 años con una inversión de 3,000 millones de dólares, pretende hacer un mapa de todos los genes humanos e identificar los que ocasionan trastornos y también las características normales. Se ha avanzado tanto en su realización que se espera que termine en el año 2003. ¿Para que nos servirán estos conocimientos? Sin duda trataremos de prevenir las enfermedades graves. ¿Pero decidirán las parejas abortar un hijo normal sólo porque carece de determinadas características y rasgos que consideran deseables? ¿Usarán las compañías de seguros cariotipos para negar la cobertura a individuos con alto riesgo de contraer trastornos y enfermedades costosas? Ya se empezaron a administrar pruebas genéticas a gran cantidad de niños. Algunos se someten a estas pruebas con nombre falso para que no se conozca su código genético. Es preciso resolver muchas cuestiones éticas antes que la ingeniería genética se vuelva sistemática.

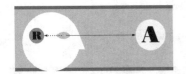

REPASE Y APLIQUE

1. Compare la anormalidad genética con la cromosómica.
2. ¿Por qué el varón es más susceptible a los defectos recesivos que la mujer?
3. Describa los tres métodos primarios de diagnóstico prenatal.
4. ¿Cuáles son las consecuencias éticas de los recientes avances logrados en la investigación y en el tratamiento genéticos?

HEREDABILIDAD DE CONDUCTAS Y RASGOS COMPLEJOS

Hasta ahora nos hemos concentrado en la transmisión de características bastante específicas. En la presente sección nos ocuparemos de características más globales como las tendencias conductuales, la inteligencia y la personalidad. Primero veremos lo que algunos teóricos han propuesto en relación con la herencia de la especie y lo que nosotros compartimos con las demás personas. Después trataremos las diferencias individuales.

PUNTOS DE VISTA EVOLUTIVOS

La **evolución** designa el proceso a través del cual las especies *cambian* de una generación a otra, adquiriendo las características positivas y eliminando las que se han vuelto negativas o han dejado de ser útiles . La evolución es un *hecho:* obtenemos pruebas de ella con sólo recorrer un museo de historia natural donde se exhiban piezas paleoantropológicas. Observe cómo la anatomía humanoide —en especial el tamaño y la forma del cráneo— ha venido transformándose o evolucionando a lo largo de los últimos dos millones de años. Durante generaciones, comenzando con los trabajos de Charles Darwin (1809-1882), los teóricos e investigadores han intentado entender cómo se realiza la evolución. Las investigaciones continúan, pero una *teoría* —la de la **selección natural**— ha logrado aceptación general porque ofrece explicaciones verosímiles de algunas modalidades del cambio evolutivo.

La selección natural funciona así: la estructura genética de los individuos se modifica en forma más o menos aleatoria durante la meiosis. Las características que favorecen la adaptación, es decir, las que facilitan la supervivencia y la reproducción, se transmiten a la siguiente generación. Las que no la favorecen pueden ocasionar la muerte o impedir que el individuo se reproduzca, por tanto, no se transmiten a los hijos.

En la actualidad, muchos teóricos aceptan como un hecho la selección natural, por lo menos en lo que se refiere a los rasgos físicos. ¿Pero qué decir de los psicológicos? Por ejemplo, ¿posee el hombre instintos como los que observamos en otros animales? Más aún, ¿acaso los seres humanos tienen tendencias universales de conducta determinadas en forma genética que pudiéramos llamar *predisposiciones*? De ser así, ¿hasta qué punto varían de un individuo a otro?

ETOLOGÍA Y SOCIOBIOLOGÍA   Los **etólogos** estudian los patrones de la conducta animal, entre éstas las que se rigen por el **instinto.** Para que una conducta se considere como instintiva, tiene que satisfacer tres criterios: 1) debe observarse en todos los miembros normales de una especie; 2) debe realizarse siempre en las mismas condiciones; 3) todas las veces debe ocurrir esencialmente en la misma forma. Los perros, los gatos, las aves, las ratas y otros animales han desarrollado conductas que cumplen con los tres criterios. ¿Y los seres humanos?

No en sentido estricto. Como apuntamos en páginas anteriores, todos ingerimos alimentos tan distintos, preparados y consumidos en formas tan diversas que, en términos etológicos, no es posible calificar de instintiva esta conducta. También podríamos clasificar como instintivo el proceso universal del desarrollo del lenguaje —llanto, arrullo y balbuceo—, pero un mejor término es *preprogramada*, porque el niño aprende con rapidez a modificar estas conductas y a efectuarlas en situaciones muy heterogéneas.

Otra posibilidad es que el infante esté programado en forma biológica para establecer un apego emocional con los cuidadores y a la inversa, como lo propusieron Mary Ainsworth y John Bowlby (1991) (consulte también el capítulo 5). La programación podría ser a la vez física y psicológica: la mayoría de los adultos se sienten atraídos por el aspecto de muñeco del bebé y por otros rasgos hermosos, y a casi todos los angustia oír su llanto. Este aspecto y conducta favorecen el acercamiento y el contacto, lo que facilita el apego.

En el ser humano la conducta de flirteo tal vez forma parte de un patrón preprogramado de cortejo, y la conducta agresiva tal vez forme parte de un patrón preprogramado de defensa territorial (Bowlby, 1982; Eibl-Eibeslfeldt, 1989). El hecho de que, en rigor, no podamos calificar de instintiva la conducta humana no significa que no sea innata de alguna manera. Es posible que los com-

evolución   Proceso por el cual las especies cambian de una generación a otra, adquiriendo características positivas y perdiendo las que se han vuelto obsoletas o inútiles.

selección natural   Teoría de Darwin sobre cómo se realiza la evolución.

etología   Ciencia que estudia los patrones de la conducta animal, en especial la que se rige por el instinto.

instinto   Conducta que se observa en todos los miembros normales de una especie, en las mismas condiciones y en la misma forma.

La pubertad se desarrolla en una secuencia de maduración genéticamente determinada.

plejos patrones de la conducta social tengan origen genético, por lo menos en parte (Hess, 1970; Wilson, 1975). Generalizando los resultados de la investigación con animales inferiores, los **sociobiólogos** sostienen que los patrones de la conducta humana que expresan dominio, territorialidad, cuidado del hijo, apareamiento y agresión muestran un ligero matiz de cultura aprendida sobre un patrón genéticamente heredado y, por tanto, biológico. La controversia no ha terminado, pues no disponemos de un medio adecuado para demostrar tales afirmaciones.

GENÉTICA DE LA CONDUCTA Los investigadores especializados en la **genética de la conducta** adoptan un enfoque un tanto distinto. Observan las conexiones directas entre el comportamiento y características físicas como el crecimiento, los cambios hormonales y las estructuras del cerebro. Así, los cambios hormonales asociados con la pubertad y la maduración sexual, originan nuevas tendencias conductuales —entre éstas, las insinuaciones sexuales— que varían un poco entre las culturas, pero que tienen un evidente patrón subyacente (Scarr y Kidd, 1983).

Estos especialistas estudian, además, las diferencias individuales atribuibles a factores genéticos como las diferencias de personalidad heredadas, los intereses y hasta el estilo de aprendizaje (Plomin, 1983; Scarr y Kidd, 1983). Un ejemplo es la tendencia del niño a acercarse o evitar lo desconocido, que puede ser de origen genético (Kagan y Snidman, 1991). Otra área de investigación es la predisposición genética a los trastornos mentales, el alcoholismo, la conducta agresiva e incluso el crimen. En la tabla 3-5 se resumen algunas de las ideas actuales, con frecuencias antagónicas, sobre el grado de heredabilidad de ciertos rasgos.

INVESTIGACIONES SOBRE LA HEREDABILIDAD DE LOS RASGOS

Como se aprecia en la tabla 3-5, una estrategia común para identificar y explicar las influencias genéticas en la conducta es el estudio de niños adoptados. Otra es comparar los gemelos idénticos y fraternos.

LOS ESTUDIOS DE ADOPCIÓN En los exhaustivos Estudios de Adopción de Minnesota, se comparó a un grupo de niños adoptados con sus padres biológicos, con sus padres adoptivos y con los hijos biológicos de sus padres adoptivos (Scarr y Weinberg, 1983). Además, se comparó a estos últimos con sus hijos bio-

sociobiología Rama de la etología según la cual la conducta social está determinada en gran medida por la herencia biológica del organismo.

genética de la conducta Estudio de las relaciones entre conducta y características físico-genéticas.

TABLA 3–5 **GENÉTICA DE LA CONDUCTA:**
LO QUE NOS DICE LA INVESTIGACIÓN ACTUAL

Crimen: De acuerdo con los estudios de familias, de gemelos y de adopción, la predisposición al crimen tiene una heredabilidad de entre cero por ciento y más de 50 por ciento.

Depresión maníaca: Los estudios de gemelos y de familias indican una heredabilidad de entre 60 y 80 por ciento de la vulnerabilidad a la depresión maníaca. En 1987 dos grupos de investigación informaron que habían localizado dos genes relacionados con el trastorno, uno en familias amish y el otro en familias israelíes. Después los autores de ambos informes se retractaron.

Esquizofrenia: Los estudios con gemelos demuestran una heredabilidad de entre 40 y 90 por ciento. En 1988 un grupo señaló haber localizado un gen asociado con la esquizofrenia en familias de Gran Bretaña e Islandia. En otros estudios no encontraron relación alguna y se retractaron de la afirmación original.

Alcoholismo: Los estudios de gemelos y de adopción muestran una heredabilidad de entre cero y 60 por ciento. En 1990 un grupo dijo haber descubierto un nexo entre un gen y el alcoholismo. En un análisis reciente de las pruebas se llegó a la conclusión de que no son fehacientes.

Inteligencia: Los estudios de gemelos y de adopción indican una heredabilidad de entre 20 y 80 por ciento del desempeño en las pruebas de inteligencia.

Fuente: adaptado de Horgan, J. (junio de 1993). Eugenics revisited. *Scientific American*, p. 124.

lógicos. Cuando se compararon las puntuaciones de los niños adoptados con las de sus pares no adoptados, los resultados de las pruebas indicaron que las familias adoptivas influían en las capacidades intelectuales de los niños; *como grupo*, los niños adoptados tenían un cociente intelectual más alto que sus pares y manifestaban un mejor aprovechamiento en la escuela. Pero al analizar las diferencias individuales *dentro* del grupo, sus puntuaciones se parecían más a las de sus padres biológicos que a las de sus padres adoptivos.

Los estudios de adopción se concentran además en las semejanzas y en las diferencias de actitudes, de intereses, de personalidad y de patrones conductuales como la adicción (Fuller y Simmel, 1986). En varios de éstos se ha comprobado que algunas actitudes, intereses vocacionales y rasgos de la personalidad son muy resistentes al ambiente de la familia adoptiva y, por tanto, pueden tener origen genético (Scarr y Weinberg, 1983). La tendencia se observa sobre todo cuando la predisposición genética del niño choca con la de los padres adoptivos: la expresión de los intereses y de los hábitos de origen genético puede posponerse simplemente hasta que el niño madura y es menor el influjo de las restricciones y conductas de los padres.

ESTUDIOS DE GEMELOS Estos estudios han demostrado una y otra vez que los gemelos idénticos tienen más semejanzas en cuanto a inteligencia que los fraternos, lo cual indicaría que el desarrollo de ésta tiene un importante componente genético.

Con los estudios de gemelos también se ha comprobado que muchos rasgos de la personalidad se heredan por lo menos en parte. Tres de éstos son la emotividad, la sociabilidad y el nivel de actividad, a veces llamados *rasgos ESA* (Goldsmith, 1983; Plomin, 1990). La emotividad es la tendencia a sentir con facilidad miedo o enojo. La sociabilidad es el grado de preferencia de los individuos de realizar cosas con otros a hacerlas solos. El nivel de actividad es simplemente la frecuencia y el nivel de dinamismo de una persona en comparación con una actitud dócil y relajada. La semejanza de los gemelos en cuanto a emotividad parece durar toda la vida; en cambio, disminuye un poco en la vejez su parecido respecto a niveles de actividad y sociabilidad, quizá por los diferentes acontecimientos que experimentan cuando se encuentran separados (McCartney y otros, 1990).

Algunos estudios señalan que los gemelos idénticos se parecen más que los fraternos en rasgos de la personalidad como la sociabilidad, la emotividad y los niveles de actividad. ¿Pero cuánto de la semejanza se debe a la influencia genética y cuánto al ambiente?

En resumen, los estudios de gemelos ofrecen abundantes pruebas sobre la influencia genética en los diferentes temperamentos y estilos de la personalidad; pero no nos dicen cómo interactúan los genes con el ambiente. Un niño tranquilo y afable experimenta un ambiente distinto al de un niño impulsivo, irascible y asertivo; y las personas responderán a su vez de manera distinta a ellos. En conclusión, el niño contribuye a moldear su entorno, el cual a su vez limita y moldea la forma en que expresa sus sentimientos. Así, pues, su personalidad ejerce un impacto decisivo en el ambiente en el que vive (Kagan y otros, 1993).

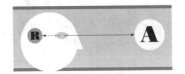

REPASE Y APLIQUE

1. ¿Es la evolución una teoría o un hecho? Explique su respuesta.
2. ¿Cuáles son los criterios de una conducta instintiva? ¿Tiene instintos el ser humano?
3. ¿Qué información ofrecen los estudios de adopción y los estudios de gemelos respecto de la heredabilidad de los rasgos?

CÓMO FUNCIONA EL AMBIENTE: DE LO SIMPLE A LO COMPLEJO

El otro lado de la moneda es el ambiente. En esta sección examinaremos los factores ambientales, comenzando por los procesos del aprendizaje y los condicionamiento básicos que ejercen una influencia directa en el desarrollo, y nos ocuparemos a continuación de las influencias ambientales en el nivel de la familia y de la sociedad en general.

No es posible hacer una clasificación clara de los factores ambientales. El entorno del niño en crecimiento consta de muchas situaciones y cambia con el tiempo. Así, en la adolescencia el entorno rebasa el ámbito familiar y pasa al barrio, la escuela y a un mundo de influencias que va mucho más allá, habitado por amigos y personas en cambio continuo. El ambiente también está conformado por los libros, la televisión y, cada vez más, por Internet.

PROCESOS BÁSICOS DEL APRENDIZAJE

Como vimos en el capítulo 1, en el ambiente ocurren dos tipos básicos de aprendizaje que experimentamos desde que nacemos (y quizá durante la última parte del periodo fetal). Son el *condicionamiento clásico* y el *condicionamiento operante*. Otra categoría importante es el *aprendizaje por observación*.

Los principios básicos del aprendizaje suelen describirse a partir de procedimientos controlados de laboratorio, pero se aplican a muchas situaciones de la vida diaria, tanto las que idean otros en forma deliberada como las que se dan de manera espontánea en la interacción con el ambiente físico y social. Recuerde que aunque el condicionamiento clásico y el operante fueron desarrollados a partir de la investigación con animales de laboratorio, sus principios se demostraron luego en numerosos estudios con seres humanos. Hoy se piensa que el condicionamiento no puede explicar todas las conductas humanas, pero es innegable que se aplica muy bien a algunas de ellas.

condicionamiento clásico
Tipo de aprendizaje en que un estímulo neutral (digamos una campana), llega producir una respuesta (la salivación por ejemplo) al parearse varias veces con un estímulo incondicionado como el alimento.

CONDICIONAMIENTO CLÁSICO En el **condicionamiento clásico**, que nació con el trabajo de Ivan Pavlov (1849-1936; vea Pavlov, 1928), se parean dos o más estímulos que después quedan asociados en el cerebro del sujeto. En el laboratorio de Pavlov, se condicionaba a los perros a salivar y a prepararse para recibir alimento en respuesta a sonidos como el de una campana o el clic de un metrónomo. El sonido se pareaba de manera repetida con la comida hasta que al final producía por sí mismo la salivación. Entonces, los experimentadores variaban aspectos como el intervalo entre los estímulos y registraban los efectos atendiendo a la rapidez con que se aprendía la asociación, a su duración, etcétera.

Los experimentos de condicionamiento se efectúan aplicando el siguiente procedimiento. Comience con un *estímulo incondicionado (EI)* que produzca una *respuesta incondicionada (RI)*. En las primeras investigaciones de Pavlov, el estímulo incondicionado era el alimento y la respuesta incondicionada era la salivación; pero en la práctica puede emplearse cualquier relación "automática" de estímulo-respuesta. Lo único que se necesita es que el sujeto responda de manera inmediata y consistente ante el estímulo incondicionado. Después lo parea varias veces con un estímulo nuevo como un sonido, una luz o cualquier cosa que no provoque en forma espontánea la respuesta en cuestión. Con el tiempo el nuevo estímulo la producirá por sí solo. En ese momento se habrá convertido en un *estímulo condicionado (EC)*, que causa una *respuesta condicionada (RC)*. La campana de Pavlov, por ejemplo, se convirtió en un estímulo condicionado que al presentarse *solo* producía la respuesta condicionada de la salivación. Sin embargo, la respuesta incondicionada y la condicionada no son exactamente iguales: un perro nunca salivará tanto ante la campana como ante el alimento real.

En la figura 3-2 se ilustra de manera gráfica el procedimiento. Advierta que el condicionamiento clásico da resultados óptimos si el estímulo condicionado (la campana) *precede* al estímulo incondicionado (el alimento). En términos cognoscitivos, el estímulo condicionado sirve como *señal* de que el estímulo incondicionado se encuentra en camino, por lo cual el perro comenzará a salivar en previsión de la llegada del alimento.

El condicionamiento clásico es una fuerza poderosa en nuestra vida, desde que se inicia la infancia. Esto lo ejemplifica un experimento clásico en el cual Lipsitt y Kaye (1964) sometieron a diez niños de tres días de vida a 20 ensayos en los que se pareaba un estímulo condicionado (tono) con un estímulo incondicionado (chupón). Después de 20 ensayos, el tono producía de manera consistente una respuesta condicionada de succión.

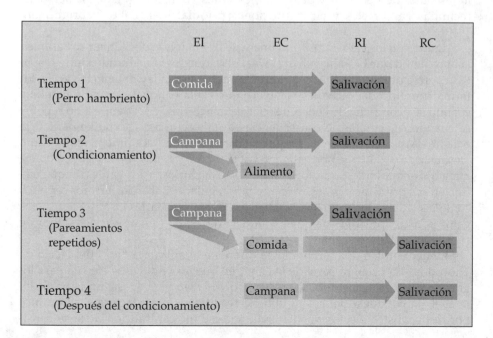

FIGURA 3–2
PROCEDIMIENTO DEL CONDICIONAMIENTO CLÁSICO

Burrus F. Skinner en plena madurez, mientras observa la conducta operante de una rata dentro de una de sus cajas. La investigación moderna se vale de computadoras en lugar del equipo electrónico que aparece en el trasfondo y del registro acumulativo del primer plano; pero las cajas de Skinner no han cambiado.

fobia Temor infundado a un objeto o una situación.

condicionamiento operante Tipo de condicionamiento que se realiza cuando se refuerza o se castiga a un organismo por emitir de manera voluntaria una respuesta determinada.

modificación de conducta Método que utiliza técnicas del condicionamiento (como el reforzamiento, la recompensa y el moldeamiento) para modificar un comportamiento.

ley del efecto Principio de la teoría del aprendizaje según el cual las consecuencias de una conducta determinan la probabilidad de que se repita.

En la vida diaria, un gato aprende que el sonido de un abrelatas eléctrico puede acompañarse de un manjar exquisito, un perro aprende que el sonido de un automóvil frente a la casa anuncia la llegada de su amo, un niño pequeño aprende que la palabra "¡No!" puede acompañarse de una nalgada. En cada caso el sujeto aprende que un estímulo sigue a otro y que causa una reacción emocional, ya sea positiva o negativa. Algunas veces las reacciones emocionales intervienen en el condicionamiento clásico. Por ejemplo, la explicación de las **fobias** que se basa en la teoría del aprendizaje nos indica que se adquieren por condicionamiento clásico; por ejemplo, un temor terrible e irracional a las abejas, podría deberse a que de niños nos picaron; de ahí que la mera vista de una abeja nos cause temor antes de que nos pique. Un razonamiento similar se aplica a la fobia a las serpientes, a las arañas, a las alturas, a los lugares cerrados y a muchas otras cosas que a veces nos producen un temor que raya en lo irracional.

Desde luego, también es posible condicionar las reacciones emocionales positivas. A menudo las respuestas de relajación y de placer se asocian con estímulos antes neutrales, como una vieja canción que nos trae recuerdos de un día soleado en la plaza o la emoción de un baile de graduación. Muchas conductas relacionadas con la alimentación muestran elementos del condicionamiento clásico: nos procura placer el mero olor de alimentos deliciosos mientras se están preparando o, quizá, el simple hecho de pensar en comerlos.

CONDICIONAMIENTO OPERANTE **Condicionamiento operante** es un término acuñado por Burrus F. Skinner (1904-1990; vea en especial Skinner, 1953). Skinner pensaba que la conducta del sujeto "opera" sobre el ambiente y que se repite —o no— según sus consecuencias. Las consecuencias adoptan diversas formas como recibir recompensas o evitar resultados desagradables por realizar ciertas conductas. Muchas clases de estímulos pueden ser recompensas (comida, elogios, interacciones sociales) o resultados desagradables (dolor, malestar). Según el planteamiento radical de Skinner, *todo* lo que hacemos (y lo que no hacemos) se debe a las consecuencias.

La idea de manipular las consecuencias a fin de cambiar la conducta constituye la base del método de la **modificación de conducta.** Los programas de modificación de conducta han permitido cambiar comportamientos indeseables de los niños y de los adolescentes, lo mismo que de las personas recluidas en cárceles y en instituciones psiquiátricas (Baker y Brightman, 1989).

Algunos de los elementos fundamentales de la teoría de Skinner se basan en la obra de Edward L. Thorndike (1874-1949), que fue un educador muy respetado pero a quien se le conoce primordialmente por la **ley del efecto** (1911). En forma simplificada, dicha ley establece que (1) la conducta tiende a repetirse cuando se acompaña de consecuencias satisfactorias, y (2) tiende a no repetirse cuando es seguida de consecuencias insatisfactorias. Thorndike definió la palabra "satisfactorio" como lo que el sujeto busca o hace libremente, y como "insatisfactorio" lo que normalmente evita o no hace. Los sujetos comen determinados alimentos; por tanto, éstos son satisfactorios. Y los gatos con que trabajó en sus primeras investigaciones por lo regular evitaban los lugares cerrados como las jaulas, de modo que la situación debía resultarles insatisfactoria. Sus gatos podían aprender cualquier conducta necesaria (quitar cerrojos o tirar de cuerdas) con tal de escapar.

Skinner empleó una terminología diferente al aplicar la "ley" del efecto de Thorndike. La primera parte de la "ley", en que la conducta se efectúa para lograr un efecto satisfactorio, se traduce por *reforzamiento*. La segunda parte, en la cual la conducta del sujeto obtiene resultados insatisfactorios, se traduce por *castigo*. Estos efectos pueden subdividirse más en función de si se consi-

DIAGRAMA DE ESTUDIO · REFORZAMIENTO Y CASTIGO POSITIVOS Y NEGATIVOS		
	EL ESTÍMULO SE PRESENTA	**EL ESTÍMULO SE ELIMINA**
El estímulo es agradable (algo "bueno")	Reforzamiento positivo	Castigo negativo
El estímulo es aversivo	Castigo positivo	Reforzamiento negativo

guen *presentando* o *eliminando* el estímulo cuando se realiza la conducta. El proceso da origen a cuatro secuencias: reforzamiento positivo, reforzamiento negativo, castigo positivo y castigo negativo.

En el *reforzamiento positivo*, que también se llama *entrenamiento por recompensa*, el sujeto recibe recompensas por cada realización de la conducta y se espera que ésta aumente (se vuelva más probable). Ejemplo: a un niño se le elogia por compartir sus juguetes con otro.

En el *reforzamiento negativo*, que también se llama *entrenamiento de escape* o *entrenamiento de evitación activa*, la conducta hace que un resultado desagradable o aversivo desaparezca o simplemente no ocurra; también en este caso se supone que la conducta aumenta. Las fobias se mantienen por medio del reforzamiento negativo. La persona se acerca al objeto o situación, siente temor y luego los evita, con lo cual los hace desaparecer. Por ello las fobias se perpetúan de manera indefinida si no se les trata: el individuo nunca espera lo suficiente para averiguar si el temor es desproporcionado —los perros *no siempre* muerden, las abejas *no siempre pican,* etcétera.

En el *castigo positivo*, llamado también *evitación pasiva*, la conducta hace que algo aversivo se presente u ocurra. Ejemplo: a un niño se le reprende por portarse mal y, en una situación ideal, no vuelve a hacerlo.

Finalmente, en el *castigo negativo*, llamado también *entrenamiento por omisión,* la conducta hace desaparecer algo conveniente o agradable; este entrenamiento también hace que cese la conducta o que sea menos probable. En el caso de un niño que se porta mal, se le quitan algunos privilegios como ver la televisión. Algunas escuelas aplican una versión del castigo negativo denominado *procedimiento de tiempo fuera.* Al alumno que se porta mal se le recluye en un salón y se le deja solo durante un breve periodo. El método se basa en la idea de que los niños se portan mal para atraer la atención de sus compañeros o de su profesor, de modo que se "elimina" la atención.

Son importantes otros dos procedimientos del condicionamiento operante. El primero es el **moldeamiento**, que es la forma en que se establecen las conductas desde el inicio. A continuación se explica como se lleva a cabo mediante *aproximaciones sucesivas* en el caso del entrenamiento en el control de esfínteres: primero se elogia al niño por ir al sanitario, luego por entrar en él y, finalmente, por sentarse en la taza y obrar. El moldeamiento también tiene aplicaciones terapéuticas, como en el caso de niños autistas que no saben hablar y a quienes no se les puede reforzar por comunicarse. Primero se premia al niño por emitir *cualquier* sonido articulado, luego por emitir sonidos parecidos al habla y, finalmente, sólo cuando emita palabras (vea a Lovaas, 1977).

El segundo método es el **reforzamiento parcial**, modalidad más común en la vida diaria que el reforzamiento "continuo" que hemos venido explicando. En éste, sólo se refuerzan algunas realizaciones de una conducta, no todas. El reforzamiento parcial adopta diversas formas, pero la versión más eficaz es

moldeamiento Reforzamiento sistemático de las aproximaciones sucesivas a un acto deseado.

reforzamiento parcial Procedimiento en que sólo se refuerzan algunas respuestas; genera hábitos más sólidos que el reforzamiento continuo.

Para evitar el desagradable estímulo del regaño, es posible que este niño se comporte desde hoy de otra manera.

el *programa de razón variable*. Algunas instancias de la respuesta se refuerzan, otras no —de manera impredecible. Así se logra que la conducta persista mucho más tiempo si el reforzamiento se interrumpiera más tarde.

Los efectos de este tipo de programas se observan en los niños que hacen berrinches en las tiendas para que les compren juguetes o dulces. Algunas veces los padres ceden y le compran a su hijo lo que desea con tal de evitar la conducta vergonzosa y molesta del niño. Éste aprende a seguir intentándolo, aun cuando los padres no siempre cedan, pues el hecho de que no lo consiga una vez no significa que no lo conseguirá en la siguiente. En forma involuntaria, los padres moldean berrinches más prolongados y ruidosos al intentar resistir antes de ceder.

APRENDIZAJE SOCIAL

Los teóricos del aprendizaje social ampliaron la teoría del aprendizaje para explicar los patrones y las conductas sociales de gran complejidad. Albert Bandura (1977), por ejemplo, señala que en la vida diaria nos fijamos en las consecuencias de nuestras acciones —es decir, observamos las acciones que logran su cometido y las que fracasan o no producen resultado alguno— y ajustamos nuestro comportamiento en consecuencia. De esta manera, recibimos un reforzamiento *consciente*, además de recompensas o castigos externos. Pensamos en qué conductas serán apropiadas en determinadas circunstancias y prevemos lo que sucederá como consecuencia de algunas de ellas.

Como vimos en el capítulo 1, el aprendizaje por observación y la imitación consciente de lo que vemos en el entorno social influyen de manera decisiva en el aprendizaje y en el desarrollo. De la misma manera en que aprendemos en forma directa de la experiencia personal las consecuencias de nuestros actos, también aprendemos al observar la conducta ajena y sus efectos (Bandura, 1977; Bandura y Walters, 1963). Por ejemplo, en sus primeros años el niño aprende observando muchos aspectos de la conducta apropiada para su sexo y también las normas morales de su cultura. Aprende, además, a expresar la agresión o la dependencia y la manera de realizar conductas prosociales como el compartir. Cuando llega a la adultez, aprende las actitudes y los valores adecuados para su profesión, su clase social y su grupo étnico, así como los valores morales.

EVOLUCIÓN DE AUTOCONCEPTO En la socialización se aprenden también los conceptos fundamentales relativos al mundo social y a la diferenciación entre el *yo* y los otros. Esto se realiza mediante los procesos individuales de pensamiento en conjunción con el ambiente social. El autoconcepto comienza con la conciencia de sí mismo. En un principio los infantes son incapaces de diferenciarse del mundo que los rodea. Pero poco a poco se percatan de que su cuerpo es una unidad independiente y exclusivamente suya; de hecho, gran parte de la infancia se centra en trazar esta distinción. Más adelante, los niños de corta edad se comparan con sus padres, con sus compañeros y sus parientes, con lo cual se dan cuenta de que son más pequeños que sus hermanos y hermanas mayores, más obscuros o blancos, más gordos o delgados.

Los niños demuestran sus capacidades al expresar el autoconcepto. También identifican sus preferencias y posesiones (Harter, 1988). En la niñez media, el autoconocimiento se amplía y abarca varios calificativos de rasgos. Un alumno de quinto grado se describirá como una persona popular, agradable, servicial, inteligente en la escuela y bueno para los deportes. Los atributos personales se vuelven lógicos, organizados y, generalmente, congruentes.

Durante la adolescencia, el autoconocimiento se torna más abstracto, y cobra gran importancia lo que otros opinan de nosotros. Es en esta etapa cuando el intelecto alcanza la capacidad de formular principios y teorías. Gracias a su nueva capacidad mental, el adolescente adquiere el sentido de identidad de su ego: una idea coherente y unificada del yo. El autoconcepto muestra continuidad y cambio durante la adultez. Los grandes acontecimientos de la vida, el cambio de empleo, el matrimonio, el nacimiento de los hijos o de los nietos, el divorcio, el desempleo, la guerra y las tragedias personales son hechos que nos obligan a reconsiderar lo que somos ante las circunstancias de la vida.

SOCIALIZACIÓN Y ACULTURACIÓN

La socialización es el proceso general por el cual el individuo se convierte en miembro de un grupo social: una familia, una comunidad, una tribu. Abarca el aprendizaje de actitudes y creencias, costumbres y valores, expectativas y roles del grupo social. Es un proceso permanente que nos ayuda a vivir de manera cómoda y a participar de modo pleno en nuestra cultura o grupo cultural en el seno de la sociedad en general (Goslin, 1969).

Durante la niñez se nos socializa para desempeñar algunos roles de inmediato y otros más adelante. Una niña pequeña adopta muchos roles todos los días: alumna, vecina, hermana mayor, hija, miembro de una iglesia, integrante de un equipo, mejor amiga. Cuando inicia la adolescencia adopta muchos otros. Cada nuevo rol le exigirá adaptarse a la conducta, a las actitudes, a las expectativas y a los valores de los grupos sociales que la rodean.

Antaño los investigadores pensaban que la conducta de los niños era casi por completo resultado de cómo se portaban con ellos los padres y los profesores. Por ejemplo, se creía que los niños se identifican en forma pasiva con algunos adultos de gran influencia en su vida. En los últimos años, se ve la socialización como un proceso bidireccional. Muchos estudios se concentran en la influencia recíproca entre la conducta de los progenitores y la de sus hijos (Hetherington y Baltes, 1988). A los infantes se les socializa mediante las experiencias familiares, pero su mera presencia obliga a los miembros de la familia a aprender nuevos roles.

En resumen, la socialización se da en todas las etapas de la vida y no sólo durante la niñez ni la adolescencia. Los adultos aprenden nuevos roles a fin de prepararse para los cambios de vida esperados. Un hombre de edad madura

Los niños pequeños pueden identificar sus posesiones más preciadas.

A través del proceso de socialización los niños de todas partes del mundo aprenden las actitudes, las creencias, las costumbres, los valores y las expectativas de su sociedad.

En el modelo ecológico de Bronfenbrenner, estudiamos el aprendizaje de este niño en su relación con los cuatro niveles del contexto ambiental.

que desea cambiar de empleo necesita actualizar sus conocimientos para ampliar sus habilidades vocacionales. Una mujer recién divorciada se verá obligada a cambiar su estilo de vida para ajustarse a su disminución de ingresos o buscar trabajo para sostenerse. Pero durante la niñez los procesos de socialización producen conductas que duran muchos años. La socialización contribuye a crear un acervo de valores, actitudes, habilidades y expectativas que moldean la personalidad futura del niño.

MODELO ECOLÓGICO El modelo de mayor influencia sobre el desarrollo humano en el contexto del ambiente social quizá sea el que propuso el psicólogo estadounidense Urie Bronfenbrener. Según su **modelo de sistemas ecológicos** (1979, 1989), el desarrollo humano es un proceso dinámico y recíproco. En esencia, el individuo en crecimiento reestructura en forma activa los numerosos ambientes en donde vive y, al mismo tiempo recibe el influjo de ellos, de sus interacciones y de los factores externos. Como se advierte en la figura 3-3, Bronfenbrenner concibe el ambiente social como una organización *anidada* de cuatro sistemas concéntricos. Un aspecto esencial del modelo lo constituyen las interacciones que fluyen hacia atrás y hacia adelante entre los cuatro sistemas.

El **microsistema**, o primer nivel, se refiere a las actividades, roles e interacciones del individuo y de su entorno inmediato: la casa, el centro de atención diurna o la escuela. Por ejemplo, en el hogar el desarrollo puede verse estimulado por la sensibilidad de la madre ante los intentos de independencia de su hijo. Y éstos a su vez la impulsan a pensar en nuevas formas de favorecer esta clase de conducta. Dada su inmediatez, el microsistema es el nivel ambiental que los psicólogos estudian con mayor frecuencia.

El **mesosistema**, o segundo nivel, se compone de las interrelaciones entre dos o más microsistemas. Así, en el desarrollo inciden las conexiones formales e informales entre el hogar y la escuela o entre el hogar, la escuela y el grupo de compañeros. Por ejemplo, el progreso de un niño en un centro de atención diurna puede verse favorecido por una estrecha comunicación de sus padres con los profesores. De manera análoga, la atención de los maestros beneficiará las interacciones del niño en su familia.

modelo de sistemas ecológicos Paradigma de desarrollo en que el niño reestructura de manera activa los aspectos de los cuatro niveles ambientales donde vive, al mismo tiempo que recibe el influjo de los niveles y de sus interrelaciones.

microsistema Primer nivel que designa las actividades, roles e interacciones de un individuo y de su ambiente inmediato: el hogar, el centro de atención diurna o la escuela.

mesosistema Segundo nivel que está constituido por las interrelaciones entre dos o más microsistemas.

FIGURA 3–3 MODELOS DE SISTEMAS ECOLÓGICOS DEL DESARROLLO HUMANO

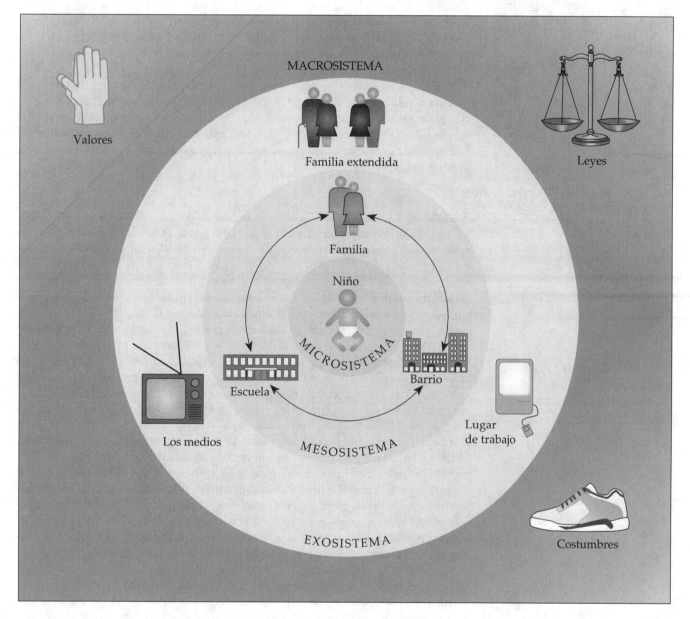

El **exosistema**, o tercer nivel, designa los ambientes u organizaciones sociales que están más allá de la experiencia inmediata del niño y que influyen en él. Los ejemplos abarcan desde ambientes formales como el lugar de trabajo de los padres y los sistemas comunitarios de salud y bienestar hasta organizaciones menos formales como la familia extendida del niño o la red de amigos de sus padres. Por ejemplo, la madre quizá trabaje en una compañía que le permite trabajar en casa dos o tres días a la semana. Gracias a esa flexibilidad podrá dedicar más tiempo a su hijo, con lo que favorecerá de manera indirecta su desarrollo. Por lo demás, el mayor tiempo que la madre pasa con su hijo puede disminuir su tensión y hacerla más productiva en el trabajo.

A diferencia de otros niveles, el **macrosistema** —o nivel más externo— no alude a ningún ambiente en particular. Lo constituyen las leyes, los valores y

exosistema Tercer nivel que indica los ambientes u organizaciones sociales fuera de la experiencia inmediata del niño que influyen en él.

macrosistema A diferencia de otros niveles, éste —el nivel más externo— no alude a un ambiente en particular. Consta de los valores, las leyes y las costumbres de la sociedad en la que vivimos.

La semejanza de intereses puede favorecer una mayor intimidad entre algunos miembros de la familia.

las costumbres de la sociedad en la que vive el individuo. Por ejemplo, las leyes que establecen la *integración* —o sea, la inclusión de los niños minusválidos en aulas regulares— tiene una gran repercusión en el desarrollo educativo y social de ellos y de los niños normales. A su vez, el éxito o el fracaso de esta política estimulará o desalentará otras iniciativas del gobierno para integrar a los dos grupos.

Aunque las acciones tendientes a alentar el desarrollo pueden darse en todos los niveles, Bronfenbrenner (1989) señala que las que se realizan en el macrosistema son de especial importancia. De ahí que influyan en el resto de los niveles. Así, los programas del gobierno estadounidenses, como Head Start, han ejercido un enorme impacto en el desarrollo educativo y social de varias generaciones de niños.

SISTEMAS FAMILIARES   La familia ocupa el papel central en el desarrollo, sobre todo en relación con los niños de corta edad. Ejerce influencia extraordinaria sobre el tipo de persona en que se convertirán y en el lugar que ocuparán en la sociedad. De hecho, el tipo de familia en la que nace el niño influye de manera decisiva en sus expectativas, en sus roles, en sus creencias y en las interrelaciones que experimentará a lo largo de la vida (Hartup, 1989), lo mismo que en su desarrollo cognoscitivo, emocional social y físico.

La forma en que interactúan las personas en la familia tiene un impacto intrincado y dinámico en el desarrollo. Cada una desempeña un rol específico en las interacciones con las otras. Algunas veces un hermano mayor cuida a los más pequeños. Un miembro de la familia puede aliarse con algunos pero no con otros. Así, con frecuencia dos hermanas se alían contra el hermano. La red de interrelaciones y de expectativas representa una influencia decisiva en el desarrollo social, emocional y cognoscitivo del niño.

Los hermanos comparten muchas experiencias parecidas, como tener una madre demasiado estricta o pertenecer a una familia de clase media. Pero existe una serie de experiencias y de relaciones no *compartidas*. En una serie de estudios se compararon a lo largo del tiempo las relaciones de los progenitores con el primogénito y con el segundo hijo (Dunn, 1986). Como cabría suponer, las relaciones entre la madre y el primogénito eran estrechas e intensas, por lo menos antes de que naciera el segundo hijo. Y después, las cosas se complicaban. Si el primogénito tenía una relación afectuosa con el padre, el afecto tendía a aumentar, lo mismo que el conflicto entre la madre y el primogénito. Si la madre prestaba mucha atención al segundo hijo, se intensificaba su conflicto con el primogénito. De hecho, cuanto más jugaba con el segundo hijo al año de edad, más peleaban los hermanos al cabo de un año.

Es evidente que los miembros de una familia no necesariamente viven el mismo ambiente. Cuando a los adolescentes se les pide que comparen sus experiencias con las de sus hermanos, a menudo descubren más diferencias que semejanzas. Parecen ver algunas semejanzas en las reglas y en las expectativas de la familia, pero existen muchas diferencias en el momento y en el impacto de eventos como el divorcio. Ocurren diferencias aún mayores en el trato que recibe cada niño de los otros hermanos (Plomin, 1990).

En un estudio reciente, se pidió a los progenitores y a los adolescentes que evaluaran su ambiente familiar. Coincidieron bastante en que la familia estaba o no bien organizada, en que tenía una fuerte orientación religiosa y en que a menudo había conflictos. Pero mostraron un gran desacuerdo respecto a la cohesión de la familia, al grado de expresión o independencia que se permitía y a la existencia o inexistencia de una orientación intelectual (Carlson y otros, 1991). Parece claro que, al entrar un hijo en la familia, cambian la naturaleza y las interacciones familiares, y, por tanto, también cambia el ambiente social general en que vive el niño.

LA FAMILIA COMO TRANSMISORA DE CULTURA Además de integrar al niño a la unidad familiar, los padres interpretan para él la sociedad y su cultura. Desde edad temprana, le transmiten las tradiciones religiosas y étnicas, así como los valores morales. En una sociedad cohesiva y homogénea, como los *kibutz* de Israel, las personas ajenas a la familia refuerzan y amplían las enseñanzas de los padres. Se observa poca contradicción entre la forma en que vive la familia y las costumbres de la comunidad. Pero en una sociedad multiétnica y más compleja, como la estadounidense, las tradiciones culturales a menudo chocan entre sí. Algunos progenitores luchan por inculcar sus valores para que los hijos no se asimilen a la cultura de la mayoría. Expresan los valores culturales en las actitudes ante aspectos de la vida cotidiana: comida, ropa, amigos, educación y juego.

La transmisión de la cultura no es un proceso simple. Cuanto más diversa sea la estructura social, mayor presión se impondrá al sistema familiar. Se vuelve más difícil transmitir los valores cuando no son claros y se encuentran en fase de transición; esta dificultad tal vez sea el principal desafío que enfrenta la familia moderna. Conviene tener presente que hablamos de una unidad familiar, de un ambiente social y de una cultura, pero no se trata de entidades individuales ni fijas. El ambiente social de una persona, de por sí complejo cuando nace, cambia de un modo constante y dinámico.

Algunas características culturales —entre éstas los tabúes relacionados con el incesto— son casi universales (Farb, 1978), no así muchas otras. Las diferencias culturales dan origen al **etnocentrismo,** tendencia a suponer que las creencias, las percepciones y los valores de nuestra cultura son verdaderos, correctos y comunes, mientras que los de otra cultura son falsos, inusuales o totalmente alejados de la realidad. Resulta muy difícil no emitir un juicio sobre las diferencias culturales con las que convivimos. Por ejemplo, a menudo se supone que las familias de un solo progenitor son menos representativas de los "valores familiares" que aquéllas en las que ambos progenitores están presentes. Sin embargo, una madre soltera pobre que vive en un barrio marginado y que le pide a su madre que le cuide al hijo puede transmitir un mensaje claro sobre la importancia que esta institución tiene, de la misma manera en que se transmite tal mensaje en una familia de núcleo intacto que vive en los suburbios.

El influjo de los padres no es más que uno de los elementos del proceso más amplio de la socialización. Se trata de un proceso permanente en que aprendemos a funcionar como miembros de los grupos sociales: familias, comunidades, grupos de trabajo y de amigos y muchos otros. Para convertirse en miembro de un grupo es preciso reconocer y cumplir las expectativas de otros, entre ellos los miembros de la familia, los compañeros, los profesores y los jefes. Sin importar si son tensas y angustiantes o suaves y seguras, nuestras relaciones con la gente determinan lo que aprendemos y cómo lo hacemos.

La socialización obliga a encarar nuevas situaciones. Los niños nacen en familias, van a la escuela; las familias se mudan a otros barrios; los adolescentes comienzan a salir con el novio y la novia; las personas se casan y crían una familia; los ancianos se jubilan; los amigos y parientes se enferman o mueren. Una parte esencial de la socialización consiste en adaptarse a esos cambios a lo largo de la vida. Durante todo este proceso, el autoconcepto cambiante del individuo es una especie de filtro que amortigua el impacto del ambiente. A diferencia de una cámara fotográfica, que capta todas las imágenes luminosas y las imprime en una película, el autoconcepto capta sólo al-

etnocentrismo Tendencia a suponer que nuestras creencias, percepciones, costumbres y valores son correctos o normales y que los de otros son inferiores o anormales.

gunas en especial. De ahí, que cada quien experimente el ambiente social en forma distinta.

INFLUENCIAS SOCIALES EN EL DESARROLLO DURANTE EL CICLO VITAL

Por último, es importante ver cómo interactúa el desarrollo del individuo con los cambiantes factores culturales e históricos, para producir generaciones y cohortes.

Algunos investigadores estudiaron la generación nacida durante la Gran Depresión y que en su adolescencia vivió la Segunda Guerra Mundial. Estas personas ingresaron a la universidad o al mercado laboral durante el auge posbélico de fines de los años cuarenta y cincuenta; muchas de ellas formaron parte de las fuerzas armadas durante la Guerra de Corea. A la guerra le sucedió un periodo de bonanza económica y de poco desempleo. Así, el periodo durante el que esa generación inició la adultez se caracterizó por ciertos factores históricos (Featherman y otros, 1984). Compare esta cohorte con la de los "niños del auge de la natalidad" que nacieron después de la Segunda Guerra Mundial, entre 1946 y 1960. Durante su niñez y adolescencia disfrutaron los beneficios de una economía en crecimiento; su adolescencia y adultez transcurrió en la turbulenta década de los sesenta. ¿Se parecen los integrantes de estas dos cohortes? En algunos aspectos sí, en otros de ninguna manera.

Baltes (1987; Hetherington y Baltes, 1988) señala que el desarrollo durante el ciclo vital no se limita a la interacción entre los cambios históricos y los del desarrollo. Las **influencias normadas por la edad** son los cambios biológicos y sociales que por lo regular ocurren en edades predecibles, una combinación de herencia y factores ambientales de la especie como vimos al inicio del capítulo. A esta categoría pertenecen la pubertad, la menopausia y algunos aspectos físicos del envejecimiento. También pertenecen a ella los acontecimientos sociales predecibles como entrar en el primer grado de la escuela, contraer matrimonio o jubilarse, hechos que ocurren en determinado momento. Las **influencias normadas por la historia** (también factores ambientales de la especie) son acontecimientos históricos, entre ellos guerras, depresión y epidemias, que afectan a grandes cantidades de individuos más o menos al mismo tiempo.

Las **influencias no normadas** son factores ambientales individuales que no ocurren en un momento predecible durante la vida. He aquí algunos ejemplos: divorcio, desempleo, enfermedad, mudarse a otra comunidad, pérdidas o ganancias económicas repentinas, cambios de carrera y hasta la oportunidad de conocer a alguien influyente. Todos estos eventos trascendentales pueden ser momentos decisivos en nuestra vida (Bandura, 1982). Así, pues, el desarrollo es más que un mero producto de la edad o de la historia; abarca el tiempo y la influencia de determinados eventos que nos afectan como grupo o como individuos.

Baltes piensa que factores como la raza, el sexo y la clase social *median* tanto el tipo como los efectos de estas influencias. Por ejemplo, la pubertad empieza en las mujeres antes que en los varones (un efecto normado por la edad). Los varones afroamericanos están más expuestos al desempleo (una influencia no normada) que los de raza blanca. Los efectos del divorcio pueden ser distintos en una familia afroamericana y en una familia blanca (Harrison y otros. 1990).

El impacto de los factores anteriores difiere según la edad. Las influencias normadas por la edad suelen influir más en los niños y los viejos, mientras que las influencias normadas por la historia afectan de manera más profunda a los adolescentes y a los adultos jóvenes; a esa edad es cuando suele buscarse un empleo o cuando lo reclutan a uno para una guerra. Los eventos no normados pueden ocurrir en cualquier momento, pero los amigos y parientes pueden mediarlos. Sus efectos acumulativos resultan importantes sobre todo para los

influencias normadas por la edad   Cambios biológicos y sociales que por lo regular ocurren en edades predecibles —una combinación de herencia y de factores ambientales de la especie.

influencias normadas por la historia (llamadas también factores ambientales de la especie) Acontecimientos históricos, como guerras, depresión económica y epidemias, que afectan de manera simultánea a grandes cantidades de individuos.

influencias no normadas   Factores ambientales individuales que no ocurren en momentos predecibles de la vida de una persona.

viejos. En la figura 3-4 y en la tabla 3-6 se aprecia cómo interactúan tales influencias a diversas edades en el caso de miembros de generaciones diferentes.

Glen Elder y sus colegas (Elder y otros, 1988) ofrecen un ejemplo interesante de cómo podrían interactuar factores normados por la historia y normados por la edad, mediados por el sexo, para producir resultados diversos. Utilizaron un diseño longitudinal amplio para estudiar a dos grupos de personas a partir de la Gran Depresión. En esa época los miembros del primero eran infantes mientras que los integrantes del segundo eran escolares (cerca de 10 años de edad). Como la recuperación de la Gran Depresión tardó alrededor de nueve años, los miembros del primer grupo tenían entre uno y 10 años en ese periodo y los del segundo grupo entre 10 y 18 años. Elder descubrió que los niños más jóvenes durante esos años mostraban efectos más negativos al estrés y la privación sufridos por su familia que los que eran de mayor edad. De hecho, los segundos a menudo trabajaban para ayudar a la familia a sobrevivir, lo que reducía la vulnerabilidad de la familia a los problemas que suelen acompañar al desempleo y la pobreza.

Las mujeres del estudio mostraron un patrón distinto. Las más jóvenes establecían un vínculo muy sólido con su madre mientras la familia sufría problemas económicos. Así, pues, la mujeres que eran más jóvenes durante la Gran Depresión estaban más orientadas a las metas, eran más competentes y asertivas que las adolescentes (Elder y otros, 1988).

FIGURA 3–4   PERFIL DE LAS INFLUENCIAS DURANTE EL CICLO VITAL

Las influencias normadas por la edad y por la historia, lo mismo que las no normadas, ejercen un influjo en forma más directa en algunas etapas de su ciclo vital.

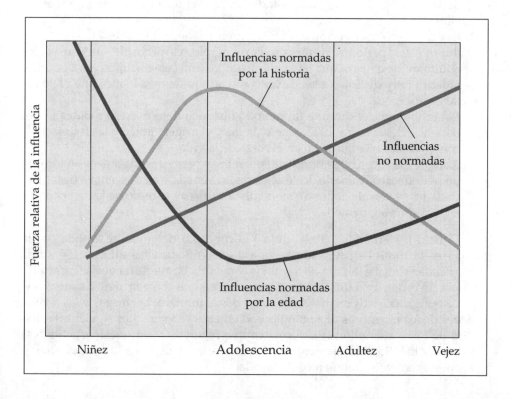

TABLA 3–6 CÓMO INFLUYEN LOS SUCESOS HISTÓRICOS EN VARIAS
COHORTES DE EDAD

SUCESO HISTÓRICO	AÑO DE NACIMIENTO					
	1912	**1924**	**1936**	**1948**	**1960**	**1972**
1932 (La depresión)	20 años de edad (inicio de vida independiente)	8 años de edad (niño en edad escolar)				
1944 (Segunda Guerra Mundial)	32 años de edad (procreación/ carrera)	20 años de edad (inicio de vida independiente)	8 años de edad (niño en edad escolar)			
1956 (Auge de la posguerra)	44 años de edad (edad madura)	32 años de edad (procreación/ carrera) ·	20 años de edad (inicio de vida independiente)	8 años de edad (niño en edad escolar)		
1968 (Guerra de Vietnam)	56 años de edad (prejubilación)	44 años de edad (edad madura)	32 años de edad (crianza/ carrera)	20 años de edad (inicio de vida independiente)	8 años de edad (niño en edad escolar)	
1980	años de edad (jubilación)	56 años de edad (prejubilación)	44 años de edad (edad madura)	32 años de edad (procreación/ carrera)	20 años de edad (inicio de vida independiente)	8 años de edad (niño en edad escolar)

Nota: los que iniciaron su vida independiente durante la Gran Depresión se vieron más influidos que los niños en edad escolar; en cambio, los que se labraron una carrera durante el auge de la posguerra resintieron más los efectos que aquellos a quienes les faltaba poco para jubilarse.

De los resultados anteriores podemos extraer varias conclusiones (Stoller y Gibson, 1994):

1. En el desarrollo influyen las características personales, los acontecimientos de la vida por los que pasa el individuo y las formas en que se adapta a ellos.
2. Las características personales influyen en las oportunidades que se tienen durante los periodos históricos. Por ejemplo, es probable que un varón adulto de raza negra que haya vivido en los años cincuenta tuviera oportunidades muy distintas a las de un varón adulto de raza blanca que vivió en la misma época.
3. El hecho de nacer durante un periodo histórico determinado moldea la experiencia del desarrollo. El género, la raza, el origen étnico y la clase socioeconómica también influyen en el curso de la vida.
4. Aunque los sucesos históricos moldean las experiencias de quienes nacen en un periodo determinado, los miembros en ventaja y en desventaja de las sociedades se ven afectados de modo distinto. (Vea "Estudio de la diversidad" en la página siguiente.)

Donald J. Hernández (1994) utilizó el concepto de curso de la vida en su análisis de cómo ha cambiado la vida de los niños en los últimos 150 años. Hernández concibe la vida de los niños como una "trayectoria que se caracteriza por un orden, una duración y el momento en que ocurren algunos sucesos y se dispone de ciertos recursos, así como por el número, los rasgos y las actividades de los miembros de la familia con quienes se vive". Los siguientes estudios de casos ejemplifican la forma en que repercuten, en nuestras actitudes, valores y habilidades, las experiencias culturales e históricas a las que somos expuestos en varios momentos de la vida:

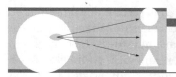

ESTUDIO DE LA DIVERSIDAD

NIÑOS QUE SOBREVIVEN

A lo largo de la historia, los niños se han visto obligados a crecer en ambientes sociales terribles. La persona encargada de su cuidado acaso sea un enfermo mental o un drogadicto. Quizá el niño esté expuesto a una pobreza opresiva, al hacinamiento o a la criminalidad. Algunos sufren varias pérdidas durante las guerras y los desastres; otros sufren maltrato físico o un gran abandono. Casi siempre su personalidad queda marcada para toda la vida por estos acontecimientos. A veces se sienten inseguros, solitarios o indefensos. Cuando llegan a la adultez, tienden más a maltratar a los hijos, a convertirse en criminales o en drogadictos. Algunos sufren retraso mental; otros no pueden sostener relaciones significativas y estables.

Con todo, algunos sobreviven a las devastadoras experiencias de la niñez sin secuelas graves, es decir, salen adelante a pesar de un ambiente negativo. ¿Qué factores les ayudan a estos niños resistentes? ¿Cómo aprenden las estrategias que les permiten enfrentar un estrés tan terrible?

Norman Garmezy nos cuenta la historia de un niño que crece en los barrios bajos de Mineápolis (Pines, 1979). Este niño vive en un departamento en ruinas con su padre, un ex convicto que tiene cáncer, con su madre analfabeta y con siete hermanos y hermanas, dos de los cuales son retrasados mentales. A pesar de un ambiente tan negativo, sus profesores dicen que es un niño muy competente, que es un buen estudiante y que les simpatiza a sus compañeros. ¿Cómo lo consigue?

Luego de estudiar a cientos de niños resistentes, los investigadores han identificado cinco características comunes:

1. Son socialmente competentes y se llevan bien con sus compañeros y con los adultos. A menudo, estos últimos dicen que son personas atractivas, encantadoras y dispuestas a aprender.
2. Tienen seguridad en sí mismos. Ven los problemas como retos y consideran que poseen una capacidad para dominar situaciones nuevas. Garmezy ofrece un ejemplo: una niña quería llevar su almuerzo a la escuela como otros niños, pero en casa no había nada que poner entre las rebanadas de pan. Sin desanimarse empezó a preparar "emparedados de pan". Después, siempre que se veía obligada a prescindir de algo o se hallaba en una situación difícil, se decía a sí misma que había que empezar a "hacer emparedados de pan".
3. A menudo son muy independientes. Piensan por su cuenta y escuchan a los adultos, aunque no necesariamente se dejan dominar por ellos.
4. Suelen tener pocas pero buenas relaciones que les brindan seguridad (Pines, 1984; Rutter, 1984), con los compañeros, con un profesor, con una tía o un vecino.
5. Finalmente, son personas de logros. Algunos tienen éxito en los estudios; otros llegan a ser buenos atletas, artistas o músicos. Disfrutan las experiencias positivas del logro; aprenden que pueden tener éxito y que pueden influir en el ambiente.

Emmy E. Werner (1989b) y sus colegas efectuaron un estudio longitudinal de niños resistentes que viven en Kauai (Hawai). El estudio, que se ha prolongado por más de 30 años, reafirma que es posible superar una niñez llena de privaciones y que ciertos factores contribuyen a ello. De 201 niños que identificaron como expuestos a gran riesgo por un ambiente familiar estresante, 72 se convirtieron en personas competentes y responsables capaces de cumplir con las exigencias de la vida adulta. Entre los factores que favorecieron la resistencia a largo plazo se encontraba una red de apoyo formada por los parientes, profesores y otros adultos importantes que compensaban la ausencia de los padres. Y lo más importante: estos niños contaban por lo menos con una persona que les brindaba su amor incondicional.

Con todo, todavía hay muchas cosas que ignoramos acerca de los niños resistentes. Es compleja la interacción del temperamento, de los talentos y las circunstancias de su vida (el lector interesado puede encontrar una reseña de estas cuestiones en Basic Behavioral Science Task Force, 1996). No obstante, la investigación nos ayudará a entender a los niños resistentes en situaciones más normales, como cuando aprenden estrategias para enfrentar las tensiones ordinarias (Anthony y Cohler, 1987).

Ruth nació en Rusia en 1913. Como integrante de una familia judía ortodoxa con cinco hijos, sufrió la persecución cuando los soldados trataron varias veces de matarla a ella y a su familia por sus creencias religiosas. Cuando tenía 12 años de edad, llegó a Estados Unidos y se instaló en la ciudad de Kansas (Missouri), donde comenzó sus estudios. Después de cuatro años, su padre, un sastre pobre, insistió en que abandonara la escuela para que ayudara a sostener a la familia que para entonces tenía ya siete hijos. A pesar de su baja escolaridad, tras algunos años Ruth pudo reunir el suficiente dinero para mudarse a la ciudad de Nueva York, donde conoció a su futuro esposo y se casó con él. Tuvieron dos hijos que se graduaron en la universidad y llegaron a ser profesionistas exitosos. Por las terribles experiencias de su niñez, Ruth pasó su vida matrimonial protegida en el recinto de su familia. Al pasar los años, su marido tomaba todas las decisiones de la familia y ella se tornaba cada vez más temerosa e incapaz de funcionar fuera del hogar.

Judy nació en 1948 y era la menor de tres hermanos. Su padre era abogado y su madre se dedicaba a las labores domésticas. Judy asistió a escuelas particulares y se recibió de abogada como su padre. Cuando se le pregunta acerca de su niñez y de su juventud, recuerda que temía a la bomba atómica y se ocultaba debajo del escritorio en los simulacros de ataques aéreos que se realizaban en su escuela primaria; también recuerda la Guerra de Corea, la carrera espacial, el inicio del movimiento por los derechos humanos, el asesinato de John F. Kennedy, la Guerra de Vietnam y el escándalo Watergate. Durante los años sesenta se volvió una activista estudiantil, empadronó a votantes en el sur y protestó contra la Guerra de Vietnam. Cuando asistía a la escuela de derecho, conoció y se casó con un compañero activista. Pero ahora los dos trabajan para el gobierno y realizan labores sociales como voluntarios. Algunas veces Judy se pregunta si su decisión de no tener familia fue correcta.

Los valores y las experiencias de la vida de estas dos mujeres se vieron moldeados por los sucesos históricos de la época que les tocó vivir. Las diferencias entre ellas nos obligan a examinar más a fondo las relaciones entre los cambios históricos y del desarrollo a lo largo del ciclo vital y la forma en que el momento y la influencia de los acontecimientos repercuten de manera diferente en cada persona.

REPASE Y APLIQUE

1. Defina y compare el condicionamiento clásico y el operante.
2. Explique el modelo de los sistemas ecológicos de Bronfenbrenner en cada nivel.
3. ¿Cómo influyen en el desarrollo los patrones de la interacción familiar?
4. ¿De qué manera las familias transmiten cultura y qué función desempeñan en el proceso de la socialización?
5. Describa el modelo de Baltes de las influencias a lo largo del ciclo vital.

RESUMEN

Marco teórico para estudiar la herencia y el ambiente

- La herencia de la especie es lo que los seres humanos normales tienen en común, mientras que la herencia individual son las combinaciones específicas y únicas de genes que hereda un individuo.
- Las influencias ambientales de la especie abarcan las experiencias por las que todos debemos pasar para desarrollarnos, mientras que las influencias ambientales individuales son las que varían de una persona a otra. (Consulte el diagrama de estudio en la página 88.)

Cómo funciona la herencia

- El ácido desoxirribonucleico (ADN) contiene el código genético que regula el desarrollo y el funcionamiento del organismo.

- Los genes se encuentran en los cromosomas. La célula humana contiene 46 cromosomas dispuestos en pares: el par 23 corresponde a los cromosomas sexuales -XX en la mujer y XY en el varón.
- En la mitosis, cada célula se divide y hace una réplica exacta de sí misma, formando dos células que contienen cada una 46 cromosomas distribuidos en 23 pares.
- Las células reproductoras (óvulos y espermatozoides) se forman por meiosis. Este proceso produce gametos, células que contienen sólo 23 cromosomas y, por tanto, la mitad del código genético del progenitor.
- Se da el nombre de alelos a las formas alternas de un mismo gen; un alelo se hereda de la madre y el otro del padre. El conjunto total de los pares de alelos de la célula constituye el genotipo del individuo.

- El fenotipo es la expresión real del genotipo de una persona. La expresión de rasgos simples como el color de los ojos depende de la combinación de los alelos dominantes y recesivos correspondientes a esos rasgos del genotipo.
- Los rasgos más complejos provienen de una combinación de muchos pares de genes. El sistema global de interacciones entre los genes y los pares de genes recibe el nombre de herencia poligénica.

Anormalidades cromosómicas y genéticas

- Las anomalías relacionadas con el sexo pueden deberse a cromosomas adicionales o faltantes, o a la ruptura de cromosomas (síndrome de X frágil). Algunos de estos defectos, entre ellos la hemofilia, son causados por genes recesivos en el cromosoma X y por consecuencia es más probable que se presenten en el varón que en la mujer.
- Las anomalías autosómicas también pueden deberse a cromosomas adicionales, a genes defectuosos o a patrones dominantes-recesivos. El defecto más común es el síndrome de Down, la causa más importante de retraso mental de origen genético.
- Los futuros padres cuentan con la consejería genética para evaluar los factores de riesgo genético en la procreación y tomar una decisión acertada.
- Las modalidades más comunes de pruebas de diagnóstico prenatal son el ultrasonido, la amniocentesis (extracción de líquido amniótico para pruebas) y el muestreo de vello coriónico (extracción de células fetales para pruebas).
- Se han logrado avances importantes en la investigación y en el tratamiento genéticos. La terapia génica se ha aplicado a seres humanos en unos cuantos casos.

Heredabilidad de conductas y de rasgos complejos

- La evolución es el proceso por el que las especies cambian de una generación a otra. Una teoría generalmente aceptada de cómo ocurre la evolución es la teoría de la selección natural propuesta por Darwin: los rasgos que permiten que un organismo sobreviva y se reproduzca se transmiten a la siguiente generación.
- Los etólogos estudian los patrones de la conducta animal, sobre todo la que se rige por el instinto. Las conductas humanas no son instintivas, aunque algunas parecen estar preprogramadas biológicamente. Según los sociobiólogos, algunos patrones complejos de la conducta social tienen un componente genético, pero este argumento no se ha comprobado.
- Los genetistas conductuales estudian las conexiones entre conducta y características físicas, entre éstas las diferencias individuales que pueden atribuirse a factores genéticos.
- En las investigaciones sobre la heredabilidad de los rasgos se utilizan los estudios de adopción, así como los de gemelos idénticos y fraternos.

Cómo funciona el ambiente: de lo simple a lo complejo

- Hay dos tipos fundamentales de aprendizaje: el condicionamiento clásico y el operante. Otro tipo importante es el aprendizaje por observación.
- En el condicionamiento clásico, se parean dos o más estímulos y se asocian entre sí. De este modo se adquieren muchas conductas ordinarias, entre éstas las reacciones emocionales.
- En el condicionamiento operante, la conducta se adquiere en respuesta a sus consecuencias. Las consecuencias pueden ser de cuatro tipos: reforzamiento positivo, reforzamiento negativo, castigo positivo y castigo negativo. (Consulte el diagrama de estudio en la página 107.)
- El condicionamiento operante puede efectuarse por medio del moldeamiento, es decir, moldeando la conducta en cuestión mediante aproximaciones sucesivas. Las conductas ordinarias suelen moldearse por medio del reforzamiento parcial, en el cual sólo se refuerzan algunas de sus realizaciones.
- El aprendizaje por observación y la imitación consciente participan de modo importante en el aprendizaje y en el desarrollo. Los conceptos sociales —en especial los del yo— también influyen en lo que se aprende.
- La socialización es el proceso general por el cual el individuo se convierte en miembro de un grupo social. Es un proceso bidireccional que tiene lugar en todas las etapas de la vida.
- El modelo de sistemas ecológicos del desarrollo humano propuesto por Bronfenbrenner contiene cuatro niveles: microsistema, mesosistema, exosistema y macrosistema.
- La familia ejerce una influencia decisiva en el tipo de persona que el niño llegará a ser y en el lugar que ocupará en la sociedad. Además de integrarlo a la unidad familiar, los padres interpretan la sociedad y su cultura para él.
- De acuerdo con Baltes, el desarrollo durante el ciclo vital consta de tres tipos básicos de factores: influencias normadas por la edad, influencias normadas por la historia e influencias no normadas. Sus efectos son mediados por otros factores como la raza, el sexo y la clase social.
- La investigación longitudinal ha demostrado que en el desarrollo influyen las características personales del individuo, los sucesos que le ocurren y las formas en que se adapta a ellos.

CONCEPTOS BÁSICOS

genes
ácido desoxirribonucleico (ADN)
ácido ribonucleico (ARN)
cromosoma
cariotipo
autosomas
cromosomas sexuales
mitosis
meiosis
gametos
alelos
genotipo
fenotipo
dominante
recesivo
homocigoto

heterocigoto
consejería genética
ultrasonido
amniocentesis
muestreo del vello coriónico
terapia génica (o terapia correctiva de genes)
injerto genético
clonación
evolución
selección natural
etología
instinto
sociobiología
genética conductual
condicionamiento clásico

fobia
condicionamiento operante
modificación de conducta
ley del efecto
procedimiento de tiempo fuera
moldeamiento
reforzamiento parcial
modelo de sistemas ecológicos
microsistema
mesosistema
exosistema
macrosistema
etnocentrismo
influencias normadas por la edad
influencias normadas por la historia
influencias no normadas

UTILICE LO QUE APRENDIÓ

Obsérvese a usted mismo y a sus padres. ¿Se parecen en *lo físico*? ¿Puede identificar los rasgos que comparte con su madre o con su padre; por ejemplo, los ojos de ella o la nariz de él? ¿Y puede identificar las diferencias? ¿Cuál cree que sea el origen de las semejanzas y de las diferencias?

Después examínese a usted mismo y a sus padres en el aspecto *psicológico*. ¿Hay conductas, hábitos o actitudes que comparte con uno de ellos o con los dos? Fíjese en detalles pequeños, como la forma en que usa los cubiertos, los alimentos que le gustan, los condimentos que prefiere, si acostumbra levantarse temprano, permanecer de pie hasta altas horas de la noche, etc. Considere después aspectos más globales como los rasgos de personalidad, el temperamento, la inteligencia y las formas de resolver problemas. En todos los casos encontrará semejanzas y diferencias. ¿Por qué? ¿Qué considera que es más importante en cada caso, la herencia o el ambiente?

Finalmente, ¿qué es más evidente, lo físico o lo psicológico?

LECTURAS COMPLEMENTARIAS

CART, C. S., METRESS, E. K. Y METRESS, S. P. (1992). *Biological bases of human aging and disease.* Boston: Jones y Bartlett. Obra muy amena e informativa sobre los cambios biológicos y fisiológicos que se producen en la adultez con los años.

FOUTS, R., WITH MILLS, S. T. (1997). *Next of kin: What chimpanzees have taught me about who we are.* New York: William Morrow. Roger Fouts ofrece una interesante odisea personal de su comunicación innovadora con los chimpancés mediante el lenguaje de signos. La narración abarca 30 años de amistad con el famoso Washoe.

GOULD, S. J. (1993). *Eight little piggies: Reflections in natural history.* New York: W. W. Norton. Antes de rechazar las aseveraciones de la genética de la conducta, quizá el lector quiera considerar estos breves ensayos sobre la conducta animal en esta divertida colección hecha por un famoso especialista en historia natural.

LYNCH, E. W. Y HANSON, M. J. (Eds.) (1992). *Developing cross-cultural competence: A guide for working with young children and their families.* Baltimore: Paul Brookes. Importantes aportaciones de los autores que representan a varios grupos étnicos, culturales y lingüísticos; se dan ejemplos de patrones y valores de la familia en las comunidades contemporáneas de Estados Unidos.

PLOMIN, R. (1990). *Nature and nurture: An introduction to human behavioral genetics.* Pacific Grove, CA: Brooks/Cole. Este libro, breve y ameno, presenta la investigación técnica de la genética en un lenguaje accesible al público en general, sin omitir los desafíos más interesantes del área.

TOBIN, J. J., WU, D. Y. H., & DAVIDSON, D. H. (1989). *Preschool in three cultures: Japan, China, and the United States.* En una forma detallada, inspirada en el estudio de casos, los autores nos ofrecen una descripción viva y persuasiva de la variación cultural en la forma en que en tres jardines de niños se cría, educa y socializa a los alumnos.

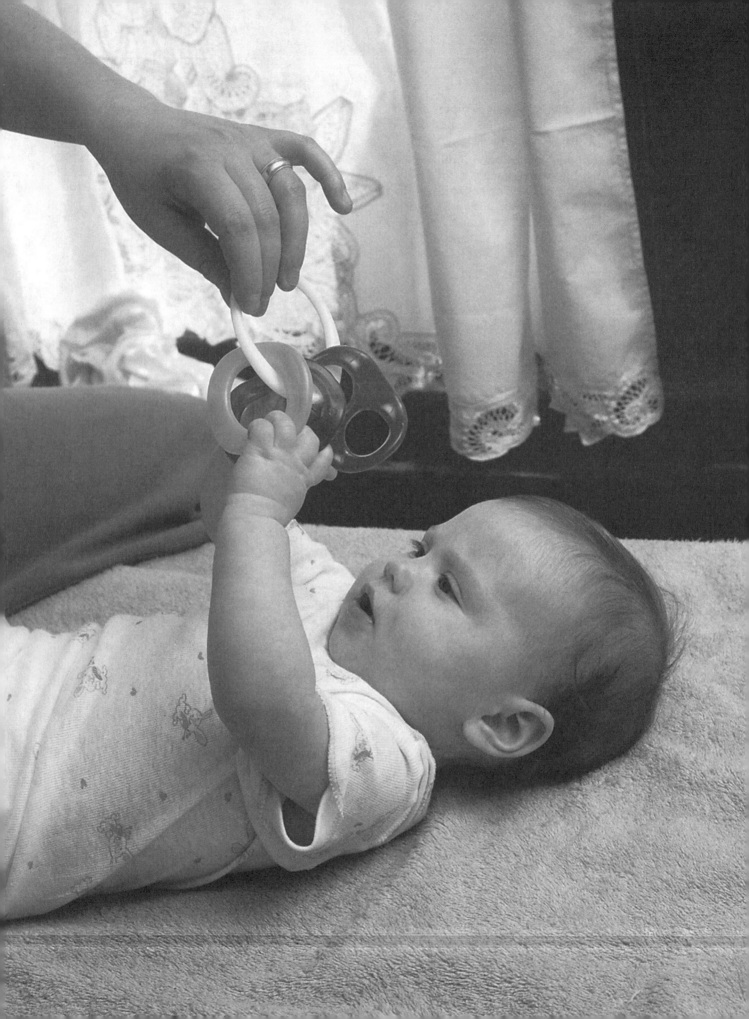

Desarrollo físico, cognoscitivo y lingüístico en la infancia

TEMARIO

OBJETIVOS DEL CAPÍTULO

Cuando termine este capítulo, podrá:

1. Describir lo que hacen los neonatos.
2. Resumir el desarrollo físico y motor que se realiza durante la infancia.
3. Explicar los efectos de la desnutrición infantil.
4. Resumir el desarrollo perceptual durante la infancia.
5. Explicar y criticar la teoría de Piaget sobre desarrollo cognoscitivo durante la etapa sensoriomotora.
6. Describir la función que la organización perceptual cumple en la cognición del infante.
7. Resumir el desarrollo del lenguaje que se realiza durante la infancia.
8. Explicar las funciones que en el aprendizaje del lenguaje desempeñan la imitación, el condicionamiento, la estructura innata del lenguaje y el desarrollo cognoscitivo.

Los neonatos llegan al mundo con una gran capacidad de sentir el ambiente y responder a éste. Pueden ver y oír; gustan de los sabores y perciben los olores; sienten la presión y el dolor. Observan las cosas de una manera selectiva. Aprenden, a pesar de que sus habilidades son limitadas. En los dos primeros años de vida, cambian más rápida y drásticamente que en cualquier otro periodo semejante. Algunas modificaciones son patentes: gatean, se sientan, caminan y hablan. Otras resultan más difíciles de evaluar. En realidad, no es fácil saber con exactitud lo que ven, oyen o piensan.

Los neonatos comunican sus necesidades llorando, bostezando o con una mirada de soslayo, pero nacen con una profunda ignorancia. No tienen un conocimiento real de la vida, del día y la noche, del yo y los otros, de lo mío y lo tuyo, del varón y la mujer, de la madre y el padre, de hijos e hijas. Pero al cabo de dos años piensan, razonan y expresan sus ideas y sentimientos mediante el lenguaje. Éste, a su vez, les ayuda a estructurar lo que saben y a entenderlo. Por el enorme poder que da el lenguaje, se considera a éste como un puente hacia fuera de la infancia y un auténtico hito en el desarrollo cognoscitivo.

Iniciaremos este capítulo analizando las competencias del neonato para explicar después lo que conocemos sobre el desarrollo físico, motor y perceptual durante los dos primeros años de vida. Después abordaremos el desarrollo cognoscitivo y lingüístico.

NEONATOS

El primer mes es un periodo importantísimo porque el niño debe adaptarse a vivir fuera del ambiente protegido del vientre materno. Según vimos en el capítulo 2, el primer mes es un periodo de recuperación del proceso de nacimiento, y en el que se ajustan funciones vitales como la respiración, la circulación, la digestión y la regulación de la temperatura corporal. Es, asimismo, un periodo en que se alcanza el equilibrio entre una estimulación excesiva y una estimulación deficiente en un cambiante entorno físico o social. ¿Está bien preparado el recién nacido para realizar todo esto?

Los investigadores del desarrollo saben en la actualidad que los infantes realizan respuestas y actividades mentales más complejas de lo que se creía antaño.

COMPETENCIAS Y ESTADOS DEL INFANTE

Hasta los años sesenta, se pensaba que los neonatos eran incapaces de una conducta organizada y autodirigida. Así, no era infrecuente ver su mundo como "una confusión radiante y estridente", como lo describió William James en 1890. Los trabajos publicados sobre el desarrollo señalaban que los niños no utilizaban los centros superiores del cerebro hasta que cumplían casi un año de edad y que el recién nacido veía luz y sombras, pero que no percibía objetos ni patrones. Se pensaba que la conducta, durante las primeras semanas de vida, era casi por completo refleja.

Las investigaciones posteriores demostraron que se habían subestimado demasiado sus capacidades. Ahora, sabemos que el recién nacido es capaz de emitir respuestas organizadas y predecibles y realizar una actividad cognoscitiva más compleja de lo que se creía antaño. Tiene preferencias bien definidas y una habilidad extraordinaria para aprender. Más aún, atrae en forma deliberada la atención hacia sus necesidades.

La clave de este nuevo conocimiento es la creación de métodos más eficaces y exactos para observar su conducta. Los primeros estudios a menudo colocaban al niño en desventaja. Incluso si a los adultos los acostamos de espaldas para que contemplen el techo y los cubrimos hasta el cuello con mantas, no nos parecerán muy perceptivos ni responsivos. Cuando a los neonatos se les pone con el estómago sobre la piel de la madre en un cuarto templado, muestran un extenso repertorio de conductas que, de lo contrario, no veríamos.

En la presente sección, explicaremos los estados de activación del infante, sus reflejos y sus capacidades de aprendizaje temprano. Más adelante, examinaremos sus capacidades sensoriales y perceptuales, así como los inicios de la cognición activa.

ESTADOS DE ACTIVACIÓN DEL INFANTE   Si vemos dormir a un recién nacido, nos daremos cuenta de que algunas veces yace tranquilo y callado, y en otras se agita y hace gestos. Asimismo, cuando está despierto puede estar quieto, o retorcerse y llorar. Tras observar con detenimiento su actividad, P. H. Wolff (1966) identificó seis estados conductuales: *actividad en la vigilia, llanto, inactividad alerta, somnolencia, sueño regular* y *sueño irregular*. Estos estados se describen en la tabla 4-1. Son regulares y siguen un ciclo diario predecible.

TABLA 4–1 ESTADOS DE ACTIVACIÓN DEL INFANTE

Actividad en la vigilia: El niño con frecuencia realiza actividades motoras en las que participa todo el cuerpo. Tiene los ojos abiertos, y la respiración es irregular.

Llanto: El niño llora y efectúa una actividad motora vigorosa y desorganizada. El llanto adopta muchas formas: llanto de "hambre", de "enojo", de "dolor" o de "malestar" (Wolff, 1969).

Inactividad alerta: Los ojos están abiertos, brillantes y resplandecientes. Siguen los objetos en movimiento. El niño se encuentra inactivo, con el rostro sereno.

Somnolencia: El niño se muestra muy inactivo. Abre los ojos y los cierra. La respiración es regular, pero más rápida que en el sueño regular. Cuando abre los ojos, aparecen embotados y vidriosos.

Sueño regular: Los ojos están cerrados y el cuerpo relajado por completo. La respiración es lenta y regular. El rostro aparece relajado y los párpados permanecen inmóviles.

Sueño irregular: Los ojos están cerrados pero se observan movimientos suaves de las extremidades como revolverse. retorcerse y estirarse. Se observan muecas y otras expresiones faciales. La respiración es irregular y más rápida que en el sueño regular. A veces hay movimientos oculares rápidos, y éstos pueden indicar que el niño está soñando.

La respuesta del niño a otras personas y al ambiente depende de su estado conductual. En un estado de inactividad alerta, se estimula con facilidad y responde a los estímulos visuales o sonoros aumentando la actividad. Si ya se encuentra en un estado activo suele calmarse cuando se le estimula. En un principio, los recién nacidos pasan casi todo el día en un sueño regular o irregular. El porcentaje cambia conforme madura y "despiertan" los centros superiores del cerebro. Por ejemplo, de la cuarta a la octava semanas, duerme más de noche y menos de día. Hay periodos más largos de inactividad alerta y de actividad en vigilia; el bebé es más responsivo a quienes lo cuidan —lo mismo que a los investigadores.

Con gran deleite de los padres y de quienes lo atienden, a los cuatro meses el niño normal suele dormir toda la noche. Poco a poco se incorpora a la rutina familiar, tanto de día como de noche.

REFLEJOS Los niños llegan al mundo con conductas biológicas que pueden clasificarse como **reflejos de supervivencia** y **reflejos primitivos.** Los primeros no son más que eso: reflejos indispensables para adaptarse y sobrevivir, sobre todo en las primeras semanas de vida, antes de que asuman el control los centros superiores del cerebro (vea la tabla 4-2). Por ejemplo, la respiración pertenece a esta categoría aunque está sujeta, además, al control voluntario después de los primeros meses. La tos, el estornudo, la náusea, el hipo, el bostezo y muchos otros reflejos no incluidos en la tabla 4-2 también están presentes en el momento de nacer y a lo largo de la vida. En cambio, el reflejo de búsqueda y el de succión, muy importantes para localizar el pezón y obtener leche, tienen carácter reflejo al inicio, pero se vuelven por completo voluntarios tras unos cuantos meses.

Si bien los reflejos primitivos no tienen un obvio valor de supervivencia, quizá han sido importantes en alguna etapa de la evolución del hombre. El reflejo de Moro, por ejemplo, es la reacción de sobresalto del recién nacido. Cuando se sobresaltan al oír un sonido fuerte o cuando los dejan caer, su primera reacción consiste en extender los brazos hacia un lado, con los dedos estirados como si fueran a sujetarse de alguien o de algo. Después, los brazos regresan poco a poco a la línea media. Es posible, entonces, que este reflejo haya tenido un valor de supervivencia en tiempos remotos: en el caso de caerse, los niños que se asían del pelo corporal de su madre acaso tenían grandes probabili-

reflejos de supervivencia Reflejos que son necesarios para adaptarse y sobrevivir, especialmente en las primeras semanas de vida antes que los centros superiores del cerebro asuman el control.

reflejos primitivos Reflejos que no tienen un evidente valor de supervivencia, pero que quizá fueron importantes en alguna etapa de la historia evolutiva de la humanidad.

TABLA 4–2   REFLEJOS DEL NEONATO

Reflejos de supervivencia

Respiración: De manera refleja, los recién nacidos inhalan para obtener oxígeno y exhalan para expulsar dióxido de carbono. La respiración es permanentemente refleja y no exige un esfuerzo consciente, aunque después de los primeros meses de vida es posible controlarla —hasta cierto punto— en forma voluntaria.

Reflejo de búsqueda: Si tocamos la mejilla de un recién nacido, volteará la cabeza hacia el estímulo y abrirá la boca como si esperara el pezón. Este reflejo suele desaparecer finalmente a los tres o cuatro meses.

Succión: Si tocamos o estimulamos la boca del infante, responderá succionando y haciendo movimientos rítmicos con la boca y la lengua. Este reflejo adquiere de manera paulatina un carácter voluntario en los primeros meses de vida.

Reflejo pupilar: La pupila se contrae con luz brillante y cuando el niño va a dormir; se dilata con luz tenue y cuando despierta. Es un reflejo permanente.

Parpadeo: Los infantes mueven los párpados ante un objeto que se dirige con rapidez hacia sus ojos o ante una bocanada de aire. Es un reflejo permanente.

Reflejos primitivos

Reflejo de Moro (de sobresalto): Los niños se sobresaltan cuando oyen ruidos intensos o cuando se les suelta en forma repentina a unos cuantos centímetros de la cama, por ejemplo. Primero extienden los brazos y estiran los dedos y después recogen los brazos en el cuerpo y aprietan los dedos. El reflejo desaparece después de unos cuatro meses.

Reflejo palmar: Cuando le estimulamos la palma de la mano, el niño cierra el puño con vigor y aumenta la fuerza si se retira el estímulo. Es un reflejo que desaparece al cabo de cinco meses aproximadamente.

Reflejo plantar: Cuando colocamos un objeto o un dedo en la planta del pie cerca de los dedos, el niño responde tratando de doblar el pie. Este reflejo se parece al palmar, sólo que desaparece como a los nueve meses.

Reflejo de Babinski: Si le tocamos ligeramente la planta del pie desde el talón a los dedos, el niño apartará los cuatro dedos pequeños y levantará el pulgar. El reflejo desaparece al cabo de unos seis meses.

Reflejo de marcha: Cuando le ayudamos a sostenerse erguido con los pies contra una superficie plana y lo movemos hacia delante, el niño camina en forma coordinada. Este reflejo desaparece al cabo de dos o tres meses.

Reflejo de natación: Los infantes tratarán de nadar en forma coordinada, si los metemos al agua sobre el vientre. El reflejo desaparece después de seis meses más o menos.

Tónico del cuello: Cuando le volteamos la cabeza, el niño extenderá el brazo y la pierna de ese lado y flexionará los miembros del lado opuesto, en una posición como de esgrima. El reflejo desaparece en un plazo aproximado de cuatro meses.

dades de sobrevivir. Un reflejo afín es el palmar. Cuando se les estimula la palma de la mano con un objeto —digamos, con el dedo o un lápiz—, sus dedos se cierran con fuerza apretándolo. De hecho, algunos neonatos pueden asirse con suficiente fuerza como para sostener su peso durante un minuto (Taft y Cohen, 1967).

Los reflejos primitivos suelen desaparecer en los primeros meses de vida y, por tanto, poseen un valor de diagnóstico: si *no* desaparecen en el tiempo señalado, tal vez indiquen la presencia de problemas neurológicos.

APRENDIZAJE Y HABITUACIÓN

Es fácil observar el aprendizaje desde el nacimiento. Los neonatos se tranquilizan al escuchar sonidos, canciones o arrullos conocidos. Su habilidad temprana para imitar las expresiones faciales demuestra aprendizaje. Con los perfeccionados métodos de observación actuales se ha recabado información útil sobre

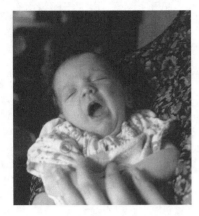
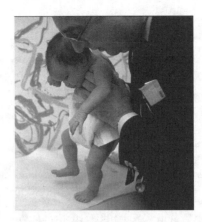
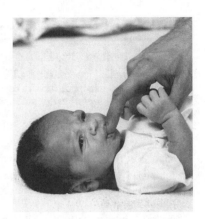

Algunos reflejos del recién nacido: (izquierda) reflejo de búsqueda, (en medio) reflejo de marcha y (derecha) reflejo de succión.

la capacidad de aprender respuestas bastante complejas. La capacidad de voltear la cabeza se ha utilizado en muchos experimentos de aprendizaje. En uno de los primeros estudios del condicionamiento (Papousek, 1961), se enseñó a un grupo de recién nacidos a voltear a la izquierda para obtener leche siempre que sonara una campana. Por la misma recompensa aprendieron a volverse a la derecha ante el sonido de un zumbador. Después se invirtieron la campana y el zumbador; los niños aprendieron con rapidez a voltear en la dirección apropiada.

EXPERIMENTOS CLÁSICOS SOBRE EL APRENDIZAJE INFANTIL Como la succión queda bajo el control voluntario desde muy pronto, se ha usado en muchos estudios del aprendizaje de neonatos y de sus preferencias visuales. Jerome Bruner y sus colegas (Kalnins y Bruner, 1973) evaluaron si los niños podían controlar la succión cuando ésta estaba ligada a otras recompensas que no fueran la alimentación. Se conectaron chupones a un proyector de transparencias. Si succionaban, se enfocaba la transparencia; si no lo hacían, la imagen aparecía borrosa. Los investigadores descubrieron que los neonatos, algunos de tres semanas de edad, aprendían con rapidez a enfocar la imagen y se adaptaban pronto en caso de que se invirtieran las condiciones. En otras palabras, aprendieron también a dejar de succionar con tal de enfocar la imagen.

También hubo otros experimentos en los que los recién nacidos aprendían a encender una luz, volteando la cabeza a la izquierda (Papousek, 1961). Pero entonces ocurrió algo muy interesante, que revela un factor esencial de su aprendizaje llamado **habituación.** Al cabo de un tiempo, ya no les interesaba encender la luz; era como si el juego les hubiera aburrido. Se reavivaba su interés si se invertía el problema, pero pronto volvían a aburrirse.

La habituación es una forma de aprendizaje que consiste en acostumbrarse a los estímulos y dejar de responder a ellos; cumple una importante función de supervivencia a lo largo del ciclo vital. Los infantes, por ejemplo, necesitan adaptarse a los estímulos no significativos o ignorarlos; por ejemplo, el ligero roce de su ropa o los sonidos constantes del ambiente (ruidos del radiador, provenientes de la calle). La habituación dio lugar también a una importante técnica de investigación. En el **método de habituación,** los investigadores acostumbran al niño a ciertos estímulos para estudiar sus capacidades perceptuales. Por ejemplo, la respuesta de un recién nacido a la aparición de un tono ligeramente alto es un ritmo cardiaco más rápido, un cambio de respiración y, algunas veces, llanto o aumento de la actividad general. Pero, de persistir el tono, el niño

habituación Proceso de acostumbrarse a ciertas clases de estímulos y dejar de responder a ellos.

método de habituación Para estudiar las capacidades perceptuales del infante, los investigadores lo acostumbran a ciertos estímulos y luego los cambian.

se habitúa pronto o deja de responder. Entonces, se modifica un poco el tono. Si reaparece la respuesta, será evidente que el niño ha percibido la diferencia.

EVALUACIÓN   En los primeros días de vida del niño, los hospitales llevan a cabo evaluaciones que incluyen un examen neurológico y una valoración de la conducta. La Escala de Evaluación Conductual para Neonatos de Brazelton (1973) se emplea en muchos de ellos. Las 44 mediciones de la prueba se agrupan en siete categorías conductuales: habituación, orientación, tono y actividad motora, cambio de estado, regulación de estado, estabilidad autónoma y reflejos (vea la tabla 4-3). Así, aunque la escala incluye pruebas neurológicas usuales, evalúa además las capacidades conductuales del recién nacido y su responsividad social.

Los neonatos emiten diferentes respuestas a estímulos nuevos, prolongados o ligeramente molestos. Unos pueden detectar, atender y habituarse con facilidad a los cambios del entorno; otros son menos sensibles y algunos más son demasiado sensibles e irritables —conductas que disminuyen el lapso de atención y la adaptabilidad. La escala de Brazelton evalúa las competencias y los patrones de respuesta del recién nacido; así, suministra información temprana sobre su personalidad y su desarrollo social. Cuando los padres observan cómo aplica el médico la escala, se vuelven más sensibles a las capacidades e individualidad de su hijo (Parke y Tinsley, 1987). Los padres pueden recibir una capacitación, en particular tratándose de hijos "difíciles", que les enseñe lo que deben esperar y los métodos para responder al comportamiento de sus pequeños.

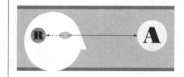

REPASE Y APLIQUE

1. Explique los estados de activación del niño y cómo cambian durante los primeros meses de vida.
2. ¿Qué reflejos del recién nacido son necesarios para la supervivencia y cuáles no? Explique por qué.
3. ¿Cómo saben los investigadores que los neonatos aprenden? ¿De qué manera aplican sus conocimientos sobre la habituación para descubrir las capacidades perceptuales de los neonatos?

TABLA 4–3   AGRUPAMIENTOS EN LA ESCALA DE EVALUACIÓN DE LA CONDUCTA NEONATAL

Habituación: ¿Con qué rapidez se acostumbra el niño a la luz, a la campana, a la sonaja o al pinchazo de un alfiler?

Orientación: ¿Cuánto tarda el niño en tranquilizarse y voltearse hacia una luz, una campana, una voz o un rostro?

Tono y actividad motores: ¿Qué fuerza y estabilidad muestra la actividad motora?

Cambio de estado: ¿Con qué rapidez y facilidad pasa el niño del estado de sueño al de alerta? ¿Y al llanto?

Regulación del estado: ¿Cómo se tranquiliza o se calla el niño? ¿Con qué facilidad se le calma?

Estabilidad autonómica: ¿Reacciona el niño ante los ruidos con temblores o con sobresaltos raros?

Reflejos: ¿Se observan respuestas regulares e intensas a los 17 reflejos?

Fuente: adaptado de Lester, Als y Brazelton (1982).

Cada día brinda al niño nuevas oportunidades de descubrimiento.

DESARROLLO FÍSICO Y MOTOR

La infancia es una época de descubrimiento perceptual y motor. Los infantes aprenden a reconocer rostros, alimentos y rutinas conocidas. Exploran flores, insectos, juguetes y su propio cuerpo. Cada día les brinda oportunidades para descubrir personas, objetos y procesos en el ambiente. Y el descubrimiento no sólo es interesante, sino que, además, facilita el aprendizaje y la adaptación.

¿MADURACIÓN O UN SISTEMA DINÁMICO?

Durante décadas los psicólogos del desarrollo estudiaron en forma exhaustiva las características de la maduración. Arnold Gesell (1940), pionero de la especialidad, observó a cientos de infantes y niños. Registró los detalles de cuándo y cómo aparecían ciertas conductas: gatear, caminar, correr, recoger una pastilla, cortar con tijeras, manipular un lápiz o dibujar figuras humanas. Basándose en los datos obtenidos, elaboró informes pormenorizados de las capacidades de los niños *normales* a distintas edades.

En los niños sanos y bien alimentados que observó, la conducta que estudiaba seguía una secuencia ordenada y predecible. Si conocía la edad de un niño, Gesell podía predecir no sólo su estatura y su peso aproximados, sino también lo que el niño sabía o podía hacer. Llegó a la conclusión de que el desarrollo no depende de manera esencial del ambiente. Por el contrario, creía que, en un ambiente normal, la mayor parte de sus logros provienen de un programa biológico interno. La conducta aparece en función de la maduración.

La teoría de Gesell y su método presentan algunas limitaciones. Los niños a quienes estudió pertenecían a la misma clase socioeconómica y la misma comunidad; así que el ambiente común pudo haber hecho que su desarrollo fuera similar. Ahora sabemos que los niños criados en contextos sociales o históricos muy distintos se desarrollan de manera muy diferente de los que se describen en los programas de Gesell. Por ejemplo, los infantes estadounidenses contemporáneos comienzan a caminar solos entre los 11 y 13 meses de edad y no a los 15 como apuntó Gesell, posiblemente porque han cambiado las formas de atenderlos. En los años treinta, pasaban más tiempo descansando y acostados de espaldas que hoy, de modo que no practicaban mucho las habilidades que facilitan la marcha.

Se observan, además, diferencias culturales en el inicio de la marcha. En general, los niños afroamericanos caminan unas semanas antes que los de raza blanca. Los de las Antillas, sea en Jamaica o en el este de Londres, suelen caminar un mes antes que otros niños londinenses. La diferencia se debe a que sus madres los masajean y estimulan el ejercicio vigoroso (Hopkins, 1991). Los niños criados en algunas aldeas guatemaltecas tardan un mes más en caminar, pues allá pasan el primer año de vida confinados en chozas pequeñas y obscuras, no juegan con ellos, rara vez les hablan y están mal alimentados (Kagan, 1978).

La aportación de Gesell no deja de ser importante, pese a las limitaciones de su investigación. Si utilizamos sus hallazgos de modo riguroso y sin exagerar su valor, tendremos por lo menos un punto de referencia de los hitos evolutivos con que comparar el desarrollo de cada niño. Pero no olvide que los de Gesell son promedios y nada más; los niños normales varían mucho en cuanto a la edad en que adquieren conductas basadas en la maduración. Se desarrollan a su propio ritmo y dentro del contexto de su entorno sociocultural.

Los psicólogos contemporáneos han ido mucho más allá de los estudios de Gesell al analizar la forma y los procesos de la adquisición de competencias. El desarrollo perceptual, motor, cognoscitivo y emocional se dan de manera coordinada dentro de un contexto social. El niño alcanza la mano para tomar un

Gesell observó que muchas conductas del infante aparecen en una secuencia ordenada y predecible en niños sanos y bien alimentados.

objeto atractivo y lo acerca para examinarlo mejor. El niño que empieza a dar sus primeros pasos, camina vacilante hacia los brazos extendidos de una madre que lo anima. Y entonces, explora el mundo desde una nueva perspectiva. El desarrollo motor está ligado de manera estrecha al desarrollo perceptual, cognoscitivo y social. Cuerpo, cerebro y experiencia ejercen una mutua influencia (Thelen, 1987, 1989). El desarrollo físico y motor no sólo tiene lugar por la maduración, sino en un sistema dinámico de competencias que aumentan y se complementan (Bushnell y Boudreau, 1993; Lockman y Thelen, 1993).

RESUMEN DE LOS DOS PRIMEROS AÑOS DE VIDA

LOS PRIMEROS CUATRO MESES   Hacia los cuatro meses, la mayoría de los niños ya duplicaron su peso (en la figura 4-1 se aprecia las tasas de crecimiento en cuanto a estatura y peso durante los dos primeros años de vida). La piel ha perdido el aspecto que tenía cuando la criatura acaba de nacer y el cabello fino con que nace empieza a reemplazarlo el cabello permanente. Los ojos han comenzado a enfocarse. Cuando está despierto, balbucea feliz y sonríe ante los estímulos agradables.

Al nacer, el tamaño de la cabeza representa casi la cuarta parte de la longitud total del cuerpo; pero a los cuatro meses el cuerpo empieza a crecer y a alargarse con mucha mayor rapidez que la cabeza, y las proporciones cambian de manera notable (vea la figura 4-2). En la juventud, la cabeza constituye apenas una décima parte de la altura total del cuerpo.

Los dientes y los huesos del niño también están cambiando. En algunos, el primer diente brota entre los cuatro y los cinco meses. Muchos huesos son todavía cartílagos blandos. Tienden a doblarse ante la presión y pocas veces se fracturan. En cambio, los músculos se estiran con facilidad, aunque se lesionan cuando, por ejemplo, se toma al niño de los brazos y se le columpia (Stone y otros, 1973).

La mayor parte de los reflejos del recién nacido suelen desaparecer al segundo y tercer mes, y los reemplazan de manera gradual acciones voluntarias.

DIAGRAMA DE ESTUDIO ‣ RESUMEN DE LAS COMPETENCIAS DEL INFANTE

EDAD (EN MESES)	PERCEPCIÓN	CONDUCTA MOTORA	LENGUAJE	COGNICIÓN
4 Observación activa	Sigue los objetos con la vista; percibe los colores, discrimina las formas y enfoca casi tan bien como un adulto; responde a sonidos de apenas 43 dB; voltea la cabeza hacia los sonidos (campanas, voces)	Mantiene erguida la cabeza y el pecho; coge objetos; rueda sobre el estómago y queda boca arriba	Balbucea, susurra; imita sus propios sonidos	Recuerda los objetos y los sonidos; descubre y examine sus manos y dedos; comienza a participar en juegos de interacción social (reproduce la imitación que quien lo cuida hace de sus sonidos)
8 Empieza el movimiento	Responde a sonidos de 34 dB; tiene una visión y una audición integradas; domina ya el alcance guiado por la vista	Se sienta y se pone de pie sin apoyo; gatea, se arrastra, se desplaza en andaderas; se pasa los objetos de una mano a otra	Imita algunos sonidos repetidos del habla "ma-ma", "pa-pa"; balbucea sonidos más complejos	Discrimina entre rostros conocidos y desconocidos; muestra ansiedad ante extraños; busca los objetos escondidos; participa en juegos sociales más complejos; imita algunos gestos y acciones de los adultos
12 Primeras palabras, primeros pasos		Camina con apoyo; puede atenazar; comienza a comer sin ayuda	Entiende y emplea unas cuantas palabras, entre ellas "no"	Busca un objeto escondido en su lugar habitual, no en el lugar donde lo vio por última vez; conoce la separación entre él y el cuidador y ejerce la decisión; comienza a simular mediante la representación simbólica de actividades conocidas (comer, beber, dormir)
18 Juego de simulación		Camina sin sostén; logra un mejor dominio al alimentarse; puede apilar dos o más bloques; sabe garabatear	Combina dos palabras para formar una oración; menciona las partes del cuerpo e imágenes conocidas	Entiende el concepto de permanencia del objeto; trata de usar las cosas en sus aplicaciones comunes; incluye a una segunda persona en el juego de simulación que comprende juegos de imitación ("lectura")
24 Final de la infancia		Camina, corre, sube escaleras; pedalea un triciclo; puede lanzar por encima de la mano	Sigue instrucciones verbales simples; combina tres o más palabras	Se sirve de unos objetos para representar otros (una escoba para representar un caballo, un saco para representar un sombrero)

FIGURA 4–1

A cierta edad, en cerca de 50 por ciento de los infantes, el peso y la estatura disminuyen en las regiones más oscuras de la gráfica; en tanto que para cerca de 15 por ciento, disminuyen en las regiones más claras. Por tanto, en promedio, 80 por ciento de ellos tendrá un peso y una estatura situados entre las regiones oscura y clara de la gráfica. Advierta que, con el tiempo, aparecen diferencias mayores de peso y estatura dentro del intervalo normal del crecimiento.

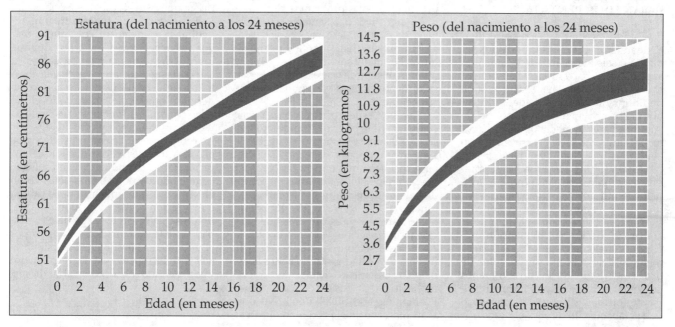

Por ejemplo, al bien coordinado reflejo de marcha lo reemplaza un pataleo menos coordinado (Thelen, 1989). La transición de los reflejos al control de los centros superiores del cerebro marca el periodo en que ocurre con mayor frecuencia el síndrome de muerte repentina del infante (vea "Tema de controversia", página 134).

El descubrimiento personal también suele comenzar en este periodo. El niño descubre sus manos y sus dedos; pasa mucho tiempo observándolos, estudiando sus movimientos, juntándolos y cogiendo una mano con la otra.

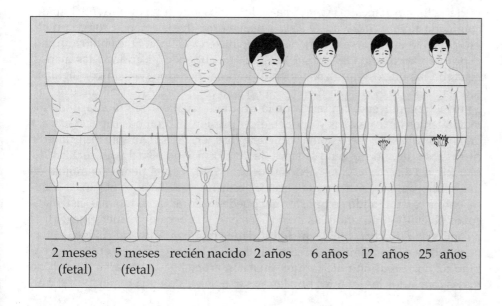

FIGURA 4–2

El desarrollo cefalocaudal (de la cabeza hacia abajo) y proximodistal (del centro hacia el exterior) que vimos en el crecimiento prenatal continúa después del nacimiento; las proporciones del cuerpo del recién nacido cambian en forma radical durante la infancia.

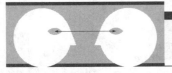

TEMA DE CONTROVERSIA

EL SÍNDROME DE MUERTE INFANTIL REPENTINA

Este síndrome es la causa más frecuente de muerte entre los niños de dos semanas a seis meses de edad. Cada año se registran cerca de 10,000 fallecimientos. Se define como la muerte repentina de un infante o niño sin que se descubra una causa médica en la necropsia. Algunas veces llamada "muerte de cuna", el síndrome suele ocurrir sin previo aviso mientras el niño duerme.

Si bien los investigadores han tratado en vano de detectar la causa exacta, han identificado las circunstancias en que tiende a ocurrir. El riesgo aumenta si la madre estuvo enferma durante el embarazo o si no recibió atención prenatal. Con el síndrome se relacionan a menudo el tabaquismo y el consumo de drogas. El riesgo es elevado entre niños cuya madre fuma y sufre anemia (Bulterys y otros, 1990). Se ha comprobado que el tabaquismo duplica el riesgo.

Muchos de los niños que fallecen presentan graves problemas respiratorios y digestivos una semana antes. Los hijos segundo y tercero también presentan mayor riesgo que los primogénitos. Se ha observado que los que mueren más tarde por el síndrome han sido menos activos y responsivos que sus hermanos.

La muerte suele ocurrir por la noche cuando el niño duerme, cualquiera que sea su posición (Shannon y otros, 1987). Las investigaciones recientes, sin embargo, indican que el riesgo puede ser mayor en los niños a quienes se pone a dormir en decúbito prono (sobre el estómago) (Dwyer y otros, 1991). Por esta investigación y otros estudios que relacionan la posición y el síndrome, la Academia Estadounidense de Pediatría recomienda colocar al niño sobre la espalda o apoyarlo de costado sobre la almohada (AAP Task Force on Infant Positioning and SIDS, 1992). No obstante, observe que la recomendación es más importante para los niños con alto riesgo que para el resto de la población.

El síndrome de muerte infantil repentina parece ocurrir con mucho mayor frecuencia en el invierno. Aunque los investigadores aún no descubren la causa fisiológica, se sospecha la existencia de irregularidades en el sistema nervioso autónomo, sobre todo en su relación con las funciones respiratoria y cardiaca (Shannon y otros, 1987). Las investigaciones recientes revelan que algunos infantes nacen con un centro respiratorio inmaduro. Este defecto, combinado con otros problemas como enfermedad, enfriamientos de la cabeza o exposición al aire frío o al humo pueden cesar la respiración. Se ha comprobado que la estimulación vestibular por el mecimiento contribuye a disminuir la *apnea* (interrupción de la respiración) que a menudo se asocia con el síndrome.

DE LOS CINCO A LOS OCHO MESES   A los ocho meses, el aspecto general del niño no difiere sustancialmente del que tenía a los cuatro meses, aunque ha ido ganando peso de manera gradual. El cabello es más espeso y largo. Las piernas están orientadas de modo que las plantas de los pies ya no quedan una frente a otra.

Hacia los cinco meses, la mayoría de los niños logran un importante hito denominado *alcance guiado por la vista*: pueden extender las manos, tomar un objeto atractivo y acercárselo; a menudo se lo meten a la boca. En cambio, durante el primer mes de vida reaccionarán ante éste abriendo y cerrando las manos, agitando los brazos y, quizá, abriendo la boca, pero todavía sin conseguir la coordinación de esos movimientos en un acto completo. Alcanzar con éxito algo exige una percepción precisa de la profundidad, control voluntario de los movimientos de los brazos y poder ejercer presión, así como la capacidad para organizar estas acciones en una secuencia (Bruner, 1973). Durante los primeros cinco meses de vida, el niño se sirve de la información visual para realizar exploraciones directas con los dedos (Rochat, 1989). Con el tiempo combina, en una secuencia, movimientos de alcance, prensión y se lleva los objetos a la boca; entonces, su mundo se transforma: puede explorar de modo más sistemático los objetos —utilizando las manos, los ojos y la boca de manera individual o combinada (Rochat, 1989). Las **habilidades motoras finas**, que exigen el uso de manos y dedos, siguen perfeccionándose. A los cinco meses, el niño ha pasado de una prensión refleja a una prensión articulada voluntaria. A los ocho meses casi todos los infantes pueden pasarse objetos de una mano a otra; y al-

habilidades motoras finas
Competencia en el uso de las manos.

Muchos niños de ocho meses empiezan a participar en juegos sociales como "esconderse tapándose los ojos".

gunos saben utilizar el pulgar y el dedo para asir. Por lo común, pueden golpear dos objetos, a menudo con alegría y sin interrupción.

También se perfeccionan las **habilidades motoras gruesas**, aquéllas en que se emplean los músculos más grandes o todo el cuerpo. La mayoría de los niños de ocho meses pueden sentarse y permanecer sentados sin apoyo si se les pone en la posición adecuada. Si se les pone de pie, muchos pueden mantenerse erguidos sosteniéndose de algún apoyo. Algunos caminan apoyándose en los muebles. Se recomienda poner fuera de su alcance todas las cosas valiosas y los objetos pequeños que pueden llevarse a la boca. Algunos niños aprenden a gatear (con el cuerpo sobre el suelo) o a arrastrarse (sobre manos y rodillas). Otros se desplazan sirviéndose de las manos y de los pies. Y otros "se deslizan" sentados.

En relación con el gateo que se da a los ocho meses y después, conviene mencionar la interesante serie de estudios efectuados por Karen Adolph y sus colegas (1977), que demuestran las capacidades de los niños cuando gatean hacia arriba y hacia abajo de pendientes de diversos ángulos. Por ejemplo, sin entrenamiento previo, niños de ocho meses y medio de edad subieron pendientes muy inclinadas sin dudarlo; después, quizá tras examinar la bajada, siguieron subiendo y tuvieron que ser rescatados por los experimentadores. En cambio, los niños mayores (de 14 meses) discriminaban más: subían caminando por las pendientes y luego se deslizaban hacia abajo con mucha cautela.

A los ocho meses, muchos niños empiezan a participar en juegos sociales que los hacen reír, y a casi todos les gusta darle y quitarle un objeto a un adulto. Otro juego que aprenden con rapidez consiste en dejar caer un objeto, ver a alguien recogerlo y volverlo a tirar —otra fuente de interminable deleite para algunos pequeños.

DE LOS NUEVE A LOS DOCE MESES   A los 12 meses, la mayoría de los niños pesan el triple de lo que pesaban al nacer. Las niñas tienden a pesar un poco menos que los varones.

habilidades motoras gruesas
Destrezas en que intervienen los músculos más grandes o todo el cuerpo y que también muestran perfeccionamiento.

A los 12 meses muchos infantes exploran de manera activa su ambiente.

A los 18 meses, la mayoría de los niños pueden caminar solos y les gusta llevar o empujar juguetes.

atenazar Método por medio del cual se sostiene objetos, desarrollado hacia los 12 meses de edad, y que consiste en que el pulgar se opone al índice.

En general, la mitad de los niños de 12 meses se sostienen de pie sin ayuda y empiezan a caminar. Como ya mencionamos, la edad en que comienzan a caminar depende del desarrollo individual y de factores culturales.

La capacidad de pararse y caminar le da al niño una nueva perspectiva visual. La locomoción le permite una exploración más activa. Puede meterse en las cosas, subirse o colocarse debajo de ellas. Su mundo se ha ampliado una vez más. El desarrollo motor se ve estimulado por cosas nuevas e interesantes que lo invitan a verlas y examinarlas. La exploración de otros niveles y habilidades favorece el desarrollo cognoscitivo y perceptual (Bushnell y Boudreau, 1993; Thelen, 1989). A los 12 meses manipula en forma activa su entorno. Deshace nudos, abre armarios, jala juguetes y trenza los cables de las lámparas. Su recién adquirida capacidad de **atenazar** con el pulgar frente al índice, le permite recoger pasto, cabellos, cerillos, insectos muertos, casi cualquier cosa. Ahora puede encender la televisión, abrir ventanas e introducir objetos en los enchufes, por lo que es necesaria una supervisión más o menos constante y una casa "a prueba de niños".

Ahora, los niños juegan y se "ocultan" de la gente cubriéndose los ojos. Juegan con un adulto a rodar un balón hacia atrás y hacia delante, y arrojar objetos pequeños, compensando con persistencia su falta de habilidad. Muchos comienzan a comer sin ayuda, usando una cuchara y sosteniendo su vaso. Sus modales en la mesa no son los mejores, pero marcan el inicio del cuidado personal independiente.

DIECIOCHO MESES A esta edad los niños pesan cuatro veces más que al nacer, pero se ha reducido la tasa de incremento de peso. Casi todos caminan solos. Algunos no son capaces de subir escaleras y les cuesta mucho patear un balón, porque no pueden sostenerse sobre un solo pie. También les resulta casi imposible pedalear triciclos o brincar.

A los 18 meses los niños pueden apilar dos o cuatro cubos o bloques para construir una torre, y a menudo se las arreglan para garabatear con una crayola o un lápiz. La capacidad de comer sin ayuda ha mejorado en forma considerable, y pueden quitarse algunas prendas de vestir. Muchas de sus acciones imitan lo que ven hacer a la gente: "leer" una revista, barrer el piso o charlar en un teléfono de juguete.

VEINTICUATRO MESES Al celebrar su segundo cumpleaños, los niños suelen pesar cuatro veces más que al nacer, y la tasa del crecimiento sigue estabilizándose.

El niño de esta edad por lo general pedalea un triciclo, salta con los dos pies en el mismo sitio, logra hacer equilibrio por poco tiempo sobre un pie y arroja un balón. Sube escaleras. Gatea y se mete en los objetos y a los muebles, se coloca debajo o arriba de ellos. Vacía agua, moldea barro, estira lo que puede estirarse, dobla lo maleable. Transporta objetos en carros y vagones. Explora, prueba y manipula su mundo físico en todas las formas imaginables. Los niños de dos años también pueden vestirse y desnudarse sin ayuda.

Si les dan una crayola o un lápiz, garabatean y se sienten fascinados con las marcas mágicas que aparecen. Pueden apilar seis a ocho bloques o cubos para construir torres; pueden construir también un "puente" de tres bloques. Su juego espontáneo con bloques muestra correspondencia de formas y simetría.

En suma, el desarrollo físico y motor es un proceso complejo y dinámico durante los dos primeros años de vida. Para que el niño crezca, es necesario atender sus necesidades básicas. Debe dormir lo suficiente, sentirse seguro, recibir cuidados adecuados y tener experiencias idóneas y estimulantes. Los sistemas de desarrollo —por ejemplo, las habilidades motoras y las perceptuales— se complementan. También el desarrollo del cerebro depende de la información que el niño recibe de sus acciones y exploraciones sensoriales (Lockman y Thelen, 1993). El contexto social en el que crece el niño favorece u obstaculiza estos sistemas interactivos (Hazen y Lockman, 1989; Thelen y Foge, 1989). Sin embargo, todavía queda mucho por conocer sobre cómo interactúan la maduración del cerebro y la experiencia en las incontables formas en que la experiencia modifica las estructuras cerebrales (vea, por ejemplo, a Nelson y Bloom, 1997).

NUTRICIÓN Y DESNUTRICIÓN DEL INFANTE

Estados Unidos es quizá la nación mejor alimentada del mundo, pero muchos de sus habitantes todavía sufren deficiencias nutricionales. Por ejemplo, en 1992 un programa nacional destinado a las familias de bajos ingresos señaló que entre 20 y 24 por ciento de los niños pobres padecían anemia por deficiencia de hierro (Pollit, 1994). Se han dado a conocer cifras similares en relación con otras deficiencias nutricionales.

Durante los primeros 30 meses de vida las deficiencias serias tienen efectos que pocas veces se eliminan más tarde. El crecimiento físico se deteriora de manera permanente, lo que provoca que los niños y los adultos tengan menor estatura, lo mismo que retrasos en la maduración y el aprendizaje (Waterlow, 1994). Se registran, asimismo, déficits a largo plazo en el tamaño del cerebro, junto con déficits de atención y de procesamiento de información.

En el mundo, sobre todo en los países subdesarrollados, la situación tiende a empeorar (vea la figura 4-3). Se estima que 86 por ciento de los niños nacen en estos países, en los que más de 40 por ciento pasa por periodos de desnutrición por lo menos moderada (Lozoff, 1989).

Hay dos tipos básicos de desnutrición: una cantidad total insuficiente de alimentos o cantidades inadecuadas de ciertas clases de alimento. Respecto al primero, la inanición (o insuficiencia alimentaria grave) genera deficiencias en la ingestión de proteínas y de calorías totales, lo que origina un estado de *marasmo*. Se deterioran los músculos y se agota la grasa almacenada, aunque no se observan efectos negativos a largo plazo si el periodo de inanición es relativamente breve. Otro tipo de desnutrición grave, denominado *kwashiorkor*, se

FIGURA 4–3   CONSUMO MUNDIAL DE CALORÍAS Y ÁREAS DE HAMBRUNA

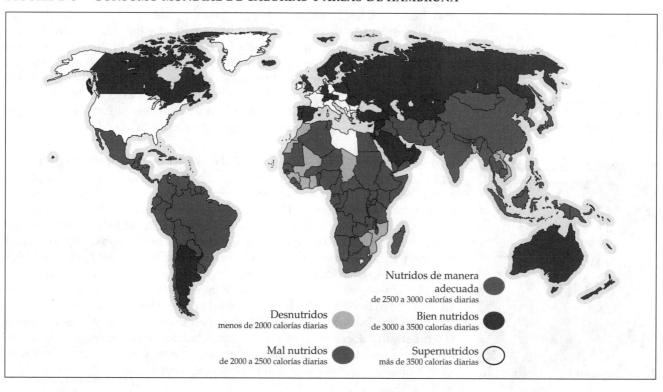

Nutridos de manera
adecuada
de 2500 a 3000 calorías diarias

Desnutridos
menos de 2000 calorías diarias

Bien nutridos
de 3000 a 3500 calorías diarias

Mal nutridos
de 2000 a 2500 calorías diarias

Supernutridos
más de 3500 calorías diarias

debe a una deficiencia proteínica. El término, que en swahili significa "niño destronado", se refiere a una práctica africana consistente en dejar a un lactante en el hogar de parientes para el destete si la madre vuelve a embarazarse. El niño sufre la deficiencia proteínica al ser privado de la lecha materna rica en estos nutrientes. Los efectos del kwashiorkor en los tres primeros años de vida pueden ser muy nocivos a la larga, porque el desarrollo del cerebro se ve afectado en forma directa.

Para muchos niños, la falta de proteínas durante la infancia inicia un ciclo descendente que limita seriamente su potencial. En Barbados, se estudió a 129 niños hasta los 11 años de edad que habían nacido sanos, pero que sufrieron desnutrición durante el primer año de vida. Con un vigoroso programa de salud pública y de alimentación, lograron recuperarse en todos los aspectos del crecimiento físico; pero en un examen escolar aplicado a los 11 años de edad mostraron un déficit promedio de 12 puntos en comparación con sus compañeros de iguales características (Galler, 1984). ¿Qué salió mal? Surgieron dos hechos en un riguroso estudio de seguimiento por medio de entrevistas con los padres, informes de los maestros y observación de los niños. Primero, su conducta se caracterizaba por impulsividad y déficit de atención. Segundo, sus padres, que en su mayoría habían pasado por un periodo de desnutrición proteínica, presentaban síntomas de depresión y de poca energía. No eran capaces de crear un ambiente estimulante, bien orientado o estable para sus hijos (Salt y otros, 1988). En los estudios dedicados a la desnutrición proteínica es común observar, además de niños impulsivos y desatentos, depresión y desesperación en los padres (Lozoff, 1989).

Los programas de suplementos alimenticios, combinados con la educación, a veces dan excelentes resultados hasta en los casos de desnutrición grave. En un estudio efectuado en Bogotá (Colombia), los niños que habían recibido suplementos en los tres primeros años de vida mostraron mucho menos retraso en el crecimiento y un mejor funcionamiento general que los grupos de comparación que no participaron en el programa. La mejoría era evidente incluso tres años después de suspender los suplementos (Super y otros, 1990).

En Estados Unidos son raras las formas graves de desnutrición, pero son muy frecuentes las deficiencias de proteínas y de hierro. Muchas personas que pueden costear una buena dieta consumen a menudo demasiadas "calorías vacías" en alimentos ricos en carbohidratos, pero pobres en proteínas, en vitaminas y en minerales. Muchos de los que ingieren muy pocas calorías no están en posibilidades de adquirir alimentos ricos en proteínas. Además, la dieta de los pobres por lo general no aporta vitaminas A y C, riboflavina ni hierro (Eichorn, 1979), sustancias indispensables para el funcionamiento de un cuerpo sano, para la acción del sistema inmunológico y el desarrollo del cerebro.

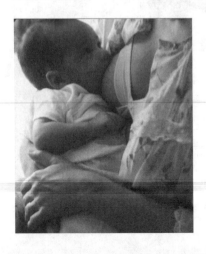

Si bien el amamantamiento es más nutritivo que la alimentación con biberón, son muchos otros factores los que influyen en la decisión de la madre.

AMAMANTAMIENTO O ALIMENTACIÓN CON BIBERÓN

La leche es la principal fuente de nutrientes para los infantes. Se emplea casi en forma exclusiva durante los seis primeros meses y, junto con alimentos sólidos, durante los siguientes seis a 12 meses. En el mundo muchas mujeres optan por amamantar a sus hijos. La leche de una madre bien alimentada contiene una combinación muy balanceada de nutrientes, además de anticuerpos que protegen al niño contra las enfermedades. Hasta la leche de una madre mal alimentada proporciona casi los nutrientes adecuados, a menudo a costa de su propia salud.

La leche materna es adecuada para la generalidad de los niños, y los bebés amamantados tienden a sufrir menos problemas digestivos que los que son alimentados con biberón. Además, la leche materna siempre está fresca y lista a la temperatura adecuada, no requiere refrigeración y por lo regular es estéril. Es lo mejor para la salud del niño, a menos que la madre esté muy enferma, siga una dieta inadecuada o consuma alcohol y drogas.

Pese a las ventajas anteriores, muchas madres prefieren alimentar a sus hijos con biberón. Si bien no causa molestias ni problemas nutritivos a la mayoría de los niños en los países desarrollados, la transición a fórmulas comerciales ha originado una desnutrición generalizada en los países más pobres: la mortalidad infantil es mucho más elevada entre los niños que las ingieren que en los que son amamantados (Latham, 1977). Cuando la gente no tiene dinero para comprar los costosos sustitutos de la leche, sobreviene la desnutrición. Además, muchos niños mueren cuando la fórmula comercial se diluye con agua contaminada pues les transmite enfermedades intestinales.

¿Por qué unas madres amamantan a sus hijos y otras optan por el biberón? Al parecer, una buena alimentación es sólo uno de muchos factores que inciden en la decisión. Sin duda influyen factores culturales, personales (como dedicar tiempo al trabajo y al cuidado del niño, las obligaciones sociales, y la disponibilidad de personas que aceptan alimentar de pecho), e incluso influyen las políticas del país. Por ejemplo, hasta hace poco en Estados Unidos no había una política de permiso laboral por maternidad. A muchas mujeres que regresaban al trabajo pocas semanas después del nacimiento de su hijo les resultaba difícil combinar el empleo de tiempo completo con el amamantamiento.

DESTETE E INTRODUCCIÓN DE ALIMENTOS SÓLIDOS   En los países desarrollados, algunas madres empiezan a destetar a sus hijos entre los tres y los cuatro meses e incluso antes; otras siguen amamantándolos hasta los dos o tres años. Aunque el amamantamiento prolongado pocas veces se da en las madres estadounidenses de clase media y alta, dos o tres años es un periodo habitual en ciertas subculturas estadounidenses y en las de otros países.

Por lo general, entre los tres y cinco meses los niños empiezan a aceptar alimentos colados. Casi siempre comienzan con cereales simples como arroz y, luego, varios cereales y purés de frutas, seguidos por verduras y carnes coladas. Algunos niños son alérgicos a ciertos alimentos; otros no tienen problemas y comen todo lo que se les da. A los ocho meses casi todos empiezan a comer una amplia variedad de alimentos de preparación especial, y por lo regular consumen menos leche.

El destete es un momento crítico por la posibilidad de desnutrición, como vimos. La vulnerabilidad es mayor en los niños destetados de un año cuya familia no puede costear alimentos nutritivos. Sobreviven con dietas a base de papas fritas, cereales secos y galletas, alimentos que aportan calorías, pero pocos nutrientes. Sin embargo, aunque haya bastante leche o alimentos nutritivos disponibles, tal vez no quieran beber la cantidad suficiente de leche en una taza ni comer alimentos ricos en proteínas.

1. ¿Por qué los investigadores consideran que el desarrollo físico y motor constituye un sistema dinámico?
2. ¿Cuáles son los hitos del desarrollo motor durante los dos primeros años?
3. Dé un ejemplo de la forma en que el contexto social moldea el desarrollo motor de los infantes. ¿Cómo pueden aplicar este conocimiento quienes los cuidan para estimular el desarrollo motor?
4. ¿Cuáles son los efectos a corto y largo plazo de las dos clases de desnutrición? ¿Cómo podemos aplicar lo que hemos aprendido acerca de la utilidad de los suplementos alimenticios?
5. ¿Por qué la leche materna es por lo general mejor para la salud del niño? ¿En qué circunstancias podría *no* ser mejor?

REPASE Y APLIQUE

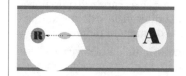

DESARROLLO SENSORIAL Y PERCEPTUAL

¿Los recién nacidos distinguen los patrones y los detalles de los objetos? ¿Ven el color y la profundidad? ¿Oyen un susurro? ¿Tienen sensibilidad al tacto? Las investigaciones señalan que todos estos sentidos funcionan ya al nacer. Por tanto, la **sensación** —traducción de la estimulación externa en impulsos nerviosos— está muy desarrollada en ellos. En cambio, la **percepción** —proceso activo que consiste en interpretar la información proveniente de los sentidos— es limitada y selectiva. La percepción es un proceso cognoscitivo que organiza la información sensorial y la interpreta. Se desarrolla con rapidez en los primeros seis meses, seguida de una depuración que se prolonga durante los primeros años de vida.

ESTUDIO DE LAS CAPACIDADES PERCEPTUALES DEL INFANTE

Las mediciones fisiológicas básicas aportan información sobre las reacciones de los infantes a la estimulación ambiental. La actividad del corazón, las ondas cerebrales y la respuesta eléctrica de la piel ofrecen información indirecta respecto a lo que perciben y entienden. Los investigadores emplean, además, imágenes muy complejas de los movimientos de los infantes; por ejemplo, el movimiento de los ojos o la manipulación. Pero estos resultados de la tecnología no representan más que una parte de la respuesta. Es igualmente importante un buen *paradigma* (método o modelo) de investigación.

El condicionamiento clásico y operante, que explicamos en el capítulo 3, pueden servir para evaluar las capacidades sensoriales y de memoria del infante. En pocas palabras, no podemos condicionarlo a que responda a estímulos que no es capaz de percibir.

Una estrategia muy útil para medir sus competencias es el **paradigma de la novedad**, que guarda estrecha relación con el método de habituación ya descrito. El recién nacido pronto se cansa de observar la misma imagen o de jugar con el mismo juguete. Se acostumbra a los estímulos visuales repetidos y a menudo muestra desinterés pues voltea la vista en otra dirección. Si se le da la opción entre un juguete conocido y otro desconocido, casi siempre preferirá el segundo, siempre y cuando perciba la diferencia. Los investigadores aplican esta técnica al diseñar experimentos para determinar la mínima diferencia de sonido, patrón o color que puede percibir.

Otra estrategia frecuente es el **método de la preferencia**: al niño se le permite elegir los estímulos que verá o escuchará. Los investigadores registran el estímulo al que presta más atención. Si dedica más tiempo a uno de los dos, la preferencia señala que percibe una diferencia y responde de manera intencional a ella. Este método puede combinarse con conductas como la de succión.

El **paradigma de la sorpresa** es un medio útil para estudiar la comprensión que el infante tiene del mundo que lo rodea. El ser humano suele registrar lo novedoso —mediante una expresión facial, una reacción física o una respuesta verbal— cuando ocurre algo inesperado o cuando, por el contrario, no sucede algo esperado. Podemos evaluar las reacciones de sorpresa del infante midiendo los cambios de la respiración y la frecuencia cardiaca, lo mismo que observando simplemente sus expresiones faciales o movimientos corporales.

VISIÓN

De las investigaciones sobre la anatomía sabemos que nacemos con una serie completa e intacta de estructuras visuales. Aunque la mayor parte de ellas se desarrollarán en los siguientes meses, los neonatos poseen algunas habilidades visuales. Los ojos son sensibles a la brillantez; las pupilas se contraen bajo luz

sensación Registro simple del estímulo por un órgano sensorial.

percepción Proceso complejo por el cual la mente interpreta la información sensorial y le da significado.

paradigma de la novedad Plan de investigación que se sirve de la preferencia del infante por estímulos novedosos sobre los conocidos para investigar su capacidad de distinguir las diferencias de sonidos, patrones o colores.

método de la preferencia A los infantes se les permite escoger entre los estímulos que verán o escucharán. El investigador registra a cuáles presta mayor atención. Si un niño siempre dedica más tiempo a uno de los dos estímulos, la preferencia indica que es capaz de percibir una diferencia y de responder a ella de manera deliberada.

paradigma de la sorpresa Método de investigación con que se prueban la memoria del infante y sus expectativas. No puede registrar lo que recuerda o espera, pero reacciona con sorpresa cuando no se cumplen sus expectativas.

brillante y se dilatan en la oscuridad. Los neonatos tienen cierto control sobre los movimientos oculares, y pueden seguir visualmente un objeto —digamos un rostro o la pluma luminosa del médico— mientras se mueve frente a su campo visual. Enfocan de manera óptima la vista en objetos a una distancia de 17.8 a 25.4 centímetros, y los que se encuentran más lejos aparecen borrosos. Así, pues, casi no distinguen los detalles de los objetos que están situados en el extremo más distante de una habitación (Banks y Salapatek, 1983). No tienen una convergencia fina de los ojos, o sea, no pueden enfocar los dos ojos sobre un punto. Tampoco pueden enfocar bien hasta el final del segundo mes de vida (Fantz, 1961).

La coordinación de la visión con el alcance —alcance guiado por la vista— es uno de los hitos del desarrollo.

Es evidente que el recién nacido percibe visualmente su ambiente dentro de ciertos límites, porque es selectivo en cuanto a lo que observa. Prefiere miran patrones de relativa complejidad. Se fija principalmente en los bordes y en los contornos de los objetos, en especial las curvas (Roskinski, 1977). Por tanto, muestra gran sensibilidad ante el rostro humano (Fantz, 1958). No es, pues, sorprendente que suela adquirir la capacidad de reconocer el rostro de su madre desde los primeros días. Un experimento de Carpenter (1974) demostró que los recién nacidos pueden reconocer el rostro de la madre a las dos semanas de haber venido al mundo. Con el método de la preferencia, mostró a cada niño fotografías de su madre y de una mujer desconocida; los niños de dos semanas preferían mirar a su madre. En algunos casos voltean la cabeza para no ver un rostro desconocido (MacFarlane, 1978).

Uno de los ejemplos más notables de la percepción visual del neonato es su capacidad para imitar expresiones faciales, la cual se ha demostrado en niños de no más de dos o tres días de nacidos. Los investigadores aguardan hasta que el neonato está alerta, tranquilo y no muy hambriento, y por lo tanto más receptivo (Gardner y Karmel, 1984). El niño y el adulto se observan, y éste realiza una serie aleatoria de expresiones ensayadas, como apretar los labios, sacar la lengua y abrir la boca. Entre una y otra muestra una expresión neutra. El análisis de las grabaciones de vídeo revela una correspondencia extraordinaria en la imitación que hace el infante de las expresiones del adulto (Meltzoff y Moore, 1989). Se ha señalado que los neonatos realizan tales conductas en respuesta a varios estímulos y que no se trata estrictamente de una imitación; al parecer, ven los estímulos y responden a éstos en una forma selectiva que por lo menos se parece a la imitación.

¿Qué importancia tienen las preferencias visuales del niño? Las primeras competencias conductuales, como contemplar objetos conocidos (digamos, el rostro de la madre o del padre) e imitar las expresiones faciales, son factores que contribuyen a desarrollar y mantener el apego inicial entre hijo y progenitores. El niño que explora el rostro de su madre o que se calma cuando su padre lo sostiene hace que los padres se sientan competentes.

DESARROLLO TEMPRANO DE LA PERCEPCIÓN VISUAL   Entre los primeros cuatro y seis meses de vida, mejoran con rapidez las capacidades visuales del niño. Explora con los ojos su mundo aun antes que pueda tomar las cosas o gatear. La capacidad de enfocar mejora en forma acelerada; los niños de tres a cuatro meses enfocan la vista casi con la misma eficacia que los adultos (Aslin, 1987). La agudeza visual también mejora de manera impresionante (Banks y Dannemiller, 1987; Fantz y otros, 1962).

La discriminación del color mejora en forma constante en el primer año. Aunque los recién nacidos pueden distinguir los colores brillantes, prefieren los patrones en blanco y negro a los cromáticos entre el mes y los primeros dos meses de vida, quizá porque ofrecen mayor contraste. A los dos meses prefieren colores más sutiles como el azul, el violeta o el gris ceniciento. A los cuatro meses pueden discriminar la mayoría de los colores y a los seis su percepción cromática es casi igual a la del adulto (Bornstein, 1978; Maurer y Maurer, 1988; Teller y Bornstein, 1987).

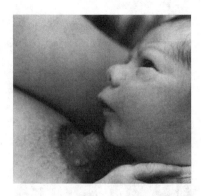

Los sentidos del niño muestran una sintonía fina. Por ejemplo, un recién nacido puede reconocer el rostro de su madre a las dos semanas de nacido.

Como ya señalamos, desde el principio el niño es selectivo con lo que ve. Prefiere patrones novedosos y de relativa complejidad y rostros humanos. Con todo, algunas de las preferencias cambian en el primer año. El recién nacido mira sobre todo los contornos del rostro. A los dos meses observa rasgos internos como los ojos. A los cuatro meses prefiere un rostro de facciones regulares a un rostro deformado. A los cinco meses se fija en la boca de la persona que habla y a los siete responde a expresiones faciales completas.

¿Los cambios anteriores se deben a la forma en que madura el sistema nervioso? Por ejemplo, se ha descubierto (Bornstein, 1978) que los niños de cuatro años prefieren los colores puros a los matizados, y que miran más tiempo las líneas perpendiculares que las inclinadas. Bornstein señala que los infantes prefieren esos estímulos porque desencadenan más "descargas nerviosas" en el cerebro. En otras palabras, buscan activamente cosas que provoquen la actividad nerviosa.

Otras mejoras importantes de la visión tienen lugar en los primeros seis meses de vida. Entonces los niños controlan mejor los movimientos oculares; puede seguir los objetos móviles con mayor constancia y durante periodos más largos (Aslin, 1987). Pasan más tiempo observando y escrutando el entorno. En el primer mes, apenas dedican entre 5 y 10 por ciento del tiempo a explorar en comparación con 35 por ciento que dedican a los dos meses y medio (White, 1971). A los tres o cuatro meses, se sirven también del movimiento, lo mismo que de la forma y la posición espacial, para ayudarse a definir los objetos de su mundo (Mandler, 1990; Spelke, 1988).

PERCEPCIÓN DE PROFUNDIDAD Y DE DISTANCIA Un aspecto fundamental de la percepción visual consiste en distinguir que algunos objetos están más cercanos y otros más alejados. Aun con un ojo cerrado (visión monocular), podemos determinar la distancia aproximada de los objetos. Los que se encuentran próximos a nosotros parecen más grandes y bloquean la vista de los más distantes. Si cerramos un ojo y mantenemos inmóvil la cabeza, lo que se ve se parece a una fotografía bidimensional. Pero si movemos la cabeza, el mundo cobra vida en su aspecto tridimensional. Si utilizamos los dos ojos (visión binocular), no tenemos que mover la cabeza. La vista con el ojo izquierdo y con el derecho varía ligeramente. El cerebro integra las dos imágenes, dándonos información sobre la distancia y la profundidad.

Un tema que desde hace mucho ha interesado a los investigadores es saber con exactitud cuándo desarrolla el niño la percepción de profundidad. ¿Está el cerebro programado para integrar las imágenes de los dos ojos y obtener información acerca de la distancia o del tamaño relativo? ¿Puede utilizar la información obtenida al mover la cabeza para ver el mundo en tres dimensiones?

Aunque la ausencia de convergencia de los ojos quizá limite la percepción de profundidad en el recién nacido, parece que su cerebro puede integrar las imágenes binoculares de manera rudimentaria. La percepción temprana quizá no es muy compleja, porque sus ojos no están bien coordinados y el niño todavía no ha aprendido a interpretar toda la información transmitida por los ojos. La visión binocular tarda unos cuatro meses en aparecer (Aslin, Smith, 1988).

Sin embargo, aun los niños de seis semanas se valen de las señales espaciales para reaccionar de manera defensiva. Esquivan, parpadean o muestran otras formas de evitación cuando un objeto parece dirigirse hacia ellos (Dodwell y otros, 1987). A los dos meses reaccionan en forma defensiva ante un objeto que sigue una trayectoria de colisión. Además, prefieren las figuras tridimensionales a las bidimensionales. A los cuatro meses pueden quitarse de un manotazo y con suficiente precisión un juguete que oscile frente a ellos. A los cinco meses muestran un alcance bien controlado y guiado por la vista, como ya apuntamos. Sin embargo, los niños de cinco años con un parche en uno de los ojos alcanzan los objetos con menos exactitud. Y cuando se les permite elegir entre dos objetos, uno más cerca que otro, no siempre seleccionan al más cercano (Granrud y otros, 1984).

En un método clásico con el que se evalúa la percepción de profundidad del infante, se utiliza el "abismo visual" creado por Eleanor Gibson y sus colegas (Gibson y Walk, 1960) para simular cierta profundidad. El abismo consiste en un cubo con dos superficies a niveles distintos una de otra, sobre las cuales hay un enorme y pesado vidrio. El vidrio se encuentra a ras de una de las superficies y a cierta distancia (altura) de la otra, lo que da la impresión de un precipicio. Los niños de seis meses o mayores se niegan a gatear sobre el precipicio. Los más jóvenes que todavía no saben gatear muestran interés, no malestar, al ser colocados en el precipicio (Campos y otros, 1970). Tales datos indican que los niños más pequeños también son capaces de discriminar señales espaciales de profundidad.

Estudios posteriores se han concentrado en los factores que determinan si los niños cruzarán el lado profundo. Si la madre lo alienta, puede convencerse al infante de que lo atraviese si la profundidad es relativamente pequeña (Kermoian y Campos, 1988). Pero se negará a cruzar si la madre le señala que el lado profundo es peligroso, hablándole llena de ansiedad o expresando temor por otros medios.

En suma, al parecer entre los cuatro y seis meses se desarrolla cierto conocimiento de las señales visuales a partir de la percepción de la profundidad (Yonas y Owsley, 1987). El significado de la distancia o de la profundidad se aprende en forma más gradual, a medida que el niño comienza a desplazarse en su ambiente. La maduración sensorio-perceptual y el ambiente psicosocial interactúan para guiar el desarrollo.

AUDICIÓN

Es evidente que los recién nacidos oyen. Se sobresaltan al escuchar sonidos fuertes. Se tranquilizan con sonidos de tono bajo como los arrullos, y se agitan cuando oyen silbidos y chirridos. Pero ¿qué tan compleja es la audición en el recién nacido?

Las estructuras anatómicas del oído están bien desarrolladas en el recién nacido (Morse y Cowan, 1982). Sin embargo, en las primeras semanas de vida, hay un exceso de líquido y de tejido en el oído medio; y por tanto se considera que la audición está tapada —como cuando tenemos un resfriado. Por otra parte, las estructuras del cerebro que transmiten e interpretan la información auditiva no están del todo desarrolladas al nacer el niño. Las estructuras cerebrales relacionadas con la audición seguirán desarrollándose hasta los dos años de edad (Aslin, 1987; Morse y Cowan, 1983; Shatz, 1992).

Sin embargo, a pesar de las limitaciones anteriores el recién nacido responde ante varios sonidos. Incluso en el primer mes de vida es muy sensible a los sonidos del habla (Eimas, 1975). Muestra una preferencia por la voz humana. Por ejemplo, prefiere escuchar una canción cantada por una mujer a oírla tocada en un instrumento musical (Glen y otros, 1981). Puede localizar la fuente de los sonidos. Desde los primeros días de vida vuelve la cabeza hacia el sonido o la voz. Pero, curiosamente, se ha comprobado que los niños muestran una pérdida temporal de esta capacidad en el segundo mes y la recuperan en el tercero (Muir y Field, 1979).

DESARROLLO TEMPRANO DE LA PERCEPCIÓN AUDITIVA   La agudeza auditiva mejora de manera considerable en los primeros meses. Aunque el líquido del oído medio tarda meses en disiparse, los recién nacidos muestran cambios en su frecuencia cardiaca y respiratoria al escuchar niveles de tono como los de una conversación telefónica. En los siguientes ocho meses responden a sonidos cada vez más suaves (Hoversten y Moncur, 1969). Los sonidos pueden tranquilizarlos, ponerlos en estado de alerta o molestarlos. Los sonidos rítmicos o de baja frecuencia por lo general los calman. Los tonos fuertes, repentinos o de alta frecuencia los molestan. Tales conductas significan que su percepción está bastante bien desarrollada en los primeros seis meses de vida.

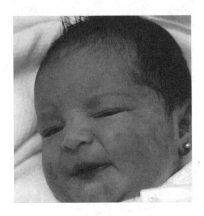

Incluso los neonatos muestran preferencias de gusto bien definidas.

El infante presta mucha atención a la voz humana. A los cuatro meses sonreirá más al oír la voz de su madre que otra voz femenina. A los seis meses, muestra malestar al escuchar la voz de su madre si no puede verla; y la madre no lo tranquiliza si le habla desde otro cuarto, quizá mientras prepara la comida o el biberón.

Un aspecto importante de la audición en el primer año de vida es la capacidad de distinguir entre los sonidos del habla y los otros. En el primer mes de vida, el niño percibe sutiles diferencias entre sonidos hablados, como "te" y "de" (Eimas, 1975). Más adelante podrá distinguir entre algunas vocales y consonantes. De hecho, en el primer año capta a veces diferencias en los sonidos del habla que el adulto no detecta (Maurer y Maurer, 1988).

GUSTO, OLFATO Y TACTO

Los sentidos del gusto y del olfato funcionan perfectamente en el momento del nacimiento. El neonato discrimina sabores dulces, salados, agrios y amargos, como se aprecia en sus expresiones faciales (Rosenstein y Oster, 1988). Reacciona de manera negativa ante los olores penetrantes y se siente atraído por algunos olores agradables como los de la madre que lo amamanta (Making y Porter, 1989). A los seis días de nacido, el infante puede distinguir el olor de su madre del de otra persona y prefiere el de la madre (MacFarlane, 1978; Makin y Porter, 1989).

Los sentidos del tacto y del oído están bien desarrollados incluso en los niños nacidos antes de término. Las caricias periódicas a niños prematuros en la incubadora facilitan la regulación de la respiración y de otros procesos orgánicos. El reflejo de búsqueda es uno de los más eficaces en ellos. Basta sostener sus brazos o sus piernas para tranquilizarlos. Un efecto similar se consigue fajándolos (Brazelton, 1969).

INTEGRACIÓN SENSORIAL

Por lo general los investigadores coinciden en que los sentidos individuales están presentes en el momento del nacimiento; pero discrepan respecto a su *integración* o coordinación total. Por ejemplo, en relación con la audición y con la visión, ¿cuándo sabe un recién nacido que determinado sonido proviene de un objeto?

Las investigaciones señalan que los sentidos están integrados al nacer o que se integran pronto y con rapidez. En un estudio, se permitió que un grupo de infantes succionara dos chupones, uno con bordes y otro liso. Cuando se les quitaba y se les mostraba los dos chupones, fijaban la vista más tiempo en el que acababan de sentir en la boca (Meltzoff y Borton, 1979). En otro experimento, a niños de cuatro meses se les mostró dos películas con una pista sonora que correspondía sólo a una de éstas. Preferían ver la película correspondiente al sonido (Kuhl y Meltzoff, 1988), lo cual indica una integración visual-auditiva.

Por supuesto, también debe aprenderse la integración sensorial, y en especial la perceptual. El niño necesita aprender qué sonidos corresponden a qué estímulos visuales, qué aspecto y textura tiene la piel tersa, qué aspecto tiene un perrito ruidoso, etc. Al parecer posee una tendencia innata a buscar este tipo de nexos cognoscitivos. Después, la integración se desarrolla con rapidez durante el primer año. En un estudio (Rose y otros, 1981) se comprobó que aun cuando los niños de seis meses podían identificar a veces de manera visual un objeto que habían tocado o que estaban tocando, los de mayor edad lo hacían mucho mejor. Las investigaciones sobre el abismo visual concuerdan a este respecto. Los infantes de corta edad reconocen la profundidad en el abismo, pero no necesariamente lo consideran peligroso; el interés supera su temor. Los niños más grandes, con un mayor nivel de integración, temen más al lado profundo. La conducta y las emociones se integran con el tiempo debido a la interacción entre experiencia y maduración.

Aun cuando su madre lo anime, el niño no gateará más allá del borde del abismo visual.

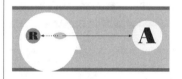

REPASE Y APLIQUE

1. Resuma las capacidades visuales del recién nacido y sus efectos en la interacción entre progenitor e hijo.
2. Resuma las capacidades auditivas y sus efectos en la interacción entre progenitor e hijo.
3. ¿Cómo aplican los investigadores los paradigmas de la novedad y de la preferencia al diseñar experimentos para estudiar el desarrollo perceptual del infante?
4. ¿Por qué los investigadores piensan que los sentidos se integran al nacer o poco después?

DESARROLLO COGNOSCITIVO

La *cognición* es una serie de procesos interrelacionados mediante los cuales obtenemos y utilizamos conocimientos relacionados con el mundo. Abarca el pensamiento, el aprendizaje, la percepción, el recuerdo y la comprensión. El *desarrollo cognoscitivo* designa el crecimiento y perfeccionamiento de estos procesos. En la presente sección, examinaremos varios métodos con que se estudia y se describe el desarrollo cognoscitivo que tiene lugar durante los dos primeros años de vida.

LA MENTE ACTIVA

En opinión de muchos teóricos, el infante asume un rol activo en su desarrollo cognoscitivo. Ésta es la postura fundamental de Jean Piaget. Para él, el hombre es un ser activo, alerta y creativo que posee estructuras mentales, denominadas esquemas, las cuales procesan información y la organizan. Con el tiempo los esquemas se convierten en estructuras cognoscitivas más complejas, según señalamos en el capítulo 1. Este desarrollo se lleva a cabo en una serie de etapas que pueden comenzar a edades diferentes, pero que siempre siguen la misma secuencia.

Es pequeño el repertorio de esquemas conductuales del infante. Observar, llevarse las cosas a la boca, coger y golpear son las formas en que interactúan con el ambiente.

EL PERIODO SENSORIOMOTOR

Piaget dio el nombre de **periodo sensoriomotor** a la primera etapa del desarrollo. El niño llega al mundo preparado, con amplias capacidades sensorio-perceptuales y motoras para responder al ambiente. Según Piaget, los patrones conductuales básicos —que comienzan como reflejos— le permiten elaborar esquemas por asimilación y acomodación. Los esquemas preexistentes como observar, seguir con la vista, succionar, asir y llorar son las estructuras básicas del desarrollo cognoscitivo. En los siguientes 24 meses se transforman en los primeros conceptos de los objetos, de las personas y del yo. En conclusión, la inteligencia comienza con la conducta sensoriomotora.

ADAPTACIÓN   Los esquemas del infante se desarrollan y se modifican por medio de un proceso que Piaget (1962) llamó **adaptación**, es decir, la tendencia general a ajustarse al ambiente y a incorporar en forma mental sus elementos. Describe el ejemplo de cómo Lucienne, su hija de siete meses de edad, jugaba con un paquete de cigarrillos. A diferencia de un niño de dos años, que podría (lamentablemente) sacar un cigarrillo y fingir que lo fuma, Lucienne trataba el paquete como si fuera uno de los juguetes u objetos que estaba acostumbrada a manipular. Sus únicos esquemas eran observar, meterse cosas a la boca, coger y golpear. En otras palabras, *asimilaba* el paquete de cigarrillos a sus esquemas actuales (vea el capítulo 1).

Con cada nuevo objeto, el niño introduce cambios pequeños en sus patrones de actividad. Se *acomodan* nuevos objetos con la acción de coger y llevarse las cosas a la boca. De manera gradual los patrones se modifican, y los esquemas sensoriomotores básicos se transforman en capacidades cognoscitivas de mayor complejidad. Comenzando por las *reacciones circulares*, conductas simples y repetitivas de índole predominantemente refleja, se realiza casi por accidente gran parte del aprendizaje del infante. Ocurre una acción y el infante la ve, la oye o la siente. Por ejemplo, tal vez vea sus manos delante de su rostro. Al moverlas descubre que puede cambiar lo que ve: prolongar el suceso, repetirlo, detenerlo o reanudarlo. En las primeras reacciones circulares, descubre su propio cuerpo. Las reacciones posteriores incluyen la forma de utilizar el cuerpo o a sí mismo para cambiar el ambiente, como cuando hace que un juguete se mueva.

ETAPAS SENSORIOMOTORAS   Piaget consideraba que el periodo sensoriomotor consta de las seis etapas que se describen de manera breve en la tabla 4-4. Si

periodo sensoriomotor   Primer periodo de Piaget del desarrollo cognoscitivo (del nacimiento a los dos años aproximadamente). Los infantes usan esquemas de acción —observar, coger, etc.— para conocer su mundo.

adaptación   En la teoría de Piaget, es el proceso mediante el cual los esquemas del infante se elaboran, se modifican y se desarrollan.

TABLA 4–4   **ESQUEMA DE LAS SEIS ETAPAS DEL DESARROLLO SENSORIOMOTOR PROPUESTAS POR PIAGET**

ETAPA	EDAD	CARACTERÍSTICAS PRINCIPALES
Uno	0–1 mes	Ejercitación de reflejos: succión, prensión, observación, escucha
Dos	1–4 meses	Adaptaciones de los patrones sensoriales y motores básicos (por ejemplo, succionar diversos objetos)
Tres	4–8 meses	Aprender estrategias para hacer durar los estímulos visuales interesantes
Cuatro	8–12 meses	Las acciones se vuelven más propositivas; búsqueda breve de los objetos escondidos
Cinco	12–18 meses	Exploración activa mediante ensayo y error (el "pequeño científico")
Seis	18–24 meses	Pensar antes de hacer, valiéndose de combinaciones mentales

bien una explicación pormenorizada de cada una rebasa el ámbito de este libro, vamos a examinar algunos de los procesos y logros cognoscitivos que se alcanzan a lo largo de éstas.

JUEGO CON OBJETOS   Los logros a menudo sutiles en el juego con objetos son importantes para el desarrollo cognoscitivo. Entre los cuatro y cinco meses, el niño suele estirar la mano, asir los objetos y sostenerlos. Estas habilidades aparentemente simples, junto con el perfeccionamiento de las habilidades perceptuales, le permiten jugar con los objetos en una forma cada vez más diversa. Recuerda los hechos repetidos, adecua sus acciones a varios objetos y comienza a entender el mundo social mediante la simulación y la imitación. En otras palabras, el juego sienta las bases de un pensamiento y de un lenguaje más complejos.

El juego con objetos pasa por etapas identificables, comenzando por simples exploraciones hacia los cinco meses (Garvey, 1977). A los nueve meses, casi todos los niños exploran los objetos: los mueven de un lugar a otro, invierten su posición y los prueban golpeándolos contra otros. Todavía no conocen su uso ni su función. A los 12 meses los examinan con detenimiento antes de llevárselos a la boca. De los 15 a los 18 meses tratan de utilizarlos correctamente. Por ejemplo, fingen beber de una taza o peinarse el cabello con un cepillo de juguete. A los 21 meses usan en forma correcta muchos objetos. Tratan de alimentar una muñeca con una cuchara, la ponen en el asiento del conductor en un camión de juguete o abren con la llave una puerta imaginaria. El juego se vuelve realista a los 24 meses de edad. Las niñas llevan su muñeca a pasear y los niños ponen en el orden correcto los camiones y remolques cuando los alinean. Las muñecas son personas imaginarias para la niña de tres años de edad. La hacen salir de casa, cortar leña, volver al hogar y encender una chimenea imaginaria (Bornstein & O'Reilly, 1993; Fein, 1981).

IMITACIÓN   Resulta fácil observar que, a los dos años, abundan las imitaciones del mundo circundante en el juego con objetos. Sin embargo, la imitación se inicia de manera muy simple en la infancia temprana.

En los dos primeros meses de vida, el niño realiza imitaciones esporádicas mientras juega con quien lo cuida. Como ya apuntamos, el recién nacido puede imitar las expresiones faciales. Pero estas imitaciones desaparecen entre los dos y tres meses y reaparecen al cabo de varios meses (Meltzoff y Moore, 1989).

Entre los tres y cuatro meses, el niño comienza a jugar con su madre a "hablarse", actividad en que parece tratar de reproducir los sonidos de la voz de ella. Pero casi siempre la madre empieza el juego imitando a su hijo, de modo que no es fácil saber quién imita a quién (Uzgiris, 1984). Entre los seis y siete meses el niño sabe imitar gestos y acciones con gran precisión. Los primeros ademanes imitados son aquéllos para los que ya tiene esquemas de acción como alcanzar y asir. Para los nueve meses el niño puede imitar gestos nuevos como golpear un objeto contra otro. En el segundo año comienza a imitar series de acciones o de gestos. En un principio sólo imita las acciones que él mismo escoge. Más tarde imita el cepillado de los dientes o el uso de la cuchara y el tenedor. Algunos logran el control de esfínteres imitando a un niño mayor o a quien los cuida.

¿La imitación exige acaso una representación mental de la acción? ¿Refleja la acción del pensamiento? Piaget estaba convencido de que hasta una imitación simple constituye una mezcla compleja de esquemas conductuales. Predecía por eso que los niños no serían capaces de imitar acciones nuevas hasta cumplir por lo menos nueve meses de edad. Y pensaba, asimismo, que la *imitación diferida* —imitar algo que ocurrió horas o hasta días antes— exige habilidades cognoscitivas que no se observan en los primeros 18 meses de vida.

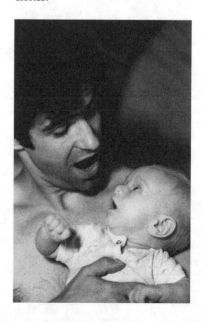

Entre los seis y siete meses, el niño ha mejorado en forma notable su capacidad de imitar gestos y acciones.

Con todo, al parecer los infantes son capaces de imitar una acción nueva un poco antes de lo que Piaget anticipaba. Por ejemplo, los hijos de progenitores sordos comienzan a aprender el lenguaje de signos a los seis o siete meses (Mandler, 1988). Los investigadores han demostrado que pueden posponer la imitación mucho antes de los 18 meses de edad. En un estudio (Meltzoff, 1988a, 1988b) se emplearon juguetes novedosos; por ejemplo: una caja con un botón escondido que emitía un zumbido y un oso que bailaba cuando lo hacían moverse por medio de cuerdas. Los niños veían estas acciones, pero no les permitían realizarlas de inmediato. Los investigadores descubrieron que los de 11 meses podían imitarlas hasta 24 horas más tarde y que los de 14 meses podían hacerlo hasta una semana después.

PERMANENCIA DEL OBJETO Según Piaget, la **permanencia del objeto** constituye un gran logro en el periodo sensoriomotor. Es el conocimiento de que los objetos existen en el tiempo y el espacio, estén o no presentes y se vean o no. Este esquema cognoscitivo no termina antes de los 18 meses aproximadamente, aunque a los ocho meses el niño ya se hace una idea de la permanencia de su padre o su madre. En lo relacionado con los objetos en general, "lo que no veo no existe" es una máxima que se cumple al pie de la letra durante gran parte de la infancia. Si un infante no ve algo, esto no existe para él. Por consiguiente, un juguete cubierto no les interesa aun cuando lo sostenga debajo de lo que lo cubre.

La permanencia del objeto es una habilidad que supone una serie de competencias cognoscitivas. Primero, a los dos meses el niño es capaz de reconocer objetos familiares. Por ejemplo, se emociona al ver un biberón o a quien lo cuida. Segundo, en este mismo periodo puede ver desaparecer un objeto móvil detrás de un lado de una pantalla y luego dirigir la vista al otro lado para ver si reaparece. El seguimiento visual es excelente y está bien sincronizado, y el infante se sorprende si algo no reaparece. Pero al parecer no da importancia al hecho de que un objeto totalmente distinto aparezca detrás de la pantalla. De hecho, a los cinco meses acepta sin inmutarse una amplia gama de cambios en los objetos que desaparecen (Bower, 1971).

Los niños de más cinco meses realizan un seguimiento más riguroso. Se sorprenden cuando aparece un objeto diferente o cuando el mismo objeto reaparece pero con mayor rapidez o lentitud que antes. Pero también pueden dejarse engañar. Imagine dos pantallas separadas entre las cuales media un espacio. Un objeto desaparece detrás de una de ellas, digamos en la de la izquierda; no aparece en el espacio, sino detrás de la segunda pantalla, a la derecha. Antes de los nueve meses de edad el niño no se sorprenderá ante lo que sucede (Moore y otros, 1978).

La búsqueda de objetos ocultos también sigue una secuencia previsible. Los niños menores de cinco meses no suelen buscarlos ni seguirlos; parecen olvidarse de un objeto una vez que queda oculto. Sin embargo, entre los cinco y ocho meses disfrutará de jugar a esconder y encontrar objetos. También le gusta esconderse debajo de una manta o cubrirse los ojos con las manos y hacer que reaparezca el mundo cuando se las quite de la vista. Las capacidades de búsqueda no están exentas de limitaciones hasta los 12 meses. Si un juguete desaparece en una puerta falsa y otro reaparece cuando vuelve a abrirse, el infante se sorprende pero acepta el nuevo juguete. Los niños mayores, entre 12 y 18 meses, se sienten desconcertados; empiezan a buscar el primer juguete.

Algunas irregularidades persisten en la conducta de búsqueda de los niños de 12 meses. Si se oculta un juguete en un lugar y los niños esperan encontrarlo allí, seguirán buscándolo aun cuando lo hayan visto oculto en otro lugar. Piaget (1952) señala que, a esta edad, el niño tiene dos memorias: la de ver el objeto escondido y la de encontrarlo. No todos aceptan su interpretación de estos experimentos de ocultamiento (Mandler, 1990).

permanencia del objeto Según Piaget, inicio de la comprensión, hacia los ocho meses de edad, de que los objetos siguen existiendo cuando no están a la vista.

En el experimento de madres múltiples efectuado por Bower, los niños menores de 20 semanas no se sienten confundidos al ver más de una madre, pero sí los de mayor edad.
Scientific American, DR. T.G. R. Bower/Scientific American

Como ya apuntamos, los infantes captan la idea de la permanencia de las personas un poco antes que la de los objetos. T. G. R. Bower (1971) dispuso unos espejos de modo que los niños pudiesen ver varias imágenes de su madre. Descubrió que a casi todos los menores de cinco meses no les molestaba ver más de una madre; por el contrario, les divertía y les encantaba. En cambio, los mayores de cinco meses esperaban ver sólo una madre y se sentían muy confundidos al ver varias.

MEMORIA   Las capacidades sensoriomotoras expuestas hasta ahora exigen cierta forma de memoria. Ya dijimos que los niños de cuatro meses prefieren ver objetos nuevos, lo que demuestra que ya cuentan con una memoria de lo conocido (Cohen y Gelber, 1975). Un infante que imita debe recordar los sonidos y las acciones de otra persona, al menos brevemente. Los que buscan un juguete en el sitio en el que lo vieron oculto están recordando la ubicación del juguete.

Los infantes muy pequeños parecen tener una poderosa memoria visual (Cohen y Gelber, 1975; McCall y otros, 1977). Los estudios de la habituación han revelado que, a los dos meses, ya almacenan patrones visuales (Cohen y Gelber, 1975). Fagan (1977) descubrió que los niños de cinco meses reconocen patrones 48 horas después y fotografías de rostros dos meses más tarde. Algunos estudios indican que los infantes tienen memoria a más largo plazo, por lo menos para sucesos muy importantes. Por ejemplo, los que participaron en un experimento novedoso a una edad muy temprana lo recordaban cuando meses después eran puestos en el mismo ambiente (Rovee-Collier, 1987). En efecto, en un estudio los niños recordaban aspectos de un experimento dos años después (Myers y otros, 1987). Las investigaciones recientes han demostrado la existencia de varios factores que determinan el grado de retención de recuerdos tempranos (Hayne y Rovee-Collier, 1995), en particular si están asociados con el movimiento cuando se pone a los infantes en contacto con objetos que habrán de recordar después. La retención mejora también cuando se asocia música al objeto (Fagen y otros, 1997).

REPRESENTACIÓN SIMBÓLICA   Durante la infancia, algunas de las primeras formas de la representación mental son acciones. Los infantes se relamen los labios antes de que la comida o el biberón llegue a su boca. Puede que continúen haciendo movimientos de ingestión después de la hora de comida. Tal vez dejen caer una sonaja y siguen agitando la mano con que la sostuvieron. A

En general, los niños comienzan a simular entre los seis y los 12 meses, sobre todo si reciben ayuda de un hermano mayor.

veces quizás agiten la mano en señal de despedida antes que puedan pronunciar las palabras correspondientes. Tales acciones son los precursores más primitivos de la **representación simbólica**, o sea, la capacidad de visualizar o, en todo caso, de pensar en algo que no está físicamente presente.

La simulación es la manifestación de un proceso latente de la representación simbólica (Mandler, 1983). Entre los seis y los 12 meses el niño comienza a simular, es decir, a servirse de acciones para representar objetos, hechos o ideas. Esta conducta también se desarrolla en una secuencia predecible (Fein, 1981; Rubin y otros, 1983). La primera etapa ocurre hacia los 11 o 12 meses; la mayoría de los niños de esta edad fingen comer, beber o dormir, acciones muy familiares. En los siguientes meses aumenta en forma extraordinaria la diversidad y el nivel de esta actividad. En un principio el niño no necesita objetos para fingir, como cuando aparenta dormir acurrucándose sobre la alfombra. Pero conforme va creciendo empieza a utilizar también juguetes y otros objetos. Entre los 15 y 18 meses, alimenta a sus hermanos y hermanas, a sus muñecas y adultos con tazas reales y de juguete, con cucharas y tenedores. De los 20 a los 26 meses finge que un objeto es otra cosa: una escoba puede convertirse en un caballo, una bolsa de papel en un sombrero, un piso de madera en una alberca. Estas formas de simulación representan una etapa más en el desarrollo cognoscitivo. Al advertir las semejanzas generales entre un caballo y una escoba, los niños combinan un concepto distante con uno más familiar y establece así una relación simbólica entre ambos.

El lenguaje es, por supuesto, el sistema más perfeccionado de representación simbólica. Analizaremos el desarrollo del lenguaje en la siguiente sección del capítulo. Pero antes es importante ver la opinión que se tiene en la actualidad sobre las teorías del desarrollo cognoscitivo propuestas por Piaget.

CRÍTICA A LA TEORÍA DE PIAGET

La teoría de Piaget sobre el desarrollo cognoscitivo ha generado investigaciones y controversias desde hace muchos años. Sus observaciones naturalistas y rigurosas del niño han desafiado a otros a observarlo con mayor detenimiento. La investigación dedicada a los infantes goza ahora de más prestigio gracias a su hincapié en la interacción entre maduración y experiencia, así como en la función activa, constructiva y adaptativa del infante en su aprendizaje. Para Piaget, el infante es un "pequeño científico" que prueba y descubre la naturaleza de los objetos físicos y del mundo social.

Pero sus hallazgos no siempre son precisos, como vimos al hablar de la imitación y de la permanencia del objeto. La permanencia no se da exactamente en la forma en que Piaget la describe. En opinión de los críticos, el infante puede tener un conocimiento más complejo de los objetos que se basa en su desarrollo perceptual, pero su desarrollo motor puede estar rezagado, en cuyo caso no puede mostrar por medio de su conducta real que ha asimilado la idea de permanencia del objeto (Baillargeon, 1987; Gratch y Schatz, 1987; Mandler, 1990).

Entre los críticos de Piaget se encuentran los partidarios de la teoría del procesamiento de información. A semejanza de Piaget, son psicólogos cognoscitivos pues estudian el pensamiento y la mente. Pero, a diferencia de Piaget, se muestran escépticos ante una teoría que se basa en etapas cualitativamente distintas. Suelen considerar que el desarrollo humano, en especial el cognoscitivo, es un proceso continuo y que se incrementa.

A Piaget también se le ha criticado por prestar demasiada atención al desarrollo motor y muy poca a la percepción. Desde temprana edad, los niños reconocen y recuerdan los aspectos constantes de su mundo. No sólo aprenden haciendo, sino también viendo a medida que seleccionan, clasifican y organizan la información sensorial a la que tienen acceso. A continuación estudiaremos más a fondo estas habilidades perceptuales.

representación simbólica Uso de una palabra, imagen, gesto u otro signo para representar hechos, experiencias y conceptos pasados y presentes.

ORGANIZACIÓN Y CATEGORÍAS PERCEPTUALES

Cuando vemos los objetos, consideramos de manera automática las posibilidades que ofrecen. Una taza de café o un vaso de jugo son algo que sirve para beber. Un apoyo de ventana vacío en una atestada sala de conferencias puede ser un lugar idóneo para sentarse. Elanor Gibson, cuya investigación sobre la percepción de profundidad explicamos con anterioridad, consideraba que este tipo de pensamiento ocurre desde la infancia. La **permisividad** (*affordance*), o uso potencial de los objetos, depende de las necesidades del individuo en un momento determinado, lo mismo que de su experiencia y conciencia cognoscitiva del objeto. Por ejemplo, una naranja le parecerá diferente a un adulto sediento, a un artista o a un niño en el inicio de la dentición. En un principio, los usos permitidos son rudimentarios pero poco a poco van perfeccionándose. Los anteojos, el cabello y los oídos pueden cogerse, no así los ojos. De manera similar, los infantes pueden probar la posibilidad de succionar, comprimir y hacer ruido con estos objetos. A veces oprimen los objetos afelpados y, en cambio, succionan los de plástico. Se considera que tales conductas constituyen un intento inicial de categorización (Gibson y Walker, 1984).

En un principio, los usos posibles de los objetos son pocos, pero después se van perfeccionando: los niños prueban entonces la posibilidad de emplear los objetos para "succionar", "comprimir" y "hacer ruido".

CATEGORÍAS PERCEPTUALES   Las investigaciones dedicadas a la percepción del infante señalan que es posible que su estructura neurológica le permita percibir algunas categorías del mismo modo que los niños mayores o que los adultos. Los investigadores (Cook y Birch, 1984) mostraron a un grupo de niños como de tres meses de edad una serie de cuadrados seguida de un paralelogramo muy similar (vea la figura 4-4). Cuando lo vieron, lo observaron mucho más que los cuadrados, como si no correspondiera a sus expectativas. ¿Tenían una categoría perceptual de "lo cuadrado"? Para averiguarlo, los investigadores dieron un cuarto de vuelta a los objetos y después mostraron a los niños la misma serie. Los objetos parecían entonces rombos. El objeto final daba la impresión de ser un rombo un poco más estrecho. Ahora los niños no fijaban más tiempo la vista en el último objeto, sino que se conducían como niños mayores.

Como ya apuntamos, a los tres meses el niño discrimina entre los colores básicos y muchos tonos y matices. También parece poseer esquemas perceptuales de las categorías más complejas. Discrimina las voces y los rostros de ambos sexos casi con la misma precisión que los adultos. Distingue la diferencia cuando ve dos o tres objetos. Esta habilidad no significa que posea un conocimiento conceptual de los sexos ni que entienda el concepto de número; indica más bien que ve las cosas en presentaciones perceptuales (Mandler, 1992). Por ejemplo, a los siete u ocho meses de nacido, tiene al menos un concepto global de los animales en comparación con los vehículos; a los nueve meses distingue entre aves y aviones. Parece, pues, que el análisis perceptual funciona hasta en infantes de corta edad. A partir de esa edad ordenan, organizan y captan las diferencias y semejanzas.

¿Es éste el inicio de los conceptos verdaderos? El hacer y el ver favorecen seguramente la adquisición de la mayor parte de los conceptos. Los niños de un año de edad conocen algunos recipientes como las tazas, y saben que deben es-

permisividad (o usos potenciales de los objetos —*affordances*) Diferentes oportunidades de interacción que ofrece una percepción; por ejemplo, los pasillos se construyen para andar por ellos.

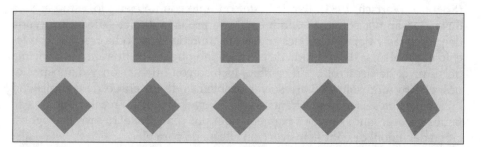

FIGURA 4–4

Cuando esta serie de figuras geométricas se muestra a los niños de tres meses, por lo menos la última figura del renglón superior les parece extraña, pero no la última del segundo renglón.

Fuente: *Cook y Birch (1984).*

Algunos psicólogos sociales insisten cada vez más en que el niño también es un ser social que juega con los otros, habla con ellos y además aprende de esas interacciones.

tar boca arriba para guardar cosas. La mayoría de ellos ha jugado y visto muchos recipientes; introduce en ellos las cosas y las extrae. Según Piaget, lo importante es esta exploración activa: hacer y ver lo que ocurre. Sin embargo, un infante con una discapacidad física que no le permite manipular los objetos también aprende de tales conceptos. ¿Acaso significa que el análisis perceptual es suficiente?

DESARROLLO COGNOSCITIVO DENTRO DEL CONTEXTO SOCIAL

De acuerdo con Piaget, el niño es un "científico activo" que interactúa con el ambiente y aprende estrategias de pensamiento cada vez más complejas. Este niño, activo y constructivista, a menudo da la impresión de trabajar solo cuando resuelve problemas y se forma conceptos. Sin embargo, algunos psicólogos sociales insisten cada vez más en que también es un ser social que juega con los otros, habla con ellos y además aprende de esas interacciones (Bruner y Haste, 1987). En el laboratorio de un psicólogo, los niños pueden trabajar solos para resolver los problemas que les asignan. En cambio, en la vida real experimentan los hechos en compañía de adultos y de compañeros de mayor edad, quienes los traducen y los interpretan para ellos. En conclusión, el desarrollo cognoscitivo del niño es a menudo un "aprendizaje" en el que compañeros más conocedores lo guían en la comprensión y en las habilidades (Rogoff, 199).

VYGOTSKY Los orígenes de una rama distinta de la psicología cognoscitiva se encuentran en la obra del famoso científico ruso Lev Vygotsky (1896-1934), a quien no sólo le interesaba el desarrollo de la mente dentro de un contexto social, sino también el desarrollo histórico del conocimiento y la compresión de la comunidad. He aquí la pregunta central que se planteó: ¿cómo damos sentido en forma colectiva a nuestro mundo? Vygotsky trató de incorporar algunos aspectos de la sociología, de la antropología y de la historia al conocimiento del desarrollo individual. Llegó a la conclusión de que interpretamos el mundo aprendiendo los *significados compartidos* de quienes nos rodean.

En forma colectiva, los individuos construyen los significados comunes de los objetos y de los acontecimientos, transmitiéndolos después por medio del lenguaje. Compartimos algunas actividades simples como cocinar u otras más complejas como practicar los deportes en el estilo de nuestra cultura. El significado compartido se aplica asimismo a cosas mucho más complejas, como el aprendizaje sistemático de la historia, de las matemáticas, de la literatura y de las costumbres sociales. Adquirimos conocimientos y experiencia especialmente gracias al aprendizaje con personas más conocedoras. Nos unimos a otros y éstas nos guían en nuestra participación, permitiéndonos así conocer siempre más nuestro mundo y adquirir un número creciente de habilidades.

Vygotsky definió dos niveles del desarrollo cognoscitivo. El primero es el nivel real de desarrollo del niño, determinado por la solución independiente de problemas. El segundo es su nivel de desarrollo potencial, determinado por el tipo de problemas que puede resolver bajo la guía de los adultos o en colaboración con un compañero más capaz (Vygotsky, 1935/1978).

Vygotsky llamó a la distancia entre dos puntos **zona de desarrollo proximal** (Rogoff y Wertsch, 1984). Explicó este concepto con un ejemplo, estudiando a dos niños, ambos con una edad mental comprobada de siete años. Con ayuda de preguntas y demostraciones sugerentes uno de ellos podía resolver con facilidad problemas de un grado de complejidad que estaba dos años por encima de su nivel de desarrollo. En cambio, incluso con orientación y demostraciones, el otro niño sólo podía resolver problemas de un grado de complejidad que se hallaba seis meses por encima de su nivel. Vygotsky recalcó que necesitamos conocer ambos niveles para entender por completo el desarrollo cognoscitivo del niño y diseñar la instrucción adecuada para él.

zona del desarrollo proximal
Concepto de Vygotsky de que, con ayuda de los adultos o de compañeros mayores, los niños se desarrollan al participar en actividades que rebasen un poco su competencia.

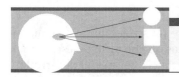

ESTUDIO DE LA DIVERSIDAD

FAMILIAS DISFUNCIONALES E INTERVENCIÓN

Los niños deben ser criados en un ambiente social propicio para que se desarrollen bien. Esto se pone de manifiesto cuando comparamos a los que se crían en familias disfuncionales con los que crecen en familias estables.

En varios estudios se ha demostrado el efecto general que el ambiente familiar tiene en el desarrollo. En un estudio longitudinal se comparó a niños con anormalidades cromosómicas sexuales de familias funcionales y disfuncionales. Las familias disfuncionales se caracterizaban por un estilo deficiente de crianza y porque estaban sometidas a estresores como la pobreza, el consumo de drogas y alcohol o la muerte de algún pariente. En general, los dos grupos de niños mostraron algunos problemas motores y cognoscitivos en comparación con sus hermanos normales. Sin embargo, la naturaleza y la intensidad de los problemas eran más evidentes cuando el niño provenía de una familia disfuncional (Bender y otros, 1987).

En otro estudio se dio seguimiento a 670 niños nacidos en 1955 en la isla hawaiana de Kauai (Werner, 1989a,

1989b). Entre los que habían nacido con defectos congénitos, los hijos de familias disfuncionales —en especial si eran pobres— mostraban los efectos más negativos. Por ejemplo, el cociente intelectual de los que presentaban defectos graves y que vivían en familias disfuncionales y pobres se hallaba entre 19 y 37 puntos por debajo de los que sufrían deficiencias leves o moderadas. Por el contrario, las puntuaciones de los que presentaban defectos congénitos graves y que vivían en familias estables de elevados ingresos estaban apenas entre cinco y siete puntos por debajo de quienes habían nacido con deficiencias leves o moderadas.

La intervención temprana para niños que viven en familias disfuncionales a veces da excelentes resultados. En las tres últimas décadas varios programas han ofrecido servicio de apoyo a los padres y a los niños de los grupos de alto riesgo. Pero como las subvenciones son escasas, muchos de ellos atienden a menos de la mitad de los niños que los necesitan. Es, pues, posible comparar el progreso de los niños y las familias inscritos y de los que no lo están. En general, los programas demuestran una verdadera diferencia. Señalan

que, para que los niños de alto riesgo se desarrollen y crezcan, es fundamental que haya un ambiente óptimo (Horowitz, 1982; Korner, 1987).

A finales de los años sesenta, Ira Gordon (Gordon, 1969) ideó uno de los primeros programas de intervención caseros dirigido a padres. Como trabajaba con familias pobres de un área rural de Florida, se fijó la meta de mejorar el desarrollo intelectual y de la personalidad de los niños y la autoestima de sus padres. Enseñó a las mujeres de la comunidad los principios básicos del desarrollo del niño, y ellas hacían visitas semanales a las familias. Las mujeres aprendieron actividades idóneas para cada etapa del desarrollo de los niños que visitaban; se les enseñó además habilidades de entrevista para que las aplicaran en el trabajo con las madres. Los niños que participaron con regularidad en el programa semanal durante dos o tres años mostraron un desarrollo mucho mayor que quienes no lo hicieron. En los estudios de seguimiento, sólo se colocó después en clases especiales de escuelas públicas a unos cuantos niños que habían participado durante por lo menos dos años.

Para Vygotsky y sus partidarios, el desarrollo cognoscitivo está integrado al contexto social y cultural del niño. Su desempeño óptimo demuestra que lo que sabe proviene de la colaboración con compañeros o adultos (Berke, 1994). Barbara Rogoff (1990) explica este proceso como un "aprendizaje de pensamiento", en la cual se da una participación guiada a los niños y otros sujetos inexpertos en actividades de valor cultural que comprenden desde adquirir las habilidades de autoayuda hasta comportarse correctamente en situaciones sociales. Quienes los cuidan y los compañeros estructuran la participación, al mismo tiempo que brindan soporte y proponen retos. Construyen puentes entre el conocimiento actual del niño y los nuevos conocimientos y habilidades, con lo cual mejoran en forma paulatina su participación y responsabilidad.

En suma, si queremos comprender el desarrollo cognoscitivo del niño es preciso examinar los procesos que favorecen la construcción social del conocimiento y su construcción física. Es necesario, además, considerar las características de las familias y la forma en que interactúan con el desarrollo cognoscitivo, y que a veces intervienen en él (consulte el recuadro "Estudio de la diversidad").

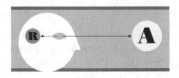

REPASE Y APLIQUE

1. Describa la teoría de Piaget sobre el desarrollo cognoscitivo durante la infancia. ¿Cuáles son algunas de las principales críticas que ha recibido esta teoría?
2. ¿Qué es la permanencia del objeto y qué importancia tiene en el desarrollo del infante?
3. ¿Qué es la representación simbólica y qué importancia tiene en el desarrollo del niño?
4. ¿Qué es la permisividad perceptual de los objetos (*affordance*) y qué función desempeña en la cognición?
5. ¿En qué aspectos esenciales se diferencia la aproximación al desarrollo cognoscitivo de Vygotsky del enfoque de Piaget?

DESARROLLO DEL LENGUAJE

Aun los recién nacidos se comunican. No tardan en descubrir cómo hacer saber a sus padres que tienen hambre, que están mojados o aburridos. Hacia el primer año de vida, la mayoría pronuncia su primera palabra; a los 18 meses puede unir dos o más palabras y a los dos años de edad ya domina más de 100 palabras y puede conversar. Su vocabulario es muy pobre y comete errores gramaticales, pero su comprensión implícita del lenguaje y de su estructura es notable.

El lenguaje se basa en el uso de símbolos para comunicar información. La adquisición del lenguaje es un proceso complejo y a la vez natural. Quizá mejor que cualquier otro logro del hombre ejemplifica la diversidad y el potencial del organismo humano y nos distingue del resto de los animales (vea el recuadro "Tema de controversia", página 155).

ELEMENTOS DEL LENGUAJE

El lenguaje consta de tres dimensiones fundamentales: contenido, forma y uso (Bloom y Lahey, 1978). El **contenido** designa el significado de un mensaje escrito o hablado. La **forma** se refiere a los símbolos con que se representa el contenido —sonidos y palabras—, junto con el modo en que combinamos las palabras para formar oraciones y párrafos. El **uso** indica el intercambio social entre dos o más personas: el hablante y el interlocutor. Los detalles del intercambio social dependen de la situación, de la relación entre los dos, de sus intenciones y actitudes.

El uso social del lenguaje es complejo y se aprende al mismo tiempo que el contenido y la forma. El niño aprende a ser cortés y amable con sus mayores, a simplificar su lenguaje cuando habla con bebés, a tomar turnos en la conversación y a entender el habla directa e indirecta. Aprende, además, a determinar la intención del hablante y a comprender las palabras. Por ejemplo, una oración como "¿Qué es eso?" puede tener distinto significado según la situación. Puede ser una simple petición de información, pero también expresa temor o duda.

En las explicaciones siguientes conviene tener un marco de referencia cuando hablamos del lenguaje. En el diagrama de estudio de la página 156 se resume el "lenguaje" de los lingüistas en relación con los fonemas, los morfemas, la semántica, la sintaxis y la gramática.

LOS INICIOS DEL LENGUAJE

El desarrollo del lenguaje consiste en aprender a hablar o a producir lenguaje oral, aprender el significado de las palabras, aprender las reglas de la sintaxis y de la gramática y, por último, aprender a leer y escribir. El desarrollo del lenguaje adopta dos formas: el **lenguaje receptivo**, que es la comprensión de las

---

contenido Significado de un mensaje escribo u oral.

forma Símbolo con que se representa el contenido.

uso Forma en que un hablante emplea el lenguaje para darle un significado en vez de otro.

lenguaje receptivo Repertorio de palabras y órdenes que entiende el niño, aun cuando no sepa utilizarlas.

TEMA DE CONTROVERSIA

¿ES EXCLUSIVAMENTE HUMANO EL LENGUAJE?

¿Es el ser humano el único animal capaz de servirse del lenguaje para expresar pensamientos simples y complejos? En las últimas tres décadas, varios chimpancés y simios han logrado aprender por lo menos los rudimentos de la comunicación humana. Aprendieron a asociar nombres con objetos, a combinar dos palabras y a utilizar palabras dentro de contextos nuevos. Pero no han podido dominar el uso complejo de la sintaxis que es parte esencial del lenguaje.

Es imposible que dominen el habla ya que poseen un control limitado sobre su aparato fonador. El primer gran avance logrado por los investigadores al enseñar el lenguaje humano a los chimpancés se produjo cuando pasaron del habla articulada a otras modalidades, entre ellas el lenguaje de signos. Luego de aprender con rapidez los signos de 200 o más sustantivos, entre ellos los nombres de personas y cosas, así como verbos y adjetivos comunes como "grande" y "dulce", los chimpancés ampliaron el uso de muchos de ellos para designar objetos y fenómenos nuevos. Por ejemplo, Washoe —el primer chimpancé que aprendió el lenguaje de signos— primero aprendió el signo de "lastimar" en relación con raspones y contusiones. Más tarde expresaba con señales "lastimar" cuando veía el ombligo de una persona por primera vez (Klima y Bellugi, 1973).

Al cabo de algunos meses de entrenamiento, los chimpancés comenzaron a combinar signos para manifestar pensamientos específicos. Por ejemplo, cuando Washoe oía el sonido de un perro ladrando, combinaba los signos de "oír" y de "perro". Cuando quería que alguien siguiera haciéndole cosquillas, hacía los signos de "más" y "cosquillas". Cuando veía un pato, hacía los signos que correspondían a "pájaro de agua".

Con el fin de probar las habilidades lógicas y gramaticales de los chimpancés, los entrenadores de una chimpancé llamada Sarah adoptaron otro método. Sarah aprendió a asociar piezas magnéticas de plástico de varias formas y colores a los objetos, personas y acciones de su entorno, y a expresar sus pensamientos sobre un pizarrón metálico. Aprendió a emplear símbolos de plásti-co que no se parecían a los objetos que representaban; aprendió los rudimentos de la gramática. Cuando se le administraron pruebas, entendía en forma correcta las oraciones complejas como "Sarah banana cubo" y "plato insertar galleta"; ocho de diez veces ponía la banana en el cubo y la galleta en el plato.

Los chimpancés pueden aprender a usar símbolos para representar objetos y hechos y para comunicar sus ideas. Pero lo que esta capacidad nos indica sobre sus procesos cognoscitivos es objeto de mucha controversia. Chomsky (1975) señala que existe una gran diferencia entre el aprendizaje del lenguaje en el hombre y las respuestas rudimentarias del chimpancé. Éstos, dice, nunca aprenden las sutilezas del orden de las palabras y tampoco emplean el lenguaje de modo creativo, espontáneo. Además, se afirma que, aunque podemos entrenar a los simios para que produzcan conductas con algunas de las propiedades de la conducta lingüística humana, no poseen la misma motivación interna que el niño. Por tanto, su comunicación difiere radicalmente de la del niño (Sugarman, 1983).

¿Cuál es su opinión al respecto?

---

palabras habladas o escritas; y el **lenguaje productivo**, que es la emisión de lenguaje mediante el habla o la escritura.

Entre las primeras palabras más comunes del vocabulario receptivo de los niños hispanohablantes figuran "mamá", "papá", "adiós", "biberón", "no", y el nombre del niño (éstas suelen entenderlas incluso los pequeños de ocho meses). Las primeras palabras en su vocabulario productivo son: "papá", "mamá", "adiós" y "hola" (por lo general, estas palabras las producen niños cuando tienen 14 meses de edad —Fenson y otros, 1994). El lenguaje productivo y el receptivo evolucionan en forma simultánea, aunque el primero produce el segundo. Por ejemplo, un progenitor tal vez le pregunte a su hijo de 14 meses: "¿Podrías ir a la cocina y traer las galletas?" El niño acaso no reproduzca la oración, pero regresará con las galletas. A lo largo del ciclo vital, el vocabulario receptivo suele ser más amplio que el productivo, es decir, entendemos más palabras de las que utilizamos.

ANTES DE LAS PRIMERAS PALABRAS   La producción del lenguaje comienza con los llantos indiferenciados que se dan al nacer. El niño aprende pronto varios tipos de llanto y, hacia las seis semanas, emite sonidos de arrullo. Cuando nace, una amplia superficie del hemisferio izquierdo del cerebro (el que controla el lenguaje) le permite escuchar y responder al lenguaje (Brooks y Obrzut, 1981). En el segundo o tercer mes, es sensible al habla y puede distinguir entre sonidos

lenguaje productivo Comunicación oral o escrita del preescolar.

Diagrama de estudio ‣ Terminología lingüística

Fonemas: Unidades básicas de los sonidos de una lengua. El español, por ejemplo, consta de 22 fonemas que incluyen los sonidos indicados por las letras del alfabeto y las variantes de las vocales y de los diptongos. Algunos fonemas se expresan por una combinación de dos letras como "ll" y "ch".

Morfemas: Son las unidades básicas del significado de una lengua. Una palabra puede ser un solo morfema o incluir varios como –ía del potencial (amaría) o sufijo de lugar (panadería).

Semántica: Es la forma de asignar significado a los morfemas o a la combinación de morfemas. La semántica abarca la connotación y el contexto, o sea, la forma en que los significados de las palabras cambian según la situación.

Sintaxis: Es la forma de combinar palabras en enunciados significativos como las oraciones.

Gramática: Término general que incluye todos los conceptos anteriores.

semejantes como "b" y "p" o entre "d" y "t" (Eimas, 1974). En el primer año de vida, mucho antes de emitir las primeras palabras, aprende mucho sobre el lenguaje. En la tabla 4-5 se incluyen los principales hitos en el desarrollo lingüístico.

Tres aspectos interesantes del aprendizaje del lenguaje en la infancia temprana son el balbuceo, el vocabulario receptivo y la comunicación social.

BALBUCEO Desde los primeros instantes de su vida, el niño emite varios sonidos. A menudo éstos comienzan con vocales y con consonantes que se pronuncian "ba, ba, ba". A los seis meses posee un repertorio más variado y complejo. Enlaza una extensa gama de sonidos, los extrae, los corta y varía su tono y ritmo. Cada día parece tener mayor control sobre sus vocalizaciones. Repite de manera intencional algunos sonidos, los alarga y hace pausas en una especie de precursor de habla autoimitativo que se denomina *iteración*.

Las primeras vocalizaciones constan de unos cuantos fonemas diferentes. La producción de los sonidos aumenta con rapidez y, en el segundo mes de vida, el

TABLA 4–5 HITOS EN EL DESARROLLO DEL LENGUAJE*

EDAD PROMEDIO	CONDUCTA LINGÜÍSTICA MOSTRADA POR EL NIÑO
12 semanas	Sonríe cuando le hablan; emite sonidos de arrullo
16 semanas	Voltea la cabeza en respuesta a la voz humana
20 semanas	Emite sonidos vocálicos y consonantes mientras se arrulla
6 meses	Del arrullo pasa al balbuceo, que contiene todos los sonidos del habla humana
8 meses	Repite ciertas sílabas (por ejemplo, "ma-ma")
12 meses	Comprende algunas palabras; puede emitir algunas
18 meses	Puede producir hasta 50 palabras
24 meses	Tiene un vocabulario de más de 50 palabras; emplea algunas frases de tres a cinco palabras
30 meses	El vocabulario aumenta pero sin llegar a mil palabras; emplea frases de tres a cinco palabras
36 meses	Vocabulario de unas 1000 palabras
48 meses	Domina los aspectos básicos del lenguaje

*Son estrictamente promedios; en los niños pueden diferir.

Fuente: según Robert A. Baron, *Psychology, Fourth Edition.* Copyright © 1998 por Allyn y Bacon. Reimpreso con autorización.

niño empieza a formar una gran cantidad de fonemas con chasquidos, gorgo-
teos, gruñidos y otros sonidos. Muchos de éstos no aparecen en el lenguaje de
quienes los cuidan. Esta producción "aleatoria" de fonemas sigue aumentando
hasta los seis meses más o menos; después comienza a reducirse la variedad de
fonemas que emplea, hasta que finalmente sólo incluye los de su lengua materna.

Algunas veces, después de seis meses, los progenitores escuchan algo parecido a "ma-ma" o "pa-pa" y lo interpretan como la primera palabra de su precoz
hijo. Sin embargo, casi siempre se trata de repeticiones fortuitas de sonidos sin
un significado real. El balbuceo adopta inflexiones y patrones como los de la lengua de los padres y puede parecerse mucho al habla coherente que los padres se
esfuerzan por escuchar, pensando que lo es. Esta **jerga expresiva,** forma muy
elaborada del balbuceo, es igual para los infantes en todos los grupos lingüísticos y en todas las culturas (Roug y otros, 1989).

¿Qué tan importante es el balbuceo? ¿Cómo prepara al niño para hablar? El
balbuceo es una forma irresistible de comunicación verbal, y en todo el mundo
a quienes se encargan de los niños les encanta imitarlo y alentarlo. Durante el
balbuceo los niños dan la impresión de estar aprendiendo a producir los sonidos que más tarde emplearán al hablar. Así, en los sonidos o fonemas que produce el niño influye lo que oye antes de utilizar palabras. Aunque el balbuceo
es el medio con que se comunica e interactúa con la gente, es al mismo tiempo
una actividad orientada a la resolución de problemas. El niño balbucea para
encontrar la manera de emitir los sonidos necesarios para pronunciar palabras.
Esta práctica puede ser la causa de que no deje de hacerlo una vez que empieza a
producir palabras. De hecho, las palabras nuevas parecen influir en el balbuceo y éste a su vez influye en los sonidos preferidos que emplea al seleccionar
palabras nuevas (Elbers y Ton, 1985).

Los infantes son *universalistas* del lenguaje, capaces de distinguir entre todos
los sonidos posibles del habla humana, mientras que los adultos son *especialistas* del lenguaje que sólo perciben y reproducen los sonidos de su lengua materna. En un estudio, se enseñó a un grupo de niños de seis meses a mirar sobre el hombro cuando captaban una diferencia en pares de sonidos y a ignorar
los que se asemejaban. Los niños lograban distinguir variantes de idiomas desconocidos, pero ignoraban las semejanzas conocidas de su lengua, lo que indica que la experiencia moldea evidentemente la percepción del lenguaje y a una
edad anterior a la que se pensaba antes. El estudio reveló además que las "con-

jerga expresiva   Balbuceo producido cuando un infante emplea inflexiones y patrones que
imitan el habla del adulto.

A los ocho meses los niños empiezan a entender palabras como
"mami" y "papi".

versaciones" entre progenitores e infantes contribuyen a producir el lenguaje hablado (Kuhl y otros, 1992).

Las comparaciones del balbuceo entre bebés normales y sordos demuestran la importancia de lo que el niño oye, incluso en esta etapa. Aunque el balbuceo de los niños normales y sordos se parece al inicio, con el tiempo sólo el de los primeros se aproxima a los sonidos empleados en su lengua (Oller y Eilers, 1988). Por otra parte, el balbuceo de los sordos parece disminuir de manera considerable después de los seis meses.

En conclusión, el balbuceo es importante para que los niños normales aprendan a utilizar los sonidos necesarios para hablar la lengua de quienes los cuidan. Por ejemplo, mediante la comparación del balbuceo de niños de 10 meses oriundos de París, Londres, Hong Kong y Argel se comprobó que las diferencias en la forma de pronunciar los sonidos vocálicos correspondían a la pronunciación de las vocales en su lengua materna (de Boysson-Bardies y otros, 1989).

VOCABULARIO RECEPTIVO   Como ya dijimos, los niños de muy corta edad entienden las palabras antes de poder decirlas. Cuando tienen un año, pueden seguir las instrucciones de los adultos y mostrar en su conducta que conocen el significado de palabras como "adiós". No obstante, es muy difícil estudiar la comprensión del niño. Lo mismo sucede cuando se trata de identificar y de describir los conceptos que asocian a determinadas palabras. Aun cuando las pruebas parezcan claras —por ejemplo, cuando un niño de un año cumple la instrucción "Pon la cuchara en la taza"—, su comprensión puede no ser tan completa como pudiéramos creer. Después de todo, difícilmente intentará poner la taza en la cuchara, aunque fuera la interpretación que le dio. Además, recibe pistas como los gestos, que le ayudan a efectuar las tareas en forma correcta, cuando no comprende del todo las instrucciones orales.

COMUNICACIÓN SOCIAL   Durante el primer año de vida, el infante aprende los aspectos no verbales de la comunicación como parte de su "diálogo" con el cuidador (vea el capítulo 5). Aprende a hacer señales, a tomar turnos, a gesticular y a fijarse en las expresiones faciales. Aprende mucho sobre la comunicación mientras participa en juegos simples como esconderse (Ross y Lollis, 1987). Algunos progenitores tienen gran habilidad para estructurar juegos sociales que les enseñan a sus hijos en forma agradable algunos aspectos de la conversación. Les proporcionan una estructura del juego que les ayuda a aprender las reglas de dar y tomar la palabra (Bruner, 1983). Al mismo tiempo les ofrecen un sistema de apoyo para la adquisición temprana del lenguaje. A medida que la madre y el hijo se concentran en los objetos de juego ("Mira, un gatito"), él aprende los nombres de los objetos y de las actividades (de Villiers y de Villiers, 1992). Pero la comunicación social con el niño trasciende este tipo de juegos. Al año de edad casi todos están alertas ante quienes los rodean, entre ellos los extraños, y responden en forma adecuada a las expresiones emotivas del adulto (Klinnert y otros, 1986).

PALABRAS Y ORACIONES

En general, los niños emiten sus primeras palabras al final del primer año de vida. Su vocabulario crece con lentitud al principio y luego con mucha mayor rapidez. Pero la velocidad con que avanza el aprendizaje del lenguaje muestra muchas variantes individuales. Los niños que empiezan a caminar parecen avanzar con más lentitud, sin que ello signifique necesariamente un rezago en el desarrollo; tal vez les interesen otras actividades, como aprender a caminar. Algunos empiezan a hablar en forma tardía, pero en poco tiempo recuperan el atraso; otros dan la impresión de haberse estancado en ciertas etapas durante largo tiempo. No obstante, sin importar el ritmo de aprendizaje, el desarrollo del lenguaje sigue una secuencia regular y predecible en todos los idiomas (Slobin, 1972).

LAS PRIMERAS PALABRAS Y SU SIGNIFICADO En todo el mundo las primeras manifestaciones lingüísticas del niño son palabras aisladas, casi siempre sustantivos y por lo general los nombres de las personas y de las cosas de su entorno inmediato. En un principio no posee la capacidad de combinarlas. Más bien emplea el **habla holofrásica**: expresiones de una palabra que transmiten ideas complejas. Así, en diversos contextos, con entonación y gestos distintos, "mamá" puede significar "quiero a mi mamá", "Mama, átame el zapato" o "Allí está mamá".

¿Qué palabras forman el vocabulario inicial del infante? La elección dependerá de los términos que escuche, pero las primeras palabras encajan en categorías predecibles. Los nombres —sustantivos que designan cosas específicas como "papi", "botellita" y "carro"— abarcan gran parte de su vocabulario (Nelson, 1974). Sin embargo, los niños que se hallan en la etapa holofrásica a veces emplean además palabras que indican una función o relación como "allí", "no", "ido" y arriba", antes de utilizar sustantivos (Bloom y otros, 1985).

Las palabras y las categorías de palabras que usa un niño dependerán por lo general de su estilo de habla. Katherine Nelson (1981), una de las primeras investigadoras en estudiar los estilos del aprendizaje del lenguaje, identificó niños con un estilo "referencial", que solían utilizar sustantivos, y niños "expresivos", que estaban más inclinados a usar verbos activos y pronombres. Los dos estilos se distinguían a los 18 meses, edad en que los niños poseen un vocabulario de cerca de 50 palabras. El vocabulario de los niños referenciales estaba dominado por nombres, principalmente de personas u objetos. En cambio, los niños expresivos los habían aprendido, pero empleaban un porcentaje más alto de términos concernientes a las interacciones sociales (por ejemplo, "vete", "quiero" y "dame"). También era distinto el desarrollo lingüístico posterior de unos y otros. Los niños expresivos solían tener un vocabulario menos extenso que los referenciales. Además, tendían más a crear y a emplear "palabras vacías" —sin significado— para sustituir las que no conocían. Otros investigadores han descubierto una variación estilística mayor en el uso del lenguaje durante la etapa de una palabra (Pine y otros, 1997), en parte atribuible a las características lingüísticas de la madre.

CATEGORIZACIÓN DE LOS OBJETOS Las primeras palabras del niño a menudo son **sobrextensiones**. Si bien las primeras palabras se refieren a una persona, objeto o situación concretos, el niño las generaliza para aludir a todas las cosas similares. Supongamos que tiene un perro llamado "Guardián". Utilizará este nombre para designar todos los perros e incluso todos los animales de cuatro patas. Sólo después de aprender palabras nuevas, como "perrito", redefinirá las categorías erróneas (Schlesinger, 1982). Los niños tienden a ampliar, reducir o a sobreponer las categorías para determinar qué palabras las refieren, porque no poseen el conocimiento del adulto sobre las funciones y características correspondientes de los objetos. Por el contrario, en ocasiones destacan algunas características que los adultos no tienen en cuenta (Mervis, 1987). En la tabla 4-6 se dan algunos ejemplos.

A medida que los niños aprenden nombres diferentes para los objetos (como "minino", "gato", "león" y "tigre"), reasignan las palabras a categorías más específicas (Clark, 1987; Merriman, 1987). En otras palabras, un león y un tigre son gatos aunque diferentes. Con el tiempo las categorías de la comunicación oral del niño incorporan la estructura de la cultura lingüística en que se le educa; el niño adopta sus métodos para agrupar y clasificar objetos y conceptos. El proceso de categorización parece seguir el mismo patrón que el desarrollo intelectual o cognoscitivo en general (Chapman y Mervis, 1989). Las palabras del niño y sus significados están vinculadas de manera estrecha a los conceptos que empieza a formarse.

habla holofrásica En las primeras etapas de adquisición del lenguaje, el niño pequeño usa palabras aisladas para comunicar pensamientos completos u oraciones.

sobrextensiones Tendencia del niño a generalizar algunas palabras específicas, como cuando emplea "gato" para designar a todos los felinos.

TABLA 4–6   EJEMPLOS DE EXTENSIONES DE LAS PRIMERAS PALABRAS

PALABRA DEL NIÑO	PRIMER REFERENTE	EXTENSIONES COMUNES POSIBLES	PROPIEDAD
Pájaro	Gorriones	Vacas, perros, gatos, cualquier animal en movimiento	Movimiento
Una	Luna	Pasteles, marcas redondas sobre una ventana, formas redondas en los libros, marcas postales	Forma
Mosca	Mosca	Manchas de suciedad, polvo, todos los insectos pequeños, migajas	Tamaño
Gua-guá	Perros	Todos los animales, perro de juguete, alguien con abrigo de piel	Textura

Fuente: adaptado deVilliers y deVilliers (1979).

¿Qué surge primero, la palabra o el concepto? Los investigadores interpretan las pruebas en forma diferente. Algunos, entre los que se contaba Piaget, sostienen que el concepto suele aparecer primero. El niño se forma un concepto y luego le da un nombre, real o inventado. Los gemelos crean a veces un lenguaje privado, y los niños sordos inventan señas o gestos aun cuando no les enseñen el lenguaje de signos (Clark, 1983). Esto significa que los conceptos se obtienen primero. Otros investigadores insisten en que las palabras contribuyen a moldear los conceptos. Cuando un niño pequeño llama "perro" a la mascota de la familia, no hace más que designar ese objeto. Cuando amplía y perfecciona las categorías aparece el concepto de perro (Schlesinger, 1982). De ahí la dificultad de determinar si los conceptos preceden a las palabras o viceversa. Sin embargo, es probable que los dos procesos ocurran de manera simultánea y que se complementen.

HABLA TELEGRÁFICA Y GRAMÁTICA INICIAL   El niño empieza a combinar palabras hacia la mitad del segundo año de vida. Los primeros intentos suelen ser dos palabras que representan dos ideas: "Papá ve", "Sacar calcetín", "Más jugo". Pronto aparecen las reglas implícitas de la sintaxis, y utiliza oraciones de dos palabras en una forma coherente. Puede decir "Ver perro" o "Ver camión" al señalar esas cosas. Pero no dice "Camión ver".

¿Qué tipo de reglas lingüísticas aplica en esta etapa? Cuando empieza a combinar palabras, sus oraciones son limitadas en extremo. En un principio, constan de dos elementos; luego de tres, etc. En cada fase la oración incluye pocas palabras o pensamiento; los niños retienen palabras informativas y omiten las menos importantes. El resultado es lo que Brown (1965) llama **habla telegráfica**. Las palabras informativas, que Brown llama *palabras de contenido*, son sustantivos, verbos y adjetivos. Las palabras menos importantes reciben el nombre de *funcionadores* o, simplemente, *palabras funcionales*; incluyen artículos, preposiciones y verbos auxiliares.

El concepto de **gramática pivotal** (Braine, 1963) designa la fase de dos palabras. Las *palabras pivotes* suelen ser las que indican acción ("ve") o los posesivos ("mío"). Son pocas y con frecuencia aparecen en combinación con las *palabras abiertas,* que por lo general son sustantivos. "Ver", por ejemplo, es una palabra pivote que puede combinarse con varias palabras abiertas para formar oraciones de dos palabras: "Ve, leche", "Ve, papá" o "Papá, ve". Casi nunca ocurren solas ni con otras palabras pivotes (McNeill, 1972). Sin embargo, las palabras abiertas pueden parearse o emplearse en forma individual. Así pues, el niño observa reglas en las expresiones de dos palabras; las combinaciones no son aleatorias.

habla telegráfica   Frases de niños de entre un año y medio y de dos años que omiten las palabras menos significativas y contienen palabras que transmiten la mayor parte del significado.

gramática pivotal   Sistema con que se forman oraciones de dos palabras y que emplean los niños de entre un año y medio y dos años; comprende palabras de acción, preposiciones y posesivos (palabras pivotes) en combinación con palabras abiertas que suelen ser sustantivos.

Con ayuda de los gestos, del tono y del contexto, el niño comunica muchos significados con una sintaxis y un vocabulario reducidos. Dan Slobin (1972) estudió los significados que los niños de dos años transmiten con oraciones de dos palabras. Utilizaban el habla en la misma forma, a pesar de provenir de diversas culturas lingüísticas (inglés, alemán, ruso, turco y samoano). Entre los conceptos que comunicaban mediante enunciados de dos palabras figuraban los siguientes:

Identificación: ve perrito.
Lugar: libro aquí.
Inexistencia: todo fue.
Negación: no lobo.
Posesión: mi dulce.
Atribución: carro grande.
Agente-acción: mamá camina.
Acción-lugar: sentarse silla.
Acción-objeto directo: pego tú.
Acción-objeto indirecto: dar papá.
Acción-instrumento: corta cuchillo.
Pregunta: ¿dónde pelota?

En resumen, el desarrollo del lenguaje que ocurre durante la infancia prepara el terreno para ampliar el vocabulario, comprender las complejidades de la gramática, usar el lenguaje como acto social y poder participar en las conversaciones que tienen lugar en la etapa preescolar. ¿Pero a qué se debe todo esto?

PROCESOS DE APRENDIZAJE DEL LENGUAJE

Con los años, muchas investigaciones y teorías se han concentrado en entender cómo pasamos del llanto y el balbuceo a hablar el lenguaje adulto. Han surgido muchas controversias sobre cómo se desarrolla el lenguaje, pero es posible subrayar cuatro componentes: la imitación, el condicionamiento, las estructuras innatas del lenguaje y el desarrollo cognoscitivo.

IMITACIÓN La imitación desempeña un papel importante en muchos aspectos del aprendizaje humano, y el aprendizaje del lenguaje no es la excepción. Sin duda las primeras palabras se aprenden escuchando e imitando. De hecho, la mayor parte del vocabulario inicial debe aprenderse de este modo: el niño no puede comunicarse con palabras inventadas por él. Pero la adquisición de la sintaxis no se explica con la misma facilidad. Aunque algunas frases nacen de la imitación, una forma como "mi ir" es a todas luces original: resulta difícil que el niño oiga a alguien expresarse así. Aun cuando los adultos usan el habla infantil o tratan de corregir los errores de los niños, éstos suelen conservar sus propios patrones de habla.

CONDICIONAMIENTO Como vimos en el capítulo 3, el condicionamiento por reforzamiento y castigo es un mecanismo eficaz de aprendizaje, y esta observación se aplica a ciertos aspectos de la adquisición del lenguaje. Sin duda, la forma en que las personas reaccionan ante su habla influye en los niños. Las sonrisas, las palmaditas en el hombro y una mayor atención estimularán el aprendizaje de palabras. Además, cuando algunas palabras les generan resultados favorables, es probable que se sientan más inclinados a repetirlas. Si un infante dice "mamá" y su madre llega o si dice "galletas" y le dan una, volverá a emplear estas palabras. También el castigo surte efecto. Expresar ciertas palabras inaceptables desde el punto de vista social puede producir consecuencias que harán que el niño se abstenga de usarlas otra vez, por lo menos en presencia de adultos.

Pero como en el caso de la imitación, el reforzamiento tampoco explica en sí la adquisición de la sintaxis. Gran parte del habla infantil es original y, por lo mismo, nunca ha sido reforzada. Aun cuando algunas formas sean alentadas y otras

La imitación desempeña una parte importante en el aprendizaje del lenguaje, sobre todo en las primeras etapas del desarrollo.

desalentadas, no sería posible reforzar todas las correctas y extinguir todas las incorrectas. Por más ininteligibles o incorrectas que sean, los adultos tienden a reforzar las expresiones orales, en especial cuando los niños empiezan a hablar. Tienden a fijarse más en el contenido que en la forma. Por ejemplo, si un niño dice "Me lavé las manos mías", seguramente sus padres lo elogiarán, salvo que —por supuesto— la afirmación sea falsa. En general, las investigaciones señalan que pocas veces los padres refuerzan la sintaxis correcta de sus hijos.

ESTRUCTURAS INNATAS DEL LENGUAJE El famoso lingüista Noam Chomsky (1959) señaló las limitaciones de la teoría fundada en la imitación y el condicionamiento, proponiendo en cambio que nacemos con estructuras cognoscitivas para adquirir el lenguaje. Este **mecanismo de adquisición del lenguaje** (a veces llamado "caja negra" por no ser una estructura orgánica real) permite al niño procesar la información lingüística y "extraer" las reglas con que se genera el lenguaje. Es decir, cuando el niño oye hablar a la gente, aprende de manera automática reglas y produce lenguaje a partir de ellas. El proceso se ajusta a una secuencia predecible; los niños están en condiciones de asimilar ciertas clases de reglas e información antes que otras clases. De acuerdo con Chomsky, los niños están programados para aprender el lenguaje y lo hacen en forma activa aunque no del todo consciente. Así, al principio adquieren reglas simples correspondientes a la gramática pivotal y luego, en los primeros años de vida, su sintaxis se vuelve cada vez más compleja y semejante a la de un adulto, conforme agregan palabras funcionales y efectúan otros ajustes.

Una prueba en favor del mecanismo de adquisición del lenguaje es la capacidad de los niños sordos para crear sistemas espontáneos de gestos parecidos al lenguaje de signos (Goldin-Meadow y Mylander, 1984). Otra es la observación de que, durante los seis primeros meses de vida, los niños sordos balbucean igual que los niños normales. Otra más es el hecho de que existen algunos universales lingüísticos que se encuentran en todas las culturas, a saber: la secuencia ordenada de desarrollo del balbuceo, de las primeras palabras y del habla telegráfica.

Sin embargo, la teoría de Chomsky ha recibido críticas. En primer lugar, no se cuenta con otras pruebas anatómicas de la existencia del mecanismo de adquisición del lenguaje, además de la observación de que los hemisferios cerebrales se especializan en determinadas funciones del lenguaje (vea el capítulo 6). En segundo lugar, el razonamiento de Chomsky es tautológico (Brown, 1973; Maratsos, 1983): ¿por qué los niños aprenden el lenguaje? Por la existencia de este mecanismo. ¿Y cómo sabemos que existe? Porque los niños aprenden el lenguaje. Hay otra crítica que se refiere a la hipótesis de Chomsky de que todas las lenguas se basan en una gramática común; los científicos no han logrado ponerse de acuerdo en cuál es (Moerk, 1989). A pesar de tales críticas, la teoría ha sido de gran utilidad y ha estimulado abundantes estudios sobre el desarrollo lingüístico del niño.

DESARROLLO COGNOSCITIVO El cuarto enfoque fundamental sobre la adquisición del lenguaje pone de relieve el nexo entre su aprendizaje y el desarrollo de las capacidades cognoscitivas del niño. Se basa en la observación de que las estructuras gramaticales más importantes no están presentes en el habla inicial del niño, sino que aparecen en forma progresiva con el tiempo. Para aprenderlas se requiere el desarrollo cognoscitivo previo (Bloom, 1970). Así, un patrón de habla en particular no surgirá antes que el niño tenga el concepto correspondiente. Entre el año y los cuatro y medio años, los niños construyen su propia gramática y se acercan paulatinamente a la gramática de los adultos. Sin embargo, en un momento dado son capaces de expresar sólo los conceptos que dominan.

Existen muchas semejanzas entre el desarrollo cognoscitivo y el del lenguaje. Más o menos en el momento en que el niño comienza a comprender la permanencia del objeto y se interesa por juegos que consisten en ocultar objetos y en encontrarlos, su lenguaje incipiente refleja esos procesos cognoscitivos con

mecanismo de adquisición del lenguaje Expresión con que Chomsky indica una serie de estructuras mentales que ayudan al hombre a aprender el lenguaje.

términos como "ver", "todo ido", "¿más?" y "adiós". El lenguaje y el vocabulario se centran en ir y venir, en esconder y ocultar. Más tarde, a medida que las posesiones captan su interés, aprende aspectos de la sintaxis que reflejan el caso posesivo: "Calcetín papá", "cama niño" y, al final "mío" y "taza de mamá". Al final del segundo año, suele aprender una serie de palabras nuevas, en especial nombres de objetos. Al parecer, este aprendizaje está vinculado a la incipiente capacidad de categorizar los objetos y acontecimientos de su mundo (de Villiers y de Villiers, 1992). En conclusión, el desarrollo del lenguaje y de la cognición a menudo se realizan al mismo tiempo.

REPASE Y APLIQUE

1. Defina los principales elementos del lenguaje y dé ejemplos de cada uno.
2. Distinga entre el lenguaje receptivo y productivo.
3. Describa la secuencia del desarrollo del lenguaje durante la infancia.
4. ¿Qué es el balbuceo y qué importancia tiene en el desarrollo lingüístico del infante?
5. Explique las consecuencias del habla holofrásica y de la telegráfica que aparece después.

RESUMEN

Neonatos

■ Los estados conductuales del recién nacido son seis: actividad en la vigilia, llanto, inactividad alerta, somnolencia, sueño regular y sueño irregular.

■ El niño llega al mundo provisto de reflejos de supervivencia (necesarios para adaptarse y sobrevivir) y reflejos primitivos (posiblemente importantes en algún momento de la historia evolutiva).

■ En el recién nacido se observa la habituación, modalidad de aprendizaje que consiste en acostumbrarse a los estímulos y luego dejar de responder a ellos.

■ En los primeros días de vida, se hace un examen neurológico y una evaluación conductual del niño.

Desarrollo físico y motor

■ Arnold Gesell pensaba que algunas conductas, como gatear y caminar, se deben a la maduración cuando el ambiente es normal. (En el diagrama de estudio en la página 132 se incluye un resumen de las competencias del infante.)

■ La investigación posterior reveló que los niños criados en diversos contextos sociales, culturales o históricos se pueden desarrollar de manera muy distinta.

■ En los primeros cuatro meses, la mayoría de los niños duplican su peso. Para los cuatro meses de edad, el cuerpo comienza a crecer y se alarga con mayor velocidad que la cabeza. Suelen desaparecer casi todos los reflejos.

■ A los cinco meses, el niño puede extender la mano, coger un objeto y acercárselo; a esta capacidad se le llama alcance guiado por la vista. Continúan perfeccionándose las habilidades motoras finas y lo mismo sucede con las habilidades motoras gruesas; la mayoría de los niños de ocho meses se sienta sin ayuda y muchos pueden sostenerse de pie apoyándose en algo.

■ La mitad de los niños de 12 meses se sostienen de pie y dan sus primeros pasos. Han desarrollado la destreza de atenazar con el pulgar opuesto al índice, y participan en juegos simples como hacer rodar un balón hacia adelante y hacia atrás.

■ A los 18 meses el niño cuadruplica su peso neonatal. Casi todos caminan solos. Apilan dos o cuatro bloques y se alimentan sin ayuda.

■ Los niños de dos años dominan varias habilidades motoras: saltar, lanzar objetos, subir escalones, manipular objetos y vaciar agua. Se visten y se desnudan sin ayuda.

■ La desnutrición en la infancia —ya sea por una cantidad insuficiente de alimento o por insuficiencia de ciertas clases de alimento— puede ocasionar serios efectos a largo plazo. Con programas de suplementos alimenticios se logran invertir algunos de ellos.

■ En términos generales, la leche materna es mejor para la salud del niño. Pero la alimentación con biberón no causa problemas a la mayoría de los niños en los países desarrollados.

Desarrollo sensorial y perceptual

■ Los investigadores se valen del paradigma de la novedad para calcular la diferencia mínima de un estímulo que detectan los niños de corta edad. En el método de la preferencia, se les permite elegir los estímulos que verán o escucharán. El paradigma de la sorpresa consiste en medir los cambios de la frecuencia respiratoria y cardiaca para evaluar reacciones de sorpresa.

- Los recién nacidos ejercen cierto control sobre los movimientos oculares y pueden seguir un objeto con la vista. Son selectivos en lo que miran, pues prefieren los patrones relativamente complejos como el rostro humano. Pueden imitar las expresiones faciales.

- En los primeros meses de vida mejoran con rapidez las capacidades visuales. Mejoran la capacidad de enfocar, la agudeza visual y la discriminación de colores. Los infantes de mayor edad controlan mejor los movimientos oculares y dedican más tiempo a explorar el ambiente.

- La visión binocular tarda unos cuatro meses en desarrollarse, pero los niños pueden servirse de las señales espaciales para reaccionar en forma defensiva.

- Los estudios relacionados con el "abismo visual" han demostrado que los infantes saben discriminar entre señales especiales de profundidad.

- El recién nacido puede responder a una amplia variedad de sonidos. Es muy sensible a los sonidos del habla.

- La agudeza auditiva mejora considerablemente en los primeros seis meses. A los cuatro meses, el niño distingue la voz de su madre de la de otra mujer.

- El gusto y el olfato funcionan por completo al nacer.

- Los sentidos están integrados (coordinados) en el momento del nacimiento, o bien la integración ocurre temprano y con rapidez.

Desarrollo cognoscitivo

- El desarrollo cognoscitivo designa el crecimiento y el perfeccionamiento de los procesos intelectuales. Según Piaget, esto ocurre en una serie de etapas que comienzan con el periodo sensoriomotor.

- El proceso de adaptación desarrolla y modifica los esquemas del infante. El niño introduce cambios pequeños en los patrones de sus actos para acomodarlos a objetos nuevos.

- En el desarrollo cognoscitivo del niño, el juego con objetos es importante y pasa por etapas identificables: comienza por exploraciones simples y después se convierte en un examen más riguroso, en el que el infante intenta utilizar los objetos de manera correcta. Finalmente se convierte en algo realista.

- La imitación comienza a los dos meses. Entre los seis o siete meses, el niño imita los gestos y las acciones con bastante exactitud.

- La permanencia del objeto es la conciencia de que las cosas existen en el tiempo y en el espacio, estén o no a la vista. Esta conciencia la adquiere el niño en forma gradual entre los ocho y los 18 meses. El seguimiento de los objetos y la búsqueda de los que

están escondidos presentan una secuencia predecible. El niño capta la idea de la permanencia de la persona un poco antes que la del objeto.

- Los infantes de muy corta edad parecen tener una poderosa memoria visual.

- La representación simbólica se manifiesta en la simulación, que comienza entre los seis y los 12 meses de vida.

- La teoría de Piaget ha sido criticada porque sus hallazgos no siempre son exactos. Algunos teóricos muestran escepticismo ante una teoría que se basa en etapas cualitativamente distintas.

- Los infantes de corta edad examinan lo que ven y oyen en busca de los usos que los objetos permiten (*affordances*).

- Los infantes son capaces de percibir algunas categorías del mismo modo que los niños mayores y los adultos.

- El desarrollo cognoscitivo se realiza dentro de un contexto social; los niños son guiados en la comprensión y en la adquisición de habilidades por compañeros más conocedores. Este aspecto del desarrollo lo subrayó Vygotsky, quien pensaba que le damos sentido a nuestro mundo sólo al aprender los significados compartidos con quienes nos rodean.

Desarrollo del lenguaje

- El lenguaje consiste en usar símbolos para comunicar información. Tiene tres dimensiones fundamentales: contenido (significado), forma (símbolos) y uso (intercambio social entre dos o más individuos). (Vea el diagrama de estudio de la página 156.)

- El lenguaje receptivo indica la comprensión de palabras y oraciones habladas o escritas. El lenguaje productivo consiste en generar lenguaje hablado o escrito.

- Los infantes distinguen todos los sonidos posibles del lenguaje humano. Mediante el balbuceo aprenden a emplear los sonidos necesarios para hablar la lengua de quienes los cuidan.

- La mayoría de los niños emiten las primeras palabras hacia el final del primer año. Sus expresiones son palabras aisladas, por lo general nombres de personas y cosas presentes en su entorno inmediato.

- El habla holofrásica consta de expresiones de una palabra que comunican ideas más complejas.

- Las primeras palabras del niño a menudo son sobrextensiones: generalizaciones que designan a todos los objetos similares.

- En la mitad del segundo año, el niño empieza a combinar palabras. Utiliza el habla telegráfica, que conserva los términos informativos y omite los menos importantes.

- Los principales procesos del aprendizaje del lenguaje son la imitación, el condicionamiento, las estructuras innatas y el desarrollo cognoscitivo. La idea de las estructuras innatas, propuesta por Chomsky, ha despertado controversias.

CONCEPTOS BÁSICOS

reflejos de supervivencia	método de la preferencia	forma
reflejos primitivos	paradigma de la sorpresa	uso
habituación	periodo sensoriomotor	lenguaje receptivo
método de habituación	adaptación	lenguaje productivo
habilidades motoras finas	permanencia del objeto	jerga expresiva
habilidades motoras gruesas	representación simbólica	habla holofrásica
atenazar	permisividad de los objetos	sobreextensiones
sensación	(usos potenciales o *affordances*)	habla telegráfica
percepción	zona de desarrollo proximal	gramática pivotal
paradigma de la novedad	contenido	mecanismo de adquisición del lenguaje

UTILICE LO QUE APRENDIÓ

¿Qué podemos aprender sobre el desarrollo mental de los infantes al observar su juego con objetos? Tome un objeto simple, digamos un juego de llaves en un llavero, y entrégueselo a niños de distintas edades. ¿Qué hacen con las llaves los de cuatro meses? ¿Y los de ocho, 12, 18 meses y de dos años de edad? ¿Qué usos potenciales (o *affordances*) percibidos intervienen en cada caso?

Recuerde que, en un principio, los niños se limitan a coger objetos y a succionar. Después golpean para crear un ruido, o quizá exploran visualmente el am-

biente mientras se pasan la llave de una mano a otra. Si un niño busca una puerta o un hoyo pequeño en el que desea introducir una llave, ¿qué edad tendrá? Si se sienta sobre un camión de juguete, gira las llaves en el aire y dice "brr, brr", ¿qué edad tendrá? Si tenemos en cuenta los vínculos tan estrechos de la percepción, el desarrollo motor y el cognoscitivo, ¿qué podemos decir sobre el desarrollo de la cognición de los infantes y de los niños que empiezan a caminar que observamos a nuestro alrededor?

LECTURAS COMPLEMENTARIAS

BARON, N. S. (1993). *Growing up with language: How children learn to talk.* Reading, MA: Addison-Wesley. Este profesor de lingüística describe cómo el ser humano crea el habla y el lenguaje. Libro escrito en forma muy amena.

BRAZELTON, T. B. (1994). *Infants and mothers: Differences in development* (edición revisada). Nueva York: Delta/Seymour Lawrence. En esta obra se describe a tres parejas de hijo y madre con distinta personalidad y temperamento poco después del parto y en algunos periodos durante los dos primeros años de vida. El libro está escrito con un estilo muy legible.

EISENBERG, A., MURKOFF, H. E. Y HATHAWAY, S. E. (1996). *What to expect the first year* (edición revisada). Nueva York: Workman Publishing. Guía muy completa que explica, mes a mes, todo lo que los padres necesitan saber acerca del primer año con su hijo recién nacido.

ELKIND, D. (1993). *Images of the young child.* Washington, DC: National Association for the Education of Young Children. Encantadora recopilación de ensayos escritos por este psicólogo erudito, conocido y controvertido.

FIELD, T. (1990) *Infancy.* Cambridge, MA: Harvard University Press. Volumen de una serie popular y muy amena titulada *Developing Child.* El libro analiza las investigaciones más recientes sobre infantes y pone de relieve sus extraordinarias habilidades. También ofrece aplicaciones a cuestiones prácticas como las guarderías, el consumo de drogas por parte de la madre y los niños de alto riesgo.

LEACH, P. (1997). *Your baby, your child: From birth to age five.* Nueva York: Knopf. Una de las mejores guías para padres sobre niños, su salud y sus experiencias desde antes del nacimiento hasta la etapa preescolar. Refleja las realidades de los estilos de vida cambiantes de nuestros días y nuevas formas de educar a los hijos.

SIEGLER, R. (1991). Children's thinking (2a. edición). Englewood Cliffs, NJ: Prentice-Hall. Excelente libro que integra las investigaciones más recientes y los temas centrales de varias perspectivas teóricas. Ofrece una síntesis coherente del desarrollo cognoscitivo desde la infancia hasta la adolescencia.

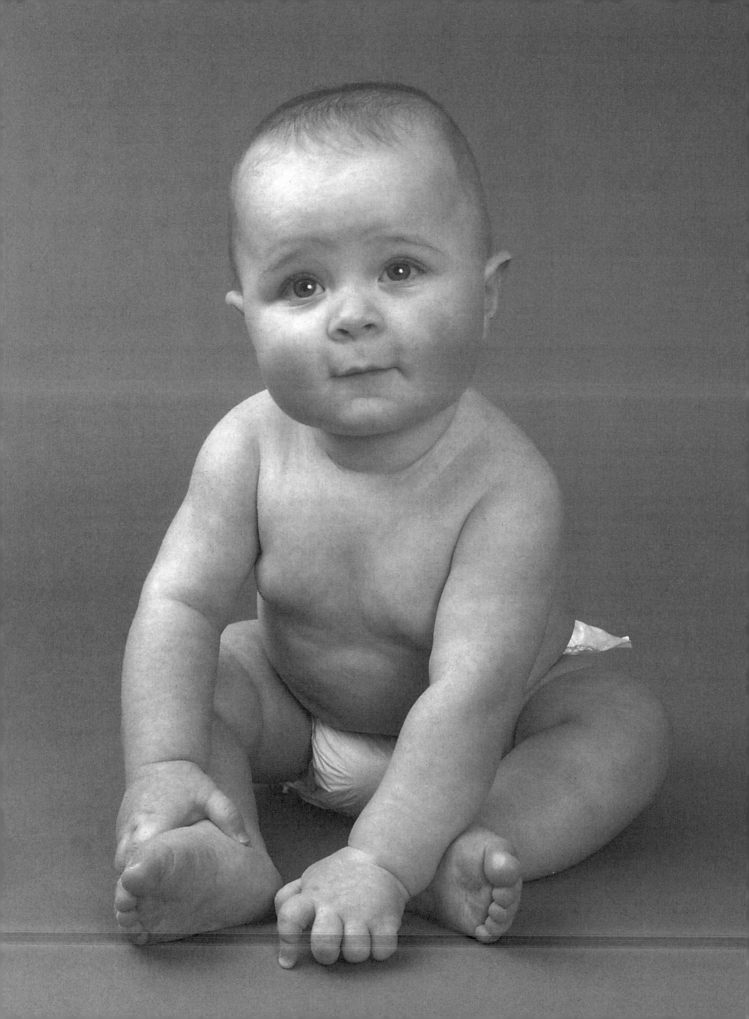

Desarrollo de la personalidad y socialización en la infancia

CAPÍTULO

5

OBJETIVOS DEL CAPÍTULO

Cuando termine este capítulo, podrá:

1. Mencionar los hitos del desarrollo emocional del niño.
2. Explicar el proceso de apego entre el bebé y el cuidador primario.
3. Caracterizar el creciente repertorio de respuestas emocionales del infante.
4. Mencionar los factores más importantes que influyen en la calidad de la relación entre el niño y el cuidador primario.
5. Examinar los problemas de apego que afrontan las familias que tienen hijos con necesidades especiales.
6. Describir el apego del bebé con el padre, los hermanos y los abuelos.
7. Comparar los efectos que algunas prácticas de crianza del niño tienen en el desarrollo de su personalidad durante el segundo año de vida.
8. Explicar las consecuencias que el desempleo de los padres tiene en el cuidado del niño y en su desarrollo psicosocial.

El niño nace en un ambiente rico en expectativas, valores, normas y tradiciones. Todo ello, junto con otras circunstancias, contribuirá a moldear su **personalidad:** creencias, actitudes y formas especiales de interactuar con la gente. Desde un punto de vista diferente, se le **socializa** durante los dos primeros años de vida: empieza a aprender y a asimilar normas sociales de conducta, leyes, reglas y valores, tanto escritos como no escritos. Más tarde aprenderá a vivir con las contradicciones e hipocresías de la sociedad. Por otra parte, a medida que crece, ayuda a moldear su propia personalidad: acepta o rechaza de manera activa las reglas y las normas, en vez de ser receptor pasivo de la socialización.

Los recién nacidos no tienen conciencia de sus relaciones con las personas que los rodean. Al nacer, no distinguen entre el yo y los otros, entre varón y mujer ni entre niño y adulto. Tampoco se forman expectativas respecto a la conducta ajena: las cosas simplemente suceden o no. En otras palabras, en un principio viven en el presente y todo lo que no se halla al alcance de su vista está "fuera de la mente", como dijimos en el capítulo 4 al hablar de la adquisición de la permanencia del objeto.

En los dos primeros años de vida se operan cambios drásticos. El recién nacido empieza a percatarse del ambiente y de la forma en que interactúa con él, de la sensibilidad o insensibilidad del mundo que lo rodea y de que puede hacer algunas cosas por sí mismo o conseguir ayuda en caso necesario. Cuando empieza a caminar, cobra mayor conciencia de las relaciones familiares y de lo que es "bueno" o "malo". Se da cuenta de que es hombre o mujer y empieza aprender cómo el género impone ciertos estilos de conducta en la persona.

Sin embargo, los recién nacidos no están desprovistos de un **temperamento**. Llegan al mundo con ciertos estilos de conducta que, tomados en conjunto, constituyen el temperamento. Algunos son más sensibles a la luz o los sonidos fuertes y repentinos. Otros reaccionan de manera más rápida e intensa al malestar. Y otros más son exigentes, plácidos, activos y vigorosos. La mayoría de los niños encajan en una de tres categorías (Thomas y Chess, 1977): *fáciles* (a menudo de

personalidad Creencias, actitudes y formas características de interactuar con la gente.

socialización Proceso mediante el cual aprendemos las reglas de nuestra sociedad, sus leyes, sus normas y valores.

temperamento Estilos conductuales innatos.

buen humor y predecibles), *difíciles* (con frecuencia irritables e impredecibles) y *lentos para responder* (malhumorados y poco sensibles a la atención). Como veremos, el temperamento en esta etapa puede tener una repercusión profunda en la calidad de las primeras interacciones con sus progenitores.

En este capítulo examinaremos cómo se desarrolla la personalidad del niño en la relación con quienes cuidan de él y con otras personas. Nos concentraremos en las primeras relaciones, o sea, las que crean patrones para el establecimiento de relaciones futuras y para adquirir las actitudes, expectativas y conductas básicas. En concreto, estudiaremos: el desarrollo social y emocional del niño durante sus dos primeros años de vida; el proceso de apego con el cuidador primario, por lo general la madre; los factores que influyen en la calidad de las primeras relaciones; los vínculos emocionales del niño con su padre, con sus hermanos y abuelos; y los efectos que el empleo de los padres puede tener en el desarrollo psicosocial.

DESARROLLO SOCIAL Y EMOCIONAL EN LA INFANCIA

En la vida, el individuo participa en varias e importantes relaciones interpersonales. La primera, sin duda la de mayor influencia, se da con la madre y con otras personas que lo atienden (denominados cuidadores primarios). La relación suele establecerse con firmeza a los ocho o nueve meses. Desde mediados de los años sesenta, los psicólogos se han servido del término **apego** para designar la primera relación —que se caracteriza por interdependencia, sentimientos mutuos intensos y fuertes vínculos emocionales.

PRIMERAS RELACIONES

Los niños pasan por fases de crecimiento emocional y social que culminan en el establecimiento de sus primeras relaciones. Aunque los estados emotivos del recién nacido son pocos y consisten principalmente en malestar y en un interés relajado, pronto aparece una amplia gama de emociones orientadas al yo: tristeza, ira, repugnancia y placer. Éstas se ven favorecidas y adquieren significado dentro del contexto de las relaciones. Más adelante, sobre todo en el segundo año, surgen las emociones de índole social —orgullo, vergüenza, desconcierto, culpa y empatía— a medida que el pequeño se conoce mejor a sí mismo y a los otros. Stanley y Nancy Greenspan (1985) describen seis etapas del desarrollo emocional del infante y del preescolar en las primeras relaciones. Las sintetizamos en la tabla 5-1. Advierta que, como en el resto de las etapas del desarrollo, la cronología varía de un niño a otro, pero se supone que su orden no cambia: cada una se basa en la anterior.

EL PROCESO DEL APEGO

Es importante examinar los mecanismos por los que se establece el apego, pues éste es esencial para el desarrollo psicosocial global. Mary Ainsworth (1983) define este tipo de conductas como aquellas que favorecen ante todo la cercanía con una persona *determinada*. Entre estos comportamientos figuran los siguientes: señales (llanto, sonrisas, vocalizaciones), orientación (mirada), movimientos relacionados con otra persona (seguir, aproximarse) e intentos activos de contacto físico (subir, abrazar, aferrarse). El apego es mutuo y recíproco; es decir, funciona en ambas direcciones y consiste en compartir experiencias de un modo cooperativo (Kochanska, 1997). Así, el apego del niño con el cuidador se relaciona con el apego de éste con aquél.

apego Vínculo que se crea entre un niño y otro individuo. El primer apego se caracteriza por una gran interdependencia, por sentimientos mutuos de mucha intensidad y por vínculos emocionales muy sólidos.

TABLA 5–1 HITOS DEL DESARROLLO EMOCIONAL TEMPRANO

1. *Autorregulación e interés en el mundo: del nacimiento a los tres meses.* En las primeras semanas de vida, el niño intenta sentirse regulado y tranquilo, pero al mismo tiempo trata de valerse de sus sentidos y explorar el mundo que lo rodea. Busca el equilibrio entre la estimulación excesiva y escasa. Poco a poco se vuelve más sensible a los estímulos sociales pues realiza una conducta orientadora y de señales (llora, vocaliza, sigue los estímulos visuales) para establecer contacto. En esta etapa, no discrimina entre los cuidadores primarios y otras personas: reacciona en forma muy semejante ante todos.

2. *Enamoramiento: de los dos a los siete meses.* A los dos meses, los niños autorregulados se muestran más alertas ante el mundo. Reconocen los rostros familiares y concentran cada vez más la atención en los cuidadores importantes para ellos que en los extraños. Ahora el mundo humano les parece placentero y emocionante y lo demuestran. Sonríen con facilidad y responden con todo el cuerpo.

3. *Inicio de la comunicación intencional: de los tres a los 10 meses.* Este hito coincide en gran parte con el anterior, sólo que ahora los niños empiezan a entablar diálogos. Con la madre comienza divertidas interacciones de tipo comunicativo: se ven, realizan juegos breves y hacen pausas. Lo mismo hacen con sus padres y con los hermanos.

4. *Aparición de un sentido organizado del yo: de los nueve a los 18 meses.* Los niños de un año pueden hacer más cosas sin ayuda y asumir un rol más activo en la asociación emocional con su madre y con su padre. Con señales, manifiestan sus necesidades de manera más eficaz y exacta que antes. Empiezan a valerse de palabras para comunicarse. Ya exteriorizan varias emociones: enojo, tristeza y felicidad. Al terminar este periodo tienen un sentido del yo.

5. *Creación de ideas emocionales: de los 18 a los 36 meses.* Los niños pueden ahora simbolizar, fingir y formarse imágenes mentales de las personas y de los objetos. Conocen el mundo social con juegos en que fingen y crean cosas imaginarias. Ahora que poseen el sentido del yo, sienten necesidades ambivalentes de autonomía y dependencia. En esta etapa, se amplía su repertorio emocional y éste comprende emociones sociales como la empatía, el desconcierto y, en forma gradual, la vergüenza, el orgullo y la culpa. Es una expansión que coincide con el nuevo sentido del yo y con un mejor conocimiento de las reglas sociales.

6. *Pensamiento emocional: base de la fantasía, la realidad y la autoestima: de los 30 a los 48 meses.* En este periodo, la reciprocidad de las relaciones estrechas con personas importantes se ha convertido en una especie de asociación. Los niños pequeños distinguen entre lo que el cuidador espera de ellos y pueden tratar de modificar su conducta para corresponder a las expectativas, con lo que alcanzan sus propias metas.

Ainsworth describe las conductas antes mencionadas como criterios del apego, porque si no ocurren puede ser difícil establecerlo. Pongamos, por ejemplo, lo difícil que sería para una madre establecer un vínculo emocional con un pequeño que le aprieta los brazos en vez de abrazarla. ¿Y qué sucedería si un bebé no sonriera ni vocalizara mucho frente a un cuidador? Ainsworth y sus colegas (1979) han descubierto que el apego mutuo puede no darse, cuando a un niño le molesta que lo toquen o presenta una discapacidad como la ceguera.

Por tanto, el niño y el cuidador deben adoptar conductas que favorezcan el apego. En general, los comportamientos del primero invitan a respuestas afectuosas por parte del segundo, quien no sólo lo alimenta y atiende sus necesidades físicas, sino que además se comunica con él, hablándole, sonriéndole y tocándolo. Las acciones del niño hacen que el cuidador adopte ciertas conductas y a su vez las de éste tienen el mismo efecto.

¿Es el apego una respuesta condicionada o intervienen en éste necesidades innatas? Durante largo tiempo, los psicólogos del desarrollo orientados al condicionamiento pensaron que el apego se daba al cubrir la pulsiones primarias del infante como el hambre y la sed. En esencia, mediante el condicionamiento clásico aprende a asociar la cercanía del cuidador con la reducción de las pulsiones primarias (Sears, 1963). Por su parte, los psicoanalistas sostenían que los primeros vínculos emocionales del niño se dan cuando se satisfacen sus necesidades: cuando se atienden, el niño se forma una imagen interior positiva de la madre. Pero las investigaciones experimentales con animales señalan que la satisfacción de pulsiones no es más que una parte de cómo se forman los primeros apegos, según se explica en "Tema de controversia" de la página 172.

Según el psicólogo y etólogo británico John Bowlby (1973), el bebé nace con conductas programadas que mantienen cerca a sus padres y los hacen sensibles. Desde este punto de vista, las conductas han evolucionado en el hombre y en otros animales en parte porque mejoran las probabilidades de que el niño sea protegido contra el peligro, con lo cual logra sobrevivir, alcanzar la madurez sexual y transmitir los genes a la siguiente generación.

Bowlby propuso que las conductas programadas influyen por igual en el infante y el cuidador. El apego se inicia gracias a éstas y luego se mantiene debido a consecuencias positivas como la cercanía física y el afecto entre madre e hijo, la reducción del hambre y de otras pulsiones, y el bienestar. Su teoría combina, pues, la herencia y el ambiente al explicar el surgimiento y la conservación del apego. Según Bowlby, el apego del infante con el cuidador primario se internaliza como un modelo de trabajo —o esquema— al final del primer año. El niño lo usa para predecir, interpretar y responder a la conducta de su madre. Una vez constituido el modelo, tenderá a mantenerlo aun cuando cambie la conducta del cuidador. Así, por ejemplo, una madre que ofrece pocos cuidados a su hijo por alguna enfermedad prolongada será rechazada por el niño cuando ella se recupere, porque el modelo de trabajo del pequeño contiene sentimientos previos de rechazo. Por tanto, la conducta del hijo hará que a la madre le resulte más difícil adoptar una actitud solícita (Bretherton, 1992).

En suma, Bowlby y Ainsworth (1973; Ainsworth y otros, 1978) estaban convencidos de que la naturaleza de la interacción entre progenitor e hijo debida a la aparición del apego en los dos primeros años de vida sienta las bases de las relaciones futuras. Esta observación nos recuerda mucho la teoría del desarrollo psicosocial temprano de Erikson, expuesta en el capítulo 1.

COMUNICACIÓN EMOCIONAL Y APEGO

Las conductas de apego de la madre y del hijo evolucionan en forma gradual y constituyen un sistema *dinámico* en el cual las acciones del pequeño influyen de manera recíproca en las de ella y a la inversa (Fogel y otros, 1997). Por ejemplo, un niño fácil y sociable que busca un contacto estrecho y obtiene placer de éste podrá alentar incluso a la madre más inexperta. En cambio, un niño difícil y exigente interrumpe los esfuerzos del cuidador por calmarlo o por establecer una interacción recíproca (Belsky y otros, 1984; Lewis y Feiring, 1989).

Para profundizar en el sistema bidireccional de comunicación afectiva (emocional) que define la interacción del niño con el cuidador primario durante los primeros seis meses de vida, Ed Tronick (1989) diseñó un experimento que se concentraba en expectativas mutuas de padres e hijos. En lo que llamó experimento del "rostro inexpresivo", primero pedía a los padres que se sentaran y jugaran de manera habitual con su hijo de tres meses. Los patrones del juego diferían en forma notable entre las parejas de progenitores e hijos, pero en todos los casos llegaba el momento en que el niño se alejaba o cerraba los ojos antes de seguir divirtiéndose.

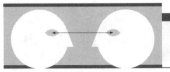

TEMA DE CONTROVERSIA

GANSOS, MONOS Y SERES HUMANOS

Hace medio siglo Konrad Lorenz (1903-1989), zoólogo y etólogo austríaco, observó que las crías de los gansos comenzaban a seguir a su madre poco después de romper el cascarón. Creaban un vínculo importante que ayudaba a la madre a protegerlos y a entrenarlos. Un descubrimiento interesante de Lorenz fue que los ansarinos huérfanos lo seguían a él como si fuera su madre a unas cuantas horas después de la eclosión. Era un patrón más o menos permanente, a veces hasta molesto por su persistencia. Algunos de los gansos silvestres preferían pasar la noche en la recámara de Lorenz a hacerlo en las riberas del Danubio.

El periodo crítico de la *impronta* —establecimiento del vínculo entre los gansos y su madre— ocurre poco después de romper el cascarón, cuando las crías son lo bastante fuertes como para desplazarse, pero antes de adquirir un miedo intenso a los objetos grandes en movimiento. Si se retrasa la impronta, los gansos sentirán temor de la madre o sólo desistirán y se debilitarán, cansarán y parecerán apáticos.

Los investigadores no coinciden en las semejanzas entre la impronta en las aves y la conducta de apego del hombre. No se cuenta con pruebas contundentes de que exista un periodo crítico para que se establezca este vínculo en los seres humanos. Tal vez los progenitores y su hijo sean muy responsivos a la vinculación en los primeros días que siguen al nacimiento, pero difícilmente se trata de un periodo crítico. Por lo demás, el niño debe establecer cierta clase de relación con uno o varios cuidadores importantes durante los primeros ocho meses de vida para que el desarrollo se realice de modo normal. Los monos tienen nexos biológicos más estrechos con el hombre; de ahí que los estudios sobre su desarrollo —y privación— social contribuyan más a conocer el desarrollo humano que los estudios

Los gansos criados por Konrad Lorenz, durante el periodo crítico de la impronta, lo seguían a él como si fuera la madre real.

En los estudios de Harlow sobre el apego, los monitos mostraron una clara preferencia por una madre sustituta de felpa, en lugar de una madre de alambre, sin importar cuál les proporcionaba el alimento.

sobre los gansos. Una serie importante de observaciones sobre la privación social en los monos comenzó de manera un tanto accidental, cuando Harry Harlow (1959) estudiaba su aprendizaje y su desarrollo conceptual. Para controlar el ambiente de aprendizaje, Harlow decidió criarlos por separado de la madre, con lo cual excluía la influencia que ésta ejercía como maestra y modelo. Harlow descubrió de manera casual que la separación de la madre causaba un efecto desastroso en los monos. Algunos morían. Otros se aterrorizaban, se mostraban irritables y se negaban a comer o jugar. Era evidente que necesitaban algo más que una alimentación regular para crecer y desarrollarse.

Harlow y sus colegas efectuaron en seguida experimentos con madres sustitutas artificiales (Harlow y Harlow, 1962). Por cada cría había una madre sustituta de alambre con un biberón con que se le alimentaba y una madre sustituta cubierta con tela de felpa de la que no recibía alimento. A pesar de la comi-

da obtenida de la madre de alambre, las crías mostraban una preferencia clara por la madre de felpa: pasaban más tiempo abrazados y vocalizando con ella; corrían hacia ella cuando se sentían atemorizados. Así pues, Harlow propuso que la comodidad del contacto es un factor importante del apego temprano.

Sin embargo, los monos que fueron criados con madres sustitutas no se desarrollaban con normalidad. Ya adultos, rehuían a los otros o los atacaban y no realizaban una actividad sexual normal. Las investigaciones subsecuentes indican que esta privación puede compensarse con el contacto con otros monos de corta edad (Coster, 1972). Las crías que se desarrollan con madres sustitutas y luego tienen la oportunidad de jugar con otros monos aprenden una conducta social bastante normal. En conclusión, la interacción social mutuamente responsiva es indispensable para que los monos se desarrollen de modo normal; y parece lógico generalizar esta conclusión a los seres humanos.

Al cabo de tres minutos, el experimentador indicaba a los padres que dejaran de comunicarse con su hijo. Les decía que siguieran observándolo, pero que pusieran una expresión facial neutra, inexpresiva. Los niños respondían con sorpresa e intentaban animarlos con sonrisas, con ruidos y actividad general, pero los padres mantenían la misma expresión. Luego de algunos minutos, la conducta de los niños empezaba a deteriorarse. Dirigían la vista a otra parte, se chupaban el pulgar y manifestaban angustia. Algunos empezaban a sollozar y a llorar; otros emitían respuestas involuntarias como babeo e hipo. Así, aunque los padres seguían presentes y los atendían, de repente e inesperadamente resultaban inaccesibles desde el punto de vista emocional, y a los niños les resultaba difícil adaptarse al cambio. Este experimento demostró sin lugar a dudas la fuerza y la importancia de la comunicación emocional entre los cuidadores y los niños incluso de tres meses de edad. De acuerdo con Tronick (1989), esta comunicación es uno de los factores determinantes del desarrollo emocional. El niño no puede alcanzar sus metas interactivas cuando falla el sistema de comunicación recíproca y bidireccional, como, por ejemplo, cuando el cuidador primario sufre una depresión o enfermedad crónicas.

Hacia los siete meses, los niños empiezan a mostrarse recelosos con los extraños. Esta ansiedad ante los extraños marca un hito en su desarrollo social.

EL APEGO Y LA ANSIEDAD ANTE LOS EXTRAÑOS Y LA SEPARACIÓN

Un hito en el establecimiento de las relaciones de apego es la aparición de la **ansiedad ante los extraños** y de la **ansiedad ante la separación.** Ni los pediatras ni los psicólogos trazan una distinción clara entre ambas y las designan simplemente como "la ansiedad de los siete meses", porque a menudo aparecen en forma repentina a esa edad. Los niños que antes sonreían, eran afables, amistosos y receptivos con los extraños de pronto empiezan a temerles y a rechazarlos. Además, muestran una angustia extrema, así sea por un momento, al quedarse solos en un lugar extraño. Muchos no sufren una intensa ansiedad ante los extraños ni ante la separación, pero en quienes sí la padecen las reacciones se prolongan en lo que resta del primer año de vida y durante gran parte del segundo.

LA HIPÓTESIS DE LA DISCREPANCIA   En general, los psicólogos ven en la ansiedad ante los extraños y ante la separación un signo del desarrollo intelectual del niño. Conforme maduran los procesos cognoscitivos, el pequeño va adquiriendo esquemas de lo conocido y se percata de todo lo nuevo o distinto. Distingue a los cuidadores de los extraños, y se da cuenta si el primero se ausenta. Por tanto, según la **hipótesis de la discrepancia**, el niño sufre ansiedad cuando se da cuenta de que algo altera lo conocido o lo esperado (Ainsworth y otros, 1978). La ansiedad se debe a que, por la conciencia recién adquirida, el pequeño sabe que la presencia del cuidador garantiza seguridad. Todo parece seguro cuando los cuidadores conocidos están presentes, pero no cuando se ausentan.

Algunos psicólogos consideran que a los nueve meses la reacción de ansiedad se complica aún más con el aprendizaje. Wanda Bronson (1978) descubrió que los niños de esa edad lloran algunas veces cuando advierten la presencia de un extraño, aún antes que se les acerque. El llanto significa que quizá han tenido experiencias negativas con los desconocidos y prevén otro encuentro desafortunado. Pero el proceso de aprendizaje puede ser aún más sutil. Quizá la madre hace señales a su hijo mediante la expresión facial o el tono de su voz. En un estudio, se preparó a un grupo de madres de niños de ocho y nueve meses para que fruncieran el ceño, abrieran más los ojos, relajaran los labios y con otros gestos mostraran preocupación mientras saludaban a un desconocido con un "hola" forzado. A un segundo grupo se le preparó para que mostrara gusto con una sonrisa y un "hola" entusiasta. Según lo previsto, los niños entendieron bien las señales de su madre: aquellos cuyas madres mostraron gus-

ansiedad ante extraños y ante la separación   Miedo del niño a los extraños o que lo separen de quien lo cuida. Ambos tipos de ansiedad aparecen en la segunda mitad del primer año de vida e indican, en parte, una nueva capacidad cognoscitiva para responder a las diferencias del ambiente.

hipótesis de la discrepancia   Teoría cognoscitiva según la cual, hacia los siete meses, el niño adquiere los esquemas de objetos familiares. Cuando se le presenta una imagen y un objeto que difieren de los ya conocidos, siente incertidumbre y ansiedad.

to sonreían más y lloraban menos cuando el desconocido los tomaba en brazos que aquellos cuyas madres manifestaron preocupación (Boccia y Campos, 1989). A las señales emocionales de la madre se les da el nombre de **referenciación social** (proceso que investigaremos con detenimiento más adelante en el capítulo). Mediante las señales emocionales los progenitores ayudan a los infantes y a los niños que empiezan a caminar a adaptarse a los extraños y a situaciones nuevas, controlando sus reacciones emocionales y dándoles tiempo de *aclimatarse* (Feiring y otros, 1984).

La ansiedad ante los extraños también marca un hito en el desarrollo social (Bretherton y Waters, 1985). Una vez que el niño aprende a identificar al cuidador como fuente de comodidad y de seguridad, se sentirá libre para explorar objetos nuevos mientras esté con él. Los niños que no exploran y prefieren mantenerse al abrigo de la madre pierden oportunidades de nuevo aprendizaje. Por otra parte, también pueden presentar desajuste quienes se dejan mimar con facilidad por extraños o quienes manifiestan malestar al ser devueltos a su madre (Sroufe y Fleeson, 1986). Estos últimos pueden sufrir una ansiedad generalizada y no resuelta ante sus cuidadores, lo cual puede influir en su desarrollo emocional. Consulte el recuadro "Estudio de la diversidad" en la página 175, donde se explica lo que sucede a los niños cuando las circunstancias evitan o alteran el apego.

Como veremos en la siguiente sección, la ansiedad ante los extraños y ante la separación sirve para evaluar la *calidad* del apego entre infante y cuidador.

REPASE Y APLIQUE

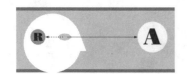

1. ¿Qué es el apego y qué importancia tiene en la relación entre el infante y el cuidador primario?
2. Explique el punto de vista etológico del apego propuesto por Bowlby.
3. ¿Qué nos indica la ansiedad ante los extraños y ante la separación respecto del desarrollo emocional?

PATRONES DE LAS PRIMERAS RELACIONES

Los niños de todo el mundo suelen emitir respuestas semejantes al ambiente social; poco a poco establecen relaciones de apego con los cuidadores primarios. Aunque la secuencia de desarrollo en estas relaciones es bastante uniforme de una cultura a otra, los detalles varían muchísimo según la personalidad de los padres, las prácticas de crianza, el temperamento y la personalidad del niño.

¿Cómo evaluamos la calidad de la relación entre niño y cuidador primario? Como veremos, en las culturas occidentales los investigadores se han concentrado en la seguridad del apego, la responsividad de la madre y sus efectos en el niño, en las relaciones mutuas con los cuidadores primarios y en los apegos múltiples en comparación con los exclusivos.

Sin embargo, si queremos tener una idea más amplia vale la pena adoptar una perspectiva transcultural del apego. En Estados Unidos y en gran parte de Europa Occidental, los especialistas suponen que una sola relación primaria -por lo regular con la madre- es ideal para lograr un desarrollo sano del niño. La relación es mutuamente responsiva y se caracteriza por la participación en

referenciación social Señales emocionales sutiles, por lo general provenientes de los progenitores que influyen en la conducta del niño.

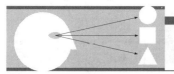

ESTUDIO DE LA DIVERSIDAD

REACCIONES ANTE LA SEPARACIÓN Y LA PÉRDIDA

Si el apego es esencial para el desarrollo normal y si este tipo de relaciones pasa por etapas predecibles, ¿qué le sucede al niño que no las logra o cuyo progreso hacia el apego queda interrumpido?, ¿qué le sucede al que crían muchos cuidadores en un orfelinato?, ¿qué le sucede al que pasa mucho tiempo en un hospital?, ¿y qué decir del que ha comenzando a establecer relaciones de apego y se ve separado en forma repentina del cuidador?

La privación social produce un efecto devastador en el desarrollo emocional. El niño atendido por numerosos cuidadores que sólo satisfacen sus necesidades básicas no establece una relación de apego. Las respuestas mutuas con el cuidador no son consistentes; tampoco se da la interacción social que permite expresar la emoción (Bowlby, 1973, 1980, 1988). Por lo regular, observamos en él apatía, retraimiento y un mal funcionamiento que distorsionan el desarrollo de la personalidad.

Cuando los niños con apego seguro se ven separados de sus padres por una hospitalización prolongada o por una pérdida suelen presentarse reacciones muy drásticas. Bowlby (1973) las divide en tres etapas: protesta, desesperación y desapego. Al principio el niño protesta y no acepta la separación; después llora y grita negándose a responder a quien intente consolarlo. Y luego entra en una etapa de desesperación, en que se aísla, adopta una actitud muy callada y da la impresión de haber perdido toda esperanza. Por último comienza a aceptar la atención de otras personas y parece recobrarse, aunque reacciona con indiferencia si regresa el cuidador primario. ¿Se ha recuperado de verdad? Bowlby (1960, página 143) resume la situación en los siguientes términos:

> Un niño recluido en una institución o en un hospital que ha alcanzado este estado no se sentirá ya molesto cuando cambie la enfermera o se marche. Dejará de expresar sus sentimientos cuando lleguen y se vayan los padres el día de visita; a éstos puede causarles dolor cuando se dan cuenta que le interesan mucho los regalos y poco ellos como entidades sociales. Al niño se le verá feliz y adaptado a su nueva situación, sereno y sin temor a nadie. Pero la sociabilidad es superficial: al parecer ya no le importa nadie.

Como se advierte en la descripción anterior, es fácil subestimar la complejidad de las reacciones y la conducta emocional de los niños de corta edad.

---

juegos y por diálogos interactivos. Pero no siempre es así en muchas otras culturas. Por ejemplo, en algunas, el bebé tiene estrecho contacto físico con los cuidadores —a veces lo cargan en la espalda o lo duermen con ellos—, pero sin que realice interacciones cara a cara frecuentes. En otras culturas, a la relación primaria entre adulto y niño la complementan otras relaciones. Las abuelas, las tías, los padres, los hermanos y los vecinos se turnan para cuidarlo. Se establece un apego saludable en la medida en que estas relaciones son estables. En conclusión, aún admitiendo la importancia de la calidad de las relaciones, muchas variantes culturales y subculturales favorecen un apego sano.

CALIDAD DEL APEGO

La *prueba de la situación desconocida* de Mary Ainsworth (1973) sirve para evaluar la calidad del apego del niño con el cuidador primario. La prueba es una especie de minidrama con un reparto de personajes: la madre, su hijo de un año y un extraño. El escenario es una sala de juegos desconocida que contiene juguetes. En la tabla 5-2 se resumen las ocho escenas del minidrama y lo que se observa en cada una.

Con esta situación de prueba, Ainsworth descubrió tres tipos básicos de apego. Entre 60 y 70 por ciento de los niños de clase media establecen un **apego seguro.** Se separan sin problemas de su madre y empiezan a explorar la sala, aun cuando esté presente el extraño. A veces se sienten molestos cuando su madre se marcha, pero la saludan con amor y se calman de inmediato cuando regresa. La investigación correlacional de Ainsworth indica que estos niños

apego seguro   Fuerte vínculo emocional entre el niño y quien lo atiende que se debe a un cuidado sensible y afectuoso.

TABLA 5–2 PARDIGMA DE AINSWORTH DE LA SITUACIÓN DESCONOCIDA*

EPISODIO	ACONTECIMIENTOS	VARIABLE OBSERVADA
1	El experimentador introduce a los padres y al niño en la sala y luego se marcha.	
2	El progenitor está sentado mientras el niño se divierte con juguetes.	El progenitor como base segura
3	Entra un extraño, se sienta y habla con el padre.	Reacción frente a un adulto desconocido
4	El progenitor se marcha; el extraño responde al niño y lo consuela si está molesto.	Ansiedad ante la separación
5	El padre regresa, saluda al niño y lo consuela si lo necesita; el extraño se marcha.	Reacción ante la reunión
6	El padre sale del cuarto; el niño se queda solo.	Ansiedad ante la separación
7	El extraño entra en el cuarto y ofrece consuelo.	Susceptibilidad a ser calmado por un extraño
8	El padre regresa, saluda al niño y lo consuela si lo necesita; trata de que el niño vuelva a interesarse en los juguetes.	Reacción ante la reunión

*Aunque cada episodio dura unos tres minutos, los de separación pueden reducirse si al niño se le ve muy inquieto.
Fuente: Ainsworth y otros, (1978).

sostenían interacciones cálidas, afectuosas y responsivas con su madre durante los 12 meses anteriores a la evaluación. Los estudios de seguimiento revelan que los niños con apego seguro son más curiosos, sociables, independientes y competentes que sus compañeros a la edad de dos, tres, cuatro y cinco años (Matas y otros, 1978; Sroufe y otros, 1983; Waters y otros, 1979). Confirman, además, las predicciones de Erikson, mencionadas en el capítulo 1, sobre los efectos que un sentido temprano de confianza tiene en el desarrollo posterior.

Ainsworth comprobó que el resto de los niños —cerca de la tercera parte— había establecido un **apego inseguro**. Éste presenta dos modalidades: en la primera, el niño se enoja cuando la madre se ausenta y la evita cuando regresa; en la segunda, responde a la madre de un modo ambivalente, buscando y rechazando al mismo tiempo su afecto. Las dos modalidades se asocian a menudo con un cuidado poco sensible, indiferente y, quizá, de resentimiento durante el primer año de vida.

Las investigaciones longitudinales en que se compararon los dos tipos básicos de apego (Sroufe, 1977, Arend y otros, 1979; Bretherton y Walters, 1985) han revelado grandes diferencias en el desarrollo social y de la personalidad a partir de los 18 meses de edad. Los niños con un apego seguro eran más entusiastas, perseverantes y cooperativos que los inseguros en las dos categorías. A los dos años lograban una convivencia más satisfactoria con sus compañeros. Inventaban de manera espontánea juegos más imaginativos y simbólicos. Después, en la primaria, mostraban mayor persistencia en el trabajo y más deseos de aprender nuevas destrezas; manifestaban además habilidades sociales muy desarrolladas en la interacción con los adultos y con los compañeros, todo ello muy acorde con las etapas propuestas por Erikson de autonomía o vergüenza y duda, y de iniciativa o culpa.

apego inseguro Resultado de cuidados inconstantes o poco afectuosos.

Muchos otros estudios han aportado resultados parecidos (vea a Belsky y Rovine, 1990a). Aunque se trata de pruebas correlacionales en las que no podemos decir con absoluta certeza que los buenos cuidados *generen* el apego seguro y sus beneficios posteriores, sí parece indicar eso. Los niños que empiezan a caminar y los preescolares que lo han logrado hacen incluso cosas simples —explorar las salas de juego por ejemplo— mejor que sus compañeros. Rodean los muebles, encuentran la forma de llegar a juguetes interesantes y se acomodan para jugar con mayor facilidad (Cassidy, 1986). También los de tres años que tienen un apego seguro gozan de mayor simpatía entre sus compañeros (Jacobson y Wille, 1986).

Así, pues, podemos concluir que una relación afectuosa y de apoyo entre cuidador e infante produce niveles más elevados de competencia cognoscitiva y mejores habilidades sociales (Olson y otros, 1984). Favorece la exploración activa y el dominio temprano del juego con objetos y del entorno social. Desde un principio, la calidad de la relación entre los dos sienta las bases de muchos aspectos del desarrollo del niño.

¿QUÉ CONSTITUYE UN CUIDADO AFECTUOSO?   Numerosos estudios han demostrado que la sensibilidad de la madre ante las señales de su hijo y su responsividad global influyen de manera profunda en el desarrollo social y de la personalidad (De Wolff y van Ijzendoorn, 1997). Por ejemplo, en las primeras investigaciones de niños en Uganda, Ainsworth (1967) comprobó que los niños con una conducta de gran apego sostenían una relación afectuosa con su madre. En Estados Unidos, Ainsworth observó que las madres de niños de un año con apego seguro eran más sensibles a su llanto, más cariñosas, más tiernas, les ofrecían un contacto corporal estrecho y solían sincronizar la alimentación y la conducta de juego con el ritmo de su hijo más que las madres de niños de un año con apego inseguro (Ainsworth y otros, 1978). Desde entonces, los investigadores han comprobado una y otra vez que los niños con un apego seguro al año de edad tenían madres más sensibles a sus necesidades físicas, a sus señales de malestar y a sus intentos de comunicarse por medio de expresiones faciales o vocalizaciones (Bornstein, 1989).

¿Significa esto que una madre debe responder a todo lo que hace su hijo por insignificante que sea? Claro que no. Incluso las madres más sensibles no reaccionan 100 por ciento de las veces. Marc Bornstein y Catherine Tamis-LeMonda (1989) observaron que la sensibilidad de la madre varía con la situación. Así, cuando los niños muestran malestar, la madre sensible normal responde con rapidez 75 por ciento de las veces. En cambio, las madres responden de manera distinta a los llamados de atención, a las vocalizaciones y a las sonrisas. Algunas lo hacen apenas 5 por ciento y otras la mitad de las veces. Más aún, cada una reacciona de modo diferente: algunas con juego físico, otras con imitaciones vocales y otras más tocando, jugando, dando palmaditas en el hombro del pequeño y amamantándolo.

Otros investigadores (Clarke-Stewart y Hevey, 1981) han estudiado la interacción de madres e hijos que muestran apego seguro o inseguro. Los hijos de las que son más atentas y hablan más con ellos suelen ser más autónomos y comunicativos. Las interacciones son entonces más gentiles y tiernas, lo que genera una conducta más dócil y cooperativa en el hijo (vea también a Londerville y Main, 1981).

DIÁLOGOS Y APEGO   Muchos investigadores han estudiado el sistema bidireccional de comunicación afectiva que se da entre madre e hijo y que ya expusimos al hablar del experimento del rostro inexpresivo. Heinz Schaffer (1977) investigó la forma en que la **reciprocidad,** o **sincronía de la interacción,** surge entre el infante y el cuidador. Observó que, en términos generales, la conducta del primero sigue un patrón alternativo. Por ejemplo, mientras explora visual-

Los niños que pasan largas horas sujetos a la espalda de la madre forman apegos fuertes.

Madre e hija ejemplifican la reciprocidad mientras leen un libro.

La reciprocidad y el uso temprano de señales sientan las bases de patrones más duraderos de interacción.

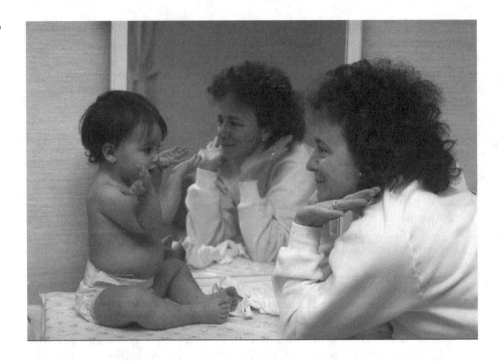

mente objetos nuevos, fija en ellos la mirada y luego voltea hacia otra parte. Algunos cuidadores responden con mayor habilidad que otros a estos patrones. Las películas de algunas madres en contacto directo con sus hijos de tres meses revelan un patrón de acercamiento y retraimiento mutuos: observan y dirigen la vista a otra parte en forma alternativa, tocando y respondiendo, vocalizando y contestando. La sincronía entre niño y cuidador en los primeros meses de vida constituye un buen indicador del apego al año de edad, lo mismo que los patrones más complejos de comunicación mutua durante ese periodo (Isabella y otros, 1989).

Los cuidadores no sólo responden a la conducta del niño, sino que modifican, además, el ritmo y la naturaleza del diálogo mediante diversas técnicas: introducen un objeto nuevo, imitan y amplían los sonidos y acciones del niño, facilitándole así obtener algo interesante. Al vigilar las respuestas del niño, poco a poco saben cuándo es más receptivo ante estímulos nuevos. El desarrollo pleno de este proceso tarda meses.

Algunos métodos parecen especialmente eficaces para alcanzar la sincronía (Field, 1977; Paulby, 1977). Tiffany Field comparó las reacciones del infante a tres conductas maternas distintas: la conducta espontánea de la madre, sus intentos evidentes por captar y mantener la atención del hijo y su imitación del niño. Los niños respondían sobre todo a las imitaciones, quizá por la naturaleza lenta y exagerada de la acción. Cuanto más se asemejan la conducta de la madre y del hijo, menos discrepancia afrontan ellos; por tanto, también están más atentos. Además, las madres observaban con cuidado el momento en que su hijo dirigía la mirada hacia otra parte. Según Field, respetar la necesidad que tiene el niño de hacer pausas es una de las primeras reglas de la "conversación" que debe aprender un cuidador sensato.

Algunos padres estimulan demasiado a sus hijos pese a las señales de resistencia que reciben de éstos, como cuando se voltean hacia otro lado, ocultan el rostro o cierran los ojos. Algunos siguen estimulándolos hasta que empiezan a llorar. Otros los estimulan muy poco. Éstos a menudo no prestan atención a las sonrisas, al balbuceo ni a otras formas del pequeño de atraer su atención. Un niño cuyas señales de búsqueda de atención son ignoradas puede llorar o simple-

reciprocidad, o sincronía de la interacción Patrón de intercambio entre el cuidador y el infante, en que cada uno responde e influye en los movimientos y ritmos del otro.

mente desistir. Otros padres presentan patrones poco uniformes de sensibilidad. A veces los estimulan demasiado y otras muy poco. Suelen interpretar en forma errónea las señales de sus hijos. Esto se observa sobre todo entre las madres que maltratan a sus hijos (Kropp y Haynes, 1987), entre las deprimidas (Field, 1986; Teti y otros, 1995), entre algunas adolescentes (Lamb, 1987) y entre las que tienen un temperamento muy distinto al de su hijo (Weber y otros, 1986). La sensibilidad inadecuada de la madre también se asocia con ausencias breves de la misma en combinación con factores como la depresión (Clark y otros, 1997).

La conducta de una madre sensible y responsiva cambia a medida que el hijo crece (Crockenberg y McCluskey, 1986). En efecto, algunos psicólogos del desarrollo emplean el término **andamiaje** para designar la función del padre o de la madre al estructurar en forma paulatina la interacción con su hijo (Ratner y Bruner, 1978; Vandell y Wilson, 1987). En otras palabras, crean el ambiente en el que interactuarán con él. Con un niño más pequeño, se sirven de juegos como imitar y esconderse. A medida que el pequeño crece, los juegos van volviéndose más complejos. El niño aprende reglas cada vez más complicadas de interacción social: para seguir el ritmo y para dar y recibir, para observar e imitar, la forma de mantener el juego, etcétera.

La reciprocidad y el uso de señales en los primeros meses de vida sientan las bases de los patrones de interacción a largo plazo. Esta práctica se ilustra en los estudios sobre las respuestas de la madre al llanto del niño. Los hijos de las que reaccionan de manera inmediata y constante en los primeros meses de vida suelen llorar *menos* al cumplir el primer año. Una respuesta rápida da a los niños confianza en la eficacia de su comunicación y los alienta a idear otras formas de hacer señales a su madre (Bell y Ainsworth, 1972). Por el contrario, si las respuestas al llanto no son constantes, quizá los niños no adquieran confianza y después lloren más, o sean a su vez más insistentes o menos sensibles.

En el segundo año, la reciprocidad se manifiesta en diversas conductas. Por ejemplo, los niños con apego seguro manifiestan en forma espontánea la conducta de compartir, tanto con sus padres como con otros niños: muestran un juguete, lo colocan en el regazo de otra persona o lo usan para invitar a jugar a otros niños. En general, sin importar si el niño nació "egoísta", la calidad de las primeras interacciones entre progenitor e hijo influyen profundamente en comportamientos como compartir o ayudar.

APEGOS MÚLTIPLES O EXCLUSIVIDAD   Los niños que tienen una relación de relativa exclusividad con un progenitor suelen manifestar una ansiedad más intensa ante los extraños y ante la separación. La exteriorizan a una edad más temprana que aquellos cuya relación con el progenitor no es exclusiva (Ainsworth, 1967). Un niño que siempre está con el progenitor y que duerme en el mismo cuarto manifiesta reacciones intensas y dramáticas ante la separación. Por el contrario, el que desde el nacimiento ha tenido varios cuidadores suele aceptar a los extraños o separarse con mucha menos ansiedad (Maccoby y Feldman, 1972).

¿Se deteriora el apego si muchas personas se encargan del cuidado del niño? Cada año más de 5.5 millones de niños son atendidos por muchas personas en las guarderías y en los centros de cuidados diurnos. Si la *cantidad* de apego es un factor, podrían sufrir consecuencias negativas los que pasan menos tiempo con sus padres.

Sin embargo, las investigaciones señalan que el cuidado diurno y la presencia de varios cuidadores no necesariamente producen efectos negativos en el apego (consulte el recuadro "Tema de controversia" en la página 172). Estos niños forman apegos múltiples (Clarke-Stewart y Fein, 1983; Welles-Nystrom, 1988) cuya calidad varía lo mismo que el apego a sus padres.

andamiaje Estructuración progresiva de la interacción entre progenitor e hijo por parte de los padres.

Cuando los niños empiezan a asistir a una guardería, experimentan a menudo la angustia de la separación, sobre todo si su edad se halla entre los 15 y los 18 meses. Algunos se adaptan con mayor facilidad que otros. Los niños que han tenido una relación exclusiva con una persona son los que experimentan más problemas, pero también se observa la angustia de la separación en quienes han tenido ya muchas separaciones y cuidadores. Se ajustan con mayor facilidad los que han tenido contacto con otros cuidadores y tienen un grado moderado de experiencia en la separación (Jacobson y Wille, 1984).

Además de sentir apego por la madre, los niños lo manifiestan por el padre, los hermanos y otros parientes, como veremos más adelante en el capítulo. Y también establecen apego con sus compañeros. La fuerza de los compañeros en esta área se demostró en el famoso estudio de Anna Freud (Freud y Dann, 1951), dedicado a seis huérfanos judíos-alemanes que habían sido separados de sus padres al comenzar la Segunda Guerra Mundial. Fueron asignados a un albergue comunitario en Bulldog Banks (Inglaterra) que había sido transformado en orfanato de huérfanos de guerra. Como antes habían estado en grandes instituciones, era su primera experiencia en un ambiente pequeño e íntimo. En un principio eran hostiles con sus cuidadores adultos o los ignoraban, mostrando mucho más interés unos por otros. Por ejemplo, cuando un cuidador tumbó por accidente a uno de los niños más pequeños, otros dos le lanzaron ladrillos y le dirigieron improperios. También se ayudaban cuando se sentían aterrorizados, reacción que ejemplifica con claridad la fuerza del apego entre ellos.

EFECTOS DE LA NEGLIGENCIA Y DEL MALTRATO   La negligencia es un factor asociado con el **síndrome de los niños que no progresan**, en cuanto a que los infantes son pequeños, se ven demacrados, parecen enfermos y no pueden digerir bien los alimentos. La falta de progreso puede darse por desnutrición, pero muchas veces parece deberse a la falta de afecto y de atención que, entre otras cosas, incluye un apego deficiente (o inexistente). A menudo se deteriora el ambiente escolar y social; otras veces ambos padres trabajan y el niño sufre el descuido de sus progenitores que, aunque bien intencionados, están demasiado ocupados para atenderlo. El pequeño aparece a menudo apático y retraído, quizá inmóvil. Evade el contacto ocular pues no fija la vista en nada, voltea hacia otra parte, se cubre el rostro o los ojos. Por definición, el peso de quienes sufren el síndrome está un 3 por ciento por debajo del peso normal para su grupo de edad, sin que manifiesten síntomas de enfermedad ni de anormalidad que pudieran explicar su estado. A veces se observa un retardo en el desarrollo susceptible de invertirse con una buena alimentación y atención (Barbero, 1983; Drotar, 1985).

El maltrato del niño dificulta el apego. Cuando comienza en la infancia, deteriora la relación afectuosa que necesita el pequeño y puede causar efectos devastadores en su vida. Los estudios indican que los niños que han sufrido maltrato físico y no han establecido un apego seguro presentan distorsiones y retraso en la adquisición del sentido del yo y en el desarrollo lingüístico y cognoscitivo. Cuando logran un apego seguro en el primer año, el maltrato sufrido en el segundo año causa menos perjuicios (Beeghly y Cicchetti, 1994) pese a ser de igual manera lamentable. Otras investigaciones señalan que se da una combinación potencialmente nociva cuando coinciden cuidados maternos deficientes o inconstantes con un niño vulnerable biológica y temperamentalmente. El resultado es un niño que manifiesta un apego inseguro y que con frecuencia está angustiado y tiene accesos de conducta violenta —junto con un desajuste posterior (Cassidy y Berlin, 1994). El maltrato se relaciona a veces con un estilo intrusivo en el cuidado que ignora los deseos del niño y altera sus actividades. En un estudio se comprobó que, cuando el estilo de interacción de la madre con un niño de seis meses es demasiado intrusivo y persistente, más tarde el pequeño manifestará habilidades académicas, sociales, emocionales y conductuales deficientes (Egeland, Pianta y O'Brien, 1993).

síndrome de los niños que no progresan   Estado en que los infantes son pequeños para su edad y a menudo se enferman por desnutrición o un cuidado inadecuado.

En algunos casos, las madres de niños que no progresan o son víctimas de maltrato o negligencia sufren a su vez enfermedades mentales o físicas, están deprimidas o son propensas al alcohol o a otras drogas. A menudo se ven afectadas por las mismas privaciones que su hijo. De acuerdo con algunos estudios, 85 por ciento de los padres que maltratan o descuidan a sus hijos han pasado por experiencias negativas en su niñez temprana; es decir, también a ellos los maltrataron o descuidaron. Es evidente que no todos los que sufrieron maltratos hacen lo mismo con sus hijos, pero a menudo el ciclo se repite (Helfer, 1982). En el capítulo 9 se examina con mayor detenimiento el tema del maltrato infantil.

EL APEGO EN LOS NIÑOS CON NECESIDADES ESPECIALES

Los niños ciegos no pueden buscar el rostro de sus cuidadores ni sonreírles. Los bebés sordos tal vez parezcan desobedientes. Los que presentan otros impedimentos graves no pueden responder a las señales como los niños normales. Las discapacidades que son evidentes desde el nacimiento, como el síndrome de Down y la parálisis cerebral, crean serios problemas de ajuste a todos los que rodean al niño con estos trastornos. En tiempos pasados los investigadores ignoraban la influencia del infante en los cuidadores y se concentraban más bien en el impacto de la conducta de éstos en los niños. Sin embargo, en las dos últimas décadas han dedicado mayor atención a la función del niño en la relación.

NIÑOS CIEGOS   La comunicación visual entre el cuidador y el niño es un factor esencial en la creación del apego. El cuidador depende de las respuestas sutiles del niño (devolver la mirada, sonreír y seguir con la vista) para mantener y apoyar su propia conducta. De ahí que pueda sentir que un niño ciego es apático. Por tanto, resulta indispensable que el progenitor y el hijo ciego establezcan un sistema de comunicación mutuamente inteligible que compense la discapacidad del segundo.

En los primeros años de vida, uno de los recursos más perfeccionados del niño normal para aprender es el sistema visual-perceptual. El niño observa y sigue con la vista todo lo nuevo, y manifiesta claras preferencias visuales. En especial, le gusta observar los rostros humanos. En cambio, el niño ciego no puede observar los cambios sutiles en las expresiones faciales de sus cuidadores ni seguir sus movimientos. Por consecuencia, no recibe la información que el niño normal emplea cuando formula una respuesta.

Los cuidadores de los niños normales se basan en las señales visuales de discriminación, reconocimiento y preferencia. Los ciegos, aunque competentes en las otras áreas, no aprenden señales para indicar "Quiero eso" o "Levántame" sino hasta el final del primer año. Por ello, los primeros meses de vida son sumamente difíciles para ellos y el cuidador. La aparente falta de respuesta puede resultar devastadora en lo emocional para el que cuida del niño. El peligro reside en que se interrumpan la comunicación y la reciprocidad y en que el cuidador tienda a evitar al niño (Fraiberg, 1974). Los bebés ciegos no aprenden una sonrisa selectiva y afable a edad tan temprana como los niños normales; tampoco sonríen con tanta frecuencia ni entusiasmo. Tienen muy pocas expresiones faciales. Pero aprenden pronto un vocabulario amplio y expresivo de señas manuales que, con el tiempo, dirigen a objetos y personas que no pueden ver. Cuando se entrena a los padres y a los cuidadores para que hablen todo el tiempo con ellos y para que esperen e interpreten las señas manuales, mejoran muchísimo la interacción entre progenitor e hijo, la formación del apego y la socialización subsecuente (Fraiberg, 1974).

NIÑOS SORDOS   Siguen un patrón diferente los problemas de desarrollo de los niños sordos que ven. En los primeros meses de vida, su sentido visual bien desarrollado compensa por lo general los problemas impuestos por la sordera. Sin embargo, transcurridos los seis primeros meses, empieza a deteriorarse la comunicación entre progenitor e hijo. Las respuestas de este último no son lo suficientemente completas como para cumplir con las expectativas de los padres. Y para empeorar la situación, pocas veces se descubre que el niño es sordo antes del segundo año, cuando el pequeño ya perdió mucha información que se obtiene por el lenguaje. Una de las primeras indicaciones de deficiencia auditiva en el niño de un año es su aparente desobediencia, lo mismo que las reacciones de sobresalto cuando se acerca la gente (el niño simplemente no los oye llegar). En los niños de dos años de edad, a veces se observan berrinches y desobediencia frecuentes porque no oyen lo que sus padres les ordenan. Esta conducta se acompaña de la imposibilidad general para formarse expectativas realistas respecto al mundo.

El diagnóstico de sordera ejerce un fuerte impacto en los padres que siempre le habían hablado a su hijo. Igual que los progenitores de hijos ciegos, éstos padres también necesitan preparación y asesoría psicológica especiales. Si no se da una atención esmerada durante la infancia, la sordera puede generar una comunicación inadecuada en la etapa preescolar y más tarde producir graves deficiencias sociales, intelectuales y psicológicas (Meadow, 1975).

NIÑOS CON DISCAPACIDADES GRAVES Cuando un niño nace con una discapacidad como la parálisis cerebral, hay un elevado riesgo de que los padres lo rechacen, se retraigan y se depriman. Un niño con este tipo de problemas tensa los vínculos conyugales y puede ocasionar varios trastornos en otros hermanos. Los profesionales que se dedican al cuidado de niños pueden ayudar a la familia en los primeros problemas de ajuste; por tanto, conviene consultarlos desde que nace la criatura. El éxito o fracaso iniciales al enfrentar los primeros traumas influirá en forma decisiva en la capacidad de los padres de tomar decisiones sensatas sobre el cuidado y la educación de su hijo (Turnbull y Turnbull, 1990).

REPASE Y APLIQUE

1. Describa la prueba de la situación desconocida y la forma en que se usa para medir el apego del infante al cuidador primario.
2. ¿En qué forma un ambiente responsivo influye en la aparición de la zconducta de apego?
3. ¿Qué es un cuidado afectuoso?
4. ¿Cómo influyen las necesidades especiales en el apego entre niño y cuidador?

LOS PADRES, LOS HERMANOS Y EL SISTEMA FAMILIAR

En general, los niños crecen dentro de un contexto social que estimula el apego temprano con los padres, hermanos, abuelos y otros parientes que por lo regular están presentes. En otras palabras, el desarrollo emocional del niño por lo general no depende de las fuerzas y de las debilidades de un solo apego.

PADRES
Mucho se ha aprendido de las investigaciones sobre padres y paternidad del sistema familiar estadounidense. Hoy los padres pasan más tiempo con sus hijos que antaño (Pleck, 1985; Ricks, 1985). Se encargan del cuidado cotidiano, los bañan, les cambian pañales, los alimentan y los arrullan con tanta habilidad como la madre. Responden a sus exigencias con el mismo esmero que ellas

En la actualidad los padres han comenzado a asumir un rol más activo en el cuidado de sus hijos pequeños.

(Parke, 1981), y los niños establecen un apego tan fuerte con ellos como con la madre. Por su parte, los padres que pasan más tiempo cuidando a sus hijos forman apegos más sólidos y esto beneficia a los hijos (Ricks, 1985). A pesar de estas capacidades compartidas, la mayoría de los padres todavía no asume la responsabilidad de cuidador primario. De ahí que su relación con el niño sea a menudo diferente de la de la madre.

ESTILOS PATERNOS DE CRIANZA   El rol del padre en la crianza sigue evolucionando a medida que son cada vez más las madres que trabajan fuera de casa. Pese a ello persisten algunas diferencias tradicionales en la interacción de ambos con los hijos. Por ejemplo, mientras la madre suele sostenerlo para atenderlo, el padre lo hace más durante el juego (Parke, 1981). Los padres son más físicos y espontáneos. El juego con sus hijos se da en ciclos, con puntos culminantes de emoción y de atención seguidos de periodos de actividad mínima. En cambio, las madres hacen participar a sus hijos en juegos sutiles, que cambian de manera gradual, o inician otros ordinarios como el juego de palmaditas. A los padres les gustan juegos originales, fuertes e impredecibles que a los niños les parecen muy emocionantes (Lamb y Lamb, 1976). Pero esta práctica cambia cuando el padre es el cuidador primario o único. Entonces se ve obligado a comportarse más como la madre tradicional (Field, 1978). Son sorprendentes los resultados de las investigaciones recientes: los padres de mayor edad suelen comportarse más como la madre cuando juegan con sus hijos; en cambio, los padres más jóvenes tienden a adoptar más el rol tradicional de "padre" (Neville y Parke, 1997).

La interacción entre padre e hijo suele disminuir, a medida que el niño crece y necesita menos atención directa. Los padres participan en juegos más rudos e interactúan con más frecuencia con el hijo en lugares públicos como zoológicos y parques (Lewis, 1987).

Los padres que interactúan a menudo con sus hijos, que son más sensibles a sus señales y que se convierten en figuras importantes en su mundo tienen probabilidades de volverse agentes eficaces de socialización. A medida que el niño crece, el padre se transforma en un modelo más importante y positivo.

Por el contrario, a los padres inaccesibles les resulta difícil establecer más tarde lazos emocionales fuertes. Hasta es posible que ejerzan una influencia negativa a medida que crece el hijo (Ricks, 1985). Los que influyen de manera más profunda en la vida de los niños no sólo les dedican tiempo, sino que además atienden sus deseos, su llanto y sus necesidades (Esterbrook y Goldberg, 1984; Parke, 1981). En efecto, actualmente los padres han comenzado a ampliar su rol paterno aun durante la infancia (Lamb y otros, 1987; Parke, 1981).

Los padres y el sistema familiar Hay razones sociales y psicológicas por las que los padres no suelen participar igual que la madre en el cuidado del hijo. En un estudio, se pidió la participación de parejas en un curso de preparación para el parto en el cual los padres tenían una participación activa y se esperaba que compartieran el cuidado del niño. Pero no fue así (Grossman y otros, 1988). Poco después del nacimiento, unos y otras clasificaron a los padres como menos competentes en todos los aspectos del cuidado. De ahí que se tendiera a asignarles el rol de ayudantes. De hecho, ningún padre del estudio mencionó siquiera la situación contraria: que la madre ayudara al padre. El adulto más competente —la madre— casi siempre asumía la responsabilidad primaria del cuidado del hijo y era más eficiente en satisfacer las necesidades del pequeño e interpretar sus señales. En términos generales, es posible que el papel secundario de los padres se relacione con sentimientos de incompetencia en el cuidado del niño (Entwisle y Doering, 1988).

La mayoría de las parejas concilian sus habilidades en el cuidado del hijo eligiendo roles complementarios. Los que no lo logran se vuelven impacientes; el padre adopta el rol de asistente renuente y esporádico que casi no hace otra cosa que jugar con el niño.

Sea como compañero o como ayudante, el padre influye mucho en el infante y también en la familia. Muchas investigaciones indican que su apoyo emocional a la madre durante el embarazo y en la infancia temprana contribuye de modo decisivo a establecer relaciones positivas. La ausencia del padre durante la infancia impone gran tensión al sistema familiar (Lewis, 1987). Aun cuando en la sociedad moderna el padre a menudo sigue siendo un cuidador secundario, desempeña una función importante en el complejo sistema de interacciones.

El arribo de un niño, en especial del primogénito, influye también en el matrimonio. Los estudios señalan que su nacimiento puede significar una fuerte tensión para la relación conyugal. Impone exigencias onerosas de tiempo y de energía a ambos progenitores. Hay que establecer roles complementarios, organizar el cuidado y tomar decisiones sobre la vuelta de la madre al trabajo (Baruch y Barnett, 1986a). El estrés del matrimonio será mayor si el niño es exigente, se enferma con frecuencia o sufre alguna discapacidad. Por fortuna, la tensión a veces une más a los cónyuges (Turnbull y Turnbull, 1990). Pero si el matrimonio era vulnerable al inicio, el estrés podrá aumentar la insatisfacción y la inestabilidad. En otras palabras, contra la creencia popular, el nacimiento de un hijo no siempre es la solución de un matrimonio en dificultades —es muy probable que empeore las cosas.

HERMANOS

Los hermanos forman apegos importantes y duraderos unos con otros desde la infancia, aunque los más pequeños suelen sentir más apego por los mayores y no a la inversa (Lewis, 1987). Por eso los pequeños se sienten molestos cuando los separan de su hermano o hermana mayor, así sea durante la noche (Dunn y Kendrick, 1979).

Con frecuencia, los hermanos y hermanas mayores son modelos sociales importantes. Al observarlos el niño aprende a compartir, cooperar, ayudar y sentir empatía. Asimila los roles correspondientes al sexo, las costumbres y los valo-

A veces los hermanos mayores son rivales, pero también constituyen un importante modelo social.

res de la familia. En algunas culturas el hermano mayor es el cuidador primario de los más pequeños (Whiting y Whiting, 1975). En muchas familias se prolongan por toda la vida los aspectos positivos de los papeles de hermano: ayudar, proteger y ser un buen aliado.

No deja, pues, de sorprendernos que se dediquen más investigaciones a los aspectos negativos que a los positivos de este tipo de relación (Lewis, 1987). Dos aspectos negativos son la *rivalidad entre hermanos* y el *desplazamiento* de los hermanos mayores. Al nacer un hijo, los progenitores prestan menos atención al primogénito y disponen de menos tiempo y energía para él. La forma en que manejan estos cambios influye en la lucha, la competencia y la rivalidad que surgen entre los hermanos (Dunn y Kendrick, 1980; Lewis, 1987; Lewis y otros, 1984). Por ejemplo, si los padres intentan que los hermanos mayores participen en el cuidado del recién nacido, a menudo se crea una alianza entre ellos y los padres, y entre los hermanos. Se refieren a él como "nuestro bebé". En general, si los padres reservan parte del tiempo para el primogénito después del nacimiento del segundo hijo, lo más probable es que se sienta especial y no abandonado.

ABUELOS

En muchas culturas, los abuelos ven a sus hijos adultos y nietos por lo menos una vez a la semana. En familias en las que los padres trabajan, los abuelos suelen ser los cuidadores primarios; y a veces también sirven de niñeras. Pueden contribuir mucho a la estabilidad en las familias de un progenitor soltero —situación en la que vive uno de cada cinco niños estadounidenses— y a la de 60 por ciento de las familias con hijos menores de tres años cuyas madres trabajan fuera de casa (U.S. Census Bureau, 1997). Los roles de los abuelos suelen ser distintos de los de los padres, y se forman diferentes relaciones de apego. A menudo ofrecen más aprobación, apoyo, empatía, simpatía y aplican menos disciplina. La relación por lo general es más divertida y relajada (Lewis, 1987). Los abuelos disponen de más tiempo para contarle al niño historias sobre los acon-

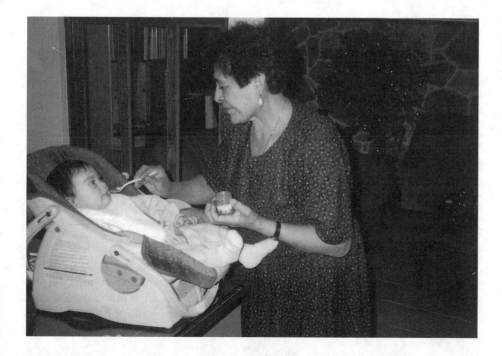

En las familias en que ambos progenitores trabajan, los abuelos suelen ser los cuidadores primarios durante la mayor parte del tiempo.

tecimientos pasados, que contribuyen a crear un sentido de identidad familiar y de tradición.

REPASE Y APLIQUE

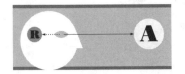

1. Describa las diferencias tradicionales que se dan en las interacciones entre padre e hijo y madre e hijo.
2. ¿Cuáles son los aspectos positivos y negativos de la relación entre hermanos?
3. ¿Qué diferencias hay en las formas en que interactúan los padres y los abuelos con el niño?

DESARROLLO DE LA PERSONALIDAD EN EL SEGUNDO AÑO DE VIDA

Las formas en que, desde la infancia, transmitimos nuestra cultura a los hijos distan mucho de ser sutiles. Casi desde el nacimiento tratamos de inculcarles actitudes y valores relacionados con las funciones corporales —la aceptabilidad de la autoestimulación erótica, el grado y las clases aceptables de contacto físico—, con la bondad o maldad de sus acciones y con su naturaleza como seres humanos.

Las actitudes y valores culturales se comunican mediante determinadas prácticas de crianza y tienen un efecto generalizado en el desarrollo de la personalidad.

Es en el contexto de los patrones generales y transculturales de la crianza del niño en el que vemos cómo influyen las diferentes prácticas en el desarrollo psicosocial. Cuatro aspectos importantes del desarrollo del niño son la adquisición de confianza y el cuidado solícito de los padres; la forma en que el niño recibe señales culturales mediante referenciación social; la forma en que los progenitores responden a los intentos de autonomía de su hijo; los efectos que las prácticas de la crianza tienen en la autoconciencia y el sentido de sí mismo del niño.

CONFIANZA, CUIDADO SOLÍCITO Y UNA BASE SEGURA

Para Erikson, la aparición de la confianza caracteriza la primera etapa del desarrollo psicosocial y se da en el primer año de vida. En esta etapa el niño aprende si puede confiar o no en quienes los rodean y si el entorno social es constante y predecible. Si analizamos las prácticas de crianza en otras culturas, encontraremos diferencias radicales en las formas en que se adquiere la confianza.

El niño adquiere la confianza por medio de la conducta solícita de la madre (o de otro cuidador primario), es decir, su sensibilidad ante las necesidades del hijo. Las madres y otros cuidadores comunican sus valores y actitudes por medio de sus reacciones a la alimentación, el destete y las conductas de búsqueda de alimento. De estas reacciones el niño aprende si se le considera bueno o malo, si debe sentir ansiedad o culpa y cuándo sentirse cómodo y seguro. En suma, aprende mucho más que si debe chuparse el dedo o no o cargar su cobijita.

ALIMENTACIÓN Y COMODIDAD Los investigadores que estudian la adquisición de la confianza se concentran en cómo encaja la alimentación en el patrón total de cuidado afectuoso. La alimentación, sea por amamantamiento o con biberón, favorece una intimidad especial entre madre e hijo pues expresa la sensibilidad y receptividad de ella.

El patrón global de solicitud de los padres contribuye a crear confianza y seguridad o desconfianza e inseguridad.

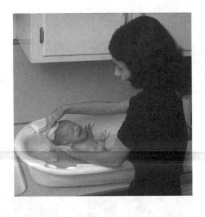

En algunas culturas dura tres años o más el periodo de transición entre el nacimiento del niño y la separación de su madre. La alimentación forma parte de esta relación tan prolongada (Mead y Newton, 1967). El niño duerme a veces cerca de su madre, la acompaña a todas partes durante casi todo el año y ésta lo amamanta hasta los tres años de edad (Richman y otros, 1988). En otras culturas —sobre todo en Estados Unidos—, a algunos niños se les desteta casi de inmediato y se les pone en una recámara aparte.

En Italia, el cuidado del niño es un asunto social. La madre y el hijo pocas veces están solos. La madre se encarga de alimentar, vestir y asear a su hijo con paciencia y afecto; pero los parientes, amigos y vecinos también colaboran. En un estudio, se observó que otras personas distintas de la madre atendían al niño —acariciándolo, hablándole, enseñándole y hasta bromeando— durante 70 por ciento del tiempo, aun cuando la madre estuviera presente. Al observador estadounidense de este estudio le sorprendió mucho las bromas que se daban con todo y que el niño se enfadaba y lloraba. Los chupones se ponían fuera de su alcance; los adultos decían "¡Ahí viene papá!" y luego reían y decían "¡Ya se fue!". A estos pequeños les hacían cosquillas y los pellizcaban para despertarlos cuando los adultos querían jugar con ellos. Pese a todo, los niños aprendían a enfrentar la situación muy bien y adquirían confianza en los adultos (New, 1988).

Se han dedicado muchas investigaciones a la succión del pulgar y a otras conductas que dan comodidad, pero se han extraído pocas conclusiones al respecto. En general, la succión parece ser una necesidad natural y, sin embargo, los padres responden a ella en formas muy diversas (Goldberg, 1972; Richman y otros, 1988). Así, en Europa a principios del siglo XX, chuparse el dedo se consideraba un hábito nocivo para el desarrollo general de la personalidad. Para evitarlo se recurría a aparatos complejos, se untaba el pulgar de los niños con sabores desagradables o los cubrían con mangas.

Esa época ya pasó. En la actualidad, al niño se le da un chupón pues se supone que así le será más fácil dejar de chuparse el dedo. Al final de la etapa preescolar, la mayoría de los pequeños que se chupan el dedo o usan un chupón lo abandonan como recursos comunes de comodidad. Se supone que quienes no logran eliminar el hábito o buscan la comodidad a toda costa tienen otras necesidades que no han sido satisfechas. Por ejemplo, algunos niños siguen chupándose el pulgar, simplemente por que esto es una de las pocas formas con que cuentan para captar la atención y que sus padres, aunque sea para tratar de disuadirlos, los atiendan.

REFERENCIACIÓN SOCIAL Y SIGNIFICADO CULTURAL

Un área importante de influencia de los padres es la referenciación social. Cuando los niños no saben si una situación es segura o no, buena o mala, a menudo buscan señales emocionales en el progenitor. Por ejemplo, en el capítulo 4 explicamos la eficacia con que la referenciación social alienta o desalienta al infante para que cruce el abismo visual; antes, en este capítulo vimos como influye dicha referenciación en su conducta ante los extraños. Los niños buscan señales emocionales en muchas circunstancias: cuánto alejarse de la madre o si deben o no explorar un juguete extraño. Para ello recurren tanto al padre como a la madre. Aunque con más frecuencia dirigen la vista a ella cuando ambos están presentes, las señales del padre regulan con la misma fuerza el comportamiento (Hirshberg y Svedja, 1990).

¿Qué consecuencias tiene que uno de los progenitores estimule al niño para que explore un juguete desconocido mientras el otro frunce el ceño y parece preocupado? En un estudio realizado con niños de un año (Hirshberg, 1990), se instruía a los padres para que emitieran señales emocionales compatibles o contradictorias. Los pequeños se adaptaron con mucho mayor facilidad a las compatibles: los dos progenitores estaban contentos o temerosos. De hecho, cuando recibían respuestas faciales contrarias —una expresión de "felicidad" de la madre y otra de "temor" del padre—, manifestaban su confusión con conductas muy heterogéneas de ansiedad: unos se chupaban el pulgar o se mecían con violencia; otros evadían la situación por completo; algunos más erraban sin rumbo o parecían desorientados. En conclusión, incluso los niños de un año son muy sensibles a las señales emocionales de sus padres.

Mediante la referenciación social y la atención selectiva, los padres enseñan a los hijos, desde el primer año de vida, los valores de su cultura. La comunicación del significado cultural se ha demostrado en una serie de estudios de los *kungsan*, cultura de cazadores-recolectores de Botswana. Esta tribu aprecia mucho el hecho de compartir. Cuando los antropólogos culturales analizaron a las madres y a sus hijos de 10 a 12 meses de edad, se sorprendieron al descubrir que, a diferencia de los padres y madres estadounidenses, los *kungsan* parecían no prestar atención a la exploración de objetos por parte del infante. No sonreían ni hablaban de los objetos; tampoco castigaban al niño por recoger ramas, pasto, parte de los alimentos, cascarones de nueces, huesos, etc. Por el contrario, aludían el equivalente de "Está enseñándose a sí mismo". Sin embargo, los adultos prestaban atención al hecho de compartir objetos, impartiendo órdenes como "Dámelo" o "Toma esto" (Bakeman y Adamson, 1990).

Los padres transmiten el significado cultural incluyendo en la interacción social a los niños que empiezan a caminar, aunque éstos participen poco en la vida social de la familia y de la comunidad. Para estudiar la forma en que los adultos ayudan a los niños de esta edad a aprender la conducta social apropiada, Barbara Rogoff y sus colegas (1993) visitaron cuatro comunidades: un pueblo maya de Guatemala, una comunidad suburbana de clase media en Estados Unidos, una aldea tribal de la India y un barrio urbano de clase media en Turquía. En ocasiones los niños recibían de manera directa instrucción y ayuda, pero muchas veces aprendían observando, imitando y participando en las actividades de los adultos. Así, gracias a la participación guiada, los adultos salvan la brecha creada por el conocimiento tan limitado que el niño tiene de los hechos, y estructuran pequeñas tareas relacionadas con la actividad del grupo. Por ejemplo, a la hora de la comida, los niños se alimentan junto con la familia (comida para niños en vez de alimentos para adultos), imitan la conversación y los gestos de los grandes y de los hermanos mayores, disfrutan el ambiente agradable y las risas, se sienten estimulados para realizar pequeñas acciones propias de los adultos como levantar una copa para brindar.

AUTONOMÍA, DISCIPLINA Y CONDUCTA PROSOCIAL

Cuando el niño cumple un año de edad, sus padres ya le enseñaron algunas normas de conducta aceptables, en especial respecto de la dependencia y de su necesidad de un estrecho contacto físico. Pero, en el segundo año, los cuidadores enfrentan una nueva serie de desafíos. Hacia el final del segundo año, el niño siente un conflicto emocional más intenso entre una mayor necesidad de autonomía y su evidente dependencia y habilidades limitadas.

Margaret Mahler y sus colegas (1975) observaron con detenimiento los cambios que ocurren en los niños de esa edad. Observaron una ambivalencia extraordinaria en los pequeños de 18 meses de edad, quienes se hallaban en un verdadero dilema entre el deseo de permanecer cerca de su madre y el de ser independientes. Parecía atemorizarlos el recién descubierto sentido de separación. Intentaban negarlo comportándose como si su madre fuera una extensión de ellos. Por ejemplo, un niño tiraba de la mano de su madre para hacer que recogiera un objeto que él quería. Además, los niños sentían una gama más amplia de emociones y aprendían nuevas formas de enfrentarlas, entre ellas dejar de llorar. El modo en que los padres resuelven el conflicto entre autonomía e independencia se manifiesta en su forma de aplicar la disciplina.

Disciplina ¿Qué límites debe fijar un progenitor o un cuidador a la conducta del niño? Algunos progenitores temen que cualquier tipo de control de la conducta interfiera en la exploración creativa y la independencia, así que observan de manera pasiva a su hijo de dos años hacer todo lo que le place. Cuando tratan de disciplinarlo, las medidas correctivas son duras, lo que refleja el sentido de frustración de los adultos. Otros, decididos a no "malcriarlo" y convencidos de que debe obrar como un adulto pequeño, establecen tantos límites que el niño prácticamente no puede hacer nada bien. Salta a la vista el error de tales extremos, pero no es fácil dar normas aplicables a cualquier situación. Por ejemplo, tarde o temprano los adultos que estimulan la exploración y manipulación del ambiente habrán de hacer algo con el niño que quiere meter un tenedor en un enchufe. Claro que las normas deben compaginarse con el sentido común y tener en cuenta las necesidades de seguridad, independencia y expresión creativa del niño.

La retroalimentación con los padres ayuda a que el niño vea cómo sus acciones influyen en los demás. Necesitan retroalimentación si han de ser sensibles a las necesidades ajenas. Ésta puede consistir en un elogio por una conducta buena: "Eres un excelente ayudante." O bien, puede adquirir la forma de un regaño moderado: "No lo hagas, lastimarás a tu hermano." La retroalimentación ha de concentrarse en la *conducta* —no en el niño— como objeto de crítica. Los niños que muestran un apego sólido y cuyas necesidades se satisfacen con una interacción afectuosa con un adulto no se sienten mimados por la atención ni atemorizados o amenazados por la imposición de límites razonables. Se sienten más fuertes y confiados porque cuentan con una base segura, a partir de la cual se aventuran en actividades independientes. El fenómeno de base segura es muy fuerte y se ha demostrado no sólo en Estados Unidos, sino en otros países como China, Alemania, Japón e Israel (Posada y otros, 1995). Sin embargo, los investigadores también descubrieron que las madres tienen ideas diferentes de lo que es el niño "ideal" a este respecto, de lo que constituye una proximidad adecuada con ella y del grado de contacto físico idóneo.

Entretenimiento en el control de esfínteres Muchas de las primeras teorías e investigaciones, inspiradas en la teoría freudiana, se concentraban en los métodos y supuestos efectos a largo plazo del entrenamiento en el control de esfínteres; en cambio, los estudios recientes ven en éste uno de los diversos problemas relacionados con la crianza. El control de esfínteres no es más que un aspecto de la conducta en que influyen las actitudes del adulto hacia las exploraciones del niño, la forma en que maneja su cuerpo y la necesidad de autonomía. No es en sí es un aspecto esencial del desarrollo social y de la personalidad.

Los adultos que son severos y duros en este entrenamiento lo son también en otras conductas que exigen un dominio personal e independencia: alimentarse, vestirse y exploración general. Algunos adultos exigen que el niño logre un control de esfínteres absoluto e inmediato; es probable que tales progenitores también sean severos cuando su hijo rompe un plato, juega en la tierra o explora lugares y objetos nuevos. Esta disciplina tan estricta puede tener efectos importantes en el desarrollo de la personalidad y dar por resultado un niño inhibido y temeroso de todo lo nuevo.

Desarrollo de la conducta prosocial Muchos estudios se han concentrado en la adquisición de **conductas prosociales** como la empatía, la cooperación, el compartir y el interés general por el bienestar de los demás. Entre los 18 y los 24 meses, el niño comienza a cooperar, a compartir, a ayudar y responder con empatía a los problemas emocionales de la gente. La aparición de la empatía, en particular, puede estar relacionada con el desarrollo incipiente del yo, según explican Carolyn Zahn-Waxler y sus colegas (1992, página 126):

El control de esfínteres no es más que un aspecto de la conducta en que influyen las actitudes del adulto hacia las exploraciones del niño, la forma en que maneja su cuerpo y la necesidad de autonomía.

conducta prosocial
Comportamiento que consiste en acciones mediante las cuales se ayuda, comparte o coopera y cuyo fin es beneficiar a otros.

A medida que el niño comienza a diferenciar el yo del otro durante el segundo año de vida y, por tanto, a conocer a los demás como seres independientes, su participación emocional en los problemas ajenos empieza a transformarse de un malestar personal en un interés compasivo por la víctima.

Según estos investigadores, las raíces de la empatía en los niños pequeños están vinculadas a un apego seguro y a la forma en que se les trata cuando se lastiman o necesitan ayuda.

El interés por los demás no surge sin conflictos. A menudo el niño se siente confundido al ver sufrir a otros. No sabe cómo reaccionar y a veces hasta se ríe. En una serie de estudios (Radke-Yarrow y otros, 1983), se le pidió a un grupo de madres que fingieran haberse lastimado. Sus hijos de 21 meses de edad se mostraron confundidos y ansiosos ante el sufrimiento de su madre. Pero tres meses más tarde algunos de ellos habían aprendido ya conductas con las que ofrecían calma y consuelo observando el comportamiento de su madre que por lo regular obraba con empatía cuando su hijo sufría.

En los estudios de cooperación en tareas simples, casi ninguno de los niños de 12 meses colabora con los otros. A los 18 meses la cooperación es poco frecuente y parece accidental. A los 24 meses, con un poco de ayuda, casi todos los niños pueden cooperar (Brownell y Carriger, 1990).

DESARROLLO DEL YO

Muchas teorías del desarrollo del niño y del adulto ponen de relieve el **autoconcepto** —o sea, su percepción de la identidad personal—, que se considera como un integrador, un filtro y un mediador de gran parte de la conducta. En otras palabras, solemos comportarnos en formas compatibles con nuestra autoimagen y autoconcepto.

Si bien al principio, el infante no logra diferenciarse del mundo que lo rodea, poco a poco comienza a comprender que es un ser individual y único. Gran parte de la infancia gira en torno a esta distinción. De los tres a los ocho meses, el niño explora en forma activa su cuerpo. Primero, descubre las manos, los pies y algunas cosas que puede hacer con ellos. Más tarde, usa las manos para explorar y manipular objetos y ver lo que sucede. Entre los siete y ocho meses se inquieta ante los extraños. También es capaz de posponer sus acciones durante poco tiempo. Prueba y explora de manera más deliberada sus respuestas y las consecuencias de éstas. Además, observa e imita a quienes lo rodean, y así comienza a aprender la forma conveniente de conducirse.

Entre los 12 y los 18 meses, se concentra en aprender las expectativas sociales y los resultados de sus pruebas o exploraciones del mundo social. Al terminar este periodo se reconoce en las fotografías y en el espejo (en la tabla 5-3 se resumen las etapas del reconocimiento personal) y está maduro para una socialización más completa (Lewis y Feinman, 1991). Por último, entre los 18 y los 30 meses, aprende mucho de sí mismo. Conoce su sexo, sus características y rasgos físicos, su bondad o maldad, lo que puede y no hacer. El sentido creciente del yo se acompaña de más reacciones emocionales frente a otros, algunas veces en forma de berrinches. A medida que adquiere mayor conciencia de sus sentimientos, reacciona de un modo más personal a la frustración y el dolor y a veces responde con una emoción intensa (Dunn y Munn, 1985).

Michael Lewis (1995) estudió el surgimiento de emociones "autoconscientes" como el orgullo, la vergüenza, la culpa y el desconcierto que comienzan a aparecer después del primer año de vida. Estas emociones se fundan en un conocimiento bastante bien desarrollado de las reglas sociales, junto con el sentido del yo. Es decir, el niño debe ser capaz de determinar si la conducta personal se ajusta a las normas establecidas por la cultura y si está o no cumpliendo con ellas.

autoconcepto Percepción de la identidad personal.

TABLA 5–3   ¿QUIÉN ES EL NIÑO DEL ESPEJO?

El niño realiza gigantescos progresos en el conocimiento de sí mismo durante los dos primeros años de vida. Los experimentos con niños de varias edades que se ven al espejo indican que el conocimiento de sí mismos se realiza en las siguientes etapas.

Antes de los ocho meses. El pequeño parece sentirse atraído por la imagen de un niño en el espejo, pero no puede determinarse si reconoce su propia imagen. A veces los de seis a ocho meses de edad se dan cuenta de que sus movimientos corresponden a los que observan en el espejo.

A los nueve meses de edad, el niño estudia a "ese bebé" que aparece en el espejo. Hacia los 18 meses, realiza el asombroso descubrimiento de un yo independiente.

Entre los ocho y los 16 meses. El niño distingue entre su imagen y la de otros que se diferencian de manera clara de él, digamos: un hermano mayor. En este periodo comienza asociar algunas características a su sentido del yo. Pero a veces gatea alrededor del espejo para encontrar al "otro" bebé. Si un investigador le pone un punto de lápiz labial rojo en la nariz, el niño lo descubre pero señala hacia la nariz en el espejo y no hacia la suya.

Hacia los 18 meses. El niño ya no necesita las señales del entorno para relacionar al niño del espejo consigo mismo. Es decir, reconoce que la imagen que ve es la suya. Ahora ya no emite la reacción clásica si el investigador le pone un punto de lápiz labial rojo en la nariz. El niño señala su nariz, voltea la cabeza del espejo, baja los ojos, sonríe y parece apenado.

A los dos años. El autoconocimiento se amplía y abarca la conciencia de las actividades y del aspecto físico. El niño que se arregla frente al espejo realiza una actividad de autoadmiración (Cicchetti, D. y Beeghly, 1990).

Fuente: Lewis y Brooks-Gunn (1979).

Hacia los 21 meses comienza a desarrollar los roles de género (Goldberg y Lewis, 1969). Los niños y las niñas empiezan a mostrar conductas propias de uno u otro sexo. Los varones tienden a desvincularse de su madre, mientras que las niñas buscan mayor intimidad con ella y muestran sentimientos ambivalentes ante la separación. Esta conducta parece estar relacionada con la conciencia de las diferencias sexuales.

Al final del segundo año, en el lenguaje de los niños hay muchas referencias a su persona. Saben su nombre y lo usan, a menudo para describir sus necesidades y sentimientos en tercera persona: "Teresa quiere agua." Las palabras "yo" y "mi" cobran un significado nuevo, y se representa de manera clara y fuerte el concepto de propiedad. Los niños pueden ser sumamente posesivos incluso en familias que dan mucha importancia al hecho de compartir y reducir al mínimo el sentido de propiedad. Tal vez se debe a que adquieren el concepto de propiedad al redondear el conocimiento del yo. Por supuesto, logran compartir y cooperar con más facilidad una vez que adquieren confianza sobre lo que es suyo.

DIAGRAMA DE ESTUDIO ▸	**ALGUNOS FACTORES DEL DESARROLLO DE LA PERSONALIDAD DURANTE LOS DOS PRIMEROS AÑOS DE VIDA**
Temperamento:	Al nacer, el niño muestra estilos de conducta que pueden influir en la forma en que reaccionan y lo cuidan sus padres; esto a su vez influye en el desarrollo de la personalidad del niño. Unos niños son *fáciles*, otros son difíciles y algunos más *son lentos para responder*.
Apego:	Los cuidadores sensibles y afectuosos favorecen un *apego seguro* en los niños, quienes más tarde serán muy curiosos, sociables, independientes y competentes en la etapa preescolar. Una atención poco sensible o indiferente favorece un *apego inseguro* en los niños, quienes más tarde serán menos entusiastas, persistentes y cooperativos que los que lograron un apego seguro.
Negligencia y maltrato:	Si los infantes y los niños que empiezan a caminar sufren negligencia y maltrato físico, mostrarán distorsiones y retraso en la adquisición del sentido del yo y del autocontrol, lo mismo que en el aprendizaje de las habilidades sociales. En la adolescencia y durante la adultez, estarán más propensos a trastornos mentales, abuso del alcohol y otras drogas y pueden llegar a maltratar a sus hijos.
Hermanos:	Además de los padres, los hermanos mayores son a menudo objeto de apego para los infantes y los niños que empiezan a caminar, y pueden convertirse además en modelos importantes. El aspecto positivo consiste en que los niños pequeños aprenden a compartir, cooperar y sentir empatía al observar a sus hermanos mayores. El aspecto negativo consiste en que la rivalidad entre hermanos puede alterar la vida familiar y que los hermanos mayores a veces modelan conductas incorrectas delante de los más pequeños.
Referenciación social:	En el desarrollo de la personalidad y en la conducta influyen profundamente las señales emocionales y de otra índole que los padres transmiten a sus hijos en las situaciones sociales. Por el mismo medio también les comunican los valores y los significados de su cultura.
Disciplina de los padres:	Es importante, en especial durante la niñez temprana, la forma en que los padres concilian las tentativas de autonomía de su hijo con la disciplina necesaria y los límites. Ambos extremos —imponer muy pocos o demasiados límites— obstaculizan el desarrollo sano de la personalidad.
Autoconcepto:	La personalidad gira en torno al sentido del yo o identidad personal. Niños y adultos suelen adoptar una conducta congruente con su autoconcepto, el cual se basa parcialmente en el sexo, las capacidades físicas y el aspecto físico. Al formar su autoconcepto, incluso los niños pequeños reflexionan sobre cosas como el hecho de ser buenos o malos, lo que opina la gente de ellos y el ser personas aceptables y competentes.

En resumen, la autoconciencia se basa en la exploración personal, la maduración cognoscitiva y la reflexión sobre uno mismo. A los niños se les oye hablar para sí y reprenderse ("No, Beto, no lo toques") o felicitarse ("¡Yo, niña buena!"). Incorporan las expectativas culturales y sociales a sus reflexiones y a su comportamiento; a la luz de éstas comienzan a juzgarse a sí mismos y a los demás. Y si disfrutan la interacción constante y afectuosa con el cuidador en un ambiente en el que se les permite explorar e iniciar el control personal, aprenderán a hacer predicciones válidas sobre el mundo que los rodea. Poco a poco llegan a percibirse como individuos aceptables y competentes.

REPASE Y APLIQUE

1. Describa cómo varían las prácticas de crianza según la cultura y su posible influencia en el desarrollo social y de la personalidad.
2. Explique el proceso de referenciación social.
3. Resuma las etapas y los problemas del desarrollo del yo.

EMPLEO DE LOS PROGENITORES

Al explorar las consecuencias del empleo de los progenitores, a menudo nos referimos al de la madre. La razón es simple: por tradición ella se ha encargado de cuidar a los hijos. Pero en la actualidad un número cada vez mayor de padres empieza a asumir esa responsabilidad. Lo hacen por varios motivos: un divorcio que les da la custodia de los hijos, la enfermedad o muerte de la esposa, una situación en que la madre puede ganar más dinero para apoyar a la familia y el reconocimiento de que el padre puede ser un progenitor eficiente y solícito.

ECOLOGÍA SOCIAL DEL CUIDADO DEL INFANTE

La *ecología social* del cuidado del infante designa el ambiente en el que se lleva a cabo esa actividad y abarca, entre otras cosas, política y apoyo gubernamentales, aprobación o desaprobación de la comunidad y costos. Como cabría suponer, la ecología social difiere de un país a otro. Por ejemplo, en Suecia 85 por ciento de las madres con hijos en edad escolar trabajan fuera de casa de medio tiempo o de tiempo completo. Sin embargo, los hijos tienen que ser atendidos, necesidad que satisface un sistema de cuidado infantil financiado con fondos públicos (Andersson, 1989; Hwang y Broberg, 1992). Este servicio se da a familias que lo solicitan. Se dispone de guarderías y personas que ofrecen cuidados familiares, llamadas *madres de día*. Tanto las guarderías como las madres de día tienen autorización y regulación. Se cuenta, además, con un sistema de jardines de niños en los que las madres de los pequeños o las madres de día los llevan para que jueguen con otros niños y reciban consejo y apoyo.

En cambio, los padres y madres estadounidenses reciben poco apoyo del gobierno. Sufragan el costo de darle a su hijo la atención que necesita y se les asiste sólo si perciben bajos ingresos. Como cerca de 60 por ciento de las madres de infantes y niños que empiezan a caminar trabajan fuera de casa, muchas familias encaran el arduo problema de encontrar dónde se le brinde a su hijo una buena atención a un costo módico. (La figura 5-1 contiene los porcentajes de madres que trabajan y que tienen hijos menores de seis años, correspondientes a algunos años.)

En Estados Unidos, tres de cada cuatro niños en edad preescolar reciben atención de otra persona distinta de los padres. A cerca de 25 por ciento los inscriben en jardines de niños o en programas con base en centros de atención infantiles; al resto lo atienden los parientes u otros cuidadores (vea la figura 5-2). Es evidente que los padres estadounidenses están dispuestos a utilizar sistemas tanto formales como informales.

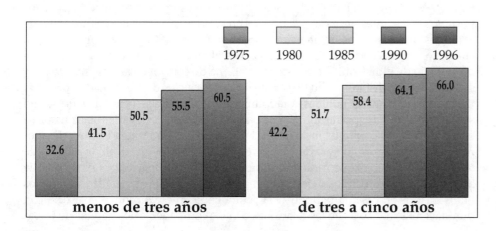

FIGURA 5–1   PORCENTAJES DE PARTICIPACIÓN EN LA FUERZA LABORAL DE ESPOSAS CASADAS SEGÚN LA EDAD DEL HIJO MÁS PEQUEÑO (1975-1996)

Fuente: U.S. Census Bureau, 1997.

FIGURA 5–2 **SISTEMAS DE CUIDADO PARA NIÑOS MENORES DE CINCO AÑOS**

Fuente: datos tomados del U.S. Census Bureau (1995).

Sistemas de cuidado del niño
Sistemas de atención primaria utilizados por madres
que trabajan y cuyos hijos son menores de cinco años

Persona no emparentada en otra casa	23.6%
Centro de atención diurna/en grupos	16.6%
Padre en casa del niño	15.1%
Pariente en otra casa	13.2%
Jardín de niños/plantel preescolar	9.2%
Pariente en casa del niño	7.9%
Madre en el trabajo	7.6%
Persona no emparentada en casa del niño	5.3%

ATENCIÓN DIURNA DEL INFANTE

Las empresas suecas deben dar a la madre un permiso de nueve meses por maternidad (Welles-Nystrom, 1988). En Estados Unidos, la actual Ley sobre licencias familiares y médicas (*Family and Medical Leave Act*) estipula que los empleadores darán sólo 12 semanas, contadas a partir del nacimiento. Las madres (o los padres que se encargan de la atención primaria de su hijo) que regresan al trabajo después de apenas 12 semanas deben asegurar una supervisión segura y confiable de sus hijos. Algunos contratan a un pariente, un amigo o a una "niñera" no profesional de su barrio. Otros recurren a guarderías especializadas de gran calidad, que a veces cobran tarifas muy elevadas y que tienen listas de espera. Y otros más buscan hogares "familiares" de atención diurna, que pueden contar o no con personal capacitado.

Tanto los hogares familiares de atención diurna como los centros bien administrados están en condiciones de fomentar el desarrollo normal de los niños. En varios estudios se ha demostrado que el desarrollo de niños de tres a 30 meses de edad cuidados en una guardería es tan bueno como el de niños con antecedentes similares que fueron criados en casa (Clarke-Stewart, 1982; Kagan, 1978; Keister, 1970; National Institute of Child Health and Human Development, 1997). Pero, los niños suecos que fueron inscritos en los centros antes de cumplir un año de edad por lo general reciben evaluaciones más positivas y logran un mejor aprovechamiento en la primaria que los que son criados en casa por sus padres. Son más competentes en las pruebas de razonamiento y de vocabulario; reciben calificaciones más altas de los profesores en materias como lectura y matemáticas, además de que muestran mayor competencia social que sus compañeros criados en casa (Andersson, 1989). En Estados Unidos, algunos investigadores observaron efectos positivos semejantes pero muy reducidos en el desarrollo social o cognoscitivo de los niños de los grupos de atención temprana (Clarke-Stewart y Fein, 1983); sin embargo, sigue siendo objeto de discusiones el cuidado fuera de casa durante el primer año de vida (consulte el recuadro "Tema de controversia", página 195).

No obstante, distan mucho de ser ideales los servicios de atención diurna a que tienen acceso muchas familias estadounidenses. Con frecuencia, al personal no se le da una buena capacitación ni se le paga bien; de ahí la elevada rotación que se observa en el área. En esas instalaciones pocas veces se admite a los investigadores, pero en un estudio (Vandell y Corasaniti, 1990) se logró evaluar a niños de tercer grado en una zona caracterizada por un servicio deficiente. Los niños que asistían al centro mostraban efectos negativos más graves y generalizados que los niños criados en casa: la permanencia prolongada en estos centros se asoció con puntuaciones más bajas en las relaciones con los compañeros, los hábitos de traba-

TEMA DE CONTROVERSIA

CUIDADOS DIURNOS DEL NIÑO A TEMPRANA EDAD

A mediados de los años ochenta, Jay Belsky hizo publica una advertencia sorprendente para los padres y los profesionales del cuidado del niño. Tras revisar algunos estudios en los que se comparaba a niños que habían comenzado a asistir a la guardería en su primer año de vida con los que lo habían hecho más tarde, llegó a la conclusión de que el ingreso durante el primer año constituye un "factor de riesgo" para el establecimiento de apegos seguros en la infancia y puede intensificar la agresividad, la desobediencia y el aislamiento en la etapa preescolar y posteriormente (Belsky, 1986).

El informe provocó una reacción inmediata e intensa en muchos investigadores, en profesionales del cuidado diurno y en los padres de familia. Si es verdad que los niños corren riesgo cuando los dos progenitores trabajan y desde muy temprano los ponen en esos centros, las consecuencias serán graves para todos los interesados. Algo es evidente: se ponía en tela de juicio el estilo de vida de las parejas de padres que trabajan al mismo tiempo. Algunos prestadores del servicio de cuidado diurno se sintieron ofendidos, aunque algunos señalaron que la posibilidad de daño por una atención no ideal merecía un análisis más riguroso (Fitzcharles, 1987; Miringoff, 1987). Otros expertos advirtieron que la conclusión se había extraído en forma apresurada de estudios efectuados en circunstancias muy diversas (Chess, 1987).

Antes de los años ochenta, observa Belsky, prácticamente todos los estudios se realizaban en centros de gran calidad orientados a la investigación y que a menudo estaban afiliados a universidades. Por ello, en general los datos no señalaban que el cuidado ofrecido por extraños fuera un problema. De hecho, los niños atendidos en centros de gran calidad muestran un mejor desarrollo social, cognoscitivo y emocional que los criados en casa. Pero hace poco los investigadores empezaron a estudiar a los niños en una amplia gama de sistemas de cuidados prestados por extraños en centros de calidad variable. Además, analizaron una muestra transversal más representativa de las familias: familias de progenitores solteros, familias con alto riesgo de maltrato o de abandono, familias de dos progenitores en todos los niveles socioeconómicos.

Cuando Belsky examinó de cerca esos estudios y los suyos, observó puntos en común perturbadores. Entre los niños que habían recibido cuidados fuera de casa durante el primer año de vida y por más de 20 horas a la semana, un número mayor mostraba un apego inseguro con la madre, aun cuando el cuidador fuera un vecino o un pariente que atendía al niño en casa. Casi se duplicaba la proporción de niños con apego inseguro (Belsky, 1986; Belsky y Rovine, 1988, 1990b).

Otros investigadores llegaron a conclusiones diferentes a partir de los mismos estudios. Por ejemplo, la calidad del cuidado alternativo parece ser más importante que el número de horas pasadas en el centro. Muestran gran vulnerabilidad los niños que reciben una atención deficiente o aquellos a quienes se les cambian los cuidadores primarios. El riesgo aumenta cuando las familias que sufren estrés llevan a sus hijos a un sistema de mala calidad (Phillips y otros, 1987).

Por último, en un estudio reciente a gran escala efectuado por el Instituto Nacional de Salud y Desarrollo Infantil (National Institute of Child Health and Human Development, NICHD) (1997) se llegó a la conclusión de que ni la edad de ingreso en un centro de atención diurna ni el tiempo que se pasaba cada día la guardería eran en sí buenos indicadores de la calidad de apego. Sin embargo, los investigadores del instituto comprobaron que el apego inseguro se asocia con una escasa sensibilidad y responsividad de la madre, aunadas a una deficiente calidad de la atención diurna. De modo análogo, en una reseña exhaustiva de la bibliografía sobre el cuidado del niño fuera del hogar, Michael Lamb (1996) llegó a la determinación de que la calidad de la atención, la edad y el temperamento del niño son factores importantes que hay que considerar.

En consecuencia, nos hallamos ante una situación compleja —mucho más de lo que indica la investigación de Belsky— que sin duda seguirá provocando discusiones y polémicas.

---

jo y la salud emocional; y con puntuaciones más bajas en las pruebas estandarizadas. Estos niños también recibieron calificaciones más bajas en la escuela. Algunos presentaban serios problemas de conducta —como agresividad extrema. No es posible determinar de manera concluyente si el cuidado del niño interrumpía el apego con la madre y ocasionaba este tipo de conductas problemáticas.

En otras investigaciones se señala que el sexo del niño, el nivel económico de la familia y la calidad de cuidado que recibe el menor influyen en la suerte que corren los niños en los centros. Los niños de escasos recursos parecen estar mejor cuando los atienden la madre o la abuela, mientras que en las familias más adineradas las mujeres salen mejor libradas cuando las atienden niñeras, y los niños cuando los atiende su madre (Baydar y Brooks-Gunn, 1991). En otras investigaciones se señala que el momento en que la madre regresa al trabajo es un factor decisivo. Cuando ésta reanuda labores antes del primer cumpleaños del niño, el pequeño suele obtener puntuaciones más bajas en mediciones cognoscitivas y conductuales que aquellos cuya madre se esperó hasta después de esa edad. En algunos estudios se ha comprobado que los niños, cuya madre regresa a trabajar poco después del nacimiento, muestran efectos menos negativos que aquellos

Los servicios de atención diurna infantiles, accesibles para muchas familias, no son los ideales, como se aprecia en este centro infantil sobrepoblado.

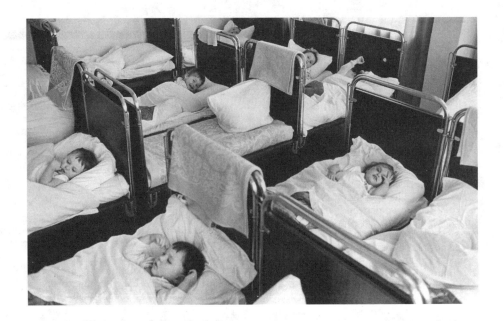

cuya madre retorna durante el segundo trimestre del primer año (Baydar y Brooks, Gunn, 1991, Field, 1991). Con todo, hacen falta más investigaciones para descifrar los efectos de la atención diurna a edad temprana.

DOS MODELOS DE ADAPTACIÓN AL CUIDADO FUERA DE CASA ¿Qué es lo que genera problemas a algunos niños que reciben atención fuera de casa después del primer año? Los investigadores proponen dos modelos de adaptación (Jaeger y Weinraub, 1990). De acuerdo con el *modelo de separación de la madre,* el niño sufre separaciones diarias y repetidas en forma de ausencia o rechazo de la madre. Comienza entonces a dudar de la disponibilidad o responsividad de su madre. Es la ausencia la que produce inseguridad.

En el *modelo de la calidad de los cuidados maternos,* lo que provoca las reacciones del niño no es el empleo de la madre ni la separación en sí. El factor clave es la manera en que el empleo influye en la conducta materna. La madre que trabaja no puede cuidar a su hijo con la misma sensibilidad y responsividad que si tuviera más tiempo y práctica; el resultado es un niño inseguro. Las investigaciones actuales basadas en este modelo se concentran en las exigencias antagónicas del trabajo de la madre y de su familia, en la calidad del cuidado del niño (y el hecho de que deba o no preocuparse por esto), en las características del niño y si la madre piensa que su hijo es fuerte y capaz de superar la situación. Los investigadores empiezan a examinar la calidad de vida general de la madre, la satisfacción que le procuran sus diversos roles, así como un posible conflicto de roles, la tensión conyugal y la fatiga que pueda sufrir. Si la madre siente gran ansiedad ante la separación cuando deja a su hijo todos los días, lo más probable es que él no se adapte bien (McBride, 1990; Stifter, Coulehan y Fish, 1993).

REPASE Y APLIQUE

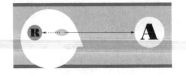

1. Explique por qué la atención diurna del niño en edad temprana genera tantas controversias.
2. Compare la atención diurna que se da en Suecia y la que se da en Estados Unidos.
3. Compare los dos modelos de adaptación al cuidado fuera de casa propuestos por Jaeger y Weinraub.

RESUMEN

Desarrollo social y emocional en la infancia

■ Los investigadores han identificado seis etapas en el desarrollo emocional del infante y del preescolar.

■ Las conductas de apego son las que favorecen la cercanía con una persona en particular. El niño y el cuidador deben comportarse en formas que propicien el apego.

■ Según Bowlby, el ser humano nace con conductas programadas que favorecen la cercanía y responsividad de los padres hacia los hijos.

■ Las conductas de apego del niño y de la madre evolucionan en forma gradual y recíproca.

■ La ansiedad ante extraños y ante la separación aparece hacia los siete meses de edad. Durante este periodo, el niño se vuelve de súbito tímido y receloso de los extraños, y le molesta quedarse solo.

■ De acuerdo con la hipótesis de la discrepancia, el niño sufre ansiedad cuando identifica desviaciones de lo conocido o esperado.

■ A los infantes también les afectan la referenciación social o las señales emotivas que emite su madre.

Patrones de las primeras relaciones

■ En las culturas occidentales, el apego suele establecerse entre el infante y el cuidador primario, por lo general la madre. En otras culturas, la relación primaria puede complementarse con otras relaciones.

■ La prueba de la situación desconocida de Ainsworth sirve para evaluar la calidad de apego del niño con el cuidador primario.

■ Los niños con apego seguro pueden separarse con bastante facilidad de su madre y ponerse a explorar la habitación, incluso en presencia de un extraño.

■ El apego inseguro adopta dos formas. En una, el niño se enoja cuando la madre se marcha y después la evita cuando regresa. En otra, le responde de modo ambivalente: busca su afecto y lo rechaza al mismo tiempo.

■ Los hijos de madres que hablan más con ellos y que les prestan mayor atención suelen ser más autónomos y comunicativos.

■ Los cuidadores vigilan las respuestas del niño y de ese modo descubren de manera gradual cuándo es más receptivo a nuevos estímulos. Cuanto más se asemejen la conducta de la madre y la de su hijo, más atento será el niño.

■ El término *andamiaje* designa el rol del padre o de la madre cuando estructuran poco a poco la interacción con el hijo.

■ La reciprocidad y la emisión de señales en edad temprana sientan las bases de patrones duraderos de interacción.

■ Las investigaciones señalan que la atención diurna y la presencia de varios cuidadores no tienen efectos adversos en el apego. La adaptación a la guardería u otros centros de atención diurna se facilita mucho para los niños que han tenido contacto con otros cuidadores y un grado moderado de experiencia de separación.

■ Los niños que no logran progresar son pequeños y demacrados, parecen enfermos y tienen problemas digestivos. El síndrome puede obedecer a desnutrición, aunque a menudo parece deberse a falta de afecto y de atención.

■ El maltrato del niño que comienza en la infancia genera un apego inseguro y retrasa el desarrollo del sentido del yo, así como el desarrollo cognoscitivo y del lenguaje.

■ Cuando un niño está ciego, hay el peligro de que el cuidador rehuya al pequeño y se deterioren la comunicación y la reciprocidad. En estos casos, se prepara a los cuidadores para que busquen e interpreten las señas manuales del niño.

■ Cuando un niño está sordo, la comunicación puede interrumpirse si sus respuestas no corresponden a las expectativas de los padres. Los padres de niños sordos necesitan capacitación y asesoría psicológica especiales.

Padres, hermanos y el sistema familiar

■ Los padres pueden ser tan solícitos con sus hijos como la madre; los niños llegan a mostrar el mismo apego por el padre que por la madre.

■ Los padres suelen sostener en los brazos a sus hijos durante el juego y ser más físicos y espontáneos.

■ Los padres que se convierten en figuras de valor en el mundo de sus hijos se transforman en modelos positivos e importantes.

■ La mayoría de las parejas asumen roles complementarios de padre y madre en el cuidado del niño.

■ El nacimiento del primer hijo impone gran tensión en la relación conyugal.

■ Desde la niñez, los hermanos establecen entre sí apegos sólidos y duraderos.

■ Dos aspectos negativos de las relaciones entre hermanos son la rivalidad entre hermanos y el desplazamiento de los hermanos mayores.

■ Los abuelos suelen ofrecer más aprobación, apoyo, empatía y simpatía, y recurren menos a la disciplina que los padres.

Desarrollo de la personalidad en el segundo año

■ De acuerdo con Erikson, la aparición de la confianza marca el inicio de la primera etapa del desarrollo psicosocial durante el primer año de vida.

- El cuidador transmite al niño un sentido de confianza mediante una conducta solícita y afectuosa, es decir, mediante su sensibilidad ante las necesidades del infante.
- Cuando el niño no sabe si una situación es segura, a menudo busca señales emocionales en el progenitor. A esta conducta se le llama referenciación social.
- Mediante la referenciación social y la atención selectiva los progenitores enseñan a sus hijos los valores de la cultura.
- Hacia el final del segundo año, el niño experimenta un conflicto emocional más intenso entre su mayor necesidad de autonomía y su evidente dependencia y habilidades limitadas.
- La disciplina impuesta por los progenitores debe ser regulada por el sentido común y ha de tener en cuenta las necesidades de seguridad, independencia y expresión creativa del hijo.
- Las conductas prosociales, como la cooperación, comienzan a desarrollarse entre los 18 y los 24 meses de edad.
- En un principio, el infante no se diferencia del mundo que lo rodea, pero poco a poco se da cuenta de que es un ser individual y único.
- La autoconciencia se basa en la autoexploración, en la maduración cognoscitiva y en la reflexión sobre el yo.

Empleo de los padres

- La ecología social del cuidado del infante designa el ambiente en el que el menor recibe atención e incluye políticas y apoyo del gobierno, aprobación o desaprobación de la comunidad y costos.
- En Estados Unidos, los padres reciben poco apoyo del gobierno; las estadísticas señalan que están dispuestos a utilizar los sistemas formales e informales de atención del niño.
- Las casas de atención diurna y las guarderías con buena administración pueden estimular el desarrollo normal de los infantes y de los niños que empiezan a caminar.
- La suerte que corren los infantes en los centros de atención diurna depende del género del niño, del nivel económico de su familia y de la calidad de los cuidados.
- De acuerdo con el modelo de separación de la madre, el niño experimenta las separaciones diarias y repetidas a manera de ausencia y rechazo por parte de la madre. En el modelo de la calidad de los cuidados maternos, el niño es inseguro porque la madre que trabaja no es tan sensible ni tan solícita como lo sería si no trabajara.

CONCEPTOS BÁSICOS

personalidad	hipótesis de la discrepancia	andamiaje
socialización	referenciación social	síndrome de los niños que no progresan
temperamento	apego seguro	gresan
apego	apego inseguro	conducta prosocial
ansiedad ante extraños	reciprocidad	autoconcepto
ansiedad ante la separación	sincronía de la interacción	

UTILICE LO QUE APRENDIÓ

Este ejercicio consiste en observar la comunicación emocional entre un progenitor y su hijo. Para realizarlo, necesitará la colaboración de dos niños y de sus progenitores. Pida ayuda a parientes o amigos que tengan hijos de las edades especificadas.

Parte I: Para llevar a cabo la primera observación es necesario un niño de dos a siete meses y su progenitor. El objetivo consiste en reproducir el experimento del rostro inexpresivo que se describió en el capítulo. Mientras los observa, hágase las siguientes preguntas: ¿quién inicia las interacciones?, ¿cómo señala el niño que necesita una

pausa?, ¿cómo se adapta el progenitor al temperamento y al estilo del niño?

Pida luego al progenitor que adopte una expresión neutra y que no responda a su hijo durante unos minutos. ¿Qué sucede con la conducta del pequeño? En caso de que observe algunos cambios de comportamiento, ¿cómo los interpreta usted?, ¿cómo los interpreta el padre?

Parte II: observe a un infante o a un niño que empieza a caminar mientras juega con el progenitor y luego considere las siguientes preguntas: ¿detectó usted alguna referenciación social y alguna participación guiada entre progenitor e hijo?, ¿qué formas adoptan?

¿Cómo estructura el progenitor la situación social?, ¿en qué forma reacciona el niño a comunicaciones sutiles como miradas, sonrisas y fruncimiento del ceño?,

¿de qué manera reacciona a comunicaciones más intensas como las órdenes?

Por último, ¿qué relación encuentra entre sus observaciones y los resultados empíricos que se mencionaron en el presente capítulo?

LECTURAS COMPLEMENTARIAS

BOWLBY, J. (1988). *A secure base: Parent-child attachment and healthy human development.* Nueva York: Basic Books. Esta obra es la integración más reciente de la teoría de Bowlby presentada por él mismo en un estilo muy ameno.

BRAZELTON, T. B. (1994). *Touchpoints: your child emotional and behavioral development:* Reading, MA: Addison-Wesley. Este famoso pediatra explica 30 problemas de la infancia y de la niñez temprana, acompañados por los posibles hitos en la vida de un niño de corta edad.

BROTT, A. A.(1998) *The new father: A dad's guide to the toddler years.* Nueva York: Abbeville Press. En este manual se estudia la paternidad durante el segundo y tercer años. Se incorporan las experiencias personales del autor y de otro padre, así como algunas de las mejores investigaciones en el área.

LIEBERMAN, A. (1995). *The emotional life of the toddler.* Nueva York: Free Press. Magnífico e interesante libro basado en las observaciones hechas de los niños

y sus familias; muestra cómo cada uno descubre su forma personal de dominar el ambiente.

SPOCK, B. Y ROTHENBERG, M. B. (1977). *Dr. Spock's baby and child care.* Nueva York: Simon & Schuster Pocket Books. En una edición anterior, Benjamin Spock y un coautor revisaron a fondo la guía clásica de Spock para incorporar las prácticas médicas cambiantes y las transformaciones culturales de los años ochenta. Si bien en ésta no realizaron una labor tan exhaustiva, el libro sigue siendo un clásico que vale la pena leer.

ZIGLER, E. F. Y LANG, M. E. (1991). *Child-care choices: Balancing the needs of children, families, and society.* Nueva York: Free Press. Este libro es una síntesis muy completa de las necesidades del niño y una exposición general de las opciones con que se dispone en la actualidad a la luz de las realidades económicas y sociales.

El preescolar: desarrollo físico, cognoscitivo y lingüístico

CAPÍTULO

6

OBJETIVOS DEL CAPÍTULO

Cuando termine de leer este capítulo, podrá:

1. Explicar el desarrollo físico del preescolar atendiendo al tamaño y la proporción corporales, a la maduración del esqueleto y al crecimiento general.
2. Mencionar los aspectos principales del desarrollo del cerebro durante la etapa preescolar y su influencia en las habilidades motoras.
3. Explicar los cambios fundamentales que se producen en las habilidades motoras gruesas y finas durante este periodo.
4. Caracterizar el pensamiento preoperacional según Piaget y luego exponer las limitaciones de su teoría.
5. Analizar la forma en que la teoría de la perspectiva social y la del procesamiento de información explican el desarrollo cognoscitivo en la etapa preescolar.
6. Describir el desarrollo del lenguaje en el preescolar.
7. Explicar la influencia de los cuidadores en el desarrollo del lenguaje.
8. Describir los valores culturales y sociales que los niños asimilan en el contexto del desarrollo lingüístico.
9. Explicar los problemas que plantean los subdialectos y el bilingüismo en el desarrollo del lenguaje.
10. Explicar los principales tipos de juego infantil y su influencia en el desarrollo.

Casi como recién llegados a nuestro mundo, los niños de entre dos y seis años a menudo expresan su pensamiento en formas que nos divierten y nos hacen reflexionar. Examinemos el siguiente extracto de *Winnie-the-Pooh*, que capta el egocentrismo cognoscitivo y social del preescolar, es decir, su tendencia a ver e interpretar las cosas desde su punto de vista:

> Un día al ir caminando, Winnie-the-Pooh llegó a un claro en medio del bosque y vio allí un gran roble del que salía un fuerte zumbido.
>
> Winnie-the-Pooh se sentó al pie del árbol, puso la cabeza entre sus garras y comenzó a pensar.
>
> Antes que nada, se dijo: "El zumbido significa algo. No oye uno un zumbido así nada más, por zumbar y zumbar, sin que signifique algo. Si hay un zumbido, alguien lo está haciendo, y la única razón para hacerlo que *yo* conozco es que tú eres una abeja."
>
> Luego reflexionó otra vez por largo tiempo y dijo: "Y la única razón que yo conozco para que exista una abeja es que hace miel."
>
> Y luego se incorporó y dijo: "Y la única razón que yo conozco para que haga miel es que *yo* la coma." Dicho esto, comenzó a trepar al árbol.
>
> Subió, subió y subió, y mientras subía cantaba una cancioncilla que decía así:
>
>> "¿No es divertido que a un oso
>> le guste la miel?
>> ¡Zumbar!, ¡zumbar! y ¡zumbar!
>> Me pregunto por qué lo hará"
>
> A. A. Milne (1926/1962), páginas 5-7

Este tipo de actitudes dicen mucho acerca de los niños. Los errores del preescolar indican que hay una enorme distancia por recorrer entre los dos y los seis años de edad en la adquisición de los procesos de pensamiento indispensables para la instrucción formal. Los niños de corta edad se convierten poco a poco en personas realistas que forman conceptos y muestran competencia lingüística (Fraiberg, 1959). Descubren lo que pueden o no controlar. Generalizan a partir de la experiencia. Su razonamiento hace la transición de la formación de conceptos simples al empleo de los rudimentos de la lógica.

También aprenden el lenguaje necesario para comunicar sus necesidades, sus ideas y sus sentimientos. Adquieren el lenguaje de manera rápida en interacción con el desarrollo cognoscitivo y social. Los preescolares de menor edad usan enunciados de dos o tres palabras, basándose en una gramática limitada y, a veces, muy personal; los de seis años expresan oraciones completas con una estructura gramatical esencialmente correcta. A medida que el preescolar aprende la sintaxis y el vocabulario, también asimila los valores sociales culturalmente apropiados: urbanidad, obediencia y roles de género. En resumen, el lenguaje es un puente entre la infancia y la niñez. Con el tiempo el niño entiende y comunica sus deseos, sus necesidades y observaciones; los demás responden en forma adecuada.

El desarrollo cognoscitivo y lingüístico se acompaña de cambios rápidos y drásticos de aspecto y competencia física. Los niños regordetes de cabeza grande y extremidades cortas se convierten en esbeltos chicos de seis años, más fuertes y con una coordinación más fina. Perfeccionan su habilidad para deslizarse y correr, y aprenden las habilidades motoras finas necesarias para escribir el alfabeto, para abotonarse el suéter o armar las piezas de un rompecabezas.

Los progresos que el preescolar realiza en el pensamiento, el lenguaje y las habilidades motoras están interrelacionados. A medida que adquiere mayor fuerza física y más destrezas, se siente más motivado para aplicar las habilidades que va dominando a la exploración y el aprendizaje. Además, con la exploración se perfeccionan estas destrezas. Así, las formas en que el niño se comporta y piensa constituyen un sistema integrado (Thelen, 1989).

Winnie-the-Pooh: la encarnación de un preescolar.

DESARROLLO FÍSICO Y MOTOR

Entre los dos y los seis años, el cuerpo del niño va perdiendo el aspecto infantil a medida que cambian su tamaño, sus proporciones y su forma. Al mismo tiempo, el rápido desarrollo del cerebro da origen a habilidades más complejas y refinadas de aprendizaje, así como al perfeccionamiento de las habilidades motoras gruesas y finas.

TAMAÑO Y PROPORCIONES CORPORALES

La visita al consultorio del pediatra suele incluir una evaluación de la estatura y peso del niño. Aunque los pequeños varían mucho, las desviaciones extremas respecto al promedio de la edad pueden indicar problemas de desarrollo. Los psicólogos no sólo comparten el interés del pediatra por los aspectos fisiológicos del crecimiento, sino que, además, se concentran en la relación que guardan con la adquisición de nuevas habilidades.

Conviene aclarar que las afirmaciones generales sobre el crecimiento no siempre se aplican a un niño en particular. El crecimiento físico del individuo es resultado de la genética, la alimentación y las oportunidades de jugar y hacer ejercicio. La relación entre alimentación y crecimiento se manifiesta en las diferencias entre los niños que viven en países industrializados y en naciones pobres. Por ejemplo, como un número considerable de niños de Bangladesh está desnutrido, en ese país el niño normal de seis años mide lo mismo que un niño normal sueco de cuatro años (Eveleth y Tanner, 1976; Organización de Naciones Unidas, 1991). Como vimos en el capítulo 3, una privación prolongada de los nutrientes esenciales ocasiona efectos importantes en el desarrollo físico y motor.

Los periodos prolongados de desnutrición durante la niñez temprana limitan directa e indirectamente el desarrollo cognoscitivo (Brown y Pollitt, 1996). Como señalan los autores, no se trata de una simple desnutrición, pues se presenta primero una condición de daño cerebral y luego de retraso del desarrollo cognoscitivo. La desnutrición genera en forma directa daño cerebral que unas veces es reversible y otras no. Sin embargo, desencadena al mismo tiempo un proceso dinámico y recíproco en el cual, por ejemplo, el niño se vuelve letárgico, casi no explora el ambiente y aprende muy poco de éste, lo que obstaculiza su desarrollo cognoscitivo. La desnutrición retrasa el crecimiento físico y la adquisición de las habilidades motoras; a su vez, esto aminora las expectativas de los padres y contribuye al retraso del desarrollo cognoscitivo.

PROPORCIONES CORPORALES   A lo largo de la niñez las proporciones corporales cambian mucho según se aprecia en la figura 6-1. Por ejemplo, al nacer la cabeza corresponde a una cuarta parte de la extensión total del cuerpo. A los 16 años ya duplicó su tamaño, pero ahora representa sólo una octava parte de la extensión total. Se acelera el alargamiento de la parte inferior del cuerpo y de las piernas a medida que el niño comienza a perder la "grasa del bebé" asociada con la infancia y la niñez temprana. De los dos a los seis años, la tasa del crecimiento es más lenta en comparación con la de los dos primeros años de vida. Los preescolares sanos crecen a estirones, pero al año aumentan un promedio de dos kilogramos de peso y casi 7.6 centímetros de estatura. Pero como ocurre con otros aspectos del crecimiento, conviene recordar que los niños presentan tasas y aumentos muy variables de crecimiento en la etapa preescolar, y los padres no deben intentar "acelerarlo" sobrealimentando a sus hijos ni obligándolos a hacer demasiado ejercicio.

El centro de gravedad se ubica en los niños de corta edad por encima del de los adultos; los niños sostienen una proporción mayor del peso en la parte superior del cuerpo, lo que dificulta más el control del mismo. El preescolar pierde el equilibrio con mayor facilidad y le cuesta mucho detenerse sin caer de bruces. También le es difícil atrapar un balón grande sin irse de espaldas (Nichols, 1990). El centro de gravedad va descendiendo al área pélvica conforme siguen modificándose las proporciones corporales.

FIGURA 6–1
PROPORCIONES CORPORALES CAMBIANTES EN NIÑOS Y NIÑAS DESDE EL NACIMIENTO HASTA LA MADUREZ

Fuente: Nichols, B. (1990). *Moving and Learning: The elementary school physical education experience.* St. Louis, MO: Times Mirror/Mosby College Publishing.

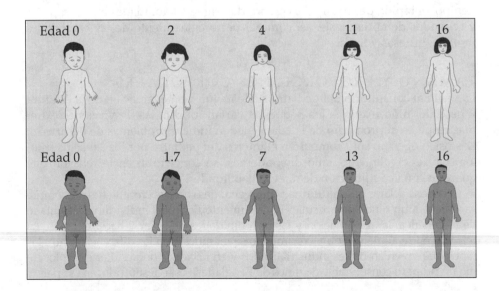

MADURACIÓN ESQUELÉTICA   A medida que madura el sistema esquelético, los huesos se desarrollan y se endurecen por medio de la *osificación*, proceso en virtud del cual el tejido blando o cartílago se transforma en hueso. La *edad esquelética* se calcula merced a la madurez de los huesos y se mide con radiografías de los huesos de la muñeca. Puede variar hasta dos años en ambas direcciones respecto a la edad cronológica. Por ejemplo, la edad esquelética de un niño de seis años puede fluctuar entre cuatro y ocho años (Nichols, 1990).

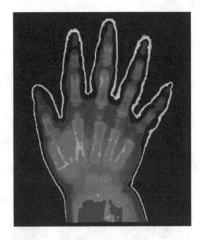

Radiografía de la mano y la muñeca de un niño de dos años.

DESARROLLO DEL CEREBRO

Si bien los rápidos cambios de tamaño y proporciones corporales son signos patentes de crecimiento, también se dan cambios invisibles en el cerebro. A los cinco años, el cerebro del niño alcanza casi el tamaño del cerebro del adulto. Su desarrollo le permite aprender, resolver problemas y utilizar el lenguaje en formas cada vez más complejas. El número infinito de conexiones neuronales que se forman a lo largo de la vida constituyen el fundamento físico del aprendizaje, la memoria y el conocimiento en general.

Las **neuronas**, células especializadas que constituyen el sistema nervioso, comienzan a formarse durante el periodo embrionario, y en el momento del nacimiento ya está presente casi la totalidad de los 200,000 millones de que consta el cerebro del adulto. Durante el segundo año de vida continúa el rápido crecimiento de las **células gliales**, mismas que aíslan las neuronas y mejoran la eficiencia con que se transmiten los impulsos nerviosos. El rápido crecimiento del tamaño de las neuronas, la cantidad de células gliales y la complejidad de interconexiones neuronales producen un *desarrollo acelerado del cerebro* durante la infancia y la niñez temprana que se prolonga (aunque a una tasa más lenta) en los primeros años del periodo preescolar. En muchos aspectos, este desarrollo acelerado abre una "ventana de oportunidades" para el desarrollo cerebral que resulta de la experiencia. El desarrollo acelerado es también una etapa de gran plasticidad en que los niños se recuperan de manera más fácil de las lesiones cerebrales que a edades posteriores; en cierto modo la plasticidad no desaparece durante la adultez (Nelson y Bloom, 1997).

La maduración del cerebro y del sistema nervioso central incluye la **mielinización** —formación de células protectoras que "aíslan" las neuronas y facilitan la transmisión de los impulsos nerviosos (Cratty, 1986). Durante la infancia temprana, comienza la mielinización de las neuronas que participan en los reflejos y la visión. Ésta va seguida por la mielinización de las neuronas que realizan actividades motoras complejas y, luego, de las que controlan la coordinación entre ojos y manos, el lapso de atención, la memoria y el autocontrol. La mielinización del sistema nervioso central acompaña de cerca a la adquisición de las habilidades motoras y cognoscitivas durante el periodo preescolar.

Hay dos aspectos del desarrollo del cerebro en la niñez temprana que tienen un interés especial para los psicólogos: *lateralización* y *uso preferente de una mano*.

LATERALIZACIÓN   La superficie del cerebro, llamada también *corteza*, se divide en dos hemisferios: el izquierdo y el derecho. Los hemisferios se especializan, hasta cierto punto, en el procesamiento de información y en el control de la conducta, proceso que recibe el nombre de **lateralización.** En los años sesenta, Roger Sperry y sus colegas verificaron su existencia al estudiar los efectos de la cirugía con que se atenuaban los ataques epilépticos. Descubrieron que, al extirpar el tejido nervioso (el *cuerpo calloso*) que conecta los dos hemisferios, disminuían los ataques, lo que dejaba intacto el resto de las capacidades necesarias para el funcionamiento normal, aunque el sujeto quedaba con dos hemisferios relativamente independientes que no podían comunicarse entre sí (Sperry, 1970). Actualmente la cirugía practicada para reducir los ataques epilépticos es mucho más específica y compleja.

neuronas   Células que constituyen el sistema nervioso. Se forman en el periodo prenatal y continúan creciendo y ramificándose durante toda la vida.

células gliales   Células que aíslan las neuronas y mejoran la eficacia con que se transmiten los impulsos nerviosos.

mielinización   Formación de la vaina de mielina que cubre las vías rápidas del sistema nervioso central. La vaina aumenta la rapidez de transmisión y la precisión del sistema nervioso.

lateralización   Proceso por medio del cual se ubican algunas habilidades y competencias en uno de los hemisferios del cerebro.

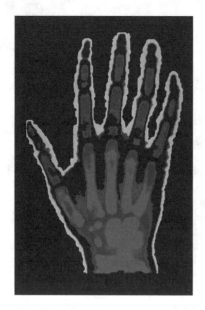

Radiografía de la mano y de la muñeca de un niño de seis años. Observe el grado de osificación de sus huesos.

El hemisferio izquierdo controla la conducta motora del lado derecho del cuerpo y el hemisferio derecho, el lado izquierdo (Cratty, 1986; Hellige, 1993). Sin embargo, en algunos aspectos de funcionamiento, un hemisferio puede ser más activo. En la figura 6-2 se aprecia de manera gráfica algunas de las funciones de la persona que usa la mano derecha; en los zurdos algunas funciones pueden estar invertidas. Sin embargo, recuerde que en los individuos normales *todo* el cerebro interviene en la mayoría de las funciones (Hellige, 1993). Las funciones lateralizadas (o especializadas en otros aspectos) indican simplemente el grado de actividad; el cerebro siempre funciona como un todo.

Si consideramos la forma en que el niño adquiere sus habilidades, no sorprende que los hemisferios no se desarrollen con la misma rapidez (Thatcher y otros, 1987). Por ejemplo, el lenguaje se desarrolla con gran rapidez de los tres a los seis años, y el hemisferio izquierdo muestra un crecimiento acelerado durante ese periodo. En cambio, el hemisferio derecho madura con mayor lentitud en la niñez temprana y acelera su crecimiento en la niñez media. La especialización lateral continúa durante la niñez y ya bien entrada la adolescencia.

USO PREFERENTE DE UNA MANO A los investigadores les intriga desde hace mucho la preferencia por la mano derecha o izquierda, que es una función de la lateralización. La mayoría de las personas prefieren la mano derecha y, por tanto, presentan un fuerte dominancia del hemisferio izquierdo. No obstante, aun cuando hay una gran preferencia, los niños pequeños pueden aprender a utilizar la otra mano, flexibilidad que disminuye con la edad. Las investigaciones dedicadas a la dominancia hemisférica indican que la mayor parte del lenguaje de los diestros está localizado principalmente en áreas del hemisferio izquierdo. En el 10 por ciento de la población restante, que es zurda, el lenguaje lo comparten los dos lados del cerebro. Esto indica que, en general, el cerebro de los zurdos puede estar menos lateralizado (Hiscock y Kinsbourne, 1987). La obser-

**FIGURA 6–2
FUNCIONES DE LOS HEMISFERIOS DERECHO E IZQUIERDO DEL CEREBRO**

Fuente: Shea, C. H. Shebilske, W. L. y Worchel, S. (1993). *Motor learning and control.* Englewood Cliffs, NJ: Prentice-Hall, p. 38.

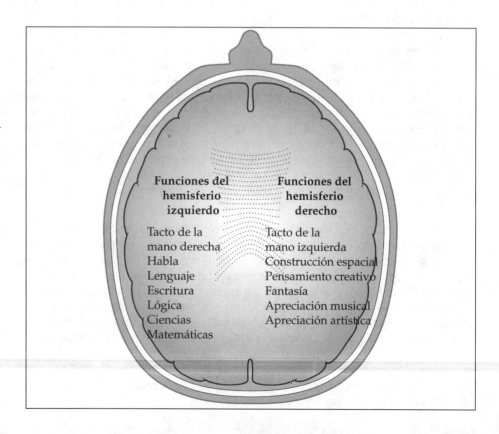

vación de que los zurdos suelen ser *ambidiestros* —es decir, que emplean las dos manos con buena coordinación y habilidades motoras finas— es una prueba adicional de este fenómeno.

En casi todos los niños, la preferencia por una mano se establece entre la niñez temprana y la niñez media (Gesell y Ames, 1947). Además de la maduración del cerebro, la preferencia por una mano refleja a veces las presiones de los padres y de los maestros para usar la mano derecha que goza de la "aceptación social" (Coren y Porac, 1980). Pese a ello, prevalece la opinión de que debe permitirse que la preferencia por una u otra mano surja de manera espontánea, sin que haya coacción de por medio.

La mayoría de los niños de tres a cinco años muestran asimismo una preferencia bien definida por una de las dos piernas que se perfecciona durante la niñez media. Los investigadores señalan que como la sociedad influye menos en la preferencia por una pierna que en la preferencia por una mano (los padres a veces obligan al hijo zurdo a utilizar la mano derecha), la ausencia de desarrollo de esta preferencia por una de las piernas puede ser en realidad un indicador confiable de retrasos de desarrollo relacionados con el establecimiento de las preferencias (Bradshaw, 1989; Gabbard y otros, 1991).

DESARROLLO DE LAS HABILIDADES MOTORAS

Las habilidades motoras del niño mejoran en forma considerable durante el periodo preescolar (Clark y Phillips, 1985). Los cambios más impresionantes se concentran en habilidades motoras gruesas como correr, saltar y arrojar objetos. En cambio, las habilidades motoras finas como escribir y utilizar los cubiertos se desarrollan con mayor lentitud.

Sin embargo, resulta difícil distinguir el desarrollo motor-perceptual del desarrollo cognoscitivo global. Casi todo lo que hace el niño en los primeros años de vida supone una interacción entre éstos, junto con el desarrollo social y emocional. Por ejemplo, cuando un preescolar camina sobre un madero, no sólo aprende a equilibrarse sino que también experimenta el concepto cognoscitivo de "estrecho" y el concepto emocional de "confianza". Aunque gran parte de lo que hace parece ser una exploración meramente sensorial, sus acciones suelen ser propositivas y estar encaminadas a metas (van Hofsten, 1989).

Algunas secuencias del desarrollo comprenden lo que se conoce como **subordinación funcional.** Las acciones que en un principio se realizan por sus resultados se integran más tarde a otras más complejas y con otros fines. Así, las marcas que el niño hace al principio con crayón en el papel son un fin en sí mismas. Más adelante, esa misma actividad queda subordinada de manera funcional a habilidades más complejas como escribir y dibujar.

No siempre son tan evidentes las raíces del pensamiento y la conducta complejos. Volveremos a este tema después de examinar el desarrollo de las habilidades motoras gruesas y finas durante el periodo preescolar. En la tabla 6-1 se resumen los principales hitos del desarrollo motor en esta etapa. Una vez más, recuerde que las indicaciones de edad son sólo promedios y que los niños pueden desviarse mucho de éstos.

Habilidades motoras gruesas   En comparación con los infantes, los niños de dos años son extraordinariamente competentes, aunque todavía les queda un largo camino por recorrer. Pueden caminar y correr pero siguen siendo relativamente pequeños y regordetes. Su marcha es vacilante y se da con las piernas muy separadas. También suelen usar las dos manos o ambas piernas cuando sólo necesitan una (Woodcock, 1941). Por ejemplo, es probable que el niño de dos años extienda las dos manos para recibir una galleta.

A los tres años, el niño mantiene más cerradas las piernas al caminas y correr, sin que deba fijarse en lo que hacen sus piernas o sus pies (Cratty, 1970). Es decir, su conducta motora gruesa empieza a dar señales de **automaticidad** —capacidad que consiste en ejecutar actividades motoras sin pensar en ellas (Shiffrin y

subordinación funcional Integración de varias acciones o esquemas simples a un patrón de conducta más complejo.

automaticidad Realizar conductas motoras bien practicadas sin tener que pensar en ellas.

TABLA 6–1 DESARROLLO MOTOR DEL PREESCOLAR

NIÑO DE 2 AÑOS	NIÑO DE 3 AÑOS	NIÑO DE 4 AÑOS	NIÑO DE 5 AÑOS
Camina con las piernas separadas y vacilante.	Mantiene juntas las piernas cuando camina o corre.	Puede variar el ritmo cuando corre.	Puede caminar sobre una viga de equilibrio.
Puede subir, empujar, jalar, correr, colgarse de las dos manos.	Puede correr y desplazarse con mayor fluidez.	Salta con torpeza; brinca.	Salta rítmicamente; se sostiene sobre una pierna.
Tiene poca resistencia.	Alcanza los objetos con una mano.	Tiene más fuerza, resistencia y coordinación.	Sabe usar botones y cremalleras; puede amarrarse las agujetas de los zapatos.
Alcanza los objetos con las dos manos.	Mancha y embadurna al pintar; apila bloques.	Dibuja formas y figuras simples; hace pinturas; usa bloques para construir.	Usa los cubiertos y las herramientas en forma correcta.

Schneider, 1977). A los tres años corre, vuelve la cabeza y se detiene con mayor suavidad que a los dos años, aunque ni sus rodillas ni sus muñecas tienen la flexibilidad que alcanzarán a los cuatro o cinco años (Woodcock, 1941). También suelen extender sólo la mano preferida para recibir algo como las galletas.

A los cuatro años el niño puede variar el ritmo de carrera. Muchos también saltan (aunque con torpeza) y pueden brincar en el mismo lugar o mientras corren; a los cinco años puede brincar con facilidad, caminar con confianza sobre una viga de equilibrio, sostenerse sobre un pie algunos segundos e imitar los pasos de la danza (Gesell, 1940). Si bien muchos niños de cinco años pueden arrojar un balón sobre la cabeza y atrapar un balón grande si se les lanza (Cratty, 1970), estas habilidades seguirán perfeccionándose en los próximos años (Robertson, 1984).

Mientras que los niños de tres años tal vez empujen un carrito de muñecas o un camión grande de juguete por el gusto de hacerlo, un niño de cuatro años subordina de manera funcional esa acción a un juego de fantasía o a otras diversiones, aunque siga ejecutando algunas acciones motoras por que le gustan.

La actividad global alcanza su punto más elevado entre los dos y tres años y disminuye en forma gradual durante el resto del periodo preescolar. La reducción empieza primero en las niñas, razón por la cual a algunos varones les cuesta trabajo quedarse quietos en su asiento en el jardín de niños (Eaton y Yu, 1989).

HABILIDADES MOTORAS FINAS Estas habilidades exigen el uso coordinado y diestro de la mano, los dedos y el pulgar. Las habilidades en que intervienen las manos y los dedos provienen de una serie de procesos superpuestos que comienzan antes del nacimiento. (Recuerde, por ejemplo, que la transformación del reflejo de prensión se convierte en una prensión voluntaria y luego en una maniobra de atenazar.) Hacia el final del tercer año surgen nuevas habilidades manuales a medida que el niño empieza a integrar y a coordinar los esquemas manuales con otras conductas motoras, perceptuales o verbales. Las habilidades motoras finas también empiezan a mostrar automaticidad. Por ejemplo, el niño de cuatro años puede conversar durante la comida mientras manipula con éxito el tenedor (Cratty, 1986). Pero a pesar de una mayor competencia, al preescolar le cuesta mucho ejecutar movimientos finos con precisión. Esta dificultad está ligada a la inmadurez del sistema nervioso central (la mielinización todavía está en proceso), lo mismo que a su escasa paciencia y a un lapso de atención relativamente corto.

Conforme el niño va dominando este tipo de habilidades, se vale por sí mismo con mayor competencia y realiza mejor sus actividades diarias. Así, entre

La marcha de los niños de dos años se caracteriza por la separación de las piernas y la oscilación del cuerpo. Les encanta caminar y correr pero tienen poca resistencia. En cambio, a los tres años mantienen más juntas las piernas cuando corren.

los dos y tres años de edad puede ponerse y quitarse algunas prendas simples. Abre y cierra la cremallera y sabe usar la cuchara.

El niño de entre tres y cuatro años puede abotonar y desabotonar botones grandes y "servirse" él mismo la comida, aunque a veces al hacerlo provoca un verdadero caos. Entre los cuatro y los cinco años puede vestirse y desvestirse sin ayuda y utilizar bien los cubiertos. De los cinco a los seis años puede hacer un nudo simple; a los seis años por lo general se amarra las agujetas, a pesar de que a algunos les es difícil y piden ayuda.

APRENDIZAJE Y HABILIDADES MOTORAS   Las primeras habilidades motoras que empieza a aprender el preescolar suelen ser acciones ordinarias como amarrarse las agujetas, cortar con tijeras, brincar y saltar, aunque no las dominarán sino hasta el final del periodo preescolar. Estas habilidades mejoran su capacidad para desplazarse, valerse por sí mismo y comportarse de manera creativa. Algunos aprenden, además, actividades que exigen gran destreza como la gimnasia, tocar el piano y hasta cabalgar.

Esta niña en edad preescolar se concentra en amarrarse las agujetas de los zapatos.

Los investigadores han identificado algunas condiciones importantes del aprendizaje motor, a saber: aprestamiento, práctica, atención, competencia, motivación y retroalimentación.

Por lo general, es necesario el *aprestamiento* para aprender cualquier habilidad, tanto cognoscitiva como motora. Se necesitan cierto nivel de madurez y ciertas habilidades básicas para que el niño aproveche el entrenamiento. Aunque es difícil saber con exactitud cuándo está "listo" el niño, las investigaciones de los estadounidenses y de los rusos indican que aprende con rapidez y con poco entrenamiento o esfuerzo si el nuevo aprendizaje se introduce en el momento óptimo de aprestamiento (Lisina y Neverovich, 1971). El niño desea aprender, disfruta la práctica y le fascina su desempeño. Muchas veces da indicaciones del momento en que ha alcanzado el aprestamiento óptimo para aprender una habilidad en particular: observe si comienza a imitar por su cuenta alguna conducta.

La *práctica* es indispensable para el desarrollo motor. Los niños no podrán dominar la acción de subir las escaleras si no la realizan. Tampoco aprenderán a arrojar un balón si no practican el lanzamiento. Cuando los niños viven en un ambiente limitado y restringido, su adquisición de habilidades motoras se rezaga. Les resultará difícil adquirirlas a quienes no tienen objetos con que jugar, lugares que explorar, herramientas que usar, ni personas a quienes imitar. Por el contrario, en un ambiente rico y dinámico suelen ajustar bien su ritmo de aprendizaje. Imitan las conductas, con frecuencia repitiéndolas una y otra vez. Hacen cosas como vaciar varias veces el agua de un recipiente a otro para explorar los conceptos de "lleno" y "vacío", de "rápido" y "lento". Estos programas de aprendizaje ideados y regulados por ellos mismos suelen ser más eficaces que las lecciones programadas por los adultos (Karlson, 1972).

Deben cumplirse ciertas condiciones como el aprestamiento, la motivación y la atención, para que una niña pequeña aprenda una actividad que exige tanta destreza como tocar el piano.

El aprendizaje motor mejora también con la *atención*, la cual exige un estado mental alerta y comprometido. ¿Cómo se mejora la atención de los niños? A los de corta edad no se les puede decir simplemente lo que deben hacer y cómo hacerlo. En cambio, por medio de actividades los niños de dos y tres años aprenden mejor nuevas habilidades motoras. Puede recurrirse a ejercicios y juegos para enseñarles a mover los brazos y las piernas en determinadas formas. Tales técnicas indican que los niños de tres y cinco años concentran su atención más eficazmente por medio de la imitación activa. Sólo después de los seis o siete años podrán prestar atención a las instrucciones verbales y cumplirlas bastante bien, al menos mientras realicen actividades y tareas conocidas (Zaporozlets y Elkoni, 1971).

La *motivación de competencia* (White, 1959) se refleja en la observación de que los niños a menudo intentan cosas sólo para saber si pueden hacerlas, para perfeccionar sus habilidades, para probar sus músculos y sus capacidades, para disfrutar el placer que les procura. Corren, brincan, trepan y saltan por el gusto que sienten de hacerlo y el reto que representa. En otras palabras, a menudo se entregan a una **conducta motivada intrínsecamente** que realizan por

conducta motivada intrínsecamente   Comportamiento que se realiza por su valor intrínseco, sin perseguir una meta en especial.

su propio valor sin perseguir una meta identificable, salvo quizá la competencia y el dominio. Por el contrario, la **conducta motivada extrínsecamente** la llevan a cabo para obtener reforzamiento.

Por último, la *retroalimentación* que reciben por sus esfuerzos les ayuda a adquirir y perfeccionar las habilidades motoras. Los padres y los compañeros les dicen que lo están haciendo muy bien y los estimulan a superarse. La retroalimentación a veces proviene de la conducta misma. Por ejemplo, cuando un niño sube una escalera de juguete, le procurarán placer la tensión de sus músculos y la experiencia de estar a cierta altura y de contemplar cosas que no son visibles desde el suelo. Los padres y los profesores pueden contribuir mucho al acentuar esta retroalimentación interna. Algunas expresiones concretas como "Ya tienes un fuerte apoyo en la barra" son más eficaces que un elogio general como "Estás subiendo muy bien las escaleras".

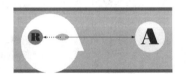

REPASE Y APLIQUE

1. Describa los principales cambios físicos que se operan en el cuerpo del preescolar y su relación con su creciente sentido de competencia.
2. ¿Cómo interactúa la lateralización del cerebro con el desarrollo físico y motor?
3. Resuma los hitos del desarrollo de las habilidades motoras gruesas y finas en el preescolar y describa las condiciones necesarias para aprenderlas.

DESARROLLO COGNOSCITIVO

Cuando observamos los cambios que ocurren en el desarrollo del preescolar, a menudo es difícil distinguir las contribuciones de la creciente competencia física y las del desarrollo cognoscitivo. A menudo el niño utiliza su cuerpo como terreno para probar sus incipientes habilidades intelectuales.

Décadas después de que Piaget iniciara sus investigaciones, sus teorías todavía son una base importante para entender el desarrollo cognoscitivo, aunque otras ponen en tela de juicio algunas de las conclusiones concernientes a estas habilidades del niño y a la forma en que las adquiere. Comenzaremos por examinar las observaciones de Piaget sobre el periodo preescolar y después consideraremos otros planteamientos.

ASPECTOS BÁSICOS DEL PENSAMIENTO PREOPERACIONAL

En el capítulo 1 dijimos que Piaget describe el desarrollo cognoscitivo a partir de etapas discretas por las que avanzan los niños en la comprensión del mundo. De acuerdo con Piaget, elaboran activamente un conocimiento personal. Crean su propia realidad mediante la experimentación; son como pequeños científicos que se esfuerzan por entender cómo funciona el mundo. Exploran el ambiente y comprenden la nueva información sobre la base de su nivel y modos actuales de conocer. Cuando se encuentran con algo conocido, lo asimilan. Cuando se encuentran con algo desconocido, adecuan su pensamiento para incorporarlo.

Durante la *etapa preoperacional*, los preescolares siguen ampliando su conocimiento del mundo mediante habilidades lingüísticas y de solución de problemas cada vez más complejos. Sin embargo, Piaget piensa que no han alcanzado todavía las habilidades mentales necesarias para entender las operaciones lógicas e interpretar la realidad de manera más plena. Entre esas operaciones figuran la

conducta motivada extrínsecamente Comportamiento que se realiza para obtener recompensa o evitar situaciones aversivas.

causalidad, las percepciones de la realidad, el tiempo y el espacio, y la mayor parte de los conceptos numéricos. Se trata de habilidades que adquirirán más adelante en la *etapa de las operaciones concretas*, cuyas bases las sientan las habilidades cognoscitivas y los conocimientos logrados en la etapa preoperacional.

Desde el punto de vista de Piaget, el niño inicia la etapa preoperacional con un lenguaje y habilidades de pensamiento muy rudimentarios, y al terminar se formulan preguntas tan complejas como "¿A dónde fue la abuela cuando se murió?".

¿Cómo es el pensamiento preoperacional? Consideremos la pregunta junto con los extraordinarios avances cognoscitivos que el preescolar logra durante esta etapa.

SUBETAPAS Y PENSAMIENTOS PREOPERACIONALES   La etapa preoperacional abarca de los dos a los siete años aproximadamente y se divide en dos partes: el *periodo preconceptual* (de los dos a los cuatro años más o menos) y el *periodo intuitivo o de transición* (de los cinco a los siete años).

El periodo preconceptual se caracteriza por un aumento en el uso y la complejidad de los símbolos y del juego simbólico (de simulación). Antes el pensamiento del niño se limitaba al ambiente físico inmediato. Ahora los símbolos le permiten pensar en cosas que no están presentes de momento. Su pensamiento es más flexible (Siegler, 1991). Las palabras poseen la fuerza de comunicar aunque estén ausentes las cosas a que se refieren.

Sin embargo, al niño siguen causándole problemas las principales categorías de la realidad. No distingue entre la realidad mental, física y social. Por ejemplo, su pensamiento está impregnado de *animismo*: piensa que todo lo que se mueve tiene vida —el sol, la luna, las nubes, un automóvil o un tren. También muestra *materialización*: los objetos y las personas de sus pensamientos y de sus sueños son reales para él; representa los objetos con el mismo realismo de los que se hallan en su ambiente. En parte, tales modalidades del pensamiento provienen de otra característica del pensamiento del preescolar (y de los niños de menor edad): el **egocentrismo**. Con este término designamos la tendencia a ver y entender las cosas a partir de un punto de vista personal, en forma muy semejante a como lo hacía Winnie-the-Pooh en el texto con que se inicia el capítulo. El preescolar no es capaz de distinguir el ámbito de la existencia personal de todo lo demás (Siegler, 1991).

El periodo intuitivo o de transición comienza hacia los cinco años de edad. El niño comienza a distinguir la realidad mental de la física y a entender la causalidad prescindiendo de normas sociales. Por ejemplo, antes de esta etapa el niño puede pensar que todo fue creado por sus padres o por algún otro adulto. Ahora empieza a entender la importancia de otras fuerzas. Comprende muchos puntos de vista y los conceptos relacionales, si bien no puede realizar muchas de las operaciones mentales básicas. Aunque el pensamiento racional se perfecciona en este periodo, el niño también está dispuesto a recurrir al pensamiento mágico para explicar las cosas. Si bien un niño de entre cuatro y seis años sabe que un adulto no puede transformarse en niño y que la gente no puede atravesar los objetos sólidos, la mayoría de los pequeños de esta edad cambiará de opinión si un adulto narra un cuento como si fuera verdadero (Subbotsky, 1994).

REPRESENTACIÓN SIMBÓLICA   La diferencia más importante entre los infantes y los niños de dos años es el uso de la *representación simbólica*. Como se señaló en el capítulo 4, esta designación indica el uso de acciones, imágenes o palabras para representar objetos y hechos. La diferencia se observa con toda claridad en el desarrollo del lenguaje y en el juego simbólico (Flavell y otros, 1993). Los niños de dos años pueden imitar sucesos, roles y acciones pasadas. Un preescolar podría usar gestos para expresar una secuencia de acontecimientos como viajar

egocentrismo Concepción del mundo orientada al yo, que consiste en percibir todo en relación con uno mismo.

Los preescolares adquieren la capacidad de usar símbolos para representar acciones, hechos y objetos —capacidad que marca un hito en el desarrollo cognoscitivo. Esta pequeña mujer de negocios lee el periódico mientras se dirige a su trabajo.

en automóvil. Con las sugerencias adecuadas, representará una comida familiar, imitará a una niñera o encarnará una historia de su libro favorito.

La capacidad de emplear números para representar una cantidad es otra aplicación de la representación simbólica, lo mismo que la adquisición de las destrezas para el dibujo y la expresión artística que comienzan durante la etapa preoperacional.

¿Cómo se aprende la representación simbólica? Donald Marzoff y Judy DeLoache (1994) efectuaron una serie de experimentos sobre la comprensión de las representaciones espaciales por parte del preescolar. Descubrieron que las experiencias tempranas con las relaciones simbólicas favorecen el aprestamiento del niño para reconocer que un objeto puede representar a otro. En un estudio (DeLoache,1987) se comprobó que la comprensión de algunas relaciones simbólicas se realiza en forma bastante repentina. Por ejemplo, a diferencia de los niños de dos años y medio que no entienden la relación entre un modelo a escala de un cuarto y la habitación real, los de tres años captan con facilidad la relación. Quizá esto se deba a que los niños más pequeños no comprenden que un modelo a escala es *a la vez* un objeto y un símbolo de otra cosa.

Aunque la representación simbólica aparece al final del periodo sensoriomotor, sigue perfeccionándose; a los cuatro años el niño logra una simbolización mucho mejor que a los dos años. En un experimento (Elder y Pederson, 1978), los investigadores descubrieron que los niños de menor edad —de dos años y medio— necesitaban objetos de utilería semejantes a los objetos reales en sus juegos de simulación. En cambio, los de tres años y medio podían representar los objetos con cosas muy diferentes o una situación sin necesidad de utilería. Fingían que un cepillo era una jarra o incluso hacían como que usaban una jarra sin necesidad de la utilería; esto no podían hacerlo los niños de dos años y medio.

Los procesos de pensamiento se vuelven más complejos con el uso de símbolos (Piaget, 1950, 1951). Los niños demuestran que perciben semejanzas entre dos objetos cuando les dan el mismo nombre. Adquieren conciencia del pasado y se forman expectativas para el futuro. Se distinguen de la persona a la cual se dirigen. La representación simbólica les ayuda también en otras formas (Fein, 1981): gracias a ella son más sensibles a los sentimientos y opiniones de los demás. Esta sensibilidad a su vez les ayuda a hacer la transición a un pensamiento menos egocéntrico y más *sociocéntrico*. El pensamiento orientado a la sociedad tardará todavía muchos años en madurar.

LIMITACIONES DEL PENSAMIENTO PREOPERACIONAL

Pese al desarrollo de la representación simbólica, el niño preoperacional habrá de recorrer un largo trecho antes de convertirse en un pensador lógico. Sus procesos de pensamiento están limitados en muchos aspectos, como se advierte cuando observamos su conducta y, en especial, en los experimentos cuyo fin es comprobar estas limitaciones. El pensamiento de los niños está limitado en cuanto a que es concreto, irreversible, egocéntrico, centrado y presenta problemas con los conceptos de tiempo, espacio y secuencia.

PENSAMIENTO CONCRETO   El pensamiento del preescolar es *concreto* porque no puede procesar las abstracciones; le interesa el aquí y el ahora, lo mismo que las cosas físicas que le son fáciles de representar mentalmente.

PENSAMIENTO IRREVERSIBLE   El pensamiento de los niños pequeños es *irreversible* porque perciben los acontecimientos como si ocurrieran en una sola dirección. No imaginan que las cosas podrían volver a su estado original ni que pueden darse relaciones en ambas direcciones. Consideremos el siguiente ejemplo: a una niña de tres años le preguntamos "¿Tienes una hermana?", Y ella responde "Sí". "¿Cómo se llama?" "Luisa." "¿Luisa tiene una hermana?" "No." En este caso la relación es exclusivamente en una dirección; la niña sabe que tiene una hermana pero no reconoce todavía que ella es hermana de Luisa.

PENSAMIENTO EGOCÉNTRICO   Como ya apuntamos, el pensamiento del niño preoperacional es egocéntrico y se centra en su perspectiva personal; de ahí que le sea difícil adoptar el punto de vista de otra persona. Se concentra en sus percepciones y supone que todos las comparten. Piaget (1954) se valió del "problema de las montañas", descrito en forma gráfica en la figura 6-3, para estudiar el egocentrismo infantil. El niño se sienta en un lado de la mesa que tiene una maqueta con una cordillera de yeso. Se le muestran fotografías tomadas desde los cuatro ángulos de la maqueta —el del niño y los otros tres asientos de la mesa. Cuando se les pide escoger el que corresponde a su ángulo, la mayoría de los niños preescolares lo hacen con facilidad. Sin embargo, se equivocan cuando se les pide que elijan el que representa el ángulo de una muñeca colocada en uno de los asientos.

PENSAMIENTO CENTRADO   El pensamiento de los niños preoperacionales suele concentrarse sólo en un aspecto o dimensión del objeto o la situación y excluye los otros. Esta limitación, denominada *centración*, se observa en los problemas relacionados con la *inclusión en una clase*. Por ejemplo, cuando a los niños preoperacionales se les muestra una colección de cuentas de madera —unas rojas y otras amarillas— y se les pregunta si hay más cuentas rojas o cuentas de madera, no logran considerar al mismo tiempo el color de las cuentas y el material de que están hechas.

PROBLEMAS DE TIEMPO, ESPACIO Y SECUENCIA   Un niño de tres años puede decir "El abuelo viene a visitarnos la próxima semana". Incluso uno de dos años utiliza palabras que parecen indicar el conocimiento del tiempo y del espacio como "más tarde", "mañana", "anoche" "la próxima vez" y "muy lejos". Pero a los dos y a los tres años no tienen una idea clara del significado de esas palabras. "Mediodía" puede significar hora de comer; pero si la comida se retrasa una hora, todavía sería mediodía para ellos. Al despertar de la siesta, tal vez ni siquiera sepan que es el mismo día. Les resulta difícil conceptualizar los días, las semanas y los meses, lo mismo que adquirir los conceptos más generales de que el tiempo existe en un continuo de pasado, presente y futuro.

Dicho con otras palabras, los niños de corta edad no captan el concepto de secuencias causales. De hecho, su uso inicial de las palabras "causa" y "porque" tal vez tenga poco que ver con la forma en que las interpreta el adulto. Lo mismo sucede con la forma interrogativa "por qué", con que al niño de cuatro años le gusta comenzar sus preguntas. El niño pregunta "¿Por qué bebemos en botellas y en latas?" El progenitor responde "Porque algunas cosas saben mejor en botella y otras en latas". El niño pregunta "Pero el jugo viene en botellas y en latas. ¿Por qué?" El padre contesta "Bueno, a veces cuestan menos". El ni-

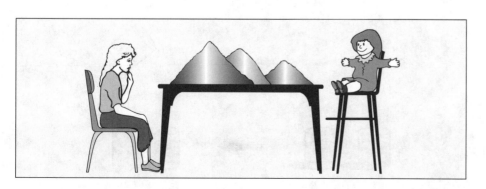

FIGURA 6–3 VISUALIZACIÓN DEL PROBLEMA DE LAS "MONTAÑAS"

Aunque este preescolar señala un número del reloj, le resulta muy difícil comprender los conceptos de minutos y horas.

conservación Entender que ni la forma ni el aspecto cambiante de un objeto alteran su magnitud o volumen.

ño pregunta "¿Por qué?" Y quizá el progenitor conteste: "¡Ve a lavarte las manos para comer y después hablamos!" Es posible que lo que al niño le interesaba era el aspecto de los recipientes y no el verdadero "por qué".

El conocimiento de las relaciones espaciales se logra durante el periodo preescolar. El significado de palabras como "dentro", "fuera", "cerca", "lejos", "arriba", "abajo", "encima" y "debajo" se aprenden de manera directa de las experiencias con el propio cuerpo (Weikart y otros, 1971). En nuestra opinión, el niño aprende primero un concepto con su cuerpo (gateando por debajo de una mesa) y luego con los objetos (empujando un camión de juguete por debajo de una mesa). Más tarde aprende a identificar el concepto en las fotografías o ilustraciones ("¡Mira el bote que pasa debajo del puente!").

CONSERVACIÓN

Los problemas de **conservación** ideados por Piaget sirven para ejemplificar algunas de las limitaciones del pensamiento preoperacional. El término *conservación* designa el conocimiento de que, al cambiar la forma o el aspecto de los objetos y de los materiales, no se modifica su magnitud. Consideremos los siguientes ejemplos.

CONSERVACIÓN DEL VOLUMEN   Piaget observó que en la etapa preoperacional los niños no conservan el *volumen*, como lo indica su problema clásico del líquido en distintos recipientes (vea la figura 6-4). Al niño se le muestran dos vasos idénticos que contienen la misma cantidad de líquido. Cuando se le pregunta "¿Son iguales?", responde de inmediato "Sí". Después, mientras el pequeño observa, se vierte el contenido de uno de los recipientes originales en un vaso alto y delgado. Luego, se le pregunta "¿Son iguales o diferentes?" El niño suele decir que son diferentes, quizá agregando que el recipiente más alto contiene más líquido. La centración parece ser el problema, pues el niño se fija sólo en una dirección —la altura por ejemplo—, sin darse cuenta de que ocurre un cambio compensatorio en la anchura del vaso. Para el niño, se trata de un problema *perceptual*, no lógico: se concentra simplemente en el aquí y el ahora; de hecho el estado de los líquidos antes de vaciarlos es un problema distinto al de su estado después de vaciarlos. En otras palabras, el vaciamiento no es importante desde el punto de vista del niño.

También interviene la irreversibilidad: al niño no se le ocurre que el líquido en el vaso más alto podría volverse a vaciar en el vaso original y que, por tanto, debe ser igual. Una vez más al pensamiento del niño le falta una aproximación lógica.

CONSERVACIÓN DE LA MASA   En la figura 6-5 se aprecian las pruebas posibles de la conservación de la *masa*, que ejemplifica un pensamiento preoperacional muy semejante al del problema del líquido en distintos recipientes. En este caso al niño se le presentan dos bolas idénticas de arcilla. Mientras observa, una

FIGURA 6–4 PROBLEMA CLÁSICO DE LA "CONSERVACIÓN DEL LÍQUIDO"

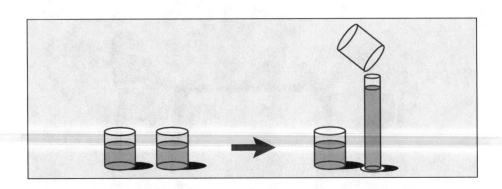

DIAGRAMA DE ESTUDIO · CARACTERÍSTICAS DEL PENSAMIENTO PREOPERACIONAL

Periodo preconceptual	animismo	Creencia de que todo lo que se mueve tiene vida	Se le atribuye vida a la luna, al sol, a los automóviles, a los trenes y a otros objetos.
	materialización	Creencia de que los objetos y las personas que pueblan los pensamientos y los sueños son reales	El monstruo de una pesadilla acecha al niño debajo de la cama.
	egocentrismo	Tendencia a ver las cosas y a interpretarlas desde el punto de vista personal	El cielo es azul porque es el color preferido del niño.
Periodo intuitivo	representación simbólica	Uso de acciones, imágenes o palabras para representar objetos y hechos	Los bloques representan casas y torres.
	pensamiento sociocéntrico	Capacidad de adoptar el punto de vista de otra persona	El niño se da cuenta de que otro quizá no quiera jugar hoy a la casita.
Limitaciones	es concreto	Incapacidad de manejar abstracciones	Ésa no es una montaña; es un montón de arena.
	irreversibilidad	Incapacidad de ver los sucesos como si ocurrieran en más de una dirección	Tengo una hermana, pero ella no tiene hermanas ni hermanos.
	centración	Incapacidad de concentrarse en varios aspectos del problema al mismo tiempo	El niño no puede considerar a la vez el color y el material de un objeto.

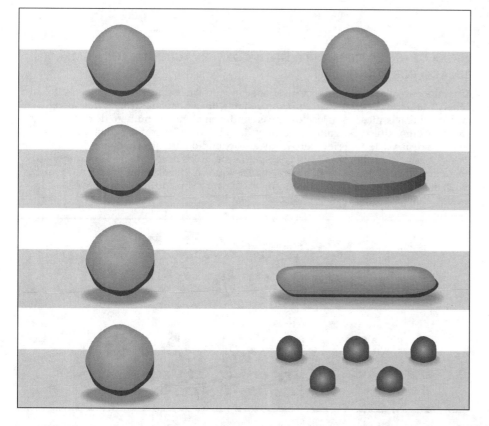

FIGURA 6–5

En este experimento de conservación, al niño se le muestran dos bolas idénticas de arcilla. Una permanece inalterada y la otra adquiere varias formas.

de las bolas se convierte en varias formas mientras la otra permanece intacta. Pongamos el caso en que rodamos la bola y la convertimos en una especie de salchicha alargada. Por la centración, el niño podría decir que la salchicha contiene más arcilla o que contiene menos, según se fije en la longitud o en la altura. Igual que en la conservación del volumen, el niño queda atrapado entre el aquí y el ahora y no se da cuenta de que se trata de un proceso reversible.

CONSERVACIÓN DEL NÚMERO La adquisición de las habilidades numéricas es un tema de especial interés, tanto por el nivel de educación formal que invertimos al enseñar a los niños a usar los números como por las muchas aplicaciones prácticas que tienen en la vida diaria. En la figura 6-6 aparece una actividad de conservación de números. Primero el investigador coloca seis dulces en cada una de las dos hileras, uno sobre otro y espaciados de la misma manera. Después de que el niño acepta que las dos hileras contienen la misma cantidad de dulces, el investigador saca uno de los dulces de una hilera y extiende el resto. Para conservar el número, el niño debe reconocer que la hilera más larga contiene en realidad menos dulces a pesar de su aspecto "más amplio". Los niños menores de cinco o seis años a menudo se engañan y juzgan que la hilera más larga contiene más dulces.

LIMITACIONES DE LA TEORÍA DE PIAGET

¿Los experimentos de Piaget ponen en desventaja a los niños preoperacionales y, por tanto, subestiman sus capacidades cognoscitivas? En algunos aspectos, las investigaciones señalan que sí. Por ejemplo, aunque los preescolares suelen ser egocéntricos e interesarse en su perspectiva personal de las cosas, en algunas situaciones adoptan el punto de vista de otros. Los problemas de Piaget se vuelven claros, incluso para ellos, cuando se les plantean de modo que tengan "sentido humano" (Donaldson, 1978). Por ejemplo, en un estudio con un grupo de niños preoperacionales que no habían logrado resolver el problema de las montañas, a los pequeños se les preguntó si un niño malo podría esconderse para que no lo

FIGURA 6–6 EXPERIMENTO DE LA CONSERVACIÓN DE LOS NÚMEROS IDEADO POR PIAGET

Cuando a un niño de cuatro o cinco años se le muestra la serie de dulces en las dos hileras de la parte superior y se le pregunta si una línea tiene más o si las dos son iguales, por lo general contesta que las dos líneas contienen el mismo número de dulces. Usando los mismos dulces, se compactaron los de la hilera inferior y se extrajo un dulce de la hilera de la parte superior, pero la línea se extendió para que fuera más larga. El niño observó esta operación, y se le dijo que podía comer los dulces de la hilera que contuviera más. Incluso los niños preoperacionales, que ya saben contar, insistirán en que la línea más larga contiene más dulces aunque hayan realizado el ejercicio de contar los de cada hilera.

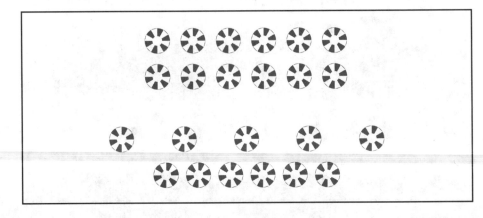

hallara la policía. Aunque ninguno de los participantes había visto a alguien esconderse de la policía, todos habían jugado a las escondidas y no les fue difícil adoptar el punto de vista del niño travieso. Hasta los de tres años lo lograron (Hughes y Donaldson, 1979). Numerosos trabajos de investigación revelan que el preescolar se fija al menos de manera esporádica en más de una dimensión a la vez y que piensa en función de las transformaciones, no del inicio ni de los estados finales concretos. Es decir, manifiesta los elementos de la conservación. Éstos simplemente no son sus modos *dominantes* de pensar (Siegler y Ellis, 1996).

Rochel Gelman y sus colegas (1986) han demostrado que el preescolar maneja los números con más competencia de la que creía Piaget. Por ejemplo, identificaron dos grandes tipos de habilidades numéricas en los niños de corta edad: *habilidades de abstracción de los números* y *principios de razonamiento numérico.* Las habilidades se refieren a los procesos cognoscitivos que los niños usan en el conteo; incluso un niño de tres años podría contar la cantidad de galletas en una mesa y calcular de manera exitosa que son "cuatro". Los principios del razonamiento numérico son los procesos cognoscitivos por los que se determina la forma correcta de operar o transformar una distribución (Flavell y otros, 1993). Por ejemplo, un niño diría que sabe que la única manera de aumentar el número de objetos consiste en agregarle un objeto. Sin embargo, sólo cuando dominan habilidades más complejas de razonamiento podrán sumar, restar, multiplicar y dividir (Becker, 1993).

MAS ALLÁ DE PIAGET: PERSPECTIVAS SOCIALES

Cómo mencionamos en el capítulo 4, algunos psicólogos del desarrollo ven el desarrollo cognoscitivo desde una perspectiva muy distinta. En lugar de considerar al niño como un científico activo, resaltan su naturaleza social y ponen en tela de juicio la idea piagetana según la cual el niño es un explorador solitario que trata de interpretar el mundo por su cuenta. No excluyen la exploración activa, pero aseguran que el niño adquiere más a menudo sus habilidades cognoscitivas interactuando con personas de más experiencia: padres, profesores y niños mayores. En esas interacciones los padres y otras personas transmiten las reglas y las expectativas de la sociedad (Bruner y Haste, 1987).

De acuerdo con la perspectiva social, las formas en que los adultos muestran cómo resolver los problemas ayudan al niño a pensar. Como señalamos en los capítulos 4 y 5, mediante la participación guiada de la cultura inicia al niño en muchísimas actividades. Cuando los pequeños ayudan a poner la mesa o a levantarla, cuando se unen al canto de "Éstas son las mañanitas", los miembros con más experiencia (los adultos) transmiten algunos aspectos de la cultura a los miembros con menos experiencia (los niños). Katherine Nelson afirma que el conocimiento de los hechos es la clave para entender la mente del niño (1986). A diferencia de Piaget, que se concentró en lo que los niños *no saben*, a Nelson le interesa lo que sí saben y lo que aprenden de las experiencias diarias. Para ella, el conocimiento del niño y su participación en las actividades rutinarias es material tanto para la vida mental del niño como para la adquisición de las habilidades cognoscitivas. Por tanto, la comprensión que el niño tiene del mundo forma parte del conocimiento cultural.

La zona de desarrollo proximal de Vygotsky (vea el capítulo 4) comprende la idea de que los niños se desarrollan participando en actividades que están ligeramente por encima de su competencia, siempre que los ayuden personas con más habilidades y conocimientos (Vygotsky, 1934/1978). El juego social es un medio importante para que alcancen niveles más avanzados de habilidades sociales y cognoscitivas (Nicolopoulou, 1993). El juego también ofrece una excelente oportunidad para estudiar la forma en que los niños aprenden en muy diversas culturas (Rogoff, 1993). Más adelante en el capítulo retomaremos la relación entre juego y aprendizaje.

Estas niñas aprendieron los rituales de los cumpleaños mediante una participación guiada.

FUNCIÓN DE LA MEMORIA EN EL DESARROLLO COGNOSCITIVO

La memoria es un aspecto fundamental del desarrollo cognoscitivo. Percibir de manera selectiva, razonar, clasificar y, en general, avanzar hacia conceptos más complejos son procesos que se dan junto con la maduración y la adquisición de los procesos de la memoria. Comenzaremos esta sección por sintetizar el modelo de memoria que propone la teoría del procesamiento de la información. Después examinaremos las pruebas en favor de los cambios que se dan en el desarrollo de la memoria (y sus limitaciones) durante la etapa preescolar.

PROCESOS DE LA MEMORIA   Cuando la información sensorial visual entra en la "computadora" humana del adulto, el *registro sensorial* la conserva por un periodo muy breve, a menudo menos de un segundo, antes que otra la reemplace o sea transmitida para su procesamiento posterior. La memoria sensorial auditiva dura más tiempo, hasta tres segundos aproximadamente.

La información a la que prestamos atención pasa a la *memoria a corto plazo*, llamada también *memoria de trabajo*, y allí es procesada. La memoria a corto plazo es esencialmente la "conciencia": lo que pensamos en un momento dado, lo que está en nuestra mente en este instante. Sin repaso (por ejemplo, repetir un nuevo número telefónico lo suficiente para marcarlo), la información permanece en ella 15 o 20 segundos. Si tratamos de recordarla, pasa a la *memoria a largo plazo*. En general, los investigadores consideran que la memoria a largo plazo es permanente y que se basa en los cambios estructurales del cerebro. Así, salvo en caso de daño cerebral, los recuerdos guardados en ella son accesibles durante toda la vida y constituyen el almacenamiento acumulado del conocimiento al que normalmente accedemos cuando reconocemos lo familiar y cuando aprendemos cosas nuevas (Atkinson y Shiffrin, 1971; Hagen y otros, 1975).

Como la memoria consta de imágenes, acciones o palabras, los investigadores con frecuencia aluden a ella como memoria visual, motora o verbal (semántica). La memoria visual es la primera que aparece. Pero si nos piden que nos acordemos de nuestros primeros años de vida, pocas veces recordaremos lo sucedido antes de los tres años. Esta incapacidad probablemente se relacione con la codificación, aunque los investigadores no saben con exactitud qué procesos intervienen. Después de los cuatro o seis años aparecen recuerdos codificados en forma verbal que podemos describir, lo cual puede deberse a que el desarrollo del lenguaje permite a los niños preoperacionales codificar de manera más eficaz la información nueva.

RECONOCIMIENTO Y RECUERDO   Los estudios dedicados a las habilidades de retención del preescolar se han concentrado en dos capacidades básicas: el reconocimiento y el recuerdo. El **reconocimiento** es la capacidad de identificar objetos o situaciones que se han visto o experimentado antes. Por ejemplo, el niño puede reconocer una fotografía o una persona que ha visto con anterioridad, aunque no pueda decirnos mucho sobre ella. El **recuerdo** designa la capacidad de hacer remembranzas de largo plazo con pocas claves o pistas; es mucho más difícil para los niños y los adultos. Por ejemplo, podríamos pedirle a un niño que nos cuente una historia de memoria. O pedirle al lector que relate todo lo que aprendió hasta ahora en este capítulo. Ambas tareas resultarán muy difíciles.

Los investigadores han comprobado que el preescolar logra excelentes resultados en las tareas de reconocimiento, pero que su desempeño en el recuerdo es deficiente, a pesar de que ambas modalidades de memoria mejoran entre los dos y los cinco años (Myers y Perlmutter, 1978). En una tarea de reconocimiento en que se mostraron muchos objetos una sola vez a niños de esa edad, hasta los más pequeños podían señalar de manera correcta 81 por ciento de los objetos que habían visto antes; los niños mayores reconocían 92 por ciento. No obstante, cuando a aquellos cuya edad fluctuaba entre los dos y los cuatro años se les pidió que recordaran los objetos mencionándolos, los de tres años podían mencionar apenas 22 por ciento de los objetos y los de cuatro años apenas 40 por ciento. Sin duda el preescolar es mejor en el reconocimiento que en el recuerdo, pero éste último puede mejorar si sus cuidadores le hacen preguntas en forma sistemática que exijan el ejercicio del recuerdo (Ratner, 1984).

REPASO Y ORGANIZACIÓN   En general, se supone que los problemas de los niños pequeños con el recuerdo se deben a las estrategias limitadas que emplean en la codificación y en la recuperación (Flavell, 1977; Myers y Perlmutter, 1978), lo mismo que a un corto lapso de atención y una reducida memoria de trabajo. Los preescolares no organizan la información en forma espontánea ni la repasan con la mente (repitiéndola para sí mismos) como lo hacen los niños mayores y los adultos. Si le pedimos a un adulto que memorice una lista como "gato, silla, avión, perro, escritorio, automóvil", el individuo clasifica de manera automática los objetos en "animales", "muebles" y "vehículos" y luego repasa los elementos de cada categoría; los niños pequeños no lo hacen. Los niños de seis años en adelante también mejoran la capacidad para retener la información cuando se les enseñan estrategias de memoria, pero al preescolar es difícil enseñarle a organizarla y repasarla.

El preescolar aplica ciertas estrategias de memoria. En un estudio, un grupo de niños cuya edad fluctuaba entre los 18 y los 24 meses vieron cómo un experimentador ocultaba una réplica de Big Bird debajo de una almohada y se les dijo que recordaran donde había sido ocultado, porque más tarde les preguntarían dónde se encontraba. Enseguida el experimentador los distrajo con otros juguetes durante algunos minutos. Durante el periodo de demora, los niños interrumpían con frecuencia el juego para hablar de Big Bird, señalar su escondite, pararse a su lado e incluso tratar de recuperarlo, lo cual indica claramente que intentaban recordar su ubicación (DeLoache y otros, 1985). En otro estudio, los investigadores comprobaron que el preescolar agrupa por categorías la información espacial —pero no la conceptual— al tratar de recordarla (DeLoache y Todd, 1988). Por ejemplo, cuando a un grupo de niños muy pequeños se le pidió que recordaran la ubicación de un objeto escondido, a menudo se servían de verbalizaciones semejantes al repaso: referirse al juguete escondido, al hecho de que estaba escondido, al lugar y al hecho

reconocimiento   Capacidad de identificar de manera correcta lo que se ha experimentado antes cuando aparece de nuevo.

recuerdo   Capacidad de recuperar la información y los hechos que no están presentes, con señales o sin ellas.

de haberlo descubierto. Los investigadores en ambos estudios llegaron a la conclusión de que tales conductas pueden ser precursoras de estrategias más maduras de conservación de material en la memoria a corto plazo (Flavell y otros, 1993).

Algunos investigadores se han concentrado en enseñar a los preescolares algunas estrategias de memoria como la clasificación, la asignación de nombres o la categorización. Los preescolares aprendieron técnicas de memorización más avanzadas y las retuvieron varios días, pero después dejaron de usarlas quizá porque las olvidaron o simplemente porque les aburrió la actividad. Además, el aprendizaje de este tipo de estrategias parecía influir poco en la retención (Lange y Pierce, 1992). Resultados semejantes arrojaron experimentos en los que las madres utilizaban estrategias para enseñar a los niños pequeños habilidades como envolver regalos o asignarles nombre a los personajes de las historias. El preescolar utiliza menos métodos y más simples que los de su madre (Harris y Hamidullah, 1993) y a menudo no los aplica de manera espontánea.

En términos generales, este tipo de trabajos demuestra que los niños pequeños pueden aprender otras habilidades cognoscitivas además de su repertorio actual con experiencias de aprendizaje y con técnicas didácticas rigurosamente planeadas. Pero el aprendizaje no dura mucho, ya sea porque a los niños no les es fácil integrar esas habilidades a su repertorio actual o porque están demasiado ocupados aprendiendo del mundo en otras formas más fáciles. Es interesante señalar que cuando se comparaba en los estudios a un grupo de niños a quienes se pedía "recordar" los juguetes con otro grupo al que se le pedía "jugar" con ellos, los niños que habían realizado el juego activo demostraban una mejor memoria. Estos resultados indican que el juego activo favorece la organización mental en los niños (Newman, 1990). En efecto, un número cada vez mayor de investigaciones se destina a la función que los contextos físico y social tienen en la capacidad de retención. Los niños de dos años que realizan una actividad y hablan de ella en un ambiente natural como el hogar aumentan su capacidad de recuerdo. Pero su desempeño disminuye cuando se les enseña algunas estrategias formales, como el repaso, que reemplazan las interacciones contextuales informales (Fivush y Hudson, 1990).

GUIONES DE SUCESOS Y COMPRENSIÓN DE SECUENCIAS Se ha comprobado que el niño puede retener información que está ordenada *temporalmente*, es decir, en una secuencia de tiempo. Es capaz de estructurar una serie de hechos en un todo ordenado y significativo. En un experimento, se le pidió a un grupo de niños que describiera la forma en que habían hecho objetos de arcilla dos semanas antes (Smith y otros, 1987). Cuando se les brindó la oportunidad de volver a hacerlos, podían describir el proceso paso por paso. Por tanto, el preescolar puede organizar y recordar secuencias de acciones después de una sola experiencia.

Los niños pequeños saben que una ocasión como la fiesta de cumpleaños se compone de una progresión ordenada de acontecimientos: el inicio, momento en que llegan los invitados con regalos; una serie de sucesos intermedios, entre otros, jugar, cantar "Éstas son las mañanitas", apagar las velas, comer pastel y helado; y un final, cuando los invitados se marchan. También recuerdan los elementos de sucesos repetidos: la hora de comer, ir de compras o un día en el jardín de niños. Es como si aprendieran *guiones* de hechos sistemáticos (Friedman, 1990; Mandler, 1983; Nelson y otros, 1983). Cuando las madres hablan con sus hijos pequeños de objetos y acontecimientos no inmediatos —digamos, cuando describen las actividades por realizar después de la comida— les ayudan a aprender guiones y, por tanto, a recordar los componentes de una serie (Lucariello y Nelson, 1987). Pero los niños de corta edad recuerdan los hechos sólo en el orden en que ocurren. Sólo después de familiarizarse con un acontecimiento pueden invertir el orden de los pasos (Bauer y Thal, 1990). Los guiones son, pues, *mnemónicos* —recursos de memoria— con que se recuerdan las secuencias de los hechos. "Son quizá la herramienta mental más poderosa que tiene el niño para entender el mundo" (Flavell y otros, 1993).

REPASE Y APLIQUE

1. Explique cómo caracteriza Piaget el pensamiento del niño preoperacional y por qué los límites del pensamiento definen en gran medida sus capacidades cognoscitivas.
2. Explique las formas en que Piaget subestimó al parecer las capacidades cognoscitivas del preescolar.
3. ¿En qué se distinguen la teoría de la perspectiva social del desarrollo y las teorías de Piaget?
4. ¿Cuál es la función de la memoria en el desarrollo cognoscitivo?

DESARROLLO DEL LENGUAJE

En el periodo preescolar el niño amplía con rapidez su vocabulario, el uso de las formas gramaticales y su comprensión del lenguaje como actividad social. En la presente sección examinaremos el conocimiento creciente que tiene el niño de la gramática, las palabras y los conceptos; la influencia del habla de los progenitores; las características de la conversación del niño que, entre otras cosas, incluye el contexto social del lenguaje. Explicaremos también dos temas actuales muy importantes: los subdialectos étnicos y el bilingüismo.

UNA GRAMÁTICA EN EXPANSIÓN

Roger Brown (1973) escribió una de las obras más influyentes sobre la adquisición del lenguaje. Registró junto con sus colegas los patrones del habla de tres niños pequeños: Adam, Eve y Sarah. Mediante el uso de la **longitud promedio de la emisión** como medida fundamental de la adquisición del lenguaje, Brown identificó cinco etapas bien diferenciadas y de creciente complejidad en el desarrollo del lenguaje. Aunque los tres avanzaron a tasas distintas, como sucede con la mayoría de los niños, el orden fue similar. Algunas habilidades y reglas se dominan primero y ciertos errores caracterizan a determinadas etapas.

ETAPA 1   La primera etapa se caracteriza por frases de dos palabras, a manera de habla telegráfica y con palabras pivote y abiertas, como dijimos en el capítulo 4. Sin embargo, Brown fue más allá de la estructura y se concentró en el significado que los niños tratan de transmitir con el orden y la posición de las palabras: conceptos como que los objetos existen, que desaparecen y vuelven, y que la gente los posee.

ETAPA 2   Esta etapa del lenguaje se caracteriza por unidades de habla de poco más de dos palabras. El preescolar comienza a generalizar las reglas de la *inflexión* a palabras que ya conoce. Por ejemplo, forma el pasado regular de muchos verbos "jugar/jugué" y los plurales regulares de muchos sustantivos. ¿Imita simplemente el habla de otras personas o está aplicando las reglas lingüísticas? La segunda opción parece ser la respuesta (Berko, 1958). Los preescolares y los alumnos de primer grado demuestran una sorprendente comprensión de las reglas con que se conjugan los verbos y se forman los plurales y posesivos. Una prueba indirecta de esta capacidad es la tendencia a **sobrerregular** las inflexiones. Si bien antes utilizaban los verbos irregulares que oían en el habla diaria, ahora aplican las reglas de la inflexión a *todos* los verbos. Emplean construccio-

longitud promedio de la emisión   Extensión de las oraciones que genera el niño.

sobrerregulación   Generalización de los principios complejos del lenguaje, casi siempre en preescolares que empiezan a ampliar en forma rápida su vocabulario.

Estos niños de tres años pueden representar la oración "El automóvil persigue al perro", pero no "El perro es perseguido por el automóvil". Todavía no dominan el concepto de construcción pasiva.

nes como "cabo" en lugar de "quepo", "rompido" en vez de "roto", "vide" en lugar de "vi". La tendencia a la sobrerregulación es muy resistente a la corrección que hacen padres y profesores. Sólo más tarde vuelven a utilizar las formas irregulares que se basan en el aprendizaje mecánico (Marcus y otros, 1992).

ETAPA 3 El niño aprende a modificar las oraciones simples. Crea las formas negativas e imperativas, hace preguntas que exigen una respuesta afirmativa o negativa y en otros aspectos abandona los enunciados simples de las etapas precedentes. La forma negativa constituye un excelente ejemplo de lo complejo que puede ser el aprendizaje del lenguaje. En un principio los niños niegan colocando el negativo al inicio de la frase, como en "no bolsa", "no ya" y "no sucio". Sin embargo, en la tercera etapa se sirven de los verbos auxiliares y de negativos intercalados en la oración. Usan con facilidad oraciones como "Pablo no se rió" y "Jimena no deja ir" (Klima y Bellugi, 1966).

Los niños preescolares no comprenden la voz pasiva. Por ejemplo, si a un niño de tres años se le dan animales de peluche y se le pide representar "El gato persigue al perro" y "El perro persigue al gato", lo hace sin la menor dificultad (Bellugi y otros, 1970). Pero cuando se le dice "El niño lava a la niña" y "La niña es lavada por el niño", a menudo no se da cuenta de que las dos oraciones significan lo mismo.

ETAPAS 4 Y 5 En estas etapas los niños aprenden a manipular elementos cada vez más complejos del lenguaje. Comienzan a utilizar oraciones subordinadas y fragmentos dentro de oraciones compuestas y complejas. A los cuatro años y medio entienden bien la sintaxis correcta y siguen perfeccionándola en los años siguientes (Chomsky, 1969).

MÁS PALABRAS Y CONCEPTOS

Durante el periodo preescolar el niño aprende palabras con rapidez, a menudo dos o tres al día. Algunas tienen significado sólo dentro del contexto; por ejemplo, "esto" y "eso". Otras expresan relaciones entre objetos: "más blando", "más bajo", "más corto". Con frecuencia entienden un concepto, como "más", mucho antes de conocer la palabra correspondiente o el concepto contrario como "menos". Así, un niño de tres años podrá distinguir fácilmente qué plato tiene más dulce, pero no el que tiene menos. Muchas veces quieren decir cosas pero no conocen la palabra exacta, así que la inventan. Usan sustantivos en lugar de verbos como en "Mami, lapízalo" en vez de "Mami, escríbelo". Al menos hasta los tres años de edad tienen problemas con los pronombres. Por ejemplo, un niño podría decir "me necesito dormir" (en lugar de "necesito dormirme"). Aunque se corrijan, esta clase de errores persisten hasta los cuatro o cinco años, y a veces por más tiempo.

LA INFLUENCIA DE LOS PADRES EN EL USO DEL LENGUAJE

Todas las culturas transmiten el lenguaje a los niños. El desarrollo del lenguaje se facilita gracias a muchos métodos que sirven para hablarles y relacionarse con ellos. Los investigadores que estudian a los niños estadounidenses han descubierto que los cuidadores les hacen preguntas para verificar su comprensión, ampliar su repertorio de expresiones orales y para que hagan un uso ritual del habla relacionada con el juego. A menudo los adultos hablan por el niño, es decir, expresan sus deseos, necesidades y acciones en el lenguaje correcto. El lenguaje del niño se desarrolla principalmente a partir de la interacción diaria con los adultos que tratan de comunicarse —esto es, de entender y de ser entendidos (Schacter y Strage, 1982).

Sin embargo, no se conoce bien cómo interactúan el uso del lenguaje de los progenitores y el desarrollo lingüístico del niño (Chesnick y otros, 1983). Las diferencias individuales de desarrollo se heredan hasta cierto punto, pero también reciben el influjo del ambiente. Por ejemplo, los gemelos a menudo muestran un rezago en el desarrollo del lenguaje, tendencia que podría indicar un origen genético. Con todo, tal vez se debe a que reciben menos estímulos verbales que el resto de los niños porque su madre debe dividir la atención entre dos hijos. Además, a veces se comunican entre sí usando un lenguaje "primitivo" completamente propio (Tomasello y otros, 1986).

Cuando los progenitores hablan con sus hijos no les comunican tan sólo palabras, oraciones y sintaxis. Muestran la manera en que se expresan los pensamientos y se intercambian las ideas. Les enseñan las categorías y los símbolos para traducir las complejidades del mundo en ideas y en palabras. Las herramientas conceptuales ofrecen al niño un "andamiaje" que le servirá para entender el mundo y expresar el lugar que ocupa en él (Bruner y Haste, 1987).

Los estudios han demostrado que basta con leerles libros con ilustraciones a los niños para facilitarles el aprendizaje del lenguaje. Esto se logra muy bien cuando los padres formulan preguntas abiertas que estimulan al niño a que amplíe la historia y cuando responden en forma adecuada a sus intentos de contestar las preguntas en lugar de limitarse a una simple lectura (Whitehurst y otros, 1988).

LENGUAJE Y GÉNERO   El lenguaje es una de las formas en que los niños aprenden quiénes son y cómo deberían relacionarse con la gente. El género es un caso concreto. Las suposiciones concernientes al género a menudo forman parte del pensamiento de los progenitores y los hace hablarles de manera diferente a hijos y a hijas (Lloyd, 1987). Pero el desarrollo del lenguaje también puede verse afectado por factores inherentes a la tipificación sexual de los juguetes infantiles. En un estudio (O'Brien y Nagle, 1987), los investigadores analizaron el lenguaje usado por madres y padres mientras jugaban con sus hijos con juguetes como vehículos o muñecas. El hecho de jugar con muñecas producía más interacción verbal, mientras que jugar con vehículos producía menos, sin importar si los progenitores jugaban con el hijo o con la hija. En consecuencia, cuando se juega con muñecas hay más oportunidades de aprender y de practicar el lenguaje que cuando se hace con otros juguetes. Así pues, como desde los dos años niños y niñas juegan con juguetes estereotipados según el sexo, las niñas pueden experimentar un ambiente lingüístico más complejo y adquirir así habilidades verbales un poco antes que los niños.

CONVERSACIONES DE LOS NIÑOS

Los niños pequeños no se limitan a decir palabras y oraciones simples. Sostienen conversaciones con adultos, con otros niños y hasta con ellos mismos (consulte el recuadro "Teoría y hechos", página 224). Sus conversaciones suelen ajustarse a ciertos patrones.

SUPERVISIÓN DEL MENSAJE   Primero, los niños comprenden la necesidad de captar la atención del interlocutor. El niño que apenas está aprendiendo el arte de la conversación puede que jale de la ropa de otro niño. Al paso del tiempo quizás diga algo como "¿Sabes qué?". Los niños también descubren que en la conversación se toman turnos. Aprenden que la conversación tiene un principio, una parte intermedia y un final. Por último, aprenden a hablar del mismo tema y a observar si el interlocutor escucha y entiende, a emitir sonidos o un gesto de asentimiento para indicar que han comprendido (Garvey, 1984).

Si escuchamos la conversación de niños pequeños, lo primero que notamos es que ésta no fluye en forma suave. A menudo se trata de **monólogos colectivos** —dos niños quizá sepan que deben tomar turnos para hablar, pero tal vez hablen de temas totalmente distintos, sin conexión entre sí. Más tarde, cuando hablan del mismo tema, se detendrán de repente para verificar que el interlocutor esté escuchándolos. Hacen pausas, repiten frases y se corrigen a sí mismos,

monólogos colectivos
Conversaciones de los niños que incluyen tomar turnos para hablar, pero no necesariamente sobre el mismo tema.

TEORÍA Y HECHOS

¿ES SEÑAL DE INMADUREZ QUE LOS NIÑOS HABLEN SOLOS?

Juan está solo en su cuarto, divirtiéndose con un juego en que trata de armar las piezas de un rompecabezas. Si lo observáramos, lo oiríamos decirse a sí mismo: "Esta pieza no encaja. ¿Dónde quedó la redonda? No, tampoco ésta. Es demasiado grande. Esta es pequeña..." Se ha observado que los niños entre los cuatro y ocho años hablan solos cerca de 20 por ciento del tiempo en las escuelas que lo permiten (Berk, 1985). ¿Por qué lo hacen? ¿Es algo conveniente o no?

Al hecho de hablar a solas los psicólogos lo llaman *habla privada*. Se observa en todas las personas, tanto en los jóvenes como en los viejos. Sólo que los niños pequeños lo hacen en voz alta y en público. Hasta cantan sobre lo que están haciendo, canciones que se producen de modo espontáneo. Esta es una práctica más común en ellos que en los adultos. Jean Piaget realizó algunas observaciones del habla privada de los preescolares y llegó la conclusión de que no indica más que inmadurez; el habla social es más madura porque requiere tomar en cuenta el punto de vista del interlocutor. Piaget llamó *habla egocéntrica* a que los niños hablaran con ellos mismos (Piaget, 1926). Sin embargo, otros teóricos e investigadores han

A menudo los niños hablan en voz alta mientras trabajan o juegan. Algunas veces el habla es un diálogo ficticio, pero por lo regular cumple otras funciones.

puesto en tela de juicio esta explicación. Descubrieron que su uso varía mucho según la situación y que incluso los niños de muy corta edad utilizan mucho más el habla social. Quizá el habla privada cumple un propósito especial.

Vygotsky (1934/1987) observó que el habla privada a menudo refleja el habla social del adulto y contribuye a desarrollar el pensamiento interno y la autodirección. En fecha más reciente,

los investigadores identificaron tres etapas en la adquisición del habla privada. En la primera el habla privada ocurre *después* de una acción: "Hice un dibujo grande." En la segunda, *acompaña* a las acciones: "Se pone más y más oscuro con mucha pintura." En la tercera *precede* a la acción: "Quiero hacer un cuadro aterrador con pintura negra." En consecuencia, el habla privada corresponde al inicio de los procesos de pensamiento en la mente del niño. En la tercera etapa, cuando el habla antecede al comportamiento, el niño está planeando un curso de acción. En conclusión, los cambios del habla privada ilustran el desarrollo de los procesos de pensamiento que rigen la conducta y acompañan el desarrollo lingüístico (Berk, 1992; Winsler y otros, 1997).

Algunos estudios no han demostrado una conexión entre el habla privada y el desarrollo de habilidades cognoscitivas; pero se efectuaron en ambientes escolares en los que se desalentaba al niño para que no hablara mientras hacía las cosas. Otras investigaciones señalan que los niños suelen hablar a solas cuando se les asignan tareas y se les estimula para que lo hagan (Frauenglass y Díaz, 1985). Los investigadores han comprobado además que, en ambientes escolares propicios, el niño suele usar más el habla privada cuando no hay adultos.

---

lo cual es parte normal de la adquisición de una buena comunicación (Garvey, 1984; Reich, 1986). Incluso a los niños en edad escolar les es difícil a veces comunicarle a un interlocutor lo que quieren decir; los niños de primer y segundo grados tienen problemas para entenderse (Beal, 1987).

Por último, los niños deben aprender a ajustar sus conversaciones para atenuar la fricción social, el conflicto y la vergüenza. El ajuste significa emplear expresiones de cortesía como "por favor", "gracias"; prestar atención; seleccionar los temas y las formas adecuadas de dirigirse a los demás y de expresarse. También significa conocer el nivel social del interlocutor.

EL CONTEXTO SOCIAL DEL LENGUAJE   Al mismo tiempo que el niño aprende el significado y la sintaxis del lenguaje, aprende la **pragmática**, o sea, el aspecto social del lenguaje. Aprende que éste expresa niveles, roles y valores sociales.

pragmática Aspectos sociales y prácticos del uso del lenguaje.

Aprende que algunas de las palabras, las reglas sintácticas, el tono de voz y las formas de tratamiento que usa se basan en la relación entre hablante y oyente. Aprende a hablar en una forma a niños más pequeños, en otra a sus compañeros y en otra más a los niños mayores y a los adultos. Para ello le sirven recordatorios como "No le hables así a tu abuela" (Garvey, 1984). En general, el niño aprende pronto las sutilezas del habla y a aceptar la condición social. En poco tiempo percibe los niveles de estatus y la conducta verbal apropiada en situaciones sociales diversas.

Estos niños están representando roles. Uno de ellos sostiene una conversación con ayuda del teléfono. Gracias al juego, los niños pueden practicar sus habilidades de conversación; por ejemplo, aprenden a tomar turnos para hablar.

Las investigaciones transculturales han demostrado que la pragmática del habla difiere en el mundo según los valores culturales que los padres transmiten a sus hijos (Shatz, 1991). Por ejemplo, un grupo de investigadores que analizaba las diferencias entre las prácticas de crianza en Alemania y en Estados Unidos, observó que los padres alemanes suelen hablarles a sus hijos en formas más autoritarias y dominantes que los estadounidenses. Éstos se concentran más en satisfacer los deseos e intenciones de sus hijos. Los valores sociales sobre los que descansan estas tendencias se comunican, en parte, mediante los verbos *modales*. Formas verbales como "deber", "poder", "podría", "pudiera" y "debería" expresan conceptos culturales como necesidad, posibilidad, obligación y permiso. Así, las madres alemanas se concentran más en la necesidad ("Tendrás que decirme lo que quiero") y en la obligación ("Deben recoger los juguetes") En cambio, las madres estadounidenses ponen el acento en la intención ("Voy a llevarte al cine") y la posibilidad ("Podría ocurrir eso"). Después el niño adopta estas tendencias en su propia habla (Shatz, 1991).

En otro estudio transcultural, Judy Dunn y Jane Brown (1991) examinaron la forma en que el lenguaje usado por padres de familia en Pennsylvania difiere del que se emplea en Cambridge (Inglaterra) respecto a los valores sociales. Cuando se concentraron en cómo se enviaban mensajes "prescriptivos", observaron que las madres estadounidenses definían la conducta aceptable o inaceptable a partir de acciones concretas de sus hijos (la madre al niño: "¡No dejes eso aquí!") En cambio, las madres inglesas explicaban la conducta de sus hijos atendiendo a normas sociales (el niño a la madre: "Quiero patearte" La madre al hijo: "No debes patear a la gente"). Además, las madres inglesas suelen emplear palabras de evaluación ("bueno", "malo"). Tales diferencias lingüísticas reflejan en forma evidente los valores culturales: mientras que en Estados Unidos los padres de familia se concentran más en las acciones personales, los de Gran Bretaña buscan ante todo cumplir con las normas.

SUBDIALECTOS

Por las diferencias culturales de una sociedad, el niño tiene contacto a menudo con más de una forma de uso lingüístico. Esto se advierte sobre todo en Estados Unidos donde conviven numerosos grupos raciales y étnicos y varias clases socioeconómicas. Las diferencias subculturales pueden dar origen a **subdialectos,** es decir, variantes de una lengua susceptibles de ser entendidas por la mayoría de los hablantes, aunque a veces no sin dificultad. En cambio, ocurren verdaderas diferencias *dialectales* cuando los hablantes de un grupo lingüístico no se entienden entre sí, como sucede con el inglés estadounidense y algunos dialectos del inglés británico en lo que toca a la pronunciación, la inflexión y el vocabulario.

Se ha discutido por muchos años la condición del inglés negro que hablan muchos afroamericanos y que presenta variantes regionales. Antes de que los lingüistas lo estudiaran, se consideraba simplemente como un inglés pobre. Hoy los expertos coinciden en que es uno de los muchos subdialectos del inglés estadounidense oficial. En otras palabras, no es una forma pobre ni incorrecta, sino tan sólo diferente (Williams, 1970).

subdialectos Diferencias subculturales del lenguaje; los hablantes de los diferentes subdialectos suelen entenderse unos a otros.

El inglés negro posee su propias reglas y con frecuencia se utiliza en formas muy expresivas (Labov, 1970). Los lingüistas han descubierto que los "errores" cometidos por los hablantes de este subdialecto deben considerarse modalidades gramaticales alternas. Por ejemplo, la palabra "be" (estar) en inglés negro, usado en la oración "I be sick" (yo estar enfermo), no expresa una condición permanente sino transitoria. La situación expresada en forma concisa por "I be sick" (yo estar enfermo) podría expresarse en el inglés norteamericano oficial así: "I have been sick and still am feeling sick" (he estado enfermo y todavía lo estoy). Consideraciones parecidas se aplican al inglés hispano y a sus variantes, a ciertas formas del inglés asiático y del inglés de los indígenas de Estados Unidos, así como a las muchas variantes regionales del inglés "blanco", las cuales pueden considerarse como subdialectos del inglés estadounidense oficial.

¿Qué actitud deben adoptar las escuelas en lo que respecta a los subdialectos? Su uso en la escuela puede ser un modo importante de expresión personal cuando, por ejemplo, el inglés hispano es el idioma primario en el ambiente familiar. Pero la mayoría de los que hablan este subdialecto o uno de tantos otros terminarán utilizando el inglés estadounidense oficial, además de la lengua que aprendieron en el hogar. En teoría, los hablantes de los subdialectos del inglés logran finalmente el dominio de la lengua común, sin perder su identidad lingüística.

BILINGÜISMO

El lenguaje no es sólo un medio de comunicación. Es, además, un símbolo de la identidad social o del grupo. Transmite, pues, actitudes y valores, al mismo tiempo que facilita la socialización. El niño, que crece oyendo dos idiomas y los aprende, atraviesa por un proceso lingüístico y socializador (Grosjean, 1982).

La condición del bilingüismo en varios países se ve afectada en forma profunda por problemas de clase social y de poder político. Por ejemplo en Europa, se asocia con ser una persona "culta y cosmopolita". En Estados Unidos se asocia con la condición de inmigrante de primera o segunda generación, lo que no siempre es visto con buenos ojos por la mayoría. Aunque el pluralismo cultural ha venido ganando aceptación, los millones de niños estadounidenses que crecen en un ambiente bilingüe todavía sienten presiones para adecuarse a la lengua de la mayoría.

El aprendizaje de dos idiomas a los cinco años de edad es una tarea compleja que incluye dos sistemas de reglas, dos vocabularios y una pronunciación diferente. Muchos niños bilingües en la infancia temprana confunden un poco los dos idiomas a los tres años, a pesar de que a veces emplean indistintamente las palabras de los dos. De ahí que algunos psicolingüistas postulen que el niño pequeño usa un solo sistema lingüístico "híbrido" y sólo más tarde logra distinguir los dos idiomas. Sin embargo, otras pruebas señalan que aun en la infancia utilizan dos sistemas lingüísticos (Genesee, 1989).

¿Aprender dos idiomas en la etapa preescolar dificulta el aprendizaje lingüístico o el desarrollo cognoscitivo? En los primeros estudios efectuados en Estados Unidos y en Gran Bretaña se llegó a la conclusión de que aprenderlos a una edad demasiado temprana perjudica el desarrollo cognoscitivo. Los niños bilingües obtenían calificaciones más bajas que los monolingües en las pruebas estandarizadas de inglés. Sin embargo, en la mayoría de esos estudios no se tuvo en cuenta el nivel socioeconómico de los niños ni de sus padres. En otras palabras, las puntuaciones de los niños bilingües tal vez hayan sido más bajas por otros motivos: pobreza, instrucción escolar deficiente o falta de familiaridad con la nueva cultura. En la figura 6-7 se aprecian los porcentajes de niños que se encuentran por debajo del nivel de la pobreza clasificados por su origen racial o étnico.

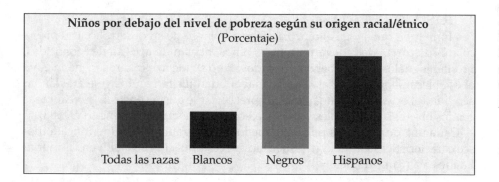

FIGURA 6–7   NIÑOS POR DEBAJO DEL NIVEL DE POBREZA SEGÚN SU ORIGEN RACIAL/ÉTNICO (PORCENTAJE)

Fuente: U.S. Census Bureau, 1997.

Hoy la mayoría de los investigadores consideran que ser bilingüe constituye una ventaja desde el punto de vista lingüístico, cultural y probablemente cognoscitivo (por ejemplo, Díaz, 1985; Goncz, 1988). Por lo demás, el contacto de estos niños con otras formas de pensar y de hacer las cosas mejora más tarde su flexibilidad y, por tanto, su adaptación al mundo cambiante.

1. Mencione y describa las cinco etapas de la adquisición del lenguaje propuestas por Brown.
2. ¿Qué es la pragmática y cómo se comunica mediante el lenguaje? ¿Qué nos indican los estudios transculturales sobre la pragmática en diversas culturas?
3. ¿Qué son los subdialectos y cómo influyen en el desarrollo lingüístico del niño?

REPASE Y APLIQUE

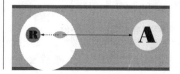

JUEGO Y APRENDIZAJE

Con el juego mejoran todos los aspectos del desarrollo del preescolar. El juego es su forma especial de entrar en contacto con el mundo, de practicar y de mejorar sus habilidades, y es una constante en todas las culturas.

El juego satisface muchas necesidades en la vida del niño: ser estimulado y divertirse, expresar su exuberancia natural, vivir el cambio por su valor intrínseco, satisfacer la curiosidad, explorar y experimentar en condiciones no arriesgadas. Se le ha llamado el "trabajo de la niñez" por el papel central que desempeña en el desarrollo. Favorece el crecimiento de las capacidades sensoriales-perceptuales y las habilidades físicas, al mismo tiempo que ofrece oportunidades infinitas de ejercitar y ampliar las habilidades intelectuales. El juego se distingue de todas las demás actividades. Por su naturaleza no se dirige a la consecución de metas; es intrínsecamente recompensante. Como señala Catherine Garvey (1990), el juego es la conducta que se realiza por mero placer, no tiene otro propósito, el sujeto o los sujetos lo escogen, exige que participen de manera activa y se relaciona con otros aspectos de la vida —es decir, propicia el desarrollo social y mejora la creatividad. En otras palabras, podemos decir que es el motor del desarrollo.

Juego sensorial.

TIPOS DE JUEGO

Las formas en que juega el niño cambian a lo largo de su desarrollo. Los preescolares de corta edad juegan con otros niños, hablan de actividades conocidas, prestan juguetes y los obtienen prestados. Pero su juego es azaroso y no incluye el establecimiento de reglas. Los de mayor edad juegan juntos y se ayudan en actividades orientadas a una meta. Al preescolar le gusta construir y crear cosas con los objetos, asumir roles y usar accesorios (Isenberg y Quisenberry, 1988).

Cada una de las clases de juego que los investigadores han identificado posee características y funciones especiales. A continuación se incluyen las modalidades más importantes.

JUEGO SENSORIAL   Su finalidad es la experiencia sensorial en y por sí misma. Al niño pequeño le gusta chapotear, golpear botes y arrancar los pétalos de las flores con el único fin de conocer nuevos sonidos, sabores, olores y texturas. El juego sensorial le enseña los hechos esenciales de su cuerpo y las cualidades de las cosas del ambiente.

JUEGO DE MOVIMIENTO   Correr, saltar, dar vueltas y hacer cabriolas son algunas de las infinitas formas de juego de movimiento que se disfrutan por sí mismas. El juego que cambia de manera continua la sensación de movimiento es una de las primeras modalidades: los bebés se mecen o hacen burbujas con la comida. Realizan rutinas de movimiento que no sólo son emocionantes y estimulantes, sino que les permiten ejercitar la coordinación corporal. El juego de movimiento lo inician a menudo un adulto o un niño mayor, de manera que es una de las experiencias sociales más tempranas. El niño no suele empezar este tipo de actividad con otros compañeros antes de cumplir los tres años (Garvey, 1990).

JUEGO BRUSCO   Los padres de familia y los profesores tratan de desalentar el juego brusco y de luchas simuladas que tanto les gustan a los niños. Procuran reducir la agresión y los pleitos reales entre ellos. Pero se trata de un *juego*, no de una lucha verdadera. Según las investigaciones recientes, proporciona

Juego de movimiento.

algunos beneficios si no rebasa ciertos límites. No sólo ofrece la oportunidad de hacer ejercicio y de liberar energía, sino que además ayuda a los niños a aprender a controlar los sentimientos y los impulsos y a evitar conductas inapropiadas en los grupos. También, sirve para aprender a distinguir entre lo que se simula y la realidad (Pellegrini, 1987). El juego brusco se observa en las culturas de todo el mundo (Boulton y Smith, 1989). Sin embargo, en todas las culturas esta forma de juego es más común entre los varones que entre las niñas; en un estudio se reveló que los niños estadounidenses le dedican tres veces más tiempo que las niñas (DiPietro, 1981).

Juego brusco.

JUEGO CON EL LENGUAJE   A los niños pequeños les encanta jugar con el lenguaje. Ensayan ritmos y cadencias. Combinan palabras para crear nuevos significados. Juegan con el lenguaje para divertirse y verificar su comprensión de la realidad. Lo utilizan para atemperar las expresiones de enojo. La función primaria del lenguaje —la comunicación con significado— suele perderse en este juego. Los niños se concentran en el lenguaje como tal, manipulando sus sonidos, sus patrones y sus significados para divertirse.

Judith Schwartz (1981) ofrece algunos ejemplos del juego con el lenguaje. Algunas veces los niños juegan con el sonido y el ritmo repitiendo periódicamente letras y palabras a un ritmo constante: *la la la / Lol li po / La la la / Lol li po*. También construyen patrones con palabras como si practicaran un ejercicio gramatical: *Dalo, dilo, velo, tenlo; Ahí está la luz, ¿dónde está la luz? Ahí está la luz.* ¿Por qué juegan los niños con el lenguaje? En parte por ser divertido. La gente se ríe cuando un niño pequeño dice algo como esto "Te acusaré porque me ensucié la panzé y apestaré".

El juego con el lenguaje permite a los niños ejercitarse en el dominio de la gramática y en las palabras que van a aprender. Entre los tres y cuatro años de edad, aplican ya algunas reglas lingüísticas básicas y estructuras del significado. Hacen preguntas como: "¿No podemos ponerles zapatos a las patas de la mesa?" y "¿Por qué no hay agua sentada como hay agua corriente?" (Chukovsky, 1963; Garvey, 1977). Se sirven del lenguaje para controlar sus experiencias. Los niños mayores emplean el lenguaje para organizar sus juegos. A veces crean rituales sumamente complejos que deben cumplirse: siempre haz primero esto y luego esto y después eso, y hazlo en forma muy específica. Al seguir los rituales con cuidado, ellos controlan la experiencia (Schwartz, 1981).

JUEGO DRAMÁTICO Y MODELAMIENTO   Una clase importante de juego consiste en representar roles o imitar modelos: jugar a la casita; imitar al progenitor que se dirige al trabajo; simular que se es una enfermera, un astronauta o un conductor de camión. Este tipo de juego, denominado *juego sociodramático*, no sólo exige imitar patrones enteros de conducta, sino también mucha fantasía y formas originales de interacción. Los niños aprenden varias relaciones y reglas sociales, así como otros aspectos de su cultura. El juego dramático interactúa con los inicios de la alfabetización (Davidson, 1996).

Juego con el lenguaje.

JUEGOS, RITUALES Y JUEGO COMPETITIVO   A medida que crece el niño, su juego adquiere reglas y metas específicas. El niño decide tomar turnos, establece normas respecto a lo que se permite o no y disfruta de situaciones en las que se gana y se pierde. Aunque las intricadas reglas del béisbol y el ajedrez superan la capacidad de la mayoría de los preescolares, éstos pueden cumplir los rituales y las reglas de juegos más simples como la roña y las escondidas. Estos juegos les ayudan a desarrollar habilidades cognoscitivas como aprender reglas, entender la causalidad, comprender las consecuencias de varias acciones y saber ganar y perder (Flavell y otros, 1993; Herron y Sutton-Smith, 1971; Kamii y Devries, 1980).

Juego dramático y modelamiento.

EL JUEGO Y EL DESARROLLO COGNOSCITIVO

El juego favorece el desarrollo cognoscitivo en varias formas. En la etapa preoperacional, el niño juega a conocer su entorno físico. Si bien, como señala Piaget, los preescolares más pequeños suelen ser egocéntricos, se valen del juego dramático para dominar la representación simbólica y aumentar sus conocimientos sociales.

EXPLORACIÓN DE LOS OBJETOS FÍSICOS   Cuando el preescolar juega con objetos físicos (por ejemplo, arena, piedras y agua), aprende las propiedades y las leyes físicas que los rigen. Cuando juega en el arenero, aprende que algunos objetos dejan distintas marcas sobre la arena. Cuando rebota un balón contra el suelo, aprende que si lo lanza con más fuerza rebotará más alto. Al realizar el juego constructivo, adquiere información que le servirá para crear el conocimiento. Y a su vez esto le permitirá una comprensión y una competencia de más alto nivel (Forman y Hill, 1980). Poco a poco aprende a comparar y clasificar los objetos y los hechos; logra una comprensión más completa de conceptos como el tamaño, la forma y la textura. Además, gracias al juego activo, adquiere habilidades que lo hacen sentirse físicamente seguro y tranquilo (Athey, 1984).

JUEGO Y EGOCENTRISMO   El egocentrismo que Piaget atribuyó a los niños en la etapa preoperacional se pone de manifiesto en el juego con otros. Los niños de dos años observan a otros y parecen interesarse en ellos, pero pocas veces se les acercan. Y si lo hacen, la interacción se concentra en jugar con el mismo juguete u objeto, no con el otro niño (Hughes, 1991). Los niños de dos años y de menos edad parecen jugar juntos, pero casi siempre están encarnando fantasías individuales.

El juego dramático refleja mayor madurez social. El de los niños de tres años muestra una mejor comprensión de las ideas ajenas, lo cual les permite participar de manera más eficaz en la representación de roles. El éxito en esta actividad se basa en la colaboración de los actores; el juego no funciona si los niños no encarnan su papel. A los cuatro años, algunos identifican con seguridad las situaciones de juego que suelen producir alegría, tristeza, temor e ira (Borke, 1971, 1973).

En un estudio (Shatz y Gelman, 1973), los investigadores pidieron a unos niños de cuatro años que explicaran a otros de dos años cómo funcionaba un determinado juguete. Incluso a esa edad se percatan de la necesidad de emplear palabras más sencillas para hablar a los más pequeños. Los investigadores descubrieron que hablaban más despacio, que usaban oraciones cortas, empleaban muchas palabras que captan la atención como "mira" y "aquí" y que con frecuencia repetían el nombre del niño. No hablaban en esa forma a niños mayores ni a los adultos.

Pero la madurez social es relativa como ocurre con cualquier conducta. A los tres años o incluso a los cuatro, el niño todavía puede ser muy obstinado y negativo. A los tres años tiende a estar más dispuesto a corresponder a las expectativas de la gente. Los otros son más importantes para él de lo que fueron el año anterior; de ahí que busque más interacción social. Ahora le interesan más los efectos que sus acciones tienen en el mundo circundante y obtiene gran satisfacción al mostrar a los otros lo que ellos hacen (Hughes, 1991).

Juego constructivo o juego con actividades competitivas y rituales.

JUEGO DRAMÁTICO Y CONOCIMIENTO SOCIAL   En la etapa preoperacional los niños mayores ensayan su conocimiento social en el juego dramático. Esta forma de juego favorece el dominio de la representación simbólica merced a la imitación, la simulación y la representación de roles. Además, permite que los niños se proyecten en otras personalidades, encarnen diversos roles y experimenten una gama más amplia de pensamientos y emociones (consulte el recuadro "Tema

TEMA DE CONTROVERSIA

LO REAL Y LO IMAGINARIO

Los adultos están tentados a considerar poco importante, y quizá hasta poco sano, el juego de simulación de los niños pequeños. Las investigaciones han demostrado que no es así.

Cuando los niños realizan este tipo de actividad, a menudo muestran dos niveles de significado: el que se basa en la realidad y el que se basa en lo imaginario. Mantienen dos marcos de referencia: el real y el del juego (Bateson, 1955). Por ejemplo, cuando se encuentran en el primero y juegan a los policías y ladrones, saben que son niños y, sin embargo, también están totalmente sumergidos en el marco de lo imaginario. Cuando surgen desacuerdos, a menudo "rompen el marco" para resolver las disputas antes de regresar al marco imaginario.

El juego de simulación se vuelve cada vez más complejo durante la etapa preescolar (Rubin y otros, 1983). El niño hace transiciones cada vez mayores de lo real a lo imaginario, ampliando la duración y la complejidad de sus roles y actividades. No obstante, conserva la capacidad para distinguir entre la fantasía y la realidad; a veces un niño de cuatro a seis años piensa que lo que imagina es real (Harris y otros, 1991).

El preescolar es capaz de realizar varios tipos de simulación (Lillard, 1991). Puede representar la identidad o las características de sí mismo, las de otra persona, las de un objeto, de un suceso o acción, o de una situación. A medida que crece, depende menos de lo concreto. Otro cambio del desarrollo es la creciente flexibilidad en la utilización del yo frente al otro como agente o como receptor de la acción. Al

principio, en el juego solitario, es las dos cosas a la vez; finge irse a dormir y cubrirse con las cobijas. Más tarde emplea un objeto como agente activo —una muñeca se acuesta y se dispone a dormir como si lo hiciera el mismo.

Al parecer, el juego de simulación guarda relación con las distinciones entre apariencia y realidad. Entre los tres y los cuatro años, los niños con mucha práctica en este tipo de actividad entienden mejor que los objetos pueden parecer otra cosa (Flavell y otros, 1986; Flavell y otros, 1987). También les resulta más sencillo adoptar el punto de vista de otra persona o comprender sus sentimientos. Los investigadores señalan que un juego en apariencia inocente ofrece experiencias importantes para el desarrollo del conocimiento estructurado (organizado) (Flavell, 1985; Garvey, 1977).

---

de controversia" en esta página 231). Con la representación de roles se facilita el conocimiento de la gente y también una definición más clara del yo (Fein, 1984).

La representación de roles permite, además, ensayar conductas y experimentar sus reacciones y consecuencias. Por ejemplo, los niños que representan escenas de hospital con muñecas, con amigos o solos, desempeñarán varios papeles: paciente, médico, enfermera, visitante. Al hacerlo estarán motivados por temores y ansiedades reales ante la enfermedad y la dependencia de los demás. Cualquiera que sea la situación dramática, podrán manifestar sentimientos intensos (ira o temores), resolver con más facilidad los conflictos (entre otros, los existentes entre ellos y sus progenitores o hermanos) y hacerlo en formas comprensibles para ellos.

LA FUNCIÓN DE LOS COMPAÑEROS   Si se le da la oportunidad, el preescolar a veces pasa más tiempo interactuando de manera directa con sus compañeros que con los adultos. Juega con los hermanos y con otros niños en casa, en el barrio y en la escuela. En muchas culturas, interactuar con otros niños es aún más importante que en la cultura de la clase media de Estados Unidos (Rogoff, 1990). En algunas de ellas, a los niños menores casi siempre los cuidan niños de entre cinco y 10 años (Watson-Gegeo y Gegeo, 1989). Cargan en la espalda al hermano o primo menor, permitiéndole así tener contacto con las vistas y los sonidos de la comunidad (Rogoff, 1990).

Los grupos informales de los barrios a menudo están constituidos por niños de varias edades. Estos grupos de compañeros ofrecen a los niños mayores la oportunidad de practicar la enseñanza y el cuidado de niños más pequeños, los cuales a su vez imitan y ejercitan las relaciones de roles con ellos (Whiting y Edwards, 1988). En estos ambientes, las actividades de juego estimulan la adquisición de nuevas formas de pensar y de resolver problemas.

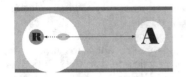

REPASE Y APLIQUE

1. Describa las principales formas de juego de los niños.
2. ¿Cómo usan los niños el juego para explorar su mundo físico y social?
3. ¿Por qué es tan importante el juego dramático para que el niño aprenda las habilidades cognoscitivas en la etapa preoperacional?

RESUMEN

Desarrollo físico y motor

- Las proporciones corporales cambian muchísimo durante la niñez. Al nacer, la cabeza del infante abarca una cuarta parte de la extensión total del cuerpo, pero a los 16 años representa apenas una octava parte.
- A medida que madura el sistema esquelético, los huesos se desarrollan y se endurecen por medio de la osificación. La edad esquelética a veces no coincide con la edad cronológica.
- A los cinco años, el cerebro del niño alcanza casi la mitad del tamaño del cerebro del adulto.
- Las neuronas comienzan a formarse durante el periodo embrionario y casi todas están presentes al nacer.
- La mielinización es la formación de células aislantes que cubren las neuronas. Es indispensable para el desarrollo de las habilidades y la coordinación motoras.
- Los hemisferios derecho e izquierdo del cerebro controlan por lo general las funciones del lado opuesto del cuerpo: a este proceso se le llama lateralización. Incluye asimismo la especialización y la dominancia en ciertas áreas de los hemisferios.
- En la mayoría de las personas diestras, el lenguaje se encuentra localizado en las áreas del hemisferio izquierdo. En los zurdos, con frecuencia lo comparten ambos lados del cerebro.
- En un proceso denominado *subordinación funcional*, las acciones que al inicio se realizan por su valor intrínseco quedan integradas más tarde en habilidades más complejas y propositivas.
- Las habilidades motoras gruesas se desarrollan de manera constante en el periodo preescolar. A los tres años, la conducta motora gruesa muestra señales de automaticidad —o sea, la capacidad de efectuar actividades motoras sin pensar en ellas.

- Las habilidades motoras finas —que incluyen el uso coordinado y diestro de la mano, de los dedos y del pulgar- también comienzan a mostrar automaticidad hacia el final del tercer año de vida.
- Se requiere aprestamiento para aprender una habilidad nueva. El aprestamiento se refiere a cierto nivel de maduración y a la presencia de determinadas habilidades básicas.
- El aprendizaje motor se facilita con la práctica, la atención, la motivación para la competencia y la retroalimentación.

Desarrollo cognoscitivo

- Durante la etapa preoperacional, el preescolar amplía su conocimiento del mundo mediante sus crecientes habilidades lingüísticas y de solución de problemas.
- La etapa preoperacional se divide en el periodo preconceptual (de los dos a los cuatro años) y en el periodo intuitivo o de transición (de los cinco a los siete años).
- El pensamiento en la etapa preoperacional se caracteriza por el animismo (creencia de que todo lo que se mueve tiene vida) y la materialización (creencia de que los objetos y las personas pensados y soñados son reales). Las dos características provienen del egocentrismo, tendencia a ver y entender las cosas desde un punto de vista personal.
- El pensamiento racional se desarrolla más durante el periodo intuitivo, pero los niños todavía están dispuestos a utilizar el pensamiento mágico para explicar las cosas.
- La representación simbólica —uso de acciones, imágenes o palabras para representar objetos y hechos—

comienza al final de la etapa sensoriomotora y se perfecciona en la etapa preoperacional.

■ Los proccsos de pensamiento se hacen más complejos con el empleo de símbolos. El pensamiento infantil se vuelve menos egocéntrico y más sociocéntrico.

■ El pensamiento del preescolar es concreto; no entiende las abstracciones. Es, además, irreversible: ve los sucesos como si ocurrieran en una sola dirección. Se caracteriza por el egocentrismo y la centración (tendencia concentrarse en un solo aspecto o dimensión de un objeto o situación). Los niños pequeños tienen una idea rudimentaria de las secuencias causales. (Vea el diagrama de estudio en la página 215.)

■ Las limitaciones del pensamiento preoperacional se comprueban en los problemas de conservación propuestos por Piaget. El niño no entiende la conservación del volumen, de la masa ni del número.

■ Las investigaciones posteriores revelaron algunas limitaciones de la teoría de Piaget. Se descubrió que, en la etapa preoperacional, el niño es menos egocéntrico y que posee más habilidades numéricas de las que supuso Piaget.

■ De acuerdo con la perspectiva social, las formas en que los adultos demuestran cómo resolver problemas ayudan al niño a aprender a pensar. Todas las culturas inician a los niños en actividades complejas y significativas por medio de la participación guiada.

■ La memoria es un aspecto esencial del desarrollo cognoscitivo. Sus procesos comienzan cuando la información visual entra en el registro sensorial del cerebro. La información a la que se presta atención llega a la memoria a corto plazo, llamada también memoria de trabajo. Si se hace un esfuerzo por recordar la información, ésta pasa a la memoria a largo plazo. La memoria puede estar formada por imágenes, acciones o palabras.

■ El reconocimiento designa la capacidad de identificar objetos o situaciones que ya se vieron o experimentaron. El recuerdo designa la capacidad de hacer remembranzas de largo plazo con pocas claves o pistas

■ El recuerdo mejora si se organiza y repasa la información. El preescolar puede aplicar ambas estrategias, pero a menudo no lo hace si no se las enseñan, y aunque lo hagan a veces el aprendizaje no persiste.

■ Los niños también pueden recordar la información que está ordenada temporalmente o en una secuencia de tiempo.

Desarrollo del lenguaje

■ La gramática de los niños se va ampliando a través de varias etapas: emisiones de dos palabras; emisiones un poco más extensas que a veces incluyen la sobrerregulación de las inflexiones; modificaciones de oraciones simples, entre éstas las formas negativas e imperativas; frases que contienen elementos lingüísticos de creciente complejidad.

■ Durante el periodo preescolar, el niño aprende palabras con rapidez. Aunque muchos métodos para hablarle al niño y para relacionarse con él facilitan el desarrollo del lenguaje, no se sabe con certeza cómo interactúa el lenguaje de los progenitores con el desarrollo lingüístico de sus hijos.

■ Los progenitores hablan de modo diferente a sus hijos y a sus hijas, lo que consolida las diferencias de género.

■ Las conversaciones de los niños pequeños a menudo son monólogos colectivos en los cuales toman la palabra por turnos pero hablan de temas inconexos.

■ En el aprendizaje de la pragmática, o sea, de los aspectos sociales del lenguaje, el niño descubre que el lenguaje expresa el estatus, los roles y los valores de su comunidad.

■ Algunos niños hablan subdialectos, como el inglés negro que se habla además del inglés estadounidense oficial. El uso de subdialectos en la escuela es una forma importante de expresión personal, a condición de que los alumnos también adquieran competencia en el lenguaje de la mayoría.

■ Muchos niños crecen en ambientes bilingües. En general, los investigadores piensan que el bilingüismo no dificulta el desarrollo y que, además, puede ser una ventaja tanto en términos culturales como cognoscitivos.

Juego y aprendizaje

■ Los niños juegan en varias formas. Los que se concentran en aspectos sensoriales lo realizan porque desean sentir este tipo de experiencias. El juego de movimiento incluye actividades como correr, saltar y hacer cabriolas. El juego brusco ofrece la oportunidad de ejercitarse y de liberar energía; además, ayuda a aprender a controlar los sentimientos y los impulsos y a evitar las conductas incorrectas. El juego con el lenguaje permite a los niños practicar el dominio de la gramática y las palabras que está aprendiendo. Otros tipos de juego son el juego dramático y el modelamiento, los deportes, los rituales y el juego competitivo.

■ El juego favorece el desarrollo cognoscitivo porque brinda al niño la oportunidad de explorar los objetos físicos y que conozca mejor algunos conceptos como tamaño, forma y textura.

■ El juego de los niños se vuelve menos egocéntrico con los años.

■ Los niños preoperacionales mayores prueban sus conocimientos sociales en el juego dramático.

■ Las actividades lúdicas de niños de varios grupos estimulan la adquisición de nuevas formas de pensar y de resolver problemas.

CONCEPTOS BÁSICOS

neuronas	conducta motivada intrínsecamente	longitud promedio de la emisión
células gliales	conducta motivada extrínsecamente	sobrerregulación
mielinización	egocentrismo	monólogos colectivos
lateralización	conservación	pragmática
subordinación funcional	reconocimiento	subdialectos
automaticidad	recuerdo	

UTILICE LO QUE APRENDIÓ

Los especialistas en la niñez temprana piensan que el juego de simulación es de gran utilidad para el preescolar. Por medio de esta forma de juego practican el lenguaje, someten a prueba sus conocimientos y repasan los roles sociales. Durante cinco minutos observe a dos o más preescolares mientras realizan este tipo de juego y analice lo que aprenden. Divida una hoja de papel en dos columnas. En una anote las conductas y el lenguaje de los dos niños, describiéndolas en la forma más detallada posible. Procure ser como una cámara de video que capta las secuencias y el estilo de juego, así como las acciones y las palabras del niño, usando los comentarios telegráficos que vaya necesitando. Por ejemplo, podría escribir "José jadeante gritó 'Tonto'".

En la otra columna trate de interpretar las conductas que haya observado. Trate de evaluar pensamientos, sentimientos e intenciones de los niños. Por ejemplo, podría anotar esto: "A José que representaba el papel del padre se le veía enojado por los errores de su 'hijo' ¿Estaba imitando a su padre o temía los resultados de sus errores?"

Considere si sus interpretaciones pudieran ser erróneas y por qué. (Quizá desee revisar la explicación de los métodos de investigación mencionados en el capítulo 1.)

LECTURAS COMPLEMENTARIAS

BERK, L Y WINSLER, A. (1955). *Scaffolding children's learning: Vygotsky and early childhood education.* Washington, DC: National Association for the Education of Young Children. Los autores de este trabajo describen formas eficaces para estructurar el juego y las actividades de aprendizaje del preescolar de acuerdo con la teoría de Vygotsky.

BRUBE, M. (1998). *Life as we know it: A father, a family and an exceptional child.* Nueva York: Vintage. Narración personal de un padre de cómo crió a un hijo con síndrome de Down, experiencia que lo hace plantearse serias dudas sobre la justicia social, los derechos naturales y las obligaciones que tenemos para con los demás.

GARVEY, C. (1990). *Play.* Cambridge, MA: Harvard University Press. Descripción concisa de las formas que adopta el desarrollo del juego infantil.

JONES, E. Y NIMMO, J. (1994). *Emergent curriculum.* Washington, DC: National Association of Young Children. Ideas excelentes para planear la educación de los niños pequeños. Cada año la asociación publica cuatro o cinco libros de bolsillo sobre temas de actualidad destinados a educadores del nivel preescolar, jardín de niños o instrucción primaria.

PALEY, V. G. (1990). *The boy who would be helicopter: The uses of storytelling in the classroom.* Cambridge, MA: Harvard University Press. Conmovedora historia de la odisea de un niño que pasa del aislamiento a la integración, incluida en un penetrante ensayo sobre una excelente educación en la niñez temprana.

PAUL, J. L Y SIMEONSSON, R. J. (eds.) (1993). *Children with special needs: family, culture and society* (2a. edición). Nueva York: Harcourt Brace Jovanovich. Antología de artículos profundos sobre el significado y la experiencia de un niño con discapacidades en varios contextos familiares y culturales.

SHEA C. H., SHEBILSKE, W. L. Y WORCHEL, S. (1993). *Motor learning and control.* Englewood Cliffs, NJ: Prentice-Hall. Excelente síntesis de los principios que intervienen en el entrenamiento y en el control motor, con ejemplos de casos.

SINGER, D. G. Y REVENSON, T. A. (1996). *How a child thinks: A Piaget primer* (ed. revisada). Nueva York: Plume. Libro ameno con abundantes ejemplos del pensamiento preoperacional.

El preescolar: desarrollo de la personalidad y socialización

CAPÍTULO

7

OBJETIVOS DEL CAPÍTULO

Cuando termine este capítulo, podrá:

1. Explicar los conflictos y las emociones tan intensos que experimenta el preescolar.
2. Mencionar las causas posibles del miedo y de la ansiedad, y describir algunas de las formas en que el niño los afronta.
3. Explicar los factores que influyen en la conducta agresiva y prosocial.
4. Analizar el desarrollo del autoconcepto durante la etapa preescolar.
5. Describir cómo interioriza el niño los conceptos sociales y los esquemas de género cuando establece el autoconcepto.
6. Explicar el impacto que tienen los estilos de crianza, la calidez y el control de los padres en el desarrollo prosocial durante la niñez temprana.
7. Mencionar y analizar algunas formas en que los hermanos influyen de manera recíproca en su desarrollo social.
8. Explicar los cambios que con el tiempo se han suscitado en los métodos disciplinarios y describir las metas actuales de la crianza infantil.

El periodo preescolar es una época en que se acelera el ritmo de aprendizaje del niño respecto de su mundo social. En teoría, aprende lo que constituye una conducta buena o mala; a controlar sus sentimientos, sus necesidades y deseos en formas socialmente aceptables; y lo que la familia, la comunidad y la sociedad esperan de él. Comienza a asimilar normas, reglas y costumbres de su cultura. Al mismo tiempo aprende un autoconcepto profundo y, quizá, duradero.

En condiciones normales, el autocontrol y la competencia social del niño mejoran muchísimo entre los dos y los seis años de edad. A los dos años tiene todas las emociones básicas de un niño de seis años (y de un adulto), pero las expresa de manera diferente. Durante la etapa terrible de los dos años de edad, puede ser en verdad difícil (a menudo sin proponérselo), pero con frecuencia es encantador y muy afectuoso. Sin embargo, predomina la gratificación inmediata; cuando no la consigue, manifiesta su malestar con berrinches terribles. Si una madre le promete a su hijo de dos años un cono de helado, el niño lo querrá *ahora*, no después que ella termine de charlar con una amiga a quien encuentra por casualidad frente a la tienda. También las expresiones de dependencia son directas y físicas. En un ambiente desconocido, un niño de dos años permanece cerca de su madre o de su padre, quizá aferrándose a ellos. Si se aleja un poco, a menudo regresa usando al progenitor como "base segura". Si se le obliga a separarse de él, puede arrojarse al piso o dar gritos en protesta. La ira se manifiesta especialmente en formas físicas. El niño de dos años no la expresa de manera verbal, sino mediante patadas y mordiscos.

Por el contrario, a los seis años los niños son más verbales y reflexivos; también se enojan menos y se controlan mejor. Enfrentan la ira y la frustración en formas más diversas. Por ejemplo, pueden desahogar su enojo pateando una puerta o un oso de peluche, en vez de darle un puntapié en la espinilla al hermano, la hermana o el padre. Hay algunos que reprimen el enojo y no lo manifiestan en absoluto. Otros asumen una postura asertiva para defender sus derechos, o en su imaginación se ven a sí mismos superando situaciones desagradables.

Los niños de seis años tienden a patear y a gritar menos. En cambio, expresan con palabras su ira o su temor, o lo manifiestan de modo indirecto —por ejemplo, siendo poco cooperativos o malhumorados.

En resumen, a los seis años, casi todos los niños han perfeccionado ya sus habilidades de afrontamiento, y poseen además un estilo personal que se basa en su incipiente autoimagen.

REVISIÓN DE TRES TEORÍAS

La socialización durante el periodo preescolar es compleja; no debe, pues, sorprendernos que los expertos discrepen respecto de las principales influencias y sobre las interacciones decisivas que tienen lugar, lo mismo que respecto de la manera de estudiarlas. Hay tres aproximaciones teóricas que rigen gran parte de la investigación contemporánea de la socialización que se realiza en estos años. Como veremos, las tres tienen bondades y limitaciones.

Las *teorías psicodinámicas* ponen de relieve los sentimientos del niño, sus pulsiones y los conflictos de su desarrollo. Freud insistió en que el preescolar debe aprender a afrontar las intensas emociones innatas en formas que sean aceptables para la sociedad. Erikson destacó el crecimiento de la autonomía y la necesidad de conciliarla con la dependencia respecto a los padres durante esta etapa.

Por su parte, las *teorías del aprendizaje social* recalcan los nexos entre cognición, conducta y ambiente. La conducta del niño es moldeada no sólo por las recompensas y los castigos externos, sino también por los modelos de los roles. Las recompensas también pueden ser internas: los niños se comportan en formas que mejoran la autoestima, el orgullo y el sentido de logro.

Por último, las *teorías del desarrollo cognoscitivo* se centran en los pensamientos y en los conceptos como organizadores de la conducta social. El preescolar adquiere conceptos de creciente complejidad; aprende lo que significa ser niña o niño, hermano o hermana. Aprende asimismo a ajustar su conducta a los esquemas de género aceptados: juzga cuáles son adecuadas al hombre o a la mujer.

Cada planteamiento ha dado origen a importantes teorías y conclusiones sobre la socialización y el desarrollo de la personalidad, como veremos en las siguientes secciones.

El preescolar tiene sentimientos intensos que debe aprender a controlar durante estos primeros años de vida. Parte de la tristeza del niño que no llega en primer lugar se disipa cuando aprende que perder una carrera no es el fin del mundo.

TEORÍAS PSICODINÁMICAS

El niño debe aprender a controlar una amplia gama de sentimientos o emociones. Algunos son positivos como la alegría, el afecto y el orgullo, no así otros: la ira, el temor, la ansiedad, los celos, la frustración y el dolor. Sin embargo, en uno y otro caso debe de adquirir los medios para atenuarlos y expresarlos en formas aceptables desde el punto de vista social.

Debe aprender a resolver los conflictos del desarrollo; aceptar su dependencia de otros y encontrar la manera de relacionarse con las figuras de autoridad en su vida. Además, necesita encarar su necesidad de **autonomía**, ese intenso deseo de hacer las cosas por sí mismo, de dominar el ambiente físico y social, de ser competente y exitoso. Los teóricos psicodinámicos, sobre todo Erikson, han analizado a fondo la manera en que los niños dominan estas tareas. Como señala Erikson, los niños que no logran resolver estos primeros conflictos psicosociales pueden tener problemas de ajuste más adelante (Erikson, 1963).

El sentido de identidad personal y cultural que los niños adquieren entre los dos y los seis años se acompaña de muchos sentimientos intensos. No es fácil encontrar formas aceptables de afrontar el temor y la ansiedad, el malestar y la

autonomía Fuerte pulsión a hacer las cosas por uno mismo, a dominar el ambiente físico y social, a ser competente y exitoso.

ira, el dolor y la alegría, la sensualidad y la curiosidad sexual. Los niños a menudo sufren conflictos al hacerlo.

TEMOR Y ANSIEDAD

Una de las fuerzas más importantes que el niño debe aprender a controlar es el estrés causado por el temor y la ansiedad. Las dos emociones no son sinónimos. El **temor** es la respuesta ante una situación o estímulo concretos: un niño puede tener miedo a la oscuridad, a los relámpagos o a los truenos, tener fobia a los perros grandes o a los lugares elevados. En contraste, la **ansiedad** es un estado emocional generalizado. Algunos niños sentirán ansiedad en determinadas situaciones; en cambio, aquellos a quienes se califica de "ansiosos" muestran en forma regular y continua aprensión y malestar, a menudo sin que sepan por qué. La mudanza a otro barrio o un cambio repentino en las expectativas de los padres —digamos, el inicio del entrenamiento en el control de esfínteres— puede provocar una ansiedad que no parece tener explicación. Muchos psicólogos consideran que la ansiedad acompaña siempre al proceso de socialización ya que el niño trata de evitar el sufrimiento de la disciplina y el enojo de sus progenitores (Wenar, 1990).

CAUSAS DEL TEMOR Y LA ANSIEDAD   El temor y la ansiedad pueden tener diversos orígenes. A veces los niños pequeños tienen miedo de que sus padres los abandonen o dejen de quererlos. Los padres por lo general adoptan una actitud afectuosa y de aceptación, pero en ocasiones retiran su amor, su atención y protección a manera de castigo. Esto constituye una amenaza para el niño y le hace sentir ansiedad. Otra causa es prever otros tipos de castigo, en especial el castigo físico. En ocasiones los niños de dos años no tienen una idea realista de la fuerza del castigo. Cuando un progenitor exasperado grita: "¡Voy a romperte todos los huesos!", el niño no se percata de que no lo dice en serio.

La imaginación del niño puede aumentar y hasta generar temor y ansiedad. Por ejemplo, a menudo los niños imaginan que el nacimiento de un hermano hará que sus padres los rechacen. En ocasiones, la ansiedad se debe a la conciencia que tiene el pequeño de sus propios sentimientos negativos: enojo con un progenitor u otro cuidador, celos de un hermano o amigo, o el deseo recurrente de ser sostenido en brazos como un bebé.

Las fuentes de algunos temores se identifican con facilidad: miedo al doctor que inyecta, terror proveniente del olor a hospital o del sonido provocado por la fresa del torno del dentista. Otros factores son más difíciles de entender. Muchos preescolares desarrollan un miedo a la oscuridad que tiene una relación más estrecha con las fantasías y los sueños que con los hechos reales en la vida del niño. Algunas de las fantasías nacen en forma directa de los conflictos del desarrollo con que el niño está luchando en ese momento; por ejemplo, pueden surgir tigres o fantasmas terribles de su lucha con la dependencia y la autonomía.

En un experimento clásico de los temores infantiles (Jersild y Holmes, 1935) se reveló que los niños pequeños solían temer a ciertos objetos o situaciones, o a personas: a los extraños, a los objetos desconocidos, a la oscuridad, a los ruidos fuertes o a caer. En cambio, los niños de cinco a seis años estaban más propensos a temer a objetos imaginarios o abstractos: monstruos, ladrones, la muerte, quedarse solo o ser ridiculizados. Cincuenta años después los investigadores descubrieron que casi todos los temores del preescolar, menos el miedo a la oscuridad, a quedarse solos o a las cosas desconocidas, aparecen ahora en edades más tempranas (Draper y James, 1985).

En el mundo moderno hay muchas fuentes de temor, ansiedad y estrés. Algunas son parte normal del crecimiento, como el hecho de que nos griten por romper algo de manera accidental o que un hermano mayor se burle de nosotros. Otras son más serias: el estrés que proviene de fuerzas internas como la

temor   Estado de activación, tensión o aprensión causado por una circunstancia específica e identificable.

ansiedad   Sentimiento de inquietud, aprensión o temor que se debe a una causa vaga o desconocida.

enfermedad y el dolor, o el estrés crónico y prolongado que ocasionan ambientes sociales negativos: pobreza, conflicto entre padres, consumo de drogas, barrios peligrosos (Greene y Brooks, 1985). Algunos niños se ven obligados a encarar grandes desastres o terrores como terremotos, inundaciones y guerras. Las situaciones graves o estresantes a largo plazo pueden consumir los recursos psicológicos aun de los niños más resistentes (Honig, 1986; Rutter, 1983).

Aunque de manera natural evitamos y procuramos disminuir al mínimo el temor y la ansiedad, conviene recordar que se trata de sentimientos normales indispensables para el desarrollo. En formas moderadas favorecen el aprendizaje. Ciertos tipos de miedo son necesarios para la supervivencia en un mundo lleno de peligros: estufas calientes, electrodomésticos, automóviles, camiones a alta velocidad y animales callejeros.

¿CÓMO SUPERAR EL TEMOR Y LA ANSIEDAD?   ¿Cómo podemos ayudarle al niño a afrontar el temor y la ansiedad? Obtendremos resultados negativos si recurrimos a la fuerza o al ridículo; no siempre se logra que desaparezcan los temores del niño cuando nos limitamos a ignorarlos. En cambio, al menos cuando los temores son moderados, podemos alentar al niño con amabilidad y con empatía a que los enfrente y los supere. Los padres pueden contribuir demostrando que no hay motivo para temer. Por ejemplo, si quieren ayudar a su hijo a que deje de temer a los "ladrones" nocturnos, pueden hacer que los acompañe a verificar las cerraduras de todas las puertas y otros aspectos de seguridad de la casa. Cuando los temores se han convertido en fobias, es posible que el niño (y también el adulto) necesite un tratamiento profesional de **desensibilización sistemática**. En este procedimiento, luego de aprender algunos métodos de relajación, el paciente avanza por una "jerarquía" que comienza con versiones muy poco fóbicas del objeto o de la situación hasta que finalmente encara la realidad. Por ejemplo, un niño que tiene miedo a los perros podría hacer la práctica de mantenerse relajado mientras contempla un simple dibujo de un perro, luego un dibujo más detallado, después una fotografía y por último al perro real.

A menudo la mejor forma de ayudar al niño a disminuir la ansiedad consiste en eliminar las fuentes innecesarias de estrés de la vida. Cuando los niños presentan niveles demasiado elevados de tensión o hacen berrinches frecuen-

desensibilización sistemática
En la terapia conductual, método que aminora de manera gradual la ansiedad de un individuo ante un objeto o situación específicos.

A ningún niño le gusta acudir al médico. A menudo el niño relaciona la visita al consultorio con una inyección dolorosa.

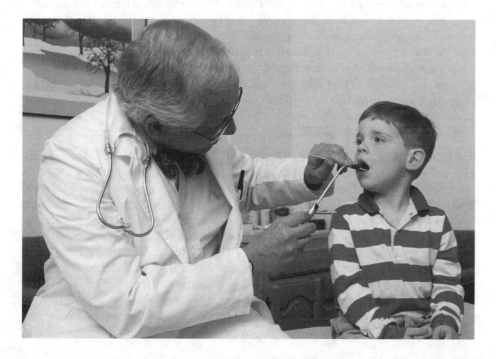

tes, conviene simplificar su vida en las rutinas diarias, especificando en forma clara lo que se espera de ellos y ayudándoles a prever acontecimientos especiales, como las visitas de amigos y de parientes. Otras estrategias eficaces consisten en reducir la exposición a pleitos de los padres o a programas violentos de televisión y en protegerlos para que no sean embromados ni atormentados por los bravucones o las pandillas del barrio.

Desde luego, no es posible evitar ni minimizar toda fuente de estrés. El niño debe aprender a afrontar el nacimiento de un hermano, mudarse a otra casa o ingresar a un centro de atención diurna, lo mismo que al divorcio, la muerte de un progenitor o las catástrofes naturales. En tales circunstancias se aconseja a los padres de familia y a los maestros hacer lo siguiente (Honig, 1986):

1. Aprender a reconocer e interpretar las reacciones del niño al estrés.
2. Ofrecer una base segura y afectuosa para ayudarle a recobrar la confianza.
3. Darle todas las oportunidades de que hable de sus sentimientos —es más fácil tratar un trauma compartido con otros.
4. Permitir por algún tiempo una conducta inmadura o regresiva: chuparse el pulgar, acariciar una manta, consentirlo o dejar que se siente en el regazo.
5. Ayudar al niño a interpretar el hecho o la circunstancia, ofreciéndole explicaciones adecuadas para su edad.

No olvide que el niño adquiere sus propios medios de afrontamiento a los temores y la ansiedad. Así, un niño normal de dos a cuatro años puede mostrar conductas muy repetitivas y rituales que a los adultos les parecerían "obsesivo—compulsivas" (Evans y otros, 1997). Por ejemplo, un niño que teme a la oscuridad podría aprender un ritual muy concreto para decir buenas noches a sus padres en cierto orden y con un número exacto de besos o de abrazos, con lo cual disminuye la ansiedad que le provoca acostarse.

MECANISMOS DE DEFENSA   El niño aprende algunas estrategias denominadas **mecanismos de defensa** en respuesta a los sentimientos más generalizados de ansiedad, en especial a los que provienen de la intensa atmósfera emocional de la familia y los relacionados con problemas de moral o con los roles sexuales. En la teoría psicoanalítica, un mecanismo de defensa es una forma de atenuar o, por lo menos, de disfrazar la ansiedad. Nos servimos de ellos al afrontar la ansiedad y la frustración. Por ejemplo, a veces, cuando no conseguimos lo que deseamos, lo *racionalizamos*. Por ejemplo, si no obtuvimos el tan anhelado ascenso, podríamos racionalizar y eliminar la decepción, diciéndonos que de todos modos no nos habría gustado la responsabilidad del puesto. Si a un niño no lo invitan a la fiesta, podría racionalizar que no se habría divertido en ella. En la tabla 7-1 se incluyen los mecanismos comunes de defensa, muchos de los cuales fueron aclarados o identificados por Ana Freud (1966), la hija del famoso psicoanalista. Entre los cinco y seis años, los niños han aprendido a emplear los mecanismos básicos.

INFLUENCIAS HISTÓRICAS Y CULTURALES   Como resultado de las diferencias del ambiente familiar y cultural, el niño siente ansiedad y temor ante cosas diversas. Hace 100 años le tenía miedo a los lobos y a los osos. Hace 50 años le preocupaban más los duendes y el "coco". Actualmente sus pesadillas están pobladas de extraterrestres y de autómatas asesinos. También, existen notables diferencias culturales en las formas en que expresa sus temores e incluso en el hecho de que los manifieste o no. En la cultura occidental moderna se ve con malos ojos mostrar temor. Los niños (en especial los varones) deben ser valientes; a los padres les preocupa un hijo que muestre un temor excesivo. Por el contrario, los padres tradicionales de los navajos piensan que es sano y normal que el niño sienta miedo; les parece tonto un niño que no teme a nada. En esta tribu los padres de familia señalaron un promedio de 22 temores en sus hijos,

mecanismos de defensa   "Trucos" cognoscitivos de los que se vale el individuo para reducir las tensiones que le provocan ansiedad.

TABLA 7–1 MECANISMOS DE DEFENSA QUE SUELEN EMPLEAR LOS NIÑOS

Identificación: Proceso que consiste en incorporar los valores, las actitudes y las creencias de otros. El niño adopta las actitudes de figuras poderosas, como sus padres, a fin de parecerse más a ellas —para ser más amado, poderoso y aceptado—, lo que atenúa la ansiedad que a menudo le causa su relativa indefensión.

Negación: Consiste en no admitir que hay una situación o que ha ocurrido un hecho. El niño reacciona a una situación dolorosa como la muerte de una mascota fingiendo que el animal todavía vive en la casa y duerme ahí en la noche.

Desplazamiento: Consiste en sustituir a alguien o algo por la causa real del enojo o del temor. Por ejemplo, Alberto puede estar enojado con su hermanita pero no puede golpearla, quizá ni siquiera admitir que quiere hacerlo. Entonces, opta por atormentar a la mascota de la familia.

Proyección: Consiste en atribuir acciones o pensamientos negativos a otra persona y, al hacerlo, deformar la realidad. "Ella lo hizo, no yo" es una afirmación proyectiva. "Ella quiere lastimarme" parecerá más aceptable que "Yo quiero lastimarla". La proyección prepara el terreno para una forma distorsionada de "autodefensa": "Si ella quiere lastimarme, mejor que yo la lastime antes."

Racionalización: Consiste en convencerse uno mismo de que no se quiere lo que no puede tenerse. Hasta los niños de corta edad son capaces de persuadirse de que no quieren algo. Si a un pequeño no lo invitan a una fiesta, decidirá "Bueno, de todos modos no me habría divertido". La racionalización es un mecanismo común de defensa que sigue desarrollándose y perfeccionándose hasta bien entrada la adultez.

Formación reactiva: Consiste en comportarse de manera contraria a las propias inclinaciones. Cuando un niño tiene pensamientos o deseos que le causan ansiedad, tal vez reaccione comportándose en una forma contradictoria. Por ejemplo, quizá quiera abrazarse a sus padres, pero opta por alejarlos a empujones o por obrar en una forma demasiado independiente y asertiva.

Regresión: Consiste en volver a una forma anterior o más infantil de conducta para afrontar así una situación estresante. Un niño de ocho años que se sienta frustrado quizá vuelve de manera repentina a chuparse el pulgar y a llevar su "cobijita" a todas partes, comportamientos que habían desaparecido hacía años.

Represión: Forma extrema de negación en que el individuo de manera *inconsciente* elimina de la conciencia un hecho o circunstancia que lo atemoriza. No es necesario recurrir a la fantasía, porque el niño literalmente no recuerda que el hecho haya ocurrido alguna vez.

Alejamiento: Consiste sólo en alejarse de una situación desagradable. Es un mecanismo de defensa muy frecuente entre los niños pequeños. Es el mecanismo más directo posible. Si una situación parece demasiado difícil, el niño se aleja de ella física o mentalmente.

entre ellos los relacionados con lo sobrenatural. En cambio, un grupo de padres angloamericanos de la zona rural de Montana mencionaron apenas cuatro temores en sus hijos (Tikalsky y Wallace, 1988).

OTRAS EMOCIONES

En las sociedades occidentales se espera que el niño inhiba la expresión de otras emociones, tanto positivas como negativas: enojo y malestar, afecto y alegría, sensualidad y curiosidad sexual. Los padres esperan que sus hijos aprendan lo que Claire Kopp (1989) llama *regulación de las emociones*, es decir, que las enfrenten en formas aceptables para la sociedad.

Autorregulación es el nombre que Kopp da a la creciente capacidad de controlar la conducta. El niño adopta e interioriza una combinación de normas

A menudo algunas culturas inculcan temores ante ciertas cosas y sancionan diversas formas de expresarlos. Por ejemplo, los niños coreanos intentan ocultar su ansiedad y su miedo en vez de desahogarse. En contraste, los niños estadounidenses son alentados a que expresen abiertamente sus temores y son consolados.

concretas de comportamiento, como el interés por la seguridad y el respeto por la propiedad ajena. La *aquiescencia*, elemento de la autorregulación, consiste en obedecer las órdenes del cuidador. Durante la niñez temprana, las órdenes de los padres como "no salgas de casa" o "recoge los juguetes" pueden ocasionar llanto. Durante el tercer año de vida el llanto ocurre pocas veces y en su lugar aparece y llega a predominar una "conducta de resistencia" (como negarse a cumplir las órdenes), que a su vez desaparece aproximadamente a los cuatro años. Kopp afirma que la disminución de la resistencia no obedece sólo al avance en las habilidades del lenguaje y la comunicación entre niño y progenitores, sino que más bien las habilidades cognoscitivas alcanzan un nivel que le permite al niño expresar sus necesidades personales en formas más aceptables para la sociedad y menos emotivas.

El control de las emociones es parte normal del desarrollo psicosocial del niño, sobre todo en los siete primeros años de vida. Los que no aprenden los límites de una conducta aceptable pueden desarrollar problemas emocionales moderados o graves, entre ellos comportamientos anormales y trastornos de personalidad (Cole y otros, 1994).

AFLICCIÓN Y ENOJO   Desde edad muy temprana, el niño aprende que no debe expresar los sentimientos negativos en público; por ejemplo, en las guarderías y en los centros de atención diurna (Dencik, 1989). A medida que pasan los años, los padres tienen expectativas más rigurosas al respecto: un bebé puede llorar cuando tenga hambre, no así un niño de seis años. Los que no aprendan esas lecciones en casa corren el riesgo de sufrir el rechazo social fuera de ella. En especial, suelen ser poco populares los preescolares que lloran mucho entre sus compañeros (Kopp, 1989).

Es aún más importante aprender a controlar el enojo. En un estudio longitudinal, se dio seguimiento hasta la adultez a un grupo de niños que todavía hacían berrinches a los 10 años (Caspi y otros, 1987). Los investigadores descubrieron que los niños solían ser adultos poco exitosos por sus continuos accesos de ira. No lograban conservar el empleo y su matrimonio a menudo terminaba en divorcio.

No es lo mismo controlar las emociones negativas que no tenerlas —éstas forman parte de la vida. El niño puede llegar a aceptar sus sentimientos de enojo como parte normal de su personalidad y, al mismo tiempo, aprender a regular o reencauzar sus reacciones ante ellas. Puede usar el enojo como fuerza motivadora, como una forma de superar los obstáculos o como un medio para defenderse a sí mismo o a otros.

AFECTO Y ALEGRÍA   En la cultura occidental, el niño también debe aprender a reprimir sus emociones positivas. Los niños de dos y de seis años reaccionan de modo distinto ante sentimientos espontáneos como la alegría, el afecto, la emoción y la efusividad. Los de dos años manifiestan el malestar sin rodeos, lo mismo que los sentimientos positivos: brincan y aplauden cuando están emocionados. Conforme avanza su socialización, el preescolar aprende a reprimir su efusividad. Le causan vergüenza la alegría y el afecto espontáneos porque se les considera pueriles, así que aprende a restringir su espontaneidad a ciertas ocasiones como las fiestas y los juegos.

SENSUALIDAD Y CURIOSIDAD SEXUAL   Los niños de dos años son criaturas muy sensuales. Les gusta la textura de objetos sucios y viscosos. Sienten la suavidad o la rigidez de la ropa contra su piel; les fascinan los sonidos, los sabores y los olores. En armonía con la teoría psicoanalítica, este tipo de sensualidad es fundamentalmente oral durante la infancia; pero el preescolar está consciente de las regiones anales y genitales y le fascinan. La masturbación y el juego sexual son muy comunes en la etapa preescolar, aunque la mayoría de los niños

Los niños pequeños son muy espontáneos en la manifestación de sentimientos positivos como la alegría, pero a los seis años ya aprendieron un poco a ocultar incluso esos sentimientos.

aprenden pronto a no expresar estas conductas cuando los adultos están presentes. Conforme el niño va descubriendo que la autoestimulación le procura placer, casi todos sienten gran curiosidad por su cuerpo y hacen muchas preguntas relacionadas con el sexo.

De la misma manera en que las reacciones de los demás influyen en la forma en que el niño controla la hostilidad y la alegría, tienen un efecto poderoso las reacciones de la cultura y la familia ante la sensualidad y la curiosidad sexual del niño. Hasta hace poco tiempo se recomendaba a los padres que impidiesen que sus hijos efectuaran exploraciones sexuales (Wolfenstein, 1951), y muchos siguen haciéndolo. Pero ya sea en forma abierta o en privado, dicha exploración es una parte natural y esencial de la experiencia; comienza en la niñez temprana y se prolonga hasta la adolescencia y la adultez.

CONFLICTOS DEL DESARROLLO

Tratar de expresar sus sentimientos en formas que acepte la sociedad no es el único reto que encaran los niños pequeños durante el periodo preescolar. A medida que tratan de adaptarse a sus necesidades cambiantes surgen también conflictos de desarrollo. El preescolar se ve empujado en una dirección por la necesidad de autonomía y en otra por su dependencia respecto a los progenitores. Debe enfrentar asimismo problemas de dominio y competencia.

AUTONOMÍA Y VINCULACIÓN   El preescolar lucha de manera constante consigo mismo y con los demás. Del estrecho sentido de "vinculación" que tiene el niño de dos años con sus cuidadores nace un nuevo sentido de autonomía: la convicción de que puede hacerlo (sin importar lo que esto signifique) sin ayuda de la gente. La ambivalencia entre las dos fuerzas antagónicas de autonomía y vinculación caracteriza al periodo preescolar temprano.

Aunque la dependencia y la independencia suelen considerarse tipos opuestos de conducta, las cosas no son tan simples para el niño de corta edad. La independencia sigue una trayectoria compleja en el periodo preescolar. Mientras que los infantes suelen ser muy cooperativos, todo cambia hacia los dos años. Muchos niños se vuelven muy poco cooperativos, característica que

Todos los niños necesitan sentir que dominan el ambiente. En ocasiones este sentimiento puede provocar un verdadero caos, pero sigue siendo un aspecto esencial del desarrollo.

distingue esta etapa tan difícil de su vida. Los berrinches son frecuentes. Cuando a los niños se les pide hacer algo, muestran su independencia diciendo "¡No!" Pero, conforme transcurre el tiempo, vuelven a ser dóciles y cooperativos. Los niños de tres años suelen hacer lo que sus padres les ordenan e infringir menos las reglas cuando sus padres se hallan ausentes, quizá por su incipiente sentido moral (Emde y Buchsbaum, 1990; Howes y Olenick, 1986).

En un estudio (Craig y Garney, 1972) se dio seguimiento a las tendencias de desarrollo que se reflejan en las expresiones de la dependencia: se observó cómo los niños de dos, dos y medio y tres años mantenían contacto con su madre en una situación desconocida. Los de dos años pasaban casi todo el tiempo cerca de su madre —permanecían en la misma parte de la habitación y levantaban la vista para asegurarse de que su madre siguiera allí. Los niños mayores (de dos y medio y tres años) no permanecían cerca de ella ni comprobaban su presencia con la misma frecuencia. Cuanto mayor era el niño, prefería más el contacto verbal al contacto físico. Los tres grupos de edad procuraban atraer la atención sobre sus actividades, pero los mayores estaban más inclinados a demostrarlas desde lejos.

DOMINIO Y COMPETENCIA   El preescolar empieza a descubrir su cuerpo y aprende a controlarlo. Cobra confianza si logra hacer las cosas sin ayuda. Cuando la crítica o el castigo frustran sus intentos de autonomía, piensa que ha fracasado y siente vergüenza y desconfianza (Erikson, 1963; Murphy, 1962; White, 1959).

En la tercera etapa propuesta por Erikson, *iniciativa o culpa*, entre los tres y los seis años, el conflicto principal del desarrollo se concentra en el dominio y la competencia. La iniciativa es el propósito que persiguen los niños pequeños mientras exploran el ambiente con mucha ambición. Con avidez aprenden habilidades nuevas, interactúan con los compañeros y buscan la orientación de sus padres en la interacción social. Es también evidente el sentimiento de culpa cuando exploran el mundo contra la voluntad de sus padres.

La clave consiste en alcanzar el equilibrio entre la iniciativa y la culpa. Como señala Erikson, una culpa excesiva merma la iniciativa del niño, en especial si los padres suprimen o critican con severidad su curiosidad natural. Se deterioran la iniciativa y la seguridad en sí mismo, lo que genera una timidez y un miedo que formarán parte de la personalidad por el resto de la vida.

El conflicto entre iniciativa y culpa es una extensión de la lucha del niño por lograr la autonomía. Gana control y competencia comenzando con su cuerpo: alimentación, vestido, control de esfínteres, manipulación de objetos y desplazamiento. En teoría, el preescolar aprende cómo funcionan las cosas, qué significan las situaciones y las relaciones sociales y cómo influir en la gente en formas constructivas y adecuadas. Cobran gran importancia algunos conceptos como lo correcto y lo incorrecto, el bien y el mal; designaciones como "afeminado", "aniñado" o "malcriado" pueden causar efectos devastadores. El progenitor o el maestro tienen la misión de guiar y disciplinar al niño sin generarle demasiada ansiedad ni culpa. En el a menudo confuso y complejo mundo del preescolar, la iniciativa produce éxito y sentimientos de competencia o fracaso y sentimientos de frustración.

COMPETENCIA PARA EL APRENDIZAJE   ¿Qué sucede cuando los intentos del niño por conseguir el dominio o la autonomía fracasan y se frustran una y otra vez? ¿Qué sucede cuando tiene poca o ninguna oportunidad de intentar hacer las cosas por su cuenta o cuando el ambiente es tan caótico que no logra ver las consecuencias de sus acciones? Todos los niños necesitan dominar el ambiente, sentirse capaces y exitosos. De no ser así, a veces desisten en sus tentativas por aprender y luego adoptan una actitud pasiva en las interacciones con el mundo. En muchos experimentos se ha demostrado que esos niños no consiguen crear una estrategia de aprendizaje activa, exploratoria y confiada: les falta *competencia para aprender* (White y Watts, 1973). Además, cuando se hace que su necesidad de autonomía les genere ansiedad, por lo general aprenden a negar, a minimizar o a disfrazar sus necesidades.

Algunos niños ven restringida su pulsión hacia la autonomía. Los que sufren alguna discapacidad física o una enfermedad crónica tendrán pocas oportunidades de probar sus habilidades en el dominio del entorno (Rutter, 1979). En ocasiones, se observa una pasividad o ansiedad exageradas en los niños que crecen en ambientes peligrosos o apiñados, y que deben ser restringidos para garantizar su seguridad o que son supervisados por cuidadores demasiado estrictos (Zuravin, 1985).

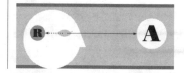

REPASE Y APLIQUE

1. ¿Cuáles son las causas primarias del temor y la ansiedad en el preescolar? Mencione algunas formas en que éste afronta esas dos emociones.
2. Describa la función que la regulación de las emociones desempeña en el desarrollo psicosocial del preescolar.
3. Explique los principales conflictos del desarrollo durante el periodo preescolar.

TEORÍAS DEL APRENDIZAJE SOCIAL

El preescolar debe aprender, además, a controlar sus tendencias agresivas y realizar conductas positivas como ayudar y compartir. Aunque para Freud la agresión era una pulsión intrínseca, la idea que la teoría del aprendizaje social tiene a este respecto es muy diferente. En dicha teoría, nazcamos o no con tendencias agresivas, la conducta agresiva varía mucho entre las personas debido al reforzamiento, el castigo y la imitación de modelos. El aprendizaje también influye en conductas como ayudar y compartir, a pesar de que mostremos tendencias intrínsecas en este aspecto. Así pues, las investigaciones dedicadas a las conductas positivas y negativas estudian la forma en que influyen las interacciones con padres, hermanos, compañeros y otras personas en el niño.

El repertorio social del preescolar se ve profundamente influido por el juego y por otras interacciones con los compañeros. Los teóricos no coinciden en cuanto a los orígenes y el propósito del juego; sin embargo, éste sin duda mejora sus habilidades sociales pues les permite que se ejerciten en sus relaciones con los demás.

AGRESIÓN

En el lenguaje de la psicología social, la **agresión hostil** es una conducta que trata de lastimar o establecer un dominio sobre otro: un niño golpea a otro en un acto de venganza; un niño derriba a otro en una suerte de terrorismo preescolar. La **agresión instrumental** es el daño que causa de manera incidental una conducta propositiva: si un niño derriba a otro cuando intenta coger un juguete, el daño que le cause no será intencional. Ambas formas de agresión difieren de la *asertividad*, que no produce daño sino que se refleja en actitudes como defender nuestros derechos y, a veces, en defensa propia.

La agresión puede ser física o verbal. Puede dirigirse a personas o "desplazarse" hacia animales u objetos. En el preescolar, la agresión física es una respuesta frecuente al enojo y la hostilidad. Por lo regular, aumenta durante el periodo

agresión hostil   Conducta cuyo fin es lastimar a otra persona.

agresión instrumental   Conducta cuyo fin no es lastimar, sino un medio para obtener algo de otra persona.

preescolar y luego disminuye conforme comienza a reemplazarla la agresión verbal (Achenbach y otros, 1991; Parke y Slahy, 1983). La reducción se debe también a la creciente capacidad para resolver los conflictos en otras formas —digamos, por negociación— y a una mayor experiencia de *cómo* jugar (Shantz, 1987). Además, entre los seis y los siete años los niños son menos egocéntricos y comprenden mejor el punto de vista del otro. Esto les ayuda en dos formas: suelen interpretar menos la conducta ajena como una agresión que exige represalia y están en mejores condiciones de sentir empatía hacia los sentimientos de otro niño cuando lo lastiman.

FRUSTRACIÓN Y AGRESIÓN   En el pasado, los teóricos del aprendizaje sostenían que la *frustración* —estado de enojo que ocurre cuando se bloquea o se impide la consecución de metas— conduce a la agresión. ¿Puede la frustración generar la agresión? Por supuesto, la ocasiona siempre que alguien hace algo que nos enoja y que tomamos represalias verbales e incluso físicas. Sin embargo, se ha demostrado que es incorrecta la *hipótesis de frustración-agresión* (Dollard y otros, 1939). Ésta señala que *toda* agresión nace de la frustración y que, tarde o temprano, ésta última produce cierta forma de agresión, directa o encubierta. La agresión podría dirigirse contra la fuente de frustración o desplazarse hacia otra persona u objeto; por ejemplo, un padre reprende a su hijo y le quita un juguete; poco después el niño patea a la mascota de la familia.

La hipótesis de frustración-agresión fue puesta en tela de juicio por un estudio clásico sobre la conducta de preescolares en una situación frustrante (Barker y otros, 1943). Los niños tenían acceso a juguetes atractivos que después se les quitaban y se colocaban detrás de una pantalla de alambre, en la que permanecían visibles pero fuera de su alcance. ¿Cómo reaccionaron? Unos manifestaban conductas agresivas; otros se limitaban a abandonar la habitación, esperar con paciencia o dirigir su atención a otra cosa; y algunos más realizaban conductas como la de chuparse el dedo.

También se ha desacreditado la otra mitad de la hipótesis, es decir, la suposición de que toda agresión se origina de la frustración (Dollard y Miller, 1950). La agresión puede ser resultado de la imitación, como vimos en el experimento clásico de Bandura sobre el aprendizaje por observación en el capítulo 1. El simple hecho de recompensar la conducta agresiva puede hacer que ésta aumente (Parke y Slahy, 1983). En conclusión, la frustración *puede causar agresión* y a la inversa, pero la agresión también puede deberse a muchas otras razones.

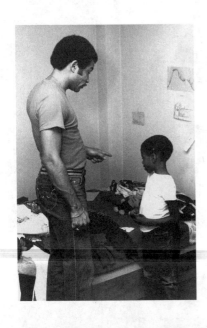

El dedo del padre nos indica que su hijo se ha portado mal.

CASTIGO Y AGRESIÓN   El castigo también crea la tendencia a la conducta agresiva, en especial si es duro y frecuente. Si se castigan los actos agresivos, el niño los evitará en presencia de quien lo haya castigado. Pero, lo irónico es que puede volverse más agresivo en términos generales. Por ejemplo, tal vez deje de serlo en el hogar, pero acaso lo sea más en la escuela. Puede expresar la agresión en diversas formas: con chismes o insultos. Los adultos que recurren al castigo físico para refrenar la agresión ofrecen al mismo tiempo un modelo de conducta agresiva. En un estudio (Strassberg y otros, 1944) se demostró que los preescolares que recibían palizas en casa eran más agresivos que aquellos que no las recibían. Más aún, cuanto más les pegasen, más agresividad mostraban. En otras palabras, estos niños quizá aprendan que conviene usar la fuerza con otros más pequeños.

MODELAMIENTO Y AGRESIÓN   Como ya apuntamos, observar modelos agresivos puede favorecer mucho la conducta antisocial. La imitación de modelos suele ocurrir más cuando el observado percibe una semejanza con el modelo o cuando lo considera poderoso o capaz (Eisenberg, 1988). Así, es más probable que los niños imiten a otros niños u hombres que a niñas o a mujeres. También es más probable que imiten a otros niños de personalidad dominante,

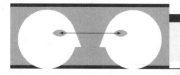

TEMA DE CONTROVERSIA

LOS EFECTOS DE LA TELEVISIÓN

La televisión no es tan sólo un juguete electrónico ni un medio informal de diversión, es una influencia omnipresente que ha repercutido de manera profunda en las relaciones familiares y, sobre todo, en los niños. En 1950 sólo una familia de cada 20 tenía un televisor. Al cabo de 10 años, 90 por ciento de los hogares estadounidenses contaban con uno. En la actualidad, casi todas las familias de Estados Unidos, Europa Occidental y Japón poseen al menos un televisor; muchas familias tienen varios, uno para cada miembro.

En los países desarrollados, los niños pasan más tiempo viendo la televisión que en cualquier otra actividad, con excepción de dormir (Fabes, Wilson y Christopher, 1989; Huston y otros, 1989). El niño promedio dedica cerca de siete horas y media diarias a ver programas de televisión (Bennett, 1993). Por tanto, para bien o para mal, los programas televisivos representan un importante medio de socialización en el mundo moderno.

Muchos investigadores han llegado a la conclusión de que exponer al niño a grandes dosis de violencia en la pantalla televisiva les enseña a considerar la agresión como una forma común y aceptable de afrontar la frustración y el enojo. Otros han adoptado un punto de vista opuesto: afirman que ver actos violentos en la televisión puede servir de substituto a la agresión pues ofrece una catarsis, o sea un desahogo aceptable de los impulsos agresivos que aminora la agresividad (Feshback y Singer, 1971). Sin embargo, los resultados de las investigaciones no confirman su opinión. Varios estudios han demostrado que la exposición a este tipo de violencia produce un aumento pequeño pero significativo en la agresividad de los espectadores (Heath, 1989; Huston y otros, 1989).

En el caso de algunos niños, ver en forma habitual programas violentos puede combinarse con un ambiente en el que muchos modelos —los padres, los hermanos o los amigos— también son agresivos o antisociales. La combinación parece aumentar la conducta agresiva, en especial de niños con problemas emocionales o de conducta (Heath, 1989; Huesmann y otros, 1984).

Muchos otros aspectos del contenido de los programas influyen en los niños. A menudo ciertas clases de personas son presentadas en forma estereotipada: a los integrantes de los grupos minoritarios se les describe en forma ne-gativa; las mujeres desempeñan roles pasivos y subordinados; a las personas mayores se les presenta a veces como seniles o como una carga. Por tanto, los niños pueden aprender creencias y conceptos sociales poco realistas cuando ven la televisión. Se ve afectada incluso su concepción global del mundo. Un estudio reveló que ver mucha televisión hace que la gente considere el mundo como un lugar terrible y amenazador, quizá porque en la televisión hay incidentes más aterradores que los que ocurren en la experiencia común de la gente (Rubinstein, 1983).

A pesar de los numerosos estudios que han identificado algunos efectos negativos de la televisión, ésta puede tener también una influencia positiva en el pensamiento del niño y en sus actos. Puede enseñarle muchas formas de conducta prosocial. Los programas infantiles planeados de manera cuidadosa combinan temas como la cooperación, el compartir, el afecto, la amistad, la perseverancia en las tareas, el control de la agresión y el afrontar la frustración. Los niños que los ven, así sea durante periodos más o menos breves, se vuelven cooperativos, compasivos y serviciales (Stein y Friedrich, 1975).

es decir, a quienes tienen gran influencia social (Abramovitch y Grusec, 1978). Los niños simpáticos dominan a sus compañeros con la fuerza de su personalidad, no con la agresión física. En cambio, los preescolares muestran antipatía por sus compañeros que son agresivos en lo físico (Ladd y otros,1988). Por supuesto, no todos los modelos provienen del entorno inmediato del niño; muchos modelos poderosos aparecen en la televisión, como se explica en el recuadro "Tema de controversia".

¿Cuántos televisores hay en el mundo? En la figura 7-1 se aprecia un panorama global. El aprendizaje social también tiene lugar en muchos otros medios, entre los que se cuentan la radio, la música y otras fuentes que se incluyen en la figura 7-2.

FIGURA 7–1 DISPONIBILIDAD DE RADIOS Y TELEVISORES
EN LAS NACIONES DEL MUNDO

Fuente: U.S. Census Bureau, 1997.

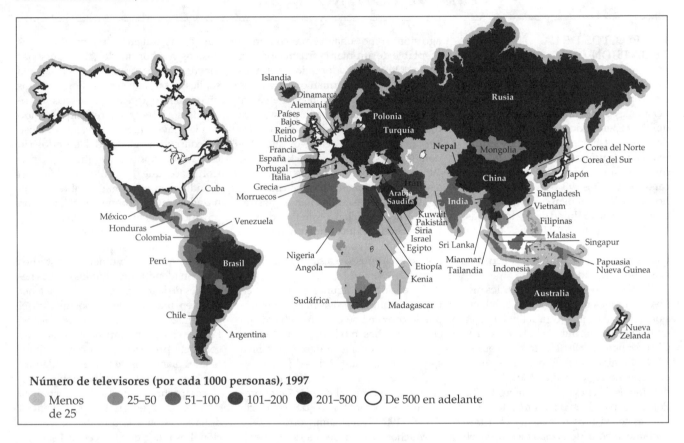

Número de televisores (por cada 1000 personas), 1997

Menos de 25 | 25–50 | 51–100 | 101–200 | 201–500 | De 500 en adelante

CONDUCTA PROSOCIAL

El término **conducta prosocial** se define como las acciones que tienden a beneficiar a otros, sin que se prevean recompensas externas (Eisenberg,1988). Estas acciones —entre ellas consolar, compadecer, ayudar, compartir, cooperar, rescatar, proteger y defender (Zahn—Waxler y Smith, 1992)— encajan en forma perfecta en la definición de *altruismo* —interés genuino por el bienestar de la gente. La conducta prosocial entraña a menudo costos, sacrificios o riesgos para el individuo. Sin embargo, no es una mera serie de habilidades sociales. Cuando se desarrolla a plenitud, se acompaña de sentimientos de amistad, afecto y afabilidad, así como de empatía por los sentimientos ajenos (Zahn-Waxler y Smith, 1992).

La conducta prosocial comienza a aparecer durante la etapa preescolar y puede observarse en el niño desde los dos años de edad. Los padres ejercen una influencia decisiva en su adquisición, lo mismo que los hermanos. El preescolar que tiene relaciones sólidas con sus cuidadores suele tratar de consolar a sus hermanos pequeños más que el que tiene relaciones frágiles (Teti y Ablard, 1989). Sin embargo, la capacidad para compartir y cooperar es limitada; la conducta prosocial sigue desarrollándose ya entrada la adolescencia y de manera posterior.

Son la situación y las normas familiares y culturales las que deciden qué conducta se considerará socialmente apropiada. La agresión no siempre es mala y el altruismo no es conveniente en todo momento. Los soldados que no son agresivos no servirán para combatir; un jugador altruista de fútbol americano

conducta prosocial Acciones cooperativas, o en las que se ayuda o comparte, y que benefician a otros.

FIGURA 7–2   UTILIZACIÓN DE LOS MEDIOS, ESTADOS UNIDOS (HORAS ANUALES POR PERSONA)*

Fuente: U.S. Census Bureau, 1997.
*1998, cifras proyectadas.

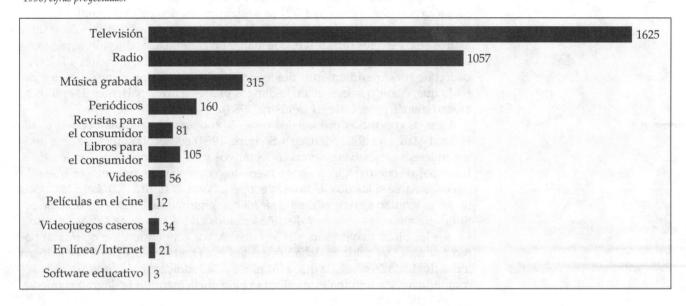

nunca ganará un partido. Por lo demás, las personas demasiado altruistas a veces son entrometidas, moralistas y conformistas (Bryan, 1975).

MODELAMIENTO Y CONDUCTA PROSOCIAL   Muchos estudios han demostrado la influencia que el modelamiento tiene en la conducta prosocial. En un experimento característico, un grupo de niños observa cómo una persona realiza un acto prosocial; por ejemplo, poner juguetes o dinero en una caja destinada a "los niños indigentes". Luego de ver al modelo generoso, a cada uno se le da la oportunidad de donar algo. Los investigadores casi siempre descubren que los que presenciaron el altruismo de otra persona se vuelven más generosos (Eisenberg, 1988). Los modelos prosociales son más eficaces cuando se perciben como afectuosos o cuando tienen una relación especial con el niño; recuerde una vez más que los modelos a menudo aparecen en las películas y en la televisión.

CONDICIONAMIENTO, APRENDIZAJE Y CONDUCTA PROSOCIAL   Puesto que la recompensa y el castigo inciden en la agresión, es lógico suponer que también influyen en conductas como ayudar y compartir. No obstante, ha sido difícil probar la veracidad de esta suposición. Uno de los problemas radica en que los investigadores se muestran renuentes a efectuar experimentos en que se castigue la conducta prosocial. Otro consiste en que los experimentos en que se recompensa este comportamiento a menudo no son concluyentes ya que los resultados pueden deberse al modelamiento: cuando los investigadores conceden una recompensa, al mismo tiempo están modelando el acto de dar (Rushton, 1976). Pese a ello, en un estudio se descubrió que un grupo de niños de cuatro años a quienes se les asignaron muchas tareas domésticas tendían a ser más serviciales también fuera de casa. Es interesante señalar que los más serviciales eran varones de raza negra. Los investigadores supusieron que, como un mayor número de niños negros provenía de hogares sin padre, su madre había acudido a ellos en busca de ayuda y de apoyo emocional. Gracias a esto, muy temprano en su vida estos niños habían aprendido lo que son las conductas de apoyo y consuelo (Richman y otros, 1988).

Otros dos métodos con que se mejora la conducta prosocial son la *representación de roles* y la *inducción*. En el primero, se alienta a los niños a desempeñar papeles para ayudarles a ver las cosas desde el punto de vista de otra persona. En el segundo, se les dan razones para que se comporten en forma positiva; por ejemplo, se les explica las consecuencias que sus acciones tendrán en otros. En un experimento (Staub, 1971) se utilizaron los dos procedimientos con un grupo de preescolares. La representación de roles aumentó el deseo de ayudar a otros y sus efectos duraron una semana. En cambio, la inducción surtió poco o ningún efecto, quizá porque los niños no prestan mucha atención a la explicación de un experimentador desconocido. Otras investigaciones han demostrado que, cuando la inducción la dan los padres u otros parientes, los niños se muestran más prosociales (Eisenberg, 1988).

Algunas conductas prosociales como la cooperación cambian con la edad. Millard Madsen (1971; Madsen y Shapira, 1970) comprobó que los niños estadounidenses se vuelven menos cooperativos y más competitivos con los años. Los niños de cuatro y cinco años a menudo cooperaban en un juego en que sólo puede ganarse si los dos jugadores cooperan (vea la figura 7-3). Pero los niños mayores tendían a competir entre sí, así que ninguno de los dos ganaba. En estudios de niños mexicanos y de niños criados en los kibutz de Israel, se observó que los niños mayores mostraban una mayor propensión a cooperar, al parecer porque sus culturas daban prioridad a las metas colectivas sobre el logro individual. Madsen señala que a los niños estadounidenses los educan para ser competitivos y aprenden este valor tan bien que a menudo no logran cooperar, aun cuando los beneficie hacerlo.

LOS COMPAÑEROS, EL JUEGO Y LA ADQUISICIÓN DE HABILIDADES SOCIALES

Los niños influyen unos en otros de muchas maneras. Se dan apoyo emocional en situaciones muy diversas. Sirven de modelos, refuerzan el comportamiento, favorecen el juego complejo y creativo. Además, alientan o desalientan las conductas prosociales y agresivas.

Los niños se ayudan entre sí a aprender varias habilidades físicas, cognoscitivas y sociales (Asher y otros, 1982; Hartup, 1983). Por ejemplo, en un principio los niños pequeños que juegan de manera agresiva pueden imitar a personajes que ven en la televisión y luego imitarse entre ellos. Siguen respondiendo y reaccionando en una forma que apoya e intensifica el juego, un tipo de *reciprocidad social* (Hall y Cairns, 1984).

EL JUEGO Y LAS HABILIDADES SOCIALES   En uno de los primeros estudios dedicados a las relaciones entre compañeros (Parten, 1932-1933) se identificaron cinco niveles en el desarrollo de la interacción social de los niños pequeños: 1) *juego solitario*, 2) *juego de espectador*, en el cual los niños se limitan a observar a otros; 3) *juego paralelo*, en el que juegan con otros pero sin interactuar en forma

FIGURA 7–3

En el juego de Madsen, dos niños se sientan en lados opuestos de una mesa de juego que tiene un vaso en cada extremo, una canal en ambos lados y una caja de canicas en el interior. Para jugar, el niño mueve la caja tirando de unas cuerdas; si mueve la caja por encima de un vaso, gana la canica que cae dentro del vaso. Los niños deben cooperar si quieren ganar canicas; cuando tiran de las cuerdas al mismo tiempo, se abre la caja y la canica entra rodando en la canal.

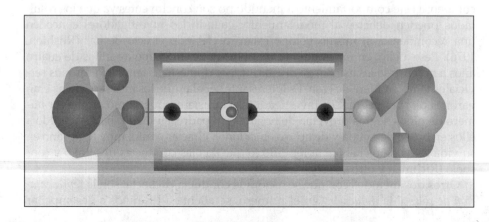

Al ir creciendo los niños estadounidenses se vuelven más competitivos en su juego.

directa; 4) *juego asociativo*, en el cual comparten materiales e interactúan pero no coordinan sus actividades dentro de un solo tema; 5) *juego cooperativo*, en el que realizan juntos una actividad como construir una casa con bloques o jugar a las escondidas. El juego paralelo y de espectador predomina en los niños de dos años, mientras que los de cuatro y cinco años muestran periodos crecientes de juego asociativo y cooperativo. Los de cinco, seis y siete años interactúan durante periodos más o menos prolongados, compartiendo materiales, estableciendo reglas, resolviendo conflictos, ayudándose unos a otros e intercambiando roles.

Al comienzo de los cuatro años de edad, el preescolar a menudo realiza el *juego de simulación social*, en el que intervienen la imaginación y el compartir las fantasías conforme a ciertas reglas aceptadas con anterioridad. Según Vygotsky (cuyas ideas expusimos en el capítulo 4), es en parte mediante este tipo de juego que el niño aprende la cooperación y otras habilidades sociales, junto con la capacidad para reflexionar y controlar su conducta. Ofrece, además, muchas oportunidades de discutir, de ejercer el pensamiento reflexivo y de resolver problemas en conjunto. Los preescolares negocian actividades mutuamente aceptables y fijan las reglas del juego. Por ejemplo, si dos niños de cinco años juegan a ser astronautas, compartirán sus conocimientos limitados y desarrollarán las secuencias del juego en forma cooperativa (Berk, 1994; Goncu, 1993; Kane y Furth, 1993). También se dan importantes variantes culturales en el estilo y en los significados del juego social, como se señala en "Estudio de la diversidad", página 254.

POPULARIDAD Y ADQUISICIÓN DE HABILIDADES SOCIALES   Cuando observamos a los niños en una guardería, en un centro de atención diurna o en un jardín de niños, es evidente que algunos gozan de gran popularidad entre sus compañeros, no así otros. La popularidad puede dar gran estabilidad con los años: los que son rechazados por sus compañeros en el jardín de niños tenderán a serlo también en la primaria. Además, suelen presentar problemas de ajuste en la adolescencia y en la adultez (Parker y Asher, 1987). Es, pues, importante entender las habilidades sociales que influyen en la popularidad e identificar a los niños que son poco populares para enseñarles habilidades de las que carecen.

Durante el juego, los niños populares son más cooperativos y por lo general manifiestan más conductas prosociales y orientadas a otros que sus compañe-

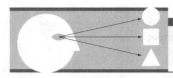

ESTUDIO DE LA DIVERSIDAD

VARIACIONES CULTURALES EN EL SIGNIFICADO DEL JUEGO

Desde hace mucho se sabe que el juego es importante en el desarrollo cognoscitivo. Constituye asimismo el vehículo primario para practicar los valores, las conductas y los roles de la sociedad. Por ejemplo, mediante el juego el niño representa temas, historias o episodios que expresan la comprensión de su cultura (Nicolopoulou, 1993).

Los niños de todas las culturas se desarrollan y aprenden en contextos sociales que incluyen a compañeros mayores y adultos que les transmiten el legado cultural. Cuando los niños simulan, los roles que imitan "canalizan" su conducta. Por ejemplo, un niño que juega a ser el "papá" o la "mamá" reproduce la conducta del "padre" o de la "madre" tal como las entiende. Cuando una niñita juega a ser la mamá, se concentra en las reglas del rol de madre y hace explícito su conocimiento de ellas (Nicolopoulou, 1993; Oppenheim

y otros, 1997). Puesto que el papel de madre —lo mismo que otros roles y valores sociales— difiere de una cultura a otra, podemos suponer que también cambien los aspectos específicos del juego (por ejemplo, vea a Farver y Shin, 1997). Y al parecer es así aunque encontramos el juego en todas ellas.

Aun en las culturas en que se dispone de poco tiempo para jugar, con frecuencia los niños crean situaciones lúdicas integrando sus quehaceres y la diversión. Los niños kipsigis de Kenia, por ejemplo, juegan a la roña mientras cuidan a sus rebaños o trepan a los árboles mientras cuidan a hermanos menores (Harkness y Super, 1983). Las canciones de labor son comunes entre los niños amish cuando en grupos lavan papas o pelan chícharos. Los niños que viven en países que sufren conflictos armados juegan a la guerra. Incluso se ha observado que algunos niños representan funerales en sus juegos (Timnick, 1989).

Se dan diferencias notables en el grado y en el tipo de juego observados

entre las culturas y dentro de ellas. En algunas sociedades, los juegos de los niños son simples; en otras son complejos y refinados. En algunas prácticamente no existen los juegos competitivos y predominan los cooperativos. Por ejemplo, las guarderías diurnas de la antigua Unión Soviética daban prioridad al juego colectivo: "no sólo hay juegos de grupo, sino juguetes especiales muy complejos que exigen la colaboración de dos o tres niños para funcionar" (Bronfenbrenner, 1972). En las culturas en las que la supervivencia diaria se basa en las habilidades motoras, los juegos de destreza física suelen ser la única forma de competencia. Por ejemplo, en sociedades cazadoras y recolectoras en las que se emplean machetes para limpiar la densa maleza, la competencia en la rapidez de su uso es la norma. En otras sociedades las carreras a pie, las carreras competitivas y los concursos de lanzamiento de la lanza son el juego principal (Hughes, 1991).

ros; estos comportamientos se resumen en la tabla 7-2 (Asher, 1983; Asher y otros, 1982). Estas conductas también son buenos indicadores de la condición social en el primer grado (Putallaz, 1983).

En cambio, los niños poco populares y rechazados suelen ser más agresivos o retraídos. También pueden estar sencillamente "fuera de sincronía" en las actividades e interacciones sociales con sus compañeros (Rubin, 1983). ¿Qué se da primero: adoptan conductas negativas por sentirse rechazados o se les rechaza por ellas?, ¿por qué algunos carecen de las habilidades sociales que hacen populares a otros? Pues bien, en la etapa preescolar influye el maltrato o el abandono. Las investigaciones señalan que los niños pequeños que son maltratados por sus cuidadores suelen sufrir más el rechazo de sus compañeros. Incapaces de establecer relaciones adecuadas con ellos, a menudo son más antipáticos, menos populares y más retraídos en lo social que el resto de los niños; el rechazo por parte de sus compañeros aumenta con la edad (Dodge y otros, 1994). Entre los factores de impopularidad menos drásticos pero potencialmente importantes se encuentran los siguientes: sentirse "protegido" y tener poca interacción con los compañeros, ser señalado como "diferente" por ellos o sólo dar una mala impresión cuando se ingresa a un grupo. Recuerde, además, como ya vimos, que es poco probable que los niños muy agresivos sean populares.

Las relaciones con los compañeros son un elemento decisivo de la socialización en la vida de los niños y el éxito en éstas se basa en la adquisición de habilidades sociales; de ahí la importancia de ayudar a los niños en el periodo preescolar, cuando sufren rechazo por primera vez (Asher, 1990). Los adultos pueden ayu-

TABLA 7–2   **CARACTERÍSTICAS DE LOS NIÑOS POPULARES EN EL JARDÍN DE NIÑOS**

Inician la actividad incorporándose en forma lenta al grupo, haciendo comentarios pertinentes y compartiendo información

Son sensibles a las necesidades y a las actividades de los demás

No se imponen a la fuerza al resto de los niños

Les gusta jugar junto con otros niños

Poseen estrategias para conservar amistades

Muestran una conducta de ayuda

Saben mantener la comunicación

Saben compartir la información

Están abiertos a las sugerencias de otros niños

Cuentan con estrategias para resolver los conflictos

Cuando encaran un conflicto, suelen recurrir menos a soluciones físicas o agresivas

Fuente: Asher (1983), Asher y otros (1982).

darles en dos formas por lo menos. Primero, pueden enseñarles en forma directa las habilidades sociales por medio del modelamiento y la inducción. Segundo, pueden ofrecer y propiciar oportunidades de experiencias sociales positivas con los compañeros. En situaciones de grupos, especialmente, pueden incorporar a los niños poco populares en las actividades colectivas y ayudarles a aprender a relacionarse bien. Los niños necesitan oportunidades para jugar con otros, lo mismo que espacio y materiales apropiados. Las muñecas, la ropa para actividades infantiles, los carros y camiones de juguete, los bloques y las marionetas favorecen el juego cooperativo y brindan oportunidades para interactuar. Los cuidadores adultos deben estar disponibles para ayudar a los preescolares a iniciar actividades, negociar en los conflictos y suministrar información social (Asher y otros, 1982).

FUNCIÓN DE LOS COMPAÑEROS IMAGINARIOS   Muchos preescolares crean **compañeros imaginarios** y de juego que se vuelven parte de sus rutinas diarias. Un compañero imaginario es un personaje invisible que al niño le parece muy real (Taylor y otros, 1993). Los niños le dan nombre, lo mencionan en sus conversaciones y juegan con él. Los personajes imaginarios le ayudan a afrontar los temores, le ofrecen compañía en los periodos de soledad y lo tranquilizan.

Las investigaciones indican que 65 por ciento de los preescolares tienen compañeros imaginarios. Por lo regular, su creación se asocia con características positivas de la personalidad. Por ejemplo, en comparación con los niños que no cuentan con un compañero imaginario, quienes sí lo tienen son más sociables y menos tímidos, tienen un mayor número de amigos reales, son más creativos y participan más en las actividades familiares (Mauro, 1991). Al parecer, los compañeros imaginarios ayudan a los niños a aprender las habilidades sociales y a practicar la conversación. Estos niños juegan de manera alegre con sus compañeros y se muestran cooperativos y afables tanto con sus compañeros como con los adultos (Singer y Singer, 1990).

Por último, el hecho de contar con un compañero imaginario aporta al mismo tiempo beneficios cognoscitivos y emocionales. Es posible que quienes lo tienen y gustan de fantasear logren dominar mejor la representación simbólica y el mundo real. Quizá, gracias a ello, se les facilita entender que sus imágenes mentales son distintas de los objetos externos.

compañeros imaginarios
Compañeros inventados por el niño, quien finge que son reales.

CÓMO INTERACTÚA EL GÉNERO CON EL APRENDIZAJE SOCIAL

El *sexo* se determina de manera genética y biológica; el *género* es de origen cultural y, por tanto, se adquiere como vimos en el capítulo 5. Algunos teóricos sostienen que, desde el punto de vista biológico, el sexo determina las diferencias de inteligencia, personalidad, ajuste del adulto y estilo. En el lenguaje cotidiano escuchamos con mucha frecuencia afirmaciones como "Las mujeres son..." y los hombres son...", las cuales indican a todas luces creencias latentes en las diferencias congénitas e inmutables entre los sexos.

De acuerdo con otra teoría, los varones y las mujeres difieren en principio en el trato que reciben desde la niñez temprana de parte de sus padres, profesores, amigos y de la cultura. En otras palabras, se distinguen por diferencias ambientales. Pero nos desviamos del tema cuando analizamos la importancia de la herencia o del ambiente en la determinación de las diferencias propias de los géneros. La genética y la cultura imponen límites a los **roles de género** —lo que es apropiado que haga el varón o la mujer—, pero interactúan como los extremos de una cuerda. Además, el niño participa de manera activa en la adquisición del sentido del género, como veremos más adelante en este capítulo.

Al inicio del periodo escolar, el niño empieza a aprender conductas, habilidades y roles sociales que su cultura juzga convenientes para su género. Para darle al lector una perspectiva general, examinaremos primero algunas diferencias entre los sexos que preparan el terreno para este proceso.

DIFERENCIAS ENTRE LOS SEXOS A LO LARGO DEL CICLO VITAL   Las investigaciones han revelado que, en promedio, los varones al nacer son más grandes y pesados que las mujeres. Las recién nacidas tienen un esqueleto un poco más maduro y son ligeramente más sensibles al tacto. Cuando comienzan a caminar, en promedio una vez más, los varones son más agresivos y las mujeres presentan una pequeña ventaja en cuanto a habilidades verbales. En Estados Unidos, los varones, entre ocho y diez años de edad, empiezan a superar a las mujeres en matemáticas. A los 12 años, la niña promedio ya inició la adolescencia, mientras que el niño todavía es un preadolescente desde el punto de vista físico.

A la mitad de la adolescencia crece la superioridad de las mujeres en habilidades verbales, lo mismo que la ventaja de los varones en matemáticas y en razonamiento espacial. A los 18 años, la mujer promedio tiene más o menos 50 por ciento menos fuerza muscular en la parte superior del cuerpo. En la adultez, el cuerpo promedio del varón posee más músculo y hueso, y el de la mujer más grasa. En la edad madura, los hombres están más propensos a morir de arteriosclerosis, ataques cardiacos, enfermedades hepáticas, a ser asesinados, suicidarse o volverse adictos. A los 65 años, sólo hay 68 hombres vivos por cada 100 mujeres; a los 85 años, las mujeres los superan casi en dos por uno; a los 100 años las mujeres muestran una supervivencia cinco veces mayor a la de los hombres (McLoughlin y otros, 1988).

De igual manera son importantes las *áreas* en que *no* difieren los sexos. En una revisión de las investigaciones (Ruble, 1988), se descubrieron muchas áreas en las que no había diferencias de género observables. Por ejemplo, no parece haber diferencias constantes en sociabilidad, autoestima, motivación de logro e, incluso, en aprendizaje mecánico y en algunas habilidades analíticas.

Por último, las diferencias reales son pequeñas y, además, existen muchos puntos comunes entre ambos sexos; por ejemplo, algunas mujeres son más agresivas que muchos hombres. También conviene puntualizar que muchos estudios efectuados a mediados de los años ochenta señalaron diferencias menos importantes a las observadas en trabajos anteriores (Halpern, 1986; Ruble, 1988). Según estos resultados, los cambios culturales —en concreto: las ideas cambiantes acerca de la conducta apropiada para el género— han influido en los roles sociales del hombre y de la mujer.

roles de género Papeles que adoptamos respecto al hecho de ser varón o mujer.

GÉNERO Y SOCIALIZACIÓN El género tiene al menos dos elementos relacionados: las conductas y los conceptos asociados con el género. Los teóricos del aprendizaje social se concentran en la forma en que se aprenden estas conductas y cómo se combinan para crear los roles de género.

En casi todas las culturas los niños muestran las conductas específicas de su género a los cinco años de edad; muchos aprenden algunos de estos comportamientos a los dos años y medio (Weinraub y otros, 1984). Por ejemplo, en las guarderías vemos a las niñas jugar con muñecas, ayudar a preparar los bocadillos y mostrar interés por el arte y la música; por su parte, los niños construyen puentes, participan en juegos rudos y juegan con carros y camiones (Pitcher y Schultz, 1983).

Los niños pequeños a menudo exageran las actividades propias de su género y adoptan en forma rígida los **estereotipos de los roles de género** —ideas fijas sobre la conducta masculina y femenina. Los estereotipos se basan en la creencia de que lo "masculino" y lo "femenino" son categorías distintas y que se excluyen. Se trata de una creencia que se da casi en todas las culturas, aunque éstas presenten grandes variaciones en los atributos concretos que asignan a uno y otro sexo. Por ejemplo, en Estados Unidos los padres tradicionales esperan que sus hijos sean "niños verdaderos" —reservados, enérgicos, seguros de sí mismos, duros, realistas y asertivos—, y que sus hijas sean "verdaderas niñas" —amables, dependientes, muy formales, locuaces, frívolas y poco prácticas (Bem, 1975; Williams y otros, 1975). En la familia tradicional, se presiona a los niños para que acepten estos estereotipos sin que importen sus inclinaciones naturales.

¿Cómo se aprenden los atributos del género? Igual que con la conducta agresiva y prosocial, las recompensas, el castigo y el modelamiento apropiados al género del niño aparecen a edad temprana. En un experimento (Smith y Lloyd, 1978), se observó a un grupo de madres mientras interactuaban con niños ajenos de seis meses. Unas veces se les mostraban niñas como si fueran niños y a la inversa; en otras ocasiones, los bebés eran presentados de acuerdo con su sexo real. Las madres alentaban de manera invariable a los niños que creían varones a caminar, gatear y participar en el juego físico. A las niñas las trataban con mayor suavidad y las estimulaban para que hablaran.

Conforme crecen sus hijos, los progenitores reaccionan de manera más favorable cuando la conducta del niño corresponde a su sexo. Los padres pueden tener mucha importancia en el desarrollo del rol de género del hijo (Honig, 1980; Parke, 1981). Aún más que las madres, enseñan determinados roles de género al reforzar la feminidad en sus hijas y la masculinidad en los hijos.

estereotipos de los roles de género Ideas rígidas y fijas de lo que es apropiado para la conducta masculina o femenina.

---

1. ¿Cómo explican los teóricos del aprendizaje social la agresión y la conducta prosocial durante el periodo preescolar?
2. Describa los cinco niveles del desarrollo de la interacción social en los niños pequeños.
3. ¿Qué relación guarda la popularidad con la adquisición de las habilidades sociales?
4. Explique en forma breve la función que los compañeros imaginarios cumplen en la adquisición de las habilidades sociales.
5. Explique cómo transmiten los padres los roles de género a sus hijos.

REPASE Y APLIQUE

TEORÍAS DEL DESARROLLO COGNOSCITIVO: CONOCIMIENTO DEL YO Y DE LOS OTROS

Hasta ahora nos hemos concentrado sobre todo en tipos específicos de conducta: cómo aprende el niño a compartir, a ser agresivo o a controlar los sentimientos. Sin embargo, el niño también se comporta en forma más general. Combina varias conductas específicas para crear patrones globales de comportamiento que sean apropiados a su género, su familia y su cultura. Conforme crecen, los niños se vuelven menos dependientes de las reglas, las expectativas, las recompensas y castigos que reciben de otros, y les es más fácil emitir juicios y controlar su conducta sin ayuda. De acuerdo con los teóricos del desarrollo cognoscitivo, la integración de la conducta social coincide con la aparición del concepto de yo, el cual abarca los esquemas de género y los conceptos sociales que median la conducta del niño.

EL AUTOCONCEPTO

Incluso un niño de dos años entiende un poco su yo. Como vimos en el capítulo 5, a los 21 meses se reconoce en el espejo y se sentirá apenado si se ve una marca roja en la nariz. En el lenguaje de los niños de dos años abundan las afirmaciones de posesión, que implican un "yo" frente al "tú". En un estudio con niños de dos años que jugaban en parejas, la mayoría comenzaba el juego con muchas aseveraciones referentes a sí mismos. Definían sus fronteras y sus posesiones: "mi zapato, mi muñeca, mi carro". La asertividad puede considerarse un logro cognoscitivo, no un mero egoísmo: los niños entienden cada vez mejor al yo y al otro como seres individuales (Levine, 1983). En una revisión de estudios sobre el autoconcepto y el juego social de los niños, se llegó a la conclusión de que los más sociales son también los que tienen un autoconcepto más desarrollado (Harter, 1983). Por tanto, el conocimiento de uno mismo guarda estrecha relación con el conocimiento del mundo social.

Durante la etapa preescolar, el niño aprende ciertas actitudes generalizadas acerca de sí mismo: por ejemplo, un sentido de bienestar o de que es "lento" o "malhumorado". Muchas de estas ideas comienzan a surgir a edad muy temprana y a nivel no verbal. El niño muestra gran ansiedad ante algunos de sus sentimientos e ideas; con otras se siente muy cómodo. Comienza a forjarse una serie de ideas y a compararse con aquellos a quienes desea parecerse. A menudo su autoevaluación es un reflejo directo de lo que la gente piensa de ellos. Imagine a un encantador niño de dos años con un talento especial para meterse en problemas, cuyo hermano mayor lo llama "busca pleitos" siempre que se mete en uno. A los siete años, podría hacer un esfuerzo por conservar su reputación de ser un chico malo. En conclusión, las primeras actitudes terminan convirtiéndose en elementos básicos del autoconcepto.

El preescolar está fascinado consigo mismo; muchas de sus actividades y de sus pensamientos se concentran en el aprendizaje de su persona. Compara su estatura, el color de su cabello, su ambiente familiar, sus preferencias y aversiones con los de otros niños. Se compara con sus padres e imita su conducta. En parte bajo el impulso de conocerse mejor, formula varias preguntas para saber de dónde viene, por qué le crecen los pies, si es un niño bueno o malo, etcétera.

Saber qué impresión damos a los demás es un paso clave en la adquisición del autoconocimiento y del autoconcepto. Los preescolares de corta edad tienden a definirse en función de características físicas ("Tengo pelo castaño") o de las posesiones ("Tengo una bicicleta"). Los de mayor edad suelen describirse más en función de sus actividades: "Voy a la escuela", "Juego béisbol" (Damon y Hart, 1982). También lo hacen mediante relaciones y experiencias interpersonales. En opinión de Peggy Miller y sus colegas (1992), los preescolares acostumbran definirse por medio de historias relativas a su familia. La tendencia a describirse por medio de contactos sociales aumenta en el periodo preescolar. Las historias personales que narran los padres pueden ser un medio importante para transmitir las normas morales y sociales a los hijos (Miller y otros, 1997).

Conforme el niño aprende quién y qué es y comienza a evaluarse como una fuerza activa del mundo, formula una teoría cognoscitiva, o *guión personal* que

Los preescolares mayores suelen describirse a partir de sus actividades; por ejemplo, "Puedo caminar sobre dos vigas".

le ayuda a regular su conducta. En otras palabras, el ser humano necesita sentir que es congruente y que sus acciones no se rigen por el azar: ya desde niños tratamos de armonizar nuestra conducta con nuestras creencias y actitudes.

CONCEPTOS Y REGLAS SOCIALES

El preescolar está muy ocupado ordenando las cosas, clasificando las conductas en buenas y malas e intentando interpretar el mundo *social*, como lo hace con el mundo físico. El proceso denominado **interiorización** es esencial para adquirir los conceptos y reglas sociales: en teoría, el niño aprende a incorporar en su autoconcepto los valores y las normas morales de su sociedad. Unos valores se refieren a la conducta apropiada a los roles de género, otros a las normas morales y algunos más sólo a la forma habitual de hacer las cosas.

¿Cómo interioriza el niño los valores y las reglas? Al principio se limita a imitar los patrones verbales: un niño de dos años dice "¡No, no, no!" mientras raya la pared con crayones. Continua haciendo lo que quiere, pero muestra al mismo tiempo los rudimentos de la autorrestricción al decirse que no debería hacerlo. Al cabo de unos meses, habrá aprendido el suficiente autocontrol como para poner freno a sus impulsos. Los teóricos cognoscitivos señalan que en las tentativas por regular la conducta personal influyen no sólo el autoconcepto incipiente, sino también los conceptos sociales rudimentarios. Unos y otros reflejan un mejor conocimiento de los demás y de uno mismo. Por ejemplo, el preescolar quizá está aprendiendo lo que significa ser el hermano o la hermana mayor, o un amigo. También puede estar aprendiendo conceptos como justicia, honestidad y respeto por los demás. Muchos de estos conceptos son demasiado abstractos para él, pero de todos modos se esfuerza por comprenderlos.

Los niños pequeños que empiezan a aprender conceptos sociales a menudo preguntan: "¿Por qué hizo él esto?" Las respuestas a veces contienen afirmaciones sobre la personalidad y el carácter. Por ejemplo, la pregunta "¿Por qué me dio Roberto esta galleta?", puede contestarse así "Porque es un buen niño". A medida que crecen, suelen pensar cada vez más que los demás —y también ellos— tienen atributos estables de carácter (Miller y Aloise, 1989). Los cuidadores alientan a los niños a ser serviciales o altruistas, enseñándoles que ellos son amables con la gente porque quieren serlo —porque son personas "buenas" (Eisenberg y otros, 1984; Grusec y Arnason, 1982; Perry y Bussey, 1984).

AMISTADES DE LOS NIÑOS Se han estudiado en forma exhaustiva los conceptos y reglas sociales que rodean las amistades del niño. Éste no adquiere un conocimiento claro de la amistad antes de la niñez media; los conceptos de confianza mutua y de reciprocidad son demasiado complejos para el preescolar. Sin embargo, sí se comporta de manera distinta con amigos y con extraños; algunos niños de entre cuatro y cinco años mantienen relaciones estrechas y afectuosas durante mucho tiempo. No sólo verbalizan lo que es la amistad, sino que siguen algunas de sus reglas implícitas (Gottman, 1983). Por ejemplo, en un estudio un grupo de preescolares al que se presentó una función de marionetas en la que un amigo o conocido estaba en problemas reaccionaban de modo diferente según el personaje en cuestión. Respondían con mayor empatía ante un amigo y se mostraban más dispuestos a ayudarle (Costin y Jones, 1992).

DISPUTAS DE LOS NIÑOS Cuando los niños discuten con compañeros, con hermanos y parientes, a menudo muestran un nivel mucho muy depurado de conocimiento social y de capacidad para razonar a partir de reglas y conceptos sociales. A los tres años, justifican su conducta mencionando reglas sociales ("¡Ahora es mi turno!") o a las consecuencias de una acción ("¡Alto, vas a romperlo si haces eso!") (Dunn y Munn, 1987). Un análisis acucioso de las disputas verbales en la etapa preescolar demuestra un desarrollo sistemático en su com-

interiorización Hacer que formen parte de uno las reglas y las normas de la conducta y adoptarlas como conjunto de valores.

El conocimiento de la conducta adecuada al género y de los esquemas de género a menudo exigen modelamiento y juego dramático.

prensión de las reglas sociales, su conocimiento del punto de vista de la otra persona y su capacidad para razonar con base en las reglas sociales o en las consecuencias de sus acciones (Shantz, 1987).

ESQUEMAS DE GÉNEROS

En general, los expertos coinciden en que la aparición de los **esquemas de género** —normas o estereotipos culturales relacionados con el género— depende en parte del nivel de desarrollo cognoscitivo del niño y en parte de los aspectos culturales a que el niño presta atención (Levy y Carter, 1989). Esto significa que aumenta poco a poco su capacidad para entender lo que significa ser niño o niña y profundiza su conocimiento de lo que es "culturalmente" apropiado para los varones y las mujeres.

A su vez los esquemas de género dan origen a la **identidad de género**, o sea, el sentido de qué somos como hombres o mujeres. La identidad se desarrolla en una secuencia particular durante los primeros siete u ocho años de vida. Desde muy pequeños aprenden a clasificarse como "niño" o "niña". Pero no comprenden con exactitud que lo serán durante toda su vida o que el género no cambia con la ropa ni con el peinado. No es infrecuente que un preescolar pregunte a su progenitor si de bebé era niño o niña. Sin embargo, entre lo seis y siete años la mayoría ya no comete este tipo de errores (Stangor y Ruble, 1987).

El niño aprende los esquemas de género en forma directa de lo que le enseñan y de los modelos que ve a su alrededor, y en forma indirecta de las historias, de las películas y la televisión. Los estudios de modelos estereotipados de los programas de televisión indican que, con los años, los roles de género transmitidos por esos modelos han sido muy tradicionales (Signorelli, 1989). Incluso las investigaciones sobre los libros de lectura destinados a niños de primaria, que se efectuaron en 1972 y luego otra vez en 1989, revelan un predominio de los roles estereotipados de género (Purcell y Sewart, 1990). No debe, pues, sorprendernos que los conceptos del niño relacionados con el género estén a menudo estereotipados.

Como vimos antes, el niño aprende algunos aspectos de los roles de género cuando imita a personas importantes en su vida y cuando se refuerza la conducta apropiada a su género. Pero participa en forma activa en el proceso, y es selectivo en lo que imita e interioriza. La investigación demuestra que un incipiente conocimiento de los esquemas relacionados con el género contribuye a determinar qué conductas y actitudes aprenderá el niño. Además, el desarrollo de los esquemas y del sentido de su identidad de género avanza de manera predecible en el periodo preescolar. A los dos años y medio la mayoría de los niños clasifican a las personas en niños o niñas, en varones o mujeres; pueden contestar, además, en forma correcta a la pregunta "¿Eres hombre o mujer?" (Thompson 1975). Pero aunque discriminan con facilidad entre los sexos, tal vez no sepan lo que significa esta distinción. Así, muchos niños de tres años creen que un niño se convierte en mujer si se pone un vestido. Tal vez no comprendan que sólo los varones son padres, y las mujeres, madres. Entre los cinco y los seis años, el niño se percata de que su género es estable y permanente. Adquiere, pues, la **constancia del género**: se da cuenta de que los niños siempre llegan a ser hombres, de que las niñas se convierten en mujeres y de que el género no cambia con el tiempo ni con las situaciones (Kohlberg, 1960; Shaffer, 1988) (vea la tabla 7-3).

Durante la niñez temprana, el niño conoce el significado de los estereotipos sexuales. En algunas investigaciones, los niños de cuatro años ofrecen osos salvajes de juguete a los niños y gatitos mullidos a las niñas; esto indica que las asociaciones culturales de los objetos y de las cualidades con uno u otro género no se basan nada más en observar ni en aprender *determinadas* asociaciones, como el hecho de que las muñecas son para las mujeres y los camiones para los varones. El niño, en

esquemas de género Normas cognoscitivas (incluidos los estereotipos) relativas a las conductas y actitudes que son apropiadas para cada uno de los sexos.

identidad de género Conocimiento de que uno es hombre o mujer y capacidad para emitir ese mismo juicio acerca de otras personas.

constancia del género Conocimiento del niño mayor de que el género es estable y que permanece inalterado pese a cambios de aspecto superficiales.

realidad, generaliza con facilidad qué *clases* de juguetes son adecuados para cada género. De acuerdo con las conclusiones de un grupo de investigadores, "Aun en etapas muy tempranas, los niños quizá ya comienzan a relacionar algunas cualidades con los hombres y otras con las mujeres" (Fagot y otros, 1992).

Muchos teóricos del desarrollo cognoscitivo consideran que el niño tiene una motivación intrínseca para adquirir valores, intereses y conductas compatibles con su género, proceso denominado *autosocialización*. Los niños aprenden conceptos rígidos de "lo que hacen los niños" y de "lo que hacen las niñas". Por ejemplo, los niños juegan con carros y no lloran; a las mujeres les gusta jugar con muñecas y arreglarse. Por lo regular, al niño le interesan más los detalles de las conductas apropiadas al género y menos las conductas inapropiadas (Martin y Halverson, 1981).

¿Acaso los niños pequeños prestan más atención y recuerdan mejor las cosas compatibles con sus esquemas de género? Las investigaciones señalan que sí. Por ejemplo, en las pruebas de memoria, los varones suelen recordar más las "cosas de niños" y las mujeres las "cosas de niñas". El niño comete errores de memoria cuando una historia infringe sus estereotipos de género. Así, recuerda que un niño estaba cortando madera cuando en realidad era una niña. Tales resultados revelan que los incipientes conceptos de género influyen de manera profunda en la atención y en el aprendizaje (Martin y Halverson, 1981). Cuando empiezan a aparecer los conceptos de estabilidad y permanencia del género, el niño suele mostrar conceptos estereotipados de conducta adecuada al género que organizan y estructuran su comportamiento y sus sentimientos. Si se violan los estereotipos sentirá vergüenza, ansiedad o incomodidad, aunque también, según la situación, se sentirá divertido.

ANDROGINIA

En las culturas modernas, era tradición recomendar a padres y maestros que ayudaran al niño a establecer la conducta propia de su género para el momento en que ingresaran a la escuela. Se creía que, de no hacerlo, podrían originarse desajustes psicológicos, como la homosexualidad que era mal vista. Pero las investigaciones recientes revelan que, cuando esa conducta se exagera, limita de manera grave el desarrollo emocional e intelectual de los hombres y las mujeres (Bem, 1985).

Sandra Bem y sus colegas sostienen que "lo femenino" y "lo masculino" no son extremos opuestos de una dimensión. Son dos dimensiones distintas, es decir, una persona puede ocupar un nivel elevado o bajo en una de éstas o en ambas. Dicho de otro modo, los rasgos deseables, masculinos y femeninos,

TABLA 7–3 ADQUISICIÓN DE LOS ESQUEMAS DE GÉNERO DURANTE LA NIÑEZ TEMPRANA

NIVEL DE LOS ESQUEMAS	EDAD APROXIMADA	CARACTERÍSTICAS DE LA CONDUCTA
Identidad de género	De dos a cinco años	A los dos años y medio los niños pueden clasificar a las personas como varones o mujeres; no saben bien lo que significa pertenecer a uno u otro sexo; piensan que el aspecto superficial modifica el género —por ejemplo, se cambia con la ropa.
Constancia del género	De cinco a siete años	Los niños comprenden que el género es estable y permanente; los niños crecen y se convierten en papás o varones; las niñas crecen y se convierten en mamás o mujeres; el género no cambia con el tiempo ni con las situaciones.

pueden encontrarse en la misma persona sin importar su sexo. Hombres y mujeres pueden ser ambiciosos, seguros de ellos mismos y asertivos (roles tradicionales del varón), lo mismo que afectuosos, amables, sensibles y solícitos (roles tradicionales de la mujer). A esta combinación de rasgos varoniles o femeninos se le llama **personalidad andrógina**. Según la situación, los varones andróginos pueden ser independientes y asertivos, pero al mismo tiempo capaces de mimar a un bebé y escuchar con empatía los problemas ajenos. Por su parte, la mujer andrógina puede ser asertiva y segura de sí misma, pero al mismo tiempo ser expresiva y afectuosa cuando se requiera.

La personalidad andrógina se forma con prácticas de crianza del niño específicas y con actitudes de los padres que estimulan las conductas transgenéricas adecuadas. Los padres de familia siempre han estado más dispuestos a aceptar estos comportamientos en las hijas que en los hijos (Martin, 1990). Habrá mayores probabilidades de adquirir una identidad andrógina permanente del género que combine algunos aspectos de masculinidad y de feminidad tradicionales, cuando dicha conducta se modele y se acepte. Conviene que el progenitor del mismo sexo que el niño encarne un modelo de conducta transgenérica y que el progenitor del sexo opuesto recompense tal modelo (Ruble, 1988). El padre puede aspirar la alfombra, limpiar el baño y remendar la ropa; la madre, por su parte, puede cortar el pasto, reparar los electrodomésticos y sacar la basura.

REPASE Y APLIQUE

1. Mencione algunas de las formas en que se desarrolla el autoconcepto durante el periodo preescolar.
2. Describa cómo interioriza el niño los conceptos y reglas sociales y cómo los usa al formar amistades y al manejar los conflictos.
3. ¿Qué es la identidad de género y cómo se adquiere?
4. ¿Qué es la personalidad andrógina?

DINÁMICA FAMILIAR

Durante la etapa preescolar, algunas dinámicas familiares —estilos de crianza, número y espaciamiento de los hijos, interacciones de los hermanos, métodos disciplinarios— influyen en el desarrollo. Lo mismo podemos decir de la estructura y de las circunstancias de la familia: el hecho de que estén presentes los dos progenitores o sólo uno, que los miembros de la familia tengan trabajo, que los abuelos u otros parientes vivan en el hogar y que la familia habite en una casa cómoda de un barrio elegante o en un departamento apiñado en la ciudad.

ESTILOS DE CRIANZA

Una familia es única como lo es el individuo. Los padres de familia usan su versión personal de los métodos de crianza según la situación, el niño, su conducta en ese momento y la cultura. En teoría, imponen límites razonables a la autonomía del menor y le inculcan valores y autocontrol, procurando siempre no coartar su curiosidad, iniciativa ni su creciente sentido de competencia. El control y la calidez constituyen aspectos esenciales de la crianza.

personalidad andrógina Individuos que poseen un elevado grado tanto de características masculinas como femeninas.

El *control de los padres* denota su nivel restrictivo. Los padres rigurosos limi-tan la libertad de los hijos; exigen la obediencia de ciertas reglas y vigilan que cumplan con sus responsabilidades. En cambio, los no restrictivos ejercen un control mínimo, imponen menos exigencias y restricciones a la conducta de sus hijos y a la expresión de las emociones. La *calidez de los padres* se refiere al grado de afecto y aprobación que exteriorizan. Los padres afectuosos y tiernos sonríen a sus hijos con mucha frecuencia, elogiándolos y alentándolos. No re-curren mucho a críticas, castigo ni señales de desaprobación. En cambio, los padres hostiles critican, castigan, ignoran a sus hijos y, pocas veces, expresan afecto o aprobación. El control y la calidez de los padres influyen de manera directa en la agresividad y la conducta prosocial de los hijos, en su autoconcep-to, en su interiorización de los valores morales y en su adquisición de la competencia social (Becker, 1964; Maccoby, 1984).

Cuatro estilos de crianza Diana Baumrind (1975, 1980) se sirvió de las dimensiones anteriores para clasificar los estilos de crianza. Descubrió tres patrones: *estilo autoritativo (o con autoridad), autoritario* y *permisivo*. Para comple-tarlos, nosotros incluimos el estilo *indiferente* (Maccoby y Martin, 1983). Recuer-de que se trata de tendencias generales, no absolutas; el estilo varía ligeramen-te de una situación a otra.

Los **padres autoritativos** (con autoridad) combinan un control moderado con afecto, aceptación e impulso de la autonomía. Aunque fijan límites a la con-ducta, éstos son razonables; ofrecen explicaciones adecuadas al nivel de com-prensión del niño. Sus acciones no parecen arbitrarias ni injustas; de ahí que los hijos estén más dispuestos a aceptar las restricciones. Además, escuchan las objeciones de los pequeños y muestran flexibilidad cuando así conviene. Por ejemplo, si una niña quiere visitar la casa de una amiga y permanecer allí hasta muy tarde, le preguntarán por qué quiere ir, las circunstancias de la visita (di-gamos, si los padres de su amiga estarán en casa) y si no descuidará obligacio-nes como la tarea escolar o los quehaceres domésticos. De no haber problema, los padres tal vez permitan una pequeña excepción a la regla.

Los **padres autoritarios** ejercen un control estricto y suelen mostrar poco afecto a los hijos. Aplican las reglas con mucho rigor. En la situación que aca-bamos de describir, su respuesta a la petición de la hija sería probablemente

padres autoritativos (con autoridad) Progenitores que aplican un control firme a sus hijos, pero que alientan la comu-nicación y la negociación en el establecimiento de las reglas de la familia.

padres autoritarios Progenito-res que adoptan estructuras con reglas rígidas y las imponen a sus hijos; en esta situación, el ni-ño no interviene en el proceso de toma de decisiones de la familia.

Los padres autoritativos estimu-lan el desarrollo de la autonomía y, al mismo tiempo, fijan límites razonables.

DIAGRAMA DE ESTUDIOS · ESTILOS DE CRIANZA QUE COMBINAN LA CALIDEZ Y EL CONTROL

Autoritativo (con autoridad)	Control moderadamente estricto	Los progenitores aceptan y estimulan la creciente autonomía de los hijos.
	Mucha calidez	Tienen comunicación abierta con los hijos; reglas flexibles; los hijos son los mejor adaptados (los más seguros de sí mismos y los que muestran mayor autocontrol y competencia social, mejor rendimiento escolar y una mayor autoestima.
Autoritario	Gran control	Los padres ordenan y exigen que los obedezcan.
	Poca calidez	Tienen poca comunicación con los hijos; reglas inflexibles; no permiten a los hijos independizarse de ellos; los hijos son retraídos, temerosos, malhumorados, poco asertivos e irritables; las hijas suelen permanecer pasivas y dependientes durante la adolescencia; los varones pueden volverse rebeldes y agresivos.
Permisivo	Poco control	Los padres imponen pocas o nulas restricciones a los hijos; los aman de manera incondicional.
	Mucha calidez	Existe comunicación entre progenitor e hijo; mucha libertad y poca orientación de los hijos; los padres no fijan límites; los hijos suelen ser agresivos y rebeldes; también, socialmente ineptos, autocomplacientes e impulsivos; en algunos casos, pueden ser dinámicos, extrovertidos y creativos.
Indiferente	Poco control	Los padres no establecen límites a sus hijos; falta de afecto por los hijos.
	Poca calidez	Se concentran en el estrés de su vida personal; no les queda energía para atender a sus hijos; si los padres muestran, además, hostilidad (como en el caso de progenitores negligentes), los hijos suelen expresar impulsos destructivos y una conducta delictiva.

una negativa acompañada de expresiones como "Una regla es una regla" o "Porque yo lo digo". Si el niño discute o se resiste, se enfadarán y le impondrán un castigo, a menudo físico. Los padres autoritarios dan órdenes y esperan que sean obedecidas; no tienen grandes intercambios verbales con sus hijos. Se comportan como si sus reglas fueran inmutables, actitud que puede hacer muy frustrantes los intentos de autonomía de los hijos.

Los **padres permisivos** muestran mucho afecto y ejercen poco control, imponiendo pocas o nulas restricciones a la conducta de sus hijos. El regreso a casa más tarde de lo habitual quizá ni siquiera plantee un problema, porque no habrá límites ni una hora fija para acostarse ni la regla de que el niño debe decir siempre a sus padres dónde se encuentra. En lugar de pedirles permiso para permanecer más tarde fuera de casa, la niña sólo les comunicará lo que planea hacer o dejará que ellos mismos lo averigüen después. Cuando los padres permisivos se enfadan o impacientan con sus hijos, a menudo reprimen esos sentimientos. De acuerdo con Baumrind (1975), muchos están tan ocupados mostrándoles un "amor incondicional" que no cumplen con otras funciones importantes, en particular, imponer a su conducta los límites necesarios.

Los **padres indiferentes** ni fijan límites ni manifiestan mucho afecto o aprobación, tal vez porque no les interesa o porque su vida está tan llena de estrés que no tienen suficiente energía para orientar y apoyar a sus hijos.

EFECTOS DE LOS DIFERENTES ESTILOS DE CRIANZA Como observan Baumrind (1972, 1975) y otros investigadores, los padres autoritarios suelen tener hijos retraídos y temerosos que son dependientes, mal humorados, poco asertivos e irritables. En la adolescencia estos niños, en especial los varones, a

padres permisivos Progenitores que ejercen poco control sobre sus hijos pero que son muy afectuosos con ellos; en esta situación, a los hijos les es difícil frenar sus impulsos o posponer la gratificación.

padres indiferentes Progenitores a quienes no les interesa su rol de padres ni sus hijos; ejercen poco control sobre ellos y les muestran poco afecto.

veces muestran una reacción excesiva al ambiente restrictivo y punitivo en el que son criados, lo que los vuelve rebeldes y agresivos. Las mujeres tienen más probabilidades de permanecer pasivas y dependientes (Kagan y Moss, 1962).

Aunque el estilo permisivo es lo contrario al de restricción, no produce por fuerza los resultados opuestos: los hijos de estos padres también pueden ser rebeldes y agresivos. Suelen, además, ser autocomplacientes, impulsivos e ineptos en lo social, aunque algunos tal vez sean dinámicos, extrovertidos y creativos (Baumrind, 1975; Watson, 1957).

Los hijos de padres autoritativos destacan en casi todos los aspectos. Son los más seguros de sí mismos, y los que muestran mayor autocontrol y competencia social. Con el tiempo adquieren mayor autoestima y logran un mejor desempeño escolar que los niños educados con otros estilos (Buri y otros, 1988; Dornbusch y otros, 1987).

El peor resultado se observa en los hijos de padres indiferentes. Cuando la permisividad se acompaña de hostilidad y de falta de afecto, el niño da rienda suelta incluso a los impulsos más destructivos. Los estudios dedicados a los delincuentes juveniles demuestran que, en muchos casos, su ambiente familiar presenta exactamente esta combinación de permisividad y hostilidad (Bandura y Walters, 1959; McCord y otros, 1959).

Sin embargo, los efectos de los estilos de la crianza varían de una cultura a otra y entre las subculturas, y no podemos decir que uno sea universalmente "mejor" (Darling y Steinberg, 1993). Más aún, los métodos que emplean los padres autoritativos para transmitir las normas de conducta varían mucho entre las culturas. Algunas investigaciones demuestran que ciertos elementos del estilo autoritario tienen sus ventajas. Por ejemplo, a los padres chinos tradicionales a menudo se les considera muy autoritarios y controladores, pero el sistema de "entrenamiento" con que crían a sus hijos favorece un elevado desempeño académico (Chao, 1994).

"Padres tradicionales"   En las familias de dos progenitores, cada uno tiene un estilo distinto de crianza. Así, en lo que ha sido llamado *estilo tradicional*, adoptan los estereotipos tradicionales de varón y mujer. El padre puede ser muy autoritario, la madre más afectuosa y permisiva (Baumrind, 1989). En este caso el impacto del estilo de un progenitor se equilibra con el del otro.

Negociación de metas compartidas   Eleaonor Maccoby (1979, 1980) estudió los estilos de crianza desde una óptica semejante a la de Baumrind, sólo que amplió las dimensiones del modelo e incluyó los efectos que la conducta de los niños tiene en los padres. Por supuesto, estos últimos se encuentran en mejor posición de controlar el ambiente familiar. Pero la interacción recíproca entre padres e hijos influye en la atmósfera de la vida familiar. En algunas familias, los progenitores ejercen gran control. En el otro extremo son los niños quienes lo ejercen.

Lo ideal es que ni los padres ni los niños dominen a la familia en todo momento. Maccoby (1980) se concentró en las formas en que interactúan. A medida que crecen los hijos, los padres necesitan negociar con ellos en la toma de decisiones y en el establecimiento de reglas. En lugar de limitarse a fijar las reglas y a exigir su observancia, es preferible ayudar al niño a idear formas personales de resolver los problemas y aprender a llevarse bien con otros dentro de una atmósfera de afecto y ayuda mutua. Así evoluciona la relación familiar; y conforme va creciendo, el niño ejerce mayor control sobre sí mismo y practica la responsabilidad personal.

Mediante una interacción y un diálogo prolongados, los padres y sus hijos llegan a aceptar lo que Maccoby llama *metas compartidas*. El resultado es una atmósfera armoniosa en la que se llega a decisiones sin mucha lucha por el control. Las familias que consiguen ese equilibrio presentan un elevado grado de intimidad; sus interacciones son estables y mutuamente satisfactorias. Las que no pueden alcanzar las metas compartidas deben negociar todo: desde lo que se servirá en la cena hasta el lugar a donde se irán de vacaciones. Éste también puede ser un estilo familiar eficaz, aunque las cosas deban discutirse en forma constante.

Si los padres o los hijos dominan la situación, la negociación se vuelve difícil y el ambiente familiar, inestable. Los padres que siguen ejerciendo un control riguroso tienen hijos que, al llegar a la adolescencia, se concentran en evadir el control y en permanecer fuera de casa el mayor tiempo posible. En cambio, cuando los hijos tienen el control, los progenitores procuran estar lejos de casa lo más que pueden. Ambos extremos debilitan el proceso de socialización durante la niñez media y la adolescencia; así hacen más difícil que el niño efectúe una transición suave de la dependencia hacia la familia a la independencia y a amistades estrechas con los compañeros.

DINÁMICA DE LOS HERMANOS

Los hermanos son los primeros y los más íntimos compañeros que inciden en el desarrollo de la personalidad del niño. Las relaciones fraternas ofrecen experiencias distintas a las interacciones de progenitor con hijo (Bossard y Boll, 1960). La franqueza realista de sus hermanos y hermanas les brinda la oportunidad de experimentar los altibajos de las relaciones humanas en el nivel más básico. Los hermanos pueden ser sumamente leales, despreciarse o formar una relación ambivalente de amor y odio que perdura toda la vida. El preescolar a veces sostiene una rivalidad fraterna que provoca peleas y golpes, pero casi siempre los hermanos y las hermanas suelen profesarse gran afecto y amistad, influyendo mucho en lo que hace el otro. Aun cuando haya una notable disparidad de edad, sienten el influjo de convivir con personas que son a la vez iguales (como los hijos de una misma familia) y diferentes (de distinta edad, tamaño, sexo, competencia, inteligencia, atractivo, etc.). En suma, los hermanos ayudan mucho a identificar los conceptos y los roles sociales pues favorecen e inhiben ciertos patrones conductuales (Dunn, 1983, 1985).

Judy Dunn (1993) describe cinco grandes dimensiones de las relaciones entre hermanos: rivalidad, apego, seguridad, cercanía (humorismo y confidencias personales) y fantasía compartida. Por ejemplo, en lo que toca a la seguridad del apego, algunos niños están tan apegados a sus hermanos que los extrañan mucho cuando se ausentan, saltan de alegría cuando aparecen y se alían a ellos para explorar el mundo en formas nuevas y creativas. El apego entre hermanos puede ser tan fuerte como el que hay entre progenitor e hijo. En el otro extremo, a veces tienen poco que ver uno con otro y llevan una vida emocional independiente.

¿De qué manera influye el orden de nacimiento, llamado también **estatus fraterno,** en la personalidad? Los psicólogos han reflexionado mucho sobre los efectos que tiene en la personalidad el hecho de ser el hermano mayor, el menor o el intermedio; pero los resultados de las investigaciones recientes no corroboran las ideas iniciales al respecto. De hecho, al parecer el orden de nacimiento no origina diferencias uniformes de la personalidad. Pero esto no significa que todos los niños de una familia tengan una personalidad semejante. La personalidad de los hermanos educados en la misma familia suele ser muy distinta, a menudo tan diferente como la de los niños sin parentesco alguno (Plomin y Daniels, 1987).

Una causa de las diferencias de personalidad radica en que los niños *necesitan* establecer una identidad personal propia (Dreikurs y Soltz, 1964). Por eso, si un hermano mayor es serio y estudioso, el menor puede ser muy inquieto. Una niña que tiene cuatro hermanas y ningún hermano se labrará su nicho en el seno familiar adoptando un rol masculino. Otra razón es la naturaleza de las experiencias compartidas y no compartidas (vea el capítulo 3). Los hermanos de una familia comparten muchas experiencias, entre éstas vivir bajo el mismo te-

La familia ofrece un contexto muy importante para aprender actitudes, creencias y la conducta apropiada, y algunas veces hasta los detalles más insignificantes de postura y de vestido.

estatus fraterno Orden del nacimiento.

cho y con los mismos progenitores; pero también tienen muchas experiencias y relaciones no compartidas. Como observa Robert Plomin (1990), el elemento común de las familias es el ADN y no las experiencias compartidas. Los efectos ambientales son propios de cada niño más que comunes a toda la familia.

Algunas experiencias no compartidas están ligadas al orden del nacimiento. Por ejemplo, el primogénito recibe un trato más favorable que sus hermanos y hermanas. Otras experiencias nada tienen que ver con el orden de nacimiento: enfermedades, cambios en la situación económica de la familia, en las relaciones con compañeros y en la escuela (Bower, 1991a).

Aunque el orden de nacimiento al parecer genera en la personalidad efectos evidentes, uniformes y predecibles, en muchos estudios se ha comprobado que el hijo mayor tiene algunas ventajas. En general, posee un CI más elevado y sus logros escolares y profesionales son superiores. El hijo "único" también se distingue por sus logros, a pesar de que su CI tiende a ser un poco más bajo que el del hijo mayor en una familia de dos o de tres hermanos (Zajonc y Markus, 1975). Una posible explicación de esta tendencia es que al hijo único no se le brinda la oportunidad de ser maestro de sus hermanos menores, experiencia que favorece el desarrollo intelectual (Zajonc y Hall, 1986).

Sin embargo, las diferencias de CI en promedio basadas en el orden de nacimiento suelen ser pequeñas y, como en el caso de las disimilitudes de género, nada nos dicen del niño en cuestión. Aparecen diferencias más grandes y constantes cuando los investigadores analizan el tamaño de la familia. Cuanto más numerosa sea, más bajo suele ser el CI de los hijos y menores probabilidades habrá de que se gradúen en la enseñanza media. Y esto se observa aun teniendo en cuenta otros factores (Blake, 1989). La estructura familiar (el hecho de que vivan en la casa dos progenitores o uno) y el ingreso también repercuten en forma profunda en el CI y en el aprovechamiento académico, efectos mucho más perceptibles que los debidos al orden del nacimiento o al número de hermanos (Ernst y Angst, 1983).

Los hermanos mayores son modelos muy eficaces; los niños que tienen hermanos mayores de su mismo sexo suelen mostrar una conducta sexual estereotipada más marcada que los que tienen hermanos mayores del sexo opuesto. El espaciamiento entre hermanos también influye en el estatus fraterno. Los de edad más cercana establecen relaciones más estrechas entre sí (Sutton—Smith y Rosenberg, 1970).

Sin embargo, los efectos del orden de nacimiento varían de una cultura a otra. Robert LeVine (1990) señala que el concepto de orden de nacimiento tiene consecuencias muy diversas para una familia de una sociedad agraria "muy fértil" como Kenia y para una familia estadounidense. En muchas sociedades agrarias, viven diversas familias bajo el mismo techo, de manera que los niños de varias madres se crían juntos. Si bien el primogénito de una familia estadounidense suele ser el hijo único y contar con su propia habitación y posesiones, participa en las conversaciones y en los juegos de sus padres, el primogénito de una cultura agraria convive con niños mayores de otras familias que son como hermanos mayores, que cuidan y socializan al niño pequeño. Por ello, observa LeVine, "en una sociedad agraria, la experiencia social inicial del primogénito o del hijo único pocas veces se diferencia tanto de la de los hijos siguientes como en la clase media de Estados Unidos" (LeVine, 1990).

DISCIPLINA Y AUTORREGULACIÓN

Los métodos disciplinarios han variado muchísimo a lo largo de la historia. Hubo periodos en los que el castigo físico riguroso estuvo de moda y otros de relativa permisividad. Los métodos disciplinarios —con que se fijan y se hacen cumplir las reglas y las restricciones— están sujetos a los cambios de la moda de la misma manera que otros aspectos de la cultura. Por ejemplo, las obras re-

TEORÍAS Y HECHOS

CÓMO ENSEÑAR A LOS NIÑOS EL AUTOCONTROL

¿No basta con que los padres sean afectuosos, cariñosos y que ejerzan el control para criar niños sanos y orientados al logro? Desde luego que no, según las investigaciones realizadas por John Gottman y sus colegas Lynn Katz y Carole Hooven (Gottman y otros, 1996). Estos estudiosos descubrieron que la forma en que los padres manejan sus emociones y las de sus hijos puede influir en forma profunda no sólo en la salud física y psicológica de estos últimos, sino también en su desempeño académico. Cualquiera que sea su cociente intelectual, los hijos cuyos padres les enseñan a afrontar los problemas emocionales presentaban lapsos más largos de atención, obtenían calificaciones más altas en los exámenes de apro-

vechamiento de lectura y matemáticas, tenían menos problemas de conducta y su frecuencia cardiaca era menor; además, las muestras de orina contenían menor concentración de hormonas relacionadas con el estrés.

Se identificaron cuatro tipos de padres: los que ayudaban a sus hijos a reflexionar sobre sus emociones y a expresarlas de un modo constructivo; los que ignoraban los sentimientos de enojo y tristeza de sus hijos; los que desaprobaban esos sentimientos en sus hijos, y los que pensaban que los padres deben aceptar simplemente todas las emociones de sus hijos. Los hijos de los padres de la primera categoría conseguían las más elevadas calificaciones en aspectos físicos e intelectuales.

Los investigadores consideran que sus hallazgos ayudarán a los padres e enseñar a sus hijos formas más adecua-

das de afrontar sus emociones. Como explica Gottman: "Una gran parte de la bibliografía sobre la crianza se concentra en lograr la obediencia, el control y una disciplina constante. Pero en ella se habla muy poco de cómo establecer una conexión emocional con el niño". Un padre, por ejemplo, sostenía a su hija en los brazos o trataba de distraerla, sentándola frente al televisor. Aunque es un padre a quien le interesa el bienestar de su hija, no le ayuda a comprender ni controlar sus sentimientos de tristeza. Un método más eficaz consistiría en preguntarle por qué se siente triste y qué puede hacer para ayudarle. Por tanto, si una niña está enojada con su hermano, el progenitor deberá hablar con ella sobre lo sucedido y decirle "No puedes golpear a tu hermano, pero sí puedes decirme por qué estás enojada".

lacionadas con la crianza del niño que se publicaron a finales de los años cincuenta y principios de los sesenta advertían contra los métodos disciplinarios demasiado rigurosos. Los padres no deseaban coartar las emociones de sus hijos y convertirlos en adultos reprimidos y abrumados por la ansiedad. Después cambió la tendencia: la bibliografía de los años setenta y ochenta insistía en que los niños necesitaban control social externo, firmeza y estabilidad para sentirse confiados y seguros.

En los años noventa siguió la tendencia a un control firme de parte de los padres. Desde luego, se reconocía también la necesidad que el niño tiene de afecto y de aprobación (Perry y Bussey, 1984). Con base en los resultados acumulados de la investigación, a los padres se les recomienda las siguientes directrices:

1. Crear un ambiente de afecto, cariño y apoyo mutuo entre los miembros de la familia. El afecto suele ser correspondido, y los niños que por lo general están felices muestran mayor autocontrol, madurez y conducta prosocial.
2. Concentrarse más en alentar las conductas positivas que en eliminar las negativas. En forma deliberada sugerir, modelar y recompensar la conducta de ayuda y de interés del niño por los demás.
3. Establecer expectativas y exigencias realistas, hacer cumplir con firmeza las exigencias y, ante todo, *ser constantes.*
4. Usar el poder sólo en caso necesario; por ejemplo, no recurrir a la fuerza ni a las amenazas para controlar la conducta del niño. La afirmación del poder propicia una conducta similar en el niño, lo que puede ocasionar, además, enojo, amargura y resistencia.
5. Ayudar al niño a adquirir el sentido de control sobre sí mismo y sobre su ambiente.
6. Usar el razonamiento verbal (la inducción) para ayudar a los niños a entender las reglas sociales.

A la lista anterior podríamos agregar lo siguiente: contar al niño historias y anécdotas personales que ejemplifiquen los valores sociales y morales (Miller y otros, 1997).

En resumen, los niños necesitan conocer las consecuencias de su conducta y lo que sienten los demás. También necesitan que los padres les den oportunidades de discutir sus acciones o explicarlas. Tales intercambios les ayudan a adquirir el sentido de responsabilidad de su conducta. A la larga, la conducta autorregulada depende de que comprendan la situación además del afecto y del control de los padres (vea también el recuadro "Teorías y hechos" en la página anterior).

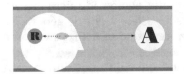

REPASE Y APLIQUE

1. Describa cuatro estilos de crianza y su influencia en el desarrollo de la personalidad del niño.
2. ¿Que se entiende por "negociar metas compartidas"?
3. ¿Por qué las relaciones con los hermanos son tan importantes durante el periodo preescolar?
4. Mencione seis directrices de crianza infantil que combinen el control de los padres con el afecto y la aprobación.

RESUMEN

Revisión de tres teorías

■ Las teorías psicodinámicas ponen de relieve los sentimientos del niño, sus pulsiones y sus conflictos de desarrollo.

■ Las teorías del aprendizaje social destacan los nexos existentes entre cognición, conducta y ambiente.

■ Las teorías del desarrollo cognoscitivo se concentran en los pensamientos y conceptos del niño como organizadores de su conducta social.

Teorías psicodinámicas

■ Una de las fuerzas más importantes que el niño debe aprender a afrontar es el estrés ocasionado por el temor y la ansiedad. La imaginación del niño puede intensificar y hasta crear estas emociones que se deben a muchas causas.

■ Los progenitores pueden ayudar al niño a afrontar sus temores, alentándolo a encararlos y superarlos y demostrando que no hay nada de qué temer.

■ A menudo la mejor manera de ayudar al niño a afrontar la ansiedad consiste en atenuar el estrés innecesario en su vida. También conviene darle una base segura y afectuosa que le ayude a recobrar la confianza y que le brinde la oportunidad de discutir sus sentimientos.

■ A menudo el niño responde a los sentimientos generalizados de ansiedad recurriendo a varios mecanismos de defensa.

■ La regulación de las emociones consiste en afrontarlas en formas socialmente aceptables. Se da el nombre de *autorregulación* a la creciente capacidad del niño de controlar su conducta.

■ Desde muy temprano, el niño aprende que es inaceptable expresar en público las emociones negativas. Aprender a controlar las emociones negativas no es lo mismo que no sentirlas en absoluto.

■ A medida que los niños crecen su expresión de sentimientos positivos se vuelve menos abierta y espontánea.

■ En general, los niños muestran una curiosidad activa por su cuerpo y hacen muchas preguntas relacionadas con el sexo. Las formas en que otros reaccionan ante la incipiente sensualidad del niño y ante su curiosidad sexual pueden tener un efecto poderoso.

■ En la etapa preescolar, aparecen varios conflictos del desarrollo. Uno de éstos es el que existe entre autonomía y dependencia. La adquisición de la independencia sigue una trayectoria compleja durante esta fase.

■ Otro conflicto se da entre iniciativa y culpa. Una culpa excesiva puede ahogar la iniciativa del niño.

■ Todos los niños necesitan dominar su ambiente y sentirse competentes y exitosos. En caso contrario, quizá no logren desarrollar la *competencia para el aprendizaje*, una forma activa, exploratoria y segura de aprender.

Teorías del aprendizaje social

- La agresión puede ser física o verbal. Por lo regular, la agresión física se intensifica al inicio del periodo preescolar y disminuye después conforme la va reemplazando la agresión verbal.
- La frustración puede provocar una conducta agresiva contra la fuente que la genera o contra otra persona u objeto, pero no por fuerza tiene ese efecto.
- El castigo puede originar la tendencia a comportarse de manera agresiva, sobre todo si es duro y frecuente.
- La observación de modelos agresivos puede influir de manera profunda en la conducta antisocial, sobre todo cuando el observador percibe una semejanza con el modelo o cuando lo considera poderoso o competente.
- La conducta prosocial (o sea, las acciones que suelen beneficiar a otros) comienza a aparecer en el periodo preescolar. Muchos estudios han demostrado la influencia que el modelamiento tiene en la conducta prosocial.
- La conducta prosocial se mejora con la representación de roles (alentar al niño a que desempeñe papeles y considere las cosas desde el punto de vista de otro) y con la inducción (dar al pequeño razones para comportarse en forma positiva).
- Los compañeros y el juego influyen en la adquisición de las habilidades sociales del niño. El preescolar a menudo realiza el juego de simulación social, que le sirve para aprender la cooperación y la capacidad de regular su conducta.
- Los niños populares son más cooperativos y por lo general muestran más conductas prosociales durante el juego con sus compañeros. Los niños rechazados pueden ser más agresivos o retraídos.
- Muchos preescolares crean compañeros imaginarios que les parecen reales. Las investigaciones señalan que esta práctica los beneficia.
- Hay una gran cantidad de diferencias biológicas entre hombres y mujeres a lo largo del ciclo vital. Sin embargo, son igualmente importantes las áreas en las que no difieren ambos sexos.
- En la generalidad de las culturas, el niño muestra conductas propias de su género a los cinco años. A menudo las exagera y se adapta de manera rígida a los estereotipos de los roles de género.
- Los atributos del género se aprenden mediante recompensas, castigos y modelamiento de lo que es apropiado al género del niño.

Teorías del desarrollo cognoscitivo: conocimiento del yo y de los otros

- A los dos años el niño conoce un poco el yo. Durante la etapa preescolar aprende algunas actitudes generalizadas respecto a su persona y le fascina su personalidad.
- Para la adquisición de conceptos y reglas sociales es esencial el proceso de interiorización, en el cual el niño incorpora al autoconcepto los valores y las normas morales de su sociedad.
- El niño comienza a interiorizar los valores y las reglas imitando patrones verbales. Recibe, además, el influjo de sus incipientes conceptos sociales.
- El niño no logra un conocimiento claro de la amistad antes de la niñez media.
- La aparición de los esquemas de género depende en parte del nivel de desarrollo cognoscitivo del niño y en parte de los aspectos de la cultura en que se fija. Los esquemas a su vez originan la identidad de género.
- Los niños adquieren en forma directa los esquemas de género de lo que les enseñan y de los modelos que ven a su alrededor, y de manera indirecta de las historias, de las películas y de la televisión.
- Durante la niñez temprana, el niño adquiere un sentido del significado de los estereotipos de género. En gran medida es un proceso que se realiza mediante la autosocialización.
- Se da el nombre de androginia a una combinación de rasgos "femeninos" y "masculinos" en el hombre o en la mujer. Se forma mediante prácticas específicas de crianza del niño y por las actitudes de los padres.

Dinámica familiar

- Los estilos de crianza se basan en el control de los padres (lo restrictivo que son los progenitores) y en su calidez (el afecto y la ternura que muestran).
- Diana Baumrind identificó tres estilos de crianza: autoritativo (o con autoridad), autoritario y permisivo. Además, algunos padres son indiferentes con sus hijos (consulte el diagrama de estudio de la página 264).
- Los padres autoritativos combinan un elevado grado de control con calidez, aceptación y estímulo de la autonomía.
- Los padres autoritarios ejercen un control riguroso y suelen mostrar poco afecto con sus hijos.
- Los padres permisivos muestran mucho afecto e imponen pocas restricciones al comportamiento de sus hijos.
- Los hijos de padres autoritativos son los que más probabilidades tienen de adquirir seguridad en sí mismos, autocontrol y competencia social. Adquieren mayor autoestima y tienen un mejor desempeño escolar que los educados con otros estilos de crianza.
- La interacción recíproca entre progenitores e hijos influye en la atmósfera de la vida familiar. Lo ideal es que ni unos ni otros dominen a la familia en todo momento. Mediante el diálogo y la interacción constantes, progenitores e hijos llegan a aceptar algunas metas compartidas.
- Los hermanos influyen mucho en el desarrollo de la personalidad del niño. Las principales dimensiones de las relaciones fraternas son rivalidad, apego, seguridad, cercanía y fantasía compartida.

■ No se sabe con certeza que el estatus fraterno (es decir, el orden del nacimiento) repercuta en la personalidad. Pero sí se ha comprobado que el tamaño de la familia influye en la inteligencia.

■ Los métodos disciplinarios varían mucho en los periodos históricos. En la actualidad, casi todos los expertos coinciden en que el niño requiere control social externo, firmeza y estabilidad para sentirse confiado y seguro.

CONCEPTOS BÁSICOS

autonomía
temor
ansiedad
desensibilización sistemática
mecanismos de defensa
agresión hostil
agresión instrumental
conducta prosocial

compañeros imaginarios
roles de género
estereotipos de los roles de género
interiorización
esquemas de género
identidad de género
constancia del género
personalidad andrógina

progenitores autoritativos
  (con autoridad)
progenitores autoritarios
progenitores permisivos
progenitores indiferentes
estatus fraterno

UTILICE LO QUE APRENDIÓ

La televisión es una influencia siempre presente en la vida de muchos preescolares, ¿pero exactamente qué aprenden los niños en ella?, ¿de qué manera influye en ellos?, ¿qué entienden de los acontecimientos que se desarrollan en la pantalla?

Trate de observar a un niño pequeño durante tres tipos de programas. ¿Qué ve el niño? ¿Cuándo pierde interés? ¿Qué aspectos o hechos parecen captar su atención? ¿Comenta o hace preguntas el niño sobre lo que vio? Después que el pequeño vea un programa,

formúlele unas cuantas preguntas respecto a lo sucedido. Observe lo que entiende de la acción. ¿Es capaz de seguir la trama de la historia?

No es fácil entrevistar a un preescolar. Quizá sea necesario hacerle preguntas simples respecto de los personajes: sus acciones, sus sentimientos, sus intenciones y las consecuencias de sus actos. Por ejemplo: "¿qué hizo Bart?", "¿por qué lo hizo?", "¿y entonces que ocurrió?", "¿qué efecto tuvo eso en su hermana?".

LECTURAS COMPLEMENTARIAS

DAMON, W. (1991). *The moral child: Nurturing children's natural moral growth.* Nueva York: Free Press. Los métodos de educación moral, tanto en el hogar como en la comunidad, están ligados de manera clara y concisa al curso normal del desarrollo moral de la niñez a la adolescencia.

DUNN, J. (1995). *From one child to two: What to expect, how to cope, and how to enjoy your growing family.* Nueva York: Fawcett. Texto práctico que ofrece abundantes detalles sobre temas tan importantes como: las diferencias entre hijos; la manera de ofrecer al primer hijo espacio privado en interacciones personales con los padres; las causas de ambivalencia en las relaciones entre hermanos, y las formas de manejar sentimientos de desplazamiento.

EISENBERG, N. (1992). *The caring child (The developing child series).* Cambridge, MA: Harvard University Press. La doctora Eisenberg deja de lado su función como científica y explica lo que sabemos sobre cómo criar a niños responsables y afectuosos.

LEWIS, M. (1991). *Shame: The exposed self.* Nueva York: Free Press. En esta "historia de la vergüenza" como respuesta humana durante la infancia y en la niñez temprana, se analizan las diversas formas en que se provoca y se expresa la vergüenza, cómo se reacciona ante ella y la forma de controlarla.

PALEY, V. G. (1993). *You say you can't play.* Cambridge, MA: Harvard University Press. Examen fascinante de las dimensiones morales del salón de clases. La autora entremezcla sus conversaciones con niños y sus reflexiones personales en una historia sobre lo que sucedió cuando introdujo un orden nuevo en el salón de clases.

SINGER, D. G. Y SINGER, J. L. (1990). *The house of make believe: Children's play and the developing imagination.* Cambridge, MA: Harvard University Press. Revisión exhaustiva de la evolución del juego de fantasía y su función en el desarrollo del niño.

Niñez media y niños en edad escolar: desarrollo físico y cognoscitivo

CAPÍTULO

8

TEMARIO

OBJETIVOS DEL CAPÍTULO

Cuando termine de leer este capítulo, podrá:

1. Explicar el desarrollo físico del niño en edad escolar, incluidos los cambios en las habilidades motoras gruesas y finas.
2. Identificar los principales problemas de salud y de seguridad del niño en edad escolar.
3. Describir la capacidad cognoscitiva del niño en términos de la transición entre el pensamiento preoperacional y el de las operaciones concretas.
4. Explicar cómo aplicar en el aula los conceptos de Piaget sobre el pensamiento en la niñez media.
5. Describir el desarrollo cognoscitivo durante la niñez media tal como lo exponen los teóricos del procesamiento de la información.
6. Describir la expansión del desarrollo del lenguaje en la alfabetización.
7. Explicar el aprendizaje y el pensamiento en función de mayores exigencias y expectativas; y explicar las formas en que las escuelas y los padres de familia pueden estimular un aprendizaje competente y un pensamiento crítico.
8. Exponer la controversia concerniente a las definiciones de inteligencia y a los usos y abusos de las pruebas de inteligencia.
9. Definir el retraso mental y describir sus niveles.
10. Describir los problemas de aprendizaje y las hipótesis acerca de sus causas y tratamientos.

La niñez media, edad que abarca de los seis a los 12 años, es un periodo interesante para aprender y perfeccionar varias habilidades, desde la lectura, la escritura y las matemáticas hasta jugar básquetbol, bailar y patinar sobre ruedas. El niño se concentra en probarse a sí mismo, en superar sus propios retos y los que el mundo le impone. Si tiene éxito, será una persona capaz y segura de sí misma; si fracasa, puede experimentar sentimientos de inferioridad o tener un sentido débil del yo. Para Erikson es un periodo de *laboriosidad*, palabra que capta el espíritu de la edad, pues proviene de un término latino que significa "construir".

En este capítulo veremos cómo adquiere el niño competencias físicas y cognoscitivas. También examinaremos los problemas escolares y de desarrollo que caracterizan la niñez media, incluidas las técnicas con que se mide el desarrollo académico e intelectual, así como los enfoques modernos aplicados al conocimiento de los problemas de aprendizaje y el retraso mental.

Conviene recordar que los factores físicos, cognoscitivos y psicosociales se combinan para producir el desarrollo individual. En parte porque mejora el funcionamiento neurológico (gracias a la mielinización de la formación reticular), el niño concentra la atención durante más tiempo. Y como perfecciona sus habilidades cognoscitivas, puede prever las acciones de los demás y planear estrategias. Éstos y otros retos influyen en la elección de actividades, lo mismo que en sus éxitos o fracasos.

DESARROLLO FÍSICO Y MOTOR

Durante la etapa de la escuela primaria, el niño perfecciona sus habilidades motoras y se vuelve más independiente. Si recibe oportunidades o entrenamiento idóneos, aprende a andar en bicicleta, saltar la cuerda, nadar, bailar, escribir o tocar un instrumento musical. Con deportes de grupo como el fútbol soccer, el béisbol y el básquetbol mejoran la coordinación y las habilidades físicas. En la presente sección, analizaremos los cambios de las características físicas y las habilidades motoras en la niñez media, lo mismo que importantes aspectos relacionadas con la salud como: obesidad, buena condición física, accidentes y lesiones. Después nos ocuparemos de los ambientes físicos de la escuela y del hogar que favorecen una actividad y ejercicios saludables.

CRECIMIENTO Y CAMBIOS FÍSICOS

El crecimiento es más lento y estable durante la niñez media que en los dos primeros años de vida. El niño normal de seis años pesa 20.4 kg y mide poco más de un metro. El crecimiento gradual y regular prosigue hasta los nueve años en las niñas y hasta los 11 años en los varones; a partir de ese momento comienza el "estirón del adolescente" (vea el capítulo 10). En la figura 8-1 se muestran esquemáticamente los cambios de tamaño y las proporciones corporales que caracterizan la niñez media. Sin embargo, adviértase que hay una gran variabilidad en el tiempo del crecimiento; no todos los niños maduran con la misma rapidez. Intervienen de manera conjunta el nivel de actividad, el ejercicio, la alimentación, los factores genéticos y el sexo. Por ejemplo, las niñas suelen ser un poco más pequeñas y pesar menos que los niños hasta los nueve años; después, su crecimiento se acelera porque el estirón del crecimiento comienza antes en ellas. Además, algunos niños y niñas son estructuralmente más pequeños. Tales diferencias pueden incidir en la imagen corporal y en el autoconcepto, de manera que son otra forma en que interactúan el desarrollo físico, social y cognoscitivo.

Sus habilidades motoras y su coordinación más perfeccionadas le abren la puerta a niños y niñas en edad escolar para que participen en deportes como el tenis.

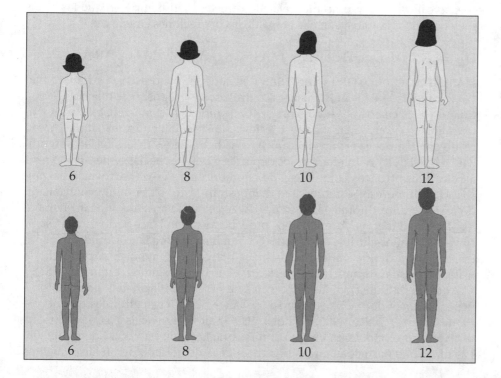

FIGURA 8–1

Durante la niñez media, el patrón de crecimiento presenta grandes variaciones, pero estos cambios de tamaño y de proporción corporal suelen caracterizar este periodo.

CAMBIOS INTERNOS

MADURACIÓN DEL ESQUELETO La longitud de los huesos aumenta a medida que el cuerpo se alarga y se ensancha. Los episodios de rigidez y dolor ocasionados por el crecimiento del esqueleto son muy comunes por la noche. Los niños que crecen rápidamente sufren este tipo de dolores a los cuatro años; otros no los padecen sino hasta la adolescencia. En uno y otro caso es necesario tranquilizarlos diciéndoles que se trata de una reacción normal del crecimiento (Nichols, 1990; Sheiman y Slomin, 1988). Los padres también deben ser conscientes de que un ejercicio físico excesivo puede causar lesiones, puesto que el esqueleto y los ligamentos del niño en edad escolar todavía no están maduros. Por ejemplo, es común que los lanzadores de las ligas pequeñas se lesionen el hombro y el codo. En los deportes rudos son frecuentes las lesiones de muñecas, tobillos y rodillas.

A partir de los seis o siete años, el niño pierde sus dientes primarios o de leche. Cuando nacen los primeros dientes permanentes, parecen demasiado grandes para su boca hasta que se compensan con el crecimiento facial. Dos hitos perceptibles de la niñez media son la sonrisa desdentada del niño de seis años y la mueca del "dientón" de ocho años.

GRASA Y TEJIDO MUSCULAR Después de los seis meses de edad, los depósitos de grasa disminuyen de manera gradual hasta los seis u ocho años; esta reducción es más marcada en los varones. En ambos sexos aumentan la longitud, el grosor y el ancho de los músculos (Nichols, 1990). La fuerza de varones y mujeres es similar durante la niñez media.

DESARROLLO DEL CEREBRO Entre los seis y ocho años, el prosencéfalo pasa por un crecimiento rápido temporal; a los ocho años tiene 90 por ciento de su tamaño adulto. El desarrollo del cerebro en este periodo produce un funcionamiento más eficaz, sobre todo en los lóbulos frontales de la corteza, que tienen una participación decisiva en el pensamiento y en la conciencia. El área superficial de los lóbulos frontales aumenta un poco por la constante ramificación de las neuronas. Además, la lateralización de los hemisferios es más notoria en la etapa escolar (Thatcher y otros, 1987). Maduran la estructura y la función del cuerpo calloso. Haya o no una relación directa, es el tiempo en que los niños suelen realizar la transición a la etapa de las operaciones concretas.

DESARROLLO DE LAS HABILIDADES MOTORAS

HABILIDADES MOTORAS GRUESAS El niño en edad escolar adquiere mayor dominio sobre los movimientos controlados y propositivos (Nichols, 1990). Cuando a los cinco años ingresa al jardín de niños, ya domina habilidades motoras como correr, saltar y hacer cabriolas. Las ejecuta en forma rítmica y con relativamente pocos errores mecánicos. Las habilidades físicas recién aprendidas se reflejan en su interés por los deportes y por acrobacias temerarias. Trepa árboles y usa troncos como vigas de equilibrio para cruzar arroyos o barrancos. Hay numerosos estudios que demuestran la forma en que evoluciona el desarrollo motor durante la niñez media. A los siete años, un niño lanza un balón a unos 10 metros. A los 10 años probablemente lo lance al doble de distancia; a los 12 años al triple (Keogh, 1965). También mejora la exactitud. Las niñas realizan un progreso semejante al lanzar y al atrapar, aunque en promedio la distancia de sus lanzamientos es más corta que la de los niños (Williams, 1983).

Antes de la pubertad, las diferencias de género en las habilidades motoras dependen más de la oportunidad y de las expectativas culturales que de variantes físicas (Cratty, 1986; Nichols, 1990). Tales diferencias guardan estrecha relación con el momento en que el niño practica una habilidad determinada. Las niñas que participan en las ligas pequeñas de béisbol logran lanzamientos

En la niñez media los niños empiezan a adquirir las habilidades motoras necesarias para dibujar, escribir, pintar, cortar y modelar materiales como arcilla y papel maché.

más fuertes y exactos que las espectadoras. Los niños y las niñas que juegan fútbol soccer y otros deportes adquieren las habilidades a un ritmo similar.

HABILIDADES MOTORAS FINAS   Las habilidades motoras finas también se desarrollan rápidamente en la niñez temprana, surgen de las que se enseñan en las guarderías y en los centros de atención diurna. Las educadoras ayudan a lograr el aprestamiento para la escritura cuando hacen que el niño dibuje, pinte, corte y modele con arcilla. El niño descubre así cómo trazar círculos, después cuadrados y luego triángulos. Cada forma de creciente complejidad exige mayor coordinación entre mano y ojo, coordinación que a su vez favorece la capacidad de escribir. La mayor parte de las habilidades motoras finas necesarias para la escritura se adquiere de los seis a los siete años de edad, aunque algunos niños normales no pueden dibujar un rombo ni dominar las formas de muchas letras antes de los ocho años de edad.

En teoría, los niños dominan su cuerpo y empiezan a tener sentimientos de competencia y autoestima esenciales para su salud mental. El control del cuerpo les ayuda, además, a conseguir la aceptación de los compañeros. Los niños torpes, con una coordinación deficiente, a menudo son excluidos de las actividades del grupo y pueden seguir sintiéndose rechazados mucho después de superar este problema.

SALUD, ENFERMEDAD Y ACCIDENTES

La niñez media puede ser uno de los periodos más sanos de la vida. Aunque algunas enfermedades ligeras como las infecciones del oído, los resfriados y los malestares estomacales predominan en el periodo preescolar, la mayoría de los niños de seis a 12 años se enferman poco. Su buen estado de salud es, en parte, resultado de una mayor inmunidad debida a una exposición anterior y, en parte, porque casi todos ellos se alimentan bien, son más saludables y sus hábitos son más sanos (O'Connor-Francoeur, 1983; Starfield, 1992). Pero padecen también enfermedades leves. A menudo la **miopía** se diagnostica durante la niñez media. Por ejemplo, en el sexto grado 25 por ciento de los niños se les ha adaptado anteojos o lentes de contacto. La tabla 8-1 contiene la incidencia anual de algunas enfermedades comunes en los niños estadounidenses.

miopía   Defecto visual que consiste en ver sólo los objetos próximos al ojo.

DIAGRAMA DE ESTUDIO ▸ DESARROLLO FÍSICO DURANTE LA NIÑEZ MEDIA

DE LOS 5 A LOS 6 AÑOS

- Aumento estable de estatura y peso
- Aumento estable de la fuerza en ambos sexos
- Creciente conciencia del lugar y de las acciones de grandes partes del cuerpo
- Mayor uso de todas las partes del cuerpo
- Mejoramiento de las habilidades motoras gruesas
- Realización individual de las habilidades motoras

DE LOS 7 A LOS 8 AÑOS

- Aumento constante de estatura y peso
- Aumento constante de la fuerza en ambos sexos
- Mayor uso de todas las partes del cuerpo
- Perfeccionamiento de las habilidades motoras gruesas
- Mejoramiento de las habilidades motoras finas
- Mayor variabilidad en el desempeño de las habilidades motoras, pero todavía se realizan individualmente

DE LOS 9 A LOS 10 AÑOS

- Inicio del estirón del crecimiento en las niñas
- Aumento de la fuerza en las niñas acompañado de pérdida de flexibilidad
- Conciencia y desarrollo de todas las partes y sistemas del cuerpo
- Capacidad de combinar las habilidades motoras con mayor fluidez
- Mejoramiento del equilibrio

11 AÑOS

- Las niñas suelen ser más altas y pesadas que los varones
- Inicio del estirón del crecimiento en los varones
- Juicio exacto al interceptar los objetos en movimiento
- Combinación continua de habilidades motoras más fluidas
- Mejoramiento continuo de las habilidades motoras finas
- Aumento constante de la variabilidad en la ejecución de las habilidades motoras

---

Un autor (Parmelee, 1986) señala qué enfermedades ligeras como el resfriado cumplen una función positiva en el desarrollo psicológico del niño. Las afecciones comunes alteran el trabajo escolar, los roles sociales de la familia y los programas de trabajo; pero el niño y su familia casi siempre se recuperan pronto y al hacerlo aprenden a afrontar el estrés. También sienten en carne propia lo que significa "estar enfermo" y, por tanto, aprenden a comprender a los que se enferman.

OBESIDAD La **obesidad** es un problema común de los niños en edad escolar que viven en países desarrollados. Se considera obeso al individuo que rebasa 20 por ciento su peso ideal. Cerca de una cuarta parte de los niños estadounidenses en edad escolar están muy excedidos de peso (Gortmaker, Dietz, Sobol y Wehler, 1987) y casi 70 por ciento de los niños obesos de 10 a 13 años lo serán también en la adultez (Epstein y Wing, 1987). La obesidad los predispone a cardiopatías, hipertensión, diabetes y otros problemas médicos.

Los factores genéticos al parecer cumplen una función importante en la obesidad. Un hijo de un progenitor obeso tiene 40 por ciento de probabilidades de

obesidad Pesar por lo menos 20 por ciento más del peso ideal correspondiente a la estatura.

TABLA 8–1   INCIDENCIA ANUAL DE ALGUNAS ENFERMEDADES EN ESTADOS UNIDOS

ENFERMEDAD	NÚMERO DE CASOS
Paperas	906
Tos ferina	5,137
Poliomielitis	2
Sarampión	281
Rubéola	128
Viruela	120,624
Neumonía (menos de 5 años de edad)	1,100,000
Neumonía (de 5 a 17 años de edad)	550,000
Influenza (menos de 5 años de edad)	7,600,000
Influenza (de 5 a 17 años de edad)	22,900,000
Infecciones agudas del oído (menos de 5 años de edad)	12,800,000
Infecciones agudas del oído (de 5 a 17 años de edad)	6,700,000
Resfriado común (menos de 5 años de edad)	14,000,000
Resfriado común (de 5 a 17 años de edad)	14,500,000

Fuente: U.S. Census Bureau, 1997.

serlo, y la proporción alcanza 80 por ciento si los dos progenitores son obesos. Otra prueba que señala la importancia de los factores genéticos es que el peso corporal de los niños adoptados es más parecido al de sus padres biológicos que al de los adoptivos (Rosenthal, 1990; Stunkard, 1988).

Sin embargo, la genética no explica todos los casos y, por tanto, no debería usarse como "excusa" del exceso de peso. Los factores ambientales también son importantes, como se aprecia en el hecho de que la obesidad infantil es más común hoy que hace 20 años. Uno de esos factores es la televisión, cuyo uso ha crecido constantemente. Los niños que pasan mucho tiempo sentados frente al televisor no hacen el ejercicio necesario para adquirir las habilidades físicas o quemar el exceso de calorías. Y si, además, mientras la ven comen los bocadillos y beben los refrescos edulcorados que se anuncian en la televisión, perderán el apetito por alimentos más nutritivos y con menos calorías (Dietz, 1987). Las computadoras caseras tienen un impacto parecido, pues muchos niños se pasan el día divirtiéndose con los juegos, intercambiando mensajes electrónicos, visitando las salas de charla y "navegando en la red".

Ni siquiera los niños con más exceso de peso deben ser sometidos a programas drásticos de reducción de peso. Necesitan una dieta balanceada y nutritiva que apoye su nivel de energía y su crecimiento. Conviene más bien que los progenitores los alienten para que adquieran mejores hábitos alimentarios que puedan mantener. En particular, es recomendable que incrementen su ingestión de alimentos saludables, como frutas y verduras, y que reduzcan la de alimentos ricos en grasa, como la pizza. También es importante la actividad física para desarrollar los músculos y quemar las calorías. A veces los programas eficaces de reducción de peso exigen dar tratamiento a los padres y a los hijos (Epstein y otros, 1990), pues a los progenitores obesos suele no interesarles tanto la obesidad de sus hijos y, además, pueden modelar malos hábitos alimentarios y de ejercicio.

Por medio de actividades como aeróbicos, las clases de educación física estimulan a los niños para que adquieran un interés permanente por mantener una buena condición física.

Los niños gordos corren menos riesgos que los adultos, pero su problema puede acarrearles serias consecuencias sociales y psicológicas. Los compañeros a veces los rechazan o los estereotipan, imponiéndoles apodos. El resultado es una autoimagen negativa que los hace aún más renuentes a jugar con sus compañeros y a realizar actividades físicas y deportivas que les ayudarían a adelgazar.

CONDICIÓN FÍSICA Con frecuencia la salud se mide por la ausencia de enfermedades. Un mejor indicador es la *condición física* o, en otras palabras, el funcionamiento óptimo de corazón, pulmones, músculos y vasos sanguíneos. No es necesario que el niño sea un atleta destacado; basta tan sólo con que de manera periódica realice ejercicios que reúnan los cuatro aspectos de la buena condición física: flexibilidad; resistencia muscular, fuerza muscular y eficiencia cardiovascular. Unas actividades ayudan más que otras. En el básquetbol, el fútbol soccer, el tenis, el ciclismo y la natación se ejercita todo el cuerpo de manera continua en comparación con el fútbol americano y el béisbol, deportes en que los jugadores permanecen inactivos por largos periodos (Nichols; 1990).

En una encuesta nacional aplicada en Estados Unidos a 8000 niños de 10 a 18 años, se descubrió que durante los años noventa los niños solían ser menos activos y tener una condición física inferior a los de 30 años antes. La encuesta reveló que más de la mitad de los niños no realizaban actividad física y que muchos no participaban en actividades de acondicionamiento físico en la escuela. No nos sorprende que muchos llevaran una vida sedentaria, si recordamos el número de horas que pasaban viendo la televisión y en los videojuegos. Además, los niños "con llave" deben cuidarse a sí mismos después de la escuela y tal vez no se les permita jugar fuera de casa por motivos de seguridad, situación que aminora aún más su nivel de actividad.

ACCIDENTES Y LESIONES A medida que aumentan el tamaño, la fuerza y la coordinación de los niños, éstos realizan actividades cada vez más peligrosas como ciclismo, patinaje sobre ruedas y patinaje acrobático. Muchos participan en deportes de equipo como béisbol y fútbol soccer, en que se utilizan proyectiles peligrosos y un fuerte contacto físico (Maddux y otros, 1986). Desde la infancia, la necesidad de ejercitar sus habilidades recién descubiertas choca a menudo con la de protegerse contra los riesgos de muchas actividades físicas. Además, el peligro de lastimarse casi siempre supera la capacidad de prever las consecuencias de sus acciones (Achenbach, 1982). Las advertencias de los padres de familia contra andar en bicicleta o patines en una calle muy transitada se ignoran o se olvidan al calor del juego.

Como el perfeccionamiento de su movilidad expone a los niños de edad escolar a accidentes más graves, a menudo necesitan orientación para protegerse contra las lesiones.

Los accidentes —en especial los ocasionados por vehículos— originan más muertes infantiles que otras seis causas importantes de fallecimiento juntas: cáncer, homicidio, anormalidades congénitas, suicidios, cardiopatías y síndrome de inmunodeficiencia adquirida (en la figura 8-2 se hacen algunas comparaciones). Cerca de la mitad de las muertes infantiles se debe a lesiones y accidentes —que son la principal causa de discapacidad física en la niñez.

EDUCACIÓN FÍSICA EN LAS ESCUELAS Si bien se piensa en la escuela como el lugar en el que se favorece el desarrollo cognoscitivo o social, ésta también impulsa el desarrollo físico y motor. La escuela primaria incluye en sus planes de estudio la educación física, en parte porque la actividad física practicada en la niñez establece un hábito que dura toda la vida. La *educación física* se define como un programa de actividades motoras rigurosamente planeadas y efectuadas que preparan a los alumnos para una ejecución hábil, adecuada y conocedora (Nichols, 1990). Puede llevarse a cabo en varios locales del plantel: el aula, el gimnasio, una sala de usos múltiples, el patio o el campo de juego.

Por el bajo nivel promedio de la condición física entre la población estadounidense, los actuales objetivos de salud nacional exigen aumentar la partici-

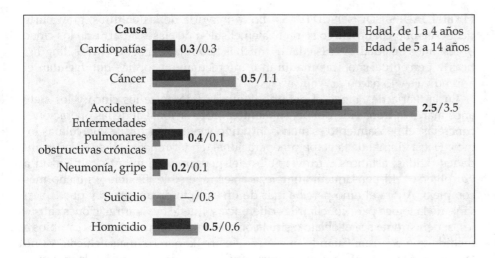

Causa

Edad, de 1 a 4 años
Edad, de 5 a 14 años

Cardiopatías 0.3/0.3

Cáncer 0.5/1.1

Accidentes 2.5/3.5

Enfermedades pulmonares obstructivas crónicas 0.4/0.1

Neumonía, gripe 0.2/0.1

Suicidio —/0.3

Homicidio 0.5/0.6

FIGURA 8–2 **PRINCIPALES CAUSAS DE MUERTE DURANTE LA NIÑEZ, ESTADOS UNIDOS (EN MILES DE MUERTES POR AÑO)**
Fuente: U.S. Census Bureau, 1997.

pación de los niños en clases diarias de educación física y en actividades físicas regulares (U.S. Department of Health and Human Services, 1992). Estos programas contribuyen a aumentar la actividad global de los niños y su interés en la condición física durante la adultez. Por tanto, un objetivo de salud nacional establece la necesidad de programas que hagan que los estudiantes practiquen el ejercicio físico activo —de preferencia, actividades de toda la vida como correr y nadar— al menos la mitad del tiempo dedicado a la educación física (U.S. Department of Health and Human Services, 1992).

1. Describa el desarrollo de los huesos, de la grasa, del tejido muscular y del cerebro durante la niñez media.
2. ¿Qué factores favorecen la obesidad en la niñez?
3. ¿Cuáles son los objetivos de los programas escolares de educación física y por qué son tan importantes para una buena condición física?

REPASE Y APLIQUE

DESARROLLO COGNOSCITIVO

Aquí retomamos las dos principales aproximaciones al estudio de la cognición, sólo que esta vez en relación con la niñez media: la teoría del desarrollo cognoscitivo y la del procesamiento de información. También abordaremos el lenguaje y la alfabetización.

PIAGET Y EL PENSAMIENTO OPERACIONAL CONCRETO

El pensamiento de un niño de 12 años es muy distinto al de uno de cinco. En parte, la diferencia se debe al conjunto más grande de conocimientos y de información que ha ido acumulando el primero, pero también a las distintas maneras en que ambos piensan y procesan la información. En la terminología piagetana, los niños en edad escolar adquieren el *pensamiento operacional concreto*.

HABILIDADES COGNOSCITIVAS   En la mayoría de las culturas, gran parte del desarrollo cognoscitivo se realiza en el salón de clases a partir de los cinco o siete años de edad. A esas edades muchas habilidades cognoscitivas, lingüísticas y perceptual-motoras maduran e interactúan en formas que facilitan el aprendizaje y lo hacen más eficaz.

En la teoría de Piaget, el periodo comprendido entre los cinco y los siete años marca la transición del pensamiento preoperacional al de las operaciones concretas: el pensamiento es menos intuitivo y egocéntrico y se vuelve más lógico. Hacia el final de la etapa preoperacional, en términos de Piaget, las cualidades rígidas, estáticas e irreversibles del pensamiento infantil comienzan a "disolverse". El pensamiento empieza a ser reversible, flexible y mucho más complejo. Ahora el niño percibe más de un aspecto de un objeto y puede servirse de la lógica para conciliar las diferencias. Puede evaluar relaciones causales, si tiene frente a sí el objeto o situación concreta y si puede ver los cambios a medida que ocurren. Cuando una pieza de arcilla parece una salchicha, ya no le parece incongruente que antes fuera una bola o que pueda dársele una nueva forma —de cubo por ejemplo. La incipiente capacidad mental de trascender la situación o el estado inmediato sienta las bases del razonamiento sistemático en la etapa de las operaciones concretas y, más tarde, en la de las operaciones formales. En la tabla 8-2 se comparan los aspectos básicos del pensamiento preoperacional y del pensamiento operacional concreto.

El uso de la inferencia lógica en los niños de edad escolar ejemplifica una diferencia importante entre ambos tipos de pensamiento (Flavell, 1985). Recuerde el problema de conservación de líquido (vea el capítulo 6). Los niños preoperacionales juzgan siempre que un vaso alto y estrecho contiene más líquido que otro corto y ancho, a pesar de que al iniciar el experimento se les muestre que ambas cantidades son idénticas. En cambio, en la etapa de las operaciones concretas, los niños reconocen que ambos recipientes contienen la misma cantidad de líquido. Comienzan a pensar de modo distinto respecto de los estados y las

TABLA 8–2   COMPARACIÓN DEL PENSAMIENTO PREOPERACIONAL CON EL PENSAMIENTO OPERACIONAL CONCRETA

ETAPA	EDAD	EL PENSAMIENTO DEL NIÑO ES:
Preoperacional	De 2 a 5-7 años de edad	Rígido y estático
		Irreversible
		Limitado al aquí y al ahora
		Centrado en una dimensión
		Egocéntrico
		Centrado en la evidencia perceptual
		Intuitivo
Operacional concreta	De 5-7 a 12 años de edad	Flexible
		Reversible
		No limitado al aquí y ahora
		Multidimensional
		Menos egocéntrico
		Caracterizado por el uso de inferencias lógicas
		Caracterizado por la búsqueda de relaciones causales

transformaciones, recordando además el volumen del líquido antes de ser vaciado en el vaso alto y delgado. Piensan en cómo cambió su forma al ser vertido de un recipiente a otro; pueden imaginarse el líquido mientras vuelve a vaciarse en el primer recipiente. En resumen, su pensamiento es reversible.

Además, en la etapa de las operaciones concretas, los niños saben que es posible medir las diferencias de objetos similares. En el problema de los cerillos ideado por Piaget (1970) que se incluye en la figura 8-3, se muestra a los niños una hilera zigzagueante de seis cerillos y una hilera recta de cinco cerillos adosados. Cuando se les pregunta qué hilera tiene más cerillos, los niños preoperacionales se concentran exclusivamente en la distancia entre los puntos extremos de las hileras y, por tanto, seleccionan la "más larga" con cinco cerillos. En cambio, los operacionales toman en cuenta lo que se encuentra entre los puntos extremos y, por tanto, aciertan al escoger una hilera con seis cerillos.

A diferencia de los niños preoperacionales, los operacionales también formulan hipótesis sobre el mundo que los rodea. Reflexionan y prevén lo que sucederá; hacen conjeturas acerca de las cosas y luego ponen a prueba sus corazonadas. Por ejemplo, pueden estimar cuántos soplidos dar a un globo para que reviente, y seguirán haciéndolo hasta alcanzar la marca. Sin embargo, esta capacidad se limita a objetos y relaciones sociales que ven o que imaginan de un modo concreto. No formularán teorías respecto de conceptos, relaciones ni pensamientos abstractos mientras no lleguen a la etapa de las operaciones formales hacia los 11 o 12 años de edad.

La transición del pensamiento preoperacional al de las operaciones concretas no ocurre de la noche a la mañana. Se requieren muchos años de experiencia en la manipulación y aprendizaje de los objetos y materiales del entorno. De acuerdo con Piaget, el niño aprende el pensamiento operacional casi sin ayuda. Conforme explora el ambiente físico, se hace preguntas y encuentra las respuestas, va aprendiendo formas de pensamiento más complejas y refinadas.

PIAGET Y LA EDUCACIÓN   Como vimos en el capítulo 4, los infantes se benefician con una estimulación un poco superior a su nivel de desarrollo. En opinión de algunos investigadores, se acelera el desarrollo cognoscitivo de los niños preoperacionales con un entrenamiento apropiado, lo que apresura su ingreso a la etapa de las operaciones concretas. El entrenamiento da resultados excelentes una vez que el niño ha alcanzado un estado de aprestamiento, periodo óptimo que ocurre poco antes de la transición a la siguiente etapa (Bruner y otros, 1966).

Muchos de los conceptos básicos propuestos por Piaget se han aplicado a la educación, sobre todo en ciencias y matemáticas. Una de las aplicaciones consiste en utilizar objetos concretos para enseñar a niños de cinco a siete años. Combinan, comparan y contrastan objetos (por ejemplo, bloques y palos de di-

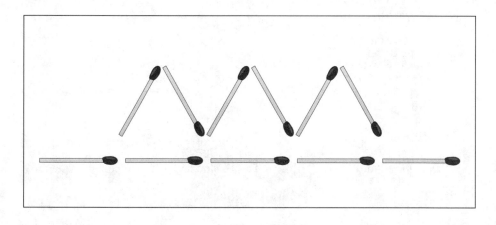

FIGURA 8–3   PROBLEMA DE LOS CERILLOS DE PIAGET

En la etapa de las operaciones concretas, los niños comprenden que los seis cerillos en la hilera zigzagueante de la parte superior formarán una línea más larga que los cinco de la hilera recta de la parte inferior. Los niños pequeños dirán que la hilera de la parte inferior es más larga, pues suelen concentrarse exclusivamente en los puntos finales de las dos líneas y no en lo que se encuentra entre ellos.

ferente forma y tamaño; semillas que crecen en la arena, el agua y el suelo); de ese modo descubren semejanzas, diferencias y relaciones.

Un ejemplo de esta técnica consiste en disponer los objetos en patrones simples (vea la figura 8-4). Al enseñar por primera vez el concepto numérico de 16 a alumnos de primer y segundo grados, el profesor podría presentarles varias disposiciones espaciales de 16 cubos, agrupados en dos torres de ocho, una hilera de 16, cuatro hileras de cuatro, etc. Podría darles indicaciones verbales para ayudarles a realizar la conservación, señalando que el número de cubos permanece igual aunque cambien la longitud y anchura de las hileras.

Los conceptos de Piaget tienen muchas otras aplicaciones. Por ejemplo, la adición y la sustracción exigen conocer la reversibilidad (5 + 8 = 13; 13 − 5 = 8). Una vez más, el niño puede aprender más fácilmente manipulando objetos reales. Si los padres de familia y los maestros conocen los principios básicos de la teoría del desarrollo cognoscitivo propuesta por Piaget, estarán en condiciones de preparar lecciones eficaces y de organizarlas en una secuencia lógica. Los conceptos piagetanos también se utilizan en los estudios sociales, en la música y en el arte.

En conclusión, la teoría de Piaget abarca el aprendizaje como un componente más del desarrollo cognoscitivo. El niño aprende de manera activa y elabora sus teorías personales acerca de cómo funciona el mundo, además de tener la motivación para modificarlas cuando la información no encaja en ellas (Bruner, 1973). Los psicólogos educativos recomiendan no estructurar la enseñanza de modo que impulse a los alumnos a buscar el elogio de sus profesores en lugar de resolver los problemas por su propia cuenta. Señalan que el interés del niño por el aprendizaje depende de las recompensas intrínsecas que encuentren en la materia. Los niños adquieren confianza cuando dominan los problemas y descubren los principios: aprenden *haciendo* —como el adulto (Gronlund, 1995).

Los educadores señalan que, con mucha frecuencia, los profesores caen en la trampa de explicar en vez de mostrar. Algunos aíslan muchos temas de su contexto concreto y real. Exponen reglas para que los niños las memoricen mecánicamente, sin motivarlos para que las comprendan. Los niños aprenden un conjunto árido de hechos, sin que sepan aplicar los hechos y los principios a otras situaciones. Necesitan aprender mediante la exploración activa de ideas y relaciones y resolviendo problemas en contextos realistas.

FIGURA 8–4

Algunas disposiciones espaciales de 16 cubos. Al disponer los cubos en formas diferentes, un profesor ayudará a los niños pequeños a entender el concepto numérico de 16.

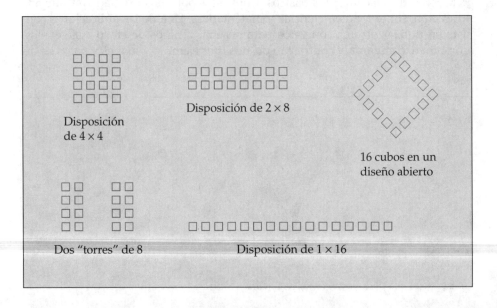

Disposición de 4 × 4

Disposición de 2 × 8

16 cubos en un diseño abierto

Dos "torres" de 8

Disposición de 1 × 16

Piaget fue un excelente observador del desarrollo cognoscitivo de los niños pequeños. Pero hay varios aspectos que no evaluó y que también son importantes en el aprendizaje escolar. Muchos de éstos se incluyen ahora bajo el encabezado de teoría del procesamiento de la información.

PROCESAMIENTO DE LA INFORMACIÓN

Recuerde que, para los teóricos del procesamiento de la información, la mente humana se parece a una computadora. De ahí que se concentren en las funciones cognoscitivas como la atención y la solución de problemas, junto con dos funciones esenciales que se desarrollan mucho durante la niñez: la memoria y la metacognición.

MEMORIA   Varios e importantes progresos ocurren en las capacidades retentivas de los niños durante la etapa de las operaciones concretas. En el capítulo 6 vimos que tienen un buen desempeño en las actividades de reconocimiento pero no en las de retención; les cuesta mucho aplicar estrategias de memoria como el repaso. Sin embargo, la capacidad de recordar listas de objetos mejora en forma considerable entre los cinco y los siete años. Casi todos empiezan a esforzarse de modo consciente por memorizar la información. Observan con detenimiento lo que deben retener y lo repiten una y otra vez. Más tarde lo organizan por categorías y, finalmente, crean historias o imágenes visuales para recordar mejor. La retención del niño mayor es más eficaz y adecuada por la utilización deliberada de las estrategias de memoria (Flavell, 1985).

Dicho con otras palabras, el niño de edad escolar aprende **procesos de control**: estrategias y métodos que mejoran su memoria. A continuación se dan ejemplos de éstos, con indicaciones de la edad en que se emplean.

1. *Repaso.* Al principio el niño se limita a repasar repitiendo las cosas varias veces, una tras otra. Pero a los nueve años comienza a agruparlas (Ornstein y otros, 1975; Ornstein y otros, 1977). Con este proceso mejora su capacidad de retener la información en la memoria a corto plazo y de transferirla a la memoria a largo plazo.

procesos de control   Procesos cognoscitivos superiores que mejoran la memoria.

Cuando se deletrea una palabra, el niño generalmente necesita recuperar las letras correspondientes de su memoria.

2. *Organización.* Otro gran logro en el empleo de las estrategias de memoria es la habilidad para organizar. A diferencia de los escolares más pequeños que suelen relacionar las palabras por mera asociación (digamos, incluir palabras en una lista), los mayores organizan grupos de palabras, atendiendo a las características y al significado común: las manzanas, las peras y las uvas son "frutas". Los niños que agrupan palabras en categorías recuerdan un mayor número de reactivos. Sin embargo, pocas veces aplican las estrategias organizadoras por su cuenta antes de los nueve años (Bjorklun, 1988).

3. *Elaboración semántica.* Es evidente que los niños en edad escolar a menudo recuerdan lo que deducen de las proposiciones, además de lo que se les dice. En una serie de estudios de Scott Paris y sus colegas, se les presentaron oraciones como "Tu amigo barrió el piso". Después, les preguntaron si el amigo tenía una escoba. Los niños de 11 años lograban inferir la presencia de una escoba, no así los de siete (Paris y otros, 1977). La elaboración semántica consiste en emplear la inferencia lógica para reconstruir un hecho, en vez de limitarse a retener una copia "perfecta" sin correcciones (Flavell y otros, 1993).

4. *Imaginería mental.* A los niños de corta edad podemos enseñarles a recordar material insólito, con sólo construir imágenes o "fotografías" en su mente. Los niños mayores suelen hacerlo más por su cuenta y sus imágenes tienden a ser más vivas (Siegler, 1986).

5. *Recuperación.* A menudo, cuando los niños pequeños tratan de deletrear una palabra, buscan las letras correspondientes en su memoria. Tal vez conozcan la letra con que empieza el vocablo, pero necesitan probar las posibilidades del resto del mismo. Los niños mayores aplican de manera más eficaz las estrategias de recuperación (Flavell y otros, 1993).

6. *Guiones.* El recuerdo de hechos comunes puede organizarse por medio de "guiones". Este método tiene la ventaja de que, cuando un suceso se repite varias veces, no es necesario almacenarlo por separado en la memoria cada vez que sucede. Podemos recordarlo en una secuencia fija de acontecimientos, junto con "ranuras" de relleno para los aspectos que cambian. Así, el guión de una mañana en la escuela podría especificar los hechos que ocurren normalmente durante ésta: levantarse, vestirse, desayunar, dirigirse a la escuela. Las ranuras se llenarán con elementos variables: la ropa que se usa, lo que se desayuna y el medio de transporte que se utiliza para ir a la escuela (Nelson y Gruendel, 1986). Entre los cuatro y los cinco años, los niños se sirven de guiones específicos para realizar las rutinas familiares, pero en la niñez media adquieren la capacidad de "incrustar" determinados guiones en categorías más generales (Case, 1996).

Metacognición   La **metacognición** designa los complejos procesos intelectuales que permiten al niño supervisar sus pensamientos, memoria, conocimiento, metas y acciones; en otras palabras, consiste en "reflexionar sobre el pensamiento". En la niñez media, aprende las habilidades metacognoscitivas que empleará después al planear, tomar decisiones y resolver problemas.

En su descripción de la metacognición, Flavell (1985) cita el siguiente ejemplo: se pidió a unos niños de preescolar y primaria que estudiaran un grupo de objetos hasta estar seguros de que podían recordarlos a la perfección. Cuando los escolares dijeron que estaban listos, casi siempre lo estaban: al ser sometidos a prueba, recordaron todos los objetos sin error. En cambio, los preescolares a menudo decían que estaban listos cuando en realidad no era así. A pesar de sus buenas intenciones no contaban con suficientes habilidades cognoscitivas para terminar la tarea *y* saber cuándo la habían terminado; no eran capaces de supervisar sus procesos intelectuales. La capacidad de vigilar el pensamiento y la memoria comienza hacia los seis años y alcanza un nivel más elevado entre los siete y los 10 años. Pero incluso entonces la metacognición es mejor si el material por aprender es común o conocido (Hasselhorn, 1992).

metacognición   Proceso que consiste en supervisar el pensamiento, la memoria, el conocimiento, las metas y las acciones personales.

Igual que otros aspectos de la capacidad cognoscitiva, las habilidades meta-cognoscitivas siguen perfeccionándose hasta la adolescencia. Así como el niño de nueve años tiene una mejor habilidad metacognoscitiva que uno de cuatro, también un niño de 15 años supera con mucho a uno de nueve.

LENGUAJE Y ALFABETIZACIÓN

Durante la niñez media se perfeccionan mucho más las habilidades del lenguaje oral y escrito. A medida que su vocabulario continúa expandiéndose, el niño domina cada vez más las complejas estructuras gramaticales y la utilización más elaborada de la lengua. Por ejemplo, comienza a usar y comprender la voz pasiva, aunque su sintaxis todavía no es muy sólida. Deduce que oraciones como "Juan era observado mientras caminaba por la playa" incluye participantes que no se mencionan explícitamente.

ALFABETIZACIÓN   Aunque el desarrollo del lenguaje oral es impresionante, muchas veces queda opacado por el de la alfabetización, es decir, las habilidades relacionadas con la lectura y la escritura. El preescolar se concentra en aprender a producir y comprender el lenguaje hablado; el niño en edad escolar aprende a leer y escribir. La lectura comprende el aprendizaje de la fonética y la forma de decodificar el alfabeto; la escritura incluye mejorar las habilidades motoras finas necesarias para trazar las letras. Pero esto no es todo. La lectura exige la habilidad de inferir *significado* a partir del texto impreso; la escritura requiere la habilidad de transmitir significado mediante un texto impreso. Ambas son modalidades de la comunicación simbólica que abarca, además, la atención, la percepción y la memoria.

Por medio de la comunicación simbólica, el niño aprende a relacionar con el mundo exterior sus pensamientos y sentimientos. "Los miembros de una cultura comparten formas de expresar el significado en diversas formas (sonidos, acciones, marcas sobre el papel y monumentos en el parque)", comenta Anne Haas Dyson, una investigadora del desarrollo de la alfabetización. "Estos símbolos —o conexiones entre formas y significados— nos conectan con otras personas y, al mismo tiempo, organizan nuestros sentimientos, nuestras experiencias y pensamientos".

La lectura y la escritura son resultado natural de las crecientes habilidades lingüísticas del niño. El reconocimiento de que el aprendizaje del lenguaje oral y el escrito están interrelacionados da origen al método de *lenguaje total* en la lectoescritura (Fields y Spanglier, 1995). En lugar de buscar el punto en el que el niño adquiere el aprestamiento para leer y escribir, estos teóricos se concentran en el concepto de alfabetización "emergente": las habilidades necesarias para adquirir el lenguaje oral y escrito comienzan a surgir en la infancia y mejoran poco a poco con los años (Teale y Sulzby, 1986). Así, las historias que el infante sólo puede escuchar, la "escritura" que un niño pequeño hace con un crayón y la "lectura" memorística del preescolar son precursoras de la lectoescritura. Los padres y los profesores pueden favorecer su desarrollo creando un rico ambiente familiar y escolar (en la tabla 8-3 se dan más detalles).

Algunos niños aprenden a leer más rápido que otros.

La adquisición de las habilidades de lectura y escritura durante la niñez media es un proceso complejo y multidimensional que surge dentro de un contexto sociocultural. El niño las aprende en situaciones sociales importantes. Adquiere los elementos básicos mientras interactúa con sus padres, hermanos, profesores y compañeros. Las interacciones difieren, lo mismo que la contribución que cada una hace a la creciente alfabetización del niño. Los padres, por ejemplo, pueden favorecerla al máximo si sostienen conversaciones con sus hijos en vez de concentrarse nada más en actividades relacionadas con el texto impreso (Snow, 1993). Por su parte, el niño responde de modo diferente cuando participa en forma activa con sus compañeros en el aprendizaje de la lectura y cuan-

Tabla 8–3 Condiciones que favorecen la lectoescritura

1. Un ambiente rico en materiales impresos
   - los adultos que leen con fines personales
   - los adultos que escriben con fines personales
   - experiencias frecuentes de tiempo dedicado a historias
   - experiencias de dictado
   - literatura de gran calidad
   - textos impresos contextualizados
   - texto impreso funcional
   - respuestas a preguntas sobre materiales impresos
2. Un ambiente rico en lenguaje oral
   - modelos del lenguaje adulto
   - adultos que escuchan a los hijos
   - exploración libre del lenguaje oral
   - conversación con compañeros
   - participación en obras teatrales
   - experiencias de enriquecimiento del vocabulario
   - información sobre el vocabulario cuando se pide
3. Experiencias personales de interés
   - juego
   - vida diaria
   - viajes al campo
   - exploración de la naturaleza
4. Experiencias de representación simbólica
   - arte dramático
   - dibujo y pintura
   - música y danza
5. Experimentación de la escritura sin presiones
   - dibujo
   - garabateo
   - escritura no fonética
   - ortografía inventada
6. Exploración de la lectura sin presiones
   - lectura de memoria
   - lectura con pistas contextuales
   - acoplamiento del texto impreso al lenguaje oral

Fuente: de *Let's begin reading right: Developmentally appropriate beginning literacy*, tercera edición por M. V. Fields y K. L. Spangler, p. 104. Derechos reser vados © 1995 por Prentice-Hall. Reimpreso con permiso.

do trabaja con un profesor (Daiute y otros, 1993). A diferencia de los maestros que le ayudan a adquirir el conocimiento y las habilidades necesarias para convertirse en un lector y redactor experto, las interacciones con sus compañeros le brindan la oportunidad de discutir ideas y problemas con espontaneidad. Cuando trabaja con otros en forma colaborativa, suele hablar más que cuando lo hace con un profesor.

En conjunto, las interacciones sociales sientan las bases de la alfabetización en una forma mucho más decisiva que el simple hecho de dominar unidades del lenguaje escrito. Del mismo modo que la comunicación o la solución de problemas se dan dentro de un contexto social, también los niños aprenden a leer y escribir en un entorno social (Vygotsky, 1934/1987). Cuando se presentan problemas, los educadores consideran las relaciones con la familia, los compañeros y maestros que forman parte del mundo social del niño (Daiute, 1993).

REPASE Y APLIQUE

1. ¿Cómo cambia el pensamiento del niño al hacer la transición del pensamiento preoperacional al pensamiento operacional concreto?
2. ¿Por qué es tan importante la creciente habilidad para utilizar las inferencias lógicas en esta etapa del desarrollo cognoscitivo?
3. Describa los principales logros en la memoria y en la metacognición que ocurren durante la niñez media.
4. ¿De qué manera las habilidades metacognoscitivas aumentan la competencia intelectual del niño?
5. Describa cómo encaja el concepto de la alfabetización emergente en la concepción del lenguaje total de la lectoescritura.

INTELIGENCIA Y LOGRO

En los años cuarenta y cincuenta, era común aplicar pruebas de aprovechamiento, de personalidad y de aptitudes profesionales a los niños estadounidenses en edad escolar. Los archivos escolares estaban llenos de calificaciones cuya exactitud e importancia variaba a menudo. Durante los sesenta, muchos padres de familia y educadores se alarmaron ante lo que consideraron un abuso de las pruebas escolares. Aunque todavía se emplean mucho las pruebas de inteligencia, de diagnóstico y de aprovechamiento, hoy los educadores están más conscientes de los peligros de interpretar erróneamente (o en forma exagerada) los resultados y de etiquetar a los niños de una manera incorrecta. En efecto, sea o no correcta la categoría, el simple hecho de clasificarlos como "retrasados" o "disléxicos" (términos que definiremos más adelante en este capítulo) puede estigmatizarlos por el resto de su vida y crear una "profecía que se cumple por sí misma" y les impide recibir una buena educación (Tobias, 1989; Howard, 1995).

Sin embargo, las pruebas son herramientas indispensables de la educación cuando se emplean de un modo correcto. Identifican lo que el niño puede hacer o no, lo cual permite a los profesores establecer pasos de aprendizaje adecuados para cada uno. Por lo regular, al niño no lo clasifican simplemente como "superior" o "de lento aprendizaje", sino que evalúan algunas conductas y habilidades concretas.

Además de la observación en el aula y de lecciones de "diagnóstico", el niño es sometido a **pruebas referidas a un criterio**, que miden hasta qué punto domina ciertas habilidades y objetivos (Glaser, 1963). Dado que estos instrumentos se concentran en los logros específicos del individuo, son totalmente distintos a las más conocidas **pruebas referidas a una norma**, en los cuales se comparan sus puntuaciones con las de otros niños de la misma edad. La mayoría de las pruebas de CI y las pruebas generales de aprovechamiento pertenecen a este tipo: primero se administran a una muestra grande de personas y se *estandarizan* respecto a los procedimientos y a los criterios de calificación. Así, mientras que un examen de matemáticas referido a un criterio describe la exactitud y rapidez de un niño en determinadas habilidades de esta materia, un instrumento referido a una norma evaluará si su nivel de aprovechamiento es mayor o menor que el promedio del grupo de estandarización. Con el segundo tipo

pruebas referidas a un criterio
Instrumentos que evalúan el desempeño de un individuo en relación con el dominio de determinadas habilidades u objetivos.

pruebas referidas a una norma
Instrumentos que comparan el desempeño de un individuo con el de otros miembros del mismo grupo de edad.

de prueba se determina que un niño se halla en 10 por ciento más bajo de la clase en habilidades matemáticas; pero quizá nos diga muy poco de qué conoce en realidad, por qué se equivoca al contestar ciertas preguntas o qué habilidades necesita adquirir.

PRUEBAS DE INTELIGENCIA

Quizá ningún otro aspecto de la psicología del desarrollo ha provocado tantas polémicas como la inteligencia y su evaluación. La controversia académica algunas veces ha llegado al público general por el fuerte impacto que las puntuaciones tienen en las oportunidades educativas y sociales y porque las pruebas se administran en forma generalizada y se toman muy en serio en algunos países. Cuando a los niños pequeños se les clasifica con base en las calificaciones, los resultados pueden ser devastadores. Las puntuaciones pueden influir en el nivel y en la calidad de su educación, determinar el empleo que conseguirán de adultos y dejar una huella indeleble en su autoimagen. ¿Por qué damos tanto valor a la inteligencia? ¿Qué es lo que intentamos medir? En la presente sección analizaremos los intentos de medir la inteligencia y luego veremos cómo definirla.

EL TEST DE STANFORD-BINET   La primera prueba general de inteligencia fue ideada a principios del siglo XX por Alfred Binet, psicólogo a quien el gobierno francés comisionó para diseñar un método objetivo que identificara los niños a quienes la escuela no beneficiaría. En 1916, Lewis Terman y sus colegas en la Universidad de Stanford crearon una versión estadounidense y la llamaron Test de Stanford-Binet. Este instrumento de aplicación individual ganó aceptación generalizada durante los años cuarenta y cincuenta, y todavía se emplea en una revisión actualizada.

El concepto inicial de inteligencia de Binet se concentraba en procesos intelectuales complejos como juicio, razonamiento, memoria y comprensión. Mediante un proceso de ensayo y error diseñó reactivos que incluían solución de problemas, definición de palabras y conocimientos generales que al parecer diferenciaban a los niños según la *edad mental* (EM). Por ejemplo, si más de la mitad de los niños de cinco años pero menos de la mitad de los de cuatro podían definir la palabra *balón*, ésta sería un reactivo de la prueba destinada al niño de cinco años (Binet y Simon, 1905, 1916).

EL COEFICIENTE DE INTELIGENCIA   En el método adoptado por Binet, un niño de cuatro años que pueda responder a las preguntas correspondientes al nivel de uno de cinco años tendrá una edad mental de cinco; hasta aquí llegó Binet en la confección de sus primeras pruebas. (Recuérdese que su propósito era aplicar pruebas a los niños de edad escolar y determinar cuáles no progresaban bien.) Sin embargo, más tarde otros investigadores inventaron una fórmula para expresar el nivel intelectual que permitía comparar a niños de distinta *edad cronológica* (EC). Esta medida, llamada **coeficiente de inteligencia (CI)** se obtuvo así:

$$IQ = MA\ /\ CA \times 100$$

Por tanto, un niño de cuatro años deberá conseguir una puntuación correspondiente a la edad mental de cuatro; entonces su CI será de 100 (4/4 X 100 = 100). Un niño de cuatro años por arriba del promedio cuya puntuación de edad mental sea de cinco tendrá un CI de 125 (5/4 X 100 = 125); un niño por debajo del promedio cuya edad mental sea de tres tendría un CI de setenta y cinco.

LOS TESTS DE WECHSLER   Sin embargo, el método de "razón" planteaba algunos problemas. La fórmula funcionaba bastante bien con niños y con adolescentes cuyas habilidades cognoscitivas seguían mejorando en forma predecible; pero era difícil evaluar la inteligencia del adulto con este instrumento. ¿Qué tipos de reactivos permitirían valorar uniforme y equitativamente la edad mental de una

coeficiente de inteligencia (CI) Edad mental de un individuo dividida entre la edad cronológica y multiplicada por 100 para eliminar el punto decimal.

persona de 30 años en comparación con la de otra de 40? Por esta limitación, hoy el CI se evalúa por medio del llamado **CI de desviación.** Esta medida fue diseñada en principio por David Wechsler y aplicada a los tests de CI que él y sus colegas prepararon para la niñez temprana, la niñez, la adolescencia y la adultez. El sujeto recibe una puntuación que se compara estadísticamente con las de otros individuos de su mismo rango de edad. En otras palabras, los tests actuales de CI (entre éstos la versión moderna del Stanford-Binet) están referidos a una norma, como ya apuntamos.

La figura 8-5 contiene la distribución de las puntuaciones de CI basadas en la desviación estándar de la población general; se funda en los tests de Wechsler de uso generalizado. Obsérvese la conocida curva "en forma de campana": se supone que el CI se distribuye normalmente alrededor de un promedio de 100: unas dos terceras partes de la población general obtienen puntuaciones entre 85 y 115 y casi 96 por ciento entre 70 y 130. Este resultado deja 2 por ciento de las puntuaciones por debajo de 70, que es un criterio de retraso mental, y aproximadamente 2 por ciento por arriba de 130, que suele ser el punto diferenciador de los "superdotados".

Sin embargo, las puntuaciones de CI no son una medida infalible de la inteligencia. Aun cuando las versiones modernas de los tests de Stanford-Binet y de Weschler ofrecen "subpuntuaciones" sobre el desempeño en áreas específicas de las habilidades lingüísticas y matemáticas, la mayoría coincide en que no miden todo lo que indicamos con el nombre de inteligencia. Su propósito fundamental es medir las habilidades relacionadas con el desempeño académico, lo cual es correcto ya que para eso fueron diseñados. Un punto conexo es que miden las capacidades intelectuales sólo en el momento de ser administradas; dicho de otra manera, miden el funcionamiento intelectual *actual*. Una idea errónea muy difundida es pensar que evalúan el *potencial* intelectual. Así pues, como ya dijimos, clasificar al niño como "brillante" o "lento" con base en las puntuaciones de una prueba de inteligencia puede ser erróneo y hasta perjudicial: las puntuaciones del CI cambian mucho con el tiempo debido a la instrucción escolar y otras experiencias cognoscitivas; pero puede persistir una categoría inicial.

NATURALEZA DE LA INTELIGENCIA

Como es lógico, la invención de modelos complejos que prueban y miden la inteligencia estimuló la investigación sobre su naturaleza. A continuación se incluyen los puntos centrales de una controversia siempre actual.

CI de desviación   Método que asigna una puntuación de CI mediante la comparación de la puntuación bruta de un individuo con las de otros sujetos del mismo grupo de edad.

FIGURA 8–5   DISTRIBUCIÓN DEL CI EN LA POBLACIÓN GENERAL DE ESTADOS UNIDOS

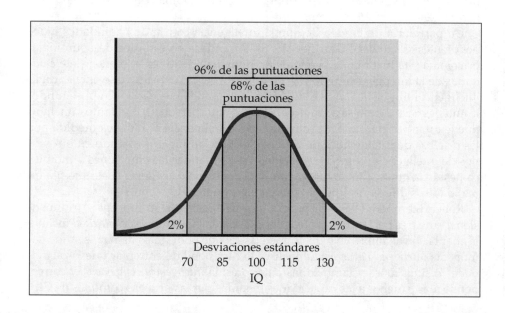

¿**INTELIGENCIA INNATA O ADQUIRIDA?** La controversia de naturaleza frente a crianza sigue originando discusiones encendidas en las revistas académicas y en la prensa popular. Arthur Jensen (1969), por ejemplo, provocó una gran polémica cuando afirmó que 80 por ciento de lo que miden las pruebas de inteligencia es heredado y que apenas 20 por ciento depende del ambiente del niño, con lo que señalan, además, que la inteligencia está determinada por la raza y que la reserva de genes intelectuales de los negros es inferior a la de los blancos. En las investigaciones efectuadas en los años sesenta, los afroamericanos recibieron en promedio de 10 a 15 puntos menos en las pruebas que los blancos. Pero la diferencia ha ido disminuyendo de manera paulatina en los últimos años; en la actualidad los investigadores sostienen que "los ajustes hechos atendiendo a las diferencias económicas y sociales en la vida de los niños de raza blanca y negra eliminan prácticamente las diferencias de las puntuaciones entre los dos grupos" (Brooks-Gunn y otros, 1996).

Si bien la investigación de Jensen ha sido desacreditada por completo y no es necesario examinarla más a fondo aquí, hay que aclarar que las críticas que recibió contribuyeron a generar una reacción violenta contra la posible contribución genética a la inteligencia. Algunos psicólogos llegan incluso a afirmar que no existen pruebas de que la herencia influya en la inteligencia (Kamin, 1974).

La concepción actual es un poco más equilibrada: el desempeño de un niño en un test de CI depende casi por igual de los factores genéticos y ambientales (Weinberg, 1989; Plomin y DeFries, 1998). Pero el péndulo puede oscilar otra vez hacia los que piensan que la inteligencia tiene un fuerte componente innato: en un trabajo reciente sobre gemelos idénticos que fueron criados aparte se sostiene que el CI se hereda en 70 por ciento (Bouchard y otros, 1990). En el recuadro "Estudio de la diversidad" de la página siguiente se explican con mayor detalle los factores que inciden en el desarrollo y en el logro intelectuales.

HABILIDADES GENERALES Y ESPECÍFICAS Aunque algunas pruebas definen la inteligencia como un atributo unitario, la mayoría la define como un conjunto de habilidades. Por ejemplo, la Escala de Inteligencia de Wechsler para Niños contiene, entre otros, subtests individuales de información, comprensión, matemáticas, vocabulario, retención de dígitos y ordenación de ilustraciones. Genera una puntuación de CI verbal, otra del CI de desempeño (no verbal) y una puntuación global que combina las dos anteriores. La versión actual del test de Stanford-Binet adopta un sistema similar pues divide la inteligencia general en varios componentes.

Un partidario de la idea de que la inteligencia consta de habilidades independientes es Howard Gardner (1983). Basándose en estudios de neurología, psicología y la historia de la evolución humana, identificó al menos siete categorías de la inteligencia divididas en dos grupos. En el primero se encuentra la inteligencia lingüística, musical, lógico-matemática y espacial. En el segundo, la inteligencia cinestésica, interpersonal e intrapersonal. Por tanto, un niño puede estar por debajo del promedio en la inteligencia académica medida por las pruebas de inteligencia; pero puede ocupar un lugar destacado en otros tipos de inteligencia, como la capacidad para entender las emociones y motivaciones de la gente. Desde luego, también conviene considerar si el niño *usa* en realidad sus diferentes tipos de inteligencia (Hatch, 1997).

Robert Sternberg (1985) incorpora otra perspectiva a su concepto "tridimensional" (de tres partes) de la inteligencia. Para él, la *inteligencia contextual* incluye la adaptación al ambiente y una característica que podríamos llamar "sentido común"; la *inteligencia experiencial* incluye la capacidad de enfrentar nuevas actividades o situaciones y también las anteriores; la *inteligencia componencial* corresponde más o menos a las capacidades medidas por las pruebas comunes de CI.

En las escuelas de hoy suele prescindirse de las habilidades que no se miden con facilidad, como la de la apreciación artística.

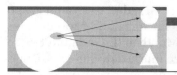

ESTUDIO DE LA DIVERSIDAD

REFUGIADOS DEL SURESTE ASIÁTICO Y APROVECHAMIENTO ACADÉMICO

Se reconoce ampliamente el éxito académico de los niños asiáticos, sobre todo en ciencias y matemáticas. Por ejemplo, las escuelas de Japón y Taiwán tienen años lectivos más largos y requisitos más estrictos de trabajo que las de Estados Unidos. ¿Pero explica esto satisfactoriamente su éxito?

Podemos obtener una respuesta a la pregunta anterior si estudiamos a los "balseros" del sureste de Asia que emigraron a Estados Unidos entre fines de los años setenta y principios de los ochenta. A primera vista, parecería que los hijos de las familias de refugiados estaban condenados al fracaso en las escuelas estadounidenses. Se vieron obligadas a huir ante las devastadoras circunstancias económicas y políticas de su país. Los niños a menudo pasaron meses y hasta años sin recibir instrucción formal, mientras vivían en campos de reubicación. Muchos sufrieron hambre y traumatismos físicos. Además, tenían escaso conocimiento del inglés.

Pese a ello, en un estudio de 200 familias sudasiáticas que llevaban viviendo en Estados Unidos un promedio de tres años y medio, los investigadores descubrieron que los niños obtenían promedios elevados de calificaciones en matemáticas y en el resto de las materias. A pesar de sus desventajas, la mayoría de los niños se adaptaban a las escuelas urbanas y pronto comenzaban a recibir calificaciones correspondientes a su grado o por encima de éste (Kaplan y otros, 1992).

¿A qué factores se debía su éxito académico? Eran especialmente importantes el estímulo y la dedicación al aprendizaje de sus progenitores. Les ayudaban a superar su escaso dominio del inglés, la pobreza inicial y, a menudo, el ambiente negativo de las escuelas urbanas. Tenían una sólida tradición de responsabilidad familiar colectiva. Padres e hijos expresaban sus obligaciones no sólo con cada miembro de la familia, sino también con el éxito global de ella. El logro académico de los hijos se apreciaba mucho, por estar vinculado al éxito futuro de la familia entera.

El compromiso de la familia con el éxito académico se reflejaba sobre todo en las actitudes ante las tareas escolares. Por las noches, eran la actividad más importante de la familia. A pesar de su escaso conocimiento del inglés, los padres fijaban normas y metas de esa actividad y se encargaban de muchas de las obligaciones de sus hijos con tal de que pudieran estudiar. Los hermanos mayores ayudaban a los más pequeños. Esta participación destaca la forma en que una familia numerosa puede estimular el éxito académico de sus miembros, a diferencia del logro educativo más bajo que caracteriza a las familias estadounidenses numerosas y pobres.

En cerca de la mitad de las familias, regularmente los padres leen a sus hijos en voz alta. Estos niños reciben calificaciones más elevadas sin importar si la lectura se hace en inglés o en su lengua materna. La lectura en voz alta favorece el conocimiento compartido, fortalece los vínculos emocionales y mantiene un ambiente en el que se aprecian el aprendizaje y la discusión. Las familias de refugiados más exitosas mostraban igualitarismo en los roles de género. Los esposos ayudaban a lavar los platos y la ropa. Niños y niñas estaban obligados a hacer lo mismo. Se esperaba que los hijos de ambos sexos asistieran a la universidad.

Finalmente, las familias pensaban que sus esfuerzos les permitirían conseguir el cambio o las metas deseadas, no sólo en el momento inmediato sino también en el futuro. No ponían su éxito en manos de la suerte ni del destino.

LIMITACIONES DE LA EVALUACIÓN

Las escuelas emplean muchas clases de pruebas para valorar las habilidades y competencias de los estudiantes. Esta tendencia a concentrarse en capacidades mensurables refleja la gran aceptación de los objetivos conductuales, es decir, los tipos específicos de conocimientos y habilidades que el alumno debe mostrar después de cierto grado de instrucción. En cierto modo, las pruebas ofrecen un medio para evaluar no sólo a los estudiantes sino también a las escuelas. En varios momentos del año lectivo, se supone que las escuelas suministran datos objetivos sobre lo que están aprendiendo sus estudiantes. Sin embargo, por útil que sea este sistema para que las escuelas cumplan con su cometido, al insistir en el éxito escolar el niño deberá pasar mucho tiempo de la jornada concentrado en adquirir ciertas habilidades que se miden con las pruebas. En consecuencia, pueden descuidarse algunas habilidades, formas de pensar y rasgos de la personalidad menos tangibles. Las pruebas no nos revelan todos los aspectos de la habilidad; algunas cualidades y destrezas personales son difíciles o imposibles de medir.

Además, hay que tener en cuenta el posible sesgo cultural de los propios instrumentos. Con el propósito de demostrar lo absurdo de las pruebas de inteligencia ligadas a la cultura, Stephen Jay Gould (1981) administró a un grupo de estudiantes de Harvard un test de inteligencia no verbal diseñado para los reclutas del ejército durante la Segunda Guerra Mundial. (En la figura 8-6, se incluye una muestra de la prueba.) Descubrió que muchos de sus estudiantes no lograban identificar el altavoz como parte faltante de una vitrola (reactivo 18), pese a que los creadores de la prueba afirmaban que la inteligencia "innata" de los sujetos los guiaría a la respuesta correcta.

Los grupos minoritarios se niegan a que sus capacidades y habilidades se midan con instrumentos que suponen una gran exposición a la cultura dominante; piensan que son injustos para las personas provenientes de otros ambientes culturales. Esta idea ha sido corroborada por un experimento con niños negros y de otras razas que habían sido adoptados por padres blancos de clase media. Sus puntuaciones de CI y sus logros académicos estaban muy por encima del promedio y también por arriba de las puntuaciones de niños de antecedentes étnicos similares pero con distintas experiencias culturales (Weinberg, 1989). La investigación demuestra, además, que los niños de las minorías a veces son víctimas de una profecía que se cumple por sí misma: adquieren expectati-

FIGURA 8–6

Ésta es la parte seis de la prueba Beta del Ejército que se administraba a reclutas durante la Primera Guerra Mundial. (Respuestas: 1. boca; 2. ojo; 3. nariz; 4. cuchara en la mano derecha; 5. chimenea; 6. Oído izquierdo; 7. filamento; 8. Estampilla; 9. cuerdas; 10. remache; 11. gatillo; 12. cola; 13. pata; 14. sombra; 15. bola de boliche en la mano derecha del jugador; 16. red, 17. Mano izquierda, 18. Altavoz de Vitrola; 19. brazo y polvera en la imagen del espejo; 20. diamante.)

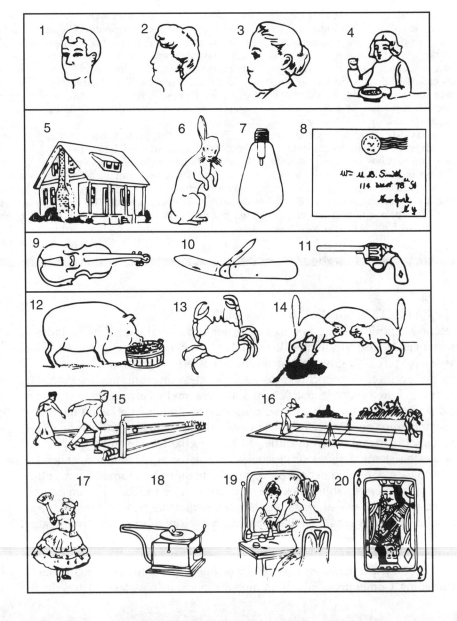

vas bajas sobre su desempeño académico en pruebas destinadas a estudiantes blancos; a su vez, esas expectativas aminoran aún más la seguridad en sí mismos y, por tanto, también sus puntuaciones. A decir verdad, en los últimos años los diseñadores de instrumentos como los tests de Stanford-Binet y de Wechsler han procurado en lo posible eliminar el sesgo cultural, pero todavía están orientados a la cultura predominante.

No siempre es necesario aplicar pruebas para juzgar el progreso de los niños. Los profesores, los padres de familia y los cuidadores aprenden mucho mediante la observación informal de lo que hacen y dicen. A un profesor hábil le basta escuchar al niño leer un libro para determinar cuánto ha avanzado en el dominio de la lectura. Más adelante, al hablar de los trastornos del desarrollo, retomaremos los problemas asociados con las pruebas estandarizadas.

1. ¿En qué se distinguen las pruebas referidas a un criterio y las referidas a una norma?
2. ¿Cuál es la diferencia entre los tests tradicionales de CI y las pruebas de CI de desviación?
3. Comente brevemente la controversia en torno de la naturaleza de la inteligencia.

REPASE Y APLIQUE

APRENDIZAJE Y PENSAMIENTO EN LA ESCUELA

La escuela influye de modo decisivo en un desarrollo sano. En ésta los niños prueban sus competencias intelectuales, físicas, sociales y emocionales para averiguar si pueden cumplir con las normas que les fijan sus padres, sus profesores y la sociedad en general. Cobran además confianza en su capacidad para dominar el mundo y establecer buenas relaciones con los compañeros.

En la escuela encaran exigencias y expectativas muy distintas a las que había en casa. Los niños difieren mucho en su capacidad de adaptarse a esas demandas, en su habilidad para usar el pensamiento crítico, en el éxito global que logran en la escuela y en la ayuda que reciben de sus padres para aprender. En todo el mundo son muy diferentes las oportunidades de asistir a la escuela y el número de estudiantes que llegan por lo menos al quinto grado (vea la figura 8-7).

NUEVAS EXIGENCIAS Y EXPECTATIVAS

Los niños que ingresan a la escuela se separan de sus padres, algunos por primera vez, y deben aprender a confiar en adultos que no conocen. Al mismo tiempo se les exige mayor independencia. Un niño pequeño ya no puede gritarle a su madre "¡Ponme las botas!". El profesor espera que lo haga él mismo. Incluso en los grupos pequeños, ahora necesita competir para captar la atención del adulto y recibir su ayuda.

Sin importar el tipo de escuela, siempre existe una brecha entre lo que se espera en casa y lo que se espera en el salón de clases. Cuanto más grande sea la brecha, más difícil le resultará al niño adaptarse. Los que acaban de empezar a interiorizar las reglas de la vida familiar se ven repentinamente obligados a adaptarse a una nueva serie de normas. El éxito dependerá de su ambiente familiar, del ambiente escolar y de su propia individualidad. La eficacia con que haya enfrentado la dependencia, la autonomía, la autoridad, la agresión y la con-

FIGURA 8–7   MATRÍCULA DE LAS PRIMARIAS DEL MUNDO

Fuente: The Progress of Nations, 1995, UNICEF.

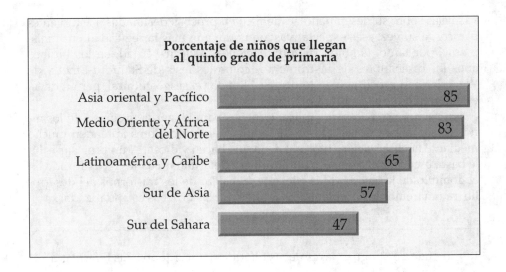

Porcentaje de niños que llegan al quinto grado de primaria

Asia oriental y Pacífico	85
Medio Oriente y África del Norte	83
Latinoamérica y Caribe	65
Sur de Asia	57
Sur del Sahara	47

ciencia influirá en su ajuste a la escuela. A pesar de que los profesores admiten que los recursos internos del niño que acaba de comenzar la instrucción escolar pueden ser débiles, le exigen que se adapte y que lo haga pronto.

Desde el primer día de clases, se espera que el niño aprenda las complejas reglas sociales que rigen la vida en la escuela. Las relaciones con los compañeros requieren encontrar el equilibrio justo entre la cooperación y la competencia. También las relaciones con los profesores exigen llegar a un compromiso entre autonomía y obediencia.

Algunas escuelas cuentan con códigos muy completos de conducta: los niños deben escuchar cuando el maestro habla, formarse para salir al recreo, pedir permiso para ir al sanitario y levantar la mano antes de hablar. Al principio gran parte de la clase se destina a hacer cumplir estas reglas. Se ha estudiado el tiempo que, en las escuelas públicas, dedican los maestros a las siguientes actividades: 1) enseñar hechos o conceptos; 2) dar instrucciones para una lección en particular; 3) establecer las reglas generales de conducta; 4) corregir, castigar y elogiar a los niños; 5) actividades diversas. Los resultados son sorprendentes, no es inusual que en una lección de media hora, el maestro destine apenas entre 10 y 15 por ciento del tiempo al trabajo académico (categorías 1 y 2). La investigación demuestra que los niños aprenden más en clases en que aumenta al máximo el tiempo de docencia, es decir, en las que el profesor dedica al menos la mitad del tiempo a la enseñanza y menos a cosas como mantener el orden (Brophy, 1986). El tiempo y la energía invertidos en socializar al niño en las exigencias del aula están relacionados indirectamente con el crecimiento intelectual o social.

CÓMO DESARROLLAR ALUMNOS COMPETENTES Y PENSADORES CRÍTICOS

En un mundo caracterizado por cambios rápidos, hay mucho que aprender y poco tiempo para ello. Ahora que los conocimientos se vuelven obsoletos de la noche a la mañana, debemos estudiar toda la vida para poder integrar y organizar la información cambiante. De ahí que muchos educadores ya no se concentren en exponer hechos y principios inconexos, sino que ayuden a los niños a convertirse en alumnos autodirigidos y competentes, así como en pensadores críticos.

Los psicólogos educativos recomiendan varias estrategias didácticas que desarrollan el pensamiento. Los niños necesitan adquirir seis clases de pensamiento (Costa, 1985). Podríamos llamarlas las seis erres:

1. *Recordar.* Recordar un hecho, una idea o un concepto.
2. *Repetir.* Seguir un modelo o procedimiento.
3. *Razonar.* Relacionar un caso específico con un principio o concepto general.
4. *Reorganizar.* Ampliar el conocimiento a otro contexto y encontrar soluciones originales a los problemas.
5. *Relacionar.* Conectar el conocimiento recién adquirido con la experiencia pasada o personal.
6. *Reflexionar.* Explorar la naturaleza del pensamiento y la forma en que ocurrió.

Es más difícil enseñar a los alumnos para convertirlos en pensadores críticos que limitarse a impartir hechos y principios (Costa, 1985). Por ejemplo, para desarrollar el razonamiento, el profesor debe proponerles problemas y materiales interesantes. El objetivo es acrecentar la curiosidad, favorecer las preguntas, desarrollar conceptos afines, alentar la evaluación de alternativas y ayudarles a elaborar y comprobar hipótesis.

En la última década, las escuelas de Estados Unidos han dado prioridad a enseñar las habilidades de aprendizaje y pensamiento; a adaptar la instrucción al estilo individual del niño y a su nivel de desarrollo; y a favorecer el aprendizaje independiente, con una regulación y un ritmo establecidos por él. Una manera de conseguir estas metas consiste en asignar proyectos y actividades a grupos pequeños. Cuando la enseñanza en estos grupos se lleva a cabo con eficacia, los niños realizan un aprendizaje cooperativo en lugar de competitivo. Se ha comprobado que las técnicas orientadas al aprendizaje cooperativo mejoran el desempeño global (Johnson y otros, 1992). También se ha comprobado que aumenta el nivel de autoestima de las alumnas mucho más que las estrategias orientadas al individuo (Petersen y otros, 1992). Pero a pesar del éxito de tales estrategias, el desempeño académico en matemáticas y ciencias de los estudiantes estadounidenses todavía no es tan bueno como el de los estudiantes asiáticos (consúltese el recuadro "Tema de controversia" en la página 298).

EL ÉXITO EN LA ESCUELA

El éxito en la escuela recibe el influjo de muchos factores. No es satisfactorio el aprovechamiento de los niños si están enfermos, si no ingieren suficiente alimento, si están preocupados por problemas familiares o si su autoestima es baja. La competencia autopercibida incide en el aprovechamiento escolar. En un

Los niños necesitan comer bien para tener un buen desempeño en la escuela.

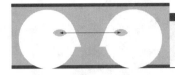

TEMA DE CONTROVERSIA

LA BRECHA DE LAS MATEMÁTICAS

Desde hace tiempo sabemos que los estudiantes universitarios japoneses y taiwaneses que estudian en Estados Unidos superan a los estadounidenses en matemáticas y ciencias. ¿Por qué? ¿Son un grupo selecto formado por superdotados, por los mejores o por los más motivados?

No. Su superioridad general en esas dos materias fue confirmada por estudios efectuados entre fines de los años sesenta y principios de los setenta (Comber y Keeves, 1973; Husen, 1976). El aprovechamiento promedio de los estudiantes asiáticos de enseñanza media fue siempre más alto que el de los estadounidenses. Investigaciones posteriores demostraron una situación similar en matemáticas desde el jardín de niños (Stevenson y otros, 1986). La diferencia se acrecentaba en el primer grado; y en el quinto grado era tan grande que, cuando se compararon 60 grupos en Japón, Taiwán y Estados Unidos, la puntuación promedio en matemáticas obtenida por el grupo de estadounidenses de calificaciones más elevadas estaba por debajo de la obtenida por los grupos japoneses y por todos los taiwaneses, salvo uno.

Aun tras dos décadas de conceder mayor prioridad a las matemáticas en las escuelas estadounidenses, la brecha de esta materia entre los niños de primaria de ese país y los de China y Japón seguía siendo tan grande en 1990 como en 1980 (Stevenson y otros, 1993). ¿Por qué? Hay importantes diferencias, aunque los sistemas escolares de Estados Unidos y de Asia coinciden en aspectos como la edad en que se inicia la instrucción preescolar, la educación universal que se imparte al menos en los

últimos años de primaria y la importancia cultural concedida al logro académico. En Japón, Taiwán y muchas naciones europeas, las calificaciones de los exámenes aplicados en el ámbito nacional determinan la admisión a la enseñanza media, no así en Estados Unidos. Asimismo, las trayectorias profesionales están vinculadas más estrechamente al logro académico en los dos países asiáticos. De ahí que hasta los niños más pequeños estén sometidos a una enorme presión para tener éxito en la escuela, mucho mayor que la de los niños estadounidenses.

También se registran diferencias notables en la instrucción escolar. Los niños estadounidenses pasan mucho menos tiempo en la escuela y, cuando están en ella, dedican menos tiempo a las actividades propiamente académicas. En un estudio (Stigler y otros, 1987) se descubrió que los niños de quinto grado dedican a las tareas académicas un promedio apenas de 19.6 horas a la semana; en cambio los taiwaneses y los japoneses les destinan, respectivamente, 40.4 y 32.6 horas semanales. Los niños estadounidenses también dedican menos tiempo a las matemáticas: los de quinto grado les dedican en promedio 3.4 horas semanales, mientras que los taiwaneses y los japoneses les dedican, respectivamente, 11.4 y 7.6 horas.

El descubrimiento anterior podría bastar para explicar las diferencias de desempeño, pero hay otros hechos además. Difieren, asimismo, la organización escolar, la conducta de los profesores y la de los niños. Los grupos son más pequeños en Estados Unidos, y los alumnos suelen trabajar solos o en grupos pequeños. Por el contrario, los niños asiáticos destinan la mayor parte de la clase de matemáticas a trabajar, observar y escuchar como grupo. El

sistema estadounidense no está exento de limitaciones y deficiencias, pese a que da a los maestros la oportunidad de personalizar las tareas escolares, estimular la solución individual de problemas, asesorar a los individuos y a los grupos pequeños. Gran parte del tiempo no se supervisa ni se guía el trabajo de los alumnos. Además, los profesores de Taiwán y Japón están mejor preparados, se interesan más en su asignatura y ofrecen presentaciones más dinámicas. Los alumnos prestan mayor atención y participan más activamente.

¿Deberían las escuelas de Estados Unidos insistir menos en la instrucción individualizada y concentrarse más en grupos más pequeños de aprendizaje cooperativo? Los investigadores recomiendan cambios más simples: aumentar el porcentaje de tiempo que las escuelas primarias destinan a la matemáticas y reducir actividades irrelevantes. Recomiendan, asimismo, una comunicación más directa entre profesor y alumno y una mejor preparación de los profesores en matemáticas. Al evaluar las diferencias del sistema educativo estadounidense y del asiático que posiblemente amplían la brecha en esta materia, Harold Stevenson (1992) menciona que el mayor tiempo que los profesores asiáticos dedican a actividades extracurriculares mejora indirectamente su eficiencia. Por ejemplo, los de Japón y Taiwán imparten clase apenas 60 por ciento del tiempo que pasan en la escuela. El tiempo restante lo destinan a planear las lecciones, discutir entre ellos el programa de estudios y los métodos docentes más eficaces, y a suministrar retroalimentación a sus alumnos.

Fuentes: adaptado de Stigler y otros, 1987; Stevenson y otros, 1973; y Hussen, 1976.

---

estudio, 20 por ciento de los niños en edad escolar subestimaron sus habilidades, se fijaron expectativas más bajas y se sorprendieron cuando recibieron calificaciones elevadas (Phillips, 1984).

De acuerdo con David McClelland, (1955), algunos niños logran un mejor aprovechamiento académico por los valores de la cultura en la que se crían. Tras comparar varias culturas en diversos periodos de la historia, llegó a la conclusión de que la **motivación de logro** —persistencia en la consecución del éxito y de la excelencia— es una pulsión adquirida que se origina en la cultura.

motivación de logro Motivo aprendido que impulsa a destacar y a conseguir el éxito.

En toda sociedad, unos grupos aprecian siempre más el logro que otros (De-Charms y Moeller, 1962). Las culturas o subculturas también valoran diversas clases de logro; un grupo puede conceder mayor importancia a los objetivos educativos; otro quizá valore más al éxito social. Los niños cuyos padres dan prioridad a valores diferentes a los de la escuela tal vez se sienten menos motivados en las actividades académicas.

DIFERENCIAS DE GÉNERO Y ÉXITO EN LA ESCUELA   El éxito en la escuela recibe también el influjo de las diferencias de género. En una revisión pionera de la bibliografía sobre el tema (Maccoby y Jacklin, 1974), se descubrió que, en promedio, las mujeres suelen superar a los varones en las habilidades verbales y éstos tienden a conseguir un mejor desempeño en las actividades cuantitativas y espaciales. Este hallazgo puede deberse a muchas razones. Por ejemplo, aunque se dan pequeñas diferencias sexuales en el desarrollo del cerebro (Kimura, 1992), las distintas expectativas sociales de niños y niñas influyen profundamente en su comportamiento. Como señala Carol Gilligan (1987), durante la niñez media las niñas seguras de sí mismas y con un fuerte sentido de identidad afrontan a veces grandes obstáculos en su desarrollo intelectual durante el periodo preadolescente y adolescente. Conforme madura su cuerpo, se ven obligadas a conciliar su concepto de lo que significa ser mujer con lo que observan a su alrededor. El atractivo y una buena condición física pueden volverse más importantes que el logro académico. En otras palabras, se "rebajan" con tal de proyectar una buena imagen en una sociedad dominada tradicionalmente por los varones.

Como se comenta en el recuadro "Teorías y hechos" de la página 300, la instrucción asistida por computadora facilita cada día más el éxito en la escuela. Además, la sociedad ha definido tradicionalmente las matemáticas y las ciencias como materias orientadas al varón y la literatura y el lenguaje como orientadas a la mujer. Por ello, muchos adultos, incluso profesores suponen a veces que los niños tendrán más éxito en matemáticas, de modo que ponen mayor esfuerzo en enseñárselas a ellos que a las niñas.

Las niñas que destacan en matemáticas durante la niñez media quizá pongan menos empeño en esta materia cuando sean adolescentes por los estereotipos sociales de que el pensamiento matemático es más "masculino" que "femenino".

TEORÍAS Y HECHOS

INSTRUCCIÓN ASISTIDA POR COMPUTADORA EN LAS ESCUELAS

Los ambientes de aprendizaje modernos continúan en transición, a medida que un número cada día mayor de estudiantes de primaria —y también de estudiantes más jóvenes— tienen acceso a las estaciones de trabajo con capacidades de multimedia y con servicios de Internet. ¿En verdad se benefician de la instrucción asistida por computadora (IAC) en el aula? ¿En qué formas? En general, ¿tienen los profesores una opinión favorable de esta tecnología?

En la actualidad es infrecuente encontrar investigaciones que no indiquen resultados positivos de este sistema de enseñanza. A medida que los educadores siguen ideando formas de utilizarlo para mejorar el aprendizaje y el pensamiento, la computadora se convierte en un "tutor personal" que hace más eficaces y rápidos muchos tipos de aprendizaje. Los beneficios dependen de muchas variables como la clase de ambiente de instrucción, la actitud del profesor ante el uso de las computadoras y, desde luego, la calidad de los programas (Brown, 1996); pero en un número creciente de estudios se señalan resultados favorables. A continuación se citan algunos ejemplos.

Los programas permiten al estudiante interactuar constantemente con la computadora. En su función de sustituto del profesor, la computadora ofrece una *instrucción programada* que organiza el aprendizaje por etapas secuenciales, ajusta el "tamaño" de las etapas a las capacidades individuales y suministra retroalimentación permanente acerca del desempeño. Contra lo que cabría suponer, el uso de la computadora suele favorecer la interacción individual con compañeros y maestros (Schofield, 1997a) más que relegarla a un segundo plano: alumnos y profesores interactúan en formas orientadas a las metas a medida que los primeros adquieren los conocimientos básicos de cómputo y los aplican al aprendizaje. Conviene destacar que la computadora también sirve para enseñar habilidades como la de no meterse en problemas y la manera de resolver los conflictos personales o los que surgen con otros (Elias, 1997). Hay otro método que se sirve de teclados "acoplados" mediante los cuales los estudiantes colaboran en su exploración de Internet, después de asignárseles tareas correspondientes a la zona de desarrollo proximal propuesta por Vygotsky (Peters, 1996); a medida que exploran, los menos familiarizados con la computadora aprenden de sus compañeros más conocedores. La variedad de aplicaciones parece ilimitada y rebasa la enseñanza de habilidades escolares básicas como la lectura, la escritura y la aritmética.

Las computadoras también sirven para impulsar la creatividad y la inventiva. Así, los niños que están aprendiendo las técnicas de programación asumen la responsabilidad de lo que hace la computadora. Con LOGOS, un lenguaje tradicional de programación orientado a ellos, pueden mejorar sus habilidades de pensamiento y razonamiento, además de adquirir los conocimientos básicos de la computación (Narrol, 1996).

Los CD-ROM de multimedia abrieron muchas posibilidades para enseñar conceptos que antes eran abstractos y teóricos (Stoddart y Niederhauser, 1993). El software de multimedia permite al niño visualizar el texto, escuchar el sonido estéreo y ver videoclips mientras aprende. Un disco compacto puede contener una enciclopedia completa que, por ejemplo, no sólo presenta texto y la imagen de un dinosaurio, sino también cómo se mueve. Con el simple clic de un ratón, la literatura, la historia y el arte cobran vida en una computadora.

¿Qué opinan los profesores de la instrucción asistida por computadora? Una vez más, dependerá de la situación y la asignatura; pero las investigaciones señalan que los educadores dedican mucho tiempo y dinero a obtener el equipo de cómputo y que lo usan en actividades como explorar Internet (Schofield, 1997b), lo mismo que en formas más tradicionales de este tipo de enseñanza.

En conclusión, algo parece cierto: las computadoras en el aula llegaron para quedarse.
.

Las investigaciones señalan que, aunque las diferencias de género todavía aparecen en las pruebas estandarizadas, empiezan a disminuir en algunos aspectos (Feingold, 1988). Por ejemplo, al analizar los resultados del Test Preliminar de Aptitudes Escolares entre 1960 y 1983, se descubrieron importantes diferencias de género. En general, las mujeres obtenían calificaciones más elevadas en gramática, ortografía y velocidad perceptual; y los muchachos calificaban más alto en visualización espacial, matemáticas de nivel medio y aptitud mecánica. No se observaron diferencias en razonamiento verbal, aritmética ni razonamiento figurado. Pese a ello, la brecha de género permanece constante en niveles más elevados de desempeño en las matemáticas de nivel medio superior. Las experiencias negativas en la escuela y el hogar, combinadas con estereotipos masculinos y femeninos, obsoletos pero todavía vigentes, contribuyen mucho más a originar diferencias de género que la fisiología del cerebro.

INFLUENCIAS DE LOS PROGENITORES EN EL ÉXITO ESCOLAR Los padres de familia pueden cumplir una función importante en la creación de un am-

Los niños que tienen un buen desempeño en la escuela suelen tener progenitores que aprecian mucho la educación y que estimulan la autoestima de sus hijos.

biente propicio y alentar el desarrollo de determinadas habilidades que favorecen el éxito. En el aspecto negativo, se encuentran en un riesgo importante de fracasar en la escuela los niños en hogares que se caracterizan por problemas conyugales, conductas delictivas o trastornos psiquiátricos de los padres, o por apiñamiento, lo mismo que los que son ubicados de manera esporádica en familias adoptivas (Sameroff y otros, 1993).

Si examinamos a los progenitores de los niños que tienen éxito en la escuela, hallaremos conductas que casi cualquiera puede practicar, sin importar su situación económica. Las revisiones de la investigación señalan tres factores importantes relacionados con el éxito (Hess y Holloway, 1984).

1. Los progenitores de niños exitosos tienen ideas realistas sobre las capacidades actuales de sus hijos, pero también magníficas expectativas para el futuro. Les ayudan a lograr seguridad en sí mismos pues los estimulan a realizar en la casa y la escuela actividades apropiadas para su edad.
2. Las relaciones entre progenitor e hijo son cálidas y afectuosas; los padres aplican estrategias de disciplina y de control con autoridad, pero no de manera autoritaria (vea el capítulo 7). Fijan límites a la conducta de sus hijos, pero éstos se sienten seguros y aceptados.
3. Por último, y quizá lo más importante, hablan con sus hijos. Les leen, los escuchan y sostienen conversaciones regulares con ellos. Apoyan y enriquecen la exploración y las preguntas de sus hijos y, al hacerlo, actúan como modelos.

En términos generales, el niño suele lograr el éxito académico cuando sus padres le ofrecen apoyo y orientación. Esta atmósfera propicia es frecuente entre las familias del suroeste asiático. Los progenitores, que aprecian mucho el aprendizaje y el trabajo arduo, consideran que sus hijos pueden realizar bien cualquier tarea mediante determinación y esfuerzo (Kaplan y otros, 1992). Por su parte, los padres de los niños afroamericanos que destacan en lo académico suelen subrayar la importancia de la educación y alentar la adquisición de la autoestima y la creencia en la eficiencia personal —es decir, la capacidad de hacer las cosas. Reconocen además que sus hijos pueden toparse con prejuicios raciales y tratan de prepararlos para que los enfrenten (Patterson y otros, 1990).

Aunque la pobreza y la condición de minoría a veces son factores que merman el desempeño intelectual, no sólo los niños pobres y que provienen de grupos minoritarios tienen problemas en la escuela, también los padecen los hijos de familias de clase media y de elevados ingresos. Los hijos de progenitores que aprecian mucho la diversión, la emoción y las posesiones materiales suelen tener un desempeño más deficiente en la escuela que los hijos de padres que aprecian el logro académico (Kaplan y otros, 1992).

REPASE Y APLIQUE

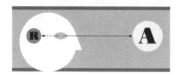

1. ¿Cuáles son las principales exigencias y expectativas que impone la escuela al niño?
2. Mencione las seis "erres" cognoscitivas que el niño necesita adquirir para convertirse en un estudiante y pensador autodirigido, competente y crítico.
3. Explique las tres estrategias básicas que los padres aplican al ayudar a sus hijos a tener éxito en la escuela.

TRASTORNOS DEL DESARROLLO

RETRASO MENTAL

En los capítulos 2 y 3 expusimos cuatro causas posibles del **retraso mental**, a saber: defectos genéticos, exposición prenatal a enfermedades y drogas, anoxia al nacer y desnutrición extrema antes del nacimiento o durante la infancia. También vimos que la familia y otros ambientes de cuidado pueden favorecer o dificultar el desarrollo intelectual del niño. En la presente sección examinaremos brevemente el retraso mental; señalaremos que a menudo pasa inadvertido antes de los cinco o seis años, edad en que inicia la instrucción escolar.

El Manual Estadístico y de Diagnóstico *(Diagnostic and Statistical Manual,* DSM-IV) de la Asociación Psiquiátrica Estadounidense *(American Psychiatric Association,* 1994), a partir de las normas establecidas por la Asociación Estadounidense para las Deficiencias Mentales *(American Association on Mental Deficiency)* menciona tres criterios que un niño debe cumplir para que se le diagnostique retraso mental:

1. Funcionamiento intelectual muy por debajo del promedio (un CI *aproximado* de 70 o menos)
2. Conductas adaptativas muy deterioradas en áreas como autocuidado, autodirección y funcionamiento general en la casa y en la comunidad
3. Inicio del problema antes de los 18 años

Hay cuatro niveles de retraso mental: *ligero* (CI de 55 a 70 aproximadamente), *moderado* (CI de 40 a 55), *grave* (CI de 25 a 40) y *profundo* (CI menor a 25). ¿Qué características presentan los niños (y los adultos) con retraso mental en estos niveles? Recordemos que, al igual que la gente de inteligencia normal, son individuos. Sin embargo, su nivel de deficiencia origina algunas características comunes.

Los niños con retraso mental ligero por lo general asisten a escuelas públicas, aunque a menudo reciben ayuda y son ubicados durante parte del día en grupos de educación especial o salones con recursos didácticos. Aprenden a leer y, con el tiempo, terminan por lo menos la instrucción primaria y apren-

retraso mental Funcionamiento intelectual y habilidades de autoayuda muy por debajo del promedio, cuya aparición se da antes de los 18 años de edad.

den las habilidades sociales correspondientes. La mayoría puede conservar un empleo, a pesar de que necesitan apoyo y ayuda constantes.

Antaño a los niños con retraso mental moderado se les clasificaba simplemente como "educables", pero hasta cierto punto también puede beneficiarlos la educación académica y vocacional. Pueden valerse por sí mismos con supervisión, aprender a convivir en el barrio y sostenerse con empleos que no superen sus capacidades mentales y sociales.

No corren la misma suerte los niños con retraso grave o profundo. A menudo necesitan supervisión estrecha y pocas veces son capaces de realizar actividades que no sean muy simples. Aunque realizan algunas tareas de autocuidado, no les beneficia la instrucción ni la educación más allá del nivel preescolar y difícilmente lograrán sostenerse por sí mismos. Sin embargo, pueden adaptarse a los ambientes estructurados del hogar y la comunidad, sin ser meramente "vegetativos" o "menores de edad" como se les consideraba en otros tiempos. A menudo, el retraso coexiste con defectos neurológicos conocidos y con varias discapacidades físicas; de ahí la designación de retraso mental *orgánico*. El término contrario, retraso *cultural-familiar* se aplica a personas en el rango de ligero a moderado cuyo retraso se atribuye más a factores sociales y ambientales que a problemas neurológicos.

¿Qué decir de los niños con retraso mental y del sistema de las escuelas públicas? En Estados Unidos, desde que se promulgó la innovadora legislación federal en 1975, todos los niños tienen el derecho a recibir instrucción escolar financiada por el gobierno (antes de esa fecha, cada año se quedaba sin educación casi un millón de niños y de adolescentes con esta u otra discapacidad). En la ley pública 94-142, Ley de educación para todos los niños discapacitados (*Education for All Handicapped Children Act*), se estableció una serie de principios y normas para ofrecer a los niños con necesidades especiales un plan de enseñanza adecuado y personalizado. Dicha ley estipula que los niños serán educados en un ambiente "lo menos restrictivo" posible, es decir, en aulas normales de escuelas públicas y no en grupos de "educación especial". Los estudios efectuados en los últimos 20 años demuestran que algunos niños con discapacidades ligeras y hasta graves han logrado alcanzar niveles académicos superiores a lo que antes se imaginaba. A veces los progresos en las habilidades sociales y en el autoconcepto han sido notables y se prolongan en la adultez (Turnbull y Turnbull, 1997).

PROBLEMAS DE APRENDIZAJE

Los **problemas de aprendizaje,** llamados también *dificultades de aprendizaje*, comprenden la existencia de obstáculos para adquirir algunas habilidades académicas pero no otras. El niño puede tener una capacidad intelectual general promedio o por arriba del promedio, pero mostrar un desempeño muy deficiente en un área determinada, como la lectura. A menudo el aprovechamiento académico general de ese niño se deteriora: por ejemplo, un pequeño que no sabe leer bien se encuentra en gran desventaja en todas las materias y terminará teniendo además problemas vocacionales. Quizá por ello el índice de deserción escolar entre niños mayores que sufren problemas de aprendizaje no tratados es mucho más elevado que en la población estudiantil en general.

A menudo los niños con problemas de aprendizaje sólo comparten la designación. En los sistemas escolares modernos, se considera que los niños que poseen una inteligencia normal y ningún defecto sensorial o motor sufren un problema de aprendizaje cuando requieren atención especial en el aula, es decir, cuando les cuesta mucho aprender a leer, escribir, deletrear o realizar operaciones aritméticas. Por razones todavía desconocidas hasta 80 por ciento de los niños con problemas de aprendizaje son varones.

El DSM-IV reconoce tres categorías principales de estas dificultades: *problemas con la lectura* (dislexia); *problemas con la expresión escrita* (disgrafia), que in-

problemas de aprendizaje
Dificultades extremas para aprender asignaturas como la lectura, la escritura o las matemáticas, pese a poseer una inteligencia normal y no tener defectos sensoriales ni motores.

cluye desde la ortografía y la escritura hasta la sintaxis; *problemas con las matemáticas* (discalculia), que comprende todo lo relacionado con el reconocimiento de símbolos matemáticos y con la realización de operaciones aritméticas. En cada categoría encontramos además habilidades perceptuales deficientes.

Día tras día, los niños con problemas de aprendizaje son incapaces de hacer cosas que sus compañeros realizan sin el menor esfuerzo. Con cada fracaso se sienten más inseguros sobre su capacidad para realizar las actividades y se deteriora su autoestima. Los compañeros de clase suelen evitarlos; y a menudo les resulta difícil aprender habilidades sociales y académicas (Kavale y Forness, 1996). También se van aislando del grupo escolar y hasta de sus parientes, pues es muy difícil convivir con estos niños (Dyson, 1996). Unos se vuelven tímidos y retraídos; otros, engreídos; y algunos más tienden a ser impulsivos o a tener accesos de ira. Es difícil encontrar la manera de ayudarles a adquirir seguridad y lograr el éxito en otros aspectos de la vida.

El estudio de los problemas de aprendizaje constituye un verdadero enigma: abundan las opiniones de expertos sobre sus causas, síntomas y tratamientos. Si acaso hay un consenso es que están asociados a uno o varios procesos mentales básicos. Por ejemplo, un niño con una dificultad de aprendizaje puede tener problemas de atención, de memoria, de percepción visual o auditiva, o con los procesos de control cognoscitivo. Muchas de las controversias clásicas referentes al desarrollo infantil se manifiestan asimismo en las preguntas planteadas en torno a estos problemas. ¿El niño es anormal, deficiente, está discapacitado o simplemente posee un temperamento y un estilo distintos? ¿Se trata de un problema orgánico o se debe al ambiente familiar o escolar? ¿Debe darse al niño "tratamiento" médico, "controlársele mediante programas conductuales o "educársele" en forma creativa? No obstante, algo es evidente: mientras más rápida sea la intervención, mayores probabilidades tendrá el niño de alcanzar éxito más adelante (vea Slavin, 1996).

PROBLEMAS CON LA LECTURA   Este problema, llamado también dislexia, es uno de los tipos más comunes de problemas de aprendizaje. Como los disléxicos confunden letras como *b* y *d* o leen *saca* en lugar de casa, durante mucho tiempo se pensó que simplemente "ven las cosas al revés". Sin embargo, muy pocos de ellos presentan defectos en el sistema visual. A veces no tienen problemas perceptuales en otras áreas. Saben orientarse y, por tanto, no tienen problemas en las relaciones espaciales. Pueden armar los rompecabezas con habilidad excepcional. ¿Por qué cometen, entonces, errores como confundir las letras *b* y *d*? Una observación señala que se trata de errores sumamente frecuentes entre los lectores novatos. Casi todos los niños cometen errores de inversión cuando aprenden a leer, pero la mayoría supera pronto esta etapa. Los disléxicos se quedan de alguna manera estancados en las primeras fases de la lectura (Richardson, 1992; Vogel, 1989).

Los niños disléxicos tienen problemas también fuera de la escuela. Muchos sufren problemas generalizados de lenguaje. Tardan mucho en hablar o su habla se halla en un nivel más bajo de desarrollo que el de los niños de su misma edad. La dificultad para designar letras y palabras escritas se acompaña del problema que tienen para mencionar el nombre de objetos o colores; tardan más tiempo de lo habitual en recordar una palabra común como *llave* o *azul*. También les resulta difícil distinguir dos sílabas separadas en un bisílabo o reconocer que la palabra hablada *sed* comienza con el sonido *s* y termina con el sonido *d* (Shaywitz y otros, 1991; Wagner y Torgerson, 1987).

Aunque todavía no se descubre la supuesta "disfunción cerebral" que causa la dislexia, es evidente que la herencia interviene en ella. Muchos niños con un problema de lectura tienen un progenitor o hermano que también lo sufre (Scarborough, 1989). Conviene señalar asimismo que la dislexia se da en familias que muestran preferencia por la mano izquierda. Sin embargo, dicha preferencia se relaciona poco con la dislexia, pues la mayoría de los disléxicos son diestros (Hiscock y Kinsbourne, 1987).

El tratamiento de la dislexia generalmente exige trabajo de rehabilitación en lectura y lenguaje, lo mismo que una instrucción tutorial secuencial. Hay un método (Stanton, 1981) con el que se procura mejorar ante todo la seguridad del niño. Aunque no hay un plan que dé buenos resultados en todos los casos, casi todos los programas ayudan a aprender. Los graduados en un programa especialmente exitoso —una escuela residencial británica para niños disléxicos— casi siempre asisten a la universidad. En cambio, los que asisten a programas muy poco exitosos desertan en general durante la enseñanza media (Bruck, 1987). Los niños que logran superar la dislexia cobran renovada seguridad y llevan una vida feliz en la adultez. Thomas Alba Edison, Nelson Rockefeller y Hans Christian Andersen fueron disléxicos en la niñez.

TRASTORNO DE DÉFICIT DE ATENCIÓN CON HIPERACTIVIDAD

El **trastorno de déficit de atención con hiperactividad (TDAH)** se caracteriza por desatención, por problemas para mantener la atención o concentrarse durante el tiempo suficiente para concluir las actividades y por la tendencia a ser olvidadizo —todo ello en forma extrema. Quizá en contraste con el significado que implica la designación TDAH, el déficit de la atención no siempre se acompaña de hiperactividad, que supone la incapacidad para permanecer sentado o tranquilo, impulsividad e impaciencia, una vez más en niveles extremos. Tampoco la hiperactividad se asocia invariablemente con un déficit de la atención. Sin embargo, la mayoría de los niños afectados muestra al menos algunos de los aspectos del trastorno; de ahí su nombre combinado.

No se dispone de un tratamiento o método que "resuelva" el problema de los niños con el trastorno de déficit de atención con hiperactividad.

Los investigadores han propuesto muchas causas posibles del TDAH, entre las que se cuentan la desnutrición, el envenenamiento por plomo, el daño orgánico del cerebro, la herencia, las anormalidades intrauterinas, el consumo de drogas como *crack* por parte de los progenitores y la anoxia durante el desarrollo fetal o el parto. Muchos niños con los síntomas del trastorno (y también con problemas de aprendizaje) presentaron algún tipo de irregularidad al nacer —por ejemplo, prematurez (Buchoff, 1990). Además, los estudios de gemelos idénticos y fraternos señalan la presencia de un fuerte nexo genético (Gillis, 1992).

Del mismo modo que este trastorno puede obedecer a múltiples causas, también se recomiendan diferentes tratamientos. Muchos niños que muestran los síntomas del TDAH responden al Ritalin, una anfetamina. Se tranquilizan con un medicamento que normalmente acelera la conducta y la actividad del sistema nervioso central. Este resultado ha dado origen a la hipótesis de que los niños con el TDAH están subestimulados o que son incapaces de concentrarse en las tareas porque toda la estimulación les llega en niveles iguales. Quizá su nivel de hiperactividad representa una tentativa por obtener mayor estimulación ambiental. De ser así, el Ritalin disminuiría su umbral de sensibilidad al entorno. Otra hipótesis establece que, al acelerar el procesamiento nervioso, el medicamento les permite controlar mejor su funcionamiento cognoscitivo global, con lo que mejora su atención y su control de la conducta.

Aunque no todos los niños hiperactivos se benefician del Ritalin, cuando se vigila rigurosamente el programa terapéutico, las ventajas superan el riesgo de posibles efectos secundarios para quienes responden. Las investigaciones revelan un mejoramiento continuo en el trabajo escolar de los niños, así como en las relaciones con la familia y con los compañeros (Campbell y Spencer, 1988).

Otra forma de tratamiento para los niños con el TDAH es el manejo educativo, que se lleva a cabo en el hogar y en la escuela. Se trata de un método que reestructura el ambiente y lo simplifica, reduciendo con ello las distracciones,

Trastorno de déficit de atención con hiperactividad Incapacidad para concentrarse en algo lo suficiente como para aprenderlo, acompañada a menudo de un deficiente control de los impulsos.

haciendo más explícitas las expectativas y aminorando en general la confusión. El plan de educación dependerá de la postura teórica del terapeuta o educador. Un enfoque (Cruickshank, 1977) propone un programa educativo que incluya la capacitación en varias actividades que exigen habilidades específicas; otro (Ross, 1977) se concentra en la adquisición de atención selectiva; y otro más da prioridad a la identificación de desahogos aceptables y constructivos de la energía ilimitada que con frecuencia acompaña al trastorno de déficit de atención con hiperactividad (Armstrong, 1996).

REPASE Y APLIQUE

1. Mencione los criterios en que se funda el diagnóstico del retraso mental.
2. Describa los obstáculos que enfrentan los niños con un problema de lectura.
3. ¿Cuáles son los síntomas y los métodos terapéuticos del trastorno de déficit de atención con hiperactividad?
4. ¿Qué relación existe entre los trastornos del desarrollo y una baja autoestima?

RESUMEN

Desarrollo físico y motor

■ El crecimiento es más lento y estable durante la niñez media que en los dos primeros años de vida. El tiempo del crecimiento admite gran variabilidad.

■ Los huesos crecen a medida que el cuerpo se alarga y se ensancha; los depósitos de grasa disminuyen poco a poco.

■ A los ocho años, el cerebro alcanza 90 por ciento de su tamaño adulto, lo cual favorece un funcionamiento más eficaz.

■ Los niños en edad escolar realizan con más eficacia movimientos controlados y propositivos.

■ Las diferencias de género en las habilidades motoras se deben más a la oportunidad y a las expectativas culturales que a las diferencias físicas.

■ Las habilidades motoras finas se desarrollan rápidamente durante la niñez media. (Véase el diagrama de estudio en la página 178.)

■ La niñez media suele ser un periodo muy sano, pero a veces ocurren enfermedades menores.

■ La obesidad es un problema frecuente en los niños de edad escolar de las naciones industrializadas. Puede tener serias consecuencias sociales y psicológicas.

■ Una buena condición física comprende el funcionamiento óptimo del corazón, los pulmones, los músculos y vasos sanguíneos. Hoy los niños son menos activos y su condición física es más deficiente que hace 30 años.

■ A medida que aumenta su tamaño, su fuerza y su coordinación, el niño realiza actividades cada vez más peligrosas. De ahí que la mayoría de las muertes infantiles se deban a accidentes.

■ Dado el bajo nivel promedio de condición física en la población estadounidense, los actuales objetivos de salud exigen una participación creciente de los niños en las clases diarias de educación física.

Desarrollo cognoscitivo

■ Gran parte del desarrollo cognoscitivo se realiza en la escuela. Muchas habilidades cognoscitivas, lingüísticas y perceptuales maduran e interactúan en formas que hacen más fácil y eficaz el aprendizaje.

■ En la teoría de Piaget, el periodo comprendido entre los cinco y los siete años marca la transición del pensamiento preoperacional al pensamiento operacional concreto.

■ A diferencia de los niños preoperacionales, los que están en la etapa de las operaciones concretas pueden hacer hipótesis sobre el mundo que los rodea.

■ Muchos de los conceptos básicos propuestos por Piaget han sido aplicados a la educación, como el empleo de objetos concretos en la enseñanza.

■ La capacidad del niño para recordar listas de objetos mejora en forma notable entre los cinco y los siete años. Ésta es la edad en que suele aprender los procesos de control, las estrategias y técnicas que mejoran la memoria. Entre esos procesos figuran el repaso, la organización, la elaboración semántica y la imaginería mental.

■ La metacognición designa los procesos intelectuales que le permiten al niño vigilar su pensamiento. Se adquiere durante la niñez media.

■ Los niños en edad escolar aprenden a leer y escribir, formas de la comunicación simbólica que les permiten mediar las relaciones entre el mundo externo y sus pensamientos y sentimientos.

- Los niños aprenden los principios básicos de la lectoescritura mientras interactúan con sus padres, hermanos, profesores y compañeros.

Inteligencia y aprovechamiento escolar

- Cuando se usan en forma correcta, las pruebas de diagnóstico, de inteligencia y de aprovechamiento son herramientas educativas importantísimas.
- Las pruebas referidas a un criterio miden el dominio alcanzado por el niño en determinadas habilidades y objetivos; las pruebas referidas a una norma comparan las puntuaciones de un niño con las de otros de su misma edad.
- La primera prueba general de inteligencia fue ideada por Alfred Binet para identificar a los niños que no tenían un buen desempeño en la escuela. Una versión estadounidense de este instrumento fue preparada por Lewis Terman y sus colegas en la Universidad de Stanford y se conoce como test de Stanford-Binet.
- El cociente de inteligencia (o CI) es una medida de la edad mental del niño en relación con su edad cronológica.
- Las pruebas de inteligencia miden actualmente el CI de desviación, lo que significa que están referidos a una norma.
- Casi todos los expertos coinciden en que los factores genéticos y ambientales son igualmente importantes para determinar el desempeño de un niño en una prueba de inteligencia.
- La mayoría de las pruebas definen la inteligencia como un conjunto de habilidades. Howard Gardner considera que hay por lo menos siete categorías de inteligencia.
- El concepto tridimensional de Robert Sternberg incluye la inteligencia contextual, experiencial y componencial.
- La evaluación tiene algunas limitaciones, incluido el hecho de que gran parte de la jornada escolar se concentra en la enseñanza de algunas competencias que se miden con las pruebas.
- Los grupos minoritarios no están de acuerdo en que sus habilidades y características personales sean medidas por purbeas que asuman generalizaciones para la cultura dominante. Y aunque a gente que diseña estas pruenas o tests ha hecho grandes esfuerzos para eliminar en ellas los prejuicios culturales, las pruebas siguen siendo oritnedas hacia las tendencias de las culturas principales.

Aprendizaje y pensamiento en la escuela

- Los niños que ingresan a la escuela deben aprender a responder a nuevas exigencias y expectativas. Cuanto mayor sea la brecha entre lo que se espera de ellos en casa y en la escuela, más difícil les será adaptarse.

- En opinión de los psicólogos educativos, el niño necesita dominar seis clases de pensamiento: recordar, repetir, razonar, reorganizar, relacionar y reflexionar.
- Se ha comprobado que los métodos de aprendizaje cooperativo mejoran el desempeño general.
- De acuerdo con David McClelland, la motivación de logro es una pulsión adquirida que se basa en la cultura. Algunas culturas aprecian más el logro, y cada una dará prioridad a diversas clases de logro.
- Las diferencias de género influyen en el éxito escolar. Como señala Carol Gilligan, las mujeres a veces enfrentan grandes obstáculos en su desarrollo intelectual durante el periodo de preadolescentes y de adolescentes. El atractivo y una buena condición física pueden ser más importantes que el logro académico.
- Las investigaciones señalan que empiezan a disminuir las diferencias de género en esta área, aunque siguen apareciendo en las pruebas estandarizadas.
- Los padres de familia contribuyen de modo decisivo a crear un ambiente propicio y a estimular el desarrollo de algunas habilidades que favorecen el éxito de sus hijos en la escuela.

Trastornos del desarrollo

- El retraso mental puede deberse a defectos genéticos, a exposición prenatal a enfermedades y drogas, a anoxia al nacer y a una desnutrición extrema antes del nacimiento y durante la infancia.
- Hay cuatro niveles de retraso mental: ligero, moderado, grave y profundo.
- A los niños con retraso ligero o moderado les beneficia la instrucción escolar y vocacional, pero los que sufren retraso grave o profundo a menudo necesitan supervisión estrecha y tan sólo pueden efectuar las actividades más simples.
- En los problemas o dificultades de aprendizaje es difícil adquirir determinadas habilidades académicas, pero no otras.
- Hay tres categorías de dificultades de aprendizaje: problemas con la lectura (dislexia), problemas con la expresión escrita (disgrafia) y problemas con las matemáticas (discalculia).
- Los niños disléxicos dan la impresión de estancarse en las primeras etapas de la lectura, en las que a menudo se invierten las letras. Muchos de ellos sufren además problemas generales de lenguaje.
- La dislexia normalmente se trata con un trabajo de rehabilitación intensivo de lectura y lenguaje que, entre otras cosas, incluye una instrucción tutorial secuencial en forma rigurosa.
- El trastorno de déficit de atención con hiperactividad se caracteriza por desatención, dificultad para mantener la atención o para concentrarse, y por la tendencia a ser distraído y olvidadizo.

■ Muchos niños que presentan los síntomas de este trastorno responden bien al tratamiento con Ritalin. Otra alternativa terapéutica es el manejo educativo, en el cual se simplifica el ambiente del niño, se aminoran las distracciones, se hacen más explícitas las expectativas y, generalmente, se disminuye la confusión.

CONCEPTOS BÁSICOS

miopía
obesidad
procesos de control
metacognición
pruebas referidas a un criterio

pruebas referidas a una norma
cociente de inteligencia (CI)
CI de desviación
motivación de logro
retraso mental

problemas de aprendizaje
trastorno de déficit de atención
    con hiperactividad

UTILICE LO QUE APRENDIÓ

Trate de observar (de manera no invasiva) a niños de primaria mientras realizan una actividad recreativa elegida por ellos mismos. Véalos en una galería de videojuegos, en un patio de recreo o en casa, mientras juegan, ven televisión o usan una computadora. Registre sus actividades durante cinco o 10 minutos, como se hizo con los preescolares en el capítulo 6. ¿Qué habilidades y conocimientos muestran que los preparen para esa actividad en particular? ¿Qué están aprendiendo de ella? ¿Cómo se compara esta actividad con el aprendizaje escolar en cuanto a organización, motivación y ritmo de aprendizaje? ¿Qué tipos de retroalimentación parecen necesarios para mantenerla?

Finalmente, si conoce a los niños, hágales preguntas sobre lo que hacen y por qué lo hacen. Compruebe si las respuestas corresponden a sus observaciones.

LECTURAS COMPLEMENTARIAS

CAHILL-FOWLER, M. (1990). *Maybe you know my kids.* Nueva York: Carroll Publishing Group. Descripción personal del impacto negativo que el trastorno de déficit de atención con hiperatividad de un niño tiene en su familia, sus compañeros de clase y sus actividades de aprendizaje. Ofrece útiles recomendaciones y recursos a padres y profesores.

DELPIT, L. (1995). *Other people's children: Cultural conflict in the classroom.* Nueva York: New Press. Basándose en su amplia experiencia docente en escuelas desde Alaska hasta Nueva Guinea, la autora sostiene que todos los niños deben tener acceso a las oportunidades en la sociedad dominante.

FARNHAM-DIGGORY, S. (1990). *Schooling.* Cambridge, MA: Harvard University Press. Excelente revisión y explicación de los aspectos fundamentales de los niños actuales en edad escolar. Otro volumen de la popular serie *Developing Child*.

FIELDS, M. V. Y SPANGLER, K. L. (1995). *Let's begin reading right: Developmentally appropriate beginning literacy* (3a. ed.). Englewood Cliffs, NJ: Merrill. Método equilibrado de lenguaje total para iniciar la enseñanza de la lectoescritura.

GARDNER, H. (1983). *Frames of mind.* Nueva York: Basic Books. Presentación interesante, amena y bien desarrollada de una nueva forma de concebir la inteligencia.

GARDNER, H. (1992). *To open minds: Chinese clues to the dilemma of contemporary education.* Nueva York: Basic Books. Exposición profunda de dos métodos radicalmente distintos de educación dentro de sus respectivos contextos sociales.

KREMENTZ, J. (1992). *How it feels to live with a physical disability.* Nueva York: Simon and Schuster. Con sus propias palabras, 15 niños y adolescentes nos dicen qué significa vivir con una discapacidad. Hermosas fotografías enriquecen la presentación de la vida normal que llevan estos niños. El libro está destinado a niños preadolescentes, pero es útil para los lectores de todas las edades.

KOHL, H. (1995). *Should we burn Babar?: Essays on children's literature and the power of stories.* Nueva York: New Press. Libro polémico que ofrece nuevos puntos de vista sobre historias infantiles famosas y en el cual se destacan casos de racismo y de sexismo que restan méritos al relato.

LANDAU, S. Y MCANINCH, C. (1993). Young children with attention deficits. *Young Children*, *48(5)*, 49–58. Artículo muy interesante y descriptivo sobre los síntomas y el tratamiento del trastorno de déficit de atención con hiperactividad.

SADKER, M. Y SADKER, D. (1995). *Failing at fairness: How our schools cheat girls.* Nueva York: Touchstone. Estudio bien documentado y revelador de la desigualdad en las escuelas de Estados Unidos. Relata cómo las niñas empiezan obteniendo calificaciones elevadas en los exámenes escolares en todas las materias, pero terminan la enseñanza media sintiéndose menos seguras y recibiendo un promedio de 50 puntos menos que los niños en el Test de Aptitudes Académicas.

Niñez media y niños en edad escolar: desarrollo de la personalidad y socialización

TEMARIO

OBJETIVOS DEL CAPÍTULO

Cuando termine este capítulo, podrá:

1. Describir la adquisición del autoconcepto en la etapa escolar.
2. Explicar el desarrollo de la cognición social y del razonamiento moral durante la niñez media.
3. Mencionar los cambios que se están suscitando en la familia y las formas en que los padres pueden ayudar a los hijos a afrontar las tensiones que acompañan a estos cambios.
4. Discutir sobre los efectos del divorcio en los hijos y sobre los factores que influyen en las reacciones que ellos tienen ante tal experiencia.
5. Explicar los factores que favorecen el maltrato del niño y enumerar los distintos tipos de maltrato psicológico.
6. Resumir las características de las amistades y de los grupos de compañeros en la niñez.
7. Explicar cómo adquiere el niño la conciencia étnica y cómo cambian con el tiempo sus actitudes hacia los miembros de otros grupos.

Si Shakespeare estaba en lo cierto cuando dijo que el mundo es un gran escenario, el escenario en el que actúan los niños se ensancha considerablemente durante la niñez media. Los apegos emocionales y sociales de los infantes, de los niños pequeños y de los preescolares se concentran fundamentalmente en la familia; a esa edad el escolar entra en un mundo más amplio constituido por compañeros, maestros y otros integrantes de la comunidad. La expansión de su mundo es gradual y está marcada por hitos como el inicio de la instrucción escolar, la afiliación a clubes y el aventurarse lejos del barrio.

A medida que va ampliándose el mundo social del niño, también se amplía su opinión sobre los conflictos y las tensiones en el seno de la familia. Los que sufren maltrato, aquellos cuyos padres se divorcian o viven con un solo progenitor deben encontrar medios para adaptarse. Éstos, a su vez, producen patrones de conducta social y emocional que influyen en la personalidad. El aumento de las alianzas con los compañeros también incide en la forma en que el niño se ve a sí mismo y su lugar en el mundo.

En resumen, al ampliarse sus experiencias el niño aprende todas las complejidades de las relaciones familiares y de las amistades, así como la conducta que la sociedad espera de él. Tales experiencias lo preparan para realizar juicios morales.

DESARROLLO DE LA PERSONALIDAD EN UN MUNDO SOCIAL EN EXPANSIÓN

¿De qué manera se desarrolla y cambia la personalidad durante la niñez media? Una vez más, la respuesta depende de nuestra perspectiva teórica. En la presente sección comenzaremos a describir la aplicación a esta etapa de las teorías psicodinámicas, del desarrollo cognoscitivo y del aprendizaje social. Nos concentraremos luego en la forma en que interactúa el sentido incipiente del yo con el desarrollo de la personalidad.

TRES TEORÍAS DEL AUTOCONCEPTO EN LA NIÑEZ MEDIA

Freud describió la niñez media como un periodo de *latencia*. Para él, el lapso comprendido entre los seis y los 12 años es un periodo en el que permanecen latentes celos y problemas familiares (lo mismo que impulsos sexuales). De ser así, el niño podría dirigir su energía emocional a las relaciones con los compañeros, las actividades creativas y el aprendizaje de las funciones que prescribe la cultura en la escuela o en la comunidad. Sin embargo, como dijimos en el capítulo 1, Freud tuvo mucho menos que decir del periodo de latencia (y del subsecuente periodo *genital* del adolescente) que en lo que respecta a los primeros seis o siete años de vida. Así pues, le tocó a Erikson ampliar sus ideas y formular una teoría más completa. Pero, a diferencia de Freud, Erikson resaltó los factores *psicosociales* del desarrollo de la personalidad.

Erikson propuso que el conflicto de **laboriosidad frente a inferioridad** constituye la parte esencial de la niñez media. Bajo el ímpetu de la instrucción formal, gran parte de la energía y del tiempo del niño se concentran en adquirir nuevos conocimientos y habilidades. El niño puede ahora canalizar mejor su energía al aprendizaje, a la solución de problemas y al logro. Cuando tiene éxito en la escuela, incorpora a su autoimagen el sentido de laboriosidad: se da cuenta de que el esfuerzo produce resultados y sigue avanzando en el dominio del ambiente. Por el contrario, el niño que no consigue el dominio académico empieza a sentirse inferior frente a sus compañeros. Este sentimiento de inferioridad puede formar parte de su personalidad durante toda la vida. Sin embargo, no tener éxito en el trabajo escolar puede compensarlo el hecho de que lo alcancen en otras actividades apreciadas como los deportes, la música o el arte.

La segunda aproximación —la teoría del desarrollo cognoscitivo— se ha ido aplicando cada vez más a la personalidad y al desarrollo social. Piaget y Lawrence Kohlberg, por ejemplo, han escrito mucho sobre el desarrollo del autoconcepto y la moralidad en el niño —ideas sobre la equidad y la justicia, el bien y el mal, lo correcto y lo incorrecto. Otros investigadores se han concentrado en la importancia del autoconcepto del niño como determinante de su conducta.

Por último, la teoría del aprendizaje social ha realizado importantes aportaciones al conocimiento de cómo se aprenden algunas conductas en la familia y en el grupo de compañeros. Durante la niñez media los compañeros cumplen cada vez más la función de modelos y refuerzan o castigan la conducta.

Las tres aproximaciones teóricas se combinan y nos ayudan a entender la socialización del niño dentro de su cultura durante la niñez media. Cambia la forma de interactuar con los compañeros, con los adultos y los miembros de su familia: el impaciente niño de cuatro años de edad se convierte en un niño cooperativo de ocho, quien a su vez será después el rebelde de 13. Ninguna de las tres teorías explica cabalmente el desarrollo social durante la niñez media, pero en conjunto nos dan un panorama más completo.

EL AUTOCONCEPTO

El autoconcepto resulta de gran utilidad para entender el desarrollo durante la niñez media, pues interactúa con la personalidad y la conducta social. El niño se forma una imagen cada vez más estable de sí mismo, y su autoconcepto se vuelve más realista. Conoce mejor sus habilidades y limitaciones, y echa mano de ese conocimiento que tiene de sí mismo para organizar su comportamiento.

A medida que crece, se forma imágenes más complejas de sus características físicas, intelectuales y de personalidad, lo mismo que de las características de otros. Se atribuye a sí mismo, y también a los demás, *rasgos* cada vez más específicos —características estables de la personalidad. Se esfuerza por comportarse de manera congruente y espera lo mismo de los demás.

laboriosidad frente a inferioridad   Conflicto psicosocial que, según Erikson, ocurre durante la niñez media, en la cual los niños trabajan con mucho empeño y se les recompensa por su esfuerzo o fracasan y adquieren un sentimiento de inferioridad.

Los niños se comparan con otros de su misma edad (Marsh y otros, 1991) y llegan a esta conclusión: "Soy mejor que Susana en los deportes, pero no soy tan buena en matemáticas como Alberto" o "Tal vez no sea tan guapa como Rebeca, pero soy mejor que ella para hacer amigos." A su vez este autoconcepto incipiente ofrece una especie de "filtro" con el cual evalúa su conducta y la de otros (Harter, 1982). Sin embargo, el autoconcepto inicial no siempre es objetivo. Por ejemplo, los varones de primer grado suelen tener percepciones más positivas de su competencia en áreas como los deportes que los niños mayores (Eccles, 1993). Durante el periodo de la primaria, los niños aprenden los estereotipos de género, perfeccionan sus preferencias personales al respecto y adquieren mayor flexibilidad (Serbin y otros, 1993).

AUTOESTIMA   A diferencia del autoconcepto que nos dice quiénes somos y lo que podemos hacer, la **autoestima** incorpora un elemento evaluativo; indica si nos vemos bajo una luz positiva o negativa. Una autoestima elevada significa que estamos contentos con nosotros mismos y que a menudo nos sentimos competentes en nuestras habilidades sociales y de otra índole; una baja autoestima quiere decir que no estamos contentos con nosotros mismos y que nos sentimos incompetentes. A semejanza del autoconcepto, la autoestima se origina en el periodo preescolar y recibe el influjo de las experiencias de éxito y fracaso del niño, así como de las interacciones con sus progenitores (vea el capítulo 7). Durante la etapa escolar, la autoestima tiene una correlación significativa con el desempeño académico. Los niños que tienen éxito en la escuela muestran una mayor autoestima que los que no lo tienen (Alpert-Gillis y Connell, 1989).

No obstante, la correlación entre autoestima y aprovechamiento académico dista mucho de ser perfecta. Muchos niños que no tienen un buen desempeño en la escuela logran adquirir un respeto sano por sí mismos. Si provienen de una cultura o subcultura en la que no se juzga importante la escuela, su autoestima quizá no esté relacionada con el logro académico. Según el trato que reciban de sus padres y la opinión que sus amigos tengan de ellos, los que no son buenos en alguna actividad como los deportes pueden encontrar otras áreas en que destacar. En la autoestima del niño influye profundamente el hecho de que la familia, los compañeros y la comunidad inmediata tengan una buena opinión de él. Es así como los afroamericanos logran adquirir una autoestima sana a pesar de que, con frecuencia, sufren el prejuicio racial de la sociedad en general (Spencer, 1988).

La adquisición de la autoestima es un proceso circular. Los niños tienden a triunfar en la vida si están seguros de sus capacidades: el éxito fortalece y aumenta entonces su autoestima. Del mismo modo, puede establecerse un "círculo vicioso" cuando su desempeño es insatisfactorio por falta de autoestima; debido al desempeño deficiente, su autoestima tiende a disminuir todavía más. En general, los éxitos o fracasos personales los impulsan a verse como líderes o seguidores, como campeones o perdedores. No obstante, por fortuna muchos niños que comienzan su vida con déficits sociales o académicos a la larga terminan encontrando algo que saben hacer bien y así invierten el proceso.

Muchos profesores recurren al elogio para crear la autoestima en sus alumnos. El elogio es muy útil cuando se emplea con moderación y se concede sólo a logros legítimos. Pero cuando se da en exceso sin un nexo conveniente con los logros, puede impedir que los niños reconozcan con objetividad sus debilidades y sus cualidades. Los alumnos pueden empezar a pensar: "Soy grande sin importar lo que haga." Esta actitud crea confusión y problemas en las relaciones con los compañeros y en la escuela (Damon y Hart,1992), además de que ocasiona frustración cuando los logros no corresponden a las expectativas.

En los últimos años, los investigadores nos han empezado a advertir que cuando a los niños se les dice que lo más importante en la vida es el concepto

Un elogio adecuado contribuye notablemente a crear la autoestima.

autoestima   Hecho de verse uno mismo como una persona con características positivas —como alguien que tendrá un buen desempeño en las cosas que juzga importantes.

que tengan de sí mismos, escuchan el mensaje implícito de que son el centro del universo, lo que les impide superar el egocentrismo. Más aún, lòs críticos afirman que, si reciben demasiados elogios, no llegan a distinguir entre el bien y el mal. Por ejemplo, a veces niegan haber cometido fechorías aunque se les sorprenda *in fraganti*, pues están convencidos de su integridad (Damon, 1991).

1. Compare de manera breve las tres aproximaciones teóricas al desarrollo de la personalidad durante la niñez media.
2. Explique cómo se adquiere el autoconcepto durante la niñez media.
3. Explique la interacción entre autoestima y aprovechamiento escolar.

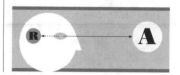

REPASE Y APLIQUE

CONOCIMIENTO Y RAZONAMIENTO SOCIAL

Los niños de primaria deben adaptarse a las sutilezas de la amistad y la autoridad, a roles de género antagónicos o en expansión, así como a muchas reglas y normas sociales. Una forma de hacerlo es lo que podríamos llamar "socialización directa" por parte de padres y profesores: recompensar la conducta correcta y castigar la incorrecta. Otra forma consiste en observar modelos e imitarlos. En términos generales, el condicionamiento y el aprendizaje por observación contribuyen mucho a ayudarles a conocer el bien y el mal. Los niños también llegan a conocer el mundo por medio de procesos psicodinámicos. Adquieren sentimientos de ansiedad en ciertas situaciones y luego aprenden los mecanismos de defensa para reducir la ansiedad (vea el capítulo 7).

La **cognición social** es un elemento indispensable de la socialización durante la niñez media: el pensamiento, el conocimiento y la comprensión relacionados con el mundo del yo en las interacciones sociales. La teoría del desarrollo cognoscitivo cambia el énfasis a lo que piensa el niño en parte como resultado de la recompensa, el castigo, la observación y la psicodinámica, pero también por lo que el niño resuelve por sí mismo. Examinaremos primero cómo se adquiere la cognición social durante la niñez media y luego revisaremos sus nexos con la aparición del razonamiento moral.

DESARROLLO DE LA COGNICIÓN SOCIAL

La cognición social se convierte en un factor cada vez más importante de la conducta durante la niñez media y la adolescencia. El niño comienza a observar su mundo social y poco a poco va comprendiendo los principios y las reglas que lo rigen (Ross, 1981). Los teóricos de la cognición social piensan que todo conocimiento —sea científico, social o personal— se da en un sistema o una estructura organizada y no un conjunto de fragmentos inconexos. El conocimiento que el niño tiene del mundo no se desarrolla de modo fragmentario; por el contrario, el niño trata de interpretar sus experiencias como un todo organizado.

Como vimos en el capítulo 6, el conocimiento que el preescolar tiene del mundo está limitado por el egocentrismo. En la niñez media, el niño gradualmente muestra un interés menos egocéntrico que toma en cuenta lo que piensan y sienten los otros. Un componente primario de la cognición social es la **inferencia social,** es decir, conjeturas y suposiciones sobre lo que otra persona siente, piensa o se propone (Flavell, 1985; Flavell y otros, 1993). Por ejemplo, un niño pequeño oye reír a su madre y supone que está contenta. Un adulto

cognición social   Pensamiento, conocimiento y comprensión del mundo social.

inferencia social   Conjeturas y suposiciones sobre lo que otra persona piensa, siente o desea.

podría oír algo forzado en la risa de la madre e inferir, por tanto, que está encubriendo su tristeza. Aunque los niños de corta edad no pueden hacer inferencias complejas, a los seis años suelen deducir si los pensamientos de otra persona no son iguales a los suyos. Hacia los ocho años, se dan cuenta de que podemos reflexionar sobre los pensamientos de otra persona. Para los 10 años, infieren que otra persona está pensando y que el objeto de estas cavilaciones son los pensamientos del niño. Un niño podría pensar "Juan está enojado conmigo y sabe que yo sé que está enojado". La exactitud de la inferencia social se logra de manera paulatina al final de la adolescencia (Shantz, 1983).

Un segundo componente de la cognición social es el conocimiento de la **responsabilidad social.** Poco a poco los niños van acumulando información y conocimientos sobre las obligaciones de la amistad (entre ellas, la equidad y la lealtad), el respeto a la autoridad y los conceptos de legalidad y justicia. Un tercer componente es la comprensión de **normas sociales** como las costumbres y las convenciones. Muchas costumbres se aprenden inicialmente en forma mecánica o por imitación y luego se aplican con rigidez. Más tarde, el niño se vuelve más flexible y reflexivo en lo que toca a la aceptación de las costumbres de su cultura.

IDEAS DE PIAGET SOBRE EL RAZONAMIENTO Y EL JUICIO MORAL

Con los años, los niños aprenden de alguna manera a distinguir entre el bien y el mal, entre amabilidad y crueldad, generosidad y egoísmo. Un juicio moral maduro supone algo más que el aprendizaje mecánico de reglas y convenciones sociales. Exige tomar decisiones respecto al bien y al mal.

La manera en que los niños aprenden la moral es tema de muchas discusiones. Los teóricos del aprendizaje social sostienen que el condicionamiento y el aprendizaje por observación son el medio principal. En opinión de los teóricos psicodinámicos la moral nace como defensa contra la ansiedad y la vergüenza. Según los teóricos cognoscitivos, la moral, al igual que el desarrollo intelectual, se adquiere en etapas progresivas y que están relacionadas con la edad. Aquí explicaremos esta aproximación.

Piaget definió la moral como el respeto de un individuo por las reglas del orden social y como el sentido de justicia, la cual consiste en interesarse por la reciprocidad e igualdad entre los individuos (vea a Hoffman, 1970). Según Piaget (1965), el sentido moral del niño proviene de la interacción entre sus estructuras incipientes de pensamiento y su experiencia social que se acrecenta gradualmente. El sentido moral se desarrolla en dos etapas. En la etapa del **realismo moral** (al inicio de la niñez media), el niño piensa que todas las reglas han de obedecerse como si estuvieran grabadas en piedra. Para él son cosas reales, indestructibles y no principios abstractos. Por ejemplo, los juegos deben realizarse con estricto apego a las reglas. En esta etapa, el niño juzga además la moralidad de un acto a partir de sus consecuencias y no es capaz de juzgar las intenciones. Así, un niño pequeño pensará que el niño que por accidente rompe 12 platos mientras pone la mesa tiene más culpa que uno que intencionalmente destroza un plato por simple enojo.

Hacia el final de la niñez media se llega a la etapa del **relativismo moral.** Ahora el niño comprende que los individuos de modo cooperativo crean y aceptan reglas y que éstas son susceptibles de cambio cuando es menester. Este conocimiento permite que el niño se dé cuenta de que no hay un bien ni un mal absolutos y que la moral no se basa en las consecuencias, sino en las intenciones.

TEORÍA DE LAS SEIS ETAPAS DE KOHLBERG

Lawrence Kohlberg (1981, 1984) amplió la teoría de las dos etapas de Piaget sobre el juicio moral a una de seis etapas. Al formular su teoría, presentaba a los sujetos (niños, adolescentes y adultos) historias con problemas morales y luego

responsabilidad social Obligaciones con la familia, los amigos y la sociedad en general.

normas sociales Reglas y convenciones que regulan las interacciones sociales.

realismo moral Expresión con que Piaget designa la primera etapa del desarrollo moral, en la cual el niño cree que las reglas son cosas reales e indestructibles.

relativismo moral Expresión con que Piaget designa la segunda etapa del desarrollo moral, en la cual el niño se da cuenta de que las reglas son acuerdos susceptibles de modificarse en caso necesario.

les hacía preguntas acerca de ellas para descubrir las clases de razonamiento que utilizaban. El personaje principal de cada historia encaraba un dilema ético que debía resolver el sujeto entrevistado. He aquí un ejemplo clásico:

> En Europa, una mujer estaba a punto de morir de una clase especial de cáncer. Había un medicamento que, en opinión de los médicos, podría salvarla. Se trataba de una forma de radio que un farmacéutico del mismo pueblo acaba de descubrir. Su elaboración resultaba muy costosa, pero el farmacéutico cobraba 10 veces más de lo que le costaba elaborarlo. Pagó 200 dólares por el radio y vendía en 2,000 una pequeña dosis. El esposo de la mujer enferma, Heinz, recurrió a todas sus amistades para obtener un préstamo, pero tan sólo pudo reunir 1,000 dólares, cantidad que representaba la mitad del costo del medicamento. Le dijo al farmacéutico que su esposa se estaba muriendo y le pidió que se la vendiera más barata o que le permitiera pagársela después. Pero recibió como respuesta: "No. Yo descubrí el medicamento y quiero ganar dinero con él." Heinz se sintió desesperado; por la noche entró en la farmacia y lo robó para su esposa (Kohlberg, 1969, página 379).

Para desarrollar el sentido de lo bueno y lo malo es necesario entender las normas sociales y obtener experiencia de las relaciones sociales.

¿Hizo bien Heinz en robar? ¿Qué opina usted? ¿Por qué opina eso? ¿Tenía razón el farmacéutico en cobrar mucho más de lo que valía el medicamento? Explique su respuesta.

Las respuestas de los sujetos a las preguntas anteriores revelaron que el razonamiento moral se desarrolla en forma ordenada y por etapas. Kohlberg definió tres niveles generales: *razonamiento moral preconvencional, convencional* y *posconvencional.* Cada nivel se subdivide a su vez en dos etapas, como se indica en el diagrama de estudio de la página 318. Advierta las dos tendencias interrelacionadas que caracterizan el avance por las seis etapas: 1) En un principio el razonamiento se basa en las consecuencias externas y más tarde en principios morales interiorizados; 2) al inicio el razonamiento es sumamente concreto y más tarde muy abstracto.

La teoría de Kohlberg fue corroborada en trabajos de investigación en los que se comprobó que los niños, por lo menos los occidentales, en general pasan por las etapas en el orden predicho. Kohlberg y sus colegas obtuvieron un apoyo considerable a su teoría de un estudio longitudinal de 48 niños realizado durante 20 años (Colby y otros, 1983).

Sin embargo, la teoría de Kohlberg ha provocado muchas objeciones. Los investigadores han señalado lo difícil que es seguir de manera rigurosa sus procedimientos y estar de acuerdo con la forma de calificar la respuesta del niño a la prueba (Rubin y Trotten, 1977). Otros han atacado la teoría sobre bases de **absolutismo moral:** desdeña importantes diferencias culturales que determinan lo que se considera ético o no en una cultura (Baumrind, 1978; Wainryb, 1995; Carlo y otros, 1996). El propio Kohlberg (1978) admitió la necesidad de tomar en cuenta las normas sociales y morales del grupo a que pertenece el sujeto. En particular, llegó a la conclusión de que la sexta etapa del desarrollo moral tal vez no se aplique a los integrantes de todas las culturas.

La teoría de Kohlberg presenta otros puntos flacos (Power y Reimer, 1978). Su investigación evalúa las actitudes morales y no la conducta ética; puede haber una gran diferencia entre reflexionar sobre cuestiones morales y observar un comportamiento ético. He aquí un ejemplo: en casi todas las culturas, robar es malo y se aprecia mucho la honestidad. El lector es, por supuesto, una persona honrada. Supongamos que ve que a un transeúnte se le cae una moneda de 25 centavos. Usted la recoge y se la da. Supongamos que es un billete de 10. Usted haría lo mismo, ¿verdad? Supongamos que se le cae un fajo de billetes de 100, que no distingue bien al transeúnte, que ya dobló la esquina y que no hay nadie a la vista. Sea muy sincero y piense lo que haría. Pregúntese lo que haría una persona pobre, pero honrada, si viviera en un barrio muy marginado.

absolutismo moral   Cualquier teoría de la moralidad que descarte las diferencias culturales en las creencias morales.

Diagrama de estudio ‣ Etapas del desarrollo moral de Kohlberg

Etapa	Ejemplo de razonamiento		
NIVEL I. PRECONVENCIONAL (BASADO EN CASTIGOS Y RECOMPENSAS)	**Etapa 1**	Orientación al castigo y la obediencia	Obedecer las reglas para evitar el castigo.
	Etapa 2	Hedonismo instrumental ingenuo	Obedece para obtener recompensas, para recibir el pago de favores.
NIVEL II. CONVENCIONAL (BASADO EN LA CONFORMIDAD SOCIAL)	**Etapa 3**	Moral del "niño bueno", consiste en mantener buenas relaciones y obtener la aprobación de la gente	Mostrar conformidad para evitar la desaprobación o el rechazo de los otros.
	Etapa 4	Moral que consiste en mantener la autoridad	Mostrar conformidad para evitar la censura de las autoridades legítimas, con la culpa resultante.
NIVEL III. POSCONVENCIONAL (BASADO EN PRINCIPIOS MORALES)	**Etapa 5**	Moral del contrato, de los derechos del individuo y de la ley aceptada democráticamente	Obedecer las leyes del país por el bien de la comunidad.
	Etapa 6	Moral de los principios individuales de conciencia	Obedecer los principios éticos universales.

Fuente: Kohlberg, L., *Stages of moral development.* Tesis doctoral inédita, University of Chicago, 1958. Reimpreso con autorización. Adaptado de Kohlberg, L., *The philosophy of moral development.* Nueva York: Harper & Row, 1981.

Las decisiones morales no se toman en el vacío; por el contrario, suelen adoptarse en "situaciones de crisis". Por más nobles que sean nuestros principios éticos, en la conducta no siempre se reflejan nuestros pensamientos o convicciones cuando llega el momento de cumplirlos.

PLANTEAMIENTO ALTERNATIVO DE GILLIGAN

Carol Gilligan (1982) propuso que, como Kohlberg basó su teoría por completo en entrevistas con sujetos de sexo masculino, no consideró la posibilidad de que el desarrollo moral se realizara de modo distinto en la mujer y el hombre. En otras palabras, lo acusó de sesgo sexual, señalando que las respuestas de las mujeres a los dilemas morales de Kohlberg casi siempre las colocan en un nivel inferior en su modelo. Según Gilligan, la diferencia se debe a que los hombres y las mujeres aplican criterios distintos al emitir un juicio moral. En la cultura tradicional de Estados Unidos y de otros países, a varones y mujeres se les enseña desde muy pequeños a apreciar cualidades diferentes. A los varones se les educa para que busquen la independencia y aprecien el pensamiento abstracto. En cambio, a las mujeres se les enseña a ser afectuosas y cariñosas, y a apreciar las relaciones humanas. Gilligan piensa que hay dos tipos de razonamiento moral. Uno se basa fundamentalmente en el concepto de justicia, el otro en las relaciones humanas y el interés por los demás. El primero caracteriza al pensamiento masculino y el segundo es más común en el pensamiento femenino. El varón tradicional se concentra en los derechos, mientras que la mujer tradicional considera los problemas morales a partir de su interés por las necesidades ajenas. Sin embargo, Gilligan aclara que las diferencias de género en el razonamiento moral (como en el resto de esas disimilitudes) no son absolutas. Algunas mujeres emiten juicios morales desde el punto de vista de la justicia y algunos varones lo hacen a partir de una perspectiva de interés por la gente.

Los sujetos de Gilligan eran principalmente adolescentes y adultos jóvenes de ambos sexos. Otros investigadores han estudiado a niños y niñas más pequeños sin descubrir diferencias sexuales en el juicio moral emitido por niños menores de 10 años. Sin embargo, algunos niños de 10 u 11 años dan respuestas bastante agresivas a las preguntas de la prueba —el tipo de respuestas que pocas veces dan las niñas. Por ejemplo, en un estudio escuchaban una historia sobre un puerco espín que, como necesitaba una casa para el invierno, se iba a vivir con una familia de topos. Pronto éstos se dieron cuenta de que las púas los picaban en todo momento. ¿Qué debían hacer? Sólo los niños solían responder "Matar al puerco espín a balazos" o "Quitarle las púas". Las niñas tendían a buscar soluciones que no lastimaran ni a los topos ni al puerco espín—, es decir, soluciones interesadas en el bienestar de ambos (Garrod y otros, 1989).

PLANTEAMIENTO DE EISENBERG

A juicio de Nancy Eisenberg (1989a, 1989b), el error de Kohlberg no consistió en conceder demasiada importancia a la justicia abstracta, sino más bien en hacer muy rígidas y absolutas las etapas. Su argumento sostiene que el desarrollo moral del niño no es predecible ni está determinado estrechamente. Hay muchos factores que participan en el juicio moral de los niños, desde las costumbres sociales de la cultura en la que se crían hasta su estado de ánimo en un determinado momento. Los niños (lo mismo que los adultos) pueden emitir un juicio moral en un nivel superior en un momento y luego en un nivel más bajo en el siguiente. Incluso a veces realizan juicios en un nivel más elevado en algunos problemas (por ejemplo, si deben o no ayudar a una persona herida) que en otros (digamos, si deben invitar a su casa a alguien que no les simpatiza).

En lo que respecta a las diferencias de género, Eisenberg también comprobó que las mujeres de 10 a 12 años emiten respuestas más empáticas y solidarias que los niños de la misma edad. Sin embargo, la especialista considera que este hallazgo proviene del hecho de que las mujeres maduran más rápidamente que los hombres. Ellos las alcanzan en los últimos años de la adolescencia. Eisenberg y sus colegas encontraron pocas diferencias de género en las respuestas de los adolescentes mayores (Eisenberg, 1989a; Eisenberg y otros, 1987).

---

1. Describa el desarrollo de la cognición social durante la niñez media.
2. Explique la teoría cognoscitiva del desarrollo moral propuesta por Kohlberg.
3. Mencione las críticas que Gilligan y Eisenberg hacen a la teoría de Kohlberg.

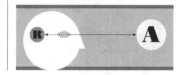

REPASE Y APLIQUE

INFLUENCIAS PERMANENTES DE LA FAMILIA

A pesar del tiempo que los niños pasan en la escuela, la familia continúa siendo el agente socializador más importante. Por otra parte, sus capacidades cognoscitivas en expansión les permiten aprender reglas y conceptos sociales aún más complejos, sin importar si los aprenden explícita o implícitamente de la conducta de otras personas.

El aprendizaje social ocurre en el contexto de relaciones unas veces estrechas y seguras; otras generadoras de ansiedad y en algunas ocasiones muy

Los padres enseñan con su conducta el valor del afecto y del cariño.

conflictivas. En la presente sección examinaremos la familia como el contexto de desarrollo de la personalidad y de socialización. Examinaremos más a fondo las fuerzas cambiantes de la vida familiar que influyen en el niño: estrés, divorcio, ausencia permanente de un progenitor y maltrato del niño.

INTERACCIONES Y RELACIONES DEL PROGENITOR CON EL HIJO

En el periodo escolar cambia la naturaleza de las interacciones entre progenitor e hijo. Los niños expresan un enojo menos directo contra sus padres y suelen sollozar, gritar o golpear menos que cuando eran más pequeños. Los progenitores se preocupan menos por impulsar la autonomía y establecer rutinas diarias, y se concentran en cambio en los hábitos de trabajo y en el aprovechamiento académico (Lamb y otros,1992). El niño en edad escolar necesita que su conducta sea vigilada más sutilmente que antes, pero sigue siendo muy importante la supervisión de sus padres. Supervisar significa saber dónde está el niño y lo que hace, y si lo que está haciendo es correcto tanto socialmente como en relación con la tarea escolar y con otras obligaciones. Entre otras cosas, los investigadores han comprobado que los niños bien supervisados obtienen calificaciones más elevadas que sus compañeros (Crosler, 1990).

CRIANZA ÓPTIMA ¿Qué es la crianza *óptima*? Las opiniones al respecto han variado con los años. Las investigaciones contemporáneas señalan que una de las principales metas de la crianza es aumentar la **conducta autorregulada** —en esencia, la capacidad del niño para controlar y dirigir su comportamiento y cumplir con las exigencias que le imponen los padres y otras personas. Como vimos en el capítulo 7, los métodos autoritativos de disciplina son más eficaces que otros para conseguir la autorregulación. Cuando un progenitor recurre al razonamiento y a sugerencias verbales, el niño suele negociar más que reaccionar con rebeldía (Lamb y otros, 1992).

El razonamiento se relaciona con la conducta prosocial y con la observancia de las reglas sociales. Los hijos de progenitores que les recuerdan los efectos que sus acciones tienen en otros suelen ser más populares e interiorizar más las normas morales. Por el contrario, cuando los padres se limitan a imponer su poder (como en la crianza autoritaria), sus hijos tienden a no interiorizar ni las normas ni los controles. En los trabajos de investigación se ha observado sistemáticamente que es más frecuente que los progenitores que han usado técnicas de afirmación de poder tengan hijos que se someten a las exigencias de los adultos cuando éstos se hallan presentes, pero no cuando están ausentes.

Los padres de familia tienen más éxito en el desarrollo de la conducta autorregulada si aumentan gradualmente la participación de su hijo en las decisiones familiares. En una serie de trabajos dedicados al diálogo y la disciplina de los padres, Eleanor Maccoby (1992) llegó a la conclusión de que los niños se adaptan en forma idónea cuando sus padres fomentan lo que ella llama **corregulación.** Los padres fomentan de manera paulatina la cooperación y comparten la responsabilidad en previsión de los años de la adolescencia, periodo en que esperan que su hijo tome las decisiones por sí mismo. A manera de preparación, se enfrascan en discusiones y negociaciones frecuentes con sus hijos. Consideran que de esta manera crean el ambiente propicio para la toma de decisiones responsables.

El concepto de andamiaje (vea el capítulo 5) facilita la comprensión de la crianza óptima. El niño va conociendo el mundo social dentro de complejos contextos sociales en los que lo acompañan sus padres u otras personas más competentes (Rogoff, 1990). Imagine una familia que asiste a una gran boda. Los padres socialmente competentes ayudan a sus hijos a prever lo que sucederá. Quizá les explican el significado del acontecimiento y los rituales especiales, indicán-

conducta autorregulada Comportamiento personal regulado por el niño.

corregulación Adquisición del sentido de responsabilidad compartida entre los progenitores y sus hijos.

doles el comportamiento que los adultos esperan de ellos. Sólo les transmiten pequeñas partes de los significados tan diversos de "matrimonio" y de "boda", en teoría un poco por encima de su nivel actual de comprensión.

Se ha señalado que la socialización no debería verse como un proceso en que el control pasa de los padres al hijo, a medida que éste adquiere mayor autonomía y autorregulación. Por el contrario, es un proceso de corregulación mutua o compartida que se prolongará durante la vida de los participantes o hasta terminar su relación. Maccoby (1992) sostiene que el influjo duradero de los padres proviene de una relación sana y fuerte entre progenitor e hijo, que resulta sumamente importante en la niñez media.

LA NATURALEZA CAMBIANTE DE LA FAMILIA

En Estados Unidos, hasta hace poco las investigaciones sobre la crianza se basaban principalmente en la familia tradicional: madre, padre y dos o tres hijos. Las cosas han cambiado. Procrear no ha pasado de moda: en ese país se registraron más de tres millones de nacimientos en 1995. Lo que sí ha cambiado es el hecho de casarse y las probabilidades de que los cónyuges no se separen. En uno y otro caso la procreación de solteros se ha vuelto común: 30 por ciento de los nacimientos son de madres solteras; la proporción es de casi 70 por ciento entre las familias afroamericanas (U.S. Census Bureau, 1997). En 1997, ocho millones de niños fueron criados en familias de un solo progenitor (U.S. Census Bureau, 1997). La tabla 9-1 contiene los porcentajes de hogares (con hijos) por raza/origen étnico y tipo de familia del periodo 1980 a 1995.

La familia estadounidense también ha cambiado rápidamente en lo que respecta al trabajo de la madre. Una vez que los hijos ingresan a la escuela, la mayoría de las madres de Estados Unidos entran en la fuerza de trabajo. En 1948, apenas 26 por ciento de las madres de niños en edad escolar (de seis a 17 años) laboraban fuera de casa; en 1975, el porcentaje fue de 51 por ciento, y en 1996 de más de 76 por ciento (U.S. Census Bureau, 1997). Desde principios de

TABLA 9–1   FAMILIAS (CON NIÑOS) POR RAZA/ORIGEN ÉTNICO Y TIPO, 1980-1995

RAZA/ORIGEN ÉTNICO Y TIPO DE FAMILIA	DISTRIBUCIÓN PORCENTUAL			
	1980	1985	1990	1995
Blancos				
Matrimonio	86	84	83	82
Encabezado por un hombre	3	3	4	4
Encabezado por una mujer	12	13	13	14
Negros				
Matrimonio	56	51	50	47
Encabezado por un hombre	4	5	6	7
Encabezado por una mujer	40	44	44	46
Hispanos				
Matrimonio	75	72	70	68
Encabezado por un hombre	5	5	7	8
Encabezado por una mujer	20	23	23	24

Fuente: U.S. Census Bureau, 1997.

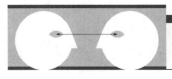

TEMA DE CONTROVERSIA

NIÑOS CON LLAVE

A menudo estos niños deben permanecer solos en casa por una necesidad económica. Sus padres tienen que trabajar y no puede pagar o encontrar una atención adecuada después de las clases. El problema ha venido agravándose al aumentar el número de mujeres que trabajan fuera de casa. En Estados Unidos, ahora que cerca de tres cuartas partes de las madres de niños en edad escolar se han incorporado a la fuerza laboral, no debe sorprendernos que cuatro de cada 10 de esos niños queden sin supervisión en forma frecuente o, por lo menos, esporádica. El problema es particularmente grave entre los hijos de madres solteras, quienes a menudo se ven obligadas a trabajar en dos o tres empleos para mantener el hogar.

Hay opiniones muy divergentes respecto a los efectos de dejar solos en casa a los niños en edad escolar. En una investigación, el sociólogo Hyman Rodman no encontró diferencia alguna en la autoestima ni en el comportamiento entre los niños con llave y el resto de los niños. Pero estos resultados los rechaza Thomas Long, psicólogo infantil. Según él, los niños con llave encajan en dos grupos: los que se consideran personas capaces e independientes; y los que se sienten abandonados y rechazados y que, por tanto, son vulnerables desde el punto de vista emocional. En términos generales, Long considera que a los niños menores de 10 años no debería dejárseles solos por mucho tiempo.

Antes de decidir si un niño está maduro para dejarlo solo, conviene que los progenitores evalúen su capacidad para cuidarse sin ayuda y no lastimarse. Por ejemplo, ¿puede poner el cerrojo a la puerta y quitarlo, marcar el teléfono, leer la hora, reconocer las situaciones peligrosas y hacer lo correcto, seguir instrucciones simples? ¿Puede el progenitor confiar que el niño permanecerá alejado de la estufa, cuchillos afilados y ventanas abiertas en los departamentos ubicados en edificios de varios pisos? Los progenitores deben evaluar asimismo si su hijo está emocionalmente preparado para quedarse solo. ¿Su conducta anterior señala que el niño muestra seguridad en situaciones nuevas o se asusta con facilidad? ¿Puede encontrar la manera de no aburrirse? ¿Puede resolver sus problemas con hermanos o hermanas que quizá también estén en casa?

Una rutina establecida —en especial si exige contacto con el progenitor— ayuda al niño a adaptarse cuando lo dejan solo. Algunos padres telefonean todos los días a sus hijos a cierta hora, de preferencia tan pronto como vuelven de la escuela. Conviene que regresen a casa aproximadamente a la misma hora. Además, pueden ofrecerles la información y los recursos que necesitan para resolver los imprevistos: una lista de teléfonos de emergencia, un plan de escape en caso de incendio, un botiquín de primeros auxilios, dinero. Son muy útiles las notas afectuosas y las llamadas telefónicas cariñosas y tranquilizadoras. Lo mismo podemos decir de bocadillos y comidas nutritivas.

Fuente principal: James Willwerth, "Hello, I'm Home alone..." Time, Marzo 1, 1993, páginas 46-47.

---

los años cincuenta, las madres de estos niños suelen trabajar más que las mujeres casadas sin hijos, en parte por la mayor necesidad financiera de la familia y parcialmente por el mayor número de madres solteras (Scarr y otros, 1989). Una consideración importante es la cantidad creciente de "niños con llave" que regresan de la escuela a un hogar vacío, como se comenta en el recuadro "Tema de controversia".

Otra consideración en las familias cambiantes es el estrés de los padres y de sus hijos. Es tan importante que le dedicamos una sección entera.

LAS FAMILIAS Y EL ESTRÉS   Hay muchas situaciones que producen necesariamente estrés al niño y a su familia: la pobreza, el divorcio, mudarse a una nueva ciudad, sufrir una enfermedad o lesión seria, crecer en un vecindario peligroso. (Consulte "Estudio de la diversidad", en la página siguiente.) ¿Qué determina la capacidad del niño para afrontar de manera constructiva estas modalidades de estrés? Un factor es el número de situaciones estresantes en su vida; un niño (o un adulto) capaz de enfrentar con éxito un hecho de este tipo puede sentirse abrumado cuando se ve ante varias circunstancias estresantes al mismo tiempo (Hetherington, 1984). Un segundo factor es la percepción o comprensión que tenga el niño del suceso. Por ejemplo, el primer día de clases es un acontecimiento trascendente en la vida del niño. La transición le causará menos estrés si sabe qué esperar y si puede utilizar esto como recurso de mayor madurez.

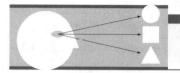

ESTUDIO DE LA DIVERSIDAD

CRECIENDO ENMEDIO DEL PELIGRO

Era de mañana. Un joven de 19 años, miembro de una pandilla, había muerto acribillado en Watts, un barrio de Los Ángeles. Yacía en la acera en medio de un charco de sangre. En ese momento cientos de niños pasaban por allí: con lonchera y con la mochila en mano, se dirigían a una escuela primaria situada en la calle 102. Algunos meses más tarde, un grupo de niños que jugaban en el patio de la escuela cayeron al suelo, cuando cinco disparos cegaron otra vida inocente. En otra ocasión, una asamblea al aire libre fue dispersada por los disparos y las sirenas de patrullas mientras los alumnos veían cómo la policía esposaba a un hombre del vecindario (Timnick, 1989).

En Estados Unidos, experiencias como las anteriores han dejado de ser raras para los niños que viven en los barrios pobres, en las afueras de la ciudad e incluso en las zonas rurales. A menudo los niños se duermen oyendo balazos. Algunos, de apenas seis años, son reclutados para distribuir drogas. A veces, las primeras palabras y gestos de algunos pequeños son los nombres y los símbolos de las pandillas de sus padres (Timnick, 1989). Los investigadores han descubierto que los niños que crecen en las "zonas de guerra" de los barrios pobres a menudo sufren ansiedad y depresión. Los que son víctimas de la violencia o que presencian el asesinato brutal de un progenitor, de un hermano o de un amigo están especialmente propensos a un problema psicológico grave.

Originalmente, el *trastorno del estrés postraumático* designaba los problemas psicológicos de algunos veteranos de guerra. Esos veteranos sufrían pesadillas terribles, recuerdos recurrentes de combate, insomnio, dificultades para concentrarse y controlar sus impulsos. Eran retraídos, agresivos o ambas cosas. Las investigaciones señalan que los niños que viven en estas zonas de guerra presentan patrones semejantes de comportamiento. Muchos realizan juegos agresivos, sufren pesadillas y recuerdos repentinos durante las clases u otras actividades.

La violencia prolongada y constante produce un estado de estrés persistente. Los niños pequeños que viven en medio de la violencia son temerosos, se deprimen y están llenos de ansiedad (Garbarino y otros, 1991). A muchos les resulta difícil concentrarse en la escuela y muestran otros problemas relacionadas con ésta. Temen que los abandonen y, para ocultar sus miedos, se vuelven agresivos y arrogantes. En muchos se observa un embotamiento emocional: temen encariñarse porque el objeto de su afecto puede ser asesinado, o abandonarlos. A su vez, los progenitores suelen subestimar el problema psicológico de sus hijos, porque éstos no expresan sus temores o porque ellos no pueden admitir el sufrimiento emocional de sus hijos dada la imposibilidad de hacer algo al respecto (Elkin, 1981).

La Comisión para el Estudio de la Violencia y la Juventud de la Asociación Psicológica Estadounidense recomienda un enfoque comunitario para resolver el problema de los niños que viven en un entorno de violencia. Los programas concernientes al cuidado de la salud, el recreo y la formación vocacional deben girar en torno de las necesidades de desarrollo del niño. Además, debe contarse con modelos de la comunidad y de los grupos de apoyo de los compañeros para ofrecer a los niños alternativas a las actividades relacionadas con la violencia y con el consumo de drogas.

Las investigaciones señalan con claridad que las familias adaptables y cohesivas, con patrones de comunicación abierta y con buenas técnicas para la resolución de los problemas, están mejor preparadas para sobrellevar esta clase de situaciones (Brenner, 1984). También son importantes sistemas de apoyo social los vecinos, los parientes, las redes de amigos o los grupos de autoayuda.

Desde otra otro punto de vista, el temperamento y las primeras características de la personalidad influyen en la capacidad del niño para afrontar los ambientes que generan estrés. Durante un periodo de 30 años, Emmy Werner (1989b, 1995) estudió a un grupo de lo que denominó **niños resistentes.** Habían nacido en una de las islas de Hawai y habían sido criados en ambientes familiares abrumados por la pobreza, conflictos conyugales o el divorcio, por alcoholismo y enfermedades mentales. Pese a ello se convirtieron en adultos seguros, exitosos y emocionalmente estables. Puesto que casi todos fueron criados en condiciones deprimentes, Werner quería averiguar cómo se las arreglaron esos individuos para lograrlo a pesar de un entorno tan desfavorable. Descubrió que habían sido bebés "fáciles" y encantadores, que habían establecido un apego seguro con un progenitor o abuelo durante el primer año de vida. Más tarde, si alguno de éstos ya no estaba con él, habían tenido la habilidad de encontrar a otro —a un adulto o incluso a un hermano o amigo— que les podía ofrecer el apoyo emocional que necesitaban. Otros investigadores comprobaron que la autoestima positiva y una buena organización de sí mismo guardan

niños resistentes Los que superan los ambientes difíciles y llevan una vida socialmente adecuada.

estrecha relación con la resistencia, especialmente en el caso de niños maltratados (Chicchetti y Rogosch, 1997).

CÓMO CONVIVIR CON UN SOLO PROGENITOR   Cerca de 13 por ciento de las familias estadounidenses con dos progenitores tienen ingresos por debajo de la línea de pobreza; pero casi la mitad de las familias encabezadas por una mujer sola viven en la pobreza (U.S. Census Bureau, 1997). Si una madre no tiene un grado de enseñanza media, las probabilidades de que el ingreso familiar se encuentre por debajo del nivel de la pobreza llega casi a 90 por ciento (Children's Defense Fund, 1992).

Algunas madres solteras cumplen su misión en forma admirable, y muchas cuentan con el apoyo de su familia y de sus amigos. Pero los niños que crecen en la pobreza en un hogar encabezado sólo por la madre están expuestos a diversos riesgos (McLoyd y Wilson, 1990). La ausencia del padre disminuye el estatus social de la familia y también su nivel económico. La familia vive en condiciones de hacinamiento, y es común el cambio de domicilio. Las comidas son demasiado frugales y poco nutritivas. Los niños no cuentan con atención médica. Además, la lucha por sobrevivir le causa estrés a la mujer que encabeza la familia. Muchas sufren depresión o ansiedad, lo que merma su capacidad para atender y apoyar a sus hijos.

Los niños que crecen en estos hogares pueden sufrir diversas desventajas que afectan su bienestar psicológico y su desarrollo intelectual. Por ello, tienen menos probabilidades de mejorar su nivel socioeconómico cuando son adultos. También es más probable que se conviertan en progenitores solteros. Y así el problema se transmite de una generación a otra (McLanahan y Booth, 1989).

Los investigadores han tratado de identificar factores que puedan romper el círculo vicioso de depresión y desesperanza que caracteriza a muchas familias de un solo progenitor con bajos ingresos. Por ejemplo, descubrieron que cuando las madres de estas familias trabajan en empleos que les gustan, sus hijos tienen mayor autoestima y sentido de la organización familiar y de la solidaridad que aquellos cuya madre no trabaja o lo hace en empleos que le desagradan mucho. Las madres solteras que trabajan influyen profundamente en sus hijas, quienes dan mayor importancia a la independencia y al logro que las de madres que no trabajan (Alessandri, 1992).

Los investigadores también examinan algunos factores de este tipo de familia que afectan la relación del hijo con su madre y lo que éste piensa de sí mismo. Cuando Vonnie McLoyd (1994) y sus colegas estudiaron la forma en que el desempleo y la interrupción del trabajo de la madre influía en una muestra de 241 madres afroamericanas solas y en sus hijos, observaron un efecto negativo indirecto en el bienestar de los niños —lo que significa que los problemas económicos deterioraban el funcionamiento psicológico de la madre; esto, a su vez, influía en su capacidad de ser una buena madre y, por tanto, en la relación con el hijo. Las madres del estudio manifestaban síntomas de depresión cuando estaban desempleadas; si se sentían deprimidas, solían castigar a sus hijos con mayor frecuencia. Ellos, por su parte, mostraban a menudo signos más evidentes de malestar y depresión cognoscitivos.

¿Hay algo que pueda poner fin a este ciclo de problemas económicos, depresión de la madre y consecuencias psicológicas para el niño en una familia con un solo progenitor? McLoyd y sus colegas comprobaron que cuando las madres percibían que contaban con ayuda a manera de bienes y servicios —por ejemplo, cuando sabían que alguien fuera de su familia les ayudaría con los asuntos si se enfermaban— tenían menos síntomas de depresión, cumplían mejor su papel de madres y castigaban menos a sus hijos.

El apoyo social es útil, aunque no siempre. En un estudio reciente (Chase-Lansdale y otros, 1994), los investigadores examinaron los estilos disciplinarios, las estrategias para solución de problemas y la emotividad de abuelas, madres y niños afroamericanos que compartían la misma residencia. En este sistema natural de apoyo, las madres y las abuelas a menudo mostraban una compleja interacción en la crianza, útil aunque a veces antagónica. Los efectos de la cohabitación en la crianza solían ser positivos cuando se trataba de madres adolescentes. Las madres de mayor edad solían criar mejor a sus hijos cuando no vivían en una familia de tres generaciones. Además, las abuelas de medio tiempo brindaban mejores cuidados y apoyo social que las que vivían en la misma unidad familiar.

Muchos niños salen adelante a pesar del estrés que viven en las familias de un solo progenitor. La tabla 9-2 contiene algunas directrices para que funcione bien este tipo de familia.

LOS HIJOS DEL DIVORCIO

Puesto que casi la mitad de los matrimonios termina divorciándose, cada año más de un millón de niños sufren la separación de su familia. (En la tabla 9-3 se incluyen porcentajes específicos para Estados Unidos, 1970-1990.) Principalmente por el divorcio, sólo 40 por ciento de los niños que nacen hoy llegarán a los 18 años de edad en un hogar intacto de dos progenitores (Otto, 1988). En esta sección examinaremos los efectos que el divorcio tiene en el niño; en el capítulo 15 retomaremos el tema de los efectos en los padres.

CONSECUENCIAS PSICOLÓGICAS DEL DIVORCIO   La separación definitiva de la familia afecta al niño en diversas formas. Los dos padres tienen una influencia decisiva en el desarrollo de sus hijos; el divorcio significa que los niños ya no tendrán el mismo acceso a ellos. Más aún, casi siempre la familia ha pasado ya por un estado de tensión y estrés prolongados. Quizá los hijos llevan meses o quizá hasta años escuchando la palabra *divorcio*, en ocasiones a gritos, a menudo acompañada por enojo, pleitos y llanto. Aun desde muy pequeños los niños saben cuándo hay problemas en la relación de sus padres. Se preguntan qué les sucederá si llegan a divorciarse.

Cuando finalmente uno de los progenitores se marcha, temen que también los abandone el otro. Se sienten tristes, confusos, enojados o llenos de ansiedad. Se deprimen o adoptan una conducta destructiva en su casa o la escuela. Muchos, en especial los pequeños, piensan que tienen la culpa del divorcio. Si no se hubieran portado mal, quizá sus padres no se habrían separado. Muchas

TABLA 9–2   SIETE NORMAS PARA PROGENITORES SOLTEROS

1. Aceptar responsabilidades y retos. Conservar una actitud positiva y la convicción de que pueden hallarse soluciones.

2. Darle prioridad a la función de padre o madre. Los progenitores solteros exitosos están dispuestos a sacrificar tiempo, dinero y energía para atender las necesidades de sus hijos.

3. Imponer una disciplina coherente y no punitiva.

4. Procurar ante todo una comunicación abierta. Alentar la confianza y la expresión sincera de las emociones.

5. Favorecer la individualidad dentro de una unidad familiar de apoyo.

6. Reconocer la necesidad de preocuparse por uno mismo. Los progenitores deben entender la necesidad de atender a sus propias necesidades, pues, de lo contrario, no podrán ayudar a sus hijos.

7. No descuidar los rituales ni las tradiciones: la hora de dormir, la celebración de días festivos y las actividades especiales de la familia.

Fuente: Adaptado de Olson y Haynes, 1993.

Los niños en familias cohesivas y adaptables suelen estar mejor preparados para afrontar las situaciones estresantes.

TABLA 9–3   NÚMERO ESTIMADO DE NIÑOS A QUIENES AFECTA EL DIVORCIO, ESTADOS UNIDOS, 1970–1990

AÑO	NÚMERO
1970	870,000
1975	1,123,000
1980	1,174,000
1985	1,091,000
1990	1,075,000

Fuente: U.S. Census Bureau, 1997.

veces sueñan con una reconciliación y en ocasiones, hasta tratan de volver a unirlos, por ejemplo, portándose muy bien (Hetherington, 1992; Hetherington y otros, 1989; Wallerstein y otros, 1988). Algunos padres complican aún más las cosas porque en un principio no están seguros de su decisión, intentando quizá inútilmente reconciliarse y dando esperanzas falsas a sus hijos.

Las relaciones con ambos progenitores cambian durante y después del divorcio. Los hijos se vuelven rebeldes e insolentes; y en la adolescencia se desvinculan afectivamente de sus padres. A menudo se convierten en paño de lágrimas y los escuchan quejarse largamente uno de otro. Tal vez se vean atrapados en medio de un juicio por la custodia legal y tengan que elegir a uno de sus progenitores. Éstos quizás compitan por el afecto de sus hijos e intenten sobornarlos con regalos o privilegios. Con frecuencia los padres se ven sometidos a gran estrés después del divorcio y no están en condiciones de ofrecer afecto ni control: son menos cariñosos, no aplican la disciplina de modo uniforme, no se muestran comunicativos ni ofrecen apoyo. Además, los hijos suelen molestarse cuando sus padres inician otra relación afectiva. Por ejemplo, un niño que vive con su madre quizás asuma el rol de "hombre de la familia" y se sienta amenazado cuando un "rival" haga su aparición (Hetherington y otros, 1989).

Entre los factores más importantes que determinan cómo reacciona el niño ante el divorcio se encuentran los siguientes:

1. *El grado de hostilidad que acompañe al divorcio.* Al niño le resulta mucho más difícil adaptarse si hay mucha hostilidad y amargura. El conflicto entre los padres disminuye el sentido de bienestar del niño. Cuando sus padres pelean, siente temor y enojo. Y se vuelve especialmente vulnerable cuando se le obliga a escoger entre los dos (Amato, 1993). La situación se vuelve mucho más difícil para todos por las riñas o las interminables luchas legales por la custodia legal, la división de la propiedad, el sostenimiento de los hijos y los acuerdos sobre las visitas y el cuidado de los menores (Rutter y Garmezy, 1983).

2. *El grado de cambio real en la vida del niño.* Si el hijo sigue viviendo en la misma casa, si asiste a la misma escuela y tiene los mismos amigos después del divorcio, es probable que los problemas de ajuste sean menos graves. Por el contrario, es posible que se trastoque su seguridad en sí mismo y su sentido del orden si su vida diaria se altera en muchos aspectos: ir de la casa de un progenitor a la del otro, perder amigos, inscribirse en otra escuela. Mientras más cambios se vea obligado a hacer, sobre todo en el periodo que sigue al divorcio, más difícil le será adaptarse (Hetherington y Camara, 1984).

3. *La naturaleza de la relación con los padres.* El compromiso y el apoyo emocional de *ambos* progenitores resulta de gran ayuda. Algunos investigadores han señalado que la naturaleza de las interacciones entre progenitor e hijo es mucho más importante que el hecho de que ambos padres se encuentren en casa (Rutter y Garmezy, 1983). De hecho, algunas veces los hijos de divorciados están mejor que si sus padres no se hubieran separado y siguieran discutiendo y riñendo.

CONSECUENCIAS EN LA VIDA DIARIA   Inmediatamente después de un divorcio los hijos parecen confundidos, sobre todo los de cinco a siete años de edad. Muestran problemas de conducta en casa y en la escuela. Se alteran de manera profunda su vida diaria y su conocimiento del mundo social. Han desaparecido los patrones establecidos de su vida familiar. En el pasado el mundo era predecible: todas las tardes papá regresaba a casa de su trabajo, la familia se sentaba a la mesa para cenar y a las ocho de la noche todo mundo se iba a dormir; ahora lo impredecible es la regla. En consecuencia, a menudo los niños prueban las reglas para ver si el mundo sigue funcionando igual que antes. Tal vez su madre les haya dicho: "Sé que te molesta mucho que papá ya no venga a casa. Pero eso no significa que no debas irte a dormir a las ocho de la noche. Tienes que levantarte temprano e ir a la escuela. Y además necesitas descansar." Si los profesores quieren ayudar, pueden recordar al niño con amabilidad las reglas y expectativas y brindarle apoyo emocional. Los pequeños que resultan profundamente lastimados por el divorcio tenderán más a repetir el año o a ser expulsados de la escuela y a ser sometidos a tratamiento por sus problemas psicológicos y de conducta que los hijos de familias intactas.

FAMILIAS RECONSTITUIDAS O MEZCLADAS   Cuando el progenitor que obtiene la custodia legal contrae segundas nupcias y forma así una **familia reconstituida o mezclada** —como sucede hoy en la mayoría de los casos—, algunos niños aceptan gustosos la llegada de un padrastro o una madrastra. En cambio, para otros las segundas nupcias plantean otro difícil ajuste. Tal vez se sientan desanimados porque ya no podrán reconciliar a sus padres, y es posible que rechacen los intentos del padrastro o de la madrastra de ganarse su afecto o de disciplinarlos. Su lealtad se divide entre sus padres y pueden sentirse culpables por creer que al sentir afecto por el padrastro o la madrastra "abandonan" al padre que no obtuvo la custodia legal. A veces también les duele tener que "compartir" a su progenitor con el nuevo cónyuge y a muchos les preocupa "ser excluidos" de la nueva familia. Muchos niños encaran el problema adicional de tener que aprender a vivir con hermanastros o hermanastras (Hetherington y otros, 1989).

En casi todos los casos, las principales alteraciones debidas al divorcio y las familias reconstituidas se superan al cabo de dos años. Transcurrido este lapso, los hijos y los padres se han adaptado y empiezan a rehacer su vida, aunque las huellas del divorcio reaparecen a veces en la adolescencia y otra vez en la juventud. Si persisten los problemas del divorcio, pueden entorpecer seriamente el progreso psicológico, social y académico.

MALTRATO DEL NIÑO

Como apuntamos en varias partes del libro, uno de los más serios e inquietantes ejemplos de la ruptura familiar es el maltrato del niño. Cualquiera que sea la edad del menor, un progenitor abusivo destruye las expectativas de amor, confianza y dependencia, tan necesarias para un sano desarrollo social y de personalidad. A menudo surgen graves problemas de desarrollo. En esta sección estudiaremos con más detenimiento el maltrato del niño y su dinámica.

El término **maltrato del niño** designa el daño físico o psicológico que le inflige *intencionalmente* un adulto (Burgess y Conger, 1978). Se distingue de la *negligencia* porque ésta no suele ser intencional. La negligencia es el hecho de que

familias reconstituidas o mezcladas   Llamada también familia de divorciados; aquella en que los progenitores han vuelto a casarse para formar otra familia.

maltrato del niño   Daños intencionales de carácter psicológico o físico que se infligen al niño.

un cuidador no responda al niño o no lo cuide. Aunque no tan seria como el maltrato, puede hacer que el niño sufra o muera como vimos en el capítulo 5. Sin embargo, la naturaleza intencional del maltrato es mucho más aterradora sin importar si se manifiesta en formas tan terribles como el castigo violento y el abuso sexual o en formas psicológicas más sutiles como el ridículo o los ataques directos contra el autoconcepto y la autoestima.

Es difícil trazar una línea divisoria entre el maltrato del niño y el castigo aceptable, en parte porque la distinción depende de las normas culturales y comunitarias. Tradicionalmente muchas culturas han aceptado, y hasta alentado, el maltrato físico que hoy se considera despiadado y brutal. Antaño se pensaba que el castigo físico severo era necesario para corregir y educar a los niños. Algunas culturas practicaban ciertas clases de crueldad física que tenían un significado simbólico y religioso: atar los pies, moldear el cráneo o hacer cicatrices rituales. Como a los niños se les consideraba una propiedad, los padres tenían el derecho legal de tratarlos como juzgaran conveniente. El infanticidio y el abandono de los hijos no deseados eran métodos tradicionales con que los padres desesperados trataban de afrontar hambre, hijos ilegítimos o defectos congénitos (Radbill, 1974).

En la actualidad, se trata de un delito grave causar de manera deliberada un daño serio o la muerte a un niño, con sanciones que abarcan desde quitar a los padres la custodia del niño hasta la cárcel o la pena capital en los Estados Unidos. Sin embargo, por desgracia, el maltrato no es infrecuente.

MALTRATO FÍSICO   En Estados Unidos, los informes oficiales sobre negligencia y maltrato del niño ascienden a un millón al año; tres niños mueren diariamente por maltrato físico o negligencia. Las cifras parecen aterradoras, pero no son exclusivas de ese país; porcentajes similares se registran en Canadá, Australia, Gran Bretaña y Alemania (Emery, 1989).

El maltrato físico ocurre por lo general a manos de los progenitores, tanto de la madre como del padre. Sin embargo, cuando el responsable no es un progenitor, los varones superan a las mujeres en una proporción de cuatro a uno. En el caso del abuso sexual, la proporción de varones que abusan de los niños es aún mayor: casi 95 por ciento. Los padres no suelen abusar sexualmente de las niñas pequeñas. Los padrastros tienen cinco veces más probabilidades de hacerlo que los padres biológicos (Sedlack, 1989; Wolfe y otros, 1988). El abuso sexual lo sufren sobre todo las niñas y el maltrato físico los varones. Los niños más pequeños son víctimas de lesiones más serias que los mayores; cerca de la mitad de los casos de daño serio o muerte se registran en niños menores de tres años (Rosenthal, 1988).

MALTRATO PSICOLÓGICO   El maltrato físico siempre se acompaña de componentes psicológicos que pueden resultar aún más nocivos que el maltrato propiamente dicho (Emery, 1989). El maltrato psicológico se presenta en seis formas (Hart y otros, 1987) que se resumen en la tabla 9-4. Es tan común que prácticamente nadie crece sin sufrir alguna de sus modalidades. Pero, por fortuna, en general no es tan intenso ni lo bastante frecuente como para causar daño permanente (Hart y otros, 1987).

EFECTOS DEL MALTRATO DEL NIÑO   El abuso sexual y otros tipos de maltrato físico producen efectos duraderos en el bienestar emocional del niño. Su autoestima puede quedar dañada de modo irremediable; y tal vez le sea difícil confiar en otras personas ante el temor de explotación y sufrimiento. Por tanto, el niño maltratado suele aislarse y puede que se comporte de modo muy agresivo cuando se le acerquen (Hart y Brassard, 1989; Haskett y Kistner, 1991; Mueller y Silverman, 1989). Además, los niños maltratados suelen tener más problemas que los que crecen en familias normales (Hanson, 1989; Vondra,

TABLA 9–4   SEIS TIPOS DE MALTRATO PSICOLÓGICO DEL NIÑO

1. *Rechazo:* Rechazar las peticiones o las necesidades de un niño en una forma que refleje aversión.

2. *Negación de responsividad emocional:* Retención pasiva del afecto que se manifiesta en conductas como frialdad o no responder a los intentos de comunicarse.

3. *Degradación:* Humillar al niño en público u ofenderlo con expresiones como "tonto". La autoestima del niño disminuye si se denigra con frecuencia su dignidad o su inteligencia.

4. *Intimidación:* Verse obligado a presenciar el maltrato de un ser querido o ser sometido al mismo. Se intimida al niño cuando se le golpea periódicamente o cuando se le dice expresiones como "Voy a romperte todos los huesos del cuerpo". Una forma más sutil de intimidación se da cuando un progenitor abandona en la calle al hijo que se porta mal.

5. *Aislamiento:* No permitirle al niño jugar con los amigos ni tomar parte en las actividades de la familia. Hay modalidades de aislamiento, como encerrarlo en un clóset, que pueden ser, además, una forma de intimidación.

6. *Explotación:* Aprovechar la inocencia o la debilidad del niño. El ejemplo más común es el abuso sexual.

1990). Los adolescentes y adultos que fueron maltratados de pequeños están más propensos a problemas psicológicos como la depresión, el alcoholismo y el abuso de drogas (Schaefer y otros, 1988). Entre ellos el índice de intentos de suicidio es más elevado que el promedio.

Al niño maltratado también le es difícil controlar sus emociones y conducta, y suele lograr menos competencia social que el resto de sus compañeros (Shields y otros, 1994). Cuando los investigadores realizaron un estudio longitudinal en una muestra de niños maltratados de cinco años, descubrieron que eran menos populares y más retraídos que sus compañeros y que esos problemas se agravaron durante los cinco años del estudio (Dodge y otros, 1994).

Los investigadores consideran que el antecedente de conflictos familiares con maltrato verbal y físico puede ejercer un impacto acumulativo en las reacciones del niño ante el enojo, aun cuando no lo afecte de manera directa (Cummings y otros, 1994). El niño maltratado queda atrapado en relaciones deterioradas y no se le socializa en forma positiva ni alentadora. Aprende a ser rebelde, manipulador y a mostrar otras conductas problemáticas para evadir el maltrato; aprende a explotar, degradar e intimidar. Con el tiempo llega a *esperar* que las relaciones interpersonales sean dolorosas, lo que tiene consecuencias generalizadas a largo plazo.

EXPLICACIONES DEL MALTRATO DEL NIÑO

Las investigaciones exhaustivas dedicadas al maltrato del niño se han concentrado en tres explicaciones teóricas: la psiquiátrica, la sociológica y la situacional (Parke y Collmer, 1975). A continuación las estudiaremos brevemente.

EXPLICACIONES PSIQUIÁTRICAS   El modelo psiquiátrico se ha concentrado en la personalidad y los antecedentes familiares de los progenitores. La idea fundamental es que los padres que maltratan a sus hijos son personas enfermas y necesitan tratamiento psiquiátrico, aunque los investigadores no han encontrado un grupo particular de rasgos de personalidad o de otra índole relacionados con el maltrato. Los padres abusivos se encuentran en todos los ámbitos sociales.

Sin embargo, una constante es que muchos padres abusivos recibieron maltrato de niños (Ney, 1988). No se sabe aún cómo se transmite el maltrato de una generación a la siguiente; pero una explicación verosímil establece que los adultos que fueron maltratados de niños, aprenden del modelo presentado por sus padres este patrón de conducta abusiva del mismo modo que en la niñez se aprenden conductas aceptables. Por ejemplo, sus padres quizá les enseñaron que necesidades como la dependencia o la autonomía son inaceptables, que llorar o pedir ayuda es inútil o inconveniente. Para ilustrar esta teoría, consideremos el comportamiento de un niño que, al sentirse angustiado cuando su padre dejó de golpearlo, preguntó a la trabajadora social: "¿Por qué mi padre ya no me quiere?" Así pues, el niño asimila estas lecciones a una edad temprana, y cuando llega a ser progenitor, aplica a sus hijos lo que aprendió.

EXPLICACIONES SOCIOLÓGICAS La violencia es un aspecto de la cultura estadounidense que puede relacionarse con el maltrato del niño. Estados Unidos ocupa un lugar más elevado en asesinatos y otros delitos violentos que el resto de los países industrializados. Los programas violentos de televisión sugieren que la violencia es una forma aceptable de resolver conflictos. Otro dato importante es que, cuando se maltrata al cónyuge, también se suele maltratar a los hijos. El maltrato del niño está relacionado, además, con la aceptación generalizada del castigo físico como forma de disciplina; en Estados Unidos, 93 por ciento de los padres de familia golpea a sus hijos, aunque la mayoría lo hace con moderación y sin rebasar ciertos límites. En cambio, otras sociedades más pacíficas que suelen aplicar técnicas correctivas más orientadas al amor muestran una violencia y un maltrato del niño menos generalizados (Parke y Collmer, 1975).

La pobreza también influye en el maltrato del niño. Aunque el maltrato físico se observa en todos los niveles socioeconómicos, hay casi siete veces más probabilidades de que se registre en familias con un ingreso anual por debajo de los 15,000 dólares (Sedlack, 1989). En parte, este dato estadístico puede deberse al hecho de que el maltrato en las familias de clase media difícilmente se denuncia a las autoridades. Pero también es verdad que las tensiones generales de la familia, entre éstas las asociadas con la pobreza, aumentan el riesgo del maltrato.

El desempleo es otro factor de riesgo. En periodos de gran desempleo aumenta la violencia masculina contra la esposa y los niños. Los padres o las madres que de repente pierden su empleo acaso comiencen a golpear a los hijos. Además de las dificultades económicas, el desempleo disminuye el estatus social y la autoestima del progenitor. Un padre desempleado tal vez trate de compensar su situación ejerciendo la autoridad en casa por medio del dominio físico.

El aislamiento social es otra característica común de las familias en que se maltrata a los hijos. Los progenitores abusivos a menudo no tienen contacto con sus parientes, amigos y otros sistemas de apoyo. Les resulta difícil mantener las amistades y pocas veces pertenecen a organizaciones sociales. De ahí que, posiblemente, no tengan a quien acudir en busca de ayuda cuando la necesiten y descarguen sus frustraciones contra sus hijos.

EXPLICACIONES SITUACIONALES A semejanza del paradigma sociológico, el modelo situacional se concentra en factores ambientales. Sin embargo, este modelo hace hincapié en las interacciones de los miembros de la familia y el reconocimiento de que los niños participan en forma activa en el proceso (Parke y Collmer, 1975). Cuando examinamos el rol del niño en las familias, descubrimos que los progenitores escogen por lo general a uno de los hijos para maltratarlo. Los blancos más frecuentes son los más pequeños. El riesgo es particularmente elevado entre los niños que presentan anormalidades físicas o mentales y los que tienen un temperamento difícil. Los pequeños que lloran sin cesar pueden poner a sus padres al borde de un ataque de nervios. O bien es posible que las características del hijo no correspondan a las expectativas del progenitor. Por ejemplo, quizá al hijo de una madre que quiere tocarlo y consolarlo no le gusten estas manifestaciones de cariño. Otra posibilidad es que el progenitor tenga ideas poco realistas de las conductas idóneas para su hijo (Parke y Collmer, 1975; Vasta,

DIAGRAMA DE ESTUDIO ‣ APROXIMACIONES A LA COMPRENSIÓN DEL MALTRATO DEL NIÑO

EXPLICACIÓN	CAUSA	PERSPECTIVA
Psiquiátrica	Progenitores	Se concentra en la personalidad de los padres, a quienes considera enfermos y con necesidad de una psicoterapia intensiva; la mayoría de los que maltratan a un niño sufrieron a su vez maltrato en la infancia; la presencia de modelos de una crianza deficiente origina un círculo vicioso de violencia familiar.
Sociológica	Sociedad	Señala que las familias modernas viven en una cultura de violencia que se refleja en los programas televisivos; es común que se recurra al castigo físico y éste puede salirse de control cuando la familia está bajo estrés; condiciones socioeconómicas como el desempleo y la pobreza intensifican el estrés y, por lo mismo, propician el maltrato.
Situacional	Circunstancias inmediatas y patrones de interacción	Busca las causas ambientales del maltrato, entre éstas, patrones disfuncionales de interacción en la familia; a menudo el niño maltratado posee algunos rasgos que los padres juzgan indeseables y, por tanto, se convierten en víctimas del maltrato.

1982). Por ejemplo, un padre tal vez se enfurezca cuando su hijo de tres años no limpia el cuarto.

Aunque los tres modelos arrojan luz sobre las causas posibles del maltrato, ninguna nos indica cómo evitarlo. Los programas de prevención procuran, ante todo, ayudar a los padres y enseñarles métodos disciplinarios más eficaces. Aunque casi siempre reducen el maltrato, aproximadamente uno de cada cuatro participantes continúa golpeando a sus hijos (Ferleger y otros, 1988). En ocasiones, la única alternativa consiste en enjuiciar a los transgresores y en separar al niño de su familia.

1. ¿Qué se entiende por supervisión de los padres y por qué es importante para el desarrollo del niño?
2. ¿Qué es la autorregulación y cómo la aprenden los niños?
3. Mencione algunas de las tensiones relacionadas con la crianza a cargo de un solo progenitor.
4. Describa tres factores importantes que determinan la reacción del niño ante el divorcio.
5. Compare el maltrato físico y psicológico del niño.
6. Explique los puntos principales de los tres modelos que explican por qué los cuidadores maltratan a los niños.

REPASE Y APLIQUE

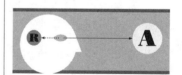

RELACIONES CON LOS COMPAÑEROS Y COMPETENCIA SOCIAL

Las relaciones con los compañeros cobran más importancia en la niñez media y ejercen mayor influencia en el desarrollo social y de la personalidad. En la presente sección comenzaremos por examinar las amistades, el modo en que se forman y benefician al niño. Después estudiaremos las relaciones con los compañeros en un ámbito más amplio, concentrándonos en la presión de los compañeros.

La amistad y la diversión van juntas.

CONCEPTOS DE LA AMISTAD

La capacidad de inferir los pensamientos, las expectativas y las intenciones de otros contribuyen a entender lo que significa ser amigo. Los niños que son capaces de ver las cosas desde la perspectiva ajena están en mejores condiciones para establecer relaciones sólidas y estrechas con la gente.

Robert Selman (1976, 1981) estudió las amistades de niños de siete a 12 años. Su método se parece al que empleó Kohlberg en las investigaciones del desarrollo moral: contar a los niños historias concernientes a un dilema de "relación" y luego plantearles preguntas para evaluar su concepto de los demás, su autoconocimiento y capacidad para reflexionar, sus ideas de la personalidad y sus ideas sobre la amistad. He aquí un ejemplo de las historias:

Kathy y Debbie son amigas desde que tenían cinco años. Una niña, Jeannette, llega a su vecindario, pero a Debbie le es antipática porque piensa que es una presumida. Más tarde Jeannette invita a Kathy al circo, que estará un solo día en el pueblo. Kathy tiene el problema de que le prometió a Debbie jugar con ella ese mismo día. ¿Qué deberá hacer?

Esta clase de historias plantean preguntas sobre la naturaleza de las relaciones, sobre amistades viejas y nuevas, sobre lealtad y confianza. Exigen que el niño reflexione y hable de cómo se forman y se conservan las amistades y de lo que es importante en una amistad. Con base en las respuestas de los niños, Selman (1981) describió cuatro etapas de la amistad, las cuales se resumen en la tabla 9-5. En la primera (seis años o menos), un amigo no es más que un compañero de juegos: alguien que vive cerca, que va a la misma escuela o que tiene juguetes bonitos. En esta etapa no se entiende su punto de vista, de modo que Kathy se limitaría a ir con su amiga al circo. En la segunda etapa (de siete a nueve años), comienzan a conocerse los sentimientos del otro. En esta etapa un niño diría que Kathy podría ir al circo con Jeannette y seguir siendo amiga de Debbie, sólo si ésta no se opone. En la tercera etapa (de nueve a 12 años) los

TABLA 9–5   ETAPAS DEL DESARROLLO DE LA AMISTAD PROPUESTAS
POR SELMAN

ETAPA	EDAD	CARACTERÍSTICAS
1	6 en adelante	La amistad se basa en factores físicos o geográficos; el niño es egocéntrico y no entiende los puntos de vista de otros.
2	7–9	La amistad comienza a basarse en la reciprocidad y en la conciencia de los sentimientos ajenos; empieza a fundarse en las acciones sociales y en la evaluación mutua.
3	9–12	La amistad se basa en una auténtica reciprocidad; a los amigos se les considera personas que se ayudan unos a otros; se evalúan mutuamente las acciones; aparece el concepto de confianza.
4	11-12 en adelante	La amistad se concibe como una relación estable estable y continua que se basa en la confianza; el niño puede observar la relación desde el punto de vista de terceras personas.

Fuente: Adaptado de Selman (1981).

amigos son personas que se ayudan entre sí, de tal modo que aparece el concepto de confianza. El niño comprende que la amistad entre Kathy y Debbie es distinta a la que existe entre la primera y Jeannette, porque la amistad más antigua se basa en una confianza de mucho tiempo. En la cuarta etapa, que era infrecuente entre los sujetos estudiados de 11 a 12 años, el niño examina la relación desde el punto de vista del otro. Un niño de esta edad podría decir: "Kathy y Debbie deberían entenderse y llegar a un acuerdo."

Según Selman, los cambios en el desarrollo de las amistades del niño se fundan en la capacidad de adoptar el punto de vista de otra persona. Pero no todos los investigadores coinciden con él. Por ejemplo, se sabe que los niños más pequeños tienen un mayor conocimiento implícito de las reglas y expectativas de la amistad de lo que pueden explicar al entrevistador (Rizzo y Corsaro, 1988). Además, las amistades verdaderas son más complejas y cambiantes de lo que supone el modelo de Selman. En un momento pueden comprender sensibilidad mutua, confianza y reciprocidad y, en otro, competitividad y conflicto (Hartup, 1996). El conflicto en particular puede ser un elemento intrínseco para la amistad. Tales complejidades no son sencillas de manejar por un modelo que sólo considera los aspectos cognoscitivos de las amistades de los niños y que ignora los aspectos emocionales (Berndt, 1983).

FUNCIONES DE LA AMISTAD

Los niños y los adultos se benefician por igual cuando sostienen relaciones estrechas y de confianza. Las amistades ayudan al niño a aprender conceptos y habilidades sociales, así como a adquirir autoestima. Las amistades ofrecen una estructura para la actividad; refuerzan y consolidan normas, actitudes y valores de grupo; sirven de fondo a la competencia individual y colectiva (Hartup, 1970a, 1996). Los niños con amistades satisfactorias y estables muestran actitudes más positivas ante la escuela y logran un mayor aprovechamiento académico (Ladd y otros, 1996).

Los patrones de la amistad cambian durante la niñez (Piaget, 1965). El patrón egocéntrico de la primera etapa propuesta por Selman cambia durante la

Las parejas de amigos permiten que el niño comparta sus sentimientos y temores, y refuerzan actividades, valores y normas.

niñez media, cuando el niño comienza a establecer relaciones más estrechas y tiene sus "mejores" amigos. Ya avanzada la niñez y durante la adolescencia se vuelven comunes los *grupos de amigos*. Se trata generalmente de grupos numerosos, con varios niños o niñas que participan en diversas actividades.

Los amigos se complementan unos a otros. Tal vez uno domine y el otro sea sumiso. Uno puede usar al otro como modelo y el otro puede disfrutar la "enseñanza". La amistad es, asimismo, un medio de autoexpresión. A veces, los niños escogen amigos cuya personalidad es muy distinta a la suya. El niño extrovertido o impulsivo elige en ocasiones a un compañero más reservado o introspectivo. Juntos tal vez manifiesten más rasgos de personalidad de los que podría reunir uno solo de ellos (Hartup, 1970a, 1970b). Desde luego, los amigos pocas veces son totalmente opuestos. Las amistades que perduran suelen compartir muchos valores, actitudes y expectativas. En efecto, la relación puede ser igualitaria, sin que ninguno de los amigos desempeñe un rol claro o constante.

A un amigo, el niño le expresa sus sentimientos y temores, todos los pormenores de su vida. El hecho de contar con un amigo en quien confiar le enseña a relacionarse abiertamente con otros sin timidez. Además, le permite compartir secretos, aunque el tipo de secretos que comprende y comparte (o no comparte) cambian durante la niñez media. Los niños más pequeños suelen "guardar" menos los secretos de los adultos (Watson y Valtin, 1997). Por lo demás, las amistades estrechas son más frecuentes entre las mujeres; los varones suelen confiar menos cosas personales a sus amigos (Maccoby, 1990; Rubin, 1980).

Algunas amistades de la niñez duran toda la vida, pero por lo general cambian. Los mejores amigos a veces se mudan a otra localidad o se inscriben en otra escuela; cuando esto ocurre, el niño puede experimentar una verdadera pérdida... hasta que entabla nuevas amistades. Algunas veces los amigos se interesan en otras personas que satisfacen sus necesidades en formas nuevas y distintas. En otras ocasiones tan sólo se separan o cultivan otros intereses. Irán formando nuevas amistades a medida que vayan madurando y cambiando (Rubin, 1980).

Por último, aunque las investigaciones indican que prácticamente todos los niños tienen por lo menos un *amigo unilateral*, muchos no cuentan con las amistades *recíprocas* que se caracterizan por dar y recibir (George y Hartmann, 1996). Algunos niños tratan en vano de establecer amistades importantes. Los que son rechazados por sus compañeros están expuestos a una adaptación deficiente más adelante en su vida, pero no todos ellos son "personas sin amigos". Incluso un solo amigo íntimo le ayuda al niño a afrontar los efectos negativos de no sentirse aceptado o de sentirse rechazado por sus compañeros (Rubin y Coplan, 1992). Las investigaciones han demostrado además que muchos niños que sufren el rechazo constante de sus compañeros siguen creyendo que cuentan con amigos, a pesar de que sus amistades son débiles e insatisfactorias (Parker y Asher, 1993).

GRUPOS DE COMPAÑEROS

Un **grupo de compañeros** es algo más que un simple grupo de niños. Es relativamente estable y permanece unido; sus miembros interactúan unos con otros y comparten ciertos valores. Las normas del grupo rigen las interacciones e influyen en todos los integrantes. Por último, en el grupo se observan diferencias de estatus: unos son líderes y otros seguidores.

grupo de compañeros Grupo de dos o más personas con un estatus similar, que interactúan y comparten normas y metas.

TENDENCIAS DEL DESARROLLO Los grupos de compañeros son importantes en la niñez media, pero su organización y su importancia presentan un cambio general entre los seis y los 12 años.

Los grupos de compañeros son relativamente informales en los primeros años de la niñez media. Los crean los niños, cuentan con muy pocas reglas operativas y la rotación de la membresía es rápida. Es verdad que muchas de las actividades del grupo, como jugar o andar en bicicleta, se llevan a cabo siguiendo reglas exactas. Pero la estructura del grupo muestra gran flexibilidad.

El grupo cobra mayor importancia para sus integrantes cuando llegan a la edad de 10 a 12 años. La conformidad con las normas del grupo se vuelve sumamente importante y la presión de los compañeros se vuelve más eficaz. El grupo también desarrolla una estructura más formal: puede establecer requisitos especiales de pertenencia, juntas de club y ritos de iniciación. En esta época también es muy perceptible la separación de los sexos. Los grupos están ahora compuestos casi de manera invariable por personas del mismo sexo; y los grupos mixtos tienen intereses, actividades y estilos diferentes de interacción (Maccoby, 1990). Las actitudes estrictas ante las reglas, la conformidad y la separación de los sexos no suelen disminuir sino hasta la mitad de la adolescencia.

FORMACIÓN DE LOS GRUPOS   Los niños conviven de modo constante en la escuela, los campamentos y el barrio. Los grupos se forman con rapidez y en su interior nace la diferenciación de roles, al mismo tiempo que toman lugar valores e intereses comunes. Se observan influencias y expectativas recíprocas, y empieza a surgir el sentido de tradición. Se trata de un proceso casi universal en todas las culturas.

La investigación clásica sobre la formación de grupos de compañeros en un campamento de verano para niños de quinto grado indicó que se forman con rapidez y que adquieren valores y normas comunes; los niños incluso daban nombre a sus grupos. Algo muy importante: cuando los grupos competían entre sí, nacieron pronto sentimientos de exclusividad y hostilidad. Cuando más tarde se les pidió cooperar, la hostilidad disminuyó de manera considerable (Sherif y Sherif, 1953; Sherif y otros, 1961). Tales hallazgos caracterizan la forma en que se crean y compiten los grupos en la escuela, los acontecimientos atléticos y las rivalidades vecinales o étnicas.

Se forman grupos de compañeros siempre que se juntan niños con valores, intereses y objetivos comunes.

ESTATUS EN EL SENO DEL GRUPO   Si observamos a los niños de edad escolar en el tiempo libre —digamos en la comida o durante un receso—, veremos cómo se desarrollan los roles dentro de los grupos. A una niña la rodean niños ansiosos de captar su atención. Otra permanece aislada, ignorada por todos. Tres niños pasan corriendo y gritando. Un fortachón toma el juguete de un niño más pequeño y éste comienza a llorar. Escenas como las anteriores ocurren en todas partes donde hay niños.

En cada grupo hay unos miembros que son populares y otros no. Además de los factores explicados en el capítulo 8, la aceptación de los compañeros a menudo guarda relación con el ajuste global del individuo: entusiasmo y participación activa, habilidades de cooperación y apertura a las oportunidades de socialización. Esta "sincronización" suele ser reforzada por el efecto que tiene en la autoestima y en la seguridad social. El ajuste de los niños simpáticos se fortalece con su popularidad; los niños ineptos se sienten aún más incómodos cuando el grupo los ignora o los rechaza (Glidewell y otros, 1966).

El desempeño académico y las cualidades atléticas también influyen en la popularidad. Por lo regular, los niños populares son más brillantes que los niños promedio y tienen un buen desempeño en la escuela. Los alumnos de lento aprendizaje son objeto de burlas o simplemente se les ignora. Las cualidades atléticas son muy importantes en ambientes como campamentos y patios de juego, donde el grupo de compañeros participa en deportes.

La retroalimentación de los profesores influye en la aceptación entre los compañeros. En un estudio (White y Kistner, 1992), un grupo de niños de primero y segundo grados vieron la filmación de un niño problema (un actor) rechazado por sus compañeros. Los comentarios positivos que el profesor hizo acerca del niño cuando terminó la proyección los estimuló a cambiar su opinión negativa. En conclusión, al aceptar a los niños problema —pero no su *conducta* incorrecta—, los profesores pueden influir en el estatus del grupo de compañeros.

La popularidad se ve afectada por una agresividad y una timidez extremas. A nadie le gustan los niños bravucones, de ahí que se rechace a los que son abiertamente agresivos. Éstos pueden volverse más agresivos aún por la frustración o porque quieren conseguir por la fuerza lo que no pueden obtener mediante la persuasión. Por su parte, el niño tímido y lleno de ansiedad corre el peligro de convertirse en víctima permanente y de ser hostilizado no sólo por los bravucones sino hasta por los niños no agresivos (Dodge y otros, 1990; Newcomb y otros, 1993; Perry y otros, 1990). Los niños tímidos muestran además poca conducta prosocial y el rechazo les causa gran sufrimiento. Suelen ser más solitarios y preocuparse más por la relación con sus compañeros que el niño agresivo a quien éstos rechazan sus compañeros (Parkhurst y Asher, 1992).

El estatus en el grupo incide en la opinión que el niño tiene de sí mismo. En una investigación (Crick y Ladd, 1993), los investigadores evaluaron los sentimientos de soledad, ansiedad y evitación social que se registraron en un grupo de niños de tercer y quinto grados. Se descubrió que lo que sientan los niños respecto de sí mismos y el hecho de que se culpen o culpen a otros de lo que les ocurre depende de sus experiencias con los compañeros. Los niños rechazados dijeron sentir más soledad y se mostraron más proclives a culpar a los demás por las relaciones insatisfactorias que los niños que eran bien aceptados entre los miembros del grupo. Los niños impopulares presentan a menudo rasgos que los distinguen de sus condiscípulos: obesidad, piel del color "equivocado" y hasta un nombre raro (como se comenta en el recuadro "Teorías y hechos" de la página siguiente). Esas características pueden reducir su adhesión a las normas del grupo.

La conformidad con una compañera es una conducta normal y, a menudo, deseable.

CONFORMIDAD CON EL GRUPO DE COMPAÑEROS   ¿Qué tan fuerte es la presión de acatar las normas del grupo? Aceptarlas puede ser una conducta normal,

TEORÍAS Y HECHOS

APODOS

¿Recuerda los buenos tiempos de la escuela primaria cuando todos lo llamaban con cualquier nombre menos el que le impusieron sus padres? Habrá tenido mucha suerte si lo llamaban con sobrenombres como "Jefe", "Entrenador" o "As", o tal vez tuvo la mala suerte de que lo llamaran "Dumbo", "Cuatrojos" o "Puerco". Tales nombres tal vez les parezcan divertidos a los adultos, pero son un auténtico martirio para el niño. Los apodos les enseñan a los niños sobre el estatus social, la amistad y la moral.

Para comprender mejor la importancia de los apodos, Rom Harré y sus colegas (1980) encuestaron a miles de adolescentes y adultos en Estados Unidos, Gran Bretaña, España, México, Japón y las naciones árabes. Descubrieron que los niños de cinco a 15 años se crean un mundo aparte y secreto en el que los apodos cumplen una función trascendente en ellos. Una de las razones principales por las que se los ponen

es separar el "nosotros" del "ellos". Se piensa que no vale la pena ocuparse de quienes no tienen un apodo. Los niños que no tienen un sobrenombre suelen ser impopulares y mantenerse aislados del resto del grupo. Como observan Harré y sus colegas (1980): "Tener un apodo equivale a poseer un atributo que nos hace merecedores de la atención social, aun cuando sea negativo. Por tanto, quizá sea mejor que nos llamen 'Cerdo' que simplemente Juan." En otras palabras, un mal apodo es preferible a no tener ninguno.

Los líderes del grupo usan a los "Panzas" y "Tontines" para mostrar lo que los miembros no deben ser. Son un anuncio ambulante de la violación de las normas. Mediante apodos los niños proclaman lo que es aceptable o inaceptable para la sociedad. Cualquier conducta, estilo o rasgo físico que no cumple con las normas sociales puede convertirse en fuente de apodos. Así, cuando los niños llaman a sus compañeros "Tacaño", "Pecas" o "Mocos", nos indican que tienen normas interiorizadas de los adultos sobre la pulcritud y el aspecto físico.

Por desgracia, los apodos pueden causar mucho sufrimiento. Pero los niños son a menudo víctimas voluntarias: "No es necesariamente el más gordo, el más tonto ni el más sucio al que llaman 'Hipopótamo' o 'Garras', sino al que está dispuesto a soportar la humillación de ser el símbolo de la avaricia infantil, de la imprevisión y de la aversión al baño" (Harré, 1980).

Los niños no emplean los apodos de la misma manera en las diferentes culturas. Apodos como "Tullido"·o "Trespatas", con los que se burlan de deformidades físicas, son mucho más comunes en los países árabes que en Inglaterra o Japón. Los niños japoneses prefieren utilizar analogías de animales e insectos. Sin embargo, en cualquier cultura parece que los apodos ayudan al niño a construir la realidad social que lleva consigo hasta la adultez. ¿Qué contiene un nombre? En el caso de los apodos, mucho más de lo que parece a simple vista.

---

sana y, a menudo, deseable. En su conducta diaria, los niños se adhieren a las normas del grupo y también a las expectativas de los adultos. Pero en ocasiones esta adhesión puede ser excesiva, aun cuando no ayuden al niño, ni al grupo ni a la sociedad en general.

Los niños muy conformistas presentan algunas características comunes. Muestran sentimientos de inferioridad y poca "fortaleza del ego" (Hartup, 1970a; Rubin y Coplan, 1992). Suelen ser más dependientes o exteriorizar mayor ansiedad que otros niños y son muy sensibles a las sugerencias sociales relacionadas con la conducta. Tienden a *autosupervisar* con mucho rigor lo que hacen y dicen. Les preocupa mucho la impresión que dan a la gente y siempre están comparándose con sus compañeros.

Desde luego, las presiones de los compañeros pueden ser positivas y negativas. Las investigaciones han demostrado, entre otras cosas, que la influencia del grupo de compañeros puede estimular la motivación académica. Cuando se estudió la formación de los grupos en los grados cuarto y quinto, se observó que solían estar integrados por alumnos con una motivación escolar semejante (Kindermann, 1993). Así, el grupo de compañeros favorece el éxito académico y el aprendizaje, pues sus miembros se identifican unos con otros. Hay mayores probabilidades de que los niños se conformen a la presión de sus compañeros cuando ésta es positiva que cuando se relaciona con conductas como robar, ingerir bebidas alcohólicas o consumir drogas. Cuando se refiere a actos antisociales, los varones están más propensos a ceder que las mujeres (Brown y

Los grupos de compañeros tienen algunos miembros que son populares y otros que no lo son.

otros, 1986). Los niños sin supervisión después de las clases se someten más a la presión antisocial de sus compañeros que aquellos que cuentan con la supervisión de personas adultas (Steinberg, 1986).

La conformidad resulta particularmente significativa al final de la niñez media, cuando el niño comienza a dejar la seguridad de la vida familiar. El preadolescente suele tener una fuerte necesidad de pertenencia, de sentirse aceptado y formar parte de un grupo. Estas necesidades se acompañan de una necesidad igualmente fuerte de autonomía y dominio. Los niños ejercen cierto control sobre su ambiente social y físico para entender las reglas y los límites, y para encontrar un sitio dentro de tales límites. Así pues, participan en forma muy activa en el establecimiento de reglas y de rituales de aprendizaje.

Por desgracia, los compañeros a veces generan una conformidad que se manifiesta en prejuicios contra quienes son diferentes. En la sección final del capítulo, veremos cómo nace el prejuicio en la niñez media, con el acento puesto en el surgimiento del prejuicio racial.

LOS INCLUIDOS, LOS EXCLUIDOS Y EL PREJUICIO

El **prejuicio** es una actitud negativa contra las personas por pertenecer a un grupo y se define con criterios raciales, religiosos o étnicos o con algún otro atributo perceptible. Supone la existencia de *personas incluidas* —individuos convencidos de que poseen las características deseables— y de *personas excluidas* —individuos que son diferentes e indeseables. La **discriminación** significa obrar bajo el impulso del prejuicio; por ejemplo, negarse a contratar a integrantes de determinado grupo racial o étnico.

La conciencia racial comienza a aparecer durante la etapa preescolar. Del mismo modo que el niño identifica que es su género, un pequeño afroamericano se percata también de que se distingue de los de raza blanca por tener la piel más oscura y otras diferencias físicas. Así como una pequeña se da cuenta de que su cuerpo es distinto al de un niño antes de comprender lo que significa ser mujer en la sociedad estadounidense, un niño de raza negra aprende que es diferente de los de raza blanca antes de entender lo que significa ser afroamericano. Por tanto, primero advierte que su aspecto no es igual al de ellos y, luego, que la diferencia puede hacer que lo rechacen o puede esgrimirse en su contra. Lo mismo sucede a un niño blanco en un ambiente con predominio de raza negra. Lo que no entiende es *por qué* la raza o el grupo étnico origina la discriminación racial. Contestar esa pregunta puede ser una tarea de toda la vida (Spencer, 1988).

Para entender el significado de las diferencias de grupo y lo que significa pertenecer a uno es necesaria la cognición social, la cual a su vez se basa en el desarrollo cognoscitivo. Así, un niño cuyo pensamiento es egocéntrico todavía y que sólo puede concentrarse en una sola dimensión a un tiempo supone que quienes se parecen en una dimensión (digamos el color de la piel) deben parecerse también en otras. Con el tiempo aprende a ver a las personas como multidimensionales. En un experimento con niños canadienses de habla inglesa y francesa (Doyle y otros, 1988), los investigadores descubrieron que los niños de mayor edad presentaban actitudes más flexibles ante los miembros del otro grupo lingüístico. La probabilidad de que se atribuyesen características negativas a los miembros de otros grupos era menor entre los niños que dominaban el pensamiento de las operaciones concretas que en los que todavía se hallaban en la etapa preoperacional. No obstante, otros investigadores comprobaron que el nivel de desarrollo cognoscitivo no guarda relación directa con el conocimiento de la propia identidad racial o étnica (Ocampo y otros, 1997).

La mayor capacidad de percibir la multidimensionalidad de los individuos se anula ante la fuerte tendencia del escolar de mayor edad a adherirse a las normas del grupo y a rechazar a quienes se diferencian de él en alguna forma.

prejuicio Actitud negativa que se forma sin una razón suficiente y que en general se dirige contra las personas por su pertenencia a cierto grupo.

discriminación Tratar a otros en forma prejuiciada.

En un estudio efectuado en una ciudad californiana donde 50 por ciento de la población escolar estaba constituida por afroamericanos y el otro 50 por ciento por niños de raza blanca se descubrió que era menos probable que los niños mayores tuviesen un amigo de la otra raza. Las amistades interraciales disminuían de modo constante entre el cuarto y el séptimo grados. Los investigadores llegaron a la conclusión de que, al ir creciendo el niño, la similitud se convierte en un criterio cada vez más decisivo de la amistad.

A veces, otros miembros del grupo ejercen presión para que no se den las amistades con integrantes de un grupo distinto (Hallinan y Teixeira, 1987). La presión se ejerce por igual sobre niños de raza blanca y negra. Los afroamericanos que entablan amistad con los blancos pueden sentir la presión de abandonarlos porque están siendo "desleales" a su raza (Schofield, 1981). En fechas recientes se ha comprobado que a veces se considera desleales a los niños negros que tienen éxito en la escuela. Pueden ser hostilizados por sus compañeros y quedar excluidos de las actividades de grupo (Reuter News Service, 1993).

La conciencia racial es un problema importante en la niñez media. El niño asimila las actitudes culturales de quienes lo rodean. A cambio de aceptar las normas de su sociedad, debe asegurársele que pertenece a un grupo más grande y poderoso. Pero los progenitores afroamericanos han tenido que adaptarse a una cultura mayoritaria que no los recompensa igual que a los blancos. Se espera que inculquen a sus hijos los valores de una sociedad que los estima poco. Por supuesto los niños perciben este conflicto que influye en sus actitudes frente a la sociedad.

La situación se agrava con la presión de los compañeros. A menudo los grupos minoritarios poseen normas que difieren mucho de las de los grupos blancos de clase media. Un niño afroamericano que crezca en un ambiente urbano empobrecido pertenecerá a una cultura diferente de la mayoría de los blancos o de los negros de clase media. El grado de aceptación que los niños afroamericanos reciben de la sociedad en general con frecuencia depende de su capacidad para adaptarse a las normas. Cuando los niños de las minorías se juntan con miembros de su grupo racial o étnico, su ajuste se facilita durante la niñez media. La pertenencia a un grupo mejora su autoestima y aumenta la solidaridad hacia los incluidos y la hostilidad hacia los excluidos. Pero llega el momento en que los niños de las minorías han de encarar el problema de integrar su autoconcepto a la imagen que la sociedad tiene de ellos; esto puede ocasionar conflicto, ansiedad o enojo a cualquier edad.

1. Explique la importancia de la amistad durante la niñez media.
2. Explique las tendencias del desarrollo en los grupos de compañeros y algunas características de la formación de estos grupos.
3. Exponga algunos de los problemas que el niño enfrenta a causa del prejuicio y la discriminación. ¿Por qué es tan importante la conciencia racial durante la niñez media?

REPASE Y APLIQUE

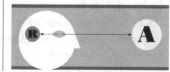

RESUMEN

Desarrollo de la personalidad en un mundo social en expansión

■ Freud describió la niñez media como un periodo de latencia en que los niños pueden canalizar su energía emocional hacia las relaciones con los compañeros, a actividades creativas y al aprendizaje.

■ Erikson propuso que lo esencial de la niñez media es el conflicto de laboriosidad frente a inferioridad.

- Piaget y Kohlberg se concentraron en la adquisición del autoconcepto y la moral.
- La teoría del aprendizaje social ha hecho grandes aportaciones al conocimiento de cómo se aprenden algunas conductas en el contexto de la familia y el grupo de compañeros.
- En la niñez media el niño se forja imágenes cada vez más estables de su persona, y su autoconcepto se vuelve más realista.
- Conforme va creciendo, el niño se forma una imagen más compleja de las características físicas, intelectuales y de su personalidad y la de los otros.
- La autoestima indica el hecho de verse a uno mismo bajo una luz positiva o negativa. Durante el periodo escolar guarda estrecha correlación con el aprovechamiento académico.

Conocimiento y razonamiento social

- Un aspecto fundamental de la socialización durante la niñez media es la cognición social: pensamientos, conocimientos y comprensión que pertenecen al mundo del yo en las interacciones sociales con otros.
- Un componente básico de la cognición social es la inferencia, o sea las conjeturas y suposiciones sobre lo que otra persona siente, piensa o desea.
- Otros componentes de la cognición social son el conocimiento de la responsabilidad y la comprensión de normas sociales como las costumbres y las convenciones.
- Según Piaget, el sentido moral de los niños se desarrolla en dos etapas: en la etapa del realismo moral (primeros años de la niñez media), los niños piensan que es necesario obedecer todas las reglas. En la etapa del relativismo moral, se dan cuenta de que las reglas pueden cambiarse cuando es necesario.
- Kohlberg definió tres niveles generales de razonamiento moral: nivel preconvencional, convencional y posconvencional, cada uno de los cuales se subdivide, a su vez, en dos etapas (consulte el diagrama de estudio de la página 318).
- Los críticos han atacado la teoría de Kohlberg por su absolutismo moral: señalan que prescinde de algunas diferencias culturales muy importantes. También lo critican porque su teoría evalúa las actitudes morales, no la conducta.
- Gilligan considera que hay dos tipos fundamentales de razonamiento moral: uno que se basa principalmente en el concepto de justicia; el otro, en las relaciones humanas y en el interés por los demás. La primera teoría caracteriza al pensamiento masculino y la segunda es más frecuente en el de la mujer.
- En opinión de Eisenberg, son muchos los factores que intervienen en el juicio moral, entre éstos las costumbres sociales de la cultura en la que se cría el niño y su estado de ánimo en un momento dado.

Influencias permanentes de la familia

- En el periodo de instrucción primaria, los padres se interesan menos por impulsar la autonomía y fijar rutinas diarias y más por los hábitos de trabajo y el aprovechamiento académico de sus hijos.
- Una meta esencial de la crianza consiste en mejorar la conducta autorregulada del niño.
- Según Maccoby, el niño se adapta de manera óptima cuando sus padres favorecen la corregulación, es decir, cuando paulatinamente van generando la cooperación y comparten la responsabilidad en previsión de la adolescencia.
- En las últimas décadas se ha vuelto común la crianza a cargo de un solo progenitor. Más de tres cuartas partes de las madres estadounidenses de hijos en edad escolar trabajan fuera de casa. Estas tendencias han elevado el nivel general de estrés que sufren los progenitores y sus hijos.
- Las familias adaptables y cohesivas, con patrones de comunicación abierta y con buenas habilidades para resolver problemas están en mejores condiciones de sobrellevar las situaciones estresantes.
- Los niños resistentes logran desarrollarse bien incluso en un ambiente desfavorable. La mayoría de ellos adquieren un apego seguro con un progenitor o abuelo durante el primer año de vida; si esa persona se ausenta, encontrarán a otra que les brinde apoyo emocional.
- Los niños que crecen en una familia pobre de un solo progenitor corren muchos riesgos: bajo nivel socioeconómico, hacinamiento, cambio frecuente de domicilio, comidas demasiado frugales y poco nutritivas, falta de atención médica. Estos problemas afectan su salud psicológica y su desarrollo intelectual.
- Algunas veces el apoyo social ayuda a las familias de un solo progenitor a romper el círculo vicioso de mala situación económica, depresión de la madre y los efectos psicológicos que esto tiene en el niño.
- Los hijos de padres divorciados se sienten tristes, confundidos, enojados o ansiosos. A veces se deprimen o se comportan mal en casa o en la escuela. Muchos se culpan del divorcio de sus padres.
- Las relaciones con los progenitores cambian durante un divorcio y después. A veces, el niño se vuelve rebelde y discute todo; y en la adolescencia puede desvincularse afectivamente de los padres.
- Entre los factores más importantes que determinan la reacción de los niños ante el divorcio figuran la hostilidad que acompaña al divorcio, el cambio real en la vida del niño y la índole de su relación con sus padres.

- Inmediatamente después del divorcio se altera de modo considerable la vida diaria de los niños y su comprensión del mundo social.
- Para muchos hijos de divorciados las segundas nupcias de su progenitor representan otro ajuste difícil.
- El maltrato del niño es el daño físico o psicológico que le inflige intencionalmente un adulto.
- El maltrato físico a menudo se da a manos de los padres. El abuso sexual de las niñas pequeñas no suele cometerlo el padre. A diferencia del abuso sexual, del que las niñas son las víctimas más frecuentes, los varones sufren con mayor frecuencia el maltrato físico; los niños de corta edad sufren lesiones más serias que los mayores.
- El maltrato puede tener efectos a largo plazo en el bienestar emocional del niño, en su autoestima y en su capacidad para confiar en la gente. Le resulta más difícil controlar sus emociones y su conducta, además suele tener menor competencia social que el resto de los niños.
- Hay tres explicaciones teóricas al maltrato. El modelo psiquiátrico se concentra en la personalidad y los antecedentes de los progenitores. El modelo sociológico hace hincapié en la función de una cultura de violencia, en la pobreza y en el desempleo y el aislamiento social que agobian a las familias. Las explicaciones situacionales resaltan las interacciones entre los miembros de la familia, incluido el rol del niño que recibe maltrato.

Relaciones con los compañeros y competencia social

- Selman describe cuatro etapas de la amistad. En la primera, un amigo es sólo un compañero de juegos; en la segunda, comienza a aparecer la conciencia de los sentimientos de otras personas; en la tercera, los amigos son personas que se ayudan y que confían unas en otras; en la cuarta, el niño puede ver una relación desde el punto de vista del otro.
- Las amistades ayudan a que el niño aprenda conceptos y habilidades sociales, a que adquiera autoestima; estructuran las actividades; fortalecen las normas, las actitudes y los valores del grupo; y constituyen el trasfondo de la competencia individual y colectiva.
- Los patrones de la amistad cambian durante la niñez: el "mejor" amigo aparece en la niñez media y las amistades en el grupo son cada vez más comunes en los años posteriores. Aunque algunas amistades duran toda la vida, la mayoría se modifica por diversas razones: cambios de domicilio o de escue-

la, cultivo de nuevos intereses o una simple separación.
- El grupo de compañeros muestra bastante estabilidad y permanece unido; sus miembros interactúan regularmente y comparten valores.
- Al inicio de la niñez media, los grupos de compañeros son relativamente informales. En los años posteriores, la conformidad con las normas del grupo cobra suma importancia y las presiones del grupo se vuelven mucho más eficaces.
- Los grupos tienen algunos miembros populares y a otros que no lo son tanto. La aceptación de los compañeros a menudo se relaciona con el ajuste global del individuo: entusiasmo y participación activa, capacidad para cooperar y responsividad a las oportunidades de socialización.
- La popularidad se ve influida por la agresividad y la timidez extremas.
- El estatus en el grupo repercute en la opinión que el niño tiene de sí mismo. Los niños rechazados dicen sentirse muy solos y suelen culpar a otros de sus relaciones insatisfactorias.
- En ocasiones, el niño muestra una conformidad excesiva con las normas del grupo. Suele tener sentimientos de inferioridad y un ego poco fuerte; parece más dependiente y ansioso que los otros.
- La conformidad adquiere especial importancia al final de la niñez media. El preadolescente casi siempre experimenta una gran necesidad de pertenencia, de sentirse aceptado y de formar parte de un grupo.
- El prejuicio es tener actitudes negativas contra las personas por su pertenencia a un grupo en particular. La discriminación consiste en obrar a partir del prejuicio.
- A semejanza de la conciencia de género, la conciencia racial comienza a surgir en el periodo preescolar. Sin embargo, para comprender lo que significan las diferencias de grupo y pertenecer a uno es necesaria la cognición social, la cual, a su vez, depende del desarrollo cognoscitivo.
- La conciencia racial es un problema importante durante la niñez media. En Estados Unidos, se espera que los progenitores afroamericanos inculquen a sus hijos los valores de una sociedad que los estima poco, lo cual produce un conflicto que influye en las actitudes de los niños hacia la sociedad.
- La pertenencia a un grupo suele mejorar la autoestima de los niños de las minorías y facilitar su ajuste durante la niñez media.

CONCEPTOS BÁSICOS

laboriosidad frente a inferioridad
autoestima
cognición social
inferencia social
responsabilidad social
normas sociales

realismo moral
relativismo moral
absolutismo moral
conducta autorregulada
corregulación
niños resistentes

familia mixta
maltrato del niño
grupo de compañeros
prejuicio
discriminación

UTILICE LO QUE APRENDIÓ

Para bien o para mal, los grupos de compañeros influyen profundamente en la vida del niño durante la instrucción primaria. Algunas veces los adultos estructuran las experiencias del grupo de compañeros: equipos deportivos organizados, clubes, excursiones y lecciones en grupo como las prácticas para miembros de la banda escolar o la gimnasia. Otras experiencias tienen lugar sin la supervisión de ellos.

Piense en sus experiencias con los compañeros de primaria. ¿Cuáles fueron algunas de las habilidades, valores y "lecciones" más positivas que aprendió de sus amigos y del grupo de compañeros? ¿Hubo circunstan-

cias identificables que promovieron esos beneficios? ¿Dificultaron los adultos esas ventajas, contribuyeron a obtenerlas o fueron simplemente irrelevantes?

¿Qué experiencias negativas se asociaron a las influencias de los compañeros? ¿Qué circunstancias moldearon esas experiencias? ¿Cómo podrían haberse evitado y prevenido? ¿Tuvo alguno de sus condiscípulos interacciones sumamente negativas con los compañeros? Quizá los ridiculizaron o los incitaron al desorden. ¿En qué forma podrían haberse evitado algunas de esas experiencias?

LECTURAS COMPLEMENTARIAS

BILLINGS, G. L. (1994). *The dreamkeepers: Successful teachers of African American children*. San Francisco: Jossey-Bass. Libro hermosamente escrito y muy optimista sobre la vida y las experiencias de ocho profesores exitosos que inculcaron a sus alumnos la esperanza y la pasión por el descubrimiento.

DUNN, J. (1985). *Sisters and brothers*. Cambridge, MA: Harvard University Press. En una revisión desafiante de la literatura, Dunn examina la intensidad de la relación entre hermanos conforme ésta avanza a lo largo de la niñez y hasta la adultez.

GARBARINO, J., DUBROW, N., KOSTELNY, K. Y PARDO, C. (1992). *Children in danger: Coping with the consequences of community violence*. San Francisco: Jossey-Bass, 1992. Varios especialistas en el desarrollo del niño analizan los efectos de crecer en las "zonas de guerra" de algunos barrios pobres, como los de Washington, D.C., Chicago y Los Ángeles, y recomiendan lo que puede hacerse al respecto.

KAGEN, S. Y WEISSBOURD, B. (Eds.) (1994). *Putting families first: America's family support movement and the challenge of change*. San Francisco: Jossey Bass. Selección a la vez erudita y rica de artículos dedicados a la evolución de las prácticas de apoyo familiar y con ideas creativas para el futuro.

KOZOL, J. (1988). *Rachel and her children: Homeless families in America*. Nueva York: Crown. Documento muy ameno sobre la vida en los márgenes de la sociedad.

MILLER, A. (1997). *Breaking down the wall of silence: The liberating experience of facing painful truth*. Nueva York: Plume. El autor explora las causas y los efectos del maltrato del niño, con el acento puesto en las razones por las que la sociedad oculta a menudo la verdad y en cómo podemos romper el círculo vicioso.

SELIGMAN, M. E. P., RELVICH, K., JAYCOX, L. Y GILLHAM, J. (1995). *The optimistic child*. Boston: Houghton Mifflin. Basándose en el interesante Penn Depression Prevention Project, el psicólogo Martin Seligman y sus colegas ofrecen directrices muy útiles para los padres sobre cómo criar niños mentalmente sanos y flexibles.

WALLERSTEIN, J. S. Y KELLY, J. B. (1996). *Surviving the breakup: How children and parents cope with divorce.* Nueva York: Basic Books. Este fascinante libro se basa en un estudio de la forma en que el niño y el progenitor se adaptan durante los cinco años que siguen al divorcio. Muestra, en especial, cómo afecta al niño lo que sucede antes y después del divorcio.

Adolescencia: desarrollo físico y cognoscitivo

OBJETIVOS DEL CAPÍTULO

Cuando termine este capítulo, podrá:

1. Explicar los factores culturales que influyen en el desarrollo del adolescente.
2. Describir la maduración física durante la pubertad de hombres y mujeres, así como el problema que tienen muchos adolescentes para ajustarse a su cambiante imagen corporal.
3. Analizar las actitudes, los comportamientos y las relaciones que influyen en la incipiente sexualidad e identidad de género en el adolescente.
4. Identificar los problemas relacionados con la paternidad o maternidad de los adolescentes.
5. Describir los cambios cognoscitivos que ocurren en la adolescencia y explicar de qué manera influyen en el alcance y el contenido de su pensamiento.

En la cultura moderna la adolescencia abarca un periodo de por lo menos 10 años. Tanto su inicio como su final suelen ser poco precisos. Es común que el niño comience a comportarse como adolescente antes de que empiecen a aparecer los cambios físicos. ¿Y cómo podemos definir el momento exacto en que se convierte en adulto? Quizá el mejor indicador sea la madurez emocional y no criterios más obvios como terminar los estudios, ganarse el sustento, casarse o procrear (Baldwin, 1986); sin embargo, resulta difícil definir la madurez emocional.

A pesar de las opiniones contradictorias concernientes a sus límites, todos coinciden en que el prolongado periodo de transición entre la niñez y la adultez es un fenómeno moderno que se observa sobre todo en las naciones desarrolladas. Como vimos en el capítulo 1, tradicionalmente ha sido una etapa mucho más corta. Y lo sigue siendo en las sociedades menos desarrolladas, en las que los jóvenes pasan por una ceremonia simbólica, un cambio de nombre o un desafío físico en la pubertad. A estos rituales se les llama **ritos de transición**. A veces los sigue una etapa de aprendizaje durante uno o dos años, y a los 16 o 17 años, el joven alcanza la adultez plena sin reservas. Esa transformación más o menos rápida es posible porque en las sociedades menos complejas se dominan las habilidades necesarias para la vida adulta sin una instrucción prolongada. Con todo, la necesidad de un periodo de transición se reconoce en todas partes; ninguna sociedad exige al niño convertirse en adulto de la noche a la mañana ni se niega a reconocer la conquista de la adultez.

LA ADOLESCENCIA EN NUESTROS DÍAS

Si queremos entender a los adolescentes y lo que es la adolescencia, conviene conocer el nicho cultural —el ambiente social— en el que viven hoy en día. Un factor es la segregación por edades: en el mundo moderno, los adolescentes interactúan principalmente con otros adolescentes y muy poco con niños más pequeños o con adultos. Esto se debe a una decisión personal, quizá porque no quieren que se les considere niños por el hecho de relacionarse con ellos o quizá porque quieren descubrir las cosas por sí mismos, sin las restricciones que a menudo les imponen los adultos. Sin embargo, las escuelas con grupos separados por edad constituyen un factor adicional en las naciones industrializadas (Elder, 1980; Elder y Casp, 1990).

ritos de transición Hechos o rituales simbólicos que marcan las transiciones de la vida, como el que se da entre la niñez y la condición de adulto.

La segregación por edades puede tener efectos negativos. Al separarlos de los niños más pequeños se priva a los adolescentes de la oportunidad de guiar y orientar a quienes son menos conocedores, salvo por los breves periodos que dedican al cuidado de sus hermanos menores o a trabajar como niñeras o consejeros en un campamento. La separación del mundo adulto significa que pierden la oportunidad de ser aprendices, es decir, de trabajar con personas mayores y más experimentadas. A veces, durante largas horas, se les separa a diario de las principales actividades, costumbres y responsabilidades de la sociedad, con excepción del poco tiempo que dedican a ayudar a sus progenitores en los quehaceres domésticos o que trabajan en empleos de medio tiempo.

La dependencia económica prolongada es otra característica de la adolescencia. En una sociedad como la nuestra, los adolescentes necesitan el apoyo financiero de sus padres mientras obtienen la formación profesional necesaria para los empleos que exigen habilidades tecnológicas complejas. Para quienes no logran una buena educación, los puestos de bajo nivel disponibles para ellos no suelen interesar ni ser atractivos desde el punto de vista económico. En uno y otro caso, el adolescente a menudo se siente frustrado y descontento con su lugar en el mundo. Por ello, algunos teóricos ven en la adolescencia un periodo de derechos y oportunidades limitadas, así como de roles impuestos en forma rigurosa (Farber, 1970). Otros, Erikson entre ellos (vea el capítulo 11), adoptan un punto de vista más positivo: para ellos la adolescencia es un periodo en el que al individuo se le permite explorar y ensayar diversos roles antes de asumir sus responsabilidades en el mundo de los adultos.

El adolescente se ve influido por los acontecimiento de la era que le toque vivir. Toda época tiene sus guerras, movimientos religiosos y fluctuaciones económicas. El adolescente es muy vulnerable a esas crisis. La situación mundial le afecta mucho más que a los niños más pequeños. Los adolescentes y los adultos jóvenes luchan en guerras, participan en revueltas y colaboran en los movimientos de reformas sociales. Con su idealismo apoyan las luchas religiosas y políticas. Pierden su trabajo durante las recesiones económicas y se les contrata cuando la economía está en auge. Los adolescentes modernos se ven afectados no sólo por las crisis locales y regionales, sino también por las que ocurren en regiones distantes del mundo.

Por último, los medios masivos también tienen efectos específicos en los adolescentes. Como hemos visto una y otra vez, las teorías del desarrollo humano recalcan la importancia de un ambiente sensible y que brinde apoyo emotivo. Sin importar su edad, los individuos aprenden mejor cuando actúan en el entorno, cuando perciben las consecuencias de sus actos y tienen la fuerza para generar un cambio. Pero no es posible modificar los sucesos que transmiten la televisión y otros medios. Al parecer los adolescentes, con el rápido desarrollo de sus capacidades físicas y cognoscitivas, son particularmente vulnerables al papel pasivo de consumidores de estos medios. Aceptan la tragedia y la brutalidad sin rebelarse; quizá hasta aprenden a desear una estimulación excesiva. Tal vez modelen su conducta con base en los hechos trillados o extraños que ven en los medios. Quizá llegan a identificarse con los mundos de ira y desviación social encarnados en particular por la música "rap" y "heavy metal". Es interminable la lista de influjos potencialmente nocivos a que están expuestos.

De acuerdo con Keniston, los adolescentes utilizan la introspección como una forma de redefinición y cambio para escapar de las ideas tan restrictivas que, a su juicio, tiene la sociedad acerca de ellos.

1. ¿Qué se entiende por la expresión "nicho cultural del adolescente"?
2. Explique ¿cómo contribuyen a crear el ambiente de los adolescentes la segregación por edades, la dependencia económica prolongada, las crisis globales y los medios masivos de comunicación?

REPASE Y APLIQUE

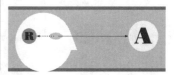

EL AJUSTE AL DESARROLLO FÍSICO

Desde el punto de vista fisiológico, la adolescencia nos recuerda el periodo fetal y los dos primeros años de vida en cuanto a que es un periodo de cambio biológico muy rápido. Sin embargo, el adolescente experimenta el placer y dolor de observar el proceso: contempla con sentimientos alternos de fascinación, deleite y horror el crecimiento de su cuerpo. Sorprendido, avergonzado e inseguro, se compara sin cesar con otros y revisa su autoimagen. Hombres y mujeres vigilan con ansiedad su desarrollo —o falta de éste— y basan sus juicios lo mismo en conocimientos que en información errónea. Se comparan con los ideales predominantes de su sexo; de hecho, para ellos es un problema importantísimo tratar de conciliar las diferencias entre lo real y lo ideal. Su ajuste dependerá en gran medida de cómo reaccionen los progenitores ante los cambios físicos de su hijo.

CRECIMIENTO Y CAMBIOS FÍSICOS

Las características biológicas de la adolescencia son un notable aumento de la rapidez de crecimiento, un desarrollo acelerado de los órganos reproductores y la aparición de rasgos sexuales secundarios como el vello corporal, el incremento de la grasa y de los músculos, agrandamiento y maduración de los órganos sexuales. Algunos cambios son iguales en ambos sexos —aumento de tamaño, mayor fuerza y vigor—, pero en general se trata de cambios específicos de cada sexo.

CAMBIOS HORMONALES   Las alteraciones físicas que ocurren al iniciarse la adolescencia están controladas por **hormonas**, sustancias bioquímicas que son segregadas hacia el torrente sanguíneo en cantidades pequeñísimas por órganos internos denominados *glándulas endocrinas*. Las hormonas que a la larga desencadenan el crecimiento y el cambio existen en cantidades ínfimas desde el periodo fetal, sólo que su producción aumenta mucho a los 10 años y medio en las mujeres y entre los 12 y los 13 en los varones. Se presenta luego el **estirón del crecimiento**, periodo de crecimiento rápido en el tamaño y la fuerza, acom-

hormonas Secreciones bioquímicas de la glándula endocrina llevadas por la sangre u otros líquidos corporales a un órgano o tejido y que estimulan o aceleran su funcionamiento.

estirón del crecimiento Aumento repentino en la tasa de crecimiento que marca el inicio de la pubertad.

El comienzo de la pubertad exige una gran adaptación a un cambio repentino de voz, al crecimiento de las piernas o a nuevos sentimientos o afectos.

pañados por cambios en las proporciones corporales (Malina y Bouchard, (1990). Sobre todo en la mujer, el estirón es una señal del inicio de la adolescencia; los cambios más perceptibles relacionados con la **pubertad** (madurez sexual) aparecen más o menos un año después del estirón (vea la figura 10-1).

El estirón del crecimiento suele caracterizarse por torpeza y falta de garbo mientras el niño aprende a controlar su "nuevo" cuerpo. En parte, la torpeza también se debe a que dicho estirón no siempre es simétrico: por un tiempo una pierna puede ser más larga que la otra y una mano más grande que la otra. Como imaginará el lector, el estirón también se caracteriza por un apetito voraz pues el cuerpo busca los nutrientes necesarios para su crecimiento. Otros cambios son el aumento de tamaño y de la actividad de las glándulas *sebáceas* (productoras de grasa) de la piel, lo que puede ocasionar brotes de acné. Además, en la piel aparece un nuevo tipo de glándula sudorípara que genera un olor corporal más fuerte.

Entre los cambios sutiles precursores del estirón del crecimiento figuran un incremento de la grasa corporal; algunos preadolescentes se vuelven regordetes. En ambos sexos, la grasa se deposita en el área de los senos; se trata de un depósito permanente en la mujer y temporal en el varón. Conforme ocurre el estirón del crecimiento, los niños por lo general pierden la mayor parte de la grasa adicional y, en cambio, las niñas suelen conservarla.

Ambos sexos presentan una gran variabilidad en el periodo en que aparecen los cambios hormonales asociados con el comienzo de la adolescencia. Como veremos más adelante, hay niños "de maduración temprana" y "de maduración tardía", y el momento en que se da la maduración influye mucho en el ajuste. Las hormonas "masculinas" y "femeninas" se encuentran en ambos sexos, pero los varones empiezan a producir una mayor cantidad de *andrógenos* —la más importante de las cuales es la *testosterona*— y las mujeres un mayor número de *estrógenos* y de *progesterona* (Tanner, 1978).

Cada hormona influye en un grupo específico de objetivos o *receptores*. Así, la secreción de testosterona produce el crecimiento del pene, el ensanchamien-

pubertad   Obtención de la madurez sexual en varones y mujeres.

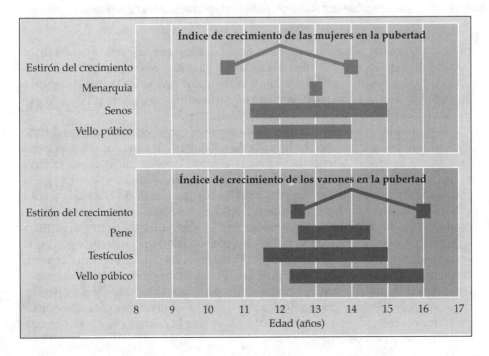

FIGURA 10–1   ÍNDICES DE CRECIMIENTO Y DESARROLLO SEXUAL DURANTE LA PUBERTAD

El punto más elevado de la línea categorizada como "estirón del crecimiento" representa el punto de crecimiento más acelerado. Las barras situadas por debajo de la línea indican el inicio y final normales de los acontecimientos de la pubertad.

TEORIAS Y HECHOS

¿SON LOS ADOLESCENTES VÍCTIMAS DE HORMONAS INCONTROLABLES?

En la mayor parte de las culturas occidentales, la adolescencia se caracteriza por grandes cambios de conducta y de apariencia física. Tradicionalmente muchos cambios han sido descritos como negativos y se atribuyen a factores biológicos, en especial a las hormonas. Al adolescente se le presenta como víctima de sus "hormonas incontrolables". ¿Pero corresponde esto a la realidad?

Desde el punto de vista fisiológico, las hormonas operan sobre el cerebro en dos formas. En primer lugar, las hormonas sexuales pueden incidir en la personalidad y en la conducta por su influencia temprana en el desarrollo del cerebro. Tales efectos son permanentes y, en consecuencia, no se ven afectados por los cambios en los niveles hormonales durante la pubertad. En segundo lugar, las hormonas pueden activar determinadas conductas por sus efectos en el sistema nervioso. Estos efectos suelen ser inmediatos o retrasarse un poco. La maduración física y sexual se debe a la interacción entre niveles hormonales, factores de salud y la estructura genética del individuo.

Los investigadores han descubierto una pequeña relación *directa* entre los niveles hormonales durante la adolescencia y las siguientes conductas (Buchanan y otros, 1992):

Malhumor
Depresión
Inquietud y falta de concentración
Irritabilidad
Impulsividad
Ansiedad
Problemas de agresión y de conducta

Conviene precisar que no todos los adolescentes manifiestan cambios drásticos en las conductas anteriores, pese a que en todos ellos se registra un aumento de los niveles hormonales. Por tanto, es probable que intervengan otros factores, a saber: roles cambiantes, expectativas sociales o culturales, situaciones específicas en casa o en la escuela y hasta la influencia de los medios masivos de comunicación.

Por ejemplo, si en la niñez temprana y media hay problemas familiares, éstos pueden agravarse durante la adolescencia. En una familia disfuncional el adolescente puede mostrar una conducta sexual inapropiada, huir de casa, ser agresivo y consumir drogas. En cambio, si la relación entre progenitor e hijo es buena antes de la adolescencia, casi siempre se mantiene así durante este periodo y los padres siguen ejerciendo una influencia positiva (Buchanan y otros, 1992).

Lo anterior no significa que las hormonas no influyan en absoluto en el comportamiento. Pero a menudo su efecto depende de factores psicológicos o sociales. Así, en un estudio se comprobó que el nivel de testosterona es un indicador confiable de la actividad sexual entre las niñas de 12 y 16 años (Udry, 1988). Pero su efecto disminuía o se eliminaba cuando el padre vivía con la familia o cuando la joven practicaba algún deporte. La presencia del padre suele mejorar la autoestima de las adolescentes en formas que aminoran la necesidad de ser activas sexualmente. Junto con la orientación y el modelamiento de la madre, el padre tiende a crear situaciones que favorecen las relaciones y no sólo la conducta sexual. En otras palabras, los factores ambientales superan los efectos hormonales en el comportamiento. Por tanto, los investigadores llegan a la conclusión de que es un mito la idea de que las hormonas incontrolables sean una causa directa de las conductas del adolescente.

to de los hombros y la aparición de vello en la zona genital y en la cara. Por acción del estrógeno, el útero y los senos crecen y las caderas se ensanchan. Las células receptoras son sensibles a cantidades muy pequeñas de las hormonas apropiadas, aun cuando se encuentren en concentraciones como las de una pizca de azúcar disuelta en una alberca (Tanner, 1978).

Las glándulas endocrinas segregan un equilibrio delicado y complejo de hormonas. Mantener el balance es función de dos áreas del cerebro: el *hipotálamo* y la *hipófisis*. El hipotálamo es la parte del cerebro que da inicio al crecimiento y, con el tiempo, a la capacidad reproductora durante la adolescencia. La hipófisis, situada por debajo del cerebro, segrega varias clases de hormonas, entre ellas la *hormona del crecimiento* —que regula el crecimiento global del cuerpo— y también algunas hormonas *tróficas* secundarias. Estas últimas estimulan y regulan el funcionamiento de otras glándulas, entre ellas las sexuales: los testículos en el varón y los ovarios en la mujer. En el hombre, las glándulas sexuales secretan andrógenos y producen espermatozoides; en la mujer, secretan estrógenos y controlan la ovulación. Las hormonas segregadas por la hipófisis y por las glándulas sexuales tienen efectos emocionales y físicos en el adolescente, aunque los primeros no siempre son tan profundos como cree la gente (consúltese el recuadro "Teorías y hechos").

PUBERTAD

Como ya apuntamos, la pubertad es la obtención de la madurez sexual y la capacidad de procrear. En las mujeres, su inicio se caracteriza por el primer periodo menstrual, o **menarquia**, aunque contrario a la opinión popular la primera ovulación puede ocurrir al menos un año más tarde (Tanner, 1978). En los hombres, se caracteriza por la primera emisión de semen que contiene espermatozoides viables.

En otros tiempos la pubertad se presentaba más tarde. Por ejemplo, en la década de 1880 la edad promedio era de 15 años y medio para las mujeres (Frisch, 1988), y la transición social de la adolescencia a la adultez se daba poco después. En Estados Unidos y en otras naciones industrializadas, hoy suele transcurrir un intervalo de varios años entre la obtención de la madurez biológica y la transición social a la adultez.

MADURACIÓN SEXUAL DEL VARÓN La primera indicación de la pubertad es el crecimiento rápido de los testículos y del escroto. El pene pasa por un crecimiento acelerado similar más o menos un año después. Mientras tanto, el vello púbico empieza a aparecer, pero sin que madure por completo hasta después de terminado el desarrollo de los genitales. Durante este periodo se registra también un crecimiento en el tamaño del corazón y los pulmones. Los varones generan más eritrocitos que las mujeres por la presencia de testosterona. La abundante producción de eritrocitos puede ser una de las causas de la mayor fuerza y capacidad atlética de los adolescentes. La primera emisión de semen puede ocurrir a los 11 años o hasta los 16. En general se produce durante el estirón del crecimiento, y es posible que se deba a la masturbación o a sueños eróticos. Estas eyaculaciones pocas veces contienen espermatozoides fértiles (Money, 1980).

Por lo común, las descripciones sobre la voz de los niños adolescentes comprenden su voz vacilante y de cambios abruptos de tono. Sin embargo, el cambio de voz real tiene lugar más tarde en la secuencia de modificaciones de la pubertad y, en muchos varones, ocurre de manera muy gradual como para que constituya un hito del desarrollo (Tanner, 1978).

MADURACIÓN SEXUAL DE LA MUJER El crecimiento de los senos suele ser la primera señal de que se han iniciado ya los cambios que culminarán en la pubertad. También comienzan a desarrollarse el útero y la vagina, acompañados del agrandamiento de los labios vaginales y del clítoris.

La menarquia, que es el signo más evidente y simbólico de la transición de la niña a la adolescencia, se presenta más tarde en la secuencia, luego de que el estirón del crecimiento alcanza su punto culminante. Puede ocurrir a los nueve años y medio o hasta los 16 años y medio; la edad promedio de la menarquia para las mujeres estadounidenses es de 12 años y medio aproximadamente. En otras regiones del mundo, ésta se da mucho más tarde: la adolescente checoslovaca promedio tiene su primer periodo a los 14 años; entre los kikuyu de Kenia, la edad normal es de 16 años, y entre las bindi de Nueva Guinea, es a los 18 (Powers y otros, 1989). Por lo regular la menarquia tiene lugar cuando la niña se acerca a la estatura adulta y ha almacenado un poco de grasa corporal. En una niña de talla normal, suele comenzar cuando pesa cerca de 45.4 kilogramos (Frisch, 1988).

Los primeros ciclos varían mucho entre las niñas; además suelen variar de un mes a otro. En muchos casos los primeros ciclos son irregulares y *anovulatorios*, es decir, no se produce el óvulo (Tanner, 1978). Pero no conviene que la adolescente suponga que no es fértil. (Retomaremos este tema al abordar el embarazo de las adolescentes más adelante en este capítulo.)

La menstruación produce "cólicos" menstruales en casi la mitad de las adolescentes (Wildholm, 1985). La tensión premenstrual es frecuente y muchas veces se observan irritabilidad, depresión, llanto, inflamación e hipersensibilidad de los senos.

Una razón por la que las niñas suelen sentirse más maduras que los varones de su edad es, entre otras cosas, que el estirón del crecimiento durante la pubertad ocurre en ellas dos años antes que en los muchachos.

menarquia Momento en que ocurre el primer periodo menstrual.

DIAGRAMA DE ESTUDIO ‣ CAMBIOS FÍSICOS CARACTERÍSTICOS DE LA ADOLESCENCIA

CAMBIOS EN LAS NIÑAS

- Crecimiento de los senos
- Crecimiento del vello púbico
- Crecimiento de vello en las axilas
- Crecimiento corporal
- Menarquia
- Aumento de la producción de las glándulas sebáceas y sudoríparas

CAMBIOS EN LOS NIÑOS

- Crecimiento de los testículos y del saco escrotal
- Crecimiento del vello púbico
- Crecimiento del vello de rostro y axilas
- Crecimiento corporal
- Crecimiento del pene
- Cambio de voz
- Primera eyaculación de semen
- Aumento de la producción de las glándulas sebáceas y sudoríparas

EL AJUSTE A LA IMAGEN CORPORAL

Como ya dijimos, el adolescente evalúa de manera continua su cuerpo cambiante. ¿Tiene la forma y el tamaño correctos? ¿Es grácil o es torpe? ¿Corresponde a los ideales que predominan en su cultura?

El adolescente pertenece a lo que los sociólogos llaman grupo *marginal* —el que está situado entre dos culturas o al borde de la cultura dominante— que por lo general muestra una necesidad intensificada de ajuste al mismo. Puede ser muy intolerante ante la desviación, sea del tipo corporal (ser demasiado gordo o delgado) o en relación con el momento de la maduración (si es precoz o tardía). Los medios masivos favorecen la intolerancia pues presentan imágenes estereotipadas de jóvenes atractivos y exuberantes que pasan por esta etapa de la vida sin granos, frenos, desgarbo ni problemas de peso. Muchos adolescentes son muy sensibles a su aspecto físico; de ahí que sientan mucha ansiedad e inseguridad cuando su imagen, menos que perfecta, no corresponde a los hermosos ideales que ven en los medios masivos.

PREOCUPACIÓN POR LA IMAGEN CORPORAL A lo largo de la niñez media, los niños no sólo se percatan de los diversos tipos e ideales corporales, sino que se hacen una idea bastante clara de su tipo, proporciones y habilidades corporales. En la adolescencia, examinan con mayor detenimiento su tipo somático. Algunos se someten a una dieta rigurosa; otros inician regímenes estrictos de acondicionamiento y mejoramiento de su vigor físico. El interés de los varones se concentra en la fuerza física (Lerner, Orlos y Knapp, 1976). Lo más importante son la estatura y los músculos. Por el contrario, a las mujeres les preocupa ser demasiado gordas o altas. Se concentran sobre todo en el peso por que desean las acepten socialmente. Por ello, muchas adolescentes normales, e incluso delgadas, se creen obesas. Cuando esta actitud se lleva a los extremos, puede ocasionar trastornos alimentarios, sobre todo *anorexia nerviosa* y *bulimia* (desórdenes que se comentan en el recuadro "Tema de controversia" en la página siguiente).

El peso, la estatura y la complexión son lo que más preocupa a alumnos y alumnas de décimo grado. En Estados Unidos, dos terceras partes desearían una o varias modificaciones físicas (Peterson y Taylor, 1980). Esta actitud disminuye en los últimos años de la adolescencia. En un estudio longitudinal se descubrió que la satisfacción con respecto a la imagen corporal es mínima entre las mujeres de 13 años y entre los varones de 15; después mejora de modo

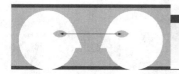

TEMA DE CONTROVERSIA

ANOREXIA NERVIOSA Y BULIMIA

Las víctimas de anorexia nerviosa pueden dejarse morir de inanición. Obsesionadas por ideas relacionadas con la comida y por una imagen inalcanzable de la esbeltez "perfecta", se niegan a comer y pueden llegar al extremo de abusar de purgas y laxantes. Piensan que son cada día más atractivas, cuando en realidad están demacradas y enfermas. Actualmente, en Estados Unidos, hay más de 100,000 anoréxicas (10 veces más que hace 20 años); y de 10,000 a 15,000 morirán por problemas médicos asociados a este trastorno.

Casi todas las anoréxicas son mujeres menores de 25 años. Aunque no se ha identificado una causa en especial, muchas son víctimas de la obsesión de la cultura moderna por la esbeltez y de la importancia que concede al atractivo femenino (Nagel y Jones, 1992). Reciben constantemente el mensaje de que la gente delgada es hermosa y de que los obesos son repugnantes, temen que las curvas y el peso adicional que trae consigo la adolescencia las hagan feas y no deseables. Las presiones de la familia porque permanezcan delgadas o mantengan su atractivo físico no hacen más que empeorar las cosas. Si un padre acostumbra burlarse de su hija porque

ha engordado un poco, puede reafirmar el autoconcepto negativo de la muchacha y propiciar el trastorno.

A la fecha no se conoce tratamiento alguno para la anorexia nerviosa, como tampoco algún método de aceptación general. Algunos terapeutas adoptan una técnica conductual: recompensan a sus pacientes con elogios y aprobación cuando comen. Otros intentan analizar los problemas infantiles que, a su juicio, causaron la enfermedad. Y otros se concentran en los sentimientos y actitudes del paciente hacia la comida y la alimentación. Pero sin importar la orientación teórica del terapeuta, en algunos casos se requerirá la hospitalización con alimentación intravenosa para invertir la pérdida de peso que pone en riesgo la vida y que sufren algunas anoréxicas. Los tratamientos tienen por objeto ayudarles a distinguir lo que sienten por la comida y lo que piensan de ellas mismas, a adquirir un sentido de autoestima y autonomía.

La bulimia tiene algunos aspectos en común con la anorexia nerviosa, pero se clasifica como un trastorno aparte en el DSM-IV. Una diferencia fundamental consiste en que quienes padecen la bulimia no pierden peso y más bien están un poco excedidos. Aunque la obesidad les ocasiona una terrible ansiedad, pasan como las anoréxicas por un deseo

incontrolable de comer, en especial dulces y bocadillos salados. En sus comilonas consumen enormes cantidades de carbohidratos en muy poco tiempo, en general una o dos horas. Se sienten abatidos y sin control. Para compensar sus excesos se purgan o toman laxantes.

Igual que las anoréxicas, la mayoría de quienes sufren de bulimia pertenecen al sexo femenino. La bulimia ataca principalmente al final de la adolescencia (en cambio, muchas anoréxicas se encuentran al inicio o la mitad de la adolescencia). Según las estimaciones de algunos investigadores, 20 por ciento de las mujeres en edad universitaria han adoptado patrones de alimentación bulímica (Muuss, 1986).

Aunque este problema no tiene consecuencias fatales, es muy destructivo y exige tratamiento. Los pacientes sufren problemas gastrointestinales, úlceras en la garganta y en la boca ocasionadas por el paso frecuente de ácidos estomacales y, en ocasiones, hernias producidas por las purgas. Por fortuna, normalmente responden mejor al tratamiento que las anoréxicas. A menudo, los antidepresivos contribuyen a aliviar el trastorno —aun en pacientes que no muestran señales de depresión—, lo cual indica la posibilidad de que intervenga una anormalidad bioquímica (Walsh, 1988).

---

constante. Sin embargo, entre los 11 y los 18 años es menor en la mujer que en el hombre (Rauste-von Wright, 1989). Para una adolescente, tener una imagen corporal positiva se correlaciona de manera favorable con el hecho de que su madre también la tenga (Usmiani y Daniluk, 1997).

En los cambios que a los adolescentes de ambos sexos les gustaría introducir en su cuerpo, se observan algunas diferencias interesantes. Las mujeres quieren modificaciones específicas: "Haría que mis oídos no sobresalieran tanto" o "Me gustaría que mi frente fuera más amplia". Los varones son menos precisos. Es posible que un adolescente diga "Quisiera ser más atractivo y delgado. Cambiaría por completo mi aspecto físico para ser guapo, con una buena complexión". A los dos sexos les preocupa la piel: casi la mitad de los adolescentes manifiesta malestar por los barros y las espinillas.

ADOLESCENTES DE MADURACIÓN PRECOZ Y TARDÍA   Los efectos del periodo en que se da la maduración han acaparado la atención de los investigadores casi tanto como la adolescencia. Una maduración a destiempo puede ser un problema, aunque muchos adolescentes muestran una actitud bastante positiva ante su

En relación con la imagen corporal, los varones tratan de aumentar su fuerza física, mientras que las mujeres hacen más ejercicios que les ayuden a controlar el peso.

ritmo de maduración (Pelletz, 1995). Esto se observa sobre todo entre los varones que maduran en forma tardía. Dado que en promedio las mujeres maduran dos años antes, estos niños son los últimos en dar el estirón del crecimiento y llegar a la pubertad. En consecuencia, por ser más pequeños y menos musculosos que los muchachos de su edad, se encuentran en desventaja en casi todos los deportes y en muchas situaciones sociales. Otros niños y adultos suelen tratarlos como si tuvieran menos edad; tienen un estatus social más bajo entre sus compañeros y son considerados como menos competentes por los adultos (Brackbill y Nevill, 1981).

En ocasiones esta percepción se convierte en una profecía autorrealizada: la reacción del niño consiste en mostrarse dependiente y adoptar una conducta inmadura. Otras veces la compensación es excesiva y se observa una gran agresividad. En cambio, el niño que madura en forma precoz obtiene ventajas sociales y atléticas entre sus compañeros, con lo que disfruta de los beneficios de una profecía autorrealizada. A partir de la niñez media, el niño de maduración precoz tiende a ser el líder de los grupos de compañeros (Weisfield y Billings, 1988).

La maduración temprana ofrece ventajas e inconvenientes para las mujeres. La maduración tardía puede ser positiva porque maduran casi al mismo tiempo que sus compañeros del sexo masculino. De ahí que les sea más fácil compartir sus intereses y sus privilegios. Son más populares que las que maduran en forma precoz. Por el contrario, estas últimas son más altas y más desarrolladas que sus compañeros y compañeras. Un efecto de esto es que tienen menos oportunidades de comentar sus cambios físicos y psicológicos con los amigos. Otro es que suelen sufrir mucho más por los cambios (Ge, Conger y Elder, 1996). Pero reciben algunas compensaciones. Las mujeres que maduran en forma precoz se creen más atractivas, son más populares con los adolescentes de mayor edad y es más probable que tengan novio que sus compañeras de maduración tardía (Blyth y otros, 1981).

Reacciones de las mujeres a la menarquia La menarquia es un proceso singular, un verdadero hito en el camino que lleva a la madurez física. Ocurre de improviso y está precedido por un sangrado vaginal. En algunas partes del mundo tiene importancia religiosa, cultural o económica, y quizás desencadene intrincados ritos y ceremonias. Aunque en Estados Unidos no llega a tales extremos, sigue siendo muy importante para las mujeres y sus padres (Greif y Ulman, 1982).

Los estudios dedicados a las adolescentes confirman que la menarquia es un acontecimiento memorable. Lo consideran traumático sólo aquellas a quienes sus padres no les hablaron al respecto o que la experimentaron a una edad muy temprana. Algunas niñas que reciben información por parte de hombres reaccionan de un modo negativo. Pero a casi todas la madre u otro pariente les dice lo que deben esperar, estas niñas manifiestan una reacción positiva ante la menarquia, una sensación como de haber alcanzado la mayoría de edad (Ruble y Brooks-Gunn, 1982).

---

1. Mencione los principales cambios que tienen lugar en ambos sexos durante la adolescencia.
2. Dé ejemplos de cómo influyen los ideales culturales en el ajuste a la imagen corporal durante la adolescencia.
3. Explique las ventajas y desventajas de la maduración temprana y tardía.

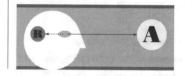

REPASE Y APLIQUE

ACTITUDES Y CONDUCTA SEXUALES

En la niñez media y tardía, los niños se reúnen sobre todo en grupos de compañeros del mismo sexo, pero en una forma neutral desde el punto de vista sexual. Sin embargo, en la pubertad los cambios biológicos del adolescente se caracterizan por un interés en el sexo opuesto y la necesidad de integrar la sexualidad a otros aspectos de su personalidad. Por tanto, los adolescentes comienzan a establecer relaciones en las que el sexo desempeña una función central.

El desarrollo de la identidad de género comprende actitudes, conductas y relaciones cambiantes. En algunos casos desafortunados, lo que piensa el joven de su cuerpo se ve influido por el abuso sexual. En otros casos, se cree diferente de sus compañeros por impulsos o experiencias homosexuales.

LA "REVOLUCIÓN" SEXUAL

Los cambios históricos en las actitudes sociales se perciben con toda claridad en la reacción de la gente ante la sexualidad. En gran medida, los adolescentes se ven en función de las normas culturales del tiempo y el lugar que les tocó vivir. De ahí la gran variación de su comportamiento sexual.

A principio de los años sesenta los jóvenes consideraban que el sexo antes del matrimonio era inmoral, pese a que la presión de los compañeros impelía a los adolescentes a tener relaciones premaritales. En cambio, las adolescentes sentían la presión de conservar la virginidad hasta el matrimonio. A fines de los sesenta y principios de los setenta cambiaron mucho las actitudes sexuales, en parte por la aparición y la distribución generalizada de las píldoras anticonceptivas, en parte por el movimiento de "amor libre" que acompañó las protestas contra la Guerra de Vietnam y, en general, contra el "orden establecido". En un estudio dedicado a las actitudes sexuales de los adolescentes de esa época (Sorensen, 1973), la mayoría no creía que el sexo fuera intrínsecamente bueno o malo, sino que lo juzgaba sobre la base de la relación entre los miembros de la pareja. Casi todos rechazaban la doble norma tradicional que concedía libertad sexual sólo a

Los cambios biológicos que ocurren en la adolescencia propician la obtención de una identidad sexual.

los varones. Casi 70 por ciento consideraba que dos personas no deberían casarse sólo para hacer el amor o convivir. Un sorprendente 50 por ciento aprobaba la homosexualidad entre individuos que la aceptaran con toda libertad, aunque 80 por ciento señaló que nunca había realizado ni realizaría actos homosexuales. En general, sus actitudes eran muy diferentes a las de sus progenitores.

La "revolución" sexual alcanzó su clímax hacia finales de los setenta. En 1979 Catherine Chilman analizó los resultados de numerosas investigaciones y descubrió una tendencia creciente hacia la liberalización sexual, la cual reflejaba un aumento de la actividad sexual entre los adolescentes y una modificación de las actitudes de la sociedad. Ésta es ahora más abierta a una amplia gama de actividades sexuales: masturbación, homosexualidad y parejas que viven juntas sin estar casadas (Dreyer, 1982). En otra investigación (Hass, 1979), 64 por ciento de las muchachas y 83 por ciento de los varones entrevistados aprobaban las relaciones premaritales; 56 por ciento de los varones y 44 por ciento de las mujeres confesaron tenerlas.

Adviértase que había poca diferencia entre las respuestas de ambos sexos. Esto coincide con la desaparición gradual de la doble norma o criterio. La revolución sexual influyó en la conducta de las muchachas mucho más que en la de los varones: ya en los años cuarenta, cincuenta y sesenta, entre una y dos terceras partes de los adolescentes habían perdido la virginidad, dato estadístico semejante al que se registró en los años setenta. En cambio, la proporción de las adolescentes de 16 años que habían perdido la virginidad aumentó 7 por ciento en los cuarenta a 33 por ciento en 1971 y a 44 por ciento en 1982 (Brooks-Gunn y Furstenberg, 1989).

La revolución sexual se acompañó de varios problemas. Grandes cantidades de adolescentes tenían relaciones sexuales sin recurrir al control natal. Por ello el índice de embarazos entre las adolescentes se triplicó entre 1940 y 1975. Otro problema fue la propagación de enfermedades de origen sexual: primero sífilis, gonorrea y herpes genital; más tarde el síndrome de inmunodeficiencia adquirida (SIDA). Este último todavía es infrecuente entre los adolescentes (porque a menudo los síntomas tardan años en aparecer y muchas veces pasa inadvertido), pero se registra un elevado porcentaje de otras enfermedades sexuales (Ehrhardt, 1992). Por ejemplo, en Estados Unidos, uno de cada siete adolescentes padece una enfermedad de transmisión sexual (Quadrel y otros, 1993). Además, aunque unos cuantos adolescentes sufren de SIDA, ha venido acrecentándose el número de seropositivos. A juicio de los expertos, es probable que muchos de los cerca de 30,000 adultos de entre 20 y 29 años a quienes se les diagnosticó SIDA en 1996 se hayan infectado con el virus en la adolescencia (U.S. Census Bureau, 1997; Millstein, 1990).

La revolución sexual comenzó a perder fuerza en los años ochenta. Los jóvenes adoptaron una actitud más cautelosa ante la actividad sexual; volvió a cobrar vigencia la monogamia o, por lo menos, la monogamia "serial". Durante los ochenta, cuando se les pedía su opinión sobre las actitudes sexuales de los años sesenta y setenta, una proporción considerable las juzgaba irresponsables. Los estudiantes universitarios solían calificar más de inmoral la promiscuidad (Leo, 1984; Robinson y Jedlicka, 1982).

Los años ochenta presenciaron la continuación de una tendencia hacia actitudes más conservadores en lo relacionado con el sexo (Murstein y otros, 1989). Aunque para los jóvenes el sexo era todavía una parte esencial del amor, por lo general no estaban en favor del sexo informal (Abler y Sedlacek, 1989). Volvieron a ser negativas las actitudes hacia la homosexualidad (Williams y Jacoby, 1989). El aumento de la *homofobia* (temor o rechazo de los homosexuales) parece relacionarse con el miedo a las enfermedades de transmisión sexual, sobre todo el SIDA, a pesar de que ahora se propaga sobre todo por contacto heterosexual.

Parte del desfile anual del Orgullo
Homosexual en la
Quinta Avenida de la Ciudad
de Nueva York.

HOMOSEXUALIDAD

Muchos jóvenes tienen una o más experiencias homosexuales, con frecuencia
en los primeros años de la adolescencia (Dreyer, 1982). No obstante, estas experiencias aisladas no rigen la futura orientación sexual. En casi todas las sociedades y grupos étnicos, 5 por ciento de los adultos son homosexuales activos y casi el mismo porcentaje es bisexual. Entre los homosexuales se incluyen muchos
personajes famosos: Aristóteles, Alejandro Magno, Leonardo da Vinci, Miguel
Ángel, Rock Hudson, Óscar Wilde, Tennessee Williams, Greg Luganis, Gertru-
de Stein, Willa Cather y Martina Navratilova (Rubin, 1994).

   Aunque los teóricos discrepan en lo que se refiere a las causas de la homosexualidad, en general opinan que la preferencia sexual no es algo que se elija.
¿Es de origen fundamentalmente biológico? En una revisión reciente de la bibliografía efectuada desde el punto de vista del desarrollo, Charlotte Patterson
(1995) cita pruebas en favor de las causas ambientales y biológicas. En lo que
respecta al ambiente, es posible que intervengan factores históricos y culturales.
Otra posibilidad que conviene considerar es que se deba al abuso sexual, el cual
puede causar una aversión extrema al contacto con el sexo opuesto; en consecuencia, ante la falta de opciones el individuo tal vez busque relaciones con personas de su sexo. Pero, como observa Patterson, las investigaciones recientes se
concentran en factores biológicos. Por ejemplo, desde temprana edad algunos
niños se dan cuenta de que son "diferentes" y realizan una conducta transgéne-
ro que resulta un buen indicador de la homosexualidad en años posteriores.
Como Robert Finn (1996) señala en una revisión, algunos estudios han demostrado una correspondencia más o menos elevada entre los gemelos idénticos
respecto a la homosexualidad: 52 por ciento de los casos, si uno de los gemelos
es homosexual, el otro también lo es; el porcentaje es de 48 por ciento tratándose
de gemelas. Finn cita asimismo algunas investigaciones sobre el posible material
genético del cromosoma X que puede relacionarse con la homosexualidad. Sin
embargo, quedan muchas preguntas por contestar y no todos los investigadores
coinciden en que existan dichos marcadores.

   Sin importar los orígenes de la homosexualidad, la identidad de género puede causar un gran estrés al adolescente homosexual o la lesbiana. Estos dos grupos constituyen una pequeña minoría, y la presión de los compañeros para que
se ajusten a la población general es muy fuerte en la adolescencia. A menudo

reciben poca o nula ayuda de sus padres y compañeros, y cuentan con muy pocos modelos aceptables. De ahí que se sientan terriblemente incomprendidos en sus emociones y quizá opten por "ocultar su secreto". A menudo los que declaran su preferencia sexual son objeto de ataques verbales e incluso físicos (Hershberger y D'Augelli, 1995). Se desmorona su autoestima y la depresión es común. No debe, pues, sorprendernos que quizá 30 por ciento de los adolescentes que intentan suicidarse sean homosexuales.

Desde comienzos de los años ochenta, la propagación del SIDA ha hecho que les sea aún más difícil a los adolescentes homosexuales aceptarse como tales y encontrar aceptación de parte de la comunidad. Datos aportados por los Centros para el Control de las Enfermedades (*Centers for Disease Control*) señalan que casi una tercera parte de los adolescentes infectados con el virus lo contrajeron por actividad homosexual (Millstein, 1990). En consecuencia, los adolescentes que luchan por encontrar su identidad sexual saben que su decisión puede tener consecuencias peligrosas para su supervivencia. Saben, asimismo, que el SIDA los ha hecho un objeto aún más directo de los ataques contra la homosexualidad.

MASTURBACIÓN

En la adolescencia, las mujeres dedican más tiempo a las fantasías románticas y con ello liberan sus impulsos sexuales; los varones suelen masturbarse más. Las fantasías y la masturbación son comunes en ambos sexos. De acuerdo con un estudio, más o menos la mitad de las adolescentes y tres cuartas partes de los adolescentes se masturban (Hass, 1979). Las diferencias de clase social son un factor importante o por lo menos lo fueron en el pasado. El gozo de las fantasías durante la masturbación era más frecuente en los varones de clase media, mientras que el sentimiento de culpa por la "poca masculinidad" de esta práctica ocurría más a menudo en los de clase trabajadora. No obstante, son diferencias que empiezan a desaparecer de manera paulatina (Dreyer, 1982), lo mismo que las disimilitudes en la actitud de ambos sexos ante la masturbación.

DIFERENCIAS DE GÉNERO EN LA EXPRESIÓN DE LA SEXUALIDAD

Las diferencias de clase en la conducta sexual han sido siempre menos significativas entre las mujeres, en parte por los escasos roles al alcance de la mujer en el pasado. A las mujeres las desalentaban, para que no manifestaran su sexualidad abiertamente: desde muy pequeñas se les formaba para que aumentaran su atractivo en formas sutiles, evaluaran a su posible pareja y se conservaran "castas" hasta casarse. El cortejo y el noviazgo constituían el ámbito en el que ambos sexos aprendían deseos y expectativas mutuas. En la sociedad occidental, la feminidad connotaba pasividad, solicitud y capacidad de adaptarse. La mujer debía ser lo suficientemente flexible como para aceptar los sistemas de valores del posible cónyuge. Pero en la actualidad se le alienta para que adquiera habilidades que le permitan ganarse el sustento sin importar sus planes matrimoniales futuros; por otro lado, los medios estimulan la expresión de la sexualidad en los dos sexos.

La expresión de la sexualidad en ambos sexos depende de las normas que predominen en la sociedad; cambia junto con ellas. Algunas sociedades reservan la sexualidad de manera exclusiva para la procreación; otras consideran que las restricciones son absurdas y hasta un crimen contra la naturaleza.

FACTORES QUE INFLUYEN EN LAS RELACIONES SEXUALES TEMPRANAS

Los adolescentes continúan siendo muy activos en lo sexual, a pesar de que las actitudes de la sociedad ante la conducta sexual se han vuelto más conservadoras. La edad de su primera experiencia varía según el sexo, el grupo racial y

Los adolescentes todavía son muy activos sexualmente pese a las actitudes más conservadoras de la sociedad.

subcultural. En 1990 los Centros para el Control de las Enfermedades dieron a conocer los resultados de una encuesta en el ámbito nacional aplicada a estudiantes de nivel medio superior. La edad promedio de la primera experiencia fue de 16.1 años en los varones y de 16.9 en las mujeres (Ehrhardt, 1992). Entre los blancos, más de 60 por ciento de los adolescentes y poco menos de 60 por ciento de las adolescentes habían tenido relaciones sexuales a los 18 años de edad. La actividad sexual comienza a una edad más temprana entre las mujeres y los hombres negros, lo mismo que entre los hispanos, aunque después entre las hispanas (Michael y otros, 1994) (vea la figura 10.2).

Los varones inician antes la actividad sexual y suelen mostrar actitudes diferentes de las de las mujeres. En ellos es más probable que la iniciación sexual ocurra con una pareja informal que con una pareja "estable" y que reciban más apoyo social que la mujer por la pérdida de su virginidad. Los muchachos suelen buscar otra experiencia sexual poco después de la primera, hablan más de su actividad y el sentimiento de culpa es menos frecuente en ellos que en las mujeres (Zelnick y Kantnern, 1977).

Varios factores influyen en la conducta sexual del adolescente: la educación, la estructura psicológica, la familia, las relaciones y la maduración biológica (Chilman, 1979). Consideremos ahora estos factores con mayor detalle.

EDUCACIÓN   La instrucción se relaciona con la conducta sexual, en parte porque quienes alcanzan los mayores niveles educativos provienen sobre todo de las clases altas, las cuales suelen tener ideas más conservadoras acerca del sexo. Es una tendencia que se observa sobre todo en los adolescentes que dan prioridad a sus estudios, a los intereses intelectuales y a las metas educativas. Otro factor es la relación entre la conducta sexual y el éxito académico en la enseñanza media superior: es menos probable que los estudiantes brillantes inicien la actividad sexual a una edad temprana (Miller y Sneesby, 1988). Es posible que los adolescentes que fracasan en la escuela recurran a la actividad sexual (y a las drogas, las cuales aminoran las inhibiciones sexuales) para satisfacer sus necesidades. Antaño esta tendencia se observaba más en las mujeres porque tenían menos oportunidades de logro en áreas no académicas como los deportes. La situación tal vez esté cambiando, pues en la actualidad se procura dar a las mujeres oportunidades similares en todos los ámbitos de la sociedad, incluidos los deportes.

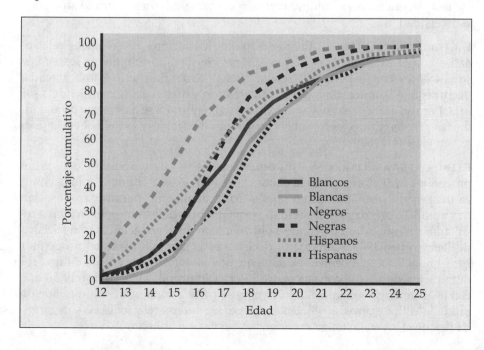

FIGURA 10–2   EDAD Y PRIMERAS RELACIONES SEXUALES

Fuente: datos tomados de Michael y otros, 1994. Sex in America (Boston: Little Brown).

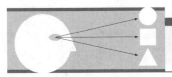

ESTUDIO DE LA DIVERSIDAD

EDUCACIÓN SEXUAL EN JAPÓN Y ESCANDINAVIA

¿Cómo se enseña la sexualidad a los niños y adolescentes en sociedades conservadoras como Japón y en sociedades liberales como Escandinavia? Las diferencias son sorprendentes.

En Japón la educación sexual empieza a los 10 u 11 años de edad. Se hace en forma limitada y rigurosamente científica: los niños aprenden lo que es el aparato reproductor masculino y femenino; y, entre otras cosas, la menstruación y la eyaculación. Siendo un programa tan limitado, ¿de quién aprenden los niños lo que es la sexualidad? Es evidente que no de sus padres, quienes suelen eludir el tema. Al respecto dice una madre de dos hijas: "Nosotros nunca hablamos de sexo en la casa. Y creo que deberíamos, pero... recuerdo que en cierta ocasión les di a mis hijas un libro en el que se explicaba cómo nacen los niños". Como a los padres les avergüenza hablar de sexo, los adolescentes japoneses aprenden los pormenores más importantes de sus amigos y sus lecturas. Una consecuencia es que apenas 4 por ciento de las niñas japonesas y 6 por ciento de los niños pierden la virginidad a los 15 años. (En cambio, en Estados Unidos 25 por ciento de las niñas y 33 por ciento de los niños ya la han perdido a los 15 años.)

Hay otras explicaciones sobre la castidad relativa de los jóvenes japoneses. Hisayo Arai, de la Asociación Japonesa para la Educación Sexual, señala que, en parte, "se debe a que los adolescentes están muy atareados con los exámenes de admisión a la preparatoria. Además, se vigilan unos a otros". El rigor se aplica en especial a las mujeres, que deben esperar hasta casarse para poder tener relaciones sexuales. Por último, la escuela a la que asiste el adolescente influye en su sexualidad. En algunas escuelas japonesas hasta el noviazgo está prohibido.

En cambio, los países escandinavos son mucho más liberales en lo relacionado con el sexo. Al respecto señala Stefan Laack de la Asociación Sueca para la Información Sexual: "No se habla mucho de sexo entre los adolescentes, pero se acepta en general que duerman con su novio o su novia."

Una expresión de esta libertad cultural es que los niños y los adolescentes de Escandinavia aprenden lo relacionado con el sexo no en clases especiales, sino durante su formación académica. Así, los estudiantes daneses discuten la sexualidad en cualquier clase en que sea relevante. En Suecia, desde los siete años, los niños aprenden los aspectos físicos de la sexualidad en la clase de biología y los roles de género en la clase de historia. En Finlandia, los estudiantes de 15 años reciben un paquete que contiene un condón, un relato de amor en historietas y un folleto informativo.

¿Ha contribuido esta visión liberal de la sexualidad a que los adolescentes escandinavos sean más promiscuos que los de Japón o los de Estados Unidos? Por lo visto, no. En Suecia, los jóvenes normalmente pierden la virginidad a los 17 años, la misma edad en que la perdían antes que se instituyera la educación sexual.

Fuente: Toufexis, A. (1993).

En nuestros días, la educación es un medio que permite que el adolescente aprenda sobre el sexo; en el pasado, estos conocimientos los obtenían de sus padres o compañeros. En gran medida, lo que los niños aprenden del sexo en la escuela depende de su cultura, como se comenta en el recuadro "Estudio de la diversidad".

FACTORES PSICOLÓGICOS   En cierto modo, los factores psicológicos relacionados con la experiencia sexual temprana son distintos en ambos sexos. Los adolescentes con experiencia sexual suelen tener una autoestima elevada, mientras que la autoestima de las mujeres con experiencia sexual tiende a ser baja. Pero en ambos sexos la actividad sexual temprana se asocia con otras conductas problemáticas, entre éstas el consumo de drogas y la delincuencia (Donovan y otros, 1988).

RELACIONES FAMILIARES   Varios estudios revelan que las interacciones entre progenitor e hijo influyen en la conducta sexual de este último. Tanto la crianza demasiado restrictiva como la educación demasiado permisiva se asocian con un inicio precoz de la actividad sexual en los adolescentes; los mejores resultados en este grupo de edad se obtienen con una formación algo restrictiva (Miller y otros, 1986). Otro factor decisivo es la comunicación del progenitor con el hijo: los adolescentes sexualmente activos suelen dar cuenta de una comunicación deficiente con sus padres. Por el contrario, se ha comprobado que con la abstinencia sexual del adolescente se correlaciona una comunicación de calidad (Miller y otros, 1998). Sin embargo, las buenas relaciones no son garantía de que el joven no tenga experiencias sexuales (Chilman, 1979).

Las investigaciones recientes señalan que la cambiante estructura de la familia moderna también influye en la conducta sexual del adolescente. En Estados Unidos, una mayor tasa de divorcios y el número creciente de familias con un solo progenitor son realidades sociales que inciden en la actividad sexual. En términos generales, los adolescentes de ambos sexos provenientes de familias con dos progenitores tienen menos y más tardías experiencias sexuales que los que proceden de familias con un solo progenitor (Young y otros, 1991).

FACTORES BIOLÓGICOS En opinión de Chilman, los factores biológicos que influyen en la conducta sexual temprana constituyen un aspecto importante de la investigación que a veces ha sido descuidado. Por ejemplo, los adolescentes quizá sean hoy más activos en lo sexual que antaño por haber disminuido la edad promedio a la que comienza la pubertad. Esto coincide con la observación de que los que maduran en forma precoz suelen iniciar la actividad sexual a una edad más temprana que los que maduran tardíamente (Miller y otros, 1998). Pero hay una excepción importante: aunque los varones alcanzan la madurez sexual unos dos años después que las mujeres, pierden su virginidad más o menos un año antes (Brooks-Gunn y Furstenberg, 1989).

ABUSO SEXUAL CONTRA LOS ADOLESCENTES

Por desgracia, en todos los niveles socioeconómicos un número considerable de niños y adolescentes tiene su primera experiencia sexual contra su voluntad: son víctimas de abuso o explotación sexual. Es probable que los casos denunciados representen apenas una pequeña proporción de los incidentes. En una investigación, se entrevistó a una numerosa muestra aleatoria de mujeres respecto a sus experiencias sexuales durante la niñez y la adolescencia (Russell, 1983). Se descubrió que 32 por ciento habían sido víctimas de abuso sexual por lo menos una vez antes de cumplir los 18 años; 20 por ciento había sufrido la misma experiencia antes de los 14. Menos del 5 por ciento de ellas había denunciado el caso a la policía —aunque en la actualidad las denuncias son mucho más frecuentes.

El impacto del abuso sexual en el niño depende de diversos factores, entre los que se cuentan: la naturaleza del acto, la edad y la vulnerabilidad de la víctima, el hecho de que el agresor sea un extraño o un pariente, las reacciones de los adultos en quien confía (Kempe y Kempe,1984). A menudo el impacto en su identidad y autoestima dura toda la vida.

La forma más común de abuso sexual se da entre una adolescente de poca edad y un pariente adulto o amigo de la familia (Finkelhor, 1984). Es más frecuente que el padrastro o el novio de la madre sean los agresores que el padre natural de la niña (Wolfe y otros, 1988). El abuso en ocasiones se prolonga por mucho tiempo y se convierte en un secreto entre el agresor y la víctima. Unas veces, la madre de la víctima no está enterada; otras, se niega en forma obstinada a creerle, o si le cree, nada hace para protegerla y evitar que se perpetúe el hecho.

Las adolescentes víctimas del abuso se sienten culpables y avergonzadas, pero sin poder hacer nada al respecto. Tal vez se sientan aisladas y alejadas de sus compañeros, y adopten además una actitud de desconfianza ante los adultos en general. Unas tienen problemas académicos, otras presentan síntomas físicos y algunas más se vuelven promiscuas. Hay quienes dirigen la ira contra sí mismas, se deprimen o piensan en suicidarse (Brassard y McNeill, 1987). Algunas se culpan injustamente por haber "provocado" al agresor.

En general, las actitudes de estas muchachas ante las relaciones íntimas se distorsionan. En la adultez les es difícil entablar relaciones sexuales normales, y puede incluso resultarles difícil establecer vínculos normales con sus propios hijos. Muchas tienen ideas erróneas de la sexualidad y están más propensas a casarse con hombres que suelen abusar de ellas. Cuando el abuso comienza en su familia —digamos, entre esposo e hija—, quizá nieguen el problema o piensen que nada pueden hacer al respecto (Kempe y Kempe, 1984).

El abuso sexual también se da entre niños pequeños, sobre todo en encuentros homosexuales. Los agresores pocas veces son miembros de la familia y por lo general el abuso tiene lugar fuera de casa. La experiencia es muy traumática para los niños: se sienten avergonzados por haberse visto obligados a realizar actos homosexuales e impotentes para defenderse contra el atacante (Bolton, 1989).

PATERNIDAD EN LOS ADOLESCENTES

En Estados Unidos, desde los años sesenta empezó a disminuir la proporción global de hijos de adolescentes; en cambio, ha aumentado la proporción de los hijos de adolescentes no casadas. En ese país, todos los días miles de adolescentes se embarazan. El número de hijos de adolescentes solteras se cuadruplicó entre 1940 y 1985 (National Center for Health Statistics, 1987). Más de un millón de adolescentes se embarazan cada año; 65 por ciento de ellas no están casadas. Aproximadamente 50 por ciento de los embarazos terminan en aborto provocado o espontáneo; el otro 50 por ciento llega a término (Sonenstein, 1987; Brooks-Gunn y Furstenberg, 1989; Alan Guttmacher Institute, 1994). En la tabla 10-1 se compara la intención y el resultado del embarazo en todas las mujeres en edad de reproducción con la intención y resultado en el caso de las mujeres de 15 a 19 años de edad. En particular, las adolescentes de mayor edad tienen una probabilidad significativamente mayor de embarazos no deseados, abortos provocados y espontáneos.

POR QUÉ SE EMBARAZAN LAS ADOLESCENTES   Las adolescentes estadounidenses manifiestan una gran actividad sexual. Lo mismo sucede en general en las naciones de Europa Occidental, pero sus índices de embarazo son mucho menores (Hechtman, 1989; Coley y Chase-Lansdale, 1988). La causa del índice más alto en Estados Unidos genera preocupación. Un factor esencial parece ser que, si bien las adolescentes estadounidenses no son sexualmente más activas que las de otros países, usan menos anticonceptivos. Otro factor probable es que los hi-

Para una madre adolescente es difícil atender las necesidades de un hijo pequeño y las de su propio desarrollo.

TABLA 10–1   ÍNDICES ESTIMADOS DE EMBARAZO ENTRE LAS MUJERES
EN EDAD REPRODUCTIVA POR INTENCIÓN Y RESULTADO
DEL EMBARAZO (POR CADA 1000 MUJERES)

INTENCIÓN Y RESULTADO DEL EMBARAZO	MUJERES DE 15–44	MUJERES DE 15–19
Total	109.2	126.8
Nacimientos	66.3	64.0
Abortos provocados	26.9	45.5
Abortos espontáneos	16.0	17.3
Deseados	47.8	24.7
Nacimientos	39.9	20.5
Abortos espontáneos	8.0	4.1
No deseados	61.3	102.1
Nacimientos	26.5	43.4
Abortos provocados	26.9	45.5
Abortos espontáneos	8.0	13.2

Fuente: *Statistical Handbook on the American Family* (1992).

jos ilegítimos no cargan con un estigma social tan negativo como antaño. En vez
de expulsar a las adolescentes embarazadas, muchos sistemas escolares cuentan
con programas especiales para ayudarles a terminar su carrera. En algunos grupos subculturales, la madre soltera recibe ayuda de su familia y del padre del
niño (Chilman, 1979). Finalmente, algunas adolescentes desean tener y conservar a su hijo porque necesitan sentirse amadas. Suelen ser jóvenes privadas de
afecto y esperan que su hijo se los dé (Fosburgh, 1977).

Cerca de tres de cada 10 adolescentes sexualmente activas no usan anticonceptivos (Fielding y Williams, 1991). Las razones más comunes son la ignorancia
de los hechos relacionados con la reproducción, la renuencia a aceptar la responsabilidad que conlleva la actividad sexual y una actitud por lo general pasiva ante la vida (Dreyer, 1982), aunado esto a la convicción de que "a mi no me sucederá". La doble norma sigue siendo un factor: ambos sexos suelen ver al varón
como el iniciador y a la mujer como la responsable de fijar los límites de la actividad sexual. Al mismo tiempo, los adolescentes suelen pensar que es más apropiado que la mujer "se deje arrastrar por la pasión" en lugar de prepararse tomando las providencias anticonceptivas que exige el caso (Goodchilds y
Zellman, 1984; Morrison, 1985). He aquí un aspecto importante: los estudios han
revelado que los adolescentes que han tomado clases de educación sexual suelen
utilizar más los anticonceptivos que los que no han tomado algún curso de esta
índole (Fielding y Williams, 1991).

Muchos padres adolescentes
afrontan serios problemas pues
sienten la presión de abandonar
la escuela para sostener a su
nueva familia. A menudo sólo
pueden conseguir empleos mal
remunerados.

EFECTOS DE LA PROCREACIÓN EN EL ADOLESCENTE   ¿Qué repercusiones tiene
la maternidad en el desarrollo de la adolescente? Por lo general, abandona la
escuela y, por tanto, trabaja en empleos mal remunerados, se siente más insatisfecha en el trabajo y suele necesitar ayuda gubernamental (Coley y Chase-
Lansdale, 1998). También debe sortear su desarrollo personal y social mientras
trata de adaptarse a las necesidades de un bebé o de un niño pequeño (Roger y
Peterson, 1984).

Los efectos de la paternidad en la vida del adolescente también pueden ser negativos y prolongados. Dadas las presiones de sostener a su nueva familia, muchos abandonan la escuela y aceptan empleos mal remunerados y con pocas exigencias. Con el transcurso del tiempo es muy probable que enfrenten problemas conyugales (Card y Wise, 1978).

A menudo las adolescentes embarazadas enfrentan una fuerte desaprobación de su familia. Pero si no se casan, no tendrán más remedio que continuar viviendo con ella en una situación de dependencia durante el embarazo y después de éste. Así, algunas se sienten motivadas a casarse para formar su propio hogar (Reiss, 1971). Pero el matrimonio no es por fuerza la mejor solución a sus problemas. Algunos investigadores consideran que, aun cuando la maternidad temprana dificulta el crecimiento adulto, muchas veces es preferible a combinarla con un matrimonio a edad muy temprana. El matrimonio en tales circunstancias suele hacer que se abandone la escuela en el nivel medio superior. Por lo demás, los que se casan jóvenes están más expuestos al divorcio que quienes tienen a su hijo y contraen nupcias más tarde (Furstenberg, 1976).

Los hijos de adolescentes se hallan en desventaja con los de padres mayores. Les afecta el hecho de que sus progenitores no sepan todavía asumir las responsabilidades del adulto ni cuidar a otros. Como los padres se sienten tensos y frustrados, es muy probable que descuiden a sus hijos o los maltraten. Estos niños a menudo muestran un desarrollo y crecimiento cognoscitivo lentos (Brooks-Gunn y Furstenberg, 1986). La probabilidad de desarrollar problemas cognoscitivos y psicológicos aumenta en las familias en que coexisten —y se prolongan— las condiciones de pobreza, las disputas conyugales y la educación deficiente (McLoyd, 1998).

Si reciben ayuda, algunos adolescentes cumplen de manera excelente su obligación de criar a sus hijos, al mismo tiempo que avanzan a la adultez. Como se señala en el recuadro "Estudio de la diversidad" en la página siguiente, ayudarles a ellos y a sus hijos a madurar y a ser productivos es un reto y preocupación social enormes.

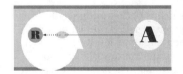

REPASE Y APLIQUE

1. Explique cómo han cambiado en las últimas décadas las actitudes ante la sexualidad masculina y femenina.
2. ¿Cuáles son algunos de los principales factores que influyen en la conducta sexual del adolescente?
3. ¿Qué problemas especiales encaran los homosexuales durante la adolescencia?
4. Exponga los problemas inmediatos y a largo plazo que sufren los adolescentes víctimas de abuso sexual.
5. ¿Qué problemas especiales enfrentan los progenitores adolescentes?

CAMBIOS COGNOSCITIVOS EN LA ADOLESCENCIA

Durante la adolescencia hay una expansión de la capacidad y el estilo de pensamiento que aumenta la conciencia del individuo, su imaginación, su juicio e intuición. Estas mejores habilidades conducen a una rápida acumulación de conocimientos que extienden el rango de problemas y cuestiones que enriquecen y complican su vida.

En esta etapa, el desarrollo cognoscitivo se caracteriza por un mayor pensamiento abstracto y el uso de la metacognición. Ambos aspectos ejercen un pro-

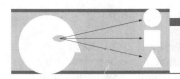

ESTUDIO DE LA DIVERSIDAD

CÓMO AYUDAR A LAS MADRES ADOLESCENTES QUE VIVEN EN LA POBREZA

¿Qué características se necesitan para que las madres adolescentes escapen de la pobreza? De acuerdo con Judith Musick (1994), quienes se liberan y liberan a sus hijos de la pobreza obtienen un profundo sentido de autoestima, de eficiencia y responsabilidad personal. "En un contexto en que contribuyen muchos factores a detener su desarrollo y rezagarlas -dice Musick-, sólo las de una voluntad firme y decidida seguirán luchando contra la corriente" (página 7).

Las madres adolescentes afrontan enormes obstáculos. Muchas crecieron en una familia desorganizada y reciben sin cesar su influencia negativa, lo cual hace que les resulte más difícil cambiar de vida. Explica Musick: "La desorganización permanente cobra vida propia en el seno de la familia; un modo duradero de transmitir ciclos de insuficiencia de una generación a otra, sin advertirlos ni romperlos" (1994, página 1).

La madre adolescente con gran autoestima se define un rol especial como protectora de sus hijos. He aquí como una madre joven que vive en un proyecto habitacional de Chicago define su rol materno:

De ninguna manera permitiré que mis hijos caminen por estos edificios a los cinco años de edad [...] Atacan a tantos niños [...] No sólo los agreden los niños mayores, sino que les quitan el dinero. Los golpean. Les hacen cosas horribles [...] Quizá soy sobreprotectora [...] Mis hijos no lo harán. (Musick, 1994, página 6.)

Al mismo tiempo que una madre protege a sus hijos contra los peligros, debe estimular su desarrollo cognoscitivo y psicosocial inculcándoles la autoestima. Por desgracia, observa Musick, muchas adolescentes no pueden dedicarse a esta tarea. Esto se advierte en especial cuando sostienen relaciones destructivas y violentas con hombres de quienes dependen en lo económico. Por eso, sus relaciones les impiden mejorar su calidad de vida aunque lo deseen.

Los programas más eficaces para madres adolescentes funcionan en varios niveles. Comprenden la educación o capacitación para el trabajo, lo mismo que directrices para mejorar las habilidades de crianza y las relaciones familiares. Estos programas ofrecen orientación para la solución de problemas y ayuda directa en cosas como el manejo de la casa, la preparación de los alimentos, el cuidado del niño y otros aspectos de la vida cotidiana. Algunos programas se concentran en la necesidad de la adolescente de desarrollarse y madurar como persona. Ofrecen modelos, asesoría y guía o sólo una visión más amplia del mundo que trasciende el hogar y la comunidad.

¿Son eficaces los programas de intervención? Según Musick, los resultados conseguidos hasta ahora han sido modestos, sobre todo porque los programas deben luchar con influencias negativas muy poderosas que moldean la vida de las madres jóvenes. Sin embargo, hay algo que es innegable: los programas de intervención ayudan sólo a las que descubren el sentido de la autoestima y están dispuestas a esforzarse por librarse de la pobreza.

---

fundo influjo en el alcance y el contenido de los pensamientos del adolescente y en su capacidad para emitir juicios morales.

PENSAMIENTO ABSTRACTO

Piaget describió el pensamiento abstracto del adolescente como la característica distintiva de la etapa final del desarrollo cognoscitivo. Todavía hoy, los teóricos discuten si el inicio del pensamiento abstracto es imprevisto y radical o si forma parte de un proceso gradual y continuo. En esta sección analizaremos más detenidamente esta etapa evolutiva.

PENSAMIENTO OPERACIONAL FORMAL   En la teoría de Piaget la etapa final es la del *pensamiento operacional formal*. Esta nueva modalidad de procesamiento intelectual es abstracta, especulativa e independiente del ambiente y de las circunstancias inmediatas. Comprende considerar las posibilidades y comparar la realidad con cosas que pudieran ser o no. A diferencia de los niños pequeños que se contentan con hechos concretos y observables, el adolescente muestra una inclinación creciente a considerar todo como una mera variación de lo que *podría* ser (Keating, 1980). El pensamiento de las operaciones formales exige la capacidad de formular, probar y evaluar hipótesis. Requiere manipular no sólo lo conocido y verificable, sino también las cosas contrarias a los hechos ("Para discutir supongamos que...").

Los adolescentes muestran asimismo una capacidad cada día mayor para planear y prever. En un estudio (Greene, 1990), el investigador les pidió a alumnos de décimo y doceavo grados, y a estudiantes universitarios de segundo y último año, que describieran lo que pensaban que les sucedería en el futuro e indicaran la edad que tendrían entonces. Los sujetos de mayor edad fueron capaces de vislumbrar un futuro más distante que los de menor edad y sus descripciones eran más concretas. El pensamiento operacional formal puede entonces definirse como un proceso de *segundo orden*. Si bien el pensamiento de primer orden consiste en descubrir y examinar las relaciones entre objetos, el de segundo orden consiste en reflexionar sobre nuestros pensamientos, buscar los nexos entre las relaciones y transitar entre la realidad y la posibilidad (Inhelder y Piaget, 1958). A continuación se incluyen tres cualidades notables del pensamiento del adolescente:

1. La capacidad de combinar variables relevantes para hallar la solución de un problema.
2. La capacidad de proponer conjeturas sobre el efecto que una variable tendrá en otra.
3. La capacidad de combinar y separar las variables en forma hipotético-deductiva ("Si se presenta X, ocurrirá Y") (Gallagher, 1973).

En general, se acepta que no todos los individuos logran dominar el pensamiento operacional formal. Más aún, los adolescentes y los adultos que lo alcanzan no siempre lo utilizan de manera constante. Por ejemplo, en situaciones nuevas y ante problemas desconocidos la gente tiende a retroceder a un razonamiento más concreto. Al parecer es indispensable cierto grado de inteligencia para el pensamiento de las operaciones formales. Intervienen, además, factores culturales y socioeconómicos, en especial la escolaridad (Neimark, 1975). La observación de que no todos dominan el pensamiento operacional formal ha llevado a algunos psicólogos a proponer que se le considere una extensión de las operaciones concretas más que una etapa independiente. Piaget (1972) incluso admitió la posibilidad de que así fuera. No obstante, insistió en que los elementos de este tipo de pensamiento son imprescindibles para estudiar ciencias y matemáticas avanzadas.

¿UN PROCESO CONTINUO O UN CAMBIO RADICAL? No todos los teóricos del desarrollo aceptan la idea piagetana de cambios cualitativos drásticos en la capacidad cognoscitiva. Algunos afirman que la transición es mucho más gradual, con fluctuaciones entre el pensamiento de las operaciones formales y otras modalidades cognoscitivas anteriores (como vimos en el capítulo 1 al hablar de las etapas en general). Por ejemplo, Daniel Keating (1976, 1988) sostuvo que son artificiales las líneas trazadas entre el pensamiento de los niños, los adolescentes y los adultos: el desarrollo cognoscitivo es un proceso continuo y es posible que hasta los niños pequeños posean habilidades operacionales formales latentes. Algunos niños pueden manejar el pensamiento abstracto. Es factible que el mejor dominio de las habilidades lingüísticas y la mayor experiencia con el mundo expliquen la aparición de estas capacidades en el adolescente y no las nuevas habilidades cognoscitivas.

PROCESAMIENTO DE LA INFORMACIÓN Y DESARROLLO COGNOSCITIVO DEL ADOLESCENTE

Por su parte, los teóricos del procesamiento de la información ponen de relieve el mejoramiento de la metacognición en el adolescente (como la definimos en el capítulo 8). Aprende a examinar y a modificar de manera consciente los procesos de pensamiento porque ha perfeccionado la capacidad para reflexionar sobre el pensamiento, formular estrategias y planear.

Así, pues, el desarrollo cognoscitivo durante la adolescencia abarca lo siguiente:

1. Empleo más eficaz de componentes individuales de procesamiento de información como la memoria, la retención y la transferencia de información.
2. Estrategias más complejas que se aplican a diversos tipos de solución de problemas.
3. Medios más eficaces para adquirir información y almacenarla en formas simbólicas.
4. Funciones ejecutivas de orden superior: planeación, toma de decisiones y flexibilidad al escoger estrategias de una base más extensa de guiones (Sternberg, 1988).

Desde la perspectiva de la inteligencia, Robert Sternberg (1984, 1985) especificó tres componentes mensurables del procesamiento de la información, cada uno con una función propia:

1. *Metacomponentes*—Procesos de control de orden superior con los cuales se planea y se toman las decisiones; por ejemplo, la capacidad para elegir una estrategia de memoria y supervisar la eficacia con que esté funcionando (metamemoria).
2. *Componentes del desempeño*—Proceso con que se llega a la solución de un problema. A esta categoría pertenecen la selección y la recuperación de información relevante guardada en la memoria a largo plazo.
3. *Componentes de la adquisición de conocimientos (almacenamiento)*—Proceso que se utiliza en el aprendizaje de nueva información.

En lo esencial, "los metacomponentes son un mecanismo que permite crear estrategias y organizar los otros dos tipos de componentes en procedimientos orientados a metas" (Siegler, 1991). Se considera que todos esos procesos aumentan de manera gradual durante la niñez y la adolescencia. La teoría de Sternberg se describe esquemáticamente en la figura 10-3.

En resumen, el desarrollo cognoscitivo y, por lo mismo, el crecimiento de la inteligencia, abarcan tanto la acumulación de conocimientos como el perfeccionamiento del procesamiento de la información. Son dos procesos interrelacionados. Los problemas se resuelven de manera más eficaz cuando se ha almacena-

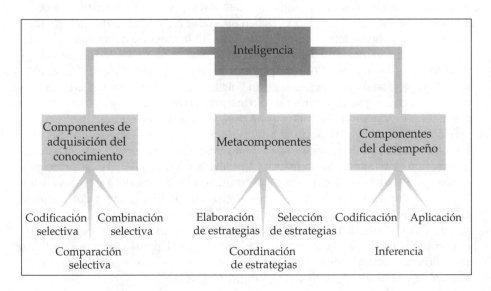

Figura 10–3   Diagrama de la teoría de la inteligencia propuesta por Sternberg (Adaptado por Siegler, 1991)

Fuente: R. S. Siegler (1991). Children's thinking (2a. ed.). Upper Saddle River, NJ: Prentice-Hall.

do información abundante y pertinente. Los individuos que tienen estrategias eficaces de almacenamiento y recuperación crean una base más completa de conocimientos. Los adolescentes resuelven los problemas y hacen inferencias en forma más adecuada y satisfactoria que los niños de edad escolar; pero también poseen más guiones o esquemas a los cuales recurrir. Recuerde que en la etapa preescolar los niños elaboran guiones simples para las actividades diarias. En cambio, el adolescente prepara guiones más complicados para circunstancias (un juego de pelota) o procedimientos especiales (la elección del presidente de un grupo). Cuando trata de resolver un problema, hace inferencias sobre su significado relacionándolas con sus guiones especiales más complejos.

CAMBIOS EN EL ALCANCE Y EL CONTENIDO DEL PENSAMIENTO

Los adolescentes usan sus incipientes habilidades cognoscitivas en actividades intelectuales y éticas que se concentran en su persona, su familia y el mundo. Gracias a estas destrezas cognoscitivas, el contenido de sus pensamientos amplía su alcance y su complejidad. Pueden ocuparse de situaciones contrarias a los hechos; por tanto, la lectura de ciencia ficción y de obras de fantasía, así como las imágenes visuales de este tipo, se convierten en un pasatiempo popular. Les fascina experimentar con lo esotérico, con los cultos o con los estados alterados de conciencia alcanzados por cualquier medio, desde la meditación hasta las drogas. El pensamiento abstracto influye no sólo en esas actividades y el estudio de las ciencias y de las matemáticas, sino también en la forma en que analizan el mundo social.

EXAMEN DEL MUNDO Y DE LA FAMILIA   La capacidad de entender situaciones contrarias a los hechos incide en la relación de los adolescentes con sus padres. Los adolescentes comparan a su progenitor ideal con el que ven todos los días. A menudo adoptan una actitud crítica ante las instituciones sociales, entre ellas la familia y en especial sus padres.

Por tanto, las disputas familiares suelen intensificarse durante los primeros años de la adolescencia. Sin embargo, muchos investigadores creen que son muy útiles los altercados por actividades diarias como los quehaceres domésticos, la ropa, las tareas escolares y las comidas. Le permiten al adolescente probar su independencia en cuestiones de poca importancia y en la seguridad de su hogar. En efecto, la *negociación* se ha convertido en una palabra usual en la psicología de la adolescencia. En vez de hablar de la rebeldía y la dolorosa separación de la familia, muchos investigadores prefieren describir la adolescencia como un periodo en que padres y adolescentes negocian nuevas relaciones. El adolescente necesita ser más independiente; los padres deben aprender a darle un trato más igualitario, con el derecho de tener opiniones propias. En la mayoría de los casos, la interacción entre esas necesidades antagónicas se realiza en una relación estrecha y afectuosa con los padres. Por ejemplo, en una investigación reciente, los adolescentes que tenían un concepto más firme de su personalidad habían sido criados en familias en las que los padres no sólo les ofrecían orientación y apoyo, sino que además les permitían desarrollar sus propios puntos de vista (Flaste, 1988).

Hacia la mitad y el final de la adolescencia aumenta el interés por los problemas sociales, políticos y morales. El adolescente comienza a aprender conceptos holísticos sobre la sociedad y sus instituciones, además de principios éticos que trascienden los que han aprendido en las relaciones interpersonales. Crea sus propias creencias respecto del sistema político dentro del contexto cultural e histórico (Haste y Torney-Purta, 1992). Su conocimiento del mundo se vuelve más complejo con el tiempo, conforme va adquiriendo experiencia y conceptualiza teorías y escenarios más complejos. Cuando surgen conflictos modifica sus conceptos de las libertades civiles, entre ellos el de la libertad de expresión y la libertad de credo (Helwig, 1995).

El adolescente se vale además del análisis racional para conseguir una coherencia interna; puede evaluar lo que ha sido en el pasado y lo que confía llegar a ser. Se observan fluctuaciones y extremos en su comportamiento cuando comienza a analizar sus actos y su personalidad. Reestructura su conducta, sus ideas y sus actitudes para forjarse una autoimagen nueva y más individualizada o una mayor conformidad con las normas del grupo.

El perfeccionamiento de las capacidades cognoscitivas conseguido en la adolescencia también ayuda al adolescente a tomar decisiones vocacionales. Analiza las opciones reales e hipotéticas en relación con sus talentos y habilidades. Pero muchas veces, sólo al final de la adolescencia, basa sus decisiones vocacionales en una autoevaluación objetiva y en opciones profesionales factibles (Ginsburg, 1972).

La adolescencia es un periodo de ensimismamiento y reflexión sobre uno mismo. Algunas veces el adolescente se siente terriblemente solo y llega a creer que nadie ha pensado ni se ha sentido como él.

INTROSPECCIÓN Y EGOCENTRISMO Como ya apuntamos, un aspecto importante del pensamiento de las operaciones formales es la capacidad para analizar los procesos del pensamiento propios. Los adolescentes lo hacen con mucha frecuencia; además de conocerse a sí mismos, conocen a los demás. Al tomar en cuenta las ideas de los otros, en combinación con la inquietud de los adolescentes por su propia "metamorfosis", se origina una clase especial de egocentrismo. Suponen que los demás están tan fascinados con su personalidad como ellos. A veces, no distinguen sus preocupaciones de las de los otros. Tienden, pues, a sacar conclusiones precipitadas sobre las reacciones de quienes los rodean y a suponer que adoptarán la misma actitud de complacencia o de crítica que ellos. En particular, las investigaciones destacan que a los adolescentes les molesta más que a los niños más pequeños el hecho de que sus limitaciones sean señaladas a otros (Elkin y Bowen, 1979).

Se da el nombre de **audiencia imaginaria** a la idea del adolescente de que lo están vigilando y juzgando de continuo (Elkind, 1967). Su imaginación se concentra en sí mismo; por ello, esta audiencia comparte su interés por los pensamientos y sentimientos personales. El adolescente se sirve de ella para "ensayar" varias actitudes y conductas. La audiencia imaginaria es, asimismo, fuente de autoconciencia —sensación de estar constante y dolorosamente ante la vista de la gente. En virtud de que el adolescente no está seguro de su identidad personal, reacciona de modo exagerado ante las ideas de quienes tratan de saber quién es (Elkind, 1967).

Los adolescentes están ensimismados en sus propios pensamientos. Algunas veces creen que sus emociones son únicas y que nadie ha sentido ni sentirá el mismo grado de sufrimiento o de éxtasis. Como parte de esta variación del egocentrismo, algunos adolescentes desarrollan una **fábula personal** —sensación de que son tan especiales que deberían estar por encima de las leyes de la naturaleza, que nada malo puede ocurrirles y que vivirán para siempre. Esta creencia de ser invulnerable e inmortal quizá origina la conducta riesgosa que es tan frecuente durante la adolescencia (Buis y Thompson, 1989).

La *fantasía del expósito* (Elkind, 1974) se relaciona con la fábula personal. Los adolescentes están convencidos de que sus padres tienen muchas deficiencias. No aciertan a imaginar cómo dos personas tan comunes y limitadas pudieron haber procreado una persona tan sensible y especial: a "mí". Como esto no es posible desde luego, el adolescente debe ser un hijo adoptivo o expósito. Pero, por fortuna, el egocentrismo normalmente empieza a desaparecer entre los 15 y los 16 años, a medida que se dan cuenta de que la gente no les presta mucha atención y de que también ellos están sujetos a las leyes naturales como cualquier otra persona.

En suma, la adolescencia a veces es una experiencia intelectualmente intoxicadora. El adolescente dirige hacia su interior los nuevos poderes del pensamiento para examinar mejor su yo y también hacia un mundo exterior que de repente se ha vuelto mucho más complicado.

audiencia imaginaria Suposición del adolescente de que otros se fijan mucho en él y lo critican.

fábula personal Sensación del adolescente de que es especial e invulnerable, que no está sujeto a las leyes de la naturaleza que controlan el destino de los mortales comunes.

CONTINUACIÓN DEL DESARROLLO MORAL Conforme avanza hacia la adultez, el adolescente se ve obligado a enfrentar algunos aspectos de la moral que no había encontrado antes. Ahora que puede tener relaciones sexuales, por ejemplo, deberá decidir lo que significa el sexo para él y si tendrá relaciones prematrimoniales. Debe evaluar las conductas y las actitudes de compañeros que posiblemente consuman drogas o formen parte de pandillas. Deberá decidir si se esforzará por tener un buen aprovechamiento académico, si acepta integrarse a una sociedad para la cual el éxito equivale a riqueza y poder, si la religión será o no importante para él. En consecuencia, el adolescente comienza a examinar las cuestiones más generales que definirán su vida como adulto.

Algunas de sus decisiones, entre éstas las que conciernen al sexo, tienen consecuencias complejas e incluso pueden poner en peligro su vida. Rosemary Jadack y sus colegas (1995) investigaron el razonamiento moral de personas de 18 y 20 años sobre la conducta sexual que pudiera conducir a enfermedades de transmisión sexual, como el SIDA. Descubrieron que sólo los sujetos de 20 años analizaban en forma rigurosa los dilemas éticos relacionados con estas afecciones. Por lo visto, lleva tiempo en desarrollar la capacidad para emitir un juicio moral respecto de las conductas que ponen en peligro la vida.

El pensamiento del adolescente cambia dentro del contexto de su incipiente sentido moral. Cuando llegan a la adolescencia, la mayoría de los niños estadounidenses ya superaron el primer nivel del desarrollo moral de Kohlberg (el nivel preconvencional; véase el capítulo 9) y han alcanzado el nivel convencional que se basa en la conformidad social. Están motivados a evitar el castigo, orientarse a la obediencia y respetar los estereotipos éticos convencionales. En situaciones ordinarias, pueden permanecer toda la vida en este nivel de "la ley y orden", sobre todo si no tienen motivo alguno para ir más allá; en muchas situaciones de la vida cotidiana, este nivel de pensamiento funciona siempre y cuando evite problemas con la sociedad. Tal vez nunca lleguen a las etapas finales del desarrollo moral, en las cuales se piensa que la moral se basa en un contrato social y en principios éticos personales.

¿Puede aprenderse el pensamiento moral más avanzado? Kohlberg y otros establecieron un curso experimental de formación moral para niños y adolescentes de diversas clases sociales. Los resultados, aun tratándose de delincuentes juveniles, indican que es posible enseñar en efecto niveles más elevados de juicio moral. Las clases se concentran en discusiones sobre dilemas morales hipotéticos. Al adolescente se le plantea un problema y se le pide una solución. Si la respuesta se basa en la cuarta etapa, el líder de la discusión propone un razonamiento de la quinta etapa para comprobar si el adolescente cree que se trata de una buena alternativa. Casi siempre los estudiantes admiten que un razonamiento un poco más avanzado es más atractivo, y mediante varias discusiones llegan, tarde o temprano, a formarse juicios correspondientes a etapas superiores (Kohlberg, 1966).

A los educadores les interesa sobre todo la forma en que se desarrolla la moral durante la niñez y la adolescencia. Consideran que si pudieran entenderlo mejor podrían contribuir a resolver problemas como la delincuencia y el abuso de drogas, además de ayudar a crear un mejor orden social. De acuerdo con el modelo de Kohlberg, al plantearle al niño cuestiones morales de creciente complejidad se produce un *desequilibrio* en su mente, lo que lo obliga a pensar y tratar de resolver las contradicciones. El niño no puede examinar las paradojas ni los conflictos éticos, si no alcanza niveles más altos de razonamiento moral. Sin embargo, no es del todo claro que los juicios morales de nivel elevado favorezcan una conducta moral superior; hasta ahora se han efectuado muy pocas investigaciones sobre la relación entre ambos.

1. ¿Qué es el pensamiento operacional formal? ¿Cómo percibía Piaget los cambios cognoscitivos que ocurren durante la adolescencia?
2. ¿Cómo describen los teóricos del procesamiento de la información el desarrollo cognoscitivo durante la adolescencia?
3. Describa el impacto que tiene el desarrollo cognoscitivo en los cambios de alcance y de contenido del pensamiento del adolescente.

REPASE Y APLIQUE

RESUMEN

La adolescencia en nuestros días

■ Varios factores se combinan para hacer de la adolescencia un nicho cultural muy peculiar en las sociedades modernas. Entre éstos podemos citar la segregación por edad, la dependencia económica prolongada, los grandes acontecimientos de la época que le toque vivir al adolescente y la influencia de los medios masivos de comunicación.

El ajuste al desarrollo físico

■ Las características biológicas de la adolescencia son un notable aumento del ritmo de crecimiento, el desarrollo acelerado de los órganos reproductores y la aparición de las características sexuales secundarias.

■ Los cambios físicos que se producen una vez iniciada la adolescencia están controlados por hormonas, sustancias que secretan las glándulas endocrinas y envían al torrente sanguíneo.

■ El estirón del crecimiento es un periodo de crecimiento rápido en el tamaño y la fuerza física, acompañado de cambios en las proporciones corporales.

■ La pubertad, obtención de la madurez sexual, suele presentarse más o menos un año después del estirón del crecimiento.

■ Durante la adolescencia los varones comienzan a producir mayor cantidad de andrógenos, hormonas de las cuales la más importante es la testosterona; las mujeres comienzan a producir más estrógeno y progesterona. El hipotálamo y la hipófisis se encargan de mantener el equilibrio entre estas hormonas. La hipófisis produce además la hormona del crecimiento y las hormonas tróficas, que estimulan y regulan el funcionamiento de otras glándulas.

■ En la mujer, la pubertad comienza con el primer ciclo menstrual, llamado también menarquia. En el varón comienza con la primera emisión de semen que contenga espermatozoides viables.

■ En el varón, la primera indicación de la pubertad es un crecimiento acelerado de los testículos y del escroto, seguido por un crecimiento similar del pene al cabo de un año. Se observa también un aumento en el tamaño del corazón y de los pulmones.

■ En la mujer, el crecimiento de los senos suele ser la primera señal de la pubertad. El útero y la vagina también comienzan a desarrollarse. La menarquia ocurre más tarde, luego de que el estirón del crecimiento alcanza su punto culminante.

■ Muchos adolescentes son muy sensibles respecto de su apariencia. Cuando su autoimagen no corresponde al ideal que ven en los medios, a veces se someten a dietas o regímenes rigurosos de acondicionamiento físico. El interés por la imagen corporal puede ocasionar trastornos de alimentación como la anorexia nerviosa o la bulimia.

■ Una maduración temprana o tardía puede causar problemas al adolescente. Los adolescentes de maduración tardía son más pequeños y menos musculosos que los compañeros de su misma edad, por lo cual están en desventaja. Para las adolescentes la maduración tardía puede ser una ventaja, ya que la mujer madura más o menos al mismo tiempo que casi todos sus compañeros.

■ La menarquia es un acontecimiento memorable para la mayoría de las niñas. Puede resultar traumática para aquellas a quienes no se les ha dado la información necesaria. Pero casi todas están bien preparadas y muestran una reacción positiva.

Actitudes y conducta sexuales

■ La "revolución sexual" de los años sesenta y setenta se reflejó en un aumento de la actividad sexual entre los adolescentes y en una disminución de la "norma doble" que permitía mayor libertad sexual a los varones.

■ Los problemas debidos al aumento de la actividad sexual son índices más altos de embarazo entre las adolescentes y propagación de enfermedades de origen sexual, incluido el SIDA.

■ A finales de los años ochenta las actitudes ante la sexualidad se volvieron más conservadoras.

■ Durante la adolescencia, la identidad de género puede causar gran estrés a homosexuales o lesbianas si no cuentan con el apoyo de sus padres o compañeros. La situación ha empeorado mucho con la propagación del SIDA.

■ La edad en que el adolescente tiene sus primeras relaciones sexuales varía según el género y el grupo racial y subcultural. Los varones inician antes la actividad sexual y sus actitudes al respecto suelen ser distintas a las de las chicas.

■ La educación se relaciona con la conducta sexual. Los estudiantes que tienen un buen desempeño académico en el nivel medio superior suelen comenzar menos esta actividad a una edad temprana.

■ Las interacciones entre progenitor e hijo influyen en la conducta sexual del adolescente. Los adolescentes sexualmente activos por lo general señalan que la comunicación con sus padres no es satisfactoria.

■ La primera experiencia de muchos niños y adolescentes es el abuso sexual. La forma más común se da entre una adolescente de corta edad y un pariente adulto o amigo de la familia.

■ El abuso sexual tiene efectos negativos que pueden durar toda la vida. La adolescente puede sentirse culpable y avergonzada, aislada de sus compañeras y sin confianza en los adultos, puede tener problemas académicos o volverse promiscua. Casi siempre se distorsionan sus actitudes ante las relaciones íntimas.

■ Cada año se embarazan más de un millón de adolescentes, y la mitad de ellas da a luz. Entre las causas de índices tan elevados se encuentran el hecho de no usar anticonceptivos y la reducción del estigma social de tener hijos ilegítimos.

■ Por lo regular, en Estados Unidos, las madres adolescentes abandonan la escuela y trabajan en empleos mal remunerados o necesitan ayuda gubernamental para subsistir. Si no se casan, es posible que se vean obligadas a seguir viviendo con su familia en estado de dependencia.

Cambios cognoscitivos en la adolescencia

■ La mayoría de los adolescentes alcanza el nivel del pensamiento operacional formal, que es abstracto, especulativo e independiente del entorno y las circunstancias inmediatas.

■ También muestran mayor capacidad para planear y prever las cosas.

■ No todos logran este nivel de desarrollo y los que sí lo consiguen no siempre lo emplean de manera constante.

■ Los teóricos del procesamiento de la información ponen de relieve el mejoramiento de la metacognición que permite al adolescente examinar sus procesos de pensamiento y modificarlos de modo consciente.

■ Sternberg identifica tres componentes del procesamiento de la información: los metacomponentes (procesos de control de orden superior), los componentes relacionados con el desempeño (aquellos con que se resuelven los problemas) y los componentes relacionados con la adquisición del conocimiento (los que sirven para aprender información nueva). Gracias a estas habilidades el adolescente resuelve los problemas y hace inferencias de manera más eficaz que los niños de edad escolar.

■ Los adolescentes se sirven de sus habilidades en desarrollo para actividades intelectuales y morales que concentran en ellos mismos, su familia y el mundo. Esto puede influir en la relación con sus padres. Para muchos investigadores la adolescencia es un periodo en que los padres y los adolescentes negocian nuevas relaciones.

■ El adolescente empieza a interesarse más por los problemas sociales, políticos y éticos. Su conocimiento del mundo se va perfeccionando cada vez más y aplica el análisis racional a estas cuestiones.

■ El adolescente desarrolla una forma de egocentrismo en la que no distingue entre sus intereses personales y los de los otros. *Audiencia imaginaria* es el nombre que se da al hecho de que el adolescente sienta que lo vigilan y lo juzgan constantemente. Algunos adolescentes crean una *fábula personal*, es decir, piensan que son tan especiales que no deberían estar sujetos a las leyes naturales.

■ A medida que avanza hacia la adultez, el adolescente debe tener en cuenta aspectos de la moral a los que no se había enfrentado antes. Sus decisiones cobran mayor importancia y se desarrolla más su sentido ético. Algunos alcanzan las etapas finales del modelo de desarrollo moral propuesto por Kohlberg, en el cual la moral se deduce de principios éticos personales.

CONCEPTOS BÁSICOS

ritos de transición
hormonas
estirón del crecimiento

pubertad
menarquia

audiencia imaginaria
fábula personal

UTILICE LO QUE APRENDIÓ

Poco a poco, entre los 10 y los 20 años de edad, los adolescentes adquieren la capacidad de pensar en términos más abstractos que cuando eran más pequeños. A los 10 años, los niños entienden un poco el juego mediante las interacciones con sus padres, con sus profesores y compañeros. Las relaciones que sostienen con estos últimos les enseñan algo sobre la amistad. A los 20 años, los adultos jóvenes poseen ya un conocimiento mucho más completo y en general más abstracto sobre la justicia y la amistad. Ya no están limitados por casos y hechos concretos, sino que aplican principios generales y consideran situaciones hipotéticas.

Para que verifique personalmente esta transición, entreviste a dos adolescentes con una diferencia de edad por lo menos de cuatro años. Elija un par de cuestiones abstractas y aliéntelos a que le digan lo que consideran importante y por qué. Por ejemplo:

- ¿Qué es un buen amigo?
- ¿Se le hace justicia a un negro en los tribunales de Estados Unidos?
- ¿Reciben las mujeres un trato igualitario en la sociedad moderna?
- ¿Se justifica la censura?
- ¿Qué debería hacer usted para crear un mundo perfecto?

Analice las diferencias que observe en las respuestas de los entrevistados y relaciónelas con lo expuesto en el presente capítulo. ¿Qué le indican las respuestas sobre el nivel de pensamiento abstracto de los entrevistados y sobre su desarrollo moral?

LECTURAS COMPLEMENTARIAS

COLES, R. Y STOKES, G. (1985). *Sex and the American teenager*. Nueva York: Harper y Row. Presentación y explicación de una detallada encuesta basada en entrevistas sobre las actitudes y la conducta sexual de los adolescentes estadounidenses.

COLMAN, W. (1988). *Understanding and preventing AIDS*. Chicago: Children's Press. Panorama muy completo y con abundantes ejemplos de los adolescentes y sus padres, que entre otras cosas ofrece una exposición clara del síndrome de inmunodeficiencia adquirida y perfiles realistas de los adolescentes afectados.

ERIKSON, E. (1968). *Identity: Youth and crisis*. Nueva York: Norton. Explicación exhaustiva de la formación de identidad en el adolescente, con muchos ejemplos tomados de estudios de casos.

FELDMAN, S.S. Y ELLIOTT, G. R. (1990). *At the threshold: The developing adolescent*. Cambridge, MA: Harvard University Press. Resultados del estudio tan completo de la Fundación Carnegie sobre el desarrollo del adolescente en un contexto social, presentados por profesionales y legos.

KEMPE, R. S. Y KEMPE, C. H. (1984). *The common secret: Sexual abuse of children and adolescents*. Nueva York: W. H. Freeman. Presentación impresionante y con muchas estadísticas de los tipos, el alcance y el impacto del abuso sexual en Estados Unidos.

PIPHER, M. B. (1995). Reviving Ophelia: Saving the selves of adolescent girls. Nueva York: Ballantine. Libro atractivo que no dudamos en recomendar, basado en historias de casos de la lucha de jóvenes por someterse a la rigurosa definición tradicional de "mujer". Incluye sugerencias concretas sobre cómo crear y mantener un sólido sentido del yo.

ROSENBERG, E. (1983). *Growing up feeling good*. Nueva York: Beaufort Books. Una de las mejores guías de autoayuda para adolescentes jóvenes, es útil también para los padres de adolescentes y para los profesores.

RUBIN, N.J. (1994). *Ask me if I care: Voices from American high school*. Berkeley, CA: Ten Speed Press. Un profesor muy admirado y respetado de nivel medio expone las inquietudes de sus alumnos respecto de los problemas actuales del adolescente.

SHENGOLD, L. (1989). *Soul murder: The effects of childhood abuse and deprivation*. New Haven, CT: Yale University Press. Este psiquiatra explora los resultados que tiene el trauma psicológico del abuso infantil en el adulto. Examina la vida de Dickens, Kipling, Chekov y Orwell, lo mismo que a otros contemporáneos que fueron víctimas de esta forma de abuso.

UNKS, G. (ed.) (1995). *The gay teen*. Nueva York: Routledge. Esta popular colección de artículos, publicados originalmente en un número especial de *High School Journal*, abarca todos los aspectos de la identidad sexual de los heterosexuales y los homosexuales en las escuelas de nivel medio superior.

Adolescencia: desarrollo de la personalidad y socialización

CAPÍTULO

11

OBJETIVOS DEL CAPÍTULO

Cuando termine este capítulo, podrá:

1. Exponer los principales conflictos del desarrollo que el adolescente debe resolver para transitar con éxito a la adultez.
2. Explicar el concepto de estatus de identidad.
3. Describir la forma en que la comunicación entre generaciones, que incluye los estilos de crianza y la dinámica familiar, continúa influyendo en la conducta del adolescente.
4. Identificar las características principales del funcionamiento familiar exitoso durante el avance del adolescente hacia la independencia.
5. Explicar la importancia de los compañeros en la vida del adolescente y la forma en que las relaciones van cambiando durante la adolescencia.
6. Describir los factores y procesos que contribuyen a moldear el desarrollo moral y la elección de valores durante la adolescencia.
7. Exponer los patrones de aceptación de riesgo por parte del adolescente, incluidos el consumo de drogas y la delincuencia.
8. Explicar las relaciones existentes entre estrés y depresión en los adolescentes.

L os adolescentes muestran una combinación curiosa de madurez y puerilidad al hacer la transición a la adultez. La combinación resulta torpe y a veces cómica, pero cumple una importante función en el desarrollo. La forma en que el adolescente afronta el estrés ocasionado por los cambios de su cuerpo y por sus nuevos roles depende del desarrollo de su personalidad en los años anteriores. Para enfrentar los nuevos retos, el adolescente se vale de habilidades, recursos y fuerzas que empezó a desarrollar mucho antes.

En el capítulo precedente vimos que el periodo de transición entre la niñez y la adultez varía de modo considerable de una cultura a otra. En algunas sociedades, las habilidades del adulto se dominan con prontitud y facilidad; necesitan urgentemente más miembros adultos, de modo que se les contrata apenas salen de la pubertad. Por el contrario, en las naciones industrializadas, la transición exitosa a la adultez requiere a menudo muchos años de escolaridad y de formación vocacional. En las sociedades modernas, la adolescencia a menudo abarca desde la pubertad hasta los últimos años de este periodo. Los adolescentes viven, pues, en el limbo: muchos, pese a su madurez física e intelectual, no tienen acceso a un trabajo importante.

Por un lado, la prolongada adolescencia les brinda muchas oportunidades de probar diversos estilos del adulto sin comprometerse en forma irrevocable. Por otro lado, 10 años de adolescencia generan presiones y conflictos, como la necesidad de parecer independiente y refinado cuando aún se depende de los padres en lo económico.

Algunos adolescentes sienten una fuerte presión de sus progenitores, quienes les transfieren sus compulsiones de alcanzar el éxito y un nivel social más elevado (Elkind, 1997). Deben afrontar estas presiones y las provenientes de su interior. También tienen que cumplir importantes tareas del desarrollo e integrar los resultados en una identidad coherente y funcional.

En este capítulo veremos cómo encaran los jóvenes los retos de la adolescencia, lo mismo que los triunfos y fracasos resultantes. Examinaremos la manera en que adoptan valores, forman lealtades y maduran. En todo esto intervienen progenitores, compañeros —bandas, pandillas y amigos íntimos— y decisiones tan amplias y variadas como la propia sociedad. Participan, asimismo, las tensiones y los patrones destructivos de afrontamiento que a veces originan patrones conductuales de riesgo, como el abuso de las drogas, la delincuencia e incluso la depresión y el suicidio.

TAREAS DEL DESARROLLO EN LA ADOLESCENCIA

Cada periodo de la vida plantea retos y problemas de desarrollo que exigen nuevas habilidades y respuestas. En general, los teóricos coinciden en que el adolescente debe encarar dos grandes desafíos:

1. Lograr la autonomía y la independencia respecto a sus padres.
2. Formar una identidad, esto es, crear un yo integral que combine en forma armoniosa varios elementos de la personalidad.

Se considera por tradición que la adolescencia es un periodo de *Sturm und Drang* (crisis y tensiones), es decir, de una terrible confusión de emociones y conductas. La expresión entrecomillada proviene de un movimiento literario alemán de finales del siglo XVIII y principios del XIX (*Sturm und Drang* en alemán significa literalmente tormenta y tensión). Lo adoptó Anna Freud para designar el estado emocional que, según ella, caracteriza a la adolescencia. Llegó incluso a señalar: "Ser normal durante este periodo es ya una anormalidad" (1958). Junto con otros freudianos sostuvo que el inicio de la maduración biológica y la intensificación de la pulsión sexual producen grandes conflictos entre los adolescentes y sus padres, sus compañeros y con ellos mismos.

¿Están los adolescentes en crisis constante? Algunos lo están, pero sabemos que no es así en la generalidad de los casos. La mayoría de ellos son personas bien ajustadas y no tienen grandes conflictos con sus progenitores, con sus compañeros ni consigo mismos. Se estima que apenas entre 10 y 20 por ciento sufren problemas psicológicos, porcentaje semejante al de los adultos de la población general (Powers y otros, 1989).

INDEPENDENCIA E INTERDEPENDENCIA

Según la idea predominante, el adolescente se sirve del conflicto y la rebeldía para alcanzar la autonomía y la independencia de sus padres. Desde mediados de los sesenta sobre todo, los medios masivos se han concentrado en la "brecha generacional" (consúltese el recuadro "Estudio de la diversidad", página 378) y en los turbulentos conflictos entre padres e hijos. Las historias basadas en este tema pueden ser dramáticas e interesantes, pero no se dispone de suficientes pruebas que las respalden. Las investigaciones al respecto indican que se ha exagerado el conflicto existente entre el adolescente y su familia.

Aunque la distancia emocional entre el muchacho y sus padres suele aumentar durante los primeros años de la adolescencia (Steinberg, 1988), esta tendencia no por fuerza genera rebeldía ni rechazo de los valores familiares. En un estudio sobre 6,000 adolescentes de 10 países —Australia, Bangladesh, Hungría, Israel, Italia, Japón, Taiwán, Turquía, Estados Unidos y la ex Alemania Occidental—, Daniel Offer y sus colegas (1988) aplicaron un cuestionario que se concentraba en la forma en que el adolescente percibe las relaciones familiares. Descubrieron que, en todas las naciones, la gran mayoría se llevaba bien con sus padres y tenía actitudes positivas hacia la familia. Sólo pequeños porcentajes de los participantes aprobaban las siguientes ideas negativas:

Contra la creencia popular, la rebeldía contra los padres no marca a la adolescencia.

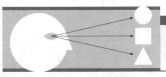

ESTUDIO DE LA DIVERSIDAD

LA GENERACIÓN X Y LOS *BABY BOOMERS*

Al parecer, los adolescentes libran sin remedio una lucha encarnizada con la generación anterior, la cual está convencida de que "ellos sí saben". Esta tendencia nunca ha sido tan clara como en la actualidad. Por un lado, está lo que se conoce como generación X, integrada por 80 millones de adolescentes y adultos jóvenes nacidos entre 1961 y 1981. Por otro, encontramos la generación de los *baby boomers* (o generación del auge de la natalidad, o de la posguerra como también se conoce), constituida por 70 millones de personas nacidas entre 1943 y 1960.

Neil Howe y William Strauss (1992) llevaron a cabo un interesante análisis sobre las asombrosas diferencias entre ambas generaciones. Muchos *baby boomers* recibieron un trato muy indulgente desde el nacimiento. Fueron criados en el ambiente permisivo recomendado por el Dr. Benjamin Spock en su libro clásico *Baby and Child Care* —obra que ha vendido casi tantos ejemplares como la Biblia. Al llegar a la adolescencia ya les había decepcionado lo que veían a su alrededor. Querían crear un mundo mejor y estaban dispuestos a emprender una revolución social con tal de conseguirlo. Su enojo contra "el orden establecido" se expresaba en grandes —y a menudo violentas- demostraciones de protesta contra la in- tervención de Estados Unidos en la Guerra de Vietnam. Aunque los manifestantes representaban aproximadamente 15 por ciento de los jóvenes, fijaron la actitud de toda una generación.

A medida que fue madurando la generación, su tendencia al compromiso personal se tradujo en una sabiduría moral —conocer con exactitud lo bueno o correcto— que se ha dirigido sobre todo a la siguiente generación. En otras palabras, a los *Baby Boomers* les complacía decir a los demás lo que debían hacer. Pero la nueva generación no compartía necesariamente su punto de vista. La generación X alcanzó la mayoría de edad sin muchas de las ventajas que la anterior había disfrutado: muchos jóvenes de esta generación no podían encontrar trabajos decentes; la necesidad económica obligó a muchos de ellos a seguir viviendo con sus padres; y no pocos estaban convencidos de que la falta de disciplina personal de los *baby boomers* les había legado un futuro incierto y hasta peligroso.

Más aún, como la generación anterior resintió el impacto del incremento acelerado de la tasa de divorcios, muchos integrantes de la generación X crecieron en familias de un solo progenitor. Peor aún: sus padres concedían mayor importancia a los bienes materiales que a la crianza de los hijos. Howe y Strauss lo explican de la siguiente manera: "Entre los años sesenta y principios de los ochenta, los preadolescentes estadounidenses crecieron con muy poco afecto durante el periodo más virulentamente antinfantil en la historia moderna de Estados Unidos. Algunas expresiones peyorativas (como 'niño con llave') entraron en su lenguaje común. Las prioridades del país estaban en otro lado" (páginas 77-78). Cuando los miembros de la generación X ingresaron a la fuerza laboral, descubrieron

que su ingreso ajustado a la inflación era mucho más bajo que el de los *baby boomers* y que iba en aumento el índice de pobreza de las personas menores de 30 años. Como resultado, la generación X entrañó un odio y un resentimiento crecientes hacia la de los *baby boomers*.

Por su parte, los *baby boomers* dieron el mote de "generación perdida" a los integrantes de la generación X. En opinión de Howe y Strauss.

Esta generación —mejor dicho, su reputación- se ha convertido en una metáfora de la pérdida de metas en Estados Unidos, del desencanto con las instituciones, de la pérdida de esperanza en la cultura y del temor al futuro. En la actualidad, muchos *baby boomers* están firmemente convencidos de que los miembros de la generación X son personas poco positivas. La actitud proviene en parte de una nostalgia vaga, en parte de un puritanismo egoísta; pero el hecho mismo de que vaya imponiéndose constituye un grave problema para los jóvenes modernos. No los culparíamos si se creen una especie de hoyo negro demográfico, cuya misión asignada por los mayores consiste en vivir los tres siguientes cuartos de siglo sin causarle mucho daño al país (página 79).

Entre los *baby boomers* y los miembros de la generación X existe una profunda brecha generacional. El conflicto necesariamente se agravará a medida que una generación envejezca y la otra llegue a la adultez.

Fuente: Neil Howe y William Strauss, "The New Generation Gap". *The Atlantic Monthly*, diciembre de 1992, páginas 67-89.

Mis padres se avergüenzan de mí. (7%)
Desde hace años tengo un resentimiento contra mis padres. (9%)
Muy a menudo siento que mi madre no es buena. (9%)
Muy a menudo siento que mi padre no es bueno. (13%)
Mis padres me decepcionarán en el futuro. (11%)

Las respuestas diferían un poco entre los países, lo cual subraya la importancia del contexto cultural en el desarrollo de los adolescentes. Los jóvenes israelíes, por ejemplo, mostraron las relaciones familiares más positivas, probablemente por la importancia que concede a la familia la cultura judía tradicional. En general, los hallazgos de Offer contradicen la idea freudiana del conflicto inevitable que surge de las pulsiones y los cambios biológicos.

Es necesario reconsiderar las definiciones de la autonomía que recalcan la libertad de la influencia de los padres. La independencia ha de tener en cuenta el influjo permanente que éstos ejercen durante la adolescencia y después de ésta. John Hill (1987) propone un método interesante para estudiar la búsqueda de independencia en esta etapa. Considera que la autonomía debería definirse como *autorregulación*. La independencia implica la capacidad de hacer juicios por uno mismo y regular la conducta personal, lo cual se refleja en expresiones como "Piensa por ti mismo". Muchos adolescentes aprenden a hacerlo. Reconsideran las reglas, los valores y los límites que experimentaron de niños en la casa y en la escuela. Algunas veces encuentran mucha resistencia en sus padres, y esto puede producir conflictos. Pero por lo regular sus progenitores resuelven el proceso junto con ellos, disminuyendo en lo posible las áreas de conflicto y ayudándoles a aprender un pensamiento independiente y una conducta autorregulada (Hill, 1987).

Convertirse en adulto es, desde luego, una transformación gradual. Exige ser al mismo tiempo independiente e interdependiente. La **interdependencia** se define como una dependencia recíproca. Las relaciones sociales son interdependientes como se observa, por ejemplo, en el lugar de trabajo. Los jefes necesitan a sus subalternos para producir y los subalternos a sus jefes para que administren la empresa. En conclusión, la interdependencia supone compromisos a largo plazo y apegos interpersonales (Gilligan, 1987).

FORMACIÓN DE LA IDENTIDAD

Antes de la adolescencia nos vemos a nosotros mismos en función de diversos roles (amigo, enemigo, estudiante, jugador de fútbol, guitarrista) y en función de la pertenencia a pandillas, clubes o bandas. Gracias al perfeccionamiento de las facultades cognoscitivas (vea el capítulo 10) podemos analizar nuestros roles, identificar contradicciones y conflictos en éstos y reestructurarlos para forjar nuestra identidad. Unas veces abandonamos roles anteriores; en otras ocasiones, establecemos nuevas relaciones con nuestros padres, hermanos y compañeros. Erikson (1968) ve en el proceso de la **formación de la identidad** el principal obstáculo que los adolescentes han de superar para realizar una transición exitosa a la adultez. De manera ideal, ingresan a la vida adulta con un sentido estable y coherente de lo que son y de cómo encajan en la sociedad.

FACTORES QUE INFLUYEN EN LA IDENTIDAD   Los adolescentes obtienen de los grupos de referencia muchas de las ideas concernientes a los roles y valores. Los *grupos de referencia* pueden estar compuestos por individuos con quienes interactúan a menudo y con los que mantienen relaciones estrechas, o bien pueden ser grupos sociales más generales con los que comparten actitudes e ideales: grupos religiosos, étnicos, generacionales y hasta de charla por Internet. Sin importar si son amplios o reducidos, confirman o rechazan los valores y en ocasiones imponen otros.

El adolescente está obligado a convivir con varios grupos de referencia. La pertenencia a ellos que era casi automática en la niñez —digamos, en la familia, la pandilla del barrio o el grupo juvenil de la parroquia— ya no resulta tan cómoda ni tan satisfactoria como antes. Muchas veces siente lealtades contradictorias hacia la familia, los grupos de compañeros y otros grupos de referencia.

En ocasiones, el adolescente se siente más atraído por los valores y las actitudes de un individuo que por los de un grupo. Este *otro significativo* puede ser un amigo íntimo, un profesor admirado, un hermano mayor, una estrella cinematográfica o deportiva o cualquiera cuyas ideas y conductas admire. La in-

Puede conocerse mucho sobre el sentido de identidad de un adolescente con sólo recorrer su cuarto.

interdependencia Dependencia recíproca.

formación de la identidad Obtención del sentido de lo que somos y de cómo encajamos en la sociedad.

fluencia de estas personas se siente en cualquier etapa de la vida, pero a menudo ejerce el máximo impacto durante la adolescencia.

En suma, el adolescente está rodeado por una extraordinaria diversidad de roles aportados por múltiples individuos y grupos de referencia. Debe integrar esos roles a una identidad personal y conciliar o desechar los contradictorios. Este proceso se dificulta aún más cuando hay conflicto entre los roles (por ejemplo, entre pertenecer a un grupo orientado a la diversión y ser un buen estudiante) o entre otras personas significativas (por ejemplo, entre un hermano mayor y el novio o la novia).

CONCEPTO DE IDENTIDAD PROPUESTO POR ERIKSON Erikson dedicó gran parte de su vida profesional a trabajar como psicólogo clínico de adolescentes y adultos jóvenes. Sus escritos sobre el proceso de establecer un "sentido interno de identidad" han ejercido un profundo impacto en la psicología del desarrollo. De acuerdo con Erikson, la formación de la identidad suele ser un proceso prolongado y complejo de *autodefinición*. Este proceso ofrece continuidad entre el pasado, el presente y el futuro del individuo; crea una estructura que le permite organizar e integrar las conductas en diversas áreas de la vida; y concilia sus inclinaciones y talentos con roles anteriores provenientes de los padres, los compañeros o la sociedad. La formación de la identidad ayuda además al adolescente a conocer su posición con respecto a los otros y con ello sienta las bases de las comparaciones sociales. Por último, el sentido de identidad contribuye a darle dirección, propósito y significado a la vida (Erikson, 1959, 1963, 1968; Waterman, 1985).

MODOS DE FORMACIÓN DE LA IDENTIDAD James Marcia (1980) perfeccionó la teoría de Erikson y definió cuatro estados, o modos, de la formación de la identidad, a saber: *exclusión, difusión, moratoria* y *consecución de la identidad*. Los estados se resumen en el diagrama de estudio en la página siguiente. Se pretende determinar si el individuo pasó por un periodo de toma de decisiones denominado **crisis de identidad** y si se ha comprometido con una serie específica de opciones; por ejemplo, con un sistema de valores o un proyecto ocupacional.

Los adolescentes que se encuentran en el **estado de exclusión** ya hicieron compromisos sin dedicar mucho tiempo a la toma de decisiones. Han escogido una ocupación, una concepción religiosa, una doctrina ideológica y otros aspectos de su identidad; pero las adoptaron de manera prematura y fueron decididas más por sus padres y sus maestros que por ellos mismos. Su transición a la adultez tiene lugar sin sobresaltos y con pocos conflictos, pero también con poca experimentación.

En el **estado de difusión,** se encuentran los jóvenes que carecen de orientación y parecen poco motivados para encontrarla. No han experimentado una crisis ni han elegido un rol profesional ni un código moral. Están evitando la decisión. Para algunos la vida gira en torno a la gratificación inmediata. Otros prueban, al parecer de manera aleatoria, varias clases de actitudes y conductas (Coté y Levine, 1988).

En el **estado de moratoria,** los adolescentes o adultos jóvenes pasan por una crisis de identidad o se encuentran en un periodo de toma de decisiones. Éstas pueden referirse a opciones profesionales, valores éticos o religiosos, o filosofías políticas. Durante este estado les preocupa "encontrarse a sí mismos".

Por último, la **consecución de la identidad** es el estado que alcanzan quienes ya superaron una crisis de identidad y establecieron sus compromisos. Por tanto, trabajan por su cuenta y tratan de vivir conforme a un código ético formulado por ellos mismos. La consecución de la identidad suele considerarse el estado más conveniente y maduro (Marcia, 1980).

EFECTOS DEL ESTADO DE IDENTIDAD Los investigadores señalan que el estado de identidad influye de modo profundo en las expectativas sociales

crisis de identidad Periodo de toma de decisiones sobre cuestiones importantes como "¿Quién soy y a dónde me dirijo?"

estado de exclusión Estado de quienes han hecho compromisos sin pasar por una crisis de identidad.

estado de difusión Estado de quienes no han pasado por una crisis de identidad ni han hecho compromisos.

estado de moratoria Estado de quienes se encuentran en una crisis de identidad.

consecución de la identidad Estado de quienes han pasado por una crisis de identidad y han hecho compromisos.

DIAGRAMA DE ESTUDIO ▸ TIPOS DE FORMACIÓN DE LA IDENTIDAD PROPUESTOS POR MARCIA		
TIPO	**DESCRIPCIÓN**	**EFECTOS EN EL ADOLESCENTE**
Exclusión	Se hacen compromisos sin tomar muchas decisiones.	Se manifiesta un mínimo de ansiedad; valores más autoritarios y vínculos positivos y sólidos con los otros significativos.
Difusión	Todavía no se hacen compromisos; se tiene poco sentido de dirección; se rehuye el asunto.	A veces se abandona la escuela o se se recurre al alcohol u otras sustancias para evadir la propia responsabilidad.
Moratoria	Se pasa por una crisis de identidad o por un periodo de toma de decisiones.	Se sufre ansiedad ante las decisiones decisiones sin resolver; se lucha con opciones y decisiones antagónicas.
Consecución de la identidad	Se hacen compromisos después de superar una crisis de identidad.	Se tiene sentimientos equilibrados por los padres y la familia; es menos difícil alcanzar la independencia.

del adolescente, en su imagen personal y en sus reacciones ante el estrés. Más aún, las investigaciones transculturales efectuadas en Estados Unidos, Dinamarca, Israel y otras sociedades demuestran que los cuatro estados forman parte de un proceso de desarrollo relativamente universal, por lo menos en las culturas caracterizadas por una adolescencia larga. En seguida veremos cómo interactúan los cuatro estados con algunos problemas de la adolescencia.

Debido a las decisiones no resueltas, la ansiedad es la emoción dominante entre los jóvenes que se hallan en el estado de moratoria. A menudo luchan con opciones y valores antagónicos; los abruman de continuo la impredecibilidad y las contradicciones. Las relaciones con sus progenitores son ambivalentes: luchan por conseguir la libertad y, al mismo tiempo, temen o resienten la desaprobación de sus padres. Muchos estudiantes universitarios se encuentran en el estado de moratoria.

En cambio, los adolescentes en el estado de exclusión sienten muy poca ansiedad. Tienen valores más autoritarios que los que encuentran en otros estados y vínculos más fuertes y positivos con las personas importantes en su vida. Los varones que se encuentran en el estado de exclusión suelen tener una autoestima menor que quienes se hallan en el estado de moratoria y es fácil persuadirlos (Marcia, 1980).

El estado de difusión se observa con mayor frecuencia en adolescentes que han sufrido el rechazo o la negligencia de progenitores apáticos y poco afectuosos. Dejan la escuela y se refugian en el alcohol o las drogas para evadir su responsabilidad. Diana Baumrind (1991) demostró que el consumo de sustancias es más común en hijos de padres "indiferentes" (vea el capítulo 7).

Los adolescentes que alcanzaron el estado de consecución de la identidad muestran los sentimientos más equilibrados hacia sus padres y su familia. Su búsqueda de independencia contiene menos carga emocional que la de los jóvenes que se hallan en el estado de moratoria, además en esa búsqueda tampoco se observa el aislamiento ni la sensación de abandono que afectan a quienes se encuentran en el estado de difusión (Marcia, 1980).

Con la edad aumenta la proporción de personas en el estado de consecución de la identidad. En la enseñanza media superior hay muchas más personas en los estados de difusión y exclusión que en los de moratoria y de consecución de la identidad. El estado depende, asimismo, del aspecto de la identidad en cuestión: un estudiante de enseñanza media puede hallarse en el de exclusión respecto a su preferencia de roles sexuales, en el de moratoria respecto a su decisión vocacional o creencias religiosas y en el de difusión respecto a sus principios políticos.

DIFERENCIAS SEXUALES Marcia y otros investigadores descubrieron una notable diferencia en la conducta y en las actitudes de ambos sexos asociada con los cuatro estados de identidad. Por ejemplo, los varones parecen tener una gran autoestima en los estados de consecución y moratoria de la identidad. Las mujeres, por su parte, presentan más conflictos sin resolver, sobre todo en lo tocante a las decisiones familiares y profesionales.

Los estudios posteriores confirman en forma parcial los resultados iniciales, pero ofrecen una situación más compleja. Por ejemplo, Sally Archer (1985) observó que, en lo que se refiere a las decisiones familiares y profesionales, las adolescentes en los últimos años de la enseñanza media superior suelen encontrarse en el estado de exclusión y los varones en un estado de difusión. Más aún, en los estados de exclusión y de moratoria las chicas manifiestan mucha incertidumbre ante la conciliación de conflictos que surgen en su familia y en sus preferencias profesionales. Aunque ambos sexos afirman que planean casarse, tener hijos y ejercer una carrera, es más probable que las muchachas expresen preocupación por posibles conflictos entre su familia y su carrera. Cuando se les preguntó cuánto les preocupaba, 75 por ciento de los varones y 16 por ciento de las mujeres dijeron que nada, 25 por ciento de los varones y 42 por ciento de las mujeres dijeron que un poco, nadie de los varones y 42 por ciento de las mujeres dijeron que mucho.

Los resultados son mixtos en otras áreas importantes de interés como las creencias religiosas y políticas. En el caso de la religión, la investigación no revela diferencias notables de género. Pero en lo que se refiere a las creencias políticas parece haber una diferencia significativa en el estado de identidad entre los varones y las adolescentes de mayor edad. Los primeros se hallan más a menudo en el estado de consecución de la identidad, mientras que las segundas se encuentran más a menudo en el estado de exclusión (Waterman, 1985).

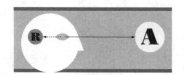

REPASE Y APLIQUE

1. ¿Cuáles son los principales retos del desarrollo que plantea la adolescencia?
2. Describa los procesos con que se obtienen la independencia e interdependencia en relación con el desarrollo del adolescente.
3. Describa el concepto de formación de la identidad propuesto por Erikson.
4. Explique los cuatro estados de identidad propuestos por Marcia.

DINÁMICA FAMILIAR

Durante el proceso de formación de la identidad los adolescentes se ven obligados a juzgar sus valores y conductas en relación con los de la familia. A su vez, las funciones más importantes de los progenitores parecen a menudo paradójicas. Por una parte, los padres exitosos brindan a los hijos raíces y un sentido de seguridad en un ambiente en el que se sienten amados y aceptados. Por otra, los alientan para que se conviertan en adultos autónomos capaces de funcionar de modo independiente en la sociedad.

La forma en que los padres interactúan con los adolescentes influye de modo decisivo en la forma en que éstos avanzan a la adultez. Los sistemas familiares son dinámicos: los cambios conductuales de un miembro de la familia inciden en los demás. Por ser la adolescencia un periodo de modificaciones trascendentales y a veces radicales, la familia también cambia como sistema social, lo mismo que la índole de la comunicación entre generaciones.

COMUNICACIÓN ENTRE GENERACIONES

Por lo regular, la incipiente necesidad de autonomía y autodefinición hacen que el adolescente tenga por lo menos pequeñas fricciones con la familia y sienta mayor urgencia de hablar con los padres sobre algunas cuestiones. Sigue recibiendo el fuerte influjo de su familia, aunque los vínculos con ésta hayan entrado en gran tensión. Los estudios realizados en los últimos 25 años demuestran que el conflicto entre el adolescente y su familia es mucho menor de lo que se consideraba. Las encuestas señalan la existencia de conflictos serios apenas entre 15 y 25 por ciento de las familias. Casi todos giran en torno a cosas tan simples como los quehaceres domésticos, la hora de dormir, el noviazgo, las calificaciones escolares, el aspecto personal y los hábitos de alimentación. Mucho menos comunes son los conflictos relacionados con valores básicos de carácter económico, religioso, social y político (Hill, 1987). Son relativamente pocos los adolescentes que se forman opiniones en verdad independientes sobre asuntos ideológicos, y casi siempre lo hacen en los últimos años de la enseñanza media superior o durante sus estudios universitarios (Waterman, 1985).

Por lo general, en los primeros años de la adolescencia se presentan más conflictos que en los últimos. Cuando los adolescentes y sus padres son mayores, logran superar los arduos problemas de la autonomía y la separación. Conviene que unos y otros comprendan que, si consiguen mantener la comunicación y compartir puntos de vista durante la adolescencia, podrán negociar las cuestiones difíciles.

Los padres y las madres influyen en sus hijos adolescentes de distintas maneras. Aunque no hay mucha diferencia en la forma en que los adolescentes de ambos sexos describen sus relaciones familiares (Hauser y otros, 1987; Youniss y Ketterlinus, 1987), sí existe una diferencia considerable entre la conducta y los roles de las madres y los padres (Steinberg, 1987a). Los padres suelen estimular por tradición el desarrollo intelectual y con frecuencia participan en la discusión y solución de los problemas familiares. De ahí que los adolescentes hablen con ellos sobre sus ideas e inquietudes (Hauser y otros, 1987). La relación de los adolescentes con su madre es mucho más compleja. La interacción con la madre suele darse en áreas como los quehaceres domésticos, las responsabilidades y las actividades familiares, la disciplina familiar tanto en casa como fuera de ésta y las actividades recreativas (Montemayor y Brownlee, 1987). Aunque estas interacciones pueden causar mayor tensión y conflicto entre madres e hijos, también suelen favorecer una mayor intimidad (Youniss y Ketterlinus, 1987).

En general, el gran interés de la madre en las actividades comunes de sus hijos, incluida la tarea, suele hacer que esta relación sea más compleja que la que tiene con su padre.

ESTILOS DE CRIANZA   En el capítulo 7 expusimos las influencias que los estilos de crianza (Baumrind, 1975, 1980) ejercen en la estructura psicológica del niño, influjos que se prolongan en la adolescencia. El estilo autoritativo (o con autoridad) es el que propicia una conducta más sana en el adolescente (Baumrind, 1991; Hill, 1987), caracterizada por acciones responsables e independientes, por una buena autoaceptación y autocontrol. Por el contrario, los jóvenes que han sido criados por progenitores autoritarios tal vez sean dependientes y sientan ansiedad en presencia de figuras de autoridad o se vuelvan rebeldes y rencorosos. Este impacto negativo también se da en los grupos raciales y étnicos, como sucede con el impacto positivo de la crianza autoritativa (Lamborn y otros, 1996).

La calidez y el control seguro que ofrecen los padres autoritativos tranquilizan a la generalidad de los adolescentes. El progenitor ofrece una red protectora al adolescente que prueba conductas y actividades. Las consecuencias del fracaso no son irreparables, pues los padres ayudan a poner remedio. Los padres autoritativos también toman en cuenta que el adolescente ha mejorado su capacidad cognoscitiva. Por primera vez padre e hijos pueden comunicarse utilizando niveles iguales o similares de razonamiento y de lógica (Baumrind, 1987).

ALIANZAS FAMILIARES Las alianzas familiares desempeñan un rol decisivo en la comunicación. A semejanza de los estilos de crianza, comienzan a moldear el comportamiento mucho antes de la adolescencia. Un hermano mayor que en la niñez dominaba a otro más pequeño ejercerá probablemente la misma influencia durante la adolescencia; si a los seis años una hija era la "preferida de papá", lo más seguro es que lo siga siendo cuando cumpla 16.

Las alianzas entre los miembros de una familia son naturales y sanas; pero es importante que los padres hagan un frente común y establezcan una clara línea divisoria con sus hijos. También deben colaborar para criarlos y corregirlos; un vínculo estrecho de un hijo y un progenitor puede resultar nocivo si excluye al otro progenitor. El excluido pierde influencia como agente socializador y figura de autoridad. También pueden surgir problemas de otras clases de desequilibrio, como la ausencia de uno de los padres por divorcio o separación. Cuando un adolescente está probando nuevos roles y lucha por alcanzar otra identidad personal, la autoridad de los padres puede que se someta a una prueba difícil en un hogar de un solo progenitor.

CAMBIOS EN LA FAMILIA MODERNA

Los efectos de las familias en transición, que expusimos en capítulos anteriores, se prolongan en la adolescencia. La figura 11-1 contiene las formas de vida de adolescentes menores de 18 años. Observe, asimismo, que a menudo deben cuidarse solos, como se comentó en la página 322 al abordar el tema de los "niños con llave".

Es interesante observar cómo han influido los cambios de la familia en la asignación de los quehaceres domésticos a los adolescentes. Hay un estudio que arrojó algunos datos sorprendentes (Benin y Edwards, 1990). En las familias de doble ingreso, los adolescentes ayudan menos en la realización de esos quehaceres que en las familias en que la madre se encarga de esas labores. Más aún, las exigencias impuestas a los adolescentes se dividen según el sexo. En las familias de doble ingreso, los hijos destinan a los quehaceres una tercera parte del tiempo que dedican los hijos de las familias tradicionales; en cambio, las hijas de familias de doble ingreso les dedican *una cuarta parte* más de tiempo que las de las familias tradicionales. Por su parte, las amas de casa de tiempo completo espe-

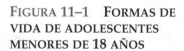

FIGURA 11–1 FORMAS DE VIDA DE ADOLESCENTES MENORES DE 18 AÑOS

Fuente: U.S. Census Bureau (1990). A. Cherlin y J. McCarthy, (febrero de 1985). Remarried couple households: *Journal of Marriage and the Family, 47,* 23-30.

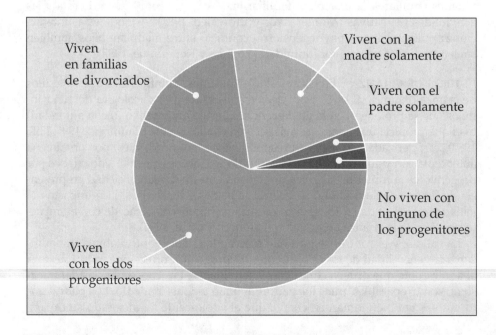

ran que sus hijos e hijas adolescentes contribuyan de igual manera a los quehaceres domésticos. ¿Por qué? A juicio de los investigadores las madres que trabajan confían más en que, sin supervisión, sus hijas lleven a cabo las tareas asignadas; por eso les dan más carga de trabajo. Las amas de casa a veces logran que sus hijos realicen esa misma cantidad de trabajo cuando los vigilan de cerca.

¿Cómo reaccionan los adolescentes a las presiones que conllevan los cambios en la familia? Algunos asumen más responsabilidades. Otros exteriorizan sus sentimientos y sus conflictos negativos entregándose a una conducta antisocial y rebelde. Y otros más se desvinculan de la familia concentrándose en actividades con sus compañeros.

ABANDONO DEL HOGAR PATERNO

Para ninguno de los interesados es fácil efectuar los ajustes necesarios a medida que el adolescente se vuelve más independiente y se prepara para abandonar el hogar. Padres e hijos deben renegociar algunos roles. Los adolescentes necesitan un apoyo distinto al de los hijos más pequeños porque exploran en forma más activa su independencia. La separación y la afirmación de sí mismo no son características negativas, sino esenciales para el desarrollo. Algunas familias las alientan; otras se oponen a ellas.

Los investigadores han descubierto tres aspectos relevantes del funcionamiento de la familia: *cohesión, adaptabilidad* y *calidad de la comunicación* (Barnes y Olsen, 1985). Durante el proceso de separación conviene que la familia tenga niveles moderados, no extremos, de cohesión y de adaptabilidad. Lo ideal es que sean flexibles y adaptables, pero que no estén tan poco estructuradas que rayen en lo caótico. Conviene, además, que sean cohesivas pero sin llegar a la represión. Las familias logran una adaptación óptima cuando pueden negociar los cambios en forma racional, teniendo en cuenta las necesidades y deseos de todos los miembros. La cohesión se mantendrá cuando los progenitores y el adolescente que se marcha de casa logran un trato igualitario y establecen relaciones recíprocas (Grotevant y Cooper, 1985). La comunicación abierta favorece la cohesión, puesto que permite a los miembros expresar sus opiniones y disminuir en lo posible las fricciones.

Algunos estudios indican que el padre cumple una función esencial al ayudar al adolescente a alcanzar el equilibrio entre la separación y la conexión, equilibrio que abarca el momento en que está listo para abandonar el hogar. Los padres que propician la separación dan a los hijos el "espacio" que requieren para forjarse su identidad personal y comenzar a asumir la responsabilidad de sus actos. El hecho de que los adolescentes tengan menos conflictos con su padre que con su madre indica que los primeros suelen oponerse menos y respetar más la independencia de sus hijos. Esto les permite cultivar sus intereses personales, en lugar de tener que gastar su energía en oponerse decididamente a su padre (Shulman y Klein, 1993).

En las familias de un solo progenitor es más difícil ayudar al adolescente a formar su identidad y separarse de sus padres. En tales casos, la intervención de otro adulto —un abuelo, un tío, una tía o un profesor— facilita la transición para ambos (Dornbusch y otros, 1995).

---

1. ¿Qué función desempeña el conflicto en la comunicación entre los adolescentes y sus padres? ¿Por qué los conflictos suelen ocurrir en los primeros años de la adolescencia?
2. ¿Cómo influyen los estilos de crianza en la comunicación entre generaciones?
3. Describa los aspectos del funcionamiento de la familia que contribuyen a hacer del adolescente un adulto independiente.

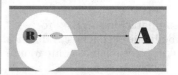

REPASE Y APLIQUE

COMPAÑEROS Y AMIGOS

A medida que los individuos se independizan de su familia, necesitan más a los amigos para obtener apoyo emocional y probar sus nuevos valores (Douvan y Adelson, 1966; Douvan y Gold, 1966). Son sobre todo, los amigos íntimos los que favorecen la formación de la identidad. Para aceptar su identidad, el adolescente necesita sentir que la gente lo acepta y le tiene simpatía.

Durante la adolescencia aumenta considerablemente la importancia de los grupos de compañeros. El adolescente busca el apoyo de otras personas para enfrentar los cambios físicos, emocionales y sociales de esta etapa. Es, pues, lógico que recurra a quienes están viviendo las mismas experiencias. En un estudio del tiempo que pasa el adolescente con sus compañeros y con sus padres (Csikszentmihalyi y Larson, 1984), los investigadores entregaron a estudiantes de enseñanza media superior localizadores electrónicos y los llamaban en varios momentos del día y de la noche. En todas las ocasiones debían telefonear a los investigadores y comunicar lo que estaban haciendo. Como se preveía, pasaban una parte mucho mayor de su tiempo libre con amigos y condiscípulos que con su familia (progenitores y hermanos, por ejemplo): aproximadamente 50 por ciento en comparación con 20 por ciento. El resto del tiempo se encontraban solos.

Las redes de compañeros son esenciales para la adquisición de habilidades sociales. La igualdad recíproca que caracteriza a las relaciones en esta etapa favorece el aprendizaje de respuestas positivas a las crisis que sufre el adolescente (Epstein,1983; Hawkins y Berndt, 1985). Los adolescentes aprenden de sus amigos y compañeros de su edad las clases de conducta que serán recompensadas por la sociedad y los roles adecuados. La *competencia social* es un elemento fundamental de la capacidad de hacer nuevos amigos y de conservar los actuales (Fischer y otros, 1986).

En parte, la competencia social se basa en la capacidad de hacer *comparaciones sociales*. Éstas permiten que el adolescente se cree una identidad personal y evalúe los rasgos de otras personas. A partir de estas evaluaciones, el adolescente elige los amigos íntimos y entre las pandillas y las bandas que forman parte de su ambiente. Debe además analizar los valores a menudo antagónicos de sus compañeros, de sus padres y de otros. A continuación analizaremos a fondo estos procesos.

COMPARACIÓN SOCIAL

La **comparación social** es el proceso mediante el cual evaluamos nuestras capacidades, conductas, características de personalidad, apariencia, reacciones y nuestro sentido general del yo en comparación con los de otros; es una función que cobra extraordinaria importancia durante la adolescencia. La comparación social adopta diversas formas durante este periodo (Seltzer, 1989). Al inicio de la adolescencia, los jóvenes dedican mucho tiempo y energía a definirse en un "área de compañeros" constituida por muchas clases de adolescentes; la utilizan para explorar y definir qué son y qué quieren llegar a ser. Se concentran en el aspecto físico y los rasgos de personalidad que los hacen populares; por ejemplo, el sentido del humor y la simpatía. Este proceso incluye a un amplio círculo de conocidos pero a pocos amigos cercanos; muchas de las relaciones carecen de intimidad. El adolescente necesita estar solo algunas veces para interpretar los mensajes que recibe, para consolidar su identidad y desarrollar un sentido seguro de sí mismo.

La comparación social cambia durante los últimos años de la adolescencia. El adolescente busca ahora amigos con quienes comparte características similares ya que éstos sustituyen una cantidad mayor de amistades no tan estrechas por la calidad que proporcionan unos cuantos amigos cercanos. Y aumenta la intimidad en las amistades del mismo sexo (Seltzer, 1989, Shulman y otros, 1997).

comparación social Proceso mediante el cual nos evaluamos a nosotros mismos comparándonos con otros.

Los compañeros sirven como escuchas, críticos y apoyo emocional de ideas, innovaciones y conductas de sus amigos.

Entre los 12 y los 17 años de edad, es más probable que el adolescente acepte afirmaciones como: "Con mi amigo puedo hablar prácticamente de cualquier cosa" y "Sé lo que piensa mi amigo sin necesidad de que me lo diga". La mayoría de los adolescentes dicen tener uno o dos "mejores amigos" y también varios "buenos amigos". Estas amistades suelen ser estables y durar un año por lo menos. No debe sorprendernos que la estabilidad de las relaciones aumente con el transcurso del tiempo. El adolescente suele escoger amigos basándose en intereses y actividades comunes, y en su decisión influyen mucho la igualdad, el compromiso y, en especial, la lealtad. La traición es una de las razones principales por las que se terminan las amistades en esta etapa de la vida (Hartup, 1993).

Conforme los amigos se vuelven más íntimos, el adolescente tiende a acudir a ellos más que a sus padres en busca de consejo. Como se aprecia en la tabla 11-1, pide consejo a sus amigos en muchas cuestiones. No obstante, sigue recurriendo a sus padres para que lo aconsejen en asuntos como la educación, las finanzas y los planes profesionales (Sebald, 1989).

NOVIAZGO

Al mismo tiempo que aumenta la intimidad de las amistades con personas del mismo sexo, se establecen amistades con personas del sexo opuesto. Las relaciones estrechas con amigos del sexo opuesto comienzan antes entre las mujeres (Sharabany, Gershoni y Hoffman, 1981), una tendencia que puede deberse en parte a que la pubertad aparece primero en ellas y más tarde en los varones.

Al comienzo de la adolescencia las interacciones con el sexo opuesto por lo general tienen lugar en ambientes de grupo. Muchos jóvenes de 14 a 15 años prefieren el contacto de grupo a la relación más personal del noviazgo. "Simplemente departir" (sentarse con los amigos y charlar en una pizzería, en un rincón de la calle, vagar juntos por un centro comercial) es un pasatiempo popular durante la adolescencia y se vuelve cada vez más "coeducacional" con el transcurso de los años. Este tipo de interacción es muchas veces el primer paso para aprender a relacionarse con el sexo opuesto. La adolescencia temprana es una etapa de probar, imaginar y descubrir cómo se funciona en grupos mixtos y en pareja. Da a los jóvenes un periodo de prueba para allegarse ideas y expe-

La intimidad adopta muchas formas durante la adolescencia.

Tabla 11–1 **Porcentaje de adolescentes que recurren a sus compañeros en busca de consejo**

Consulta	Mujeres	Varones
En qué invertir el dinero	2	19
A quién invitar a salir	47	41
A qué club afiliarse	60	54
Dónde obtener consejos para problemas personales	53	27
Cómo vestirse	53	43
Qué cursos tomar en la escuela	16	8
Qué pasatiempos cultivar	36	46
Cómo escoger carrera	2	0
A qué acontecimientos sociales asistir	60	66
Inscribirse o no en la universidad	0	0
Qué libros leer	40	38
Qué revistas comprar	51	46
Con qué frecuencia salir con la pareja	24	35
Participar o no en fiestas donde se ingiere licor	40	46
Cómo escoger al cónyuge	9	8
Tener o no pareja formal	29	30
Qué intimidad se tendrá con la novia o el novio	24	35
Dónde conseguir información sobre sexualidad	44	30

Fuente: adaptado de H. Sebald (invierno de 1989). "Adolescents, Peer Orientation: Changes in the Support System During the Past Three Decades". *Adolescence*, pp. 940-941.

riencias con las cuales formarse actitudes fundamentales ante los roles de género y la conducta sexual, sin la presión de sentirse demasiado comprometido (Douvan y Adelson, 1966).

Bruce Roscoe y sus colegas (1987) mencionan siete importantes funciones que cumple el noviazgo y que se sintetizan en la tabla 11-2. Los investigadores se refieren también a algunas tendencias de desarrollo. Los adolescentes de menor edad piensan en función de una gratificación inmediata: para ellos la recreación y el estatus son los motivos más importantes del noviazgo. Buscan personas que sean físicamente atractivas, que vistan bien y que sean simpáticas. Los adolescentes de mayor edad muestran actitudes menos superficiales: les interesan más los rasgos de personalidad y los planes de la otra persona para el futuro. Para ellos la compañía y la elección del novio o de la novia son las razones que los impulsan. Además, conviene señalar una importante diferencia de género que surge entre unos y otros: las mujeres consideran la intimidad más importante que el sexo, y para los varones el sexo es más importante que la intimidad.

En términos generales, los adolescentes suelen escoger amigos y salir con personas cuya clase social, intereses, valores morales y ambiciones académicas se parecen a las de ellos (Berndt, 1982). Adquieren mayor conciencia de los grupos de compañeros y les interesa mucho saber si su grupo es o no aceptado. Saben a qué tipo de grupo pertenecen y analizan el efecto que tendrá en su estatus y en su reputación. Los que pertenecen a grupos de un estatus elevado suelen tener una gran autoestima (Brown y Lohr, 1987). Los que poseen un só-

TABLA 11–2   FUNCIONES DEL NOVIAZGO

Recreación: Oportunidad de divertirse con una persona del sexo opuesto.

Socialización: Oportunidad de que dos personas de sexo opuesto se conozcan y aprendan a interactuar.

Estatus: Oportunidad de mejorar el estatus al ser visto con alguien a quien se considera buen partido.

Compañía: Oportunidad de tener un amigo del sexo opuesto con quien interactuar y compartir experiencias.

Intimidad: Oportunidad de establecer una relación íntima y significativa con una persona del sexo opuesto.

Sexualidad: Oportunidad de experimentar con el sexo o de obtener satisfacción sexual.

Elección de compañero: Oportunidad de relacionarse con miembros del sexo opuesto con miras a escoger al cónyuge.

lido sentido de identidad con el grupo étnico (en especial los afroamericanos y los hispanos) por lo general tienen mayor autoestima que el resto (Martínez y Dukes, 1997).

PANDILLAS, BANDAS Y SOLITARIOS

Hay dos tipos básicos de grupos de compañeros que se distinguen por su tamaño. Se llama *círculo de amigos* al grupo más numeroso, quizá con 15 a 30 integrantes; se llama *pandilla* al más pequeño, que puede constar de un mínimo de tres y un máximo de nueve integrantes y es más cohesivo que el anterior. Las bandas suelen incluir pandillas cuyos integrantes comparten ambiente, rasgos, intereses y reputación similares; por ejemplo, los "deportistas", los "populares", los "cerebros" y los "pachecos" (Brown y Lohr, 1987; Dunphy, 1963, 1980). En los primeros años de la adolescencia, las pandillas suelen ser de

Conforme transcurre la adolescencia, las pandillas crecen e incluyen a hombres y mujeres.

un solo sexo; más tarde, los adolescentes se relacionan también con pandillas del sexo opuesto. Es un cambio que coincide con el inicio del noviazgo. Las pandillas pequeñas de un solo sexo se fusionan o se relacionan con otros grupos afines que incluyen hombres y mujeres (Dunphy, 1980; Atwater, 1992).

Aunque 80 por ciento de los adolescentes pertenecen a grupos identificables, esto no sucede con el 20 por ciento restante, por lo que hay algunos "solitarios". Es común suponer que estar solo es una situación triste que a nadie le gusta, pero no por fuerza es así. Por ejemplo, un trabajo creativo, como pintar, componer música o escribir, exige aislamiento. Los individuos creativos quieren estar solos buena parte del tiempo. La soledad tiene, además, otros atributos positivos. Algunos experimentan un sentido de renovación o alivio cuando están solos. Otros buscan la soledad por las mismas razones que el artista o el escritor: piensan mejor cuando están solos y pueden resolver sus problemas (Marcoen y otros, 1987). En todos los casos, la soledad es *voluntaria*, una oportunidad para la creatividad, un alivio de las tensiones o una renovación psicológica.

Sin embargo, en ocasiones el adolescente termina solo porque se cree diferente y extraño, de modo que en realidad no "pertenece a ninguna parte". Esto puede obedecer a varias razones, pero una fundamental es haber crecido en un barrio, ciudad o región del país muy diferentes. En el recuadro "Estudio de la diversidad" de la página que sigue se describe un caso extremo, el de haber vivido la niñez en el extranjero y haber regresado después a Estados Unidos. En el aspecto negativo, la soledad *involuntaria* impuesta por la gente por peleas o rechazo puede producir sentimientos de aislamiento y de depresión (Marcoen y otros, 1987).

NEGOCIACIÓN DE LÍMITES: COMPAÑEROS Y PROGENITORES

Como hemos visto, el trasfondo de las relaciones del adolescente con sus compañeros lo constituye la relación con su familia. Los adolescentes responden a sus compañeros en el contexto de las prácticas culturales con las que crecieron en el hogar: el nivel socioeconómico, la ocupación, el origen étnico y religioso de sus padres. Siempre habrá alguna diferencia entre la concepción del mundo de sus parientes y la de sus compañeros. Todo adolescente habrá de "negociar el límite" entre las distintas visiones del mundo cuando defina su identidad.

Es una tarea especialmente difícil para algunos adolescentes. Por ejemplo, los hijos de hindúes que emigraron a Estados Unidos enfrentan una serie doble de normas o costumbres, muchas de las cuales chocan entre sí. Deben decidir cómo vestir y cortarse el cabello o peinarse: en la forma tradicional, exigida quizá por sus padres, o de la manera en que lo hacen sus nuevos compañeros estadounidenses. Cuando una investigadora estudió cómo resuelven los adolescentes este conflicto (Miller, 1995), descubrió que es más serio en las mujeres que en los varones. Las mujeres deben escoger entre una norma estricta hindú, la cual exige gran modestia en el vestido y cabello largo y en trenzas, y la ropa y el tocado más liberales que se usan en Estados Unidos. Miller señaló que una y otra vez la influencia del grupo de compañeros era más fuerte que la de los padres. Incluso en las ceremonias celebradas en los templos, algunas adolescentes usaban pantalón corto mientras sus padres llevaban puesto el *sari* tradicional. En forma análoga, las adolescentes hindúes de Estados Unidos a menudo llevan el cabello corto y suelto.

También se dan conflictos cuando los valores hindúes relativos al noviazgo y al sexo antes del matrimonio chocan con los valores más liberales de la cultura de los adolescentes estadounidenses. Como explica el psicoanalista hindú Sudhir Kakar (1986):

En lo que respecta al sexo, el mundo occidental se percibe como un burdel gigantesco; en cambio, la "buena" mujer de la India se idealiza nostálgica-

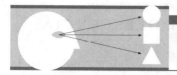

ESTUDIO DE LA DIVERSIDAD

ADOLESCENTES REPATRIADOS

En la actualidad, aproximadamente 250 mil niños y adolescentes estadounidenses viven en el extranjero con su familia, asisten a escuelas "internacionales" o a "escuelas patrocinadas por estadounidenses" y forman parte de una pequeña comunidad que vive en una cultura local posiblemente muy distinta de la suya. ¿Qué les sucede cuando se les repatría, es decir, cuando ellos y su familia regresan a Estados Unidos?

Esta experiencia, a veces llamada reingreso, ha sido comparada con el retorno de un viaje espacial. A menudo causa estrés y problemas psicológicos al adolescente, sobre todo si ha pasado gran parte de su niñez lejos de su país natal. Se siente y es diferente: le resulta difícil contestar preguntas como "¿De dónde eres?" Sufre un "choque cultural inverso" cuando se encuentra con aspectos de la cultura de su país que desconoce. Tarda meses, y hasta años, en aprender a sentirse cómodo con la sociedad a la que regresó.

La formación de la identidad a veces es sumamente difícil para estos jóvenes. Tal vez deban reanudar el camino que desemboca en la consecución de la identidad especial si sus ideas y sus valores difieren mucho de los de sus compañeros. Así, pues, se vuelven solitarios al menos por algún tiempo. Algunos nunca se identificarán totalmente con su pueblo.

En el aspecto positivo, los repatriados estadounidenses suelen tener una idea mucho más realista de su país y de cómo afectan sus acciones y políticas a otras naciones y personas. Más aún, se sienten "ciudadanos del mundo" y rechazan la concepción etnocéntrica de muchos de sus compatriotas de que Estados Unidos es el centro del universo. Las habilidades que aprendieron mientras vivían en el extranjero —entre las que se cuentan la capacidad lingüística y la de salvar las brechas culturales— les ayudan mucho cuando se dedican a carreras como asesoría intercultural y relaciones internacionales. En conclusión, a la larga, tras un arduo periodo de ajuste, pueden llegar a ser mejores ciudadanos que muchos estadounidenses que no tuvieron la oportunidad de ver su patria desde el exterior.

Fuente: C. D. Smith (1994). *The Absentee American: Repatriates' Perspectives on America.*

mente en toda su pureza, modestia y castidad. Para los hindúes que viven en el mundo occidental, esta idealización y la división en que se basa tienen una carga emocional más intensa que para los que viven en la India. Por tanto, la inevitable occidentalización de las esposas e hijas ocasiona una gran tensión emocional en los varones y conflictos explosivos en la familia. (Página 39).

Desde luego, el difícil arte de negociar los límites entre los valores y las prácticas de progenitores y amigos es común a todos los adolescentes, no sólo a los recién inmigrados. Así, algunos adolescentes urbanos deben negociar, por una parte, con una cultura que glorifica las drogas y el crimen y, por otra, con los valores de sus padres que hacen hincapié en trabajar dentro del sistema y obedecer las reglas. En los jóvenes que todavía están en el proceso de definirse a sí mismos, existe la tendencia a trazar los límites en forma demasiado estrecha o a obedecer servilmente una serie de prescripciones demasiado estrictas de conducta, de vestido y de tantas otras cosas tan importantes para el adolescente.

1. Describa las etapas por las que pasan los adolescentes cuando establecen relaciones íntimas.
2. ¿Qué diferencia existe entre una banda y una pandilla, y por qué es importante que el adolescente esté solo algunas veces?
3. ¿Por qué en ocasiones al adolescente le es difícil negociar el límite entre la concepción del mundo de sus padres y la de sus compañeros?

REPASE Y APLIQUE

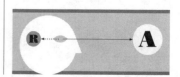

RIESGOS Y PELIGROS DE LA ADOLESCENCIA

Experimentar varias actitudes y conductas, definirse y redefinirse uno mismo, desligarse poco a poco del control de los padres son características de la adolescencia que cumplen un propósito sano y muy importante: ayudan a transformar al adolescente en adulto. Sin embargo, estas mismas tendencias pueden dar origen a conductas enfermizas como correr riesgos en general y consumir drogas en particular. En la presente sección examinaremos éstos y otros aspectos negativos de la adolescencia, junto con algunas de sus causas.

ACEPTACIÓN DE RIESGOS

Muchos adolescentes tienen prácticas sexuales sin protección, algunas veces con muchas personas y con resultados que abarcan desde un embarazo no deseado hasta enfermedades mortales como vimos en el capítulo anterior. Muchos consumen sustancias y abusan de ellas. Otros conducen sin precaución y realizan otras actividades peligrosas. La violencia, muchas veces perpetrada por pandillas, sigue mostrando un índice alarmante en Estados Unidos. De hecho, las personas de entre 10 y 19 años de edad representan el único segmento de la población estadounidense en que la mortalidad no ha disminuido con rapidez en los años recientes (Department of Health and Human Services, 1991).

Claro que algunos adolescentes están más propensos a involucrarse en actividades de alto riesgo, pues éstas a menudo aumentan conforme pasa el tiempo (Jessor y otros, 1992). Otros muchachos aprovechan de manera distinta —por ejemplo, en el deporte— el aumento de energía y de curiosidad intelectual propia de la adolescencia —o lo dirigen a algo constructivo en lugar de cosas potencialmente destructivas. Por ejemplo, muchos adolescentes hacen activismo social, participan en limpiezas ambientales, ayudan a construir casas para familias pobres o trabajan con niños enfermos. Conviene recordar que sólo unos cuantos adolescentes son los que realizan conductas de alto riesgo con fines destructivos.

El adolescente se entrega a conductas de alto riesgo por varios motivos. Puede meterse en problemas porque no se percata de los riesgos que corre. Tal vez disponga de muy poca información; las advertencias que recibe del adulto no siempre son eficaces o quizá opte por ignorarlas. Muchos investigadores creen que el adolescente que corre riesgos subestima la probabilidad de resultados negativos; en otras palabras, se cree invulnerable. Se concentra principalmente en los beneficios previstos de sus acciones, digamos un estatus más elevado entre sus compañeros. Esta explicación coincide con el concepto de David Elkind (1967) de la *fábula personal* expuesto en el capítulo 10: el adolescente piensa que no sufrirá daño, que no se enfermará o no se embarazará como resultado de su conducta.

Los resultados de más de 20 años de investigación dedicada a la aceptación de riesgos entre los adolescentes indican muchas causas de esas conductas (vea la figura 11-2). Los factores en cuestión se dividen en cinco dominios: biología y genética, ambiente social, ambiente percibido, personalidad y conducta concreta. Los dominios interactúan y hacen que el adolescente adopte conductas o estilos de vida con alto riesgo. Advierta que intervienen factores hereditarios y ambientales. Por ejemplo, un niño que tiene antecedentes familiares de consumo en exceso de alcohol o de otras sustancias podría estar predispuesto a esos comportamientos, a sufrir un ambiente depauperado y a estar en contacto con modelos desviados, y es más probable que se entregue a conductas relacionadas con las drogas que otros niños que no experimentan esto.

FIGURA 11–2   MODELO CONCEPTUAL DE LA CONDUCTA DE RIESGO DEL ADOLESCENTE

Fuente: "Risk Behavior in Adolescence: A Psychosocial Framework for Understanding and Action", (página 27)
de Richard Jessor, 1992, en *Adolescents at Risk: Medical and Social Perspectives*, editado por D. E. Rogers y E. Ginzberg.
Reimpreso con autorización de Richard Jessor.

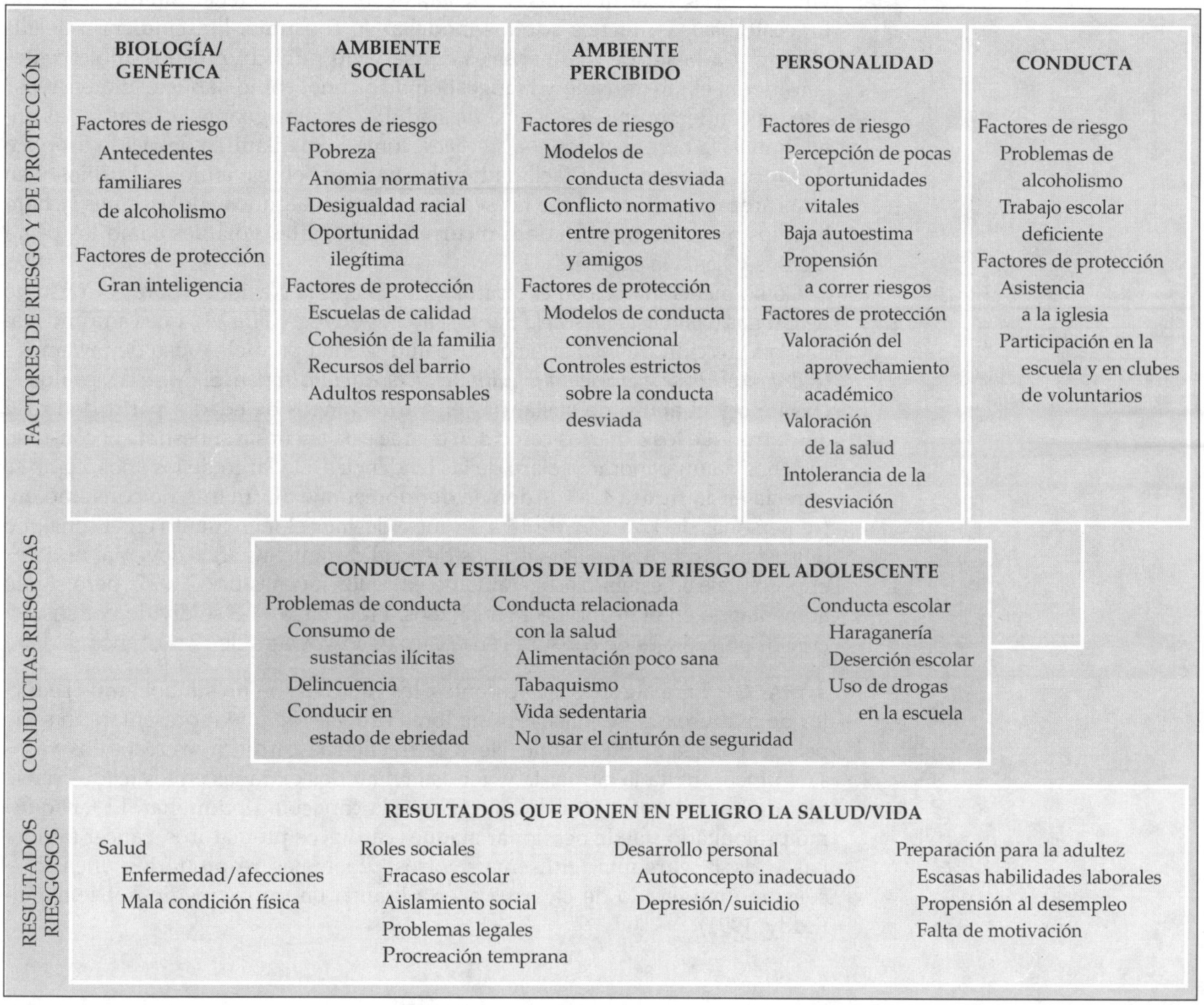

	BIOLOGÍA/ GENÉTICA	AMBIENTE SOCIAL	AMBIENTE PERCIBIDO	PERSONALIDAD	CONDUCTA
FACTORES DE RIESGO Y DE PROTECCIÓN	Factores de riesgo Antecedentes familiares de alcoholismo Factores de protección Gran inteligencia	Factores de riesgo Pobreza Anomia normativa Desigualdad racial Oportunidad ilegítima Factores de protección Escuelas de calidad Cohesión de la familia Recursos del barrio Adultos responsables	Factores de riesgo Modelos de conducta desviada Conflicto normativo entre progenitores y amigos Factores de protección Modelos de conducta convencional Controles estrictos sobre la conducta desviada	Factores de riesgo Percepción de pocas oportunidades vitales Baja autoestima Propensión a correr riesgos Factores de protección Valoración del aprovechamiento académico Valoración de la salud Intolerancia de la desviación	Factores de riesgo Problemas de alcoholismo Trabajo escolar deficiente Factores de protección Asistencia a la iglesia Participación en la escuela y en clubes de voluntarios

CONDUCTAS RIESGOSAS

CONDUCTA Y ESTILOS DE VIDA DE RIESGO DEL ADOLESCENTE

Problemas de conducta Consumo de sustancias ilícitas Delincuencia Conducir en estado de ebriedad	Conducta relacionada con la salud Alimentación poco sana Tabaquismo Vida sedentaria No usar el cinturón de seguridad	Conducta escolar Haraganería Deserción escolar Uso de drogas en la escuela

RESULTADOS RIESGOSOS

RESULTADOS QUE PONEN EN PELIGRO LA SALUD/VIDA

Salud Enfermedad/afecciones Mala condición física	Roles sociales Fracaso escolar Aislamiento social Problemas legales Procreación temprana	Desarrollo personal Autoconcepto inadecuado Depresión/suicidio	Preparación para la adultez Escasas habilidades laborales Propensión al desempleo Falta de motivación

¿Cómo pueden evitar los padres que el adolescente se involucre en actividades peligrosas? Muchas familias colaboran de manera estrecha con la escuela, contactan a los profesores y a los funcionarios públicos cuando sus hijos tienen problemas, y toman después medidas para evitar el consumo de drogas y otras conductas destructivas en el hogar. Algunas familias los trasladan a un ambiente más seguro —una escuela privada, por ejemplo— para alejarlos de un vecindario negativo o de las influencias del grupo de compañeros (Jessor, 1993). En general, los adolescentes difícilmente realizarán conductas de alto riesgo, cuando logran la autoestima, el sentido de competencia y el de pertenencia a una familia y a un orden social estables (Jessor, 1993; Quadrel y otros, 1993). Sin embargo, no hay un ambiente en verdad seguro y ningún niño es del todo invulnerable a las fuerzas destructivas de la sociedad moderna. En la parte restante de esta sección examinaremos a fondo algunas de esas fuerzas, comenzando por la que quizá sea la más destructiva: las drogas.

CONSUMO Y ABUSO DE DROGAS

Durante la adolescencia, el consumo y el abuso del alcohol y de otras sustancias es una conducta generalizada de alto riesgo. De todas las sustancias legales e ilegales que pueden conseguirse, la nicotina (cigarrillos) y el alcohol (cerveza, vino o licor) son las que más se prestan al abuso: se obtienen sin dificultad y a un costo bajo, y muchos adultos modelan su consumo. Prescindiendo de sus efectos, y a pesar de los mensajes del servicio público, muchos adolescentes consideran el tabaquismo y la ingestión de alcohol como hábitos "inofensivos" que les confieren una apariencia más adulta. La mariguana, la cocaína, las anfetaminas, la heroína y los *alucinógenos*, como la dietilamida del ácido lisérgico (LSD) se consiguen con facilidad en los barrios pobres, en los suburbios y en otras áreas periféricas. Ante la escasez de dinero, algunos adolescentes (y también los niños de menor edad) recurren a inhalantes volátiles como los pegamentos y hasta la gasolina.

Como mencionamos en el capítulo 1, la Encuesta Nacional sobre el Consumo de Drogas (*National Household Survey on Drug Abuse, NHSDA*), que cada año realiza la Dirección de los Servicios de Salud Mental para el Abuso de Sustancias (*Substance Abuse and Mental Health Services Administration*, SAMSHA), evalúa el consumo y el abuso de sustancias en varios rangos de edad a partir de los 12 años. Aunque los expertos coinciden en que esta encuesta subestima el consumo real, nos da un panorama claro de las tendencias a lo largo de los años, como se aprecia en la figura 11-3. Además del porcentaje alarmante de consumo entre personas de 12 a 17 y de 18 a 25 años, destaca el incremento en el consumo de sustancias ilícitas en esos grupos de edad durante los años noventa. En 1996, el porcentaje se estabilizó ligeramente entre los jóvenes de 12 a 17, pero siguió aumentando en el grupo de 18 a 25 años. En la tabla 11-3 se divide por sustancias los porcentajes de consumo en el caso de los jóvenes de 12 a 17 años.

TABACO   Para algunos adolescentes, los cigarros son un símbolo muy seductor de madurez, pese a las abrumadoras pruebas de que representan un serio peligro para la salud. Fumar eleva la frecuencia cardiaca, estrecha los vasos sanguíneos, irrita la garganta y deposita materias extrañas en los tejidos sensibles de los pulmones, con lo cual reduce la capacidad pulmonar. El tabaquismo prolongado puede ocasionar ataques cardiacos prematuros, cáncer pulmonar y de la garganta, enfisema y otros problemas respiratorios. Incluso el consumo moderado de cigarros acorta la vida en un promedio de siete años (Eddy, 1991).

FIGURA 11–3   CONSUMO DE SUSTANCIAS ILÍCITAS DURANTE EL MES PASADO,* 1979-1996

*Consumo de sustancias durante el "mes pasado" significa por lo menos una vez durante el mes anterior a la entrevista.

Fuente: *Substance Abuse and Mental Health Services Administration (1997).* National Household Survey on Drug Abuse.

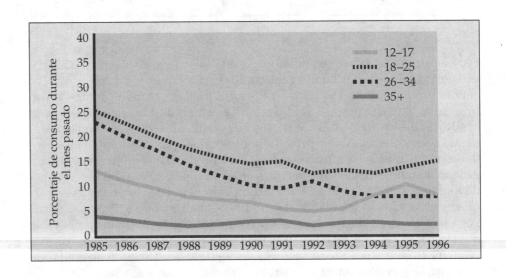

TABLA 11–3 PORCENTAJES DE ADOLESCENTES DE 12 A 17 AÑOS QUE CONSUMIERON ALCOHOL Y OTRAS SUSTANCIAS DURANTE EL MES PASADO

	1985	1988	1990	1991	1992	1993	1994	1995	1996
Cualquier tipo de alcohol	41	33	33	27	21	24	22	21	19
Alcohol de 96°	8	6	6	7	6	7	6	6	5
Cigarros	39	35	33	33	32	30	29	29	29
Mariguana	10	6	5	5	5	5	5	5	5
Cocaína	3	2	1	1	1	1	1	1	1
Cualquier sustancia ilegal	13	8	7	6	5	6	8	11	9

Fuente: Substance Abuse and Mental Health Services Administration (1997), *National Household Survey on Drug Abuse.*

El tabaquismo en los adolescentes demostró una notable reducción entre los años setenta y principios de los ochenta, pero desde entonces se ha mantenido relativamente estable (29 por ciento de los adolescentes fumaban al menos en forma esporádica en 1996). En otros tiempos, los varones comenzaban a fumar antes que las mujeres y lo hacían en mayores cantidades. No obstante, desde 1977 son más mujeres que varones las que han dicho que fuman a diario. Más de la mitad de los adolescentes de ambos sexos que fuman comenzaron a hacerlo en el noveno grado, algunas veces por presión de los compañeros. En los años inmediatamente posteriores a la enseñanza media, muchos fumadores moderados aumentaron su consumo. Uno de cada cuatro adultos jóvenes fuma todos los días y uno de cada cinco consume media cajetilla de cigarros o más al día. (National Institute on Drug Abuse, 1987). En la adultez, muchos siguen fumando porque la nicotina es una droga muy adictiva.

Muchos anuncios de cigarrillos se dirigen en la actualidad a los adolescentes; y de éstos son las chicas las que fuman más que los varones.

FIGURA 11–4 CONSUMO
DE SUSTANCIAS ILEGALES
Y DE ALCOHOL ENTRE
FUMADORES Y NO FUMADORES
DE 12 A 17 AÑOS, 1996

Fuente: *Substance Abuse and Mental Health
Services Administration (1997),* National
Household Survey on Drug Abuse.

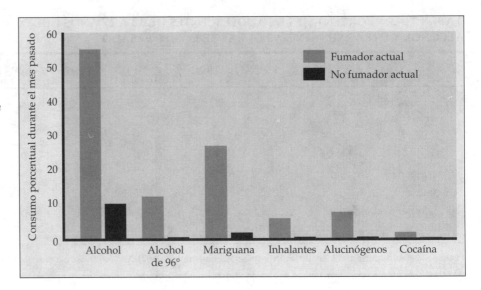

Es interesante señalar que el tabaquismo se relaciona en forma estrecha con el consumo de otras sustancias durante la adolescencia, como se aprecia en la figura 11-4. Por ejemplo, de los adolescentes clasificados como fumadores "actuales", 55 por ciento también ingiere alcohol por lo menos en forma esporádica, en tanto que apenas 10 por ciento de los no fumadores lo consume.

ALCOHOL   El alcohol es un depresor del sistema nervioso central, con efectos similares a los de los somníferos o los tranquilizantes. Cuando se ingiere en pequeñas cantidades, los efectos psicológicos son una menor inhibición y autorrestricción, un sentido eufórico de bienestar y una sensación acelerada del tiempo. Muchos toman alcohol para aliviar la tensión y facilitar la interacción social; lo logran pero sólo hasta cierto punto. En dosis más elevadas distorsiona la visión, deteriora la coordinación motriz y genera un habla farragosa; con dosis aún más elevadas provoca pérdida de la conciencia o incluso la muerte. Los efectos anteriores dependen no sólo de la cantidad ingerida, sino también de los niveles de tolerancia de cada individuo. El consumo habitual prolongado aumenta la tolerancia, pero ocasiona daño al hígado y al cerebro. El género es otro factor: las mujeres no metabolizan el alcohol ni lo eliminan con tanta rapidez como los varones; por eso, se embriagan aun tomándolo en cantidades pequeñas.

A semejanza de los cigarrillos, un factor decisivo del consumo de alcohol entre los adolescentes es la idea de que constituye un símbolo de adultez y madurez social. En Estados Unidos, durante 1996 había cerca de nueve millones de bebedores de entre 12 y 20 años de edad (SAMSHA, 1997). Al inicio de la adolescencia, más de la mitad de los adolescentes ya han ingerido alcohol; la proporción llega a 92 por ciento al final de la enseñanza media superior (Newcomb y Bentler, 1989). Aunque sólo uno de cada 20 alumnos del último grado de este nivel indica que ingiere licor todos los días, se ha vuelto muy común el consumo excesivo durante los fines de semana. En este grupo de edad, 35 por ciento dice haber tomado cinco o más tragos consecutivos por lo menos una vez en las dos últimas semanas, y 32 por ciento asegura que la mayoría de sus amigos o todos ellos se emborrachan al menos una vez a la semana. Los jóvenes que pueden beber legalmente ingieren más alcohol, porque lo hacen por lo regular en bares o reuniones sociales. En Estados Unidos, estos patrones de consumo se han mantenido bastante estables en los últimos años, con un ligero descenso desde principios de los años ochenta.

El consumo de alcohol entre los adolescentes varía en función de la edad, el origen étnico o el credo religioso, la localidad y el género. Por ejemplo, el patrón de una ingestión esporádica elevada alcanza su máximo nivel en los cuatro primeros años después de terminar la enseñanza media superior (más de 40 por ciento); en los varones (50 en comparación con 26 por ciento de las mujeres); en los jóvenes que no asisten a la universidad; y en los que viven en las ciudades más que los que viven en zonas rurales (National Institute for Drug Abuse, 1987).

El adolescente característico que abusa del alcohol es un varón con bajas calificaciones y con antecedentes familiares de alcoholismo. Por lo regular, también sus amigos lo consumen y a veces ingiere otras sustancias. Muchos presentan serios problemas psicológicos: depresión, sentido deficiente de identidad, ausencia de metas o tendencia a buscar de continuo nuevas sensaciones y experiencias. Un bajo nivel de autoeficacia y de competencia personal son indicadores de consumo de alcohol (Scheier y Botvin, 1998).

MARIGUANA   Después del alcohol y la nicotina, la mariguana es la sustancia más común en Estados Unidos. Esta droga, ilegal en ese país (salvo con fines médicos en algunos estados), produce por lo menos síntomas físicos y psicológicos benignos en quienes la fuman en forma regular (Witters y Venturelli, 1988). Un informe de la Academia Nacional de Ciencias señala que tiene efectos negativos a corto plazo, pero poco se sabe de sus efectos a largo plazo. Entre los primeros, figuran una mala coordinación y percepción, así como un aumento de la frecuencia cardiaca y de la presión arterial (Reinhold, 1982). Los posibles efectos a largo plazo son los mismos que en el tabaquismo, sobre todo porque la mariguana suele fumarse sin filtro; dado el elevado costo de la mariguana, se fuma sin filtrarse y esto produce efectos muy nocivos en el aparato respiratorio.

En Estados Unidos, el consumo de mariguana entre adolescentes y adultos jóvenes aumentó mucho durante los años setenta y luego disminuyó; pero volvió a aumentar en los noventa: por lo menos 7 por ciento de los jóvenes de entre 12 y 17 años la fumaron al menos de vez en cuando en 1996 (SAMSHA, 1997). Es interesante señalar que, como se aprecia en la figura 11-5, la mariguana se convirtió en una droga mucho más "igualitaria" en los años noventa. En los ochenta, en cambio, su consumo era más probable entre los adolescentes de raza blanca; en la actualidad, el consumo alcanza prácticamente el mismo nivel entre blancos, hispanos y negros.

COCAÍNA   La cocaína es un extracto de la planta de coca y desde el punto de vista médico se clasifica como estimulante del sistema nervioso central, aunque desde el punto de vista legal se clasifica como narcótico. Es muy adictiva

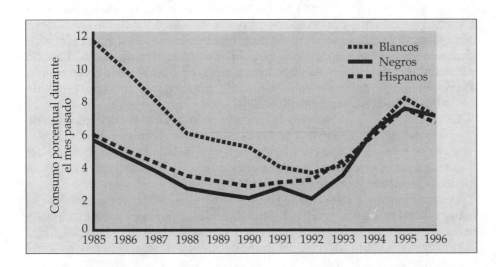

FIGURA 11–5   CONSUMO DE MARIGUANA DURANTE EL MES PASADO* ENTRE JÓVENES DE 12 A 17, 1985–1996

*Consumo de sustancias durante el "mes pasado" significa por lo menos una vez durante el mes anterior a la entrevista.

Fuente: *Substance Abuse and Mental Health Services Administration (1997),* National Household Survey on Drug Abuse.

en cualquier forma: en polvo, inhalado o inyectado en solución, o bien en "crack", que suele fumarse. El *crack* es la variedad más adictiva. Quienes lo fuman sienten una fuerte "euforia" inicial y un deseo muy intenso de la droga al desaparecer los efectos. No se han estudiado de modo exhaustivo todos los riesgos físicos y psicológicos de la cocaína; pero se sabe que entre éstos figuran la muerte por apoplejía, los ataques cardiacos o una falla respiratoria (Kaku,1991; Witters y Venturelli, 1988). El empleo de la cocaína junto con otras sustancias, como el alcohol y la heroína, es una práctica común que evidentemente acrecienta los riesgos.

La cocaína es muy cara y por eso no se ha difundido su consumo entre los adolescentes; la ingieren sobre todo los adultos jóvenes que pueden pagarla, aunque también se asocia con la prostitución en todas las edades. De hecho, el *crack* es un factor vinculado a la transmisión del SIDA, porque algunos adictos se dedican a la prostitución para sostener el hábito; el sexo sin protección con varias personas es una práctica común en los "antros del crack".

Como se observa en la tabla 11-3, en Estados Unidos el consumo de cocaína entre los adolescentes más jóvenes siempre ha sido mínimo y se mantuvo 1 por ciento durante los años noventa. Además, las actitudes de los adolescentes hacia la ingestión de esta droga muestran un cambio notable: 97 por ciento de ellos desaprueba su consumo regular (Newcomb y Bentler, 1989).

HEROÍNA   La heroína un depresor del sistema nervioso central que alivia el dolor y produce sensaciones de euforia; es, pues, muy adictiva. Suele inyectarse para obtener el máximo efecto, pero también se inhala o se fuma. Igual que en el caso de la cocaína, la consumen relativamente poco los adolescentes; pero la ingestión se elevó durante los años noventa (University of Michigan, 1997). De 1994 a 1996, su consumo casi se duplicó entre los adolescentes de 12 a 17 años (SAMSHA, 1997).

OTRAS DROGAS   De acuerdo con el estudio Supervisión del Futuro realizado por la Universidad de Michigan (1997), encuesta que se aplica cada año a estudiantes de secundaria y preparatoria, el consumo de alucinógenos (incluido el LSD) creció en forma estable durante los años noventa y se estabilizó en 1997. También ha aumentado el consumo de drogas de "diseñador" como el éxtasis ("X") y otros derivados de las anfetaminas. El uso de inhalantes entre los adolescentes aumentó a principios de la década de los noventa, pero ha venido disminuyendo en los últimos años.

DELINCUENCIA

En ocasiones, la aceptación de riesgos se manifiesta en una conducta delictiva, que a menudo —aunque no por fuerza— se acompaña del abuso de drogas. La gravedad de los actos delictivos abarca desde hurtos en tiendas y vandalismo hasta robo, violación y asesinato. Se da el nombre de *delincuentes juveniles* a los jóvenes de 16 o 18 años que delinquen; el límite de edad varía según el estado y la naturaleza del crimen. Aunque los menores de 18 años constituyen apenas 38 por ciento de la población estadounidense, cometen más de 50 por ciento de los delitos graves (Garbarino y otros, 1984).

En algún momento de su vida la mayoría de los niños realiza algún tipo de conducta delictiva. El hurto en tiendas es muy común, lo mismo que actos menores de vandalismo: daño o violación de la propiedad. Al clasificar como delincuente a un individuo se considera principalmente la frecuencia con que comete estas acciones y, desde luego, el hecho de que se le arreste o no.

Desde el punto de vista estadístico, los índices de delincuencia alcanzan su máximo nivel en las zonas urbanas empobrecidas, aunque en parte esto puede deberse a la tendencia de la policía a efectuar más arrestos en esas zonas. También se observa sobre todo en los grupos étnicos que se asimilaron recientemente a la vida urbana, ya sea que provengan de otras culturas o de zonas rurales, en especial si forman pandillas. La probabilidad de cometer actos delictivos es mayor entre los varones de familias de un solo progenitor encabezadas por la madre, cualquiera que sea su nivel socioeconómico. La ausencia de un modelo masculino no es la única causa; tiene más probabilidades de meterse en problemas el adolescente que vive con un padrastro que el que vive con su madre solamente (Steinberg, 1987b).

Los sociólogos y los psicólogos explican la conducta delictiva en forma diferente. Las estadísticas y las teorías sociológicas la relacionan con factores ambientales, pero sin ocuparse de los factores psicológicos. Las teorías psicológicas sostienen que los factores ambientales no bastan para explicar por qué delinque el adolescente. El individuo no es delincuente sólo por vivir en la pobreza o en una ciudad. Lo es porque no puede o no quiere adaptarse a la sociedad ni adquirir el autocontrol necesario o formas adecuadas de desahogar su ira y su frustración. Algunos incurren en actos delictivos sobre todo por pertenecer a este tipo de grupos de compañeros (Vitaro y otros, 1997).

Sin embargo, la distinción entre causas sociales y psicológicas de la delincuencia es artificial (Gibbons, 1976). Como hemos visto, los factores sociológicos a menudo acarrean consecuencias psicológicas y viceversa. Algunos de éstos, como el hacinamiento, la movilidad y el cambio rápido están ligados a problemas psicológicos. Como otros patrones de conducta que hemos estudiado en este capítulo, la delincuencia es una forma de ajuste a las realidades sociales y psicológicas de la adolescencia, un ajuste extremo que la sociedad desaprueba. La delincuencia tal vez satisfaga la necesidad de autoestima; ofrece aceptación y estatus dentro de grupos desviados de compañeros (como las pandillas) y un sentido de autonomía. Algunos delincuentes se entregan a conductas de alto riesgo por el mero placer de la emoción.

Además de los factores individuales, los medios masivos contribuyen a la aparición de este tipo de actividades entre los adolescentes vulnerables. Las películas, por ejemplo, influyen en adolescentes con problemas a través del aprendizaje social. La identificación con una película violenta y con sus personajes puede favorecer la imitación de ataques y agresiones, robo, consumo y venta de drogas y actos violentos.

---

1. Exponga las causas de las conductas de riesgo durante la adolescencia, incluido el abuso del alcohol y de otras sustancias.
2. Describa las tendencias recientes en el consumo de alcohol y de drogas entre los adolescentes y los adultos jóvenes.
3. ¿Cómo explican sociólogos y psicólogos la conducta delictiva?

REPASE Y APLIQUE

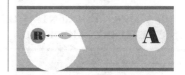

ESTRÉS, DEPRESIÓN Y AFRONTAMIENTO DEL ADOLESCENTE

Muchos artículos y estudios sobre los adolescentes están llenos de retórica dramática. Un artículo puede que afirme que todos están deprimidos, que son rebeldes o suelen huir de casa; otro nos dirá "Espere a que su hijo cumpla 12 años y entonces comenzarán las crisis y el estrés". Cuando se exageran los traumas psicológicos de los jóvenes se originan dos problemas. Primero, se piensa que todos experimentan perturbaciones psicológicas, lo cual no es verdad. Segundo, no se toma en serio a quienes necesitan ayuda porque se considera que su conducta y sus sentimientos forman parte de una fase de desarrollo normal (Connelly y otros, 1993). Por supuesto, es importante distinguir entre los adolescentes normales y los que sufren problemas psicológicos. Por ello, en esta sección examinaremos la depresión y otros trastornos relacionados con el estrés, los factores que ayudan a proteger a los adolescentes de estos trastornos o que los hacen vulnerables y las respuestas comunes de afrontamiento.

DEPRESIÓN

En términos generales, los estudios de los trastornos psiquiátricos propios de la adolescencia han revelado una índice bastante bajo de depresión moderada a grave, pero los síntomas pueden poner en riesgo la vida de los afectados (Peterson y otros, 1993). Así, aunque los resultados de una investigación reciente demuestran un incremento de la depresión durante la adolescencia, el porcentaje de los que la padecen es por lo general bajo: alcanza su nivel máximo a los 16 años y de nuevo a los 19 años (vea la tabla 11-4).

Los síntomas varían según el sexo. Los varones afectados suelen involucrarse en conductas antisociales como la delincuencia y el abuso de sustancias. Es más probable que las mujeres afectadas dirijan sus síntomas hacia ellas mismas y se depriman (Ostrov y otros, 1989). En general, la depresión presenta una frecuencia dos veces mayor en las adolescentes (y en las mujeres adultas) que en los varones. Aunque no se conocen todavía las razones de estas diferencias de género, los psicólogos piensan que posiblemente se relacionan con una importante disminución de la autoestima que muestran algunas mujeres al ingresar a la escuela secundaria (Bower, 1991b; Orenstein, 1994). Como hemos visto, las muchachas se ven presionadas por sus compañeros y los medios masivos para ser más atractivas y para que antepongan las relaciones a los logros (Connelly y otros, 1993). Por lo regular, la combinación de estilos menos eficaces de afrontamiento con retos más difíciles aumenta a veces la probabilidad de la depresión cuando las jóvenes avanzan por la adolescencia.

Los investigadores también detectaron diferencias étnicas y de grupo en los índices de depresión. Por ejemplo, los estadounidenses procedentes de Asia y Europa suelen manifestar más los síntomas de depresión cuando están bajo es-

TABLA 11–4 **PORCENTAJE DE ESTUDIANTES QUE NO EXPERIMENTAN DEPRESIÓN O QUE EXPERIMENTAN UNA DEPRESIÓN MODERADA A GRAVE, POR EDAD Y SEXO ($N = 2698$)**

GRAVEDAD	EDAD							
	13	14	15	16	17	18	19	Total
Varones								
Nula a ligera	96%	97%	93%	88%	93%	94%	89%	93%
Moderada a grave	4%	3%	7%	12%	7%	6%	11%	7%
Mujeres								
Nula a ligera	93%	90%	89%	84%	87%	87%	82%	88%
Moderada a grave	7%	10%	11%	16%	13%	13%	18%	12%

Fuente: Connelly y otros (1993).

TEMA DE CONTROVERSIA

¿POR QUÉ SE SUICIDAN LOS ADOLESCENTES?

Durante los últimos años, el interés del público estadounidense por el aumento de los suicidios entre los adolescentes ha logrado que se intensifiquen las actividades preventivas de los gobiernos municipal, estatal y federal. La preocupación se justifica plenamente. En 1992 se suicidaron 4,693 adolescentes y jóvenes de 15 a 24 años y 314 menores de 15 años (National Center for Health Statistics, 1995). El suicidio es la tercera causa de muerte entre los adolescentes, después de los accidentes y los homicidios, y es probable que las estadísticas subestimen el número real de suicidios. Suele no denunciarse el suicidio por los tabúes religiosos en su contra y por respeto a los sentimientos de otros miembros de la familia (Garland y Zigler, 1993). Las encuestas administradas a estudiantes de nivel medio superior señalan que entre 54 y 62.6 por ciento de ellos han intentado suicidarse o lo han considerado (Meehan y otros, 1992).

Factores de riesgo

Los estudios sobre adolescentes que han tratado de suicidarse, junto con las "autopsias psicológicas" de los suicidios conseguidos, han revelado ciertos factores de riesgo. Aunque muchos jóvenes que muestran estos factores no contemplan el suicidio ni lo intentan, estos factores proporcionan una advertencia oportuna de la posibilidad de que lo cometan. A continuación se enumeran los factores de riesgo generalmente aceptados (véase en Norton, 1994, para una revisión de los factores de riesgo y las señales de advertencia):

1. Una tentativa anterior de suicidio (el mejor indicador de todos)

2. Depresión, incluidos fuertes sentimientos de impotencia y desesperación (quizá el segundo mejor indicador)
3. Otros problemas psiquiátricos (algún trastorno conductual o personalidad antisocial)
4. Abuso de alcohol y de otras sustancias
5. Sucesos estresantes (algún problema familiar serio, divorcio o separación)
6. Acceso y uso de armas de fuego

En general, los adolescentes que tratan de suicidarse no están reaccionando ante un hecho negativo en particular. Por el contrario, el suicidio casi siempre se da dentro del contexto de problemas personales o familiares prolongados, pese a que el intento obedece algunas veces a un impulso momentáneo (Currant, 1987).

David Elkind (1997) atribuye el aumento extraordinario de los suicidios entre los adolescentes a la presión que se impone a los niños pequeños para que obtengan logros y sean responsables desde muy temprana edad. Otros culpan a los medios masivos de comunicación. Hay un aumento notable en la conducta suicida de los adolescentes tras la cobertura de suicidios en la prensa o en la televisión. Se ha comprobado que las historias de ficción referentes al suicidio se relacionan con un aumento de este tipo de conducta (Garland y Zigler, 1993). Los "suicidios por imitación" suelen darse principalmente en la adolescencia, cuando se es más vulnerable a la creencia de que el futuro escapa del control personal o que no se cumplirán los sueños individuales.

Medidas preventivas

En Estados Unidos se han establecido servicios de intervención para crisis y líneas directas para evitar el suicidio. Los adolescentes tienen acceso a más de

1000 líneas. La educación preventiva, un método relativamente reciente, está dirigido a los estudiantes de secundaria, a sus padres y maestros. Estos programas suelen comprender una revisión de las estadísticas del suicidio, señales de advertencia, una lista de recursos comunitarios y la forma de contactarlos, las habilidades de escucha necesarias para convencer al amigo o al pariente de que busque ayuda (Garland y Zigler, 1993).

La Asociación Psicológica Estadounidense diseñó un programa de prevención (Garland y Zigler, 1993) con las siguientes recomendaciones:

1. Formación profesional para educadores, profesionales de la salud y de la salud mental
2. Restricción del acceso a armas de fuego mediante la aprobación de leyes rigurosas para el control de armas
3. Instrucción del personal de los medios masivos sobre el suicidio para garantizar una información correcta y una comunicación apropiada
4. Identificación y tratamiento de los jóvenes de alto riesgo

Dada la gravedad del problema, un programa tan exhaustivo como el anterior ofrece los mejores medios para prevenir el suicidio entre los adolescentes. Desde luego, la prevención debe complementarse con tratamiento. Gracias a la psicoterapia, los adolescentes con tendencias suicidas logran conocer mejor sus problemas personales y crear estrategias para afrontarlos. La terapia les ayuda a sentirse mejor consigo mismos y a mejorar la autoeficacia. El tratamiento puede incluir, además, medicamentos antidepresivos como Elavil, Tofranil y Prozac (Shuchman y Wilkes, 1990).

El contacto con un amigo cercano es una forma positiva en que los adolescentes alivian el estrés moderado.

trés que los afroamericanos o los hispanos. Los indígenas adolescentes presentan tasas elevadas de depresión. Los homosexuales también tienen tasas más altas y de dos a tres veces más probabilidades de cometer suicidio que los heterosexuales (Connelly y otros, 1993), al parecer por las presiones sociales que reciben. En el recuadro "Tema de controversia" de la página 401 se explican los factores del suicidio en los adolescentes.

LA DEPRESIÓN Y OTROS TRASTORNOS

En una revisión reciente de las investigaciones dedicadas a la depresión, Dante Cicchetti y Sheree Toth (1998) señalan que para comprender la depresión en la niñez y en la adolescencia es preciso conocer las interrelaciones entre los componentes biológicos, psicológicos y de los sistemas sociales. A continuación examinaremos varias de estas interrelaciones.

La depresión durante la adolescencia se da a menudo junto con otros trastornos en respuesta a tensiones internas y externas. Por tanto, la depresión y los trastornos de ansiedad con frecuencia tienen lugar simultáneamente, lo mismo que la depresión y los trastornos de conducta. Es más probable que los varones se metan en problemas cuando están deprimidos, en tanto que las mujeres suelen presentar trastornos de alimentación como la anorexia o la bulimia al deprimirse (Connelly y otros, 1993), como ya vimos en el capítulo anterior. Una gran proporción de los adolescentes de ambos sexos que intentan suicidarse están deprimidos antes y después del intento. También se interrelacionan la depresión, los pensamientos suicidas y el abuso de sustancias (Kandel y otros, 1991).

Por otro lado, una imagen corporal negativa puede conducir a trastornos alimentarios y después a la depresión. Se ha comprobado que un elevado riesgo de depresión se asocia con la enfermedad; se trata de una especie de círculo vicioso: la enfermedad crónica deprime al paciente y la depresión lo hace más vulnerable a la enfermedad. Un funcionamiento social deficiente empeora a veces la relación entre progenitor e hijo durante la adolescencia y puede que también afecte las amistades y las relaciones amorosas. Por ejemplo, el embarazo es tres veces más probable entre las adolescentes deprimidas que en el resto de las jóvenes (Horowitz y otros, 1991).

FACTORES DE PROTECCIÓN Y CONDUCTAS DE AFRONTAMIENTO

Los cambios biológicos de la pubertad, lo mismo que los relacionados con la transición de la primaria a la enseñanza media básica y a la enseñanza media superior, exigen un considerable ajuste psicológico. En seguida examinaremos los factores de riesgo, los factores de protección y las conductas de afrontamiento.

FACTORES DE RIESGO   Entre los factores que exponen los adolescentes a la depresión y a las reacciones al estrés se cuentan los siguientes:

1. Imagen corporal negativa, que puede producir depresión y trastornos alimentarios.
2. Mayor capacidad de reflexionar sobre uno mismo y sobre el futuro, lo cual causa depresión cuando el adolescente piensa en las posibilidades negativas.
3. Problemas familiares o de salud mental de los padres, que pueden originar reacciones de estrés y depresión, lo mismo que trastornos conductuales.
4. Conflictos conyugales o divorcio y problemas económicos de la familia, que pueden ocasionar depresión y estrés.
5. Poca popularidad entre los compañeros, la cual se relaciona con la depresión en la adolescencia y es uno de los principales indicadores de depresión en el adulto.

6. Bajo aprovechamiento escolar, que produce depresión y conducta negativa en los varones pero que no parece afectar a las mujeres.

Al terminar la adolescencia, muchas niñas tienen una imagen personal negativa, expectativas relativamente bajas y mucho menor seguridad en sí mismas y en sus habilidades que los niños (Asociación Estadounidense de Mujeres Universitarias-American Association of University Women, 1991; Orenstein, 1994; Zimmerman y otros, 1997). A los nueve años la mayoría de las niñas tiene una opinión positiva de sí mismas, pero al comenzar la enseñanza media superior menos de una tercera parte se siente de esa manera. Aunque los muchachos pierden parte de su autoestima en los años intermedios de ese nivel, la disminución no es tan grande como en las mujeres.

La pérdida de autoestima presenta importantes diferencias raciales y étnicas: al parecer se trata de un fenómeno que predomina en los blancos. Según las encuestas, las niñas afroamericanas obtienen la autoestima de sus familias y comunidades más que de sus experiencias en la escuela. A veces, conviven con mujeres fuertes a quienes admiran. Además, sus padres les enseñan que son personas perfectamente normales y que el mundo es el que se equivoca al discriminarlas. En cambio, las adolescentes de raza blanca reaccionan de manera excesiva ante las señales sociales en las escuelas en las que se favorece a los varones, como comentamos en capítulos anteriores. A los 15 o 16 años, muchas de ellas están llenas de dudas sobre su personalidad. Es común que se culpen cuando tienen problemas en asignaturas como matemáticas, mientras que los niños culpan más bien al curso (Daley, 1991). Al respecto observa Carol Gilligan:

> Esta investigación hace que nos resulte imposible afirmar que lo que les sucede a las mujeres es un simple problema hormonal [...] De ser así, entonces la pérdida de autoestima afectaría a todas ellas más o menos al mismo tiempo. Esta investigación plantea preguntas muy diversas sobre las contribuciones culturales y sobre la función de las escuelas tanto en la reducción de la autoestima como en el potencial de intervención. (Citado por Daley, 1991)

FACTORES DE PROTECCIÓN   Hay tres grupos de factores de compensación que ayudan al adolescente a afrontar las transiciones de este periodo. Primero, las buenas relaciones con sus padres y sus compañeros amortiguan el estrés. Nunca insistiremos lo suficiente en la importancia de contar con relaciones que ofrezcan protección y apoyo. Segundo, un área de competencia o pericia, como los deportes, la música, alguna manualidad o una asignatura académica, sienta las bases de una seguridad realista. Por último, un rol que incluya la responsabilidad por otros (quizá por los miembros de un equipo o por hermanos menores) le ayudan a fijar prioridades y responder a los desafíos o crisis en una forma más adaptable.

RESPUESTAS DE AFRONTAMIENTO   Los adolescentes utilizan diversas respuestas de afrontamiento para manejar el estrés en su vida diaria. Alivian el estrés moderado con estrategias positivas como planear y organizar con cuidado, establecer prioridades, encontrar un amigo íntimo o un confidente. Cuando el adolescente se halla bajo gran presión, aumenta el uso de estrategias defensivas más negativas. En términos generales, las investigaciones demuestran que las formas más comunes de afrontar el estrés son el consumo de sustancias, las distracciones y la rebeldía. Los estudiantes de todos los niveles beben alcohol, fuman cigarrillos y consumen drogas para reducir el estrés. Recurren a distracciones como ir de compras, tomar una ducha o un baño caliente, salir con los amigos, dormir, ver televisión y comer. Si bien estas actividades no hacen frente al problema de manera directa, por lo menos distraen la atención. Por lo regular, pocos adolescentes bajo un estrés extremo piensan que pueden abordarlo de frente pues a menudo carecen de los recursos personales necesarios (Mates y Allison, 1992).

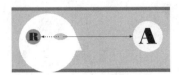

REPASE Y APLIQUE

1. ¿Cuáles son los factores que colocan al adolescente bajo un mayor riesgo de depresión?
2. ¿A qué se debe que la depresión sea más común en las adolescentes que en los varones?
3. ¿Cuáles son algunos de los factores de protección que ayudan al adolescente a afrontar las tensiones de su vida?

RESUMEN

Tareas del desarrollo en la adolescencia

■ La adolescencia ha sido considerada tradicionalmente como un periodo de "crisis y estrés". Sin embargo, la mayoría de los adolescentes están bien ajustados y no tienen grandes conflictos con progenitores, compañeros ni consigo mismos.

■ Aunque la distancia emocional entre los adolescentes y sus padres tiende a aumentar, no por fuerza genera rebeldía ni rechazo de los valores familiares.

■ Una meta importante de la adolescencia es la independencia, en especial la autorregulación. Para convertirse en adulto también se requiere la interdependencia en diversas relaciones sociales.

■ Según Erikson, la formación de la identidad representa el principal obstáculo que es preciso superar para efectuar una transición exitosa a la adultez.

■ Los adolescentes obtienen muchas de sus ideas sobre los roles y los valores de distintos grupos de referencia o, en algunos casos, de un individuo especial llamado el otro significativo (que no es otra cosa que una persona importante para uno).

■ La formación de la identidad es un proceso lento y complejo de autodefinición.

■ Marcia identificó cuatro estados de la identidad: exclusión, difusión, moratoria y consecución de la identidad. El estado de un individuo dependerá de si ha pasado o no por un periodo de toma de decisiones denominado crisis de identidad. (Consúltese el diagrama de estudio en la página 381.)

■ En el estado de exclusión, el adolescente ha hecho compromisos sin realizar una buena toma de decisiones. En el estado de difusión no ha sufrido una crisis ni ha optado por un rol o un código moral. En el estado de moratoria se halla en medio de una crisis de identidad o atraviesa por un periodo de toma de decisiones. La consecución de la identidad es el estado que alcanzan quienes ha superado la crisis de identidad y han hecho sus compromisos.

■ Por las decisiones sin resolver, la ansiedad es la emoción dominante en el estado de moratoria; en cambio, quienes se hallan en el estado de exclusión sufren poca ansiedad. Los que se encuentran en el estado de difusión son vulnerables al abuso del alcohol y de las drogas. Los que han conseguido la identidad tienen los sentimientos más equilibrados para con sus padres y su familia.

■ En los últimos años de la enseñanza media superior es muy probable que las mujeres se encuentren en el estado de exclusión y los varones en el de difusión. Ellas suelen manifestar más interés por los posibles conflictos entre familia y carrera.

Dinámica familiar

■ Los adolescentes siguen recibiendo el influjo de su familia, pero los vínculos familiares pueden volverse tensos. Casi todos los conflictos giran en torno a los quehaceres domésticos, el noviazgo, las calificaciones y la apariencia personal.

■ Por lo regular, al inicio de la adolescencia surgen más conflictos que en los años posteriores.

■ Las influencias de los diversos estilos de crianza se prolongan hasta bien entrada la adolescencia. La calidez y el control seguro que ofrecen los padres autoritativos tranquilizan a los adolescentes.

■ Los cambios en la familia han modificado la responsabilidad de los adolescentes en los quehaceres domésticos. Las hijas tienen ahora más responsabilidades que los hijos.

■ Cuando los adolescentes se preparan para abandonar el hogar, cobran importancia tres aspectos de la función de la familia: la cohesión, la adaptabilidad y la calidad de la comunicación.

■ Algunos estudios indican que los padres contribuyen de manera importante a que los adolescentes logren el equilibrio entre la separación y la conexión.

Compañeros y amigos

■ Durante la adolescencia aumenta considerablemente la importancia de los grupos de compañeros. Las redes de compañeros son indispensables para la adquisición de las habilidades sociales.

■ En parte, la competencia social se basa en la capacidad del adolescente de hacer comparaciones sociales. Con este proceso evalúa sus capacidades, conductas, aspecto y otras características en comparación con otros.

- En los últimos años de la adolescencia los jóvenes buscan amigos con quienes comparten características similares. Aumenta la intimidad en las amistades del mismo sexo.
- A medida que las amistades se vuelven más íntimas, el adolescente suele recurrir más a amigos cercanos que a sus padres en busca de consejo.
- En la adolescencia temprana las interacciones con el sexo opuesto normalmente tienen lugar en ambientes de grupo: la recreación y el estatus son las razones principales del noviazgo en esta etapa.
- Los adolescentes mayores piensan que la compañía y la elección de compañero son razones importantes del noviazgo. Las mujeres consideran que la intimidad es más importante que el sexo; los varones piensan que el sexo es mucho más importante que la intimidad.
- Hay dos tipos básicos de grupos: las bandas, que constan de 15 a 30 miembros, y las pandillas formadas por tres a nueve miembros. Los integrantes de las pandillas comparten el ambiente, algunas características e intereses o la reputación.
- Cerca del 20 por ciento de los adolescentes no pertenecen a grupos identificables y, por tanto, son "solitarios". La soledad puede tener algunas cualidades positivas, pero la soledad impuesta por otros puede producir profundos sentimientos de aislamiento y de depresión.
- Al definir su identidad, los adolescentes deben negociar el límite entre los diversos puntos de vista de parientes y compañeros.

Riesgos y peligros de la adolescencia

- Muchos adolescentes se entregan a conductas riesgosas como el sexo sin protección y el abuso de drogas. Otros encauzan el aumento de energía y la curiosidad intelectual en diversas actividades como los deportes.
- Los adolescentes adoptan conductas de alto riesgo por diversas razones. Tal vez no conozcan los riesgos que corren o subestiman la probabilidad de resultados negativos. Se concentran principalmente en los beneficios previstos, entre éstos un estatus más elevado entre sus compañeros.
- Los adolescentes con autoestima, sentido de competencia y noción de pertenencia a un orden familiar y social estable no suelen mostrar conductas de alto riesgo.
- Una conducta generalizada de alto riesgo durante la adolescencia y la adultez temprana es el consumo y abuso del alcohol y de otras sustancias. Las estadísticas de Estados Unidos reflejan índices elevados de consumo de drogas entre los jóvenes, y al parecer, la ingestión de algunas drogas aumentó en los años noventa.
- Uno de cada cuatro jóvenes fuma; el tabaquismo se correlaciona en forma estrecha con el consumo de otras sustancias.

- Como en el caso de los cigarrillos, un factor decisivo del consumo del alcohol entre los adolescentes es la idea de que es un símbolo de adultez y de madurez social.
- El consumo del alcohol en los jóvenes depende de la edad, el origen, la religión, la localidad y el género. El adolescente característico que abusa del alcohol es un varón con bajas calificaciones y con antecedentes familiares de alcoholismo.
- Después del alcohol y la nicotina, la mariguana es la sustancia más común en Estados Unidos. Tras una disminución en los años ochenta, el consumo entre adolescentes y adultos jóvenes comenzó a elevarse otra vez en los noventa.
- Por el elevado costo de la cocaína, su consumo nunca ha sido muy frecuente entre los adolescentes; no obstante, el consumo de heroína aumentó en los años noventa.
- Se califica de delincuentes juveniles a las personas menores de 16 o 18 años que cometen actos delictivos. En algún momento, la mayoría de estos niños se entrega a conductas delictivas como el hurto en tiendas. Estos actos son más probables entre los hijos de familias de un solo progenitor encabezadas por la madre, cualquiera que sea el nivel socioeconómico de la familia.

Estrés, depresión y afrontamiento del adolescente

- Los estudios de los trastornos psiquiátricos que se presentan en la adolescencia revelan un índice relativamente bajo de depresión moderada a grave; pero los síntomas pueden poner en riesgo la vida de los afectados.
- Los varones con este tipo de problemas suelen entregarse a conductas antisociales; las mujeres, por su parte, están más propensas a reprimir los síntomas y deprimirse.
- La depresión en la adolescencia ocurre con frecuencia al mismo tiempo que otros trastornos, como los de ansiedad. Es más probable que los varones manifiesten conductas inadecuadas cuando se sienten deprimidos; las mujeres, en cambio, suelen sufrir trastornos alimentarios.
- Los factores de riesgo de la depresión incluyen una imagen corporal negativa, mayor capacidad de reflexionar sobre uno mismo y el futuro, problemas familiares y poca popularidad entre los compañeros.
- Al terminar los primeros años de la adolescencia, muchas mujeres tienen una pobre imagen personal, expectativas relativamente bajas y mucha menor confianza en sí mismas y en sus capacidades que los varones.
- Los factores que ayudan al adolescente a afrontar las transiciones de este periodo incluyen una buena relación con los padres y los compañeros, un área especial de competencia o pericia y un rol que incluya responsabilidad por otros.

CONCEPTOS BÁSICOS

interdependencia	estado de exclusión	consecución de la identidad
formación de la identidad	estado de difusión	comparación social
crisis de identidad	estado de moratoria	

UTILICE LO QUE APRENDIÓ

Como hemos visto en el capítulo, los adolescentes deben negociar los límites en su casa y la escuela, con la familia y los compañeros y en el entorno social más amplio. Algunas veces chocan entre sí los valores, las prácticas y las expectativas de esos grupos. Las decisiones más simples —qué ponerse, qué música escuchar, cómo pasar el tiempo después de clases— también pueden ser fuentes de conflicto. Las principales actitudes y valores pueden ser puestas en tela de juicio; por ejemplo, las relacionadas con el aprovechamiento escolar, el consumo de alcohol y otras sustancias, y el sexo.

Entreviste a dos adolescentes respecto a los límites culturales de su vida. (Si no puede concertar una entrevista, estudie la conveniencia de usar como punto de referencia su propia adolescencia y la de un amigo.) Hágalos sentirse lo suficientemente cómodos como para que le expliquen con todo detalle los contextos antagónicos de su vida. He aquí algunos ejemplos de qué preguntas formular:

- ¿Cuáles son algunas de las cosas más importantes en que coincide con sus padres?
- ¿Cuáles son algunos de los conflictos más graves?
- ¿Qué le incomoda de las expectativas de su familia, de sus compañeros y amigos?

Las respuestas a éstas y a otras preguntas semejantes deben darle una idea del "acto de malabarismo" de los adolescentes.

LECTURAS COMPLEMENTARIAS

Cary, L. (1991). *Black ice*. Nueva York: Knopf. Lorene Cary nos ofrece un interesante recorrido autobiográfico que comenzó a los 15 años de edad en un gueto de negros en Filadelfia, que prosiguió en la renovadora experiencia de integración racial y que culminó en el privilegiado mundo de una preparatoria exclusiva.

Eder, D., Evans, C. C., y Parker, S. (1995). *School talk: Gender and adolescent culture*. Brunswick, NJ: Rutgers University Press. Estos sociólogos entran en el difícil mundo de la cafetería escolar y tratan de conocer las normas culturales de los tipos duros y de los torpes, de las amistades y la segregación de los jóvenes poco populares. Libro de bolsillo muy ameno, a pesar de su sólida base de investigaciones.

Elkind, D. (1997). *All grown up and no place to go: Teenagers in crisis*. Reading, MA: Addison Wesley. Basado en investigaciones y en su práctica clínica, David Elkind examina las presiones que hoy enfrenta el adolescente en comparación con las de décadas anteriores. Señala los peligros que una estimulación y expectativas exageradas representan para la salud mental del niño.

Gilligan, C. (1983). *In a different voice: Psychological theory and women's development*. Cambridge, MA: Harvard University Press. Exposición profunda e interesante sobre las diferentes raíces del pensamiento moral en la mujer y en el hombre. La autora contrasta las teorías y se basa en su propia investigación, sobre todo la realizada con mujeres adolescentes.

Hauser, S. (1991). *Adolescents and their families: Paths of ego development*. Nueva York: Free Press. Obra erudita y amena que nos proporciona abundantes estudios de casos. Hauser nos presenta en estas cuatro "trayectorias" principales a través de la adolescencia, así como las formas en que los padres guían sutilmente a sus hijos adolescentes.

Orenstein, P. (1995). *Schoolgirls: Young women, self-esteem, and the confidence gap*. Nueva York: Anchor. Este trabajo es un seguimiento exhaustivo y ágil de la encuesta que la Asociación Estadounidense de Mujeres Universitarias realizó sobre las adolescentes y la pérdida de la autoestima.

RUBIN, N. (1994). *Ask me if I care: Voices from an American high school*. Berkeley, CA: Ten Speed Press, 1994. En esta obra, los adolescentes hablan y escriben sobre sexo, drogas, violencia, identidad racial, estrés e imagen personal a medida que van tomando decisiones y van encontrando su camino en la vida diaria.

SMITH, C. D. (1996). *Strangers at home: Essays on the effects of living overseas and coming "home" to a strange land*. Bayside, NY: Aletheia. Esta obra es una fascinante antología de reflexiones personales de los estadounidenses que vivieron fuera del país durante la niñez y la adolescencia.

Juventud: desarrollo físico y cognoscitivo

CAPÍTULO

12

OBJETIVOS DEL CAPÍTULO

Cuando termine este capítulo, podrá:

1. Explicar por qué la ausencia de marcadores relacionados con la edad dificulta el análisis de los procesos de desarrollo que tienen lugar durante la juventud.
2. Analizar la utilidad de los relojes biológicos y la capacidad de afrontamiento para evaluar el desarrollo del adulto.
3. Explicar los aspectos más importantes del desarrollo físico en la juventud, entre los que se cuentan la fuerza y la resistencia, la condición física y la salud, la fertilidad y la sexualidad.
4. Analizar las pruebas en favor del crecimiento y el desarrollo cognoscitivo continuos durante la adultez.
5. Exponer las ventajas y desventajas de evaluar el desarrollo del adulto por etapas.
6. Describir las diversas formas en que los teóricos han tratado de explicar el desarrollo cognoscitivo en la adultez.
7. Identificar algunas de las tareas más importantes del desarrollo de la juventud.
8. Explicar la posible aplicación diferencial de los "estadios" al desarrollo del varón y de la mujer en la adultez.
9. Resumir las "transformaciones" cognoscitivas que pudieran aplicarse al desarrollo del adulto.

El desarrollo es un continuo que se da durante toda la vida. Si bien algunos teóricos sostienen que en la adultez hay etapas bien definidas del desarrollo, los procesos que ocurren en la vida adulta se distinguen de los de la niñez y la adolescencia. Los cambios en el pensamiento del adulto, en su personalidad y en su comportamiento se deben menos a la edad cronológica o a cambios biológicos específicos y más a factores personales, sociales y culturales. Los influjos sociales y las exigencias culturales en la juventud apoyan, amplían o alteran los patrones conductuales fincados en el periodo de la adolescencia. Día tras día hay que tomar decisiones y resolver problemas. El rasgo distintivo de la madurez es la creciente capacidad de reaccionar al cambio y adaptarse a las nuevas circunstancias. La resolución positiva de las contradicciones y dificultades constituye el fundamento de la actividad madura de un adulto (Datan y Ginsberg, 1975). No todos los adultos avanzan o estructuran su vida en la misma forma. Los caminos se bifurcan en esta etapa y, por lo tanto, los adultos presentan menos aspectos comunes que los niños.

No obstante, como veremos luego, se observan algunos aspectos comunes en el desarrollo del adulto. Aunque no hay marcadores físicos semejantes a los de la pubertad ni etapas cognoscitivas bien delineadas, sí existen hitos *sociales* definidos por los que hay que atravesar; por ejemplo, los roles y las relaciones que forman parte de los ciclos de la familia y de la carrera. El desarrollo social y emocional coexiste con los cambios físicos graduales que se dan en este periodo, lo mismo que con el conjunto creciente de conocimientos, habilidades y experiencias —los cuales pueden estar bajo el influjo de sucesos repentinos y traumáticos que acontecen en el nivel personal y en el cultural/social.

El tiempo en que se dan hitos sociales como el matrimonio, la procreación y la elección de carrera varían mucho de un individuo a otro. Las formas en que los individuos reaccionan a estos acontecimientos, lo mismo que la índole de los roles que deben desempeñar, varían según las exigencias y las restricciones de la cultura. Algunos acontecimientos sociales —y las transiciones concomitantes— son *normativos*; otros son *idiosincrásicos*. Los sucesos y las transiciones normadas se observan en tiempos relativamente específicos y los comparte la mayoría de los miembros de una cohorte de edad. Tales acontecimientos pocas veces se acompañan de un estrés agudo extremo pues se dispone de tiempo para planear, de apoyo social y de significado cultural para dar orientación. Dos ejemplos de estos acontecimientos son la búsqueda del primer empleo y el abandono del hogar paterno.

En cambio, los hechos y las transiciones idiosincrásicos pueden ocurrir en cualquier momento; por ejemplo, perder el empleo, la muerte repentina del cónyuge, contraer una enfermedad grave o —algo positivo— ganarse la lotería. Como estos hechos no suelen anticiparse o compartirse con otros, producen gran estrés y exigen una reorganización radical de la vida personal y social del individuo.

En este capítulo, además de analizar el desarrollo físico y cognoscitivo en la juventud, sentaremos las bases de los capítulos siguientes. Expondremos los conceptos y teorías fundamentales del desarrollo del adulto, estudiando la forma en que los teóricos definen la adultez en función de los *relojes biológicos*. A continuación nos concentraremos en la juventud o adultez temprana, primero a partir del desarrollo físico y luego a partir del funcionamiento cognoscitivo, considerando las perspectivas de continuidad y cambio. Veremos luego si el desarrollo cognoscitivo del adulto presenta etapas identificables. Nos ocuparemos además de las características de la cognición del adulto, la cual interactúa con el desarrollo social y de la personalidad. Por último, consideraremos algunas de las tareas del desarrollo de la juventud.

Factores de la personalidad como la flexibilidad y el optimismo tienen una influencia positiva en la capacidad del individuo para afrontar acontecimientos catastróficos como un terremoto.

TEORÍAS SOBRE EL DESARROLLO DEL ADULTO

Según señalamos en el capítulo 1, por convención dividimos el periodo adulto en juventud o adultez temprana (los veinte y los treinta años de edad), madurez (los cuarenta y los cincuenta) y vejez (de los 60 o 65 en adelante). Señalamos asimismo que varía mucho lo que la edad significa para una determinada persona. ¿Cómo podemos clasificar y estudiar el desarrollo del adulto, si gran parte de éste se basa en la conducta y el juicio individual? En ausencia de otros criterios que no sean los arbitrarios intervalos de edad, nos volveremos a los conceptos de relojes biológicos y normas sociales.

RELOJES BIOLÓGICOS Y NORMAS SOCIALES

Dada la dificultad, por no decir la imposibilidad, de asignar etapas al desarrollo del adulto basándonos de manera exclusiva en la edad, los investigadores idearon el concepto de **reloj biológico** (Neugarten, 1968a), el cual es una forma de sincronización interna; nos permite saber si estamos avanzando por la vida de manera muy lenta o muy rápida. Por ejemplo, una persona de 35 años que todavía está en la universidad estará rezagada con respecto a sus coetáneos, mientras que una de 35 años que ya piensa en la jubilación estaría demasiado adelantada. Gracias a los relojes biológicos, sabemos cuándo deben ocurrir ciertos hechos en nuestra vida. Si suceden antes o después, nos sentiremos mal y recibiremos menos apoyo de los compañeros que cuando realizamos las cosas de acuerdo con lo programado.

En otras palabras, tenemos expectativas, restricciones y presiones intrínsecas de varios periodos de la vida que nos aplicamos y aplicamos a otros. Si bien el

reloj biológico Forma de sincronización interna con que se mide el desarrollo del adulto; medio por el que sabemos si estamos progresando muy rápida o lentamente en relación con los sucesos sociales más importantes que ocurren durante la adultez.

Aunque los relojes biológicos nos permiten saber cuándo deberían ocurrir los acontecimientos, son más flexibles que antes. Muchas personas, como esta mujer, vuelven a la escuela entre los 30 y los 40 años e incluso más tarde.

edad cronológica Años de vida.

edad biológica Posición de la persona en relación con su esperanza de vida.

edad social Estado actual del individuo en comparación con las normas culturales.

edad psicológica Capacidad actual del individuo para enfrentar y adaptarse a las exigencias sociales y ambientales.

paradigmas contextuales Planteamiento de que muchos factores ambientales, sociales, psicológicos e históricos interactúan y determinan el desarrollo.

origen de estos límites en ocasiones es biológico o psicológico, la mayoría de las veces es social: una mujer por lo general no concibe después de la menopausia y a un hombre mayor quizá no le agraden los problemas de criar un niño. Por ejemplo, si observamos una pareja que con orgullo presenta a su hijo recién nacido ante los amigos, reaccionaremos de modo muy distinto dependiendo de si la pareja anda por los veinte o cuarenta años. No daremos la misma interpretación a sus motivos y quizá adoptemos una conducta diferente ante ellos. Para complicar aún más las cosas, los comportamientos esperados de un individuo y las reacciones de otros pueden variar mucho, según los contextos históricos y culturales, como se comenta en el recuadro "Estudio de la diversidad" en la página siguiente.

Al analizar los cambios culturales acontecidos en Estados Unidos durante las últimas décadas, Bernice y Dail Neugarten (1987) señalan que "se han desdibujado los periodos tradicionales de la vida", cuyo resultado es que los relojes biológicos son en la actualidad más flexibles que en décadas anteriores. Los estudiantes "no tradicionales" vuelven a la escuela entre los 35 y 45 años e incluso a una edad mayor; muchas parejas posponen el nacimiento del primer hijo hasta mediados o finales de su tercera década de vida; las parejas se casan, se divorcian y contraen nuevas nupcias a lo largo de todo el ciclo vital y no sólo durante la juventud. En 1950, 80 por ciento de los varones y 90 por ciento de las mujeres pensaban que la edad óptima para que un hombre se casara era entre 20 y 25 años; en cambio, en 1970 apenas 24 por ciento opinaba así. Los investigadores proceden a decir que la sociedad estadounidense es una sociedad "ajena a la edad": los integrantes de una cohorte de edad adulta pueden participar en actividades y en hechos muy heterogéneos.

TRES COMPONENTES DE LA EDAD Es importante no olvidar que la **edad cronológica** (años de vida) de un adulto significa poco en sí. Una forma más adecuada de ver las cosas es la **edad biológica** en interacción con la **edad social** y la **edad psicológica** (Birren y Cunningham, 1985). La edad biológica, o sea la posición que ocupamos en el ciclo vital, varía enormemente de un individuo a otro. La edad cronológica de una persona de 40 años con enfisema y con una cardiopatía grave, que tiene muchas probabilidades de morir en un futuro cercano, difiere mucho de la de una persona sana de 40 años que espera vivir otros 35 años o más. Por su parte, la edad social es la relación que guarda el estatus actual de un individuo con las normas culturales. Una persona casada de 40 años con tres hijos es diferente de una soltera de esa misma edad que tiene una novia o novio informal y que no planea tener hijos. Por último, la edad psicológica indica el nivel de adaptación a exigencias sociales y ambientales de otra índole. Abarca aspectos como inteligencia, capacidad de aprendizaje y habilidades motoras, lo mismo que dimensiones subjetivas como sentimientos, actitudes y motivos.

¿Qué es la madurez? Aunque las edades biológica, social y psicológica se combinan para producir la madurez, hay ciertos rasgos psicológicos que son sus elementos primarios. Éstos pueden variar según la cultura, pero incluyen la independencia y autonomía física y social; la capacidad para tomar decisiones independientes; y algo de estabilidad, sabiduría, confiabilidad, integridad y compasión. Diferentes investigadores incorporan diversas características en la mezcla y cada cultura impone sus propias exigencias, de modo que no existe una definición universal de la madurez.

PARADIGMAS O MÉTODOS CONTEXTUALES

Un *paradigma* es un modelo o esquema hipotético o, más simplemente, una forma sistemática de observar las cosas. Los **paradigmas contextuales** del desarrollo humano se proponen describir y organizar los efectos de varias clases de factores que influyen en el desarrollo. El término *contexto* se emplea aquí como en otros pasajes del libro: hablamos del contexto ambiental, el social, el psico-

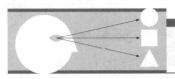

ESTUDIO DE LA DIVERSIDAD

LA HISTORIA, LA CULTURA Y EL TRANSCURSO DE LA VIDA

En muchos aspectos, el estudio del desarrollo del adulto consiste en examinar el transcurso de la vida, es decir, las formas en que la biografía personal del individuo se interrelaciona con el periodo histórico en que le tocó vivir y con el lugar que ocupa dentro del sistema social. Las investigaciones señalan que los factores sociales, culturales e históricos tienen un efecto impresionante en las transiciones decisivas de la vida y que estos factores contribuyen a definir las expectativas personales (Hagestad, 1990; Stoller y Gibson, 1994).

Es, pues, importante analizar la forma en que los factores históricos definen las condiciones demográficas de un periodo e influyen en las expectativas normales y en los guiones de vida de quienes viven en ese periodo. Es obvio que una mujer pobre y de raza negra nacida en un barrio bajo en 1950 tendrá una vida muy distinta a la mujer blanca nacida durante la misma época en una familia con buenos contactos sociales que habita en la zona rica de la ciudad. Es, asimismo, evidente que una mujer negra nacida en 1870 tenía una vida muy diferente de la que tendrá una que haya nacido 100 años después.

Quizá el cambio histórico que más incide en el curso de la vida es el aumento de la esperanza de vida. Si bien en 1900

apenas 14 por ciento de las mujeres estadounidenses llegaba a los 80 años o más, para 1980 se pronosticó que más de la mitad de ellas alcanzaría esa edad (Watkins y otros, 1987). En 1600, casi la mitad de los niños alemanes no llegaba a la adultez, de modo que por siglos "se necesitaban dos niños para hacer un adulto" (Imhof, 1986). Estos cambios influyen en la forma en que las familias perciben la muerte de un niño. Antaño perder a un hijo era un hecho normal y previsible; en la actualidad, es una parte anormal del guión social. En 1800, cuando una mujer común llegaba a los 35 años, ya había perdido a la tercera parte de sus hijos. En 1990, menos de 1 por ciento de las mujeres de esa edad han perdido un hijo. En consecuencia, la muerte de un hijo es ahora una terrible pérdida personal y no una experiencia por la que tarde o temprano pasan todas las mujeres.

Los periodos históricos influyen, asimismo, en los "presupuestos temporales" de la adultez, de modo que los adultos modernos se dedican a actividades muy distintas a las de los de épocas anteriores. Cuando Ellen Gee (1986, 1987, 1988) estudió las condiciones demográficas de 1830, descubrió que después del matrimonio 90 por ciento de la vida de la mujer estaba consagrada a criar hijos. En cambio, en 1950 el porcentaje había disminuido a 40 por ciento. Otra observación interesante es

que, en 1860, apenas 16 por ciento de las personas de 50 años tenían vivos a sus padres, mientras que en 1960 el porcentaje aumentó a 60 por ciento.

En la actualidad, el fallecimiento de un progenitor es una transición más normada por la edad que nunca antes; es decir, ocurre en momentos predecibles del ciclo vital. Ahora sobreviene mucho después en la vida del niño y suele darse en un lapso relativamente pequeño (Winsborough, 1980). De ahí que a los *baby boomers* (la generación de la posguerra) se les llame la generación "emparedado", porque tienen la responsabilidad de criar a sus hijos y de atender a sus padres ancianos, a menudo enfermos.

La vida de un individuo es única, si consideramos los efectos de factores como el género, la raza, el nivel socioeconómico, la personalidad y la inteligencia. Pese a ello, a los investigadores les fascinan los patrones discernibles que comparten los miembros de las mismas cohortes de adultos. Se preguntan cómo evolucionarán los patrones en los próximos 100 años a medida que la medicina y la tecnología alarguen la vida y aminoren las enfermedades y el sufrimiento, conforme los roles sexuales sigan cambiando y a medida que los afroamericanos, los hispanos y otros grupos minoritarios representen una parte cada vez más grande del "mosaico policromático" de la población estadounidense.

---

lógico y el histórico, cada uno de los cuales influye en el desarrollo en interacción con los demás.

En gran medida, el contexto es lo que nos hace individuos únicos: no hay dos personas que vivan la misma combinación de contextos. Los paradigmas contextuales tratan de organizar diversos contextos en un paquete ordenado para ofrecer así información sobre los aspectos comunes y las idiosincrasias del desarrollo. Se concentran en las fuerzas del desarrollo como un todo, tanto internas como externas, o sea las biológicas y de maduración o las de las experiencias e históricas (Dixon, 1992). El planteamiento contrario, ya obsoleto, consiste en ver el desarrollo desde una sola perspectiva, excluyendo las otras.

Sobra decir que los métodos contextuales son complejos. Éstos se aplican también al ciclo vital, desde la niñez temprana. Sin embargo, las consideraciones contextuales cobran su máxima importancia en el desarrollo del adulto cuando, como ya dijimos, los caminos de la vida comienzan a bifurcarse mucho en comparación con los de la niñez y de la adolescencia.

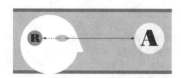

REPASE Y APLIQUE

1. ¿Qué son los relojes biológicos y por qué son menos rígidos ahora que en décadas anteriores?
2. Explique de qué manera se aplican los tres componentes de la edad al concepto de madurez del adulto.
3. ¿Qué son los paradigmas contextuales y cómo contribuyen al conocimiento del desarrollo humano?

DESARROLLO FÍSICO EN LA JUVENTUD

En parte, las respuestas a los acontecimientos de la vida dependen de nuestra capacidad física: salud, buena condición física, fuerza y resistencia. Casi todos los aspectos del desarrollo físico alcanzan su nivel máximo en la juventud. La mayoría de los jóvenes son más fuertes, más sanos y más fértiles de lo que han sido o serán en el futuro. Por lo regular, también son más activos y abiertos en el aspecto sexual y tienen un sentido claro de su identidad sexual.

FUERZA Y RESISTENCIA

En la juventud, entre los veinte y los treinta años, la mayoría de las personas disfrutan plenamente la vitalidad, la fuerza y la resistencia en comparación con las personas de otras edades. Como vimos en el capítulo 3, se trata de una expectativa normada por la edad. Casi todas las culturas aprovechan los mejores años sometiendo a quienes aspiran a ser profesionales a regímenes agotadores de prácticas, exámenes de sinodales y defensas de disertaciones; enviando a los jóvenes a la guerra; idolatrando a jóvenes atletas y modelos; imponiendo a las mujeres la expectativa de la maternidad.

En términos generales, el funcionamiento de los órganos, el tiempo de reacción, la fuerza, las habilidades motoras y la coordinación sensoriomotora alcanzan su nivel máximo entre los 25 y los 30 años; después empiezan a menguar paulatinamente. No obstante, el deterioro que ocurre de los treinta a los cuarenta es menor de lo que piensa la gente. Como se advierte en la figura 12-1, las funciones de los sistemas biológicos empiezan a disminuir después de los 40 años aproximadamente. Por tanto, aunque el deterioro de la actividad óptima que ocurre después de los 23 o 26 años puede ser muy importante para los grandes atletas, apenas si afecta a la población en general. Sin embargo, no todos los sistemas están en su nivel máximo entre los 25 y los 30 años. Por ejemplo, el ajuste visual empieza a disminuir en forma gradual pero estable en la niñez media; la agudeza visual comienza una reducción muy lenta a partir de los 20 años y después de los 40 se acelera mucho (Meisami, 1994).

La disminución de las habilidades y capacidades físicas es más notoria en situaciones de emergencia y en otros momentos en que se imponen al cuerpo exigencias extremas (Troll, 1985). Por ejemplo, cuando una mujer tiene entre 35 y 40 años, el embarazo agota más su reserva de energía física que cuando tiene entre 23 y 26 años. Además, tal vez tarde más tiempo en recuperar su estado normal después de que nazca su hijo. En forma parecida, a una mujer de 25 años le es más fácil trabajar en varios empleos para ayudar a su familia a superar una crisis económica que a una mujer de cuarenta.

SALUD Y CONDICIÓN FÍSICA

En general, la juventud es un periodo de buena salud sobre todo en las personas que siguen una dieta adecuada, hacen ejercicio regularmente, no fuman ni

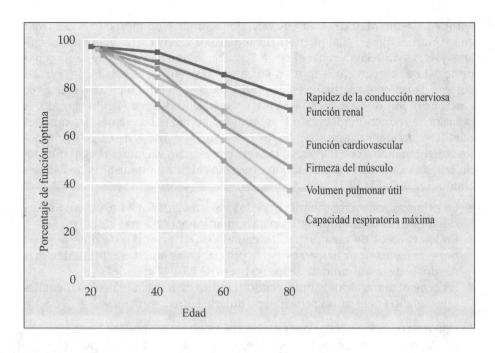

FIGURA 12–1

Deterioro promedio de
los sistemas biológicos. Estos
deterioros pueden atenuarse
mucho con prácticas de salud
y de acondicionamiento físico,
incluido el ejercicio regular.

Fuente: adaptado de J. Fries y L. Crapo,
Vitality and Aging. *San Francisco: W.
H. Freemand and Company, 1981.*

consumen drogas, ingieren alcohol en cantidades moderadas o no lo toman en
absoluto. En comparación con adultos mayores, es poco probable que el joven
tenga exceso de peso.

Los hábitos de salud y ejercicio que se cultivan durante la juventud suelen
continuarse durante toda la adultez. Muchos de éstos tienen efectos positivos
que estudiaremos más a fondo en el capítulo 14. Las actitudes y las conductas
relacionadas con la salud y la condición física se modifican en cualquier momento; pero como la gente suele resistirse al cambio, es muy importante adquirir hábitos sanos en la juventud.

CONDICIÓN FÍSICA   Muchos atletas alcanzan el nivel máximo de sus habilidades y de acondicionamiento en la juventud. Entre los 23 y 27 años, los músculos
*estriad*os (voluntarios), incluidos bíceps y tríceps, consiguen su mayor fuerza física (Hershey, 1974). La fuerza máxima de las piernas aparece entre los 20 y los
30 años y la de las manos hacia los 20 años (Buskirk, 1985). Desde luego, la edad
en la que los atletas dan su mejor *desempeño* varía según el deporte (Fries y Crapo, 1981). Los nadadores casi siempre lo alcanzan durante la adolescencia, los
corredores y los jugadores de tenis, entre los 20 y los 25 años (Schulz y Salthouse, en prensa). Por su parte, los golfistas, salvo excepciones notables, suelen alcanzar su desempeño óptimo entre los 25 y los 35 años. Los jugadores de ligas
mayores lo hacen de los 27 a los 30 años, aunque los más hábiles pueden conservar ese nivel durante varios años más (Schulz y otros, 1994).

En las últimas décadas, el ejercicio y la dieta han mejorado tanto la condición
física que los adultos mayores pueden alcanzar en la actualidad niveles más elevados de desempeño que los adultos de hace 100 años. Cuando Anders Ericsson
(1990) comparó los tiempos ganadores de los corredores más jóvenes en los Juegos Olímpicos de 1896 con los niveles logrados por los atletas veteranos de 50 a
69 años en 1979, descubrió que los atletas mayores eran más rápidos que los ganadores más jóvenes de medalla de oro. Por ejemplo, en 1896 el tiempo del gana-
dor del maratón fue de dos horas con 59 minutos; en 1979, el tiempo de los atletas
veteranos que corrieron la misma distancia fluctuaba entre dos horas con 25 minutos para los de 50 a 54 años y dos horas con 53 minutos para los de 65 a 69
años. En términos generales, la edad avanzada se compensa con una alimentación y una instrucción de más alta calidad durante el periodo de la adultez.

El embarazo entre los 35 y 40 años
seguramente consumirá más
capacidad de reserva de la mujer
que un embarazo entre los 20
y los 30 años.

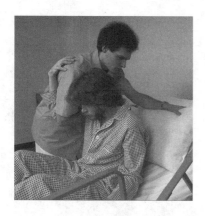

En la actualidad, la infección por el virus de inmunodeficiencia humana (VIH), que tiene por consecuencia el SIDA, es la principal causa de muerte entre varones de 25 a 44 años de edad.

ÍNDICE DE MORTALIDAD EN LA JUVENTUD   El índice de mortalidad es menor en los jóvenes que en cualquier otro grupo de edad. En la actualidad, pocas mujeres jóvenes mueren durante el parto. La tuberculosis ha dejado de ser la causa principal de fallecimiento entre los jóvenes, y hoy en día es más fácil controlar enfermedades como la diabetes, las cardiopatías y los problemas renales. No obstante, el índice de muertes *evitables* en la juventud sigue siendo elevado. A pesar de la reducción global de la mortalidad en todas las edades, las muertes por SIDA, accidentes, apuñalamientos y disparos con armas de fuego (incluidos los enfrentamientos con la policía) todavía representan un fuerte riesgo sobre todo para los jóvenes. A continuación ofrecemos algunas estadísticas de Estados Unidos (véase tabla 12-1).

■ La principal causa de muerte entre los varones de 25 a 44 años es la infección del virus de inmunodeficiencia humana que ocasiona el SIDA.
■ En los varones de raza negra, la segunda causa principal de muerte se da por homicidio y por balaceras con la policía. Estas muertes representan más del doble de la mortalidad de los hombres de 25 a 44 años.
■ En general, ha venido disminuyendo el índice de fallecimientos accidentales (que antaño era la causa principal de muerte entre los jóvenes).

ENFERMEDAD, DISCAPACIDAD Y LIMITACIONES FÍSICAS   Los índices de mortalidad son menores entre los jóvenes que en otros grupos de edad, pero en la juventud aparecen muchas de las enfermedades que ocasionan problemas más adelante (Scanlon, 1979). Tal vez los jóvenes no presenten síntomas, pero posiblemente se encuentren en su etapa inicial las enfermedades pulmonares, cardiacas y renales, lo mismo que la artritis y los problemas de las articulaciones y de los huesos, la arteriosclerosis y la cirrosis hepática. Entre los padecimientos y trastornos que provocan síntomas durante la juventud se encuentran la esclerosis múltiple y la artritis reumatoide, las enfermedades relacionadas con el

TABLA 12–1   PRINCIPALES CAUSAS DE MUERTE EN HOMBRES Y MUJERES ESTADOUNIDENSES, DE 25 A 44 AÑOS, 1994 (ÍNDICES POR 100,000 PERSONAS EN GRUPOS ESPECIFICADOS)

CAUSA	NÚMERO	PORCENTAJE
Varones		
Infección por VIH	25,773	62.4
Accidentes	20,729	50.2
Cardiopatías	11,903	28.8
Suicidio	10,265	24.8
Neoplasias malignas (cáncer)	10,091	24.4
Homicidio e intervención legal	8,987	21.7
Mujeres		
Neoplasias malignas (cáncer)	11,808	28.3
Accidentes	6,283	15.1
Cardiopatía	4,860	11.7
Infección por VIH	4,703	11.3
Suicidio	2,464	5.9
Homicidio e intervención legal	2,432	5.8

Fuente: U.S. Census Bureau, 1997.

estrés —como la hipertensión, las úlceras, la depresión— y algunas enfermedades de origen genético como la diabetes y la anemia drepanocítica.

Algunas veces los factores culturales producen enfermedad o hasta la muerte. Los jóvenes fallecen o sufren lesiones permanentes en épocas de guerra; y son víctimas de homicidio o del abuso de drogas en las zonas urbanas con índices elevados de criminalidad. En los últimos años, la epidemia del SIDA ha hecho estragos entre ellos, a veces por una infección del VIH contraída en la adolescencia (vea el capítulo 10). El desarrollo y el ajuste psicológicos resultan especialmente difíciles cuando el estado físico del joven contrarresta los cambios biológicos normales. En términos generales, cualquier deficiencia o enfermedad física tenderá a afectar las expectativas relacionadas tanto con la edad biológica como con la edad social (consúltese el recuadro "Estudio de la diversidad", en la página 418).

FERTILIDAD

Durante la juventud, la reserva de óvulos mantiene una estabilidad relativa. Las mujeres nacen con un suministro de unos 400,000 óvulos para toda su vida, los cuales se liberan mensualmente poco después de la menarquia y dejan de hacerlo en la menopausia. Se trata de un proceso relativamente estable entre los 25 y 38 años de edad. Después de los 38 años se observa una disminución rápida en la cantidad y regularidad de los óvulos liberados. La reducción no significa que las mujeres de mayor edad no puedan embarazarse. Por el contrario, cada vez son más las mujeres que deciden tener familia entre los 35 y los 45 años, cuando su seguridad emocional y financiera es mayor y acaso hasta gocen de éxito profesional. Los procedimientos de diagnóstico prenatal, entre los que se cuentan la amniocentesis y el muestreo de vello coriónico (vea el capítulo 3) hacen menos riesgoso este tipo de embarazo.

Los varones producen espermatozoides continuamente a partir de la pubertad. La mayoría conserva su fertilidad hasta muy avanzada la edad adulta (Troll, 1985), aunque las emisiones seminales contienen cada vez menos espermatozoides viables. Sólo en la adolescencia y en los primeros años de la adultez los hombres y las mujeres se encuentran en su nivel más alto de fertilidad.

SEXO Y SEXUALIDAD

Investigadores de la Universidad de Chicago efectuaron hace poco una encuesta aleatoria sobre los hábitos sexuales de casi 3,500 estadounidenses de 18 a 59 años de edad (Laumann y otros, 1994; Michael y otros, 1994). A continuación se mencionan algunos de los resultados, pero tenga presentes los problemas que entraña realizar encuestas sobre asuntos tan delicados como el sexo; por ejemplo, comunicar un número menor de conductas socialmente "indeseables" (vea el capítulo 1).

- Hay tres patrones básicos de las relaciones sexuales: una tercera parte de la población tiene relaciones sexuales al menos dos veces por semana, otra varias veces al mes y otra más unas cuantas veces al año o no las tiene en absoluto.

- La gran mayoría de los estadounidenses practica la monogamia. Más de ocho de cada 10 tienen un solo compañero sexual en un año (o ninguno). A lo largo de su vida, una mujer común tiene sólo dos compañeros, y un hombre seis compañeras.

- Los matrimonios constituyen el grupo que tiene más relaciones sexuales y mayores probabilidades de orgasmos durante el sexo. Sólo uno de cada cuatro solteros tiene actividad sexual dos veces a la semana, frecuencia que se da en dos de cada cinco matrimonios.

- Contra los estereotipos populares, se dan sólo variaciones pequeñas entre los grupos raciales y étnicos en lo que respecta a la frecuencia del sexo.

Los primeros investigadores observaron importantes cambios en la conducta sexual de los matrimonios estadounidenses durante las últimas décadas. La

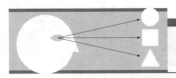

ESTUDIO DE LA DIVERSIDAD

CÓMO ADAPTARSE A LA DISCAPACIDAD FÍSICA EN LA ADULTEZ TEMPRANA

Normalmente los jóvenes se encuentran en su nivel óptimo de desarrollo físico. Tienen fuerza, resistencia y energía como nunca en su vida. Gozan de buena salud y sufren pocas enfermedades. Si están en buenas condiciones físicas, disfrutan de la autoestima y de un sentido de eficacia y competencia que acompañan sus destrezas. ¿Pero qué decir de los jóvenes que sufren una discapacidad? ¿Cómo logran el ajuste psicológico, mientras los compañeros de su edad alcanzan niveles óptimos de desempeño?

Adaptarse a una discapacidad física es difícil en cualquier edad. No obstante, los últimos años de la adolescencia y los primeros de la adultez pueden constituir un periodo particularmente difícil (Wright, 1983). En esta etapa de la vida, casi siempre los individuos empiezan a establecer relaciones estrechas y a tomar las grandes decisiones, incluida la elección de una profesión. Los afectados por una discapacidad pueden sentirse abrumados por sus limitaciones durante este periodo orientado al futuro.

Hay por lo menos tres factores que influyen en la forma de adaptarse a una discapacidad (Wright, 1983). Primero, es importante conocerla bien lo mismo que sus limitaciones. Toda discapacidad se define por la interacción entre las habilidades de la persona y la tarea ambiental: si uno no sabe hablar japonés, estará en desventaja en un aula en la que se hable este idioma. El segundo aspecto de la adaptación consiste en enfrentar las actitudes y los valores de los demás y sus expectativas sociales. A menudo las personas físicamente discapacitadas son objeto de estereotipos y deben encarar fuertes prejuicios. Se les compadece o menosprecia; se les considera pasivos e incompetentes. Con frecuencia se hacen generalizaciones tajantes aplicables a cualquiera de estos individuos, sin importar la discapacidad en cuestión.

Por último, para adaptarse a una discapacidad física hay que superar una serie de esperanzas y temores, de frustraciones y sueños perdidos, de oportunidades perdidas, de culpa y enojo. Cuando alguien sufre repentinamente una discapacidad, quizá a causa de un accidente, al principio pasa por un periodo de crisis acompañado de dolor y duelo, lo mismo que de desconcierto e incredulidad. Habrá lapsos de ira y frustración cuando intente realizar actividades ordinarias que son fáciles y rutinarias para otros. Sentirá más enojo y frustración ante los obstáculos y dificultades innecesarios que le pone la sociedad.

En el proceso, algunos no se definen como discapacitados, sino como "personas con dificultades físicas" (Wright, 1983), actitud muy frecuente entre los atletas. El simple hecho de cambiar la definición y la terminología facilita a veces ver en el obstáculo físico un desafío por superar, quizá con ayuda de otros, y no una etiqueta o categoría que define al individuo. Pero, por desgracia, esa designación se ha convertido en un cliché y a menudo se emplea en bromas con un sentido peyorativo.

Los jóvenes con una discapacidad física se han convertido en el centro de esfuerzos tendientes a cambiar las actitudes sociales y las leyes que afectan a este sector de la población. En 1990, se aprobó en Estados Unidos la Ley para Estadounidenses con Discapacidades (*American With Disabilities Act, ADA*), gracias a las acciones de los jóvenes con discapacidades y a personas y grupos interesados en el problema. Esta ley prohibe discriminar a los discapacitados en el empleo, en sitios públicos, en el transporte y en las telecomunicaciones. Exige, entre otras cosas, que las compañías realicen los "ajustes necesarios" para atender las necesidades de los empleados discapacitados de modo que puedan desempeñar la labor para la que fueron preparados; si no es posible, deberá capacitárseles para que lleven a cabo un trabajo calificado similar. Y lo más importante: a nadie puede despedírsele exclusivamente por una discapacidad; la ley exige una política de inclusión, no de exclusión.

---

duración media de las relaciones sexuales aumentó de manera notable, lo cual puede significar que los matrimonios logran mayor placer, relajamiento y reciprocidad (Hunt, 1974). Al parecer han cambiado sus actitudes y sus prioridades. Son más las parejas que buscan aumentar al máximo el placer durante el acto que tratar de alcanzar sólo el orgasmo con rapidez. También ha aumentado la flexibilidad, la relación sexual ahora comprende actos antes prohibidos como el hecho de que una mujer inicie el sexo, y abarca asimismo la masturbación y el sexo oral (Hunt, 1974; McCary, 1978).

Las tendencias en la conducta sexual del adulto han cambiado de manera considerable al paso del tiempo. En 1937 y una vez más en 1959, apenas 22 por ciento de la población estadounidense aceptaba las relaciones sexuales premaritales en hombres y mujeres. En una encuesta efectuada en 1974 (Hunt, 1974), 75 por ciento de los varones aprobaba el sexo premarital en el hombre y más de 50 por ciento lo juzgaba aceptable en la mujer. No obstante, la aceptación de algunas conductas no ha aumentado de modo importante; entre éstas se cuentan el intercambio de compañeros, el sexo en grupo y el sexo fuera del matrimonio. La norma doble persistió hasta los años setenta: 50 por ciento de los universitarios aprobaba el sexo premarital en la mujer, pero 75 por ciento seguía prefiriendo a la esposa virgen (McCary, 1978).

Aunque la sexualidad es sin duda más abierta y aceptada ahora que antes de los años sesenta, los estudiantes universitarios tuvieron menos relaciones sexuales durante los ochenta que durante los sesenta y los setenta. Por ejemplo, en un estudio se señala que en 1978, 51 por ciento de las estudiantes de segundo año tenían relaciones sexuales por lo menos una vez al mes; pero el porcentaje había descendido a 37 por ciento en 1983 (Gerrard, 1987). La transición constante a una conducta sexual más conservadora entre las universitarias puede atribuirse casi con seguridad a un miedo mayor a las enfermedades de transmisión sexual. También puede deberse a una mayor seguridad de las jóvenes, quienes se sienten menos obligadas a tener sexo para "complacer" a sus novios. Suelen observar más sus sistemas personales de creencias y no los que les imponga la gente (Gerrard, 1987).

RESPUESTA SEXUAL   El patrón dominante de la intimidad sexual entre hombre y mujer en los años noventa parece ser una mayor comunicación y satisfacción mutua. Pese a ello, un resultado frecuente de los estudios dedicados a las conductas y a las actitudes sexuales es una notable diferencia en los patrones de satisfacción de varones y mujeres. En los setenta (Hite, 1976; Hunt, 1974; McCary, 1978), las investigaciones indicaban que en algunas parejas, el hombre alcanzaba normalmente la gratificación física, no así su compañera. Las mujeres se quejaban de que los hombres se apresuraban demasiado, eran rudos y no apreciaban la importancia erótica y romántica de una excitación lenta y delicada. Los hombres se quejaban de que las mujeres eran frígidas e insensibles. Por lo visto, la intimidad sexual no siempre es tan mutuamente satisfactoria como la presentan los medios masivos.

Un estudio de la Universidad de Chicago señala lo contrario (Michael y otros, 1994; Laumann y otros, 1994). Como se advierte en la figura 12-2, grandes porcentajes de casados o de hombres y mujeres que cohabitan señalaron que el sexo con su compañero primario les procuraba extraordinario placer físico y emocional. Conviene señalar que, debido a que menos de 30 por ciento de las mujeres manifestó haber alcanzado siempre el orgasmo (lo cual coincide con las investigaciones anteriores), los autores llegaron a la siguiente conclusión: "A pesar de la fascinación por el orgasmo y de la idea común de que los orgasmos frecuentes son indispensables para una vida sexual feliz, no siempre se da una relación estrecha entre tener orgasmo y una vida sexual satisfactoria" (Michael y otros, 1994). Además, como cabe suponer, la frecuencia más elevada de actividad sexual corresponde a las personas de 20 a 30 años y de 30 a 40, independiente-

En los años noventa, los principales componentes de la intimidad sexual en hombres y mujeres son una mayor comunicación y satisfacción mutua.

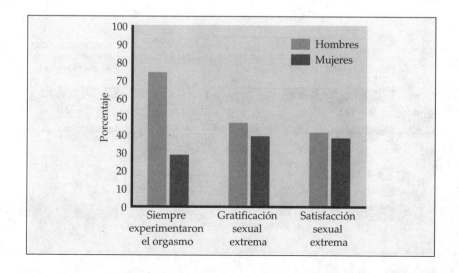

FIGURA 12–2 TRES MEDICIONES DE LA SATISFACCIÓN SEXUAL CON UN COMPAÑERO PRIMARIO

Fuente: según Sex in America *de Robert T. Michael y otros. Copyright © 1994 por CSG Enterprises, Inc., Edward O. Laumann, Robert T. Michael, y Gina Kolata. Reimpreso con autorización de Little, Brown and Company.*

Tanto para jóvenes homosexuales como heterosexuales, en la actualidad es causa de preocupación e interés el hecho de tener más de un compañero sexual.

mente del estado marital. En el capítulo 14, retomaremos el tema del cambio de la sexualidad con la edad.

Homosexualidad La homosexualidad —atracción sexual o erótica por personas del mismo sexo— muchas veces se manifiesta en la adolescencia o incluso antes, como comentamos en el capítulo 10. En esta sección examinaremos con mayor detenimiento lo que es la homosexualidad y cómo incide en los estilos de vida del adulto, haciendo hincapié en dos puntos importantes: la homosexualidad no es un trastorno y tampoco predice problemas de ajuste más serios de los que ocurren en la población general —salvo en la medida en que los homofóbicos les hagan la vida difícil a estas personas.

El término *homosexual* se aplica a hombres y mujeres orientados a su sexo, lo mismo que la palabra *gay*. Sin embargo, los hombres a menudo se llaman a sí mismos *gays* y las mujeres, *lesbianas.* Aunque los homosexuales a veces se sienten atraídos exclusivamente por individuos de su sexo, suelen tener tendencias homosexuales y heterosexuales en diversos grados (al margen de que las manifiesten o no). Por tanto, quizá sea preferible concebir la homosexualidad y la heterosexualidad como extremos opuestos de un continuo más que como una dicotomía. En un punto intermedio se hallan los *bisexuales*, individuos que sienten atracción y tienen relaciones sexuales con personas de ambos sexos, aunque sientan cierta preferencia por uno solo.

Es difícil valorar el índice de homosexualidad ya que muchos homosexuales se muestran renuentes a admitir su preferencia sexual. En 1948, el Informe Kinsey estimó que uno de cada 10 estadounidenses era homosexual y que, por lo menos una vez en su vida, una tercera parte de los varones y una octava de las mujeres habían tenido este tipo de experiencias al grado de llegar al orgasmo (McCary, 1978). En cambio, en la encuesta que realizó en 1994 la Universidad de Chicago y que ya mencionamos se descubrió que apenas 2.8 por ciento de los hombres y 1.4 por ciento de las mujeres se consideraban homosexuales o bisexuales (Dunlap, 1994; Laumann y otros, 1994). De acuerdo con los investigadores, el índice de homosexualidad varía mucho según el lugar (zonas urbanas o rurales) y la escolaridad (vea la figura 12-3). En comparación con 10.2 por ciento de los hombres que viven en las 12 ciudades más grandes de Estados Unidos y que dijeron haber tenido relaciones homosexuales en el año anterior, apenas 1 por ciento de los que habitan en zonas rurales mencionó experiencias similares. Asimismo, 3.5 por ciento de los graduados universitarios comunicó una experiencia homosexual reciente; en cambio, sólo lo hizo 1.4 por ciento de los graduados del nivel medio superior. Sin embargo, estas cifras pueden reflejar que en las grandes ciudades se tolera más a los homosexuales y que una mayor seguridad económica y psicológica acompaña a los grados universitarios. Sin esta seguridad, muchos

Figura 12–3 Diferencias en la población de homosexuales

Hombres y mujeres que dijeron haber tenido compañeros sexuales del mismo sexo en el año anterior.

Fuente: "The Social organization of Sexuality by Laumann et al." University of Chicago Press, 1994. Reimpreso con autorización. Publicado en The New York Times, *18 de octubre, 1994.*

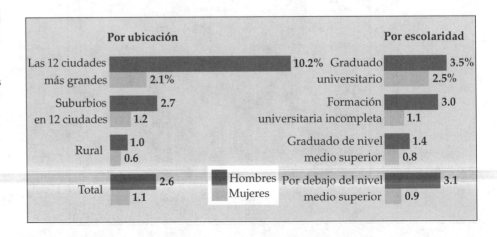

Por ubicación		Por escolaridad	
Las 12 ciudades más grandes	10.2% / 2.1%	Graduado universitario	3.5% / 2.5%
Suburbios en 12 ciudades	2.7 / 1.2	Formación universitaria incompleta	3.0 / 1.1
Rural	1.0 / 0.6	Graduado de nivel medio superior	1.4 / 0.8
Total	2.6 / 1.1	Por debajo del nivel medio superior	3.1 / 0.9

Hombres / Mujeres

homosexuales no estarían dispuestos a confesar su identidad sexual o ni siquiera a mencionarla en una encuesta.

Un estudio clásico (Bell y Weinberg, 1978) sobre homosexuales en el área de San Francisco antes de la aparición del SIDA generó abundante información sobre su estilo de vida. La conclusión principal del estudio, en el que se aplicaron técnicas adecuadas de muestreo y de entrevista fue que hay tanta diversidad de actitudes y conductas entre los homosexuales como entre los heterosexuales. No obstante, la mayoría de los entrevistados ocultaba su homosexualidad ante amigos y conocidos. También se descubrió que los homosexuales tendían a ser más promiscuos que las lesbianas; éstas, por su parte, solían establecer vínculos emocionales firmes y tener menos compañeras.

Muchos homosexuales y lesbianas conviven en relaciones estables. Casi 40 por ciento de los hombres y más de 60 por ciento de las mujeres tienen relaciones monógamas con parejas del mismo sexo (Bell y Weinberg, 1978). Más de la mitad de los homosexuales mantiene una "relación abierta" en la que no se exige la monogamia. Pero la mayoría de las lesbianas se encuentra en "parejas cerradas" en las que sí se espera la monogamia. Esto pone de manifiesto una diferencia importante entre las parejas heterosexuales y las homosexuales. Los hombres homosexuales son más propensos que los heterosexuales a sostener por lo menos un amorío fuera de su relación estable. Una investigación reveló que, durante los dos primeros años de la relación, 66 por ciento de los homosexuales y sólo 15 por ciento de los heterosexuales no eran fieles (Blumstein y Schwartz, 1983). Por el contrario, las lesbianas eran tan monógamas como las heterosexuales. Sólo 15 por ciento de las lesbianas y 13 por ciento de las heterosexuales habían tenido relaciones sexuales con otras personas durante los dos primeros años de la relación (Blumstein y Schwartz, 1983).

ENFERMEDADES DE TRANSMISIÓN SEXUAL Y CAMBIO SOCIAL Como ya señalamos, el SIDA es la causa principal de muerte en hombres de 25 a 44 años. Pese a ello, la respuesta a esta enfermedad no siempre ha sido constructiva. En un principio, muchos heterosexuales ignoraron el peligro en virtud de que al parecer afectaba sólo a los homosexuales (tienen más probabilidades de ruptura de tejidos y contacto sanguíneo durante el sexo anal) y a los que se inyectaban drogas por vía intravenosa (por compartir el uso de jeringas). También la comunidad gay opuso resistencia y se negó a reconocer los riesgos. Consideró que las primeras advertencias sobre la propagación del virus de inmunodeficiencia humana a través del sexo sin protección eran mensajes homofóbicos que violaban sus derechos.

Sin embargo, en 1984 la población empezó a tomar en serio la epidemia. Se propagó por Estados Unidos y por la mayor parte de las naciones europeas, luego de diezmar las poblaciones heterosexuales formadas por jóvenes en muchos países africanos. No sólo atacó a los homosexuales y a quienes se inyectaban drogas por vía intravenosa, sino también a los hemofílicos (por transfusiones de sangre contaminada), a los compañeros sexuales de los bisexuales o de los adictos, y a los recién nacidos de madres portadoras del virus. Más aún, se estimaba que quizá se había infectado 10 por ciento de la comunidad gay de San Francisco y el doble de la de Nueva York. Estos hechos, aunados a la dificultad para detectar el VIH por el largo periodo de incubación entre la infección del virus y la aparición de los síntomas, obligaron a tomar medidas más serias. Se dio mayor impulso a la investigación médica, y la comunidad gay empezó a instruir a sus miembros y a promover prácticas sexuales más seguras.

Con todo, el cambio social no se produjo con facilidad. Muchos seropositivos siguieron infectando a otros y no se sometían a las pruebas de detección. A finales de los años ochenta, la comunidad heterosexual estaba mucho más rezagada que la comunidad gay en la respuesta a la enfermedad, a pesar de que para entonces ya se transmitía principalmente a través de la actividad heterosexual. Los casos esporádicos de pánico y discriminación contra de enfermos

TABLA 12–2   PRINCIPALES ENFERMEDADES DE TRANSMISIÓN
SEXUAL ADEMÁS DEL SIDA

Tracoma por clamidia. Principal causa de infecciones de las vías urinarias en el hombre; también causante de cerca de la mitad de los casos registrados de infección testicular. En la mujer, la clamidia puede ocasionar inflamación del cuello uterino y de las trompas de Falopio. Aunque la infección se cura con facilidad con antibióticos, si no se administra el tratamiento puede sobrevenir un daño permanente, incluida infertilidad. Cada año se registran aproximadamente entre tres y cuatro millones de casos de clamidia.

Uretritis no gonocócica. Inflamación de las vías urinarias transmitidas por contacto sexual que cada año afecta a 2.5 millones de estadounidenses. Puede ser provocada por diversos organismos.

Gonorrea. Esta enfermedad puede causar esterilidad y otros problemas crónicos si no se trata o si se trata ya en una etapa avanzada. Cerca de un millón de estadounidenses se infecta anualmente con ella.

Sífilis. Si no se trata, puede causar serios problemas de salud, como esterilidad, e incluso la muerte. Las embarazadas con sífilis no tratada pueden infectar al feto.

Herpes. Grupo de virus que incluye al herpes simple, los tipos I y II; afecta aproximadamente a 500,000 estadounidenses cada año. Aunque no hay cura, se cuenta con tratamientos que atenúan la gravedad de sus brotes. En la actualidad, unos 20 millones de estadounidenses sufren este padecimiento.

Fuente: DeVilliers y DeVilliers (1979).

de SIDA, los que podrían sufrir la enfermedad o los que podrían contraerla por su estilo de vida recibían más cobertura en la prensa que la información necesaria para reducir su propagación.

En la segunda mitad de la década de los ochenta y en la de los noventa, siguió modificándose la conducta de homosexuales y heterosexuales. En la actualidad, la mayoría de los jóvenes señalan que obran con mayor cautela en sus actividades sexuales. En el estudio de la Universidad de Chicago, 76 por ciento de los que tuvieron cinco o más compañeros sexuales en el año anterior dijeron que habían disminuido su actividad sexual, que se sometían a exámenes periódicos de detección del SIDA o que siempre utilizaban condón (Laumann y otros, 1994). También se ha reducido la prostitución sin preservativos. Algunos analistas han sugerido incluso que ya terminó la revolución sexual y que la sociedad estadounidense ha iniciado un nuevo periodo de moderación semejante al de la década de los cincuenta.

OTRAS ENFERMEDADES DE ORIGEN SEXUAL   Además del SIDA, cada año más de 20 microorganismos causan enfermedades que afectan a millones de adolescentes y adultos sexualmente activos (Stevens-Long y Commons, 1992). Como se aprecia en la tabla 12-2, entre los efectos se encuentran las infecciones de vías urinarias, la gonorrea, la sífilis y el herpes.

REPASE Y APLIQUE

1. Describa los niveles característicos de fuerza y resistencia en los individuos sanos durante la juventud.
2. ¿Cuáles son las principales causas evitables de muerte que afectan a los jóvenes?
3. Explique el continuo de heterosexualidad-homosexualidad.
4. ¿Cómo han cambiado los patrones sexuales de su sociedad a raíz del aumento de las enfermedades de transmisión sexual?

CONTINUIDAD Y CAMBIOS COGNOSCITIVOS

Al mismo tiempo que el cuerpo empieza a alcanzar su nivel óptimo de funcionamiento, lo mismo ocurre con la actividad cognoscitiva. Pero aunque las etapas del desarrollo cognoscitivo son relativamente claras en la niñez y la adolescencia, no sucede lo mismo durante la adultez. Los teóricos no coinciden en si el concepto de etapas se aplica a este periodo. Por lo tanto, ante la ausencia de una teoría aceptada en forma unánime, el análisis del desarrollo cognoscitivo exige evaluar las diversas aproximaciones teóricas que estudian algunos aspectos específicos de la evolución del funcionamiento intelectual del adulto.

Durante la juventud, las habilidades cognoscitivas que se practican con frecuencia se conservan mejor que a las que se recurre pocas veces.

¿CRECIMIENTO O DETERIORO COGNOSCITIVO?

Una consecuencia evidente del aprendizaje, la memoria, la solución de problemas y otros procesos cognoscitivos que utilizamos con el paso de los años es que acumulamos una base más extensa de datos; conocemos mejor nuestra personalidad, así como el mundo físico y social que nos rodea. Pero los cambios se dan en lo que llamamos inteligencia, capacidad cognoscitiva o competencia intelectual. ¿Continúa el *desarrollo* cognoscitivo después de la adolescencia?

Las pruebas no son claras, en especial respecto al tiempo. Los primeros teóricos e investigadores sostuvieron que las capacidades intelectuales alcanzan su nivel más elevado al finalizar la adolescencia o entre los 20 y los 25 años; pero ahora sabemos que esta conclusión se fundaba en una interpretación errónea de los pocos datos de que se disponía entonces. Así, en un estudio efectuado durante la Primera Guerra Mundial, todos los reclutas presentaban una prueba colectiva de inteligencia llamada prueba alfa (Army Alpha Test). En promedio los más jóvenes, de 15 y 25 años, lograban calificaciones más elevadas que los mayores. Otras investigaciones efectuadas en las décadas de los treinta y los cuarenta arrojaron resultados parecidos: las personas mayores recibían calificaciones más bajas que los jóvenes. ¿Qué fallas tenía esta investigación? El problema comenzó con la prueba alfa misma, que era una prueba "rápida" de papel y lápiz diseñada para evaluar a grandes cantidades de reclutas con la mayor eficiencia pero no necesariamente con la mayor precisión posible; además, concedía más importancia a las habilidades verbales que a las de razonamiento. En términos generales, se medían las diferencias entre las cohortes de edad y no las diferencias de desarrollo, pues se utilizaba un diseño transversal (vea el capítulo 1). En otras palabras, los adultos mayores tenían contextos históricos diferentes (en especial, menor escolaridad) que los hacían recibir calificaciones en promedio más bajas, independientemente de lo inteligentes que fueran en realidad.

A finales de los años cuarenta se obtuvo un panorama muy distinto, cuando los investigadores empezaron a aplicar mejores pruebas de inteligencia y diseños longitudinales. Los sujetos mejoraban su desempeño en las pruebas entre los veinte y los treinta años y luego se estabilizaban a los 45 años (Whitbourne, 1986). Los estudios longitudinales indican, asimismo, que los resultados obtenidos en la adultez suelen aumentar si hay una educación continua (Schaie, 1983), lo cual es natural si recordamos que las pruebas de inteligencia miden fundamentalmente las habilidades y conocimientos académicos.

¿Qué habilidades cognoscitivas mejoran en la juventud? Algunas alcanzan su nivel máximo en los últimos años de la adolescencia y entre los 20 y 25 años: desempeño relacionado con la rapidez, la memoria mecánica, la manipulación de matrices y de otros patrones. Esta tendencia puede tener un origen biológico o deberse a que muchos jóvenes que son estudiantes de tiempo completo las practican, las perfeccionan y utilizan a diario. Adviértase además que algunas disciplinas se asocian con ciertas habilidades de razonamiento. Por ejemplo, los que estudian psicología suelen desarrollar el razonamiento probabilístico pues emplean con frecuencia procedimientos estadísticos; en cambio, los que estudian humanidades adquieren habilidades de análisis y exposición escrita. En todos los casos, las personas de treinta, de cuarenta, de cincuenta o más años de edad tienen un mejor desempeño en determinadas habilidades cognoscitivas; por ejemplo, la forma de razonar y de procesar información (Willis, 1990).

Por lo demás, las habilidades que se ejercitan con frecuencia se conservan mejor. Así, los arquitectos mantienen más tiempo sus habilidades visuales-espaciales en niveles más altos que el promedio (Salthouse y otros, 1990; Salthouse y Mitchell, 1990). A lo largo del ciclo vital, continúan desarrollándose normalmente otras habilidades cognoscitivas como el juicio y el razonamiento. Con todo, todavía no sabemos cuáles cambian y en qué forma. Estas cuestiones las retomaremos en los capítulos 14 y 16.

"ETAPAS" DEL PENSAMIENTO EN EL PERIODO UNIVERSITARIO

¿Hay etapas del desarrollo cognoscitivo después de la adolescencia y del dominio del pensamiento operacional formal? ¿Hay diferencias cualitativas entre cómo concibe el mundo un adulto y la forma en que lo hace un adolescente? En 1970, William Perry realizó un estudio clásico que arroja luz sobre estas preguntas: se concentró en el cambio de los procesos de pensamiento de 140 estudiantes de Harvard y de Radcliffe durante los cuatro años dedicados a la universidad. Al final de cada año lectivo les planteaba preguntas acerca de cómo vivían sus experiencias académicas: cómo las interpretaban y qué significaban para ellos. Era de especial interés la manera en que conciliaban los diversos puntos de vista y marcos de referencia tan contradictorios que encontraban en sus estudios.

Los resultados aportaron pruebas que sustentan la existencia de etapas del desarrollo cognoscitivo. Al principio, los estudiantes interpretaban el mundo y sus experiencias educativas en términos autoritarios y dualistas. Buscaban la verdad y el conocimiento absolutos. El mundo podía dividirse en bueno y malo, en lo correcto e incorrecto. Los profesores tenían la obligación de enseñarles y ellos aprenderían trabajando de manera ardua.

Sin embargo, enfrentaron inevitablemente diferencias de opinión, incertidumbre y confusión. Quizá los profesores exponían la materia en formas que estimulaban a los estudiantes a resolver las cosas por sí mismos. O quizá los profesores no conocían todas las respuestas. Poco a poco, ante los puntos de vista contradictorios, los estudiantes comenzaban a aceptar y hasta respetar la diversidad de opiniones. Empezaban a adoptar la idea de que la gente tiene derecho a opinar de manera distinta y comenzaron a comprender que podemos ver las cosas de manera diferente según el contexto. A esta perspectiva *relativista* terminaba sustituyéndola una etapa en la que hacían compromisos y afirmaciones personales sobre determinados valores y puntos de vista, aunque en un principio lo hacían en forma exploratoria y tentativa.

En suma, los estudiantes pasaban de un dualismo radical (por ejemplo, verdad contra falsedad) a la tolerancia de muchos puntos de vista antagónicos (relativismo conceptual) y a ideas y convicciones escogidas con libertad. Para Perry este aspecto del desarrollo intelectual caracteriza a los jóvenes.

MAS ALLÁ DE LAS OPERACIONES FORMALES Otros teóricos han profundizado en los tipos de pensamiento que caracterizan a los jóvenes. Klaus Riegel (1975, 1984) destaca la comprensión de las contradicciones como una conquista importante de esta etapa y propone una quinta etapa que llama **pensamiento dialéctico**. En ésta, el individuo examina y reflexiona; después, trata de integrar ideas y observaciones contrarias o antagónicas. Un aspecto muy importante del pensamiento dialéctico es la integración de lo ideal y lo real. De

pensamiento dialéctico Pensamiento que trata de integrar ideas u observaciones contrarias o antagónicas.

acuerdo con Riegel, es lo que constituye el punto fuerte de la mente adulta. En relación con los paradigmas contextuales Riegel señala, asimismo, que el proceso es permanente y dinámico, nunca estático.

Los trabajos de Perry y Riegel se basaron principalmente en jóvenes durante su formación universitaria, por lo que cabe la posibilidad de que los cambios que observaron se relacionaran más con esas experiencias que con las experiencias más generales de los jóvenes. Gisela Labouvie-Vief (1984) señala por su parte que la madurez cognoscitiva del adulto se caracteriza por el "compromiso y la responsabilidad". En su opinión, el curso del desarrollo cognoscitivo debe incluir la evolución de la lógica, como la describe Piaget, y la evolución de la autorregulación desde la niñez hasta la vida adulta. La investigadora reconoce la posibilidad de que la lógica llegue a su etapa final en la adolescencia cuando se consolida el pensamiento operacional formal. Pero, igual que Perry y Riegel, afirma que si el individuo quiere escapar del pensamiento dualista necesita tener contacto con problemas sociales complejos, con diversos puntos de vista y con los aspectos comunes de la vida en el mundo real. Describe además un proceso evolutivo un poco más largo, en el cual los adultos se vuelven verdaderamente autónomos y aprenden a vivir con las contradicciones y ambigüedades de su experiencia. Su madurez cognoscitiva se caracteriza por la adquisición de habilidades para tomar decisiones de manera independiente (Labouvie-Vief, 1987).

FLEXIBILIDAD DE LA INTELIGENCIA

No todos los investigadores consideran que haya una quinta etapa del desarrollo cognoscitivo. Algunos se concentran en la forma en que el adulto emplea la inteligencia para atender a las exigencias de la vida y en cómo evoluciona el funcionamiento cognoscitivo ante las nuevas experiencias que nos obligan a modificar nuestros "sistemas de significado". Examinemos con mayor detenimiento ambas aproximaciones.

ETAPAS DEL PENSAMIENTO ADULTO PROPUESTAS POR SCHAIE   Warner Schaie (1986) considera que el rasgo distintivo del pensamiento de los adultos es la flexibilidad con que emplean sus capacidades cognoscitivas. Propone que durante la niñez y la adolescencia aprendemos estructuras cada vez más complejas para entender el mundo. Las poderosas herramientas del pensamiento operacional

En el periodo de adquisición, los jóvenes se sirven de sus habilidades intelectuales para escoger un estilo de vida y ejercer una carrera.

formal son el logro central de lo que llama periodo de *adquisición*. En la juventud aplicamos las capacidades intelectuales para cursar una carrera y escoger un estilo de vida; Schaie llama a esta etapa periodo de *realización*. Aplicamos nuestras capacidades intelectuales, de resolución de problemas y de toma de decisiones para lograr las metas y un plan de vida —aspectos de la cognición que no aparecen en las pruebas de inteligencia.

Los individuos que efectúan con éxito la planeación alcanzan cierto grado de independencia y pasan a la siguiente fase en la aplicación de las habilidades cognoscitivas, periodo que supone la *responsabilidad social*. Según Schaie, en la madurez nos valemos de las habilidades cognoscitivas para resolver los problemas ajenos en la familia, en la comunidad y en el trabajo. Para algunos, esas responsabilidades pueden ser en extremo complejas, pues es necesario conocer las organizaciones y los niveles de conocimiento. Tales personas ejercitan sus habilidades cognoscitivas en funciones *ejecutivas*, además de asumir sus responsabilidades sociales. Por último, la naturaleza de la resolución de problemas vuelve a cambiar en los años siguientes. La función principal consiste en *reintegrar* los elementos experimentados en años anteriores: interpretar la vida como un todo y analizar las preguntas relacionadas con los propósitos. Así, pues, para Schaie el centro del desarrollo cognoscitivo en la adultez no es una mayor capacidad ni un cambio de las estructuras cognoscitivas, sino más bien el uso flexible de la inteligencia en diversas etapas del ciclo vital (vea la figura 12-4).

Sistemas de significado   Algunos teóricos conciben la adultez como un periodo de cambio y crecimiento continuo. Un líder de esta área es Robert Kegan (1982), quien recurre a varias teorías del desarrollo para proponer una teoría integral del yo cognoscitivo en desarrollo. En gran parte de sus teorías se refleja la influencia de la obra de Jane Loevinger (1976), quien trató de describir cómo se forjan los individuos una idea congruente de sí mismos y si estos autoconceptos podrían desarrollarse en una secuencia de etapas previsibles. Loevinger combinó la teoría psicoanalítica y los aspectos de la teoría del desarrollo moral de Kohberg con los resultados de algunas investigaciones para crear un nuevo modelo del desarrollo de la personalidad. También creó una serie de pruebas para determinar si el modelo corresponde o no a la experiencia real.

Como Loevinger, Kegan recalca la importancia del significado. El individuo en desarrollo diferencia sin cesar el yo y el mundo, al mismo tiempo que integra al yo a un mundo más amplio. Kegan es, asimismo, uno de los pocos teóricos que ha analizado las tendencias masculinas y femeninas del desarrollo. Sus etapas del desarrollo se resumen en la tabla 12-3.

Figura 12–4   Etapas del desarrollo cognoscitivo del adulto propuestas por Schaie

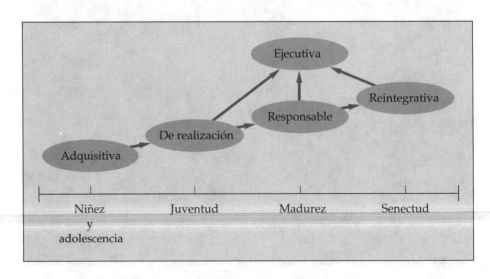

TABLA 12–3 ETAPAS DEL DESARROLLO DE LA PERSONALIDAD PROPUESTAS POR KEGAN

ETAPA	CONDUCTA REPRESENTATIVA
0. Incorporativa (infancia)	No hay separación del yo y los otros.
1. Impulsiva (de los dos a los siete años)	Conducta impulsiva, egocéntrica (semejante a la etapa impulsiva de Loevinger).
2. Imperial (de los siete a los 12 años)	Lucha por la independencia, se esfuerza por el logro y por formarse habilidades.
3. Interpersonal (de los 13 a los 19 años)	Reestructuración de las relaciones; algunas diferencias sexuales notables.
4. Instituciones (juventud)	Reintegración de la interconexión del yo en evolución.
5. Interindividual (adultez)	

Fuente: adaptado de R. Kegan (1982). *The Evolving Self: Problem and Process in Human Development* (Cambridge, MA: Harvard University Press).

Kegan señala, en particular, que ya bien entrada la adultez seguimos desarrollando **sistemas de significado**. Tales sistemas adoptan muchas formas: religiosas, políticas, culturales y personales. De continuo y gracias a la experiencia, elaboramos sistemas de creencias y de valores que a su vez moldean nuestras experiencias, organizan nuestras ideas y sentimientos y dirigen nuestro comportamiento.

La teoría de Kegan es demasiado compleja para explicarla aquí, pero a continuación mencionamos los aspectos básicos. Kegan se basa en la tradición y en las teorías del desarrollo cognoscitivo propuestas por Piaget, y define varios niveles o etapas de "creación de significado" que dan lugar a sistemas semánticos. Al avanzar por la adultez, los sistemas de cada individuo se vuelven más idiosincrásicos y, sin embargo, tienen algunos aspectos comunes con los sistemas semánticos de otras personas que se encuentran en el mismo nivel de desarrollo. En cada etapa lo viejo se incorpora a lo nuevo, del mismo modo que el conocimiento concreto que el niño tiene del mundo se transforma en los datos iniciales del pensamiento operacional formal. Para teóricos como Kegan, casi todos los individuos continúan estructurando y reestructurando su conocimiento sistemático de ellos mismos y del mundo incluso después de los 30 años —idea bastante optimista del desarrollo del adulto.

1. Resuma los hallazgos del estudio que Perry dedicó al desarrollo intelectual en la juventud.
2. Explique por qué Riegel llama al pensamiento dialéctico la "quinta etapa del desarrollo cognoscitivo".
3. ¿Por qué algunos teóricos consideran al pensamiento flexible como el rasgo distintivo de la cognición del adulto?

REPASE Y APLIQUE

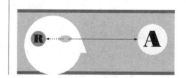

ESTADIOS Y TAREAS DEL DESARROLLO DEL ADULTO

Algunos investigadores han examinado la interacción de la competencia intelectual del adulto, sus necesidades personales y las expectativas sociales para

sistemas de significado
Sistemas de creencias que moldean nuestras experiencias, organizan nuestros pensamientos y sentimientos y determinan nuestra conducta.

definir las etapas o periodos de su desarrollo. A menudo la información en que se fundan sus teorías que provienen de entrevistas exhaustivas a determinadas cohortes de edad. Surgen así periodos del desarrollo, basados en conflictos o "crisis" por las que se supone que todos pasamos. Así, las teorías ofrecen descripciones reveladoras de los problemas e intereses del adulto, pero aún no sabemos hasta qué punto se aplican en esta etapa del desarrollo. Los "hitos" sobre todo deben considerarse como provisionales.

Adviértase, además, que las teorías o marcos de referencia que vamos a exponer van más allá de la juventud, como veremos en capítulos posteriores.

TAREAS DEL DESARROLLO PROPUESTAS POR HAVIGHURST

Robert Havighurst (1953) describió el desarrollo a lo largo de la vida en términos muy pragmáticos. Para él, la adultez es una serie de periodos en que hay que cumplir determinadas tareas (se resumen en la tabla 12-4). En cierto modo,

TABLA 12–4 TAREAS DEL DESARROLLO PROPUESTAS POR HAVIGHURST

TAREAS DE LA JUVENTUD

1. Elegir pareja
2. Aprender a vivir con el cónyuge
3. Formar una familia
4. Criar hijos
5. Administrar el hogar
6. Comenzar a trabajar
7. Asumir las responsabilidades cívicas
8. Encontrar un grupo social afín

TAREAS DE LA MADUREZ

1. Asumir la responsabilidad cívica y social del adulto
2. Establecer y mantener un nivel de vida
3. Realizar actividades recreativas propias del adulto
4. Ayudar a los hijos adolescentes a ser adultos responsables y felices
5. Relacionarse como persona con el cónyuge
6. Aceptar los cambios fisiológicos de la madurez y adaptarse a ellos
7. Adaptarse a los padres que envejecen

TAREAS DE LA VEJEZ

1. Adaptarse al deterioro de la salud y de la fuerza física
2. Adaptarse a la jubilación y a la disminución del ingreso
3. Adaptarse a la muerte del cónyuge
4. Establecer una afiliación explícita con el grupo de edad
5. Cumplir las obligaciones sociales y cívicas
6. Establecer rutinas satisfactorias de vida

Fuente: *Human Development and Education* de Robert J. Havighurst. Copyright ©1953 por Longman, Inc. Reimpreso con autorización de Longman, Inc., Nueva York.

estas tareas crean el contexto general en el que tiene lugar el desarrollo, son exigencias que moldean el uso de la inteligencia. En la juventud, se refieren fundamentalmente a formar una familia y cimentar una carrera. En la madurez, se concentran en conservar lo que se logró antes y en ajustarse a los cambios físicos, lo mismo que a los cambios familiares. En años subsecuentes, todavía habrá más ajustes que hacer como veremos en el capítulo 17.

¿Se aplican estos conceptos al desarrollo del adulto en los años noventa? Sí, pero no a todos. Para muchos, las tareas del desarrollo en la madurez consisten en adoptar un estilo de vida o formar una familia y criar a los niños, aprender a vivir con un nuevo compañero o compañera después de un divorcio y emprender una nueva ocupación o prepararse para la jubilación debido, en algunos casos, a una "reestructuración" de la empresa. A pesar de que la vida de la mayoría de la gente se ajusta a los tiempos que marcan las tareas del desarrollo propuestas por Havighurst, en la actualidad hay más excepciones que nunca antes. De nuevo comprobamos que, en gran medida, el camino que sigue una persona depende de su ambiente cultural.

Los jóvenes exitosos suelen ser personas prácticas y organizadas, con una personalidad bien integrada.

TAREAS DEL DESARROLLO PROPUESTAS POR ERIKSON

Muchos teóricos recurren a la teoría de las etapas psicosociales de Erikson cuando definen las tareas centrales del desarrollo en la adultez. En el capítulo 1 vimos que la teoría de Erikson propone ocho etapas (o crisis) psicosociales y que cada una se basa en la anterior. El desarrollo del adulto está subordinado a la forma en que haya resuelto los problemas de los periodos anteriores: dilemas de confianza y autonomía, de iniciativa y laboriosidad. Durante la adolescencia, los problemas fundamentales por resolver eran la consecución de la identidad frente a la confusión. Se trata de dilemas que persisten y que dan sentido de continuidad a las experiencias del adulto (Erikson, 1959). Los individuos definen y redefinen su personalidad, sus prioridades y su lugar en el mundo.

La crisis de *intimidad frente al aislamiento* es el otro aspecto que caracteriza la adultez temprana. La intimidad consiste en establecer una relación estrecha, mutuamente satisfactoria, con otra persona. Representa la unión de dos identidades, sin que ninguno de los dos pierda sus cualidades propias. En cambio, el aislamiento es la incapacidad o intento vano de lograr la reciprocidad, algunas veces porque la identidad es demasiado débil para arriesgar una unión cercana con otro (Erikson, 1963).

El planteamiento de Erikson es esencialmente una teoría de etapas, pero la aplica con mucha mayor flexibilidad (Erikson y Erikson, 1981). A semejanza de la teoría de Havighurst, puede considerarse normativa. Los problemas de identidad y de intimidad se presentan durante toda la vida. Los sucesos importantes, como una muerte en la familia, pueden ocasionar crisis simultáneas de identidad e intimidad, mientras la persona lucha con la pérdida y trata de redefinirse sin la presencia de un compañero íntimo. Mudarse a una ciudad, comenzar a trabajar en un nuevo empleo y regresar a la universidad son grandes cambios que exigen ajuste psicosocial. Por tanto, la teoría de Erikson ofrece directrices para resolver cuestiones que pueden presentarse una y otra vez en la vida. Por ejemplo, una persona que se traslada a otra región del país, tal vez deba "volver a andar el camino" para recuperar la confianza, alcanzar la autonomía y redescubrir la competencia y la laboriosidad, antes de poder sentirse adulto de nuevo.

Por tanto, para muchos pensadores contemporáneos los procesos de intimidad e identidad son esenciales para entender el desarrollo del adulto (Whitbourne, 1986b). No obstante, es interesante que la obtención de la intimidad y la identidad tal vez sea exclusiva de la cultura occidental. Para los graduados asiáticos que llegan a Estados Unidos la identidad independiente y una mayor intimidad en su matrimonio pueden ser conceptos muy poco conocidos.

ESTADIOS EN LA VIDA DEL VARÓN PROPUESTOS POR LEVINSON

Daniel Levinson (1978, 1986) efectuó un estudio exhaustivo sobre el desarrollo del adulto; los participantes fueron 40 varones de 35 a 45 años de edad, elegidos de varios grupos raciales, étnicos y profesionales. Durante unos cuantos meses se realizaron entrevistas en que los participantes hacían un análisis introspectivo de sus sentimientos, actitudes y experiencias. Junto con las biografías reconstruidas de estos participantes, Levinson y sus colegas estudiaron las biografías de grandes personajes como Dante Alighieri y Gandhi en busca de indicios relacionados con los patrones del crecimiento adulto. No obstante, no recurrieron ni a escalas ni a pruebas objetivas. En términos generales, el método de Levinson no es distinto del de Freud (vea el capítulo 1) y esto debe tenerse presente al estudiar su teoría.

Los investigadores identificaron tres periodos principales en el ciclo de vida del varón adulto, cada uno con una duración aproximada de 15 a 20 años (vea la figura 12-5). En cada periodo el individuo elabora lo que Levinson llama una **estructura vital,** la cual constituye el patrón en que se basa su vida. Sirve como límite entre el mundo interno y externo, y como el medio que nos permite enfrentar al mundo externo. La estructura vital se compone sobre todo de las relaciones sociales y ambientales que, entre otras cosas, incluyen lo que el individuo obtiene de las relaciones y lo que debe aportar a éstas. Las relaciones pueden ser con individuos, grupos, sistemas e, incluso, con objetos. Las relaciones en el trabajo y

estructura vital Patrón global en que se basa la vida de una persona.

FIGURA 12–5 **ETAPAS DE LA VIDA DE UN VARÓN PROPUESTAS POR LEVINSON**

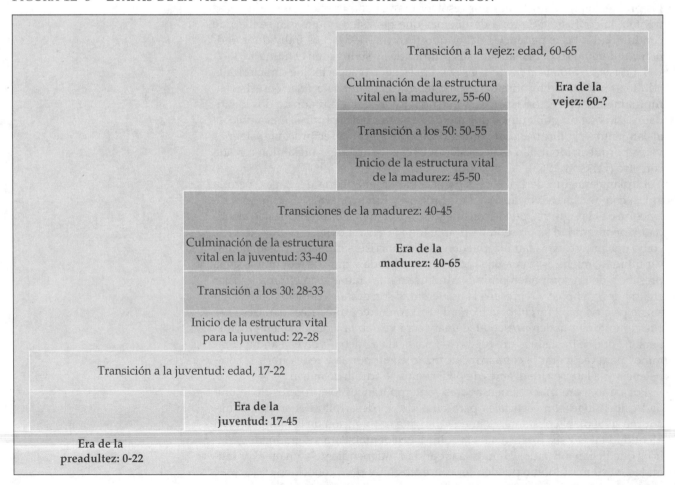

dentro de la familia son esenciales para la mayoría de los hombres, quienes a ciertas edades comienzan a poner en tela de juicio la estructura actual. Después crean una nueva estructura que es compatible con sus necesidades actuales, que predomina hasta que el individuo la "supera" y reinicia el proceso.

Aunque a Levinson le interesaba principalmente la década de la madurez media, entre los 35 y los 45 años, descubrió que la maduración y el ajuste dependen sobre todo del crecimiento en una etapa de *noviciado* que abarca de los 17 a los 33 años (no marcados en la figura). Es el periodo en que los jóvenes estadounidenses resuelven conflictos, se crean un nicho en la sociedad de los adultos y adoptan patrones estables y predecibles de conducta y de vida. En la fase de noviciado, Levinson distingue tres periodos: transición a la juventud (de los 17 a los 22 años); ingreso al mundo de los adultos (de los 22 a los 28 años) y la transición de los treinta (de los 28 a los 33 años). En consecuencia, las "crisis" del desarrollo ocurren cuando los individuos encuentran dificultades para realizar las transiciones.

De acuerdo con Levinson, para lograr un ingreso pleno a la vida adulta, el joven habrá de dominar cuatro tareas del desarrollo: 1) definir un "sueño" de lo que realizará como adulto, 2) encontrar a un mentor, 3) forjarse una carrera y 4) establecer la intimidad. A continuación examinaremos por separado las cuatro tareas.

DEFINIR UN SUEÑO   Al comenzar la fase de noviciado, el sueño de lo que realizará como adulto no por fuerza está ligado a la realidad. Puede constar de una meta específica, como ganar un premio Pulitzer, o de un rol grandioso, como convertirse en productor cinematográfico, en magnate de los negocios, en escritor o atleta famoso. Algunos varones tienen aspiraciones más modestas: llegar a ser artesanos excelentes, filósofos de pueblo o amorosos padres de familia. El aspecto más importante del sueño es la capacidad de inspirar los esfuerzos actuales. En teoría, el joven comienza a estructurar su vida adulta en formas realistas y optimistas que le ayuden a cumplir su sueño. Por lo demás, las fantasías desmedidas y las metas inalcanzables no favorecen el crecimiento.

Además de ser irrealista, el sueño tal vez no se realice por falta de oportunidades, presiones de los padres, rasgos como la pasividad y la pereza o por la carencia de habilidades especiales que no pueden adquirirse. De ahí que un joven tal vez elija y domine una profesión que esté por debajo de su sueño y sin atractivo para él. En opinión de Levinson, tales decisiones originan conflictos profesionales constantes, indiferencia y poca dedicación al trabajo. Levinson considera que los que luchan por cumplir por lo menos un aspecto de su sueño tienen más probabilidades de experimentar una sensación de realización. Un joven que inicia la transición a la adultez con la esperanza de convertirse en estrella de básquetbol se sentirá más tarde satisfecho como entrenador, incorporando así algunos elementos de su sueño.

ENCONTRAR A UN MENTOR   A los jóvenes, en la búsqueda de su sueño, les beneficia sobre manera la ayuda de mentores. Un mentor les inculca seguridad en sí mismos al compartir el sueño y aprobarlo, y al probar habilidades y sapiencia. En calidad de protector, puede influir en el progreso de la carrera del principiante. Sin embargo, su función principal es facilitar la transición de la relación entre progenitor e hijo al mundo de los compañeros adultos. Debe ser bastante paternal y autoritativo, a la vez que suficientemente empático para cerrar la brecha generacional y establecer vínculos de compañerismo. Poco a poco el principiante adquirirá el sentido de autonomía y competencia, y con el tiempo puede que supere al mentor. Muchas veces el mentor y el joven se separan en este momento.

FORJARSE UNA CARRERA   Además de crear un sueño y encontrar a un mentor, el joven enfrenta el proceso complejo de forjarse una carrera, que va mucho

Signos de desarrollo profesional exitoso.

más allá de la mera selección de una ocupación. Según Levinson, es una función que abarca toda la fase del noviciado a medida que trata de definirse en la esfera vocacional. (Este tema se aborda más a fondo en el capítulo 13.)

ESTABLECER LA INTIMIDAD   De modo análogo, la formación de relaciones íntimas no comienza ni termina con los hitos del matrimonio y el nacimiento del primer hijo. Antes y después de estos hechos, el joven se conoce mejor a sí mismo y aprende la manera de relacionarse con las mujeres. Debe averiguar lo que le gusta de ellas y lo que a ellas les gusta de él; debe definir sus cualidades y debilidades en la intimidad sexual. Aunque parte de este descubrimiento personal tiene lugar en la adolescencia, todo esto sigue asombrando al joven. Entre los 30 y los 35 años adquiere la capacidad para establecer una relación romántica seria.

Una relación primaria con una *mujer especial* (término empleado por Levinson) satisface una necesidad similar a la del vínculo entre principiante y mentor. Esta mujer puede facilitar el cumplimiento de los sueños del joven celebrándolos y creyendo que es un triunfador. Favorece su ingreso al mundo de los adultos alentando las esperanzas del adulto y tolerando su conducta dependiente u otras limitaciones. Según Levinson, la necesidad de una mujer especial disminuye más tarde, durante la transición a la madurez, en un periodo en que los hombres alcanzan una gran autonomía y competencia.

ESTADIOS EN LA VIDA DE LA MUJER

Como cabe suponer, el trabajo de Levinson provocó numerosas críticas, de las cuales la más persistente fue que no mencionaba a las mujeres. Críticas que consideró en las investigaciones subsecuentes (Levinson, 1990; Levinson, 1996). Estudió a un grupo de 45 mujeres, de las cuales 15 eran amas de casa, 15 mujeres de negocios y 15 profesoras. Los resultados sustentaron, en parte, su teoría de que para ingresar a la adultez hay que definir un sueño, encontrar un mentor, escoger una carrera y establecer una relación con una persona especial; su modelo para las mujeres se parece al de los varones (vea la figura 12-5). También existe una transición decisiva hacia los treinta años, periodo de estrés al reexaminar los objetivos profesionales y los estilos de vida. Pero las experiencias de la mujer parecen muy distintas a las de los hombres. Más aún, aunque Levinson sostenía que las transiciones de ambos sexos guardan estrecha relación con la edad, otros investigadores descubrieron que en la mujer la etapa del ciclo de vida familiar parece ser un mejor indicador de la transición que la edad solamente (Harris y otros, 1986). Las transiciones de la mujer (y sus crisis) tal vez se relacionen menos con la edad que con hechos como el nacimiento de los hijos o el momento en que éstos abandonan la casa paterna.

Sueños diferentes   Quizá la definición de los sueños fue la diferencia más notable entre los sexos. En efecto, la diferencia era tan importante que Levinson la llama *escisión de género*. Los hombres suelen presentar una idea unitaria de su futuro concentrada en su carrera; en cambio, muchas mujeres suelen tener sueños "escindidos". Las profesoras y las mujeres de negocios del estudio de Levinson querían combinar su carrera con el matrimonio, aunque de diversas maneras. Después del nacimiento de sus hijos, las profesoras mostraban menos ambición y mayor disposición a renunciar a su carrera siempre que pudieran realizar actividades intelectualmente estimulantes en la comunidad. Las mujeres de negocios querían proseguir su carrera, pero hacerlo en menor escala después de que nacieran sus hijos. Sólo las amas de casa tenían sueños unificados semejantes a los de los varones: querían ser esposas y madres de tiempo completo como lo habían sido sus propias madres.

En forma análoga, la mayoría de las mujeres, en otros estudios en que se aplicaron los métodos de Levinson, tenía sueños que incorporaban la carrera y el matrimonio; casi todas concedían mayor importancia al matrimonio. Sólo una minoría concentraba sus sueños exclusivamente en el éxito profesional; un número incluso menor limitaba su visión del futuro a los roles tradicionales de esposa y madre. Pero hasta las que soñaban con una carrera y el matrimonio moderaban sus sueños en el contexto de las metas de sus esposos, cumpliendo así con las expectativas tradicionales en un estilo de vida más moderno (Roberts y Newton, 1987).

Muchas mujeres expresan insatisfacción por algún aspecto de su sueño escindido (Droege, 1982). Para algunas, la carrera y el matrimonio son incompatibles. Las mujeres del estudio de Levinson también consideraban sumamente difícil integrar la carrera y la familia. Por ejemplo, las mujeres de negocios pensaban que su solución era apenas "adecuada". Aunque los colegas y los parientes a menudo creen que las mujeres de negocios son exitosas, ellas consideran que han sacrificado un aspecto de su sueño con tal de realizar otro (Roberts y Newton, 1987).

Relaciones diferentes con los mentores   La relación con los mentores es otra área en la que ambos sexos tienen experiencias diametralmente distintas. Se ha comprobado que las mujeres inician estas relaciones con menor frecuencia que los hombres. En parte, el problema obedece a que hay menos mujeres en puestos que les permitan orientar, aconsejar o favorecer a otras más jóvenes que buscan progresar en su profesión. Cuando los varones ejercen esta función, la relación puede deteriorarse por la atracción sexual (Roberts y Newton, 1987). Algunas veces los esposos o amantes fungen como tutores, pero entonces la función se ve complicada por exigencias contrarias. El compañero deja de apoyarla cuando ella hace valer su independencia y trata de promover su carrera o exige igualdad.

A las mujeres les resulta difícil encontrar a un *hombre especial* que apoye su sueño (Droege, 1982). Aunque el esposo o el amante a veces desempeña ese rol, sobre todo al iniciarse la separación del dominio de los padres, un compañero tradicional pocas veces apoya el sueño de la mujer si éste comienza a amenazar su predominio en la relación. Dicho de otra manera, un compañero no por fuerza realiza todas las funciones del hombre especial que facilita el crecimiento personal y profesional de la mujer.

Trayectorias profesionales diferentes   A la mujer no sólo le resulta más difícil encontrar una persona especial, sino que además suele dedicarse a su profesión mucho después. En un estudio anterior (Levinson y otros, 1978), se observó que los hombres en general "terminan su noviciado profesional y asumen de manera plena su estatus adulto en el mundo del trabajo" al final de la transición de los treinta años —cuando dejan de ser principiantes. Por el con-

A diferencia de los hombres jóvenes, quienes generalmente se concentran en su trabajo, muchas mujeres quieren combinar su carrera con el matrimonio.

trario, las mujeres a menudo no alcanzan este estado sino hasta bien entrada la madurez (Droege, 1982; Furst, 1983; Stewart, 1977). Ruth Droege descubrió que incluso las mujeres que se habían encaminado en una trayectoria profesional entre los veinte y los treinta años, la mayoría no había terminado su "noviciado ocupacional" sino hasta los 40 o después. Droege observó, asimismo, que a las que se encontraban en la madurez todavía les preocupaba el éxito en el trabajo y aún no estaban preparadas para reevaluar sus metas o sus logros profesionales. Otra investigación (Adams, 1983) reveló que un grupo de abogadas seguía el patrón profesional de los varones hasta la transición de los treinta años; pero en ese momento la mayoría de ellas dejaba de concentrarse en alcanzar el éxito profesional para preocuparse por conseguir la satisfacción en sus relaciones personales.

REEVALUACIÓN DIFERENTE   La transición de los treinta causa estrés a hombres y mujeres. Pero reaccionan de manera distinta ante el proceso reevaluativo que ocurre entonces. Los hombres introducen cambios en su carrera o en su estilo de vida, pero no cambian su actitud ante el trabajo ni ante su carrera. En cambio, las mujeres por lo general invierten las prioridades que se habían propuesto en la juventud (Adams, 1983; Droege, 1982; Levinson, 1990; Stewart, 1977). Las mujeres que se habían orientado al matrimonio y a tener familia suelen buscar metas profesionales, en tanto que las concentradas en la carrera suelen optar por el matrimonio y la procreación. Su sueño más complejo les dificulta la consecución de las metas.

SUEÑOS DE LAS MUJERES Y CAMBIO SOCIAL   Quizá el sueño de una mujer es más complejo porque recibe un influjo más profundo de los cambios sociales del siglo XX. En un estudio (Helson y Picano, 1990), se observó que a fines de los años cincuenta y sesenta, las mujeres "mejor ajustadas" tenían un sueño claro: ser amas de casa de tiempo completo. El sueño se volvió obsoleto a medida que los cambios sociales las colocaron en la fuerza de trabajo de todos los niveles. En la edad madura, las mujeres tradicionales ya no eran las mejor ajustadas del estudio. Por el contrario, eran más dependientes o más controladas que las menos tradicionales. Por lo visto, adaptarse a los roles sociales incide en el bienestar individual. Los roles a los que tiene acceso la mujer joven en la actualidad suelen combinar carrera y familia. Por su parte, se espera que los hombres jóvenes inicien una carrera sin comprometerse del todo con las actividades familiares (Kalleberg y Rosenfeld, 1990).

TRANSFORMACIONES PROPUESTAS POR GOULD

Los que investigan el desarrollo durante la adultez encaran la difícil tarea de decidir cómo organizar los abundantes datos biográficos. En parte, el resultado dependerá de su enfoque y de sus intereses. En su estudio original, Levinson obtuvo 15 horas de entrevistas biográficas de 40 varones. Optó por examinar varios aspectos del proceso de establecer una carrera y un estilo de vida.

Roger Gould (1978) adoptó un enfoque más cognoscitivo. Le interesaban las suposiciones del individuo, sus ideas, sus mitos y concepciones del mundo durante varios periodos de la adultez. En sus estudios participaron adultos de ambos sexos. Junto con sus colegas analizó las biografías de un grupo de hombres y mujeres de 16 a 60 años. Basándose en estos perfiles, describieron las visiones del mundo que caracterizan las distintas etapas de este estadio. Para Gould, el crecimiento es el proceso en el cual se abandonan ilusiones infantiles y creencias falsas y se reemplazan por seguridad en uno mismo y aceptación personal. A semejanza de Kegan, Gould está convencido de que un sistema de obtención de significado moldea nuestra conducta y nuestras decisiones.

De acuerdo con Gould, de los 16 a los 22 años, la principal suposición falsa por superar es "Siempre perteneceré a mis padres y creeré en su mundo". Para penetrar en esta ilusión y desecharla, los jóvenes deben comenzar a formarse una identidad que sus padres no puedan controlar ni dominar. Sin embargo, en esta edad su sentido del yo es todavía frágil y la falta de seguridad los hace muy sensibles a la crítica. También empiezan a darse cuenta de que sus padres son seres imperfectos y falibles, no las fuerzas controladoras y omnipotentes que habían sido hasta entonces.

Entre los 22 y los 28 años, los jóvenes hacen otra falsa suposición que refleja sus dudas constantes acerca de su autosuficiencia: "Me dará buenos resultados hacer las cosas como mis padres, con fuerza de voluntad y con perseverancia. Pero si me frustro, si me siento confundido, si me canso demasiado o si simplemente no logro superarme, ellos intervendrán para mostrarme el camino correcto." Para combatir esta idea deben aceptar la responsabilidad absoluta de su vida y abandonar las expectativas de una ayuda continua de sus padres. La aceptación implica mucho más que desligarse del dominio del padre o de la madre; exige una construcción positiva y activa de la vida adulta. La conquista personal del mundo distrae energía de la introspección constante y del egocentrismo. Según Gould, en este periodo, el modo predominante del pensamiento sustituye las intuiciones súbitas por la perseverancia, la disciplina, la experimentación controlada y la orientación a las metas.

Entre los 28 y los 34 años se da una transición importante a actitudes adultas. He aquí la principal suposición falsa del periodo: "La vida es simple y controlable. No coexisten en mí fuerzas contradictorias importantes." Tal impresión se distingue de las que se dan en las etapas anteriores en dos aspectos fundamentales: indica un sentido de competencia y de reconocimiento de las limitaciones. Se ha conseguido ya una comprensión suficiente que permite admitir la confusión interna sin poner en duda la propia fuerza ni la integridad. Pueden resurgir talentos, cualidades y deseos suprimidos entre los 20 y los 30 años por no encajar en el modelo incipiente de la adultez. Gould cita dos ejemplos: el de un ambicioso socio de un bufete legal muy prestigioso, quien comienza a pensar en ingresar al servicio público; y el de un soltero sereno y feliz que de repente descubre que sus numerosas relaciones con las mujeres no son satisfactorias por alguna insuficiencia suya. (Esto nos recuerda la predicción de Levinson referente al sueño: los que lo ignoran o suprimen en la juventud se sentirán abrumados más adelante por este conflicto no resuelto.)

Aun los que han realizado las ambiciones de su juventud sentirán un poco de duda, confusión y depresión durante este periodo. Comenzarán a cuestionar los valores que les ayudaron a independizarse de sus padres. Para crecer es necesario romper con las rígidas expectativas del periodo comprendido entre los 20 y los 30 años de edad y adoptar una actitud más sensata: "Lo que obtenga se relaciona directamente con el esfuerzo que estoy dispuesto a hacer." Las personas dejan de creer en la magia y empiezan a poner su fe en el trabajo disciplinado y bien encauzado. Además, comienzan a cultivar intereses, valores y cualidades que los acompañarán por el resto de su vida.

El periodo comprendido entre los 35 y los 45 años significa una participación plena en el mundo de los adultos. Los padres ya no ejercen el control sobre la gente de esta edad y sus hijos todavía no los cuestionan. Se hallan, en palabras de Gould, "en lo más profundo de la vida": sufren la presión del tiempo y temen que no lograrán todas sus metas. Los cambios físicos de la edad madura los aterrorizan y los desalientan; la menor movilidad profesional los hace sentirse acorralados. El impulso a la estabilidad y la seguridad, importantísimo entre los 30 y los 40 años, cede a la necesidad de la acción y de resultados inmediatos. Ya no es posible posponer las cosas. La muerte de sus padres y la

DIAGRAMA DE ESTUDIO · IDEAS DE ALGUNOS TEÓRICOS SOBRE LAS PRINCIPALES TAREAS DE LA JUVENTUD

TEÓRICO	IDEA
Perry	Transición del pensamiento dualista al relativista
Riegel	Consecución del pensamiento dialéctico
Labouvie-Vief	Adquisición de la autonomía y de la toma independiente de decisiones
Schaie	Aplicación flexible de las habilidades intelectuales para realizar las metas personales y profesionales: el periodo de *realización*
Kegan	Estructuración y reestructuración de los sistemas personales de significado
Havighurst	Formar una familia y consolidar una carrera
Erikson	Continuar desarrollando el sentido de identidad personal: resolver el dilema de intimidad frente al aislamiento
Levinson	Establecer una estructura vital temprana y realizar la transición de los 30 años y otras, que incluyen además definir un sueño, encontrar a un mentor, forjarse una carrera y establecer intimidad con una pareja especial
Gould	Desechar las suposiciones erróneas sobre la dependencia y aceptar la responsabilidad de la propia vida; alcanzar la competencia y reconocer las limitaciones personales

conciencia de la propia mortalidad los encaran con la injusticia y los dolores de la vida. Renuncian a su infantil necesidad de seguridad cuando reconocen el lado negativo de la existencia humana. Por fin están libres para examinar y desechar la sensación de futilidad y maldad propias que quedaba de la niñez. Según Gould, esta libertad representa la conciencia plena y autónoma del adulto.

Antes de terminar el capítulo, conviene recordar que las teorías que ponen de relieve los periodos o etapas sirven para entender el desarrollo del adulto, pero por varias razones no debemos interpretarlas con demasiada rigidez. En primer lugar, el concepto de etapas suele oscurecer los aspectos estables de la personalidad durante la adultez. En segundo lugar, esas teorías conceden poca importancia a la impredecibilidad de los acontecimientos de la vida (Neugarten, 1979). En tercer lugar, hasta ahora los varones han sido en general los sujetos de las investigaciones dedicadas al desarrollo del adulto, y gran parte de estos estudios se ha concentrado en las mismas cohortes de edad: individuos que nacieron durante la primera mitad del siglo XX.

REPASE Y APLIQUE

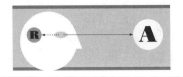

1. Resuma las tareas del desarrollo de la adultez propuestas por Havighurst.
2. Describe las principales tareas del desarrollo de la juventud según la teoría psicosocial de Erikson.
3. De acuerdo con Levinson y los estudios inspirados en sus teorías, ¿cuáles son las cuatro tareas del desarrollo que deben dominarse en la juventud para iniciar la vida adulta? ¿En qué formas las experimentan hombres y mujeres?
4. Describa la concepción cognoscitiva que Gould tiene de las transformaciones durante el desarrollo del adulto.

RESUMEN

Teorías sobre el desarrollo del adulto

■ Los relojes biológicos constituyen una forma de sincronización interna: nos permiten saber si avanzamos muy lenta o rápidamente a lo largo de la vida.

■ Los relojes biológicos tienen un origen social y hoy son más flexibles que en decenios anteriores.

■ La edad cronológica indica los años de vida; la edad biológica es el lugar que ocupamos en relación con la esperanza de vida; la edad psicológica designa la eficacia con que podemos adaptarnos a las exigencias sociales y otro tipo de exigencias ambientales.

■ Los paradigmas contextuales tratan de describir y organizar los efectos que distintas fuerzas tienen en el desarrollo. No hay dos individuos que experimenten exactamente la misma combinación de contextos.

Desarrollo físico en la juventud

■ La mayoría de las personas alcanza el máximo nivel de vitalidad, fuerza y resistencia en la juventud.

■ El funcionamiento de los órganos, el tiempo de reacción, la fuerza, las habilidades motoras y la coordinación sensoriomotora son óptimos entre los 25 y los 30 años de edad; después empiezan a disminuir de manera paulatina.

■ El deterioro de las capacidades y habilidades físicas es más evidente en situaciones de emergencia y siempre que las exigencias físicas sean extremas.

■ Los hábitos de salud y ejercicio que se adquieren en la juventud normalmente persisten en los años siguientes.

■ En las décadas recientes, el mejoramiento del ejercicio y de la dieta han contribuido mucho a una buena condición física.

■ Los índices de mortalidad son más bajos entre los jóvenes que en cualquier otro grupo de edad de adultos, pero siguen presentando un elevado índice de muertes evitables.

■ Muchas enfermedades que causan problemas en la madurez y la vejez comienzan en la juventud.

■ Algunas veces los factores socioculturales conducen a la enfermedad o la muerte.

■ El proceso de ovulación es relativamente estable entre los 25 y los 38 años, pero luego disminuye. Los hombres producen espermatozoides desde la pubertad, aunque las emisiones de semen contienen cada vez menos espermatozoides viables.

■ Los investigadores han descubierto que la duración promedio de las relaciones sexuales ha aumentado de modo considerable, lo mismo que la flexibilidad de las actitudes ante ellas.

■ La sexualidad es más abierta y aceptada ahora que antes de los años sesenta; pero hay la tendencia a retroceder a una conducta más conservadora, en parte por el temor a las enfermedades de transmisión sexual.

■ En los años noventa, el patrón dominante de intimidad sexual entre hombres y mujeres parecía ser el aumento de la comunicación y la satisfacción mutua.

■ La homosexualidad a menudo se manifiesta en la adolescencia o antes. Es difícil calcular su frecuencia, pues varía mucho según la localidad.

■ Muchos homosexuales y lesbianas cohabitan en una relación sostenida. Los homosexuales suelen vivir en "parejas abiertas" que no exigen la monogamia.

■ Ante la propagación del SIDA ha cambiado la conducta de heterosexuales y homosexuales. En la actualidad, la mayoría de las parejas jóvenes dice ser más precavida en sus actividades sexuales.

Continuidad y cambio cognoscitivos

■ Las pruebas relacionadas con la capacidad cognoscitiva después de la adolescencia no son claras, pero al parecer la inteligencia aumenta hasta los 45 años aproximadamente y luego se estanca.

■ Con la educación continua tienden a aumentar las calificaciones obtenidas por los adultos en las pruebas de inteligencia. Las personas mayores de 30 años muestran un mejor desempeño cuando reciben preparación en determinadas habilidades cognoscitivas; las habilidades que se ejercitan con frecuencia se conservan mejor.

■ Un estudio realizado con estudiantes universitarios reveló que éstos al principio interpretan el mundo y sus experiencias educativas de manera autoritaria y dualista, pero poco a poco comienzan a aceptar e incluso a respetar la diversidad de opiniones. A su vez, esta perspectiva relativista es reemplazada por una etapa en que hacen compromisos y afirmaciones personales respecto a ciertos valores y puntos de vista.

■ Según Riegel, hay una quinta etapa del desarrollo cognoscitivo, el pensamiento dialéctico, en la que el individuo considera pensamientos y observaciones contradictorios para integrarlos después.

■ Labouvie-Vief destaca el compromiso y la responsabilidad como el rasgo distintivo de la madurez cognoscitiva del adulto.

■ Schaie considera que el rasgo distintivo del pensamiento adulto es la forma flexible en que se emplean las capacidades cognoscitivas que ya se poseen. Divide el pensamiento adulto en cuatro etapas: periodo de adquisición, periodo de realización, periodo de responsabilidad social y periodo en el que la función principal consiste en reintegrar los elementos experimentados en fases anteriores.

■ Según Kegan, el individuo distingue de modo constante el yo y el mundo, al mismo tiempo que integra el yo al mundo en general. Señala que continuamos adquiriendo sistemas de significados en la edad adulta.

Estadios y tareas del desarrollo del adulto

■ Para Havighurst, la adultez es una serie de periodos en los que hay que realizar algunas tareas del desarrollo. En la juventud, las tareas suponen sobre todo la formación de una familia y afianzarse en el ejercicio de una profesión. En la madurez, se concentran en conservar lo que se logró en años anteriores y en ajustarse a los cambios físicos y familiares. En los años subsecuentes deben hacerse otros ajustes.

■ De acuerdo con Erikson, la tarea más importante de la adultez es resolver la crisis de intimidad frente al aislamiento. La intimidad consiste en establecer con otra persona relaciones estrechas y mutuamente satisfactorias.

■ Levinson considera que el ciclo de vida del adulto consta de tres grandes periodos (o "eras"), cada uno con una duración aproximada de entre 15 y 20 años. En cada periodo el individuo elabora una estructura vital, o sea el patrón que regirá su existencia.

■ Según Levinson, si el joven quiere lograr un ingreso pleno a la adultez debe dominar cuatro tareas del desarrollo: 1) definir un "sueño", 2) encontrar a un mentor, 3) forjarse una carrera y 4) establecer la intimidad.

■ En los estudios subsecuentes se incluyó a las mujeres y se descubrió semejanzas y diferencias. La diferencia más notable se refiere a la naturaleza del "sueño". A esto Levinson lo llama escisión de género: mientras los hombres suelen tener una visión unitaria de su futuro orientado a una carrera, las mujeres suelen tener sueños "escindidos" que contienen varias combinaciones de carrera y de matrimonio.

■ Hombres y mujeres difieren también en su relación con los mentores. Cuando una mujer tiene a un hombre como mentor, las relaciones entre ellos pueden deteriorarse por la atracción sexual.

■ Las mujeres tardan mucho más en consolidar su carrera y a menudo no alcanzan el estatus totalmente adulto en el mundo del trabajo sino hasta después de los 30 años.

■ Según Gould, el crecimiento es un proceso que consiste en desechar las ilusiones infantiles y las falsas suposiciones en favor de la seguridad en sí mismo y la aceptación personal. La conciencia plena y autónoma del adulto se logra cuando podemos encarar la injusticia y el dolor de la vida, sintiéndonos libres de examinar y desechar la futilidad y la maldad que quedan de la niñez.

CONCEPTOS BÁSICOS

reloj biológico	edad social	pensamiento dialéctico
edad cronológica	edad psicológica	sistemas de significado
edad biológica	paradigmas contextuales	estructura vital

UTILICE LO QUE APRENDIÓ

¿Se da el desarrollo cognoscitivo después de la adolescencia? ¿Somos más sabios y emitimos mejores juicios a los 35 que a los 20 años? Los clientes prefieren contratar a un abogado mayor de 35 años que a uno de entre 20 y 25. ¿A qué puede deberse?

Para analizar los factores que contribuyen al desarrollo cognoscitivo del adulto, busque a dos adultos que tengan la misma formación académica para su puesto pero cuya edad difiere en 15 años o más. Analice con ambos algunos de los aspectos más problemáticos o polémicos de su trabajo. ¿Cómo los describen? ¿Qué marco de referencia emplean para encontrar soluciones o tomar decisiones? ¿En qué se distinguen sus respuestas? ¿Es una de éstas más compleja o eficaz que la otra?

Trate de relacionar después las diferencias que observa con el material presentado en este capítulo.

LECTURAS COMPLEMENTARIAS

BELENSKY, M. F. (1986). *Women's ways of knowing: The development of self, voice and mind.* Nueva York: Basic Books. Libro innovador, basado en entrevistas a profundidad, que describe la adquisición de seguridad en sí misma y el pensamiento de la mujer adulta.

GILOVICH, T. (1991). *How we know what isn't so: The Fallibility of human reason in everyday life.* Nueva York: Free Press. A pesar de las habilidades cognoscitivas de los adultos con un grado elevado de escolaridad, este libro aborda el cómo y el porqué a veces llegan a estar convencidos de creencias falsas.

HIDE, J. S. (1989). *Understanding human sexuality* (4a. ed.). Nueva York: McGraw-Hill. Libro muy completo que expone los diversos aspectos de la sexualidad humana: actitudes y conductas heterosexuales y homosexuales, junto con su origen biológico.

LEVINSON, D. J. (1978). *The seasons of a man's Life.* Nueva York: Knopf. Informe sobre los patrones comunes del desarrollo, basado en una estudio de 10 años dedicado a varones adultos, con especial hincapié en la fase de noviciado, en el periodo de establecimiento y en la transición a la madurez.

LEVINSON, D. J. (1996). *The seasons of a woman's life.* Nueva York: Ballantine. En este informe de un estudio longitudinal sobre mujeres que sigue el formato de su estudio acerca de los hombres, Levinson analiza las semejanzas y las diferencias entre los géneros respecto a los estadios e intenta describir un ciclo global de la vida humana.

LEWIS, M. (1997). *Altering fates: Why the past does not predict the future.* Nueva York: Guilford Press. Michael Lewis, famoso investigador del desarrollo, pone en tela de juicio algunos modelos comunes con que se predice la personalidad del adulto a partir de los acontecimientos de su niñez. Sostiene que la adaptabilidad y las circunstancias del adulto, junto con el significado personal que se les da, influyen profundamente en el desarrollo psicológico del adulto.

MICHAEL, R. T. CAGNON, J. H. LAUMANN, E. O., Y KOLATA, G. (1994). *Sex in America: A definitive survey.* Boston: Little, Brown. Las películas, las revistas y los anuncios nos dan una impresión de la realidad. Otra muy diferente es la que nos da esta encuesta exhaustiva de las prácticas y preferencias sexuales del adulto, así como de sus estilos de vida.

ROSE, M. (1989). *Lives on the boundary: The struggles and achievements of America's underprepared.* Nueva York: Free Press. Historias reales de jóvenes que logran salir de la subclase de personas con baja escolaridad.

Juventud: desarrollo de la personalidad y socialización

OBJETIVOS DEL CAPÍTULO

Cuando termine este capítulo, podrá:

1. Explicar las interrelaciones del yo, la familia y el trabajo desde las perspectivas de Maslow y de Rogers.
2. Describir el desarrollo de las relaciones íntimas a partir de la teoría triangular del amor propuesta por Sternberg.
3. Explicar el proceso de formación de la pareja como una expresión de la intimidad.
4. Identificar la relación de las exigencias y presiones de la paternidad (maternidad) con el desarrollo del adulto, incluidos los problemas especiales que afrontan los progenitores solos.
5. Analizar el ciclo ocupacional clásico en función de las etapas vocacionales propuestas por Havighurst y los cambios que se han producido en años recientes.
6. Identificar los factores básicos que influyen en la elección ocupacional.
7. Explicar las semejanzas y diferencias en la participación de hombres y mujeres en la fuerza de trabajo y exponer los problemas especiales de las parejas con doble ingreso.

En los inicios del estudio del desarrollo adulto, Freud definió el éxito en este periodo como la capacidad de amar y trabajar. Erikson destacó la obtención de la intimidad y más tarde de la generatividad, que abarca toda clase de trabajo productivo. Algunos teóricos hablan de filiación y logro y otros de aceptación y competencia. El paso exitoso por la adultez está estrechamente ligado al compromiso del individuo con su carrera y, casi en todos los casos, con una pareja romántica y con la familia.

En este capítulo abordaremos la importancia que el amor y el trabajo tienen en el desarrollo durante la juventud. Por lo que respecta al amor, la familia y los estilos personales de vida constituyen un contexto social decisivo. Examinaremos las formas en que el adulto establece relaciones íntimas y cómo se sirve de ellas para estructurar y reestructurar su sentido de identidad. En lo que respecta al trabajo, analizaremos cómo aplica su energía y sus habilidades para realizar sus ambiciones. El trabajo moldea nuestros estilos de vida, la elección de amistades, el prestigio y el nivel socioeconómico, lo mismo que nuestras actitudes y valores. En teoría, nos plantea retos y nos ayuda a crecer. Nos obliga a resolver problemas. Puede ser el medio de encontrar placer, satisfacción y realización. Pero también puede causar frustración, aburrimiento, preocupaciones, humillación y un sentido de impotencia. Puede producirnos estrés y dañar la salud. Sin embargo, siempre constituye el contexto y elemento esencial del desarrollo del adulto.

CONTINUIDAD Y CAMBIO EN EL DESARROLLO DE LA PERSONALIDAD Y EN LA SOCIALIZACIÓN

La socialización continúa en la juventud y después; nos socializamos y así aprendemos nuevos roles dentro del contexto del trabajo, la vida independiente, la intimidad con otra persona, el matrimonio y la familia. Muchos asumen nuevos roles en su comunidad y se unen a clubes, grupos cívicos e instituciones religiosas.

¿Sucede lo mismo con la personalidad? ¿Continuamos desarrollándonos y cambiando durante la juventud y después? Muchos teóricos así lo consideran, como dijimos en el capítulo anterior. En esta fase, los cambios de roles constituyen transiciones, marcan hitos (Clausen, 1995) y nos hacen cambiar. Vemos las cosas desde otra perspectiva; nos comportamos de modo diferente; ajustamos nuestras creencias, nuestras actitudes y valores a los roles y los contextos del momento. En eso consiste precisamente el desarrollo de la personalidad —aunque los cambios son más sutiles y menos sistemáticos que los de la niñez y de la adolescencia, y también se da una gran continuidad. Sin embargo, una personalidad *estable* por lo general no se logra sino hasta los últimos años de la juventud o al inicio de la madurez. Pero ni siquiera entonces la personalidad presenta una estructura inmutable: los cambios abruptos en la familia, en los contextos sociales o profesionales pueden afectarla en cualquier etapa del ciclo vital.

EL YO, LA FAMILIA Y EL TRABAJO

El desarrollo del adulto puede describirse en el contexto de tres sistemas independientes, pero interconexos que se concentran en varios aspectos del yo: el yo personal, el yo como miembro de una familia (hijo adulto, miembro de una pareja y progenitor) y el yo como trabajador (Okum, 1984) (vea la figura 13-1). Abundan las interacciones. Por ejemplo, la investigación ha demostrado que

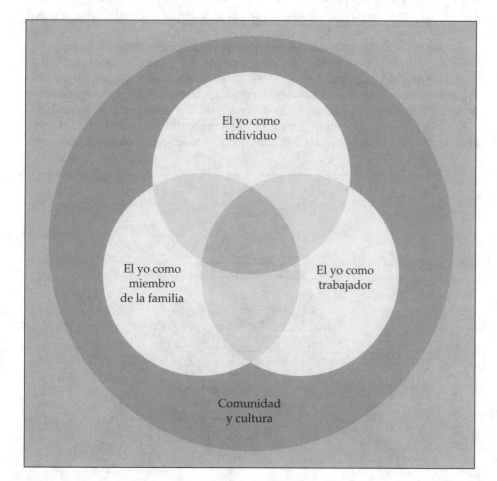

FIGURA 13–1

Los tres sistemas del desarrollo del adulto comprenden las interacciones dinámicas entre el yo como individuo, como miembro de la familia y como trabajador. Las interacciones tienen lugar dentro del contexto general de la comunidad y la cultura.

Fuente: adaptado de B. Okum (1984). *Working with Adults: Individual Family and Career Development. Monterey, CA: Brooks/Cole.*

cuanto más positiva sea la experiencia laboral del padre, mayor será su autoestima y mayores probabilidades habrá de que tenga un estilo de crianza aprobatorio, cálido y positivo (Grimm-Thomas y Perry-Jenkins, 1994).

Estos sistemas cambian con los acontecimientos y las circunstancias, lo mismo que a raíz de las interacciones con la comunidad y la cultura en general. Según señalamos en el capítulo 3, el modelo de sistemas ecológicos propuesto por Urie Bronfenbrenner (1979, 1989) presenta el desarrollo como un proceso dinámico y multidireccional que abarca el ambiente inmediato del individuo, su entorno social y los valores, leyes y costumbres de la cultura a que pertenece. Estas interacciones y los cambios personales que de éstas provienen ocurren a lo largo del ciclo vital.

EL YO PERSONAL: AUTORREALIZACIÓN Y AUTOESTIMA

El yo se conceptúa de muchas formas, como vimos en capítulos precedentes al hablar de la niñez y la adolescencia. Una formulación clásica de lo que es importante para el yo adulto es la de Abraham Maslow (1908-1970). Su teoría presenta características del desarrollo bien definidas. Sin embargo, en lugar de las etapas pone de relieve las *necesidades* que hemos de satisfacer cuando luchamos por alcanzar nuestro potencial o el sentido del yo. La meta es la **autorrealización**, es decir, la utilización y el desarrollo plenos de nuestros talentos y capacidades (Maslow, 1954, 1979). La autorrealización ocupa la parte más elevada en la "jerarquía de necesidades" de Maslow, que a menudo se representa como una pirámide según se aprecia en la figura 13-2. Los **psicólogos humanistas** como Maslow sostienen que tomamos decisiones acerca de nuestra vida. Recibimos el influjo de nuestras experiencias con la gente, pero también determinamos las direcciones que emprendemos y procuramos realizar nuestras metas (May, 1983).

La necesidad de autorrealización sólo puede expresarse o atenderse después de satisfacer las necesidades de orden inferior como las de alimento, vivienda y seguridad. A los que viven en condiciones de privación o terror difícilmente les interesará alcanzar todo su potencial. Necesitamos amar, sentirnos amados y experimentar un sentido de "pertenencia" en contextos como la familia y la comunidad. Además, necesitamos autoestima y obtener de los otros respuestas positivas, que van de la simple confirmación por parte de familiares

autorrealización Realizar plenamente nuestro potencial único.

psicología humanista Teoría de que el ser humano toma decisiones y busca cumplir metas positivas de índole personal y social.

FIGURA 13–2 JERARQUÍA DE NECESIDADES DE MASLOW

Aunque las necesidades superiores no son menos importantes que las inferiores, los individuos deben satisfacer las necesidades inferiores como las de supervivencia y seguridad, antes que las de orden superior como las de pertenencia y estima. Más adelante en su vida, el adulto debe atender a las necesidades de autorrealización a fin de alcanzar todo su potencial.

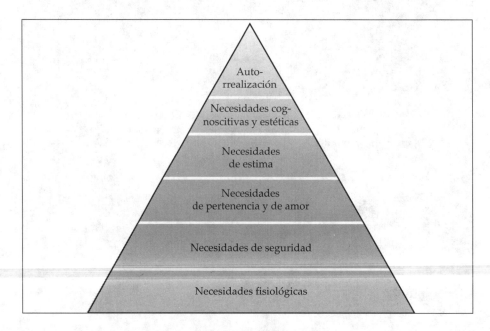

Auto-rrealización

Necesidades cognoscitivas y estéticas

Necesidades de estima

Necesidades de pertenencia y de amor

Necesidades de seguridad

Necesidades fisiológicas

y amigos de nuestra personalidad, habilidades y logros hasta la aclamación y la fama en la sociedad. También buscamos satisfacer las necesidades cognoscitivas y estéticas de orden superior.

Maslow buscó pruebas de la autorrealización y de su composición sobre todo en estudios de casos de personajes importantes y otros individuos que parecían encaminarse a alcanzar su potencial. ¿Qué tipo de personas son? Si bien suelen ser realistas, tener sentido del humor, ser creativos, productivos y tener un autoconcepto positivo, no por fuerza son perfectos: pueden ser caprichosos, distraídos y obstinados en la obtención de su potencial. No tienen tampoco que ser felices todo el tiempo, aunque sí viven *experiencias excepcionales* durante las cuales se sienten muy bien con ellos mismos y con el lugar que ocupan en el mundo.

Una persona sólo puede comenzar en la juventud el camino que la llevará a la autorrealización; se trata de una búsqueda permanente que nunca termina por completo. Conviene verla más como una "búsqueda de la verdad y del conocimiento, la tentativa por garantizar la igualdad y la justicia, y la creación y amor por la belleza" (Shaffer, 1978).

Carl Rogers (1902-1987), otro psicólogo humanista, abordó estos temas desde el punto de vista de un psicoterapeuta. Trataba de averiguar las causas de la ansiedad, de la poca autoestima y del escaso sentido de valor personal, lo mismo que de los problemas interpersonales de sus pacientes. Para él, la naturaleza humana consta esencialmente de impulsos sanos y constructivos (1980). Al nacer estamos preparados para ser "buenos" como individuos y como miembros de la sociedad, pero a medida que nos desarrollamos la sociedad nos "corrompe". Varias personas importantes (u otros significativos) en nuestra vida, comenzando por nuestros padres, nos imponen **condiciones de valor:** "no hagas esto, no hagas lo otro" porque de lo contrario serás una persona sin valor. El que interioriza tales condiciones adquiere poca autoestima, un sentido de fracaso, ansiedad y desesperación recurrentes. Las condiciones interiorizadas se convierten en criterios inalcanzables de perfección. Con una sola vez que nos portemos mal, quedaremos marcados para siempre como niños malos. Bastará una falla como cónyuges o empleados, para que nos tachen de individuos inútiles.

Rogers propone que nos veamos a nosotros y a los demás con una **consideración positiva incondicional**, expresión que para él significa aceptar en forma afectuosa —sin reservas ni condiciones— al otro como un ser humano valioso. El progenitor debe amar a su hijo incondicionalmente, cualquiera que sea su conducta. Cuando un niño se porta mal, se le castiga si es necesario pero nunca debe negársele el afecto ni restarle méritos a su valor como persona. Las mismas recomendaciones se aplican a las interacciones con miembros de la familia, amigos y compañeros de trabajo.

EL YO COMO MIEMBRO DE LA FAMILIA

Para el individuo, su familia es un contexto sumamente importante de su desarrollo como adulto. En una encuesta a nivel nacional efectuada en Estados Unidos, hombres y mujeres de todas las edades dijeron que sus roles familiares contribuían de manera decisiva a definir lo que eran (Beroff y otros, 1981). En un estudio más reciente y detallado sobre la identidad del adulto, 90 por ciento de los entrevistados y las entrevistadas indicaron, al definirse, que sus roles y responsabilidades familiares eran los elementos más importantes (Whitbourne, 1986a). Hablaron de sus roles como progenitores, cónyuges, hermanos e hijos; sobre las actividades y responsabilidades familiares; sobre la intimidad, la comunicación, la compañía y la realización personal. En términos generales, manifestaron lo que habían llegado a ser en estas relaciones y experiencias familiares. Muy pocos hombres y mujeres se definieron fundamentalmente en función de su carrera y no en función de su familia.

Los jóvenes solteros se encuentran a menudo en transición de la familia en la que crecieron a la que formarán.

condiciones de valor Condiciones que nos imponen para considerarnos seres humanos valiosos y que a menudo es imposible cumplir.

consideración positiva incondicional Idea de Rogers según la cual deberíamos aceptar con afecto a los demás como seres humanos valiosos, sin reservas ni condiciones.

Los jóvenes, casados o no, suelen encontrarse en transición, pasan de la familia en la que crecieron a la familia que formarán. Lois Hoffman (1984) identifica cuatro aspectos en este proceso. El primero es la *independencia emocional*, en que el joven necesita cada vez menos el apoyo psicológico de sus padres. El segundo proceso es la *independencia de actitudes*. El joven descubre actitudes, valores y creencias que no por fuerza son iguales a los de sus padres. El tercer proceso, la *independencia funcional*, se refiere a su capacidad para adquirir solvencia económica y atender a los problemas cotidianos. Por último la *independencia de conflictos*, que se presenta en cualquier momento, supone la separación de la familia sin sentimientos de culpa ni de traición.

Estudios realizados con estudiantes universitarios (Lapsley y otros, 1989) revelan un progreso notable en cada tipo de independencia durante esa etapa. Sin embargo, se observa una importante dependencia funcional incluso en el último año. Muchos estudiantes siguen dependiendo de sus padres en lo económico. Por último, la probabilidad de que se presenten problemas de ajuste psicológico es mayor entre los jóvenes que no terminan el proceso de separación, sobre todo en la independencia de conflictos (Friedlander y Siegel, 1990; Lapsley y otros, 1989).

EL YO COMO TRABAJADOR

A los niños se les pregunta: "¿Qué te gustaría ser de grande?" Muchos de nuestros pensamientos y fantasías se relacionan con esta interrogante que nos seguimos planteando mucho después de la niñez. La respuesta que demos a esta pregunta en la vida adulta contribuye en gran medida a nuestra identidad, es decir, lo que somos y lo que no. La etapa de *generatividad frente a estancamiento* (vea el capítulo 15), propuesta por Erikson, también guarda estrecha relación con el trabajo, pues muchos adquieren el sentido de ser miembros productivos y valiosos de la sociedad gracias, en parte, a su oficio o profesión.

Sin importar nuestra ocupación, llevamos con nosotros las actitudes, las creencias y las experiencias de nuestro trabajo. Somos miembros de una empresa, de una profesión, de una especialidad, de un arte o un oficio o, quizá, de un sindicato. A menudo el trabajo define nuestro estatus, nuestro ingreso o prestigio. Define, asimismo, nuestro programa diario de actividades, los contactos sociales y las oportunidades de desarrollo personal.

Como los trabajos en los que hay pocas oportunidades de progresar ofrecen a menudo menos satisfacción intrínseca, las amistades pueden ser una fuente importante de satisfacción extrínseca.

¿Qué nos da el trabajo a cambio del tiempo y la energía que le dedicamos? Los psicólogos industriales u organizacionales señalan que, para algunos, el trabajo es un medio de supervivencia. Obtienen del trabajo el dinero que les permitirá adquirir alimento, vestido y morada para ellos y su familia, pero no organizan su vida en función del mismo. A otros les da la oportunidad de ser creativos o productivos; les ofrece un acicate y estimula su crecimiento; les permite, además, lograr autoestima o respeto. Y para otros es una adicción; son "adictos al trabajo" y su motivación gira en torno al desempeño y definen su vida en función del trabajo.

Cuando los investigadores preguntan a los adultos qué aspecto del trabajo es importante para ellos obtienen dos tipos de respuesta. Por una parte, hablan de las características del empleo y de las habilidades que poseen para realizarlo, es decir, de los **factores intrínsecos del trabajo.** Quienes se enfocan en estos factores pueden describir su trabajo en función del reto o interés, aunque también podrían hablar de la competencia y los logros alcanzados. Por otra parte, algunos se concentran en los **factores extrínsecos del trabajo**. Entre éstos se cuentan sueldo y estatus, comodidad o conveniencia del ambiente laboral y las horas de trabajo, lo adecuado de las prácticas de supervisión de la empresa, actitudes y apoyo de los compañeros, y oportunidades de progreso (Whitbourne, 1986a).

Lo que dicen los trabajadores de su empleo depende en parte del trabajo. En el mundo moderno, muchos empleos ofrecen poco interés y oportunidad de crecimiento personal; quienes los realizan hablarán sólo de factores extrínsecos y supervivencia económica. En general, los afortunados que hallan en su trabajo estos factores intrínsecos suelen comunicar mayor satisfacción, motivación y compromiso personal. Es más probable que estos trabajadores definan su identidad principalmente a partir de su trabajo o de su carrera. Conocen la satisfacción personal que les procura y no quieren perderla. En un estudio realizado con trabajadores de clase media de 46 a 71 años de edad (Pfeiffer y Davis, 1971), 90 por ciento de los varones y 82 por ciento de las mujeres entrevistados dijeron que seguirían trabajando aun cuando no tuvieran necesidad. Señalaron que encontraban más satisfacción en el trabajo que en las actividades recreativas. Aun los que se acercaban a la edad de la jubilación preferían seguir trabajando, por lo menos medio tiempo.

La figura 13-3 contiene un modelo de la forma en que se vincula la motivación intrínseca del trabajo con la identidad como empleado competente. Cuando un individuo se siente motivado intrínsecamente, se compromete más con el trabajo, lo realiza mejor y tiene una mejor identidad como empleado competente. Si bien esto aumenta a su vez la motivación intrínseca, el ciclo también puede seguir una dirección negativa. Por ejemplo, el hecho de sentirse incompetente o abrumado disminuye la motivación intrínseca, la participación y el desempeño en el puesto (Maehr y Breskamp, 1986; Whitbourne, 1986b).

Las amistades pueden ser un importante factor extrínseco en el trabajo. Las amistades que ahí se forman pueden ser muy importantes para quienes ocupan puestos de poca proyección (Kanter, 1977), en los que el sueldo acaso sea bueno pero no hay oportunidades de progresar. Socializar con los compañeros puede dar sentido a este tipo de empleo. Las relaciones sociales en el lugar de trabajo son importantes sobre todo para las mujeres (Repetti y otros, 1989). Estas relaciones ofrecen apoyo emocional y quizá sean una de las razones que explican por qué las mujeres que trabajan fuera de casa tienen mejor salud mental y física. (Esto lo expondremos con mayor detenimiento después.)

Hay otros factores extrínsecos que se relacionan con la salud. Cuando se combina una exigencia excesiva con una supervisión poco clara, aumentan el estrés y el riesgo de ataques cardiacos (Repetti y otros, 1989). Por tanto, los factores extrínsecos son importantes no sólo para la satisfacción en el trabajo, sino también para la salud física y mental en general.

factores intrínsecos del trabajo
Satisfacciones que se obtienen cuando se realiza el trabajo por su propio valor.

factores extrínsecos del trabajo
Satisfacción por medio de sueldo, estatus y otras recompensas.

Figura 13–3

Interacción entre la motivación intrínseca del trabajo y la identidad del trabajador.

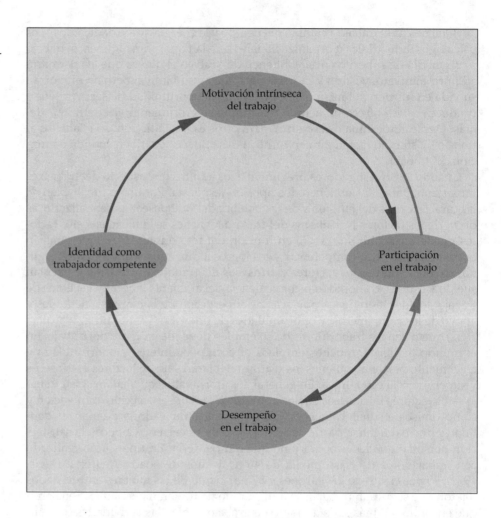

Por último, las actitudes y los valores relacionados con el trabajo se han modificado a partir de los años ochenta. En la actualidad, la mayoría de los trabajadores ya no se definen exclusiva o, incluso, principalmente en función del trabajo. Son cada vez más los que buscan un equilibrio entre familia, trabajo, intereses personales y pasatiempos (Derr, 1986; Whitbourne, 1986b). No obstante, la mayoría de los entrevistados sentía una gran satisfacción personal en su trabajo. En este estudio, las recompensas intrínsecas superaron a las extrínsecas.

ESTABLECIMIENTO DE RELACIONES ÍNTIMAS

Sin importar si los adultos son solteros, casados, viudos, divorciados o si cohabitan, casi todos buscan o mantienen relaciones íntimas —como parejas románticas y como amigos cercanos. La intimidad, parte esencial de un vínculo duradero, satisfactorio y emocional, constituye la base de la amistad y del amor.

AMISTADES ADULTAS

Como apuntó Beverly Fehr (1996), las amistades son el aspecto esencial de la vida adulta. Aunque como lo plantea Fehr "Hay tantas definiciones de la amistad como científicos sociales que la estudian", todas tienen ciertos elementos en común. Los amigos íntimos son personas en quienes confiamos y a las que acudimos cuando tenemos problemas; siempre están dispuestos a ayudar y compartimos con ellos momentos agradables. Igual que las relaciones románticas, las amistades suelen caracterizarse por un vínculo emocional positivo, por la satisfacción de necesidades y por la interdependencia (Brehm, 1992). Retomaremos este tema en el capítulo 15; por ahora obsérvese que la amistad posee elementos muy afines a los del amor.

TEORÍA TRIANGULAR DEL AMOR PROPUESTA POR STERNBERG

La teoría triangular del amor que propuso Robert Sternberg (1986) demuestra las complejidades que supone establecer relaciones amorosas. Afirma que el amor tiene tres componentes, como se observa en la figura 13-4. El primero es la **intimidad**, sensación de cercanía que ocurre en este tipo de relaciones. Es sentirse unido o vinculado al ser querido. Queremos hacer cosas para que la persona amada tenga una vida mejor. Nos une a ella un auténtico cariño y nos sentimos felices cuando está cerca de nosotros. Contamos con ella cuando la necesitamos y procuramos darle a cambio todo nuestro apoyo. Los que se aman comparten actividades, posesiones, pensamientos y sentimientos. En efecto, el compartir es quizá el factor decisivo que convierte un noviazgo en un matrimonio amoroso o en una relación parecida al matrimonio.

La **pasión** es el segundo componente del amor. Indica la atracción física, la excitación y el componente sexual de la relación. Las necesidades sexuales son importantes, pero no son la única fuente de motivación. También intervienen las necesidades de autoestima, afiliación y afecto. Unas veces, la intimidad culmina en la pasión; otras, la pasión aparece primero. En ocasiones hay pasión sin intimidad o intimidad sin pasión (como sucede en una relación fraternal).

El tercero componente del triángulo amoroso de Sternberg incluye **decisión y compromiso.** Dicho componente presenta aspectos a corto y a largo plazos. El primero es la decisión o el darse cuenta de estar enamorado. El aspecto a largo plazo es el compromiso de cultivar ese amor. Una vez más puede variar la relación entre este componente y los dos restantes. Para demostrar las combinaciones posibles, Sternberg (1986) ideó la taxonomía de las relaciones amorosas que

intimidad   Sensación de contacto estrecho que se experimenta en las relaciones amorosas.

pasión   Segundo componente del amor que se refiere a la atracción física, la excitación y la conducta sexual en una relación.

decisión y compromiso   Darse cuenta de estar enamorado y hacer el compromiso de mantenerlo.

Según Sternberg, la intimidad es la principal característica de una relación amorosa.

FIGURA 13–4 TEORÍA TRIANGULAR DEL AMOR PROPUESTA POR STERNBERG

Fuente: adaptado de Feldman (1998).

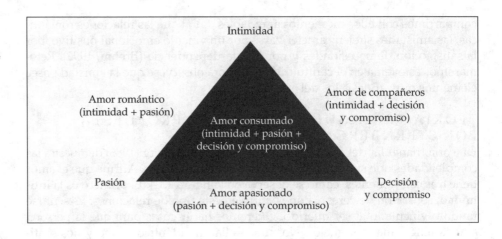

aparece en la tabla 13-1. Por supuesto la mayoría de la gente desea una relación matrimonial en la que predomine el amor consumado. Pero más de una pareja ha confundido el apasionamiento con el amor; en muchos matrimonios la pasión desaparece y entonces la esencia de la relación se torna no romántica.

La intimidad puede destruirse si se niegan los sentimientos, en especial el enojo. El temor al rechazo también la bloquea, sobre todo cuando produce una falsa identidad que tiende a satisfacer al otro y no las necesidades personales más importantes. El cortejo tradicional y los patrones del noviazgo pueden desalentar incluso la intimidad, si sólo abarcan intercambios superficiales y apariencias. Hay conductas que son aún más nocivas para la intimidad: el sexo informal, la franqueza brutal y una falsa indiferencia no son tierra fértil para la intimidad (McCary, 1978).

TABLA 13–1 TAXONOMÍA DE LAS CLASES DE AMOR BASADA EN LA TEORÍA TRIANGULAR DEL AMOR PROPUESTA POR STERNBERG

	COMPONENTE		
Clase de amor	Intimidad	Pasión	Decisión y compromiso
Cariño	+	–	–
Entusiasmo	–	+	–
Amor vacío	–	–	–
Amor romántico	+	+	–
Amor de compañeros	+	–	+
Amor apasionado	–	+	+
Amor consumado	+	+	+

Nota: + = componente presente; – = componente ausente. Estos tipos de amor representan casos límites basados en la teoría triangular del amor. La mayoría de las relaciones amorosas encaja entre las categorías porque los componentes del amor se expresan a lo largo de un continuo, no en forma diferenciada.

Fuente: Sternberg (1986).

FORMACIÓN Y DESARROLLO DE LA PAREJA

La formación y el desarrollo de la pareja son elementos importantes del desarrollo adulto. Una parte de la identidad personal se adquiere por ser miembro de una pareja relativamente estable. Es, pues, indispensable entender cómo se escoge la pareja y por qué algunos deciden casarse y otros prefieren cohabitar.

Cuando Arland Thornton (1989) analizó cómo habían cambiado las actitudes y los valores concernientes a la vida familiar desde finales de los años cincuenta hasta mediados de los ochenta, descubrió un debilitamiento notable y generalizado de las normas que exigen que las parejas se casen, sigan casadas, procreen, tengan relaciones íntimas sólo dentro del matrimonio y mantengan separados los roles del hombre y de la mujer. Como veremos, se ha atenuado la fuerza de las creencias compartidas socialmente, según las cuales las personas "deben" o "deberían" seguir ciertos patrones en el matrimonio y en la formación de la familia. Con todo, aunque en la actualidad se aceptan diversos patrones de familia, la mayoría de la gente sigue escogiendo un estilo de vida familiar tradicional —que abarca el matrimonio y la procreación.

ELECCIÓN DE CÓNYUGE   ¿Cómo elegimos a nuestro cónyuge? ¿Tomamos esta decisión trascendental basándonos en la semejanza, es decir, escogemos a personas que se parecen a nosotros? ¿O algunos factores emocionales y ambientales más complejos nos llevan a cierto tipo de persona? Con los años, varios teóricos han tratado de contestar estas preguntas. Sus conclusiones muestran, por lo menos, que la elección es mucho más compleja de lo que parecería a primera vista.

Freud fue uno de los primeros teóricos que intentó explicar por qué nos casamos. Una piedra angular de su teoría psicoanalítica es la atracción amorosa que el niño siente por el progenitor del sexo opuesto (vea el capítulo 1), atracción que más tarde "transferirá" a un objeto socialmente aceptable: la posible pareja. (Por tanto, quizá tenga razón la vieja canción que dice "Quiero una muchacha como la que se casó con mi querido padre".) Sin embargo, como tantos otros aspectos de la teoría freudiana, tampoco éste cuenta con pruebas concluyentes producto de las investigaciones.

La *teoría de las necesidades complementarias* (Winch, 1958) se basa en el viejo principio de que los polos opuestos se atraen. Así, un hombre dominante se sentirá atraído por una mujer sumisa o un hombre tranquilo por una mujer dinámica y extrovertida, y a la inversa. La *teoría instrumental de la selección de pareja*, ideada por Richard Centers (1975) también se concentra en la gratificación de las necesidades, pero establece que algunas de éstas (como el sexo y la afiliación) son más importantes y que algunas son más apropiadas para el hombre y otras para la mujer. Según Centers, nos sentimos atraídos hacia personas con necesidades semejantes o complementarias a las nuestras.

Según la *teoría de estímulo, valor y función* formulada por Bernard Murstein (1982), la elección de pareja nace del intento por lograr la más idónea posible. Cada persona examina las cualidades y deficiencias de la otra para determinar si la relación vale o no la pena. Este análisis tiene lugar en las tres etapas del cortejo. Durante la etapa de *estímulo*, cuando un hombre y una mujer se conocen o se ven por primera vez, hacen un juicio inicial sobre el aspecto, personalidad e inteligencia del otro. Si las primeras impresiones son favorables, la pareja pasa a la segunda etapa, la de *comparación de valores*. En ésta, sus conversaciones revelan si son compatibles sus intereses, actitudes, creencias y necesidades. En la etapa final, la de *la función*, la pareja decide si puede desempeñar funciones compatibles en el matrimonio o en otra relación a largo plazo.

De acuerdo con un estudio realizado durante seis meses con parejas estables de universitarios (Adams, 1979), la atracción inicial se basa en cualidades bastantes superficiales: atractivo físico, carácter gregario, porte e intereses comunes. La relación se refuerza con las reacciones de otros (incluido el hecho de ser

El matrimonio adopta muchas formas según la cultura, pero es un hito muy importante prácticamente en todas.

considerados como pareja) y por sentirse cómodos cuando están juntos. La pareja inicia entonces una etapa de compromiso e intimidad, que produce mayor atracción y enamoramiento. Examinan los puntos de vista del otro y sus sistemas de valores al hacer un compromiso. En esta fase, la pareja a menudo cree estar preparada para tomar decisiones respecto al matrimonio.

Por último, tenemos la *teoría del sistema familiar* (McGoldrick, 1980), según la cual la formación de la pareja conlleva la creación de una nueva estructura y el proceso de conocerse mejor. Es indispensable negociar los límites, de ahí que la pareja redefina poco a poco sus relaciones con los otros —familiares y amigos— y entre sí. Ocurren muchos cambios informales en la relación. Además, algunos acontecimientos más formales, como la ceremonia matrimonial, establecen límites concretos a la pareja.

MATRIMONIO   En Estados Unidos conviven muchas subculturas con patrones de estilos de vida adulta propios. Con todo, el matrimonio monógamo es, sin duda, el de mayor aceptación y el tipo de estilo de vida más común. En ese país más de 90 por ciento de los hombres y las mujeres se casará algún día. Muchas culturas aprueban el sexo sólo dentro del matrimonio. La preparación para el matrimonio a veces incluye rituales complejos: salir juntos, cortejo y compromiso. La ceremonia nupcial simboliza el vínculo; después se definen los nuevos roles conyugales en relación con la pareja y con el resto de la sociedad. La comunidad aprueba la unión, que deberá ofrecer apoyo emocional, gratificación sexual y seguridad económica a la pareja y a su familia. La exigencia de fidelidad varía mucho de una cultura a otra y también entre los individuos.

Por ejemplo, en las culturas árabes tradicionales, los parientes mayores organizan rigurosamente la transición a la vida matrimonial. Tan pronto como la mujer llega a la pubertad, la familia intenta preservar a toda costa su virginidad mediante una estrecha vigilancia. Una vez escogido el prometido, se prohíbe todo contacto con hombres, incluido el novio. A los jóvenes también se les excluye del proceso de cortejo. Sus parientes mayores seleccionan a las jóvenes elegibles y a sus familias. Los ancianos se encargan de efectuar las negociaciones sobre el precio de la novia. Para conservar los activos de la familia y proteger su honor, se prefieren los "matrimonios entre primos" con la hija del hermano del padre. De este modo, una familia se asegura de que la joven esposa sea acompañada y protegida en forma aceptable (Goode, 1970).

Aunque en Estados Unidos los matrimonios por lo general no están sujetos a tal investigación y negociación prenupcial, se restringen mucho las relaciones que violan los límites sociales, económicos, religiosos o étnico-raciales. Los grupos de la comunidad y las instituciones sociales, lo mismo que los padres, no ven con buenos ojos los matrimonios "mixtos" de cualquier tipo; sin embargo, estas uniones cada vez gozan de mayor aceptación social. Por ejemplo, las investigaciones señalan que uno de cada cinco estadounidenses ha tenido una relación afectiva con una persona de otra raza (Porterfield, 1973) y que, en 1996, había ya 1,260,000 parejas interraciales en el país (U.S. Census Bureau, 1997).

Si bien todas las parejas enfrentan problemas de fidelidad, compromiso y estabilidad, estos temas son especialmente importantes para las parejas que cohabitan.

ALTERNATIVAS AL MATRIMONIO FORMAL   Según la pareja, la cohabitación o unión libre puede parecerse o no al matrimonio formal. Ésta no tiene la aprobación social ni las responsabilidades legales del matrimonio tradicional, pero a cambio ofrece mayor libertad a la pareja para que diseñe sus roles según lo desee. Se caracteriza por un reconocimiento franco de que la pareja no está casada. Es difícil presentar estadísticas confiables por la renuencia de algunos a proclamar su relación y también por la naturaleza a menudo transitoria de la cohabitación. La Oficina de Censo de los Estados Unidos señala un gran aumento en el número de parejas que abiertamente admiten vivir en unión libre, sobre todo entre los jóvenes. En la población general, la cohabitación aumentó casi ocho veces entre 1970 y 1996, de 523,000 a 3,958,000 parejas (U.S. Census Bureau, 1997). Entre las personas menores de 25 años, se registró un incremento multiplicado por quince: de 55,000 parejas en 1970 a 816,000 en 1996. La mayoría (64 por ciento) no tiene hijos, pero ese porcentaje incluye a un millón de familias que sí los tienen. Casi todas estas personas son adultos jóvenes; la edad de 59 por ciento fluctúa entre 25 y 44 años (U.S. Census Bureau, 1997). A medida que la unión libre vaya ganando aceptación, el matrimonio puede que pierda importancia como medio de sanción formal del sexo (Thornton, 1989).

Se estima que más o menos una tercera parte de las parejas que viven en unión libre termina por casarse. Aunque la gran mayoría planea hacerlo, no siente tanta urgencia como quienes nunca han cohabitado. Las parejas que acaban casándose no necesariamente se comunican mejor ni encuentran mayor satisfacción en el matrimonio que las parejas que no vivían juntas antes del matrimonio (Demaris y Leslie, 1984). Como las parejas que no se casan suelen separarse, es infrecuente encontrar una que dure mucho tiempo. Philip Blumstein y Pepper Schwartz (1983) no pudieron encontrar una cantidad suficiente de heterosexuales que llevaran juntos más de 10 años para poder analizar los datos, aunque sí hallaron la cantidad necesaria de parejas de homosexuales y lesbianas que habían cohabitado por ese tiempo. Sin duda, este último dato se relaciona con las leyes contra el matrimonio de homosexuales, las cuales sólo hasta hace poco comenzaron a reconsiderarse en Estados Unidos, a menudo a despecho de las protestas de los heterosexuales.

La unión libre supone muchas de las funciones que enfrentan los recién casados en el establecimiento de sus relaciones. Hay que resolver los conflictos mediante un complejo proceso de "negociación y acuerdos colectivos" (Almo, 1978), por lo que resulta indispensable una comunicación constante y eficaz. Al igual que en el matrimonio, hay un esfuerzo constante por lograr una buena comunicación. De hecho, puede ser aún más importante y más difícil dentro de los límites tan vagos de la cohabitación.

Por último, la pareja que vive en unión libre debe resolver los problemas de compromiso, fidelidad y estabilidad. Los amoríos son más probables entre los hombres y las mujeres en una relación de cohabitación que entre los casados (Blumstein y Schwartz, 1983). Esto contribuye a crear mayor tensión que la que se observa en los matrimonios, o entre las parejas establecidas de homosexuales y lesbianas (Kurdek, y Schmitt, 1986). De acuerdo con un estudio (Almo, 1978), a las parejas les resulta difícil encarar abiertamente tales problemas, a pesar del entrañable afecto que se profesan. La mayor parte de las parejas hacen un compromiso claro —aunque tácito— con el otro antes de empezar a convivir. El compromiso se funda en el deseo mutuo de cierta clase de estabilidad que les permita planear el futuro, sin perder su flexibilidad. No siempre exigen la exclusividad sexual o fidelidad. Algunas parejas consideran tabú las relaciones sexuales fuera de su relación. Otras aceptan de manera explícita que el compañero puede tenerlas, aunque por lo general uno de los dos lo propone y el otro lo acepta.

Una alternativa al matrimonio o a la cohabitación consiste en permanecer soltero, según se comenta en el recuadro "Teorías y hechos" de la página 454.

1. Describa los tres componentes de la teoría triangular del amor propuesta por Sternberg así como los siete tipos de relaciones amorosas derivadas de la teoría.
2. ¿Cómo se explica la selección de la pareja en la teoría psicoanalítica, la teoría de las necesidades complementarias, la teoría instrumental de la selección de la pareja y la teoría de estímulo, valor y función?
3. ¿En qué se distinguen la cohabitación y el matrimonio?

REPASE Y APLIQUE

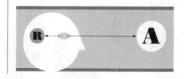

TEORÍAS Y HECHOS

LA SOLTERÍA

En muchos periodos de la historia, la soltería fue a menudo un resultado desafortunado de desastres naturales o de guerras. Se le consideraba, y en cierto modo sigue considerándosele, como signo de anormalidad o inmadurez. Los casados tienen una imagen estereotipada de los solteros; por ejemplo, que son personas promiscuas y "perdedoras". Se cree que los promiscuos llevan una vida emocionante y desenfrenada, con pocas restricciones. El perdedor estereotipado es un individuo físicamente poco atractivo sin características intelectuales o de personalidad que compensen esto, a quien le gustaría casarse pero no encuentra quien lo acepte. ¿Tienen algo de verdad semejantes estereotipos?

Algunas veces, sí. Si bien hay individuos que encajan en las descripciones anteriores, al menos por cierto tiempo, la gente cambia. Sin embargo, si queremos entender la soltería debemos ponerla en una perspectiva histórica. De manera periódica, numerosos grupos de personas permanecen solteros. Así,

a fines de los años treinta, cuando Estados Unidos empezaba a recuperarse de la Gran Depresión, se casaban menos personas y a una edad mayor. Esta tendencia se prolongó durante la Segunda Guerra Mundial, cuando millones de mujeres temporalmente solas ingresaron a la fuerza laboral mientras su esposo o su novio combatían y morían en el frente de batalla. Terminada la guerra, la situación cambio de manera radical. A mediados de los cincuenta, sólo 4 por ciento de los adultos en edad de casarse permanecían solteros, y la edad de las primeras nupcias fue la más baja de la historia. Permanecer soltero volvió a ponerse de moda entre los setenta y ochenta: la tasa de matrimonios entre solteros menores de 45 años bajó a un nivel igual al periodo posterior a la Depresión. En 1996, 26.8 por ciento de la población estadounidense mayor de 18 no estaba casada, 2.7 había enviudado y 8.4 por ciento estaba divorciada (U.S. Census Bureau, 1997).

La elección de la soltería como estilo de vida a veces es deliberada: un equilibrio entre libertad y restricción, auto-

suficiencia e interdependencia. A algunos comentaristas les preocupa la tendencia decreciente de los matrimonios y el aumento de los divorcios. ¿Estamos en una sociedad demasiado fascinada con la libertad y la autonomía a costa de las obligaciones interpersonales (Weiss, 1987)? Más de un observador ha manifestado temores ante los efectos de estos estilos de vida individualistas y la preferencia por el libre albedrío en detrimento de los vínculos entre generaciones y los roles interdependientes (Hunt y Hunt, 1987).

Muchos escogen la soltería para disfrutar de las relaciones íntimas sin las restricciones y los problemas del matrimonio. No quieren sentirse atrapados por una pareja que les obstaculice el desarrollo personal. Tampoco quieren sentirse aburridos, tristes, irritados, sexualmente frustrados ni solitarios, aunque vivan con una persona de quien han ido distanciándose. Al observar la separación de sus amigos casados, piensan que la soltería es una opción mucho mejor

PATERNIDAD (MATERNIDAD) Y DESARROLLO DEL ADULTO

El nacimiento de un hijo impone nuevos roles y responsabilidades al padre y a la madre. Les confiere, además, otro estatus social (Hill y Aldous, 1969). La llegada de un hijo significa una serie de tensiones físicas y psicológicas: alteración de las rutinas del sueño, gastos, aumento de la tensión y conflictos de diversos tipos. La madre se siente cansada; descuidado el padre, y ambos cónyuges piensan que han perdido parte de su libertad. Su intimidad y su camaradería pueden disminuir con la llegada de un nuevo miembro de la familia, y la atención de uno o de los dos a veces se concentra en el niño (Komarovsky, 1964).

Los desafíos y las exigencias de la paternidad representan una importante fase en el desarrollo de los padres como individuos y de la pareja como sistema (Osofsky y Osofsky, 1984). Factores importantes en este caso son hacer la transición correspondiente y aprender a enfrentar la crianza.

EL CICLO DE LA VIDA FAMILIAR

Las familias pasan por un ciclo predecible en su vida familiar, caracterizado por hechos concretos (Birchler, 1992). El primer hito ocurre cuando el individuo deja su familia de origen. La separación puede realizarse en el momento del matrimonio o antes, si opta por la independencia y vive solo o con amigos.

El segundo hito suele ser el matrimonio, con los ajustes que conlleva establecer una relación con otra persona y con otra red familiar, la del cónyuge. El tercer hito es el nacimiento del primer hijo y el inicio de la paternidad (maternidad). Hay otros hitos: la inscripción del primer hijo en la escuela, el nacimiento del último hijo, la partida del último hijo y la muerte del cónyuge.

En los últimos 50 a 100 años, han cambiado los tiempos y la naturaleza del ciclo familiar. Hoy no sólo viven juntas más personas durante más tiempo, sino que también ha cambiado su edad en varios momentos del ciclo y la duración entre los hitos. Por ejemplo, el tiempo entre la partida del último hijo y la jubilación o muerte del cónyuge ha aumentado y seguirá aumentando.

LA TRANSICIÓN A LA PATERNIDAD (MATERNIDAD)

Esta transición es uno de los periodos centrales en el ciclo de la vida familiar. A menudo la familia y la cultura ejercen presión para tener un hijo —cambio que es irrevocable. En comparación con los roles propios del matrimonio, los roles y responsabilidades de tener un hijo persisten a pesar de las circunstancias cambiantes de la vida (Rossi, 1979), y exigen muchas adaptaciones y ajustes. Los recién casados disfrutan a menudo un nivel relativamente alto de vida cuando trabajan los dos y no deben mantener a un hijo. Compran automóviles, muebles y ropa. Con frecuencia comen fuera de casa y gozan de numerosas actividades recreativas. Este estilo de vida llega a un fin abrupto con el nacimiento del primer hijo (Aldous, 1978).

Entre los efectos que esta transición tiene en determinados dominios de la vida personal y familiar se encuentran los siguientes (Cowan y Cowan, 1992):

- *Cambios en la identidad y en la vida interior.* Se modifican tanto el sentido del yo de los padres como sus suposiciones respecto del funcionamiento de la vida familiar.
- *Cambios en los roles y en las relaciones dentro del matrimonio.* La división del trabajo entre los padres cambia en un momento en que se sienten presionados por la alteración del sueño y porque no pueden estar juntos tanto como desearían.
- *Cambios en los roles y en las relaciones entre generaciones.* La transición influye también en los abuelos.
- *Cambio en los roles y en las relaciones fuera de la familia.* Los cambios externos influyen sobre todo en la madre, pues seguramente interrumpirá su carrera al menos en forma temporal.
- *Nuevos roles y relaciones de paternidad (maternidad).* La pareja debe cumplir con las nuevas responsabilidades relacionadas con la crianza del hijo.

Aunque comparten muchas preocupaciones, el padre y la madre exteriorizan reacciones diferentes cuando nace su primer hijo. La mujer ajusta su estilo de vida para dar prioridad a los roles maternales y familiares. Por su parte, el hombre pone más empeño en su trabajo para garantizar el sustento de su familia. Con la llegada del niño se presentan nuevas tensiones y dificultades, y los roles cambian con mayor rapidez (Rossi, 1979). Los padres experimentan sentimientos de orgullo y emoción, aunados a una mayor responsabilidad que puede resultar abrumadora. A algunos hombres les causa envidia la capacidad de su esposa para establecer un vínculo emocional tan estrecho con el bebé. La pareja necesita reservar un poco de tiempo para estrechar su relación y cultivar otros intereses. Después del nacimiento de un hijo, en muchos matrimonios surgen problemas sexuales, disminuyen la comunicación y los intereses comunes, y aumentan los conflictos (Osofsky y Osofsky, 1984).

Sin embargo, el nacimiento del primer hijo marca una transición más que una crisis (Entwisle, 1985). Casi todas las parejas señalan que el ajuste no fue tan difícil (Hobbs y Cole, 1976). Por ejemplo, las madres, en su mayoría, no sufren

Durante el embarazo, ambos cónyuges se ofrecen apoyo emocional.

Los progenitores con gran autoestima se ajustan mejor a la paternidad (maternidad) que los que tienen poca autoestima.

la depresión de posparto (vea el capítulo 2). Experimentan, más bien, una ligera "tristeza por el bebé" durante dos o tres días; y es posible que entre 10 y 20 por ciento de ellas ni siquiera pase por eso (O'Hara y otros, 1990). Además, un estudio reciente (Belsky y Rovine, 1990) reveló que entre 20 y 35 por ciento de las parejas experimentan mayor satisfacción conyugal.

Varios factores influyen en el ajuste de los padres a sus nuevas funciones. El apoyo social, en especial del marido, es muy importante para la madre (Cutrona y Troutman, 1986). La felicidad conyugal durante el embarazo es otro factor decisivo en el ajuste de ambos (Wallace y Gotlib, 1990). De hecho, en la adaptación del padre influye profundamente la evaluación que haga la madre de su matrimonio y de su embarazo (Wallace y Gotlib, 1990).

La autoestima de los padres es otro factor, pues los que tienen una gran autoestima suelen lograr un ajuste adecuado (Belsky y Rovine, 1990b). También son importantes las características del niño. Por ejemplo, a menudo disminuye la satisfacción conyugal de los padres de bebés "difíciles" (vea el capítulo 5) (Belsky y Rovine, 1990b; Crockenberg, 1986). Finalmente, como se comenta en el recuadro "Estudio de la diversidad" en la página siguiente, la edad en que se procrea influye de modo considerable en la adaptación a la paternidad y la maternidad.

CÓMO SE ENFRENTAN LAS ETAPAS DEL DESARROLLO DE LOS HIJOS

Las exigencias impuestas a los padres varían con cada periodo del ciclo de la vida familiar. Un bebé necesita una atención casi total y constante, y algunos progenitores la dan con mayor facilidad que otros. Algunos se sienten abrumados por la gran dependencia de sus hijos. Otros no soportan el llanto. Los gemidos del niño pueden provocar sentimientos de impotencia y hasta de ira al padre o a la madre.

Cada periodo crítico del desarrollo infantil produce o reactiva un periodo también crítico de los progenitores (Benedek, 1970). De acuerdo con una teoría (Galinsky, 1980), en la paternidad o maternidad existen seis etapas. En la *etapa de formación de la imagen*, que abarca desde la concepción hasta el nacimiento, la pareja genera una imagen del tipo de padres que serán y evalúa el desempeño

En ocasiones los progenitores saben tratar mejor a sus hijos en una etapa del desarrollo que en otra.

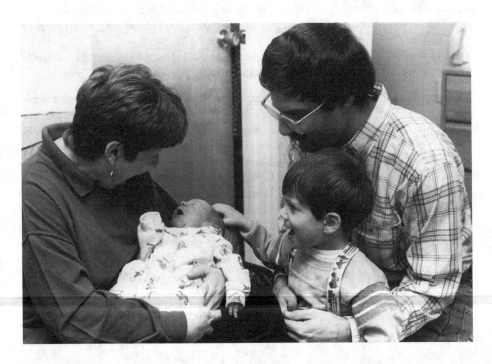

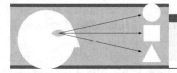

ESTUDIO DE LA DIVERSIDAD

POSPOSICIÓN DE LA PATERNIDAD (MATERNIDAD)

En la colonia de Plymouth, el número medio de hijos por familia era de nueve. En 1850, la familia estadounidense común tenía seis hijos, y los padres difícilmente sobrevivían más allá de los 50 años. En la actualidad, la familia media tiene sólo dos o tres hijos, la esperanza promedio de vida se alarga hasta bien entrados los 70 años y, por tanto, el tiempo de procreación es mucho más flexible. Por ejemplo, una mujer puede dejar de trabajar por algún tiempo para criar a los hijos —quizá nueve años si tiene tres— y aun así pasar de 35 a 40 años en la fuerza de trabajo (Daniels y Weingarten, 1982). ¿Qué efectos se observan en el desarrollo adulto y en el ciclo de la vida familiar cuando la procreación se aplaza cinco, 10 o 15 años? ¿Cuáles son sus ventajas e inconvenientes?

Leila Josephs (1982) dio seguimiento a varias madres primerizas mayores durante los dos primeros años con su primogénito. La mayoría había logrado seguridad y estabilidad en su vida. Ya habían resuelto algunos de los problemas del desarrollo adulto y habían adquirido recursos financieros. Su profesión les había enseñado a organizarse, ser competentes y estar motivadas; casi siempre se servían de este entrenamiento para obtener una educación esmerada y prepararse para el parto y la crianza.

Pero ni aun la mejor educación podía prepararlas para la desorganización que el hijo traía a su vida. Como profesionistas acostumbradas a tener control sobre su vida, estas mujeres se sentían molestas por no poder controlar al hijo y por la necesidad de ser flexibles y pacientes. A menudo les resultaba difícil simplemente relajarse con él. Acostumbradas a disponer de tiempo para sus intereses personales y profesionales, muchas veces se sentían demasiado cansadas para ello o demasiado atareadas con el cuidado del niño. La relación con el hijo no satisfacía su necesidad de estimulación intelectual. En general, sus expectativas diferían de las realidades que encaraban como madres.

En una investigación más completa de madres y padres en sus treinta, cuarenta y cincuenta (Daniels y Weingarten, 1982), se compararon los efectos de tener el primer hijo a los 20, 30 y 40 años de edad. Los investigadores detectaron numerosas diferencias. Una edad no era necesariamente mejor que otra para afrontar las funciones de la crianza; pero casi todos los progenitores coincidieron en que las múltiples exigencias planteaban un gran reto a su desarrollo. Algunos padres señalaron que en un principio no participaban mucho en la crianza de sus hijos, pero que quedaban "enganchados" cuando alcanzaban cierta etapa del desarrollo o por un determinado acontecimiento. Para algunos, el cambio se producía cuando podían compartir intereses especiales con su hijo; otros se sentían más cerca de él cuando llegaba la adolescencia. La enfermedad de un hijo era un hecho drástico que los hacía despertar a las realidades de la paternidad.

Aunque la procreación tardía a veces impone muchos ajustes iniciales al estilo de vida y las actitudes, casi todos los progenitores que traen al mundo un hijo después que la mayoría, dicen que aprecian más la enorme riqueza de la crianza que si hubieran tenido a sus hijos a edad más temprana. Además, muchos creen que, cuando eran jóvenes, estaban demasiado concentrados en sus necesidades y metas personales o en sus relaciones conyugales para apreciar cabalmente la función de padre o madre.

---

previsto con sus criterios de perfección. En la *etapa de crianza*, desde el nacimiento hasta los dos años de edad (para ser más exactos, hasta que el niño comienza a decir "¡No!"), los padres se sienten apegados a su hijo y tratan de conciliar las necesidades del niño con el compromiso emocional y el tiempo que dedican al cónyuge, a los amigos y a los padres. En la *etapa de la autoridad*, tiempo comprendido más o menos entre el segundo y el quinto cumpleaños del niño, comienzan a cuestionar el tipo de padres que han sido y que serán. Se produce el crecimiento cuando se dan cuenta de que a veces ni ellos ni su hijo corresponden a su imagen de perfección.

Durante la *etapa interpretativa* —los años de la niñez media—, los padres reexaminan y prueban muchas de sus teorías más arraigadas. Cuando su hijo llega a la adolescencia, pasan por la *etapa de interdependencia*, en la cual han de redefinir la relación de autoridad que tienen con su hijo en esa fase de la vida. Algunos se sorprenden compitiendo o comparándose con sus hijos. Por último, en la *etapa de la partida*, cuando los hijos ya crecidos abandonan el hogar paterno, los progenitores no sólo deben permitirles independizarse, sino que encaran la dura y, en ocasiones, desagradable tarea de valorar sus experiencias como padres. Durante cada etapa, es necesario que los padres sepan resolver sus conflictos personales en un nivel nuevo y más avanzado de integración; de lo contrario, no conseguirán enfrentar sus sentimientos. Las tensiones sin resolver pueden deteriorar las relaciones matrimoniales o la capacidad de cumplir bien las obligaciones de padres.

Los progenitores que no pueden tratar en forma adecuada a sus hijos en una etapa quizá sean excelentes en otra. Por ejemplo, es posible que aquellos que tienen problemas con un bebé sean muy buenos padres con un preescolar o con un adolescente. Puede suceder lo contrario: el progenitor que atiende bien a un pequeño desvalido posiblemente tenga problemas con un adolescente cada día más independiente.

En todas las fases del ciclo de vida familiar los progenitores no sólo han de encarar las nuevas dificultades y demandas que les plantean sus hijos cambiantes y en desarrollo, sino que también deben renegociar su relación conyugal (Carter y McGoldrick, 1980). Tienen que establecer formas para tomar decisiones y resolver conflictos que preserven la integridad y el respeto mutuos. Los sistemas en que una persona predomina y la otra siempre adopta una actitud pasiva suelen disolverse con el tiempo. Por ejemplo, las presiones creadas por la rebeldía del adolescente y su búsqueda de independencia exigen que la pareja adapte el sistema familiar para dar cabida al joven casi autónomo. Un sistema familiar demasiado rígido o estructurado no podrá ajustarse a las necesidades emergentes del niño.

LAS EXIGENCIAS DE SER UN PROGENITOR SOLO

Las presiones de la paternidad (maternidad) son particularmente intensas para los progenitores solos que en su gran mayoría son mujeres que trabajan. Estas familias cada día son más comunes en Estados Unidos. A mediados de los años setenta, uno de cada siete niños pasaba parte de su infancia sin uno de sus padres. Desde entonces, las familias de un solo progenitor han aumentado a un ritmo 10 veces mayor que las familias tradicionales de dos progenitores. La tendencia es aun más acentuada entre mujeres jóvenes. En 1995, casi una tercera parte de las familias era sostenida por madres solteras (U.S. Census Bureau, 1997).

He aquí una estadística interesante: en 1994, 1,191,000 matrimonios terminaron en divorcio. Ese mismo año, el índice de divorcios por cada 1,000 matrimonios fue de 4.6, o sea 11 por ciento menor que entre 1979 y 1981, en los cuales se registró la cifra más elevada (Clarke, 1995; National Center for Health Statistics, 1995). Se prevé que por cada tres matrimonios exitosos fracasen dos (Clarke, 1995). Los fracasos se concentran en los primeros siete años de matrimonio; el matrimonio de los divorciados tiene una duración media de 7.2 años. Aunque el divorcio puede ocurrir a cualquier edad, suele darse más al inicio de la vida adulta. Por ejemplo, en 1995 el índice de divorcios entre los varones fue de 32.8 por cada 1,000 hombres casados en el grupo de edad de 15 a 19 años y de 50.2 por cada 1,000 casados en el grupo de edad de 20 a 24 años (vea la figura 13-5). En el caso de las parejas que se casan por primera vez, se estima que sólo una de cada ocho se divorcie después de los 40 años de edad (Uhlerberg y otros, 1990).

FAMILIAS ENCABEZADAS POR LA MADRE ¿A qué se debe el explosivo número de familias encabezadas por una mujer? Hay varios factores que lo explican (Ross y Sawhill, 1975). En los años sesenta y setenta, la causa principal fue el aumento del índice de divorcios, acompañado por la tradición de conceder a la madre la custodia de los hijos. El índice alcanzó su nivel máximo en 1979 y otra vez en 1981, pero desde entonces ha vuelto al nivel de 1974 (National Center for Health Statistics, 1995). El siguiente gran aumento se registró entre las madres que nunca se casaron. En 1994, a ellas correspondió 32.6 por ciento de los nacimientos; el porcentaje fue de 70.4 entre las afroamericanas (U.S. Census Bureau, 1997). Tercero, un incremento sustancial en el número de madres que se separaron de su esposo, pero sin que se divorciaran.

FIGURA 13–5   TASAS DE DIVORCIO POR EDAD EN HOMBRES Y MUJERES

Las tasas alcanzan su nivel máximo en ambos sexos durante la juventud y luego disminuyen constantemente durante la madurez y la vejez.

Fuente: National Center for Health Statistics. *Monthly Vital Statistics Report* (22 de marzo, 1995).

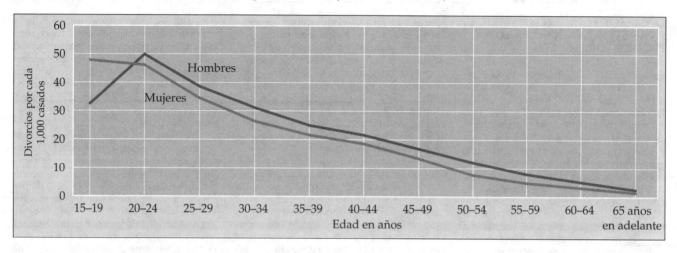

Los investigadores señalan que el mejoramiento de la condición socioeconómica de la mujer constituye un factor importante en los cambios mencionados (Ross y Sawhill, 1975). Concluyen que, al mejorar las oportunidades de empleo y su estatus, las madres y los hijos pueden sobrevivir sin el esposo y sin el padre, por lo menos en el corto plazo. En realidad, para muchas madres solteras el estatus es temporal porque un elevado porcentaje vuelve a casarse.

La condición de madre soltera puede ser extenuante aun en las familias de clase media y trabajadora. El progenitor que debe encargarse solo del cuidado de sus hijos frecuentemente sufre niveles destructivos de estrés (McAdoo, 1995). Las mujeres siempre ganan menos que los hombres. A la mujer sin educación puede resultarle sumamente difícil llegar a fin de mes con su salario. En Estados Unidos, por ejemplo, a las mujeres que antes recurrían a la asistencia pública, la reforma de este servicio les impone nuevas exigencias y presiones, como se menciona en el recuadro "Tema de controversia", en la página 460.

Los hogares encabezados por una mujer son más numerosos y, a menudo, más pobres entre las afroamericanas. El 58 por ciento de estas familias con hijos menores de 18 años están encabezadas por una mujer sola (U.S. Census Bureau, 1997). Aunque menos de 3 por ciento de las familias pobres lo serán en forma indefinida, 62 por ciento de ellas son afroamericanas (Klein y Rones, 1989). La mayoría de los niños negros pasará al menos la mitad de su niñez en la pobreza (Ellwood y Crane, 1990). En 1994, el ingreso familiar promedio de los hogares presididos por una mujer blanca era apenas 65 por ciento del de los matrimonios blancos. En el caso de las madres negras o hispanas, el ingreso era menos de la mitad del de los matrimonios blancos (U.S. Census Bureau, 1997). Esta información señala los problemas especiales que encaran los progenitores afroamericanos e hispanos solos.

Por otra parte, los afroamericanos e hispanos pobres suelen vivir en hogares en que conviven varias generaciones (Harrison y otros, 1990; Jackson y otros, 1990). Estos clanes familiares suelen incluir al padre o a la madre de la jefa de familia, y a otras personas que pueden o no ser parientes. Así, gracias al incremento de los recursos económicos, sociales y psicológicos con que cuenta, la madre se sentirá menos aislada y abrumada. Habrá menos quehaceres domésticos que realizar si el resto de la familia ayuda, pero la situación también re-

La responsabilidad permanente puede terminar abrumando a los progenitores solos, sin importar su nivel socioeconómico.

TEMA DE CONTROVERSIA

EL IMPACTO DE LA REFORMA DE LA ASISTENCIA SOCIAL EN LOS PROGENITORES SOLOS

En agosto de 1996, el Congreso de Estados Unidos aprobó la Ley de Responsabilidades Personales y Reconciliación de Oportunidades Laborales (*Personal Responsibility and Work Opportunity Reconciliation Act*, PRWORA). Se trata de la primera gran reforma de la asistencia pública social en los 60 años transcurridos desde la aprobación del Programa de Apoyo a Familias con Hijos Dependientes (*Aid to Families with Dependent Children*, AFDC). La intención de ley era transformar la asistencia pública en un sistema que ayude a las madres a convertirse en trabajadoras independientes y autosuficientes, en lugar de alentarlas a ser receptoras dependientes y pasivas de una ayuda que tendía a hacerlas que transmitieran su dependencia económica a la siguiente generación. La forma exacta de lograrlo lo determinarían los estados en conformidad con tres parámetros: 1) establecer un cronograma relativamente rígido para realizar los programas estatales, 2) fijar límites inmediatos y permanentes a la recepción de los pagos asistenciales a la madre y 3), lo más importante, exigirle que trabajara para poder obtener los pagos y cualquier otro tipo de ayuda. En otras palabras, se trataba de invertir el ciclo de asistencia pública/pobreza.

Por ahora no conocemos la eficacia que ha tenido la reforma de la asistencia pública, aunque los resultados empiezan a darse. Baste con señalar que —basándonos principalmente en hechos aislados— al parecer está funcionando mejor en algunos estados y para algunas madres. Por ejemplo, la transición al empleo no es tan difícil para las que están semicalificadas y tienen antecedentes laborales como para las que sólo pueden realizar trabajos no calificados y cuyos antecedentes laborales son escasos o nulos. Al arrancar el programa, la mayoría de los estados se han concentrado en los casos más fáciles; los difíciles están por venir.

No obstante, es posible explicar algunos de los problemas que la asistencia pública ha ocasionado a las madres solas, las cuales constituye más de 90 por ciento de las beneficiarias. Importantísima es la cuestión de quién cuida a los niños mientras la madre trabaja fuera de casa. Las que viven en familias extendidas, como se comenta en la página 459, pueden hacer arreglos satisfactorios para que los cuiden en casa. Los turnos alternados son una posible solución para las parejas que reciben ayuda de la asistencia pública. Pero la transición resulta difícil para las madres solas que no viven con su familia. Escasean las instalaciones de cuidados diurnos y debido a la PRWORA la mayoría tiene largas listas de espera, hasta de varios meses en muchas comunidades. Por lo demás, se dispone de pocos fondos federales para ayudar al cuidado de los niños, y los centros especializados pueden ser muy caros. Otro problema más de las madres solas y no calificadas es que a menudo el empleo que encuentran exige trabajar cuando los centros no están abiertos. Los puestos de ingreso en las fábricas, bodegas e industrias de servicios (por ejemplo, limpieza y mantenimiento de edificios, preparación de comidas y servicio en establecimientos de comida rápida) requieren muchas veces trabajar de noche y durante los fines de semana; pero los centros de cuidados diurnos atienden a empleados que trabajan de nueve de la mañana a cinco de la tarde y que permanecen en casa los fines de semana.

Por último, a las madres que logran resolver el problema del cuidado de sus hijos y que consiguen un empleo de tiempo completo se les paga el salario mínimo, que está por debajo de la línea de pobreza para una familia de tres miembros (Children's Defense Fund, 1998). Hay un hecho que es innegable: muchas madres solas no pueden sostener de manera adecuada a sus hijos aunque trabajen; y ha venido ensanchándose la disparidad entre lo que se gana y lo que se puede comprar con ello (Children's Defense Fund, 1998). ¿Qué ocurrirá a las madres solas, trabajen o no, cuando dejen de recibir asistencia temporal en efectivo? ¿Tendrán que colocar a sus hijos en una institución de adopción? ¿Comenzarán los estados a hacer excepciones —para lo cual están facultados en circunstancias especiales— con una rapidez tal que el resultado se asemejará al antiguo sistema de asistencia? ¿O será cada vez mayor el número de madres solas e hijos que queden en el desamparo como aseguran Bassuk y otros (1996)?

Todo está por verse. Lo único cierto es que ya pasó a la historia la asistencia pública tal como la conocemos; lo que aún no sabemos con exactitud es con qué vamos a sustituirla.

presenta una desventaja: en Estados Unidos el hecho de vivir con los padres significa menos probabilidades de recibir asistencia pública (Folk, 1996).

FAMILIAS ENCABEZADAS POR EL PADRE   En Estados Unidos, todavía es pequeño el porcentaje de padres que ganan la custodia de sus hijos después del divorcio, pero el número sigue creciendo y en la actualidad se aproxima a 10 por ciento. Otro 16 por ciento participa en acuerdos de custodia compartida (National Center for Health Statistics, 1995).

Si bien los padres solteros sufren muchos de los problemas y tensiones que afectan a la madre soltera, suelen hallarse en una mejor situación económica (Hetherington y Camara, 1984). Un perfil de estos hombres reveló que muchos habían asumido roles paternos muy completos antes de divorciarse (Pichitino, 1983). La mayoría mantiene un estrecho contacto emocional con sus hijos, destina mucho tiempo y esfuerzo a su cuidado, les preocupa fallarles o no pasar el tiempo suficiente con ellos. Sin embargo, sus experiencias paternales no siempre los preparan para cumplir con las exigencias que encaran cuando deben conservar el empleo y la familia al mismo tiempo. Muchos padres sienten la misma soledad y depresión que las madres. Además, igual que ellas, se dan cuenta de lo difícil que es mantener un círculo de amigos y otras fuentes de apoyo emocional (Pichitino, 1983).

1. Mencione y defina los principales hitos en el ciclo de vida familiar.
2. ¿Cómo influye la transición a la paternidad (maternidad) en la vida personal y familiar de los progenitores?
3. Explique los desafíos que enfrenten los progenitores que deben encargarse solos de la crianza del niño.

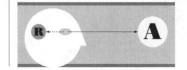

REPASE Y APLIQUE

EL CICLO OCUPACIONAL

La vida laboral del adulto sigue lo que se llama el **ciclo ocupacional.** El ciclo comienza en la adolescencia con las ideas y experiencias que culminan en la elección de una profesión; prosigue con el ejercicio de la profesión escogida y termina con la jubilación. Pero no suele ser tan simple y no siempre se realiza sin tropiezos. El adulto debe tomar decisiones importantes durante su vida laboral, las cuales pueden incluir cambiar de carrera más de una vez. En cualquier profesión hay momentos de duda y crisis, y acontecimientos especiales como recibir un ascenso o ser despedido afectan el curso de la carrera del individuo.

El trabajo influye mucho en nuestras actitudes y en nuestro estilo de vida. Determina si llevaremos una existencia móvil o relativamente estable, el tipo de comunidad en la que habitaremos y la clase de hogar y nivel de vida que tendremos. También incide en nuestras amistades, prejuicios y preferencias políticas.

En la presente sección examinaremos las etapas por las que se pasa durante la vida vocacional, algunos factores que inciden en la elección y preparación ocupacional, el proceso de ingresar en la fuerza de trabajo, de consolidar y conservar una carrera o quizá de cambiarla.

ETAPAS DE LA VIDA VOCACIONAL

Según Robert Havighurst (1964), el ciclo ocupacional comienza en la niñez media. Lo divide en una serie de etapas basadas en la relación que el individuo establece con el trabajo en distintos momentos de su vida y pone el acento en la adquisición de actitudes y habilidades laborales. Estas etapas son las siguientes:

1. *Identificarse con un trabajador* (de cinco a 10 años). Los niños se identifican con su padre o con su madre que trabajan y, por lo mismo, la idea de trabajar empieza a formar parte de su autoconcepto.
2. *Adquisición de los hábitos básicos de laboriosidad* (de los 10 a los 15 años). Los estudiantes aprenden a organizar su tiempo y sus actividades a fin de realizar tareas como el trabajo escolar o los quehaceres domésticos. Aprenden, además, a dar prioridad al trabajo sobre el juego cuando es necesario.

Ser progenitor solo o soltero no es más fácil para el padre que para la madre.

ciclo ocupacional   Secuencia variable de periodos o etapas en la vida del trabajador que va de la exploración y decisión vocacional a la formación y capacitación profesionales, el estatus de principiante, los ascensos y los periodos de mayor experiencia.

3. *Adquirir una identidad como trabajador* (de los 15 a los 25 años). Las personas escogen su ocupación y comienzan a prepararse para ésta. Adquieren la experiencia laboral que les ayuda a escoger una profesión y a iniciarse en ésta.
4. *Convertirse en persona productiva* (de los 25 a los 40 años). El adulto perfecciona las habilidades necesarias para desempeñar la ocupación escogida y para progresar en ésta.
5. *Mantener una sociedad productiva* (de los 40 a los 70 años). El trabajador se encuentra ahora en el nivel más alto de su carrera. Comienza a dedicar tiempo y atención a las responsabilidades sociales y cívicas que se relacionan con su empleo.
6. *Contemplar una vida productiva y responsable* (de los 70 años en adelante). El trabajador ya está jubilado. En una mirada retrospectiva, examina su carrera y sus aportaciones, tal vez con satisfacción (consúltese, en el capítulo 17, la etapa de *integridad frente a la desesperación* propuesta por Erikson).

Aunque el modelo de Havighurst es útil, no siempre se aplica en la sociedad moderna tan tecnológica y rápidamente cambiante. No todos pasan por una serie progresiva de etapas ni por un ciclo ocupacional único (Okun, 1984). Los jóvenes cambian de empleo antes de hacer un compromiso profesional serio; muchos adultos realizan uno o varios cambios a la mitad de su carrera. Estas modificaciones pueden ser resultado de factores que escapan al control de la persona, como cuando una compañía lleva a cabo una reestructuración y despide empleados o cuando un puesto simplemente queda obsoleto. También pueden deberse a una reevaluación de la carrera, como cuando alguien llega al "tope" sin que pueda ya avanzar en su ocupación actual o cuando siente que ha agotado las posibilidades y decide dedicarse a otra cosa.

ELECCIÓN Y PREPARACIÓN PROFESIONAL

¿Por qué una persona se convierte en contador, otra en policía, una más en médico y alguna otra en plomero o electricista? Numerosos factores influyen al elegir una ocupación, a saber: nivel socioeconómico, origen étnico, inteligencia, habilidades, sexo y ocupación de los progenitores. En esta sección estudiaremos en concreto el género y la raza, las actitudes de los padres, el autoconcepto, los rasgos de la personalidad y algunas consideraciones prácticas.

SEXO Y RAZA   Como se aprecia en la tabla 13-2, los afroamericanos y las mujeres están representados en exceso en los puestos de estatus más bajo y peor remunerados, mientras que su participación es exigua en las profesiones con elevadas percepciones (véase también a Walsh, 1997). Estas discrepancias las explican los investigadores en dos formas. Una señala que los individuos toman decisiones tempranas que a la larga determinan a qué ocupación pueden o no dedicarse. Por ejemplo, los negros tienen menores probabilidades que los blancos de terminar la enseñanza media superior, y los que desertan no están en condiciones de competir por empleos en los que se requiere haber concluido ese nivel o una formación universitaria. Las mujeres limitan sus opciones cuando dudan de su capacidad en las ciencias (Ware y Steckler, 1983) y no siguen alguna carrera tecnológica como la ingeniería. Algunas optan por profesiones que les permitan formar una familia. Tal vez elijan un trabajo de medio tiempo o entren y salgan del mercado de trabajo durante los años de crianza de los hijos; es posible que busquen un empleo sin estrés ni presiones de tiempo, lo cual viene a limitar su carrera y su potencial económico (Council of Economic Advisers, 1987; Kalleberg y Rosenfeld, 1990). Los modelos ofrecidos por los progenitores también llegan a influir en la elección vocacional. Una vez establecidos, estos patrones a veces se autoperpetúan.

Una segunda explicación de los patrones ocupacionales anteriores es la discriminación. A pesar de las leyes estadounidenses en favor de la igualdad de

Tabla 13–2   **Representación de mujeres, negros e hispanos en varias ocupaciones**

Ocupación	PORCENTAJE DEL TOTAL		
	Mujeres	Negros	Hispanos
*Porcentaje total de empleados**	46.2	10.7	9.2
Arquitectos	16.7	2.7	4.3
Ingenieros	8.5	4.2	3.8
Enfermeras (con título)	93.3	8.6	2.6
Profesores en colegios y universidades	43.5	6.5	4.1
Profesores en preescolar	98.1	13.6	5.8
Profesores en primaria	83.3	9.9	4.8
Trabajadores sociales	68.5	22.6	7.7
Secretarias	98.6	9.3	6.2
Operadores de copiadoras, de máquinas de envío de correo y de otros aparatos de oficina	63.6	13.2	13.1
Encargados de correo	49.3	29.8	11.1
Capturistas	84.5	17.0	10.8
Asistentes de profesor	92.1	15.9	14.4
Sirvientes de casas particulares	93.6	18.5	32.4
Funcionarios de instituciones correccionales	21.7	22.1	8.4
Asistentes dentales	99.1	6.2	11.2
Asistentes y ayudantes de enfermería	88.4	33.2	8.1
Camareras y sirvientes	81.8	29.6	21.1
Porteros y tintoreros	34.9	21.1	19.7
Mecánicos automotrices	1.2	7.6	13.9
Operadores de prensas	76.3	22.7	38.4
Agricultores	18.8	3.4	37.3

*Población civil no institucionalizada de 16 años en adelante, 1996.
Fuente: U.S. Census Bureau, 1997.

oportunidades, los afroamericanos y las mujeres son canalizados en formas sutiles, o no tan sutiles, hacia algunos trabajos. Los mejores puestos todavía suelen darse con mayor frecuencia a los hombres que a las mujeres, aun cuando ellas reúnan las mismas habilidades (Bielby y Baron, 1986). El ascenso no siempre es igual para todos. Si bien esta discriminación es ilegal en Estados Unidos, a medida que ha aumentado la presión contra acciones discriminatorias y las "cuotas" de empleo, a los empleadores les es más fácil contratar o promover con criterios discriminatorios y por razones "legítimas" —como evaluaciones exageradas de desempeño. En conclusión, la escolaridad y las habilidades que predicen sueldos elevados para los varones de raza blanca no producen sueldos igualmente altos para los afroamericanos ni para las mujeres (Ferber y otros, 1986; Klein y Rones, 1989).

Cómo influyen las actitudes de los progenitores y el estilo de crianza en la decisión vocacional   La relación entre padres e hijos puede originar en éstos últimos actitudes, necesidades e intereses que después influirán en su decisión ocupacional (Roe, 1957). Por ejemplo, si un niño es el centro de la atención de su familia puede sentirse preocupado por las necesidades de pertenencia y estimación, de modo que en los años subsecuentes dará

La elección de una carrera constituye a menudo un rasgo definitorio del autoconcepto.

demasiada importancia a las opiniones y actitudes de la gente. En consecuencia, se sentirá atraído por profesiones que exijan contacto frecuente con las personas y que ofrezcan la posibilidad de conquistar la autoestima. Tenderá a escoger una carrera que le permita servir a los demás o se inclinará por un trabajo orientado a la cultura —tal vez las artes o el entretenimiento.

Los niños a quienes sus padres descuidan o evitan sufren falta de amor y no presentan el tipo de dependencia anterior. Cuando crecen, no buscan a las personas para satisfacer sus necesidades y se sienten atraídos por actividades solitarias. Suelen dedicarse a carreras científicas, tecnológicas o a otras profesiones que no supongan interacciones constantes con la gente.

La familia influye también de otras maneras en la decisión vocacional de sus hijos: modela ciertos estilos de vida, valores y creencias. La individualidad y la autonomía que se permiten dentro del sistema familiar pueden repercutir en las decisiones profesionales (Bratcher, 1982). Por ejemplo, las mujeres cuya madre trabaja suelen tener mayor motivación de logro y aspiraciones profesionales que aquellas cuya madre no labora fuera de casa (Hoffman, 1989).

TEORÍA DEL AUTOCONCEPTO EN COMPARACIÓN CON LA TEORÍA DE RASGOS La esencia de la teoría del autoconcepto en su aplicación a las decisiones ocupacionales es que las personas escogen una carrera acorde al concepto que tienen de sí mismas (Super, 1963). Al dedicarse a una profesión que corresponde a las ideas que tienen de sí, avanzan en la autorrealización. Es decir, adoptan un comportamiento compatible con lo que, a su juicio, es lo mejor para su satisfacción y su desarrollo. Así, el hombre que se cree sereno, erudito, inteligente y elocuente tal vez se convierta en profesor universitario. La mujer que se considera sensible en los aspectos sociales, dinámica y que cree tener carisma de líder posiblemente se dedique a la política.

A semejanza de la teoría del autoconcepto, la de los rasgos se concentra en el nexo existente entre la personalidad y la decisión ocupacional; sólo que investiga los rasgos medidos con objetividad y no la percepción que el individuo tiene de sí mismo. Supone que existe una estrecha adecuación entre el tipo de ocupación que se elige y los rasgos de la personalidad. En el sentido contrario, podemos definir los trabajos por el tipo de rasgos de personalidad que parecen requerir. Si un candidato muestra los rasgos que exige un puesto, habrá una buena adecuación entre ambos. En un sistema (Holland, 1973), se evalúan seis rasgos de la personalidad y luego se acoplan con las ocupaciones. Estos rasgos son: 1) realista, 2) inquisitivo, 3) sociable, 4) adaptable, 5) emprendedor y 6) artístico. Así, la persona que recibe una elevada puntuación en los rasgos dos y cinco podría convertirse en investigador; el individuos que la reciba en los rasgos tres y cuatro podría, por ejemplo, trabajar en un hospital.

La teoría de rasgos ha estimulado abundantes investigaciones. Pero como cabe suponer, la adecuación entre individuo y ocupación mediante los rasgos de la personalidad no siempre da resultado; quizá convenga ver en esto una indicación muy general de la orientación que probablemente siga el individuo en su vida laboral.

REPARACIÓN FORMAL E INFORMAL Antes de ingresar a la fuerza de trabajo, la gente adquiere ciertas habilidades, valores y actitudes tanto formal como informalmente. La preparación formal incluye el aprendizaje estructurado en el nivel medio superior, programas de capacitación vocacional y estudios universitarios, así como la formación en el trabajo. La preparación informal adopta formas más sutiles: consiste en adoptar actitudes, normas y expectativas de roles apropiadas para un trabajo en particular. Mucho antes de que iniciemos la preparación formal, adquirimos normas y valores informales de nuestros padres y profesores, de los miembros de los oficios y profesiones, incluso de los personajes que aparecen en la televisión y en las películas. Aprendemos observando a la gente y mediante las experiencias diarias. La socialización informal es tan generalizada que a menudo determina los pasos formales con que nos preparamos para una carrera (Moore, 1969).

Muchos consideran que la universidad es un paso obligatorio en la preparación para una carrera, aunque la formación académica (en especial, la universitaria) y la preparación afín relacionada con el trabajo varía mucho entre los países (vea la tabla 13-3). En muchas áreas del trabajo universitario, sobre todo en las humanidades, se dedica poca o ninguna atención a la enseñanza de habilidades para el mercado laboral. Los programas de humanidades tienen por objeto impartir habilidades básicas de comunicación, exponer a los estudiantes a diversas ideas y puntos de vista, y desarrollar habilidades analíticas. Aunque todo esto es indispensable para alcanzar la madurez intelectual, no guarda relación directa con los puestos, salvo quizá para los futuros docentes. Por el contrario, algunos programas como los de ingeniería, ciencias de la salud, administración y pedagogía ofrecen conocimientos y habilidades prácticos. Suelen atraer a estudiantes motivados y decididos que ya definieron sus metas profesionales.

Una encuesta aplicada a miles de estudiantes universitarios a principios de los años setenta (Astin, 1977) demostró que, en la mayor parte de los casos, los cambios psicológicos y de actitudes que ocurren en ese periodo son mucho más importantes que prepararse para una carrera. Se revisan creencias y autoconceptos. Los adultos jóvenes aprenden a clasificarse y medirse con criterios cada vez más complejos y realistas; analizan con más precisión varias cualidades como la originalidad, la capacidad artística, la destreza mecánica, la facilidad para escribir y la comunicación personal. Suelen formarse opiniones más positivas de sus capacidades intelectuales, de sus habilidades de liderazgo y de su popularidad. Estos cambios a menudo duran más que la preparación profesional específica que reciben en la universidad y les ayudan a tomar mejores decisiones ocupacionales.

ALGUNAS CONSIDERACIONES PRÁCTICAS En las secciones anteriores explicamos en parte cómo se llega a las decisiones ocupacionales. Pero las consideraciones prácticas a veces son tan importantes como dichos factores o hasta más. Así, en épocas de recesión y desempleo, hay pocas alternativas y la gente se ve obligada a buscar un trabajo para subsistir. En tales condiciones, no es infrecuente oír hablar de personas que quieren ser arquitectos o músicos, pero que terminan trabajando de burócratas o en los hospitales, según el empleo que esté disponible. En casos extremos, algunos graduados universitarios laboran en tiendas de comestibles o cortan el pasto. La obligación de sostener a un cónyuge o a los hijos hace que la persona busque un empleo en un campo distinto al que escogería de no existir esas restricciones. Por ejemplo, un pintor con muchas ambiciones tendrá que dedicarse a la publicidad o las relaciones públicas (e incluso a pintar casas), con poco tiempo disponible para cultivar su talento.

Por último, muchos se dejan influir por las presiones familiares al escoger una profesión. A algunos niños "se les prepara" para que dirijan la empresa familiar o sigan las huellas de su padre, a pesar de que habrían preferido dedicarse a otra cosa. Otra posibilidad: las personas sin planes bien definidos y con diversos intereses o habilidades aceptan el primer trabajo vacante y a veces cambian con frecuencia de empleo.

OBTENCIÓN DE UN LUGAR EN LA FUERZA DE TRABAJO

Los adultos jóvenes están preparados para ingresar a la fuerza laboral, después de tomar la decisión ocupacional, así sea provisional, y conseguir la capacitación o formación correspondiente. El ingreso exige un periodo de ajuste que se facilita un poco con ayuda de un mentor. Asimismo, requiere un sentido creciente de lealtad y de compromiso. Sin embargo, para entender mejor todo esto analicemos primero cómo han cambiado las actitudes ante el trabajo en las décadas recientes.

TABLA 13-3   ESCOLARIDAD Y OTRAS FORMACIONES RELACIONADAS CON EL TRABAJO EN VARIOS PAÍSES

ESCOLARIDAD POR PAÍS: 1994 (DISTRIBUCIÓN PORCENTUAL, PERSONAS DE 25 A 84 AÑOS DE EDAD)					
País	Total	Niñez temprana, primaria y sólo educación secundaria	Sólo educación secundaria	Sólo educación terciaria no universitaria	Sólo educación universitaria
Alemania	100	16	62	10	13
Australia	100	50	27	10	13
Austria	100	32	60	2	6
Bélgica	100	51	27	12	10
Canadá	100	26	28	29	17
Dinamarca	100	40	40	6	14
España	100	74	11	4	11
Estados Unidos	100	15	53	8	24
Finlandia	100	36	44	9	11
Francia	100	33	50	8	9
Grecia	100	55	27	6	12
Irlanda	100	55	27	10	9
Italia	100	67	26	—	8
Noruega	100	19	53	11	16
Nueva Zelanda	100	43	34	14	9
Países Bajos	100	40	38	—	21
Portugal	100	81	8	3	7
Reino Unido	100	26	54	9	12
Suecia	100	28	46	14	12
Suiza	100	18	61	13	8
Turquía	100	60	13	—	7

PARTICIPACIÓN EN EDUCACIÓN CONTINUA Y CAPACITACIÓN RELACIONADAS CON EL TRABAJO, POR PAÍS				
País	Año	Total	Varón	Mujer
Alemania	1994	33	35	31
Australia	1993	38	37	40
Bélgica	1994	3	3	2
Canadá	1993	28	27	30
Dinamarca	1994	15	13	18
España	1994	3	2	4
Estados Unidos	1995	34	31	36
Finlandia	1993	41	38	44
Francia	1994	40	38	43
Grecia	1994	1	1	1
Irlanda	1994	4	3	6
Italia	1994	1	1	2
Reino Unido	1994	13	12	14
Suecia	1995	44	40	47
Suiza	1993	38	42	34

Fuente: U. S. Census Bureau, 1997.

CAMBIO DE ACTITUDES ANTE EL TRABAJO   Antes de los años setenta, había un sistema coherente de valores que dominaba las actitudes de la mayoría de los trabajadores estadounidenses (Yankelovich, 1978). Constaba de varios componentes bien definidos. Se juzgaba conveniente que la mujer permaneciera en su hogar si el marido podía mantener a la familia, y muchos hombres se oponían firmemente a la idea de que su esposa trabajara fuera de casa. Ellos, por su parte, toleraban trabajos insatisfactorios con tal de preservar la seguridad económica. Las principales motivaciones de los empleados eran el dinero, el estatus y realizar el "sueño americano": trabajar duro, comprarse una casa y jubilarse con una buena pensión. Si uno hacía bien su trabajo, la sociedad, de la que formaba parte la empresa, velaría por su bienestar.

Este sistema de valores se ha ido erosionando mucho en las últimas décadas. Lo pusieron en tela de juicio el movimiento de derechos civiles, la Guerra de Vietnam, la contracultura, el movimiento de liberación femenina, el caso Watergate y otros fenómenos sociales. Muchos adultos jóvenes que ingresan a la fuerza laboral ven el trabajo en formas muy diferentes, sobre todo como medio para alcanzar un fin. Otro factor lo constituye la reestructuración de las empresas que comenzó a finales de los años ochenta y que dejó a millones de empleados con gran incertidumbre sobre su futuro. En industrias tan dispares como la banca y la siderúrgica, los trabajadores ya no creen que las compañías sean leales con sus empleados; saben que pueden ser despedidos de repente sin tener culpa alguna. Saben, asimismo, que son responsables de hacer avanzar su carrera y que no pueden esperar nada de la empresa, por ejemplo, una carrera a largo plazo con las prestaciones de la jubilación o a corto plazo como el seguro médico.

Obligados por las circunstancias a revalorar lo que el trabajo significa para ellos, muchos jóvenes tratan de encontrar un trabajo que puedan realizar en casa. Este nuevo patrón es en gran medida consecuencia de la tecnología moderna. Arquitectos, escritores y programadores en sistemas —entre otros— trabajan en casa gracias a las computadoras, el correo electrónico, el fax, el teléfono celular y las conferencias telefónicas. Con todo, *alguien* debe estar en la fábrica o en la oficina. Lo que encontrará allí, sobre todo si se trata de un joven que ingresa a la fuerza de trabajo, será muy diferente de lo que había esperado.

LAS EXPECTATIVAS SE ENFRENTAN CON LA REALIDAD   Cuando los adultos jóvenes empiezan a trabajar, posiblemente experimentan lo que podríamos llamar el *desconcierto con la realidad*. Durante la adolescencia y la preparación para una carrera, tenemos a menudo grandes expectativas de cómo será el trabajo y lo que lograremos. Cuando los principiantes terminan su formación profesional y empiezan a trabajar, descubren de repente que algunas de sus expectativas no eran realistas. Su formación tal vez no sea adecuada para el trabajo, por lo que muchos empleadores piensan que es necesario capacitar a los novatos. El trabajo puede ser aburrido y mecánico; injustos, los supervisores; y los compañeros tal vez sean personas con quienes sea difícil trabajar. Las metas del puesto a veces se pierden en una telaraña de políticas burocráticas o están sujetas a los caprichos de los superiores. El desconcierto con la realidad puede originar un periodo de frustración e ira, mientras el joven trabajador se adapta a la nueva situación.

En un estudio longitudinal de gerentes jóvenes de bajo nivel en AT&T, los resultados corroboraron algunas ideas de Levinson (expuestas en el capítulo 12) sobre cómo moldear el sueño y convertirlo en una trayectoria profesional realista. Se dio seguimiento en gran parte de su carrera a un total de 422 jóvenes, de los cuales la mitad había realizado estudios universitarios y la otra había sido ascendida a puestos gerenciales por los sindicatos.

Un sistema formal de relaciones con una mentora podría ayudar más a las mujeres jóvenes a conseguir puestos ejecutivos, gerenciales y administrativos.

En un principio, tenían grandes expectativas respecto a su potencial de éxito; pero en los siete primeros años se volvieron mucho más realistas. Pocos esperaban un ascenso; muchos estaban conscientes de que éste podría significar trasladarse a otra localidad, alterar la vida familiar o trabajar más duro, asumir más responsabilidades y disponer de menos tiempo para la vida familiar. Sin embargo, estos jóvenes ejecutivos no estaban necesariamente insatisfechos con su empleo. A casi todos les procuraban gran satisfacción los retos de hacer bien su trabajo y cumplir las normas personales de logro. Por lo visto, las recompensas extrínsecas del sueldo y del estatus iban perdiendo importancia con el tiempo (Bray y Howard, 1983).

EL ROL DE LOS MENTORES Poco a poco la fase de ingreso se ve desplazada por la creciente competencia y autonomía. Recuérdese que Levinson puso de relieve el rol de los mentores que ayudan a los jóvenes trabajadores a adquirir los valores y las normas apropiadas. Dentro del contexto del trabajo, el aprendiz adquiere con la ayuda del mentor habilidades y seguridad en sí mismo. Pronto se consolida en su puesto y a veces comienza a superar a sus mentores y a desvincularse de ellos. Más tarde, obtiene autoridad sobre otros y asume el rol de mentor.

Varios autores han señalado la función positiva de los buenos mentores en el desarrollo de los jóvenes trabajadores (Kanter, 1977). Realizan actividades de enseñanza y de capacitación. Favorecen el progreso de los empleados jóvenes. Sirven como modelo lo mismo de conductas sociales que de comportamientos relacionados con el trabajo. Por lo general facilitan la transición al trabajo independiente. En el área académica y empresarial, a menudo los varones dicen que cuentan con un mentor. Pero como apenas 12 por ciento de los hombres y siete por ciento de las mujeres ocupan puestos ejecutivos, administrativos o gerenciales, escasean mucho los mentores de alto nivel. La mayoría de las ejecutivas afirma por lo general que no había una mentora a quien recurrir (Busch, 1985). Algunas mujeres encuentran un mentor, o bien su esposo cumple esa función; pero como vimos en el capítulo 12, es una relación que puede complicarse. Si la carrera de la mujer amenaza con reducir el tiempo que dedica al esposo y la familia, él estará menos dispuesto a apoyar su desarrollo profesional (Roberts y Newton, 1987). Con el propósito de ayudar a más mujeres a ocupar puestos ejecutivos, administrativos y gerenciales, algunos proponen que una de las mejores estrategias consistiría en promover un sistema formal de relaciones con mentores dentro de la empresa (Swoboda y Millar, 1986).

CRECIMIENTO DE LA LEALTAD Y DEL COMPROMISO Levinson también insistió en que mantener un sentido de emoción y de compromiso con el trabajo durante la adultez es indispensable para una satisfacción laboral madura. El compromiso con una carrera u oficio varía mucho según los rasgos individuales y factores socioeconómicos más generales. Por supuesto, les será difícil conservar el compromiso con el empleo a quienes perciben un sueldo bajo y tienen un trabajo desagradable. También habrá poca motivación para tener un buen desempeño cuando hay pocas probabilidades de ascender (Moore, 1969).

El compromiso de un joven con un trabajo o profesión se hace más fuerte al aumentar la lealtad y al cumplir ciertas expectativas y normas ocupacionales. La lealtad nace a medida que los jóvenes comienzan a identificarse con su ocupación. La lealtad para con una empresa crecerá en la medida en que los trabajadores quieren empleo y recompensas continuas y estén seguros de que la empresa corresponderá a sus expectativas.

A raíz de muchos años de ocupar un puesto, las personas se identifican con un grupo o industria. Aprenden a cumplir determinadas reglas y expectativas de su grupo ocupacional. A los principiantes les asignan los puestos menos deseables, es decir, los más tediosos o fatigosos. Sin embargo, tienen la oportunidad de observar lo que hacen sus superiores, obtener información y aprender habilidades que les servirán para progresar. Les enseñan la jerga y las expresiones de la industria o grupo que les ayudarán a formar parte de ellos. Al ir adquiriendo experiencia en el puesto, aprenden a aplicar los métodos tradicionales para resolver problemas y llevar a buen término los trabajos. También empiezan a darse cuenta de que deben obedecer la autoridad y cumplir ciertas normas de desempeño laboral (Moore, 1969).

CONSOLIDACIÓN, MANTENIMIENTO Y CAMBIO Para quienes siguen el ciclo ocupacional clásico, la etapa intermedia de la carrera es un periodo de consolidación en que se establecen y aprenden a vivir con las realidades de su situación laboral. Para los varones estudiados por Levinson (1978), el periodo de los 35 a los 40 años era el tiempo de crearse un nicho en la sociedad, de olvidarse de otras carreras atractivas y de esforzarse por progresar. Este esfuerzo exigía tratar de ser el mejor en la profesión escogida y lograr un poco de estabilidad en el trabajo y en la vida en general. Para algunos significaba mayor responsabilidad y prestigio, independizarse del mentor y alcanzar la autonomía.

Ascender en la escala del éxito no suele ser tan fácil como se anticipa. Cuanto más alto se sube, menos espacio hay para progresar. De ahí que, de los 40 a los 45 años muchos trabajadores se sienten decepcionados y se muestren un poco pesimistas. Se esfumó el sueño original; les aguardan ahora niveles más bajos de logro. El estudio que AT&T aplicó a los gerentes y que ya comentamos descubrió este patrón en la carrera intermedia. Aunque algunos habían alcanzando los niveles de alta dirección, muchos todavía se encontraban en niveles bajos o intermedios y habían disminuido sus metas y sus aspiraciones. De hecho, muchos mencionaron que el progreso ulterior en su carrera no era tan importante para su satisfacción personal y que otros aspectos de su vida —la familia y los objetivos personales, por ejemplo (Bray y Howard, 1983)— habían cobrado más importancia (Bray y Howard, 1983). Por el contrario, los ejecutivos de alto nivel de la compañía juzgaban que el trabajo era igualmente importante para su sentido del yo y para la satisfacción general con la vida.

En suma, el ciclo ocupacional clásico ha dejado de ser el patrón dominante, incluso entre los gerentes y los ejecutivos. Sólo una minoría de empleados permanece en una misma compañía durante toda su carrera. Muchos cambian de empleo en un área en busca de un sueldo más elevado, mayor responsabilidad, ascensos o mejores condiciones de trabajo. Los llamados "cazadores de talentos" perciben una remuneración por atraer a otra empresa a los empleados expertos y de gran calidad, en especial a ejecutivos y a quienes poseen habilidades en gran demanda, como la programación de computadoras. Además, un número creciente de personas cambia de carrera y de área para cultivar otros intereses. Algunos no tienen estabilidad profesional en absoluto; pasan por periodos frecuentes o prolongados de desempleo y de crisis vocacional, acompañados a menudo por problemas económicos, sociales y de ajuste.

REPASE Y APLIQUE

1. Mencione y describa las etapas de la vida vocacional identificadas por Havighurst.
2. Resuma la forma en que influyen en la decisión ocupacional factores como el sexo y la raza, las actitudes de los padres, el autoconcepto y la posesión de determinados rasgos.
3. ¿Por qué se necesita un periodo de ajuste cuando un joven ingresa a la fuerza de trabajo y cómo puede un mentor facilitar el proceso?

TRABAJO Y GÉNERO

Los patrones profesionales son aún más complejos en el caso de la mujer (La-Salle y Spokane, 1987). En efecto, en el próximo milenio, el patrón más común para una mujer de edad madura probablemente sea el cambio más que la consolidación y el mantenimiento.

Las etapas de la vida vocacional propuestas por Havighurst describen el progreso profesional que caracteriza al varón y no a la mujer. En concreto, la cuarta etapa nada dice sobre las decisiones vocacionales que la mujer suele hacer cuando cría hijos durante su juventud. Hay quienes siguen la misma trayectoria que los hombres en su vida laboral, pero la mayoría intenta combinar el trabajo con los roles familiares, adoptando un enfoque más flexible en su carrera. Unas dejan de trabajar cuando crían a los hijos; otras trabajan medio tiempo; y algunas más encuentran la manera de seguir aportando dinero con su trabajo en casa.

En esta sección examinaremos el trabajo desde la perspectiva del género, prestando atención especial a la forma en que la mujer combina el trabajo con sus roles familiares. Explicaremos también cómo se distinguen los patrones laborales femeninos de lo que antaño se juzgaba la norma para todos los trabajadores, pero que en realidad se aplicaba a los hombres exclusivamente. Daremos cuenta, asimismo, de lo que el trabajo significa en verdad para la mujer, pese a estereotipos contrarios. Por último, ahondaremos en lo que significa ser miembro de una pareja con doble ingreso. Comencemos por algunas estadísticas impresionantes sobre la creciente presencia de las mujeres en la fuerza de trabajo.

PANORAMA ESTADÍSTICO CAMBIANTE

En Estados Unidos, uno de los cambios más notables en el mundo del trabajo es el elevado incremento del porcentaje de mujeres en la fuerza laboral durante las últimas décadas. En 1960, trabajaba 38 por ciento de las mujeres de 16 años en adelante; en 1996 el porcentaje llegó a 59.3 por ciento y se estima que aumentará a 61 por ciento o más en el año 2005 (U.S. Census Bureau, 1997). El incremento ha sido extraordinario entre las mujeres de raza blanca. Hasta ahora, ha sido menor entre las de raza negra, que siempre han trabajado en mayor número por una necesidad económica más apremiante. En general, menos de 11 por ciento de las casadas son amas de casa de tiempo completo.

A medida que más mujeres ingresan a la fuerza laboral, han ido logrando algunos progresos. Así, en 1970 apenas 8 por ciento de los médicos eran mujeres, pero en 1986 la cifra casi se duplicó. Aun más impresionante: en 1970 sólo 5 por ciento de los abogados y jueces eran mujeres. En 1986, el porcentaje creció a 18 por ciento en general y a 29 por ciento en el caso de las mujeres menores de 35 años (Council of Economic Advisers, 1987). Se han registrado aumentos de igual manera significativos casi en todas las profesiones.

Con todo, aún se limita a las mujeres, en su mayoría, a "trabajos femeninos" de bajos ingresos: enfermería, enseñanza en primaria y en secundaria, labores secretariales y administrativas (Matthews y Rodin, 1989) (consulte otra vez la tabla 13-2). Una de cada dos mujeres labora en trabajos de bajo sueldo y poco progreso. Más aún, las mujeres todavía ganan menos que los hombres: 75 por ciento por cada dólar que perciben los hombres. Entre los empleados permanentes de tiempo completo, el sueldo medio de una mujer blanca es apenas 74 por ciento del de un hombre blanco, y en el caso de las mujeres de raza negra el porcentaje desciende a 67 por ciento aproximadamente (U.S. Census Bureau, 1997).

CAMBIOS EN LOS PATRONES DE TRABAJO

El trabajo remunerado de la mujer no es un fenómeno nuevo. Siempre ha laborado fuera de casa, sobre todo en periodos de problemas económicos. En Estados Unidos, muchas lo hicieron en fábricas y en oficinas durante las dos guerras mundiales, cuando grandes cantidades de trabajadores estaban luchando en el extranjero. Antes de la llegada de la industrialización, a principios del siglo XIX, hombres y mujeres combinaban sus esfuerzos en los negocios y las granjas familiares (algunas todavía lo hacen). Fue hasta finales del siglo XIX cuando los hombres empezaron a ser considerados los proveedores "naturales" de su familia (Bernard, 1981). Ellos trabajaban fuera de casa mientras las esposas atendían a los niños y el hogar. Sin embargo, en los años setenta, la situación cambió una vez más, conforme un número creciente de mujeres ingresó a la fuerza laboral y se afianzó en su profesión.

Las mujeres que trabajan fuera de casa no necesariamente siguen el mismo patrón que los varones. Aunque no hay teorías formales relacionadas con el desarrollo profesional femenino, es evidente que las mujeres adoptan mayor *variedad* de patrones. Un número cada día mayor sigue el esquema tradicional de los hombres que consiste en dedicarse al ejercicio de una carrera sin interrupción. Otras planean dejar de trabajar y tener hijos cuando ya estén bien establecidas. Algunas veces las que desean dedicarse exclusivamente a la familia en la juventud logran su estabilidad profesional fuera de casa luego de que se ha inscrito al último hijo en el primer grado o quizá después, cuando ingresa a la universidad. La mujer promedio puede dedicar 10 años por completo al cuidado de los hijos mientras son pequeños y disponer todavía de 35 más para entrar en la fuerza laboral, afianzarse en una carrera o cultivar otros intereses (Daniels y Weingarten, 1982). No obstante, la mayoría interrumpe su trabajo, al menos por un tiempo, para cuidar a sus hijos, cosa que los hombres hacen pocas veces (Kalleberg y Rosenfeld, 1990; Shaw, 1983). Estas interrupciones en ocasiones no hacen más que ensanchar la brecha entre los sexos en el mundo laboral (Hewlett, 1984).

Para las mujeres no orientadas a una carrera, la autoestima parece estar relacionada más con la vida familiar que con el empleo de tiempo completo.

LOS MÚLTIPLES SIGNIFICADOS DEL TRABAJO

Igual que los varones, la mujer participa en el mundo del trabajo por muchos motivos. El principal es la necesidad económica. Las madres solteras son a menudo la única fuente de ingresos para su familia. Y son muchos los matrimonios que no podrían sufragar los gastos familiares sin el ingreso de ambos cónyuges. Por ejemplo, las mujeres que laboran en fábricas aportan casi tanto dinero al hogar como su marido (Thompson y Walker, 1989). Esta situación se observa sobre todo en las familias afroamericanas e hispanas, en las que el marido suele percibir un sueldo más bajo y representa un índice más elevado de desempleo que las familias de origen europeo. Pero, a semejanza de los hombres, muchas mujeres encuentran satisfacción y una realización personal en el empleo fuera de casa. Les parece interesante y atractivo; ven en éste una oportunidad de autodirigirse o de asumir mayores responsabilidades; les agradan las ventajas del sueldo, una mayor seguridad futura y la posibilidad de progresar (Whitbourne, 1986a).

Sin embargo, se dan diferencias. En algunas investigaciones, las mujeres indican más a menudo que la oportunidad de interactuar con la gente —con clientes, con compañeros de trabajo, con supervisores— es una razón muy importante para trabajar fuera de casa. En algunos casos, las relaciones interpersonales les ayudan mucho a definir su autoconcepto (Forrest y Mikolaitis, 1986).

Sean cuales sean sus razones, las mujeres que trabajan suelen tener mejor salud física y psicológica que las que no lo hacen (Baruch y Barnett, 1986; Kessler y McRae, 1982; McBride, 1990; Repetti, Mathews y Waldron, 1989; Rodin y Ickovics, 1990). Sufren menos ataques cardiacos y úlceras y tienen una autoestima más positiva. Las solteras obtienen los máximos beneficios pero también los aprovechan las casadas, en especial cuando el marido las apoya en su carrera. En uno y otro casos, las mujeres que disfrutan su trabajo son las más beneficiadas. Este placer es tal vez una de las causas por las que las profesionistas logran más beneficios físicos y psicológicos que las oficinistas pese a que tienen más responsabilidades y padecen más el estrés. Si consideramos las tensiones, los problemas familiares y el estrés que podrían esperarse de estos roles, resulta sorprendente que prácticamente no exista pruebas que señalen los efectos negativos del empleo, sin importar el tipo de trabajo.

El contraste es más marcado entre las mujeres orientadas a una carrera y las que no tienen esta orientación. Para algunas el cuidado de la casa es significativo y un medio de realizarse; para otras es monótono y aburrido. En una encuesta (Pietromonaco y otros, 1987), las menciones de autoestima, satisfacción con la vida y autopercepción diferían de manera notable entre unas y otras. Eran más felices las que se describían como orientadas a una carrera y trabajaban de tiempo completo. Las que estaban temporalmente desempleadas o tenían un trabajo de medio tiempo o uno en el que se desaprovechaban sus habilidades se sentían menos felices y tenían una autoestima y un autoconcepto más deficientes. Los resultados eran muy diferentes en las mujeres que no se consideraban orientadas a una carrera. Su autoestima y su satisfacción con la vida no se relacionaban con el hecho de que tuvieran un empleo de medio tiempo o de tiempo completo. Concordaban con enunciados como "No puedo imaginarme una vida satisfactoria sin hijos" o "No aceptaría un empleo que me impidiera hacer lo que me gusta con mi familia".

MITOS Y ESTEREOTIPOS QUE AFECTAN A LA MUJER EN EL LUGAR DE TRABAJO

Aunque no existen diferencias reales en la forma en que hombres y mujeres conciben el trabajo, sí hay algunos mitos y estereotipos que niegan las motivaciones reales de ellas y pueden retrasar o bloquear su progreso profesional. Uno de estos mitos es que las mujeres en puestos gerenciales, profesionales o técnicos están menos dispuestas a correr riesgos y a hacer los sacrificios que exige el progreso. Otro es que las mujeres no quieren, no necesitan o no esperan percibir el mismo sueldo que los hombres, aun cuando acepten un ascenso. En realidad, una y otra vez se ha comprobado que muchas mujeres presentan una actitud muy semejante a la de los varones ante el riesgo, el sueldo y los ascensos (Rynes y Rosen, 1983). Su motivación de logro tampoco es menor ni sus planes profesionales son menos específicos. En ocasiones, las que laboran en campos que por tradición corresponden al "ámbito femenino" como la educación, el trabajo social y la enfermería son menos ambiciosas y esperan hacer ajustes para cumplir con las responsabilidades conyugales y familiares; sin embargo, las que lo hacen en profesiones tradicionalmente "masculinas" como la administración, el derecho y la medicina tienen planes profesionales muy parecidos a los de los varones en esas mismas carreras.

DINÁMICA DE LAS PAREJAS CON DOBLE INGRESO

El extraordinario aumento de las mujeres en la fuerza laboral ha originado un fenómeno cada día más común, denominado **pareja con doble ingreso** o *matrimonio con doble ingreso*. Estas parejas son aquéllas en las que el marido trabaja de tiempo completo y la esposa lo hace 20 o más horas a la semana (Pleck y Staines, 1982; Rapoport y Rapoport, 1980). En la actualidad, millones de mujeres comparten con el esposo la función de proveer a la familia.

Los matrimonios con doble ingreso disfrutan de ventajas muy notorias. Su ingreso total, más elevado, les permite tener un mejor nivel de vida. Disponen de más dinero para atender a necesidades diarias, emergencias, un lugar mejor donde vivir, una educación más esmerada para los hijos. En el caso de las parejas de doble ingreso con formación universitaria, quizá el beneficio más importante sea que la esposa tiene las mismas oportunidades de autorrealización por medio de un empleo o una carrera.

Desde luego, no faltan tampoco el estrés y el conflicto de roles. En parte, provienen de la necesidad de combinar los roles de ambos cónyuges como empleados y como miembros de la familia. En ocasiones, un rol consumirá más tiempo y energía que los restantes. Así, en la juventud a menudo chocan las exigencias impuestas por la crianza de los hijos pequeños y la lucha por establecerse en la profesión, lo que obliga a la pareja a fijar prioridades y resolver los conflictos.

En las familias de doble ingreso, los maridos a menudo manifiestan más insatisfacción conyugal que otros hombres (Burke y Weir, 1976; Kessler y McRae, 1982; Staines y otros, 1986). En un estudio, más de la tercera parte de las parejas de doble ingreso indicó tener graves conflictos de roles en su tentativa por cumplir con las obligaciones laborales y familiares (Pleck y Staines, 1982). Las dificultades surgen de las exigencias del trabajo, de las horas laborales, de los conflictos entre las actividades de la familia y el horario de trabajo, de las crisis familiares. Si bien estos conflictos son experimentados por los dos integrantes de las parejas de doble ingreso, ellas informan un nivel más elevado de conflicto entre los roles laborales y familiares. El conflicto de roles en las profesionistas es especialmente agudo cuando laboran muchas horas y se enfrentan presiones temporales (Guelzow y otros, 1991). La pareja se siente un poco menos insatisfecha y tensa con un horario laboral flexible que les permita atender a las necesidades de su familia (Guelzow y otros, 1991).

Las actividades familiares —en especial el cuidado de los hijos— se comparten de manera más igualitaria en algunas familias de doble ingreso que en otras. Sin embargo, todavía son las mujeres quienes se encargan de la responsabilidad primaria de los quehaceres domésticos y del cuidado de los hijos (Barnett y Baruch, 1987; Berardo y otros, 1987; Bergmann, 1986; Kalleberg y Rosenfeld, 1990; Maret y Finlay, 1984; Rapoport y Rapoport, 1980). Esto ocurre así cuando los niños son pequeños y asisten a la escuela; y la situación no ha cambiado en Estados Unidos a pesar de que una ley federal promulgada recientemente establece la obligación de que las compañías ofrezcan a sus empleados de ambos sexos un mínimo de 12 semanas de **licencia familiar.** Se aplica tanto si la mujer trabaja de medio tiempo como de tiempo completo. De hecho, algunos han señalado que estas mujeres tienen en realidad dos empleos de tiempo completo, pues cuando regresan a casa comienzan un "segundo turno" (Hochschild, 1989). Muchas se levantan a las seis de la mañana, a las nueve llegan al lugar

pareja con doble ingreso   Matrimonio o pareja que comparte un hogar en el que ambos cónyuges contribuyen al ingreso familiar como miembros de la fuerza laboral asalariada.

licencia familiar   Permiso que establece la ley estadounidense para atender asuntos y problemas de familia, sobre todo los relacionados con el cuidado de los hijos.

de trabajo y regresan a casa a las seis o siete de la tarde. En las noches y durante los fines de semana, enfrentan un sinnúmero de quehaceres domésticos, desde cuidar a los hijos hasta cocinar y llevar la ropa a la tintorería.

Parecería lógico y justo suponer que las parejas con doble ingreso deberían compartir de manera equitativa las actividades del hogar, pero pocas veces es así. Investigación tras investigación, se ha demostrado que, aunque los dos cónyuges trabajen, la mujer continúa haciendo la mayor parte de las labores domésticas (Berk, 1985; Pleck, 1985). Está plenamente comprobado que los maridos de las empleadas no dedican mucho más tiempo a estas actividades que los esposos de las mujeres que no trabajan fuera de casa (Ferber, 1982). Otros estudios revelan que la participación de los hombres en las tareas domésticas disminuye conforme aumentan sus ingresos (Antill y Cottin, 1988; Smith y Reid, 1986).

Los hombres con actitudes positivas respecto a compartir el rol de proveedor suelen compartir más los quehaceres domésticos que aquellos a quienes les molesta que su esposa contribuya a la economía familiar (Hood, 1986; Perry-Jenkins y Crouter, 1990). Sin embargo, la asignación de tareas domésticas no es más que una parte del problema (Perry-Jenkins y Polk, 1994). En lo que respecta a la satisfacción general de la pareja, la *percepción* de equidad con que se distribuyen puede ser tan importante como la participación real de los cónyuges en éstas (Blair y Johnson, 1992; Thompson, 1991; Wilkie y otros, 1992).

Los matrimonios de ingreso doble enfrentan otras dificultades. Aunque las actitudes sociales favorecen en la actualidad la participación de las mujeres en la fuerza laboral, todavía hay algunos que desaprueban que las madres trabajen de tiempo completo cuando tienen hijos de muy corta edad. Algunas padecen las reacciones negativas de sus amigos, vecinos y colegas. Otras experimentan un fuerte conflicto de roles. Su ambivalencia se acentúa cuando no logran encontrar un centro adecuado y accesible de cuidado para sus hijos. A las mujeres les preocupa mucho dejar a su bebé al cuidado de otra persona; pero quizá las presiones económicas las obligan a hacerlo muy pronto. La legislación federal de Estados Unidos no estipula que se pague a las empleadas que gozan de la licencia familiar. Las grandes empresas suelen hacerlo, no así muchas pequeñas.

La ambivalencia que tantas mujeres sienten ante sus roles dobles puede deberse a la socialización del género. Por tradición, se espera que la mujer sea menos activa que el hombre, que busque ante todo el matrimonio y que no adquiera una orientación al trabajo ni a una carrera (Hansen, 1974). Por otra parte, la ambivalencia de las mujeres que trabajan frente a sus roles también puede atribuirse a las presiones cotidianas generadas al tratar de satisfacer dos series contrarias de exigencias. En tal caso, el conflicto de roles es resultado de las circunstancias de las parejas con doble ingreso y no un "problema" psicológico.

Las mujeres que se dedican a una carrera profesional o administrativa encaran otras presiones. El matrimonio crea tensiones cuando es preciso decidir cuál de los dos cónyuges tendrá prioridad en su carrera, en especial en el caso de ascensos o transferencias. En virtud de que los hombres suelen aportar más dinero al hogar, si se da preferencia a la carrera del marido aumentará el ingreso y el nivel de vida de la familia, pero la mujer encontrará obstáculos para cultivar su vocación (Favia y Genovese, 1983).

Una vez más, a pesar de las tensiones, la mujer obtiene importantes beneficios del trabajo. La satisfacción que ya describimos alcanzará a su familia, especialmente si se trata de un puesto de estatus elevado. Esto permite a la familia ajustarse a la poca flexibilidad y tiempo disponible de la mujer, así como al aumento de las tensiones que caracterizan a este tipo de familia (Piotrkowski y Crits-Christoph, 1981). En parte, la satisfacción en el trabajo también explica por qué la mayoría de las investigaciones han demostrado que los matrimonios de ingreso doble no son menos felices que los demás. De hecho, en varios estudios se han descubierto niveles más elevados de satisfacción conyugal entre las esposas que trabajan que entre las que no lo hacen, tanto en la clase trabajadora como en las familias de profesionistas (Burke y Weir, 1976; Walker y Wallston, 1985). ¿Por qué el trabajo beneficia a las mujeres a pesar de las tensiones? El apoyo social puede ser una de las explicaciones. Es posible que encuentren amistad, consejo y apoyo psicológico en sus colegas. El trabajo puede constituir, además, una fuente alterna de autoestima y hasta ofrecer un sentido de control, cuando las cosas no marchan bien en el hogar (Rodin e Ickovics, 1990). En conclusión, el trabajo puede ser una especie de amortiguador contra las innumerables presiones experimentadas en casa.

REPASE Y APLIQUE

1. Describa los cambios que ha tenido la participación de la mujer en el trabajo en las últimas décadas.
2. ¿Cómo se distinguen hombres y mujeres en cuanto al significado que dan al trabajo?
3. ¿De qué manera influyen los mitos y estereotipos comunes en las oportunidades profesionales de la mujer?
4. Describa algunas tensiones en la vida de las parejas que tienen un doble ingreso.

RESUMEN

Continuidad y cambio en el desarrollo de la personalidad y en la socialización

- Los cambios de roles en la juventud constituyen una transición y marcan hitos en la vida; aunque nos hacen cambiar, son más sutiles y menos sistemáticos que los de la niñez y de la adolescencia.
- El desarrollo del adulto se da dentro del contexto de tres sistemas independientes pero interrelacionados, a saber: el desarrollo del yo personal, del yo como miembro de la familia y del yo como trabajador.
- De acuerdo con los psicólogos humanistas, como Maslow, todo individuo trata de autorrealizarse o desarrollar y utilizar al máximo sus talentos y capacidades.
- La necesidad de autorrealización sólo puede buscarse una vez atendidas las necesidades de orden inferior, entre éstas las de alimento y vivienda.
- Según Rogers, la sociedad "corrompe" al individuo al imponerle condiciones de valor, que se interiorizan después como criterios de perfección. Rogers propuso que nos veamos a nosotros y a los demás con una consideración positiva incondicional, es decir, como seres humanos valiosos, sin reservas ni condiciones.
- La familia es un contexto muy importante en el desarrollo del adulto; la mayoría de las personas se definen a sí mismas sobre todo en función de su familia.

- Los jóvenes se encuentran a menudo en un periodo de transición a una mayor independencia: en el aspecto emotivo, funcional, de las actitudes y de los conflictos.
- La etapa de generatividad frente a estancamiento propuesta por Erikson guarda una estrecha relación con el trabajo, pues muchos adquieren el sentido de ser miembros productivos y útiles de la sociedad en parte por su oficio o profesión.
- Algunos se concentran en factores intrínsecos del trabajo, como sus retos o interés; otros, en factores extrínsecos, como el salario y el prestigio.
- Las amistades pueden ser importantes factores extrínsecos en el lugar de trabajo.

Establecimiento de relaciones íntimas

- Las amistades constituyen un aspecto esencial de la vida adulta. Como las relaciones románticas, suelen caracterizarse por vínculos emotivos positivos, por la satisfacción de necesidades y la interdependencia.
- De acuerdo con la teoría triangular del amor propuesta por Sternberg, el amor consta de tres componentes: intimidad, o sensación de contacto estrecho; pasión, o atractivo físico, excitación y conducta sexual; y decisión y compromiso, es decir, el darse cuenta de estar enamorado y el compromiso de conservar ese amor.

- Los individuos logran parte de su identidad personal como miembros de una pareja relativamente estable.
- La teoría instrumental de la selección de pareja establece que algunas necesidades (incluidas las sexuales y de afiliación) son más importantes y que nos sentimos atraídos hacia quienes tienen necesidades similares o complementarias a las nuestras.
- En la teoría de estímulo, valor y función, el cortejo tiene tres etapas: la del estímulo es cuando un hombre y una mujer emiten un juicio inicial sobre el otro; la de comparación de valores es cuando descubren si son compatibles; y la de funciones es cuando deciden si pueden sostener una relación a largo plazo.
- La perspectiva del sistema familiar pone de relieve la idea de que la formación de la pareja exige negociar los límites y redefinir las relaciones con la familia, con los amigos y con el otro.
- El matrimonio monógamo es sin duda el estilo de vida más común y el que se elige con mayor frecuencia. Lo simboliza un rito nupcial y lo aprueba la comunidad. La exigencia de la fidelidad varía de una cultura a otra.
- La cohabitación, o unión libre, puede ser semejante al matrimonio, pero carece de aprobación social y de las responsabilidades legales del matrimonio tradicional. En Estados Unidos, cerca de una tercera parte de las parejas que cohabitan terminan casándose.
- Una pareja que cohabita debe enfrentar los problemas del compromiso, la fidelidad y la estabilidad.

Paternidad (maternidad) y desarrollo del adulto

- El ciclo de la vida familiar comienza cuando una persona abandona el hogar paterno y continúa con el matrimonio, el nacimiento del primer hijo, el nacimiento del último hijo, la partida del último hijo y la muerte de un cónyuge.
- La transición a la paternidad (maternidad) exige numerosas adaptaciones y ajustes: cambios de identidad y de vida interior, modificaciones de roles y de relaciones en el matrimonio, cambios de roles y de relaciones entre generaciones, modificaciones de roles y de relaciones fuera de la familia y nuevos roles y relaciones como padre o madre.
- La madre normalmente ajusta su estilo de vida y da prioridad así a la maternidad. Con mayor frecuencia los varones intensifican su esfuerzo laboral para ser mejores proveedores.
- Varios factores influyen en la eficacia del ajuste de los nuevos progenitores. Entre éstos figuran el apoyo social, la felicidad conyugal durante el embarazo, la autoestima de los progenitores y las características del hijo.
- Se han identificado seis etapas de la paternidad (maternidad): la etapa de formación de la imagen (de la concepción al nacimiento), la etapa de crianza (del nacimiento a los dos años), la etapa de autoridad (de los dos a los cinco años), la etapa interpretativa (niñez media), la etapa de interdependencia (adolescencia) y la etapa de partida.
- En cada etapa del ciclo de la vida familiar, los padres no sólo deben enfrentar los nuevos retos y exigencias de sus hijos, también tienen que renegociar su relación.
- Las presiones de la paternidad (maternidad) son particularmente fuertes en el caso de progenitores solos o solteros. Las mujeres suelen ganar menos que los hombres, sobre todo si no tienen una escolaridad elevada.
- Las familias encabezadas por madres solteras son más numerosas y suelen ser más pobres entre los afroamericanos. Sin embargo, se trata con mayor frecuencia de familias extendidas y esta circunstancia pone a disposición de la madre más recursos financieros, psicológicos y sociales.
- Los padres solteros tienen muchos de los problemas y tensiones que afectan a la madre soltera. Sin embargo, suelen hallarse en una mejor situación económica. Casi todos muestran alto nivel de integración emocional con sus hijos.

El ciclo ocupacional

- El ciclo ocupacional comienza por pensamientos y experiencias que culminan en la elección de una carrera; continúa con el ejercicio de ésta, y termina con la jubilación. Sin embargo, no suele ser tan simple y no siempre se realiza sin dificultades.
- De acuerdo con Havighurst, el ciclo ocupacional consta de una serie de etapas: identificarse con un trabajador (de los cinco a los 10 años de edad), adquirir los hábitos básicos de laboriosidad (de los 10 a los 15 años), adquirir una identidad como trabajador (de los 15 a los 25 años), convertirse en una persona productiva (de los 25 a los 40 años), mantener una sociedad productiva (de los 40 a los 70 años) y contemplar una vida productiva y responsable (de los 70 años en adelante).
- Entre los factores que influyen en la decisión vocacional se encuentran el nivel socioeconómico, el origen étnico, la inteligencia, las habilidades, el género y la ocupación de los progenitores.
- Los afroamericanos y las mujeres, en su mayoría, ocupan empleos de estatus bajo y mal remunerados; son muy pocos los que tienen trabajos en las profesiones mejor remuneradas. Esta discrepancia puede deberse a decisiones como abandonar la escuela, escoger un trabajo de medio tiempo o a la discriminación.
- La relación con los progenitores puede originar en los hijos actitudes, necesidades e intereses que más tarde influyen en su decisión ocupacional.

■ Conforme a la teoría del autoconcepto, la gente busca una carrera que corresponda al concepto que tiene de sí misma. La teoría de rasgos establece algo similar, pero investiga los rasgos de la personalidad medidos de manera objetiva, en comparación con la percepción que tenemos del yo.

■ La preparación vocacional formal consta de aprendizaje estructurado en el nivel medio superior, programas de formación vocacional, estudios universitarios y capacitación en el trabajo. La preparación informal consiste en adoptar actitudes, normas y expectativas de roles apropiadas para un determinado trabajo.

■ Las consideraciones prácticas también influyen en la decisión vocacional. Entre éstas se encuentran las condiciones económicas y las presiones de la familia.

■ En las últimas décadas, los empleados se han dado cuenta de que deben responsabilizarse de progresar en su carrera y no pueden esperar de la empresa estabilidad profesional ni beneficios a corto plazo como el seguro médico.

■ Cuando los jóvenes empiezan a trabajar, a menudo comprueban que la realidad no corresponde a sus expectativas. El descubrimiento puede originar un periodo de frustración y enojo, mientras se ajustan a la nueva situación.

■ Los mentores desempeñan una función positiva en el desarrollo profesional de los jóvenes, pues les enseñan, los capacitan, apoyan su progreso profesional y modelan la conducta social y la relacionada con el trabajo.

■ Para una satisfacción laboral madura es necesario conservar el sentido de emoción y compromiso con el trabajo a lo largo de la adultez.

■ El periodo intermedio de la carrera es un tiempo de consolidación: el empleado se establece y acepta las realidades de su estado ocupacional.

Trabajo y género

■ Aunque las mujeres han ingresado a la fuerza laboral en grandes cantidades y han conseguido importantes logros, un gran número de ellas todavía se dedica a trabajos poco remunerados como enfermería, docencia y labores secretariales y administrati-

vas. Además, las de raza negra, en especial, todavía ganan menos que los hombres.

■ Las mujeres que trabajan fuera de casa presentan mayor variedad de patrones ocupacionales que los varones. Algunas se ajustan al patrón tradicional masculino de ejercer una profesión sin interrupción; otras planean dejar de trabajar y tener hijos o se forjan una carrera fuera del hogar cuando los hijos asisten a la escuela.

■ Muchas mujeres trabajan por necesidad económica, pero otras encuentran satisfacción y realización personal en su empleo. Para algunas, la oportunidad de interactuar con otras personas es una razón muy importante para trabajar.

■ Las mujeres que trabajan fuera de casa suelen ser física y psicológicamente más sanas que las que no trabajan.

■ A menudo las mujeres sufren los efectos de mitos y estereotipos. Según uno de éstos, las mujeres y los hombres tienen diferentes actitudes frente a la aceptación de riesgos, el sueldo y el progreso profesional; las investigaciones han comprobado una y otra vez que este mito es falso. Tampoco es verdad que las mujeres estén menos motivadas para el logro ni que tengan planes profesionales menos específicos.

■ Las parejas con doble ingreso perciben un sueldo total más elevado, gracias al cual gozan de un mejor nivel de vida. No obstante, surgen tensiones y conflictos de roles por la necesidad de combinar los roles y establecer prioridades.

■ La investigación ha demostrado que, aun cuando ambos cónyuges tengan un empleo de tiempo completo, la mujer continúa realizando la mayor parte de las actividades familiares y éstas representan un "segundo turno".

■ Algunas mujeres que trabajan sufren intensos conflictos de roles por factores como la dificultad para encontrar un buen centro de cuidado para sus hijos, los efectos de la socialización del género y las presiones que supone tratar de satisfacer dos conjuntos antagónicos de exigencias.

■ La mujer puede obtener importantes beneficios de su trabajo y a menudo éstos se extienden a su familia. Además, el trabajo sirve de amortiguador contra las tensiones del hogar.

CONCEPTOS BÁSICOS

autorrealización	factores intrínsecos del trabajo	decisión y compromiso
psicólogos humanistas	factores extrínsecos del trabajo	ciclo ocupacional
condiciones de valor	intimidad	pareja con doble ingreso
consideración positiva incondicional	pasión	licencia familiar

UTILICE LO QUE APRENDIÓ

En la juventud puede ser un difícil acto de malabarismo combinar las funciones de lograr la independencia y una identidad personal, formar una familia y ejercer una profesión. Algunos jóvenes logran manejar estos tres conjuntos de roles, pero para muchos los roles y las responsabilidades de la familia, del trabajo y del yo representan un conflicto que dura mucho tiempo.

Prepare una lista de cuatro o cinco jóvenes a quienes conozca bien. Trate de incluir por lo menos un soltero y uno que todavía no se haya creado una identidad en los roles laborales. ¿Cómo describiría y compararía su estatus en relación con las tres áreas del desarrollo psicosocial: el yo personal, el yo en los roles familiares y el yo como trabajador? ¿Sufre alguno de ellos tensiones o conflictos de roles? Si tuviera que darles un consejo, ¿qué les recomendaría para ayudarles a aliviar la situación o establecer prioridades?, ¿son sus recomendaciones realistas y prácticas a corto y a largo plazos?

Algunas veces conviene redefinir el problema. Las prioridades pueden cambiar, si lo examina desde otro punto de vista.

LECTURAS COMPLEMENTARIAS

ANDERSON, J. (1990). *The single mother's book*. Atlanta: Peachtree Publishers. Guía bien organizada para manejar la vida como madre soltera: hijos, trabajo, hogar, economía y todo lo demás.

APTER, T. (1995). *Working women don't have wives: Professional success in the 1990s*. Nueva York: St. Martin's Press. Reveladora recopilación de entrevistas a mujeres en lo que respecta a conflictos entre trabajo y vida familiar.

COSBY, F. (1991). *Juggling: The unexpected advantages of balancing career and home for women, their families and society*. Nueva York: Free Press. Sobre la base de una investigación muy completa, Faye Crosby acaba con los mitos en torno del trabajo y la maternidad y resalta los beneficios de los roles complejos para los padres y sus hijos.

COWAN, C. P., y COWAN, P. A. (1992). *When partners become parents: The big life change for couples*. Nueva York: Basic Books. Resultados de entrevistas con una muestra de parejas, presentados en un estilo ameno e inteligente.

GILL, B. (1998). *Changed by a child: Companion notes for parents of a child with a disability*. Nueva York: Doubleday. La crianza es difícil a menudo, pero educar a un niño discapacitado puede resultar una experiencia traumática que altera la vida. Barbara Gill escribe sobre esta experiencia de una manera sensata y compasiva.

MILLMAN, M. (1991). *Warm hearts, cold cash: The intimate dynamics of families and money*. Nueva York: Free Press. Este sociólogo presenta la incómoda verdad sobre cómo utilizamos el dinero en las relaciones íntimas, y a veces tormentosas, de la familia.

REGISTER, C. (1991). *"Are those kids yours?" American families with children adopted from other countries*. Nueva York: Free Press. Estudio revelador sobre la adopción internacional, desde los puntos de vista de padres adoptivos y de hijos adoptados cuyas edades fluctúan entre los seis y los 30 años, con el acento puesto tanto en su normalidad como en sus dificultades especiales.

ROGERS, C. R. (1961). *On becoming a person*. Cambridge, MA: Riverside Press. En un estilo muy ameno, Carl Rogers presenta un modelo optimista y perceptivo para el crecimiento personal a través del ciclo vital.

ROSENBERG, E. B. (1992). *The adoptive life cycle*. Lexington, MA: Lexington Books. Fuente muy original y de gran autoridad acerca de la compleja experiencia de la adopción.

RUBIN, L. B. (1995). *Families on the fault line: America's working class speaks about the family, the economy, race, and ethnicity.* Nueva York: Harperperennial Library. La famosa socióloga Lillian Rubin entrevista a 162 familias —de blancos en su mayoría, pero también de negros, latinos y asiáticos— y nos ofrece esta reseña de las experiencias, actitudes y circunstancias de las familias de la clase trabajadora actuales.

Adultos de edad madura: desarrollo físico y cognoscitivo

TEMARIO

OBJETIVOS DEL CAPÍTULO

Cuando termine este capítulo, podrá:

1. Explicar los aspectos del desarrollo que caracterizan la madurez.
2. Describir los cambios físicos que tienen lugar en la madurez y los factores que los favorecen.
3. Explicar la sexualidad en el periodo de la madurez.
4. Identificar los factores que influyen en la aparición de enfermedades durante la madurez: malos hábitos en el cuidado de la salud, pobreza y estrés.
5. Explicar los cambios cognoscitivos que ocurren en la madurez y los problemas de investigación relacionados con su evaluación.

Hemos estudiado la niñez, la adolescencia y la juventud. Hemos visto las etapas del desarrollo por las que pasa un niño para convertirse en adulto: un individuo con una perspectiva y personalidad relativamente estables. Hemos señalado los hitos sociales que marcan el ingreso del adolescente al mundo de los adultos: marcharse del hogar paterno, casarse, procrear, forjarse una carrera. ¿Y qué viene luego?

La madurez (que se considera, en forma arbitraria, que comienza a los 40 años), junto con el periodo subsecuente, constituye 50 por ciento o más de la vida de una persona. ¿Plantea nuevos desafíos o no es más que el tiempo en el que se realizan las decisiones tomadas antes, tal vez con algunas correcciones y ajustes por aquí y por allá? ¿Cuánta continuidad hay durante estos años? ¿Es Pedro Pérez la misma persona a los 50 años que la que era a los 30? De no ser así, ¿qué lo hace cambiar, cuánto y en qué aspectos? ¿Pasa por nuevas experiencias y va acumulando sabiduría o su perspectiva y sus opiniones se hacen más estrechas? ¿Qué función desempeña el inevitable deterioro biológico en su funcionamiento psicológico?

Como la juventud, la madurez está dominada por la continuidad y el cambio; hay un poco de ambos. Comenzaremos por ofrecer una síntesis que comprende los mitos populares concernientes a las personas maduras; por ejemplo, la "crisis" de la madurez. Después examinaremos los cambios en las habilidades sensoriomotoras y en otros factores biológicos, lo mismo que los aspectos biológicos y psicológicos de la sexualidad. Después, nos ocuparemos de la salud y de la enfermedad. Por último, analizaremos a fondo lo que ocurre en la madurez con la inteligencia y las capacidades cognoscitivas, haciendo hincapié en las habilidades que se deterioran y las que permanecen estables.

DESARROLLO EN LA MADUREZ

¿Cuándo comenzamos a considerarnos personas de edad madura? ¿Qué indicios nos dicen que hemos dejado de ser jóvenes y cómo reaccionamos ante éstos? Hay muchos signos de la madurez. Por convención, la edad madura abarca aproximadamente de los 40 a los 60 o 65 años de edad. En el cuadragésimo cumpleaños se acostumbra proclamar con gran estruendo el acontecimiento, contar chistes sobre el inicio de la decadencia, enviar tarjetas jocosas de felicitaciones y quizá poner a la entrada de la casa de la persona un letrero alusivo. En la cultura moderna, cumplir 40 años se considera a menudo el principio del fin.

Las teorías del desarrollo discrepan mucho en la cuestión de cuándo comienza y termina la madurez. En gran parte la respuesta depende de las experiencias por las que pase el individuo: ¿se considera madura una mujer de 43 años que acaba de tener un hijo?, ¿un hombre de 41 años que asiste a un programa de capacitación en el trabajo considera que está en la madurez de su carrera —y de su vida— o piensa que está comenzando una vida nueva? La salud es otro factor que debe tenerse en cuenta: ¿qué tienen en común las personas de 40 años en buenas condiciones físicas y llenas de vitalidad y energía con los individuos de esa misma edad que se han arruinado por la falta de ejercicio y el consumo de alcohol y de otras sustancias?

Además, para diferentes personas la madurez puede comenzar antes o después, y puede durar un periodo mayor o menor porque el envejecimiento se acompaña de muchísimas señales (Neugarten, 1980). Algunas se relacionan con el estatus social y familiar. La madurez es un periodo intermedio, un puente entre dos generaciones. Estas personas se percatan de estar separadas no sólo de los chicos y de los jóvenes sino también de las personas mayores, en especial de los jubilados. Algunas piensan que se encuentran en esta etapa cuando sus hijos empiezan a marcharse del hogar. Otras señales pueden ser físicas o biológicas. De repente una mujer se dará cuenta de que su hijo es más alto que ella; un hombre descubrirá que los inicios de la artritis deterioran una habilidad, como dibujar o tocar el piano.

Hay además algunas señales psicológicas, la mayor parte de las cuales se refieren a aspectos de continuidad y cambio. Nos damos cuenta de haber tomado algunas decisiones básicas relativas a nuestra carrera o a nuestra familia, decisiones que ahora están firmemente establecidas y que es necesario cumplir. Nunca conocemos el futuro, pero ya no nos ofrece tantas posibilidades como antaño. Las señales también provienen de nuestra carrera; tal vez se interrumpa el progreso. Quizá hayamos alcanzado un nivel elevado o quizá nos demos cuenta de habernos estancado muy por debajo de nuestra meta original.

¿TIEMPO DE PLENITUD O INICIO DEL FIN?

¿Qué sentimientos produce el hecho de llegar a la madurez? Ni los teóricos ni las personas maduras coinciden en si es una etapa de nueva realización, estabilidad y liderazgo potencial, o si es un periodo de insatisfacción, de crisis internas y depresión. En la concepción que se tiene de la edad madura influyen condiciones económicas, la clase social y la época en que se vive. Muchos se dan cuenta de que han dejado de ser jóvenes; pero se sienten satisfechos y piensan que se encuentran ahora en la "plenitud de la vida" (Hunt y Hunt, 1975; Neugarten, 1968b). A menudo se sienten "seguros", estables y confiados (Helson, 1997). Las capacidades físicas de muchos posiblemente estén un poco deterioradas, pero la experiencia y el conocimiento personal les permiten controlar su vida mejor que en cualquier otra edad. Pueden tomar decisiones con una facilidad, una pericia y una seguridad que estaban antes fuera de su alcance. Esta capacidad explica por qué a los individuos de 40 a 60 años se les ha llamado la *generación al mando* y por qué pertenece a este grupo de edad la mayoría de quienes toman las decisiones en el gobierno, las empresas y la sociedad.

Desde luego, muchas personas de edad madura no toman decisiones tan importantes ni dirigen empresas u organismos gubernamentales. Hay quienes ni siquiera piensan que controlan su propia vida, mucho menos la de otros. Algunos pierden su vitalidad a los 40 años. Else Frenkel-Brunswik (1963), por ejemplo, no cree que los de su generación sean los que están al mando. Por el contrario, para ella se trata de un periodo de actividad decreciente cuyo co-

Una vez iniciada la edad madura, muchas personas disminuyen un poco su actividad física.

mienzo, hacia los 48 años de edad, suele caracterizarse por crisis biológicas y psicológicas. Levinson (1978, 1996) y sus colegas comprobaron que la "transición a la edad madura es un periodo de crisis que pueden ir de ligeras a graves" para ambos sexos.

La mayoría de las personas experimenta cierta ambivalencia durante la edad madura (Chiriboga, 1981; Sherman, 1987). Tal vez sea el mejor momento de la vida en relación con la familia, la carrera o el talento creativo; pero casi todos los de esta generación también están plenamente conscientes de su mortalidad y con frecuencia piensan en que se les está acabando el tiempo; por lo demás, los años parecen transcurrir con mayor rapidez. Algunos empiezan a preocuparse por cuestiones de creatividad y sus aportaciones a la siguiente generación; temen estancarse o perder oportunidades; desean conservar las relaciones íntimas con su familia y sus amigos. Ante cada acontecimiento trascendente —nacimiento, muerte, cambio de empleo, divorcio— reconsideran el significado de su vida (Sherman, 1987). Esto se aplica a los hechos que les ocurren a ellos y a quienes los rodean. Para algunos, el tema de la madurez se concentra en "Hacer hoy lo que se tenga que hacer" (Gould, 1978). La forma en que interpreten este sentido de urgencia, junto con los acontecimientos que experimentan, determinará si la madurez es un periodo de transición y reevaluación graduales o de crisis.

CRISIS DE LA MADUREZ Y MITOS RELACIONADOS

Algunos investigadores consideran que los adultos perciben la edad madura como "un periodo en que algunas esperanzas se frustran y algunas oportunidades parecen haberse perdido para siempre" (Clausen, 1986); sin embargo, un número considerable de investigaciones convincentes indica lo contrario. Se ha comprobado que para los adultos estos años son simplemente un periodo de transiciones graduales —positivas y negativas— relacionadas con el envejecimiento. En contraste con el modelo de la crisis que relaciona los cambios normativos de este periodo con crisis predecibles, el **modelo de transición** rechaza la idea de que la crisis constituya la norma (Hunter y Sunder, 1989; Helson, 1997).

De acuerdo con el modelo de transición, el desarrollo se caracteriza por una serie de acontecimientos trascendentales que es posible prever y planear. Las transiciones relacionadas con esos acontecimientos son difíciles desde el punto de vista psicológico y social; no obstante, la mayoría de las personas se adapta

modelo de transición Teoría que sustenta que los cambios de la madurez son graduales.

de manera eficaz, pues sabe que se trata de cambios inevitables. Por ejemplo, sabiendo que probablemente se jubile entre los 60 y los 70 años edad, un hombre de 40 años que posee una empresa pequeña realiza depósitos periódicos en su cuenta de retiro individual con impuestos diferidos. Cuando cumpla 50 años, quizá ya habrá encontrado la casa ideal donde vivir una vez pensionado y comente con frecuencia los planes de jubilación con su esposa e hijos. En consecuencia, quienes esperan enfrentar el cambio en el periodo de la madurez no suelen esperar a que ocurra para hacer algo al respecto. Como son previsores, lo planean y así evitan las crisis de la madurez (Clausen, 1986; Troll, 1985).

El **modelo de la crisis** presenta, además, ciertas debilidades metodológicas que reducen su atractivo. Muchos de los trabajos que lo apoyan se realizaron con poblaciones clínicas más que en muestras de sujetos normales, las cuales son más representativas de la población adulta. Más aún, los estudios clásicos de Levinson (1978), Gould (1978) y Vaillant (1977) se concentraron en varones blancos de clase media. Por ejemplo, Levinson y sus colegas (1978) descubrieron que, hacia los 40 años de edad, un hombre puede empezar a cuestionar, o por lo menos poner en perspectiva, la vida que ha llevado. Si logró alcanzar sus metas, se preguntará súbitamente: "¿Valió la pena luchar por ellas?" En caso contrario, se percatará muy bien de que ya no puede cambiar las cosas. De ahí que cuestione la estructura de toda su vida, incluidos el trabajo y las relaciones familiares (Levinson, 1986). En éste y otros estudios dedicados a la edad madura, se excluyó a las mujeres, lo mismo que sus intereses especiales en la madurez. De hecho, algunos investigadores dudan que puedan aplicarse a las mujeres algunos temas masculinos como "la angustia ante la mortalidad y la insuficiencia de los propios logros" (Baruch y Brooks-Gunn, 1984). También consideran que se ha exagerado el impacto negativo de acontecimientos como la menopausia y el "nido vacío".

Así pues, la madurez es el periodo en que las personas comienzan a hacer un inventario de su vida. Algunas se sienten eficientes, competentes y en la cima de sus facultades (Chiriboga, 1981). A otras les causa dolor examinar su vida. Si bien los factores normados por la edad, como el encanecimiento, el abultamiento del vientre o la menopausia, se combinan a veces con sucesos no normativos como el divorcio o el desempleo, lo que desencadena una crisis, es menos probable que estas influencias provoquen una crisis si se prevén o si se ve en éstas un proceso normal (Neugarten, 1980).

Con todo, a muchos adolescentes y jóvenes les resulta difícil pensar en la edad madura como algo que no sea un gigantesco hoyo negro en el que pasarán por los menos 20 años de su vida. Para entonces —sostienen— ya habrán terminado el crecimiento y el desarrollo. Y con éstos, los sueños y las pasiones juveniles concernientes a la carrera y las relaciones, lo mismo que los planes y las estrategias para realizarlos. A diferencia de la juventud que está llena de esperanzas, la edad madura es como quedar atrapado en un pantano. Falso —afirma Ronald Kessler, sociólogo y becario de la Red de Investigaciones sobre el Desarrollo Satisfactorio de la Madurez de la Fundación MacArthur (Mac-Arthur Foundation Research Network on Successful Midlife Development):

> Los datos demuestran que la madurez es la mejor etapa de la vida. Cuando observamos a la población total de Estados Unidos, el mejor año es el 50. No tenemos que preocuparnos por los problemas y achaques de la vejez ni por las ansiedades de la juventud: ¿alguien me amará?, ¿lograré afianzarme en mi carrera? El índice de estrés general es bajo: el índice de depresión y ansiedad disminuye a 35 y no vuelve a aumentar sino hasta después de los 60 años. Estamos muy sanos. Somos productivos. Disponemos de suficiente dinero para hacer algunas de las cosas que queremos. Hemos logrado un equilibrio en nuestras relaciones personales y hay muy pocas probabilidades de divorcio. La madurez es aquello por lo que tanto luchamos. Es entonces cuando uno puede concentrarse en ser más que en llegar a ser. (Citado en Gallagher, 1993).

modelo de crisis   Teoría que fundamenta que los cambios de la madurez son abruptos y a menudo causan estrés.

A juicio de Kessler, la crisis de la madurez constituye más bien la excepción que la regla. La abrumadora mayoría realiza una transición serena a esta etapa, pues cambian sus metas juveniles de fama, riqueza, logros y belleza por expectativas más realistas. Un tenista de 42 años, que en la adolescencia fue lo bastante bueno para ser clasificado entre los 100 mejores jugadores de su estado, aceptó ya que nunca disputará el abierto de Wimbledon y se ha conformado con ser profesor de educación física en una preparatoria o en un tenista profesional. Un político que de joven aspiraba a ser senador se conforma con ser alcalde de una ciudad pequeña. Tal "reorientación" supone que nos comparemos con otros que buscan metas o logros similares. Ante un problema, las personas maduras suelen compararse con otras que se encuentran en peores condiciones. Así, una pareja de edad madura cuya casa acaba de inundarse y cuyas pertenencias fueron destruidas se comparará con los vecinos que corrieron la misma suerte y que además están desempleados.

Los que están más propensos a sufrir una crisis de madurez rehuyen la introspección y recurren a la negación para no pensar en los cambios de su cuerpo y su vida. Por ejemplo, un hombre de 45 años que todavía cree ser un gran atleta se sentirá devastado cuando su hijo de 15 años le gane al baloncesto. "Estos individuos necesitan esforzarse mucho para mantener sus ilusiones", observa Kessler. "Dedican mucha energía al intento cognoscitivo del autoengaño, hasta que por fin interviene la realidad" (Gallagher, 1993). Kessler cree asimismo que las crisis de la madurez son más comunes entre los ricos que entre los pobres y la clase trabajadora. Por lo visto, es más fácil engañarse uno mismo respecto a las realidades de la edad madura cuando el dinero depositado en el banco nos protege de las cargas y las luchas cotidianas de la vida.

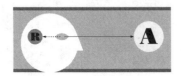

Repase y aplique

1. Explique algunos de los sentimientos de las personas relacionados con la madurez. ¿Qué factores determinan su forma de responder?
2. Describa las diferencias entre el modelo de la crisis y el de la transición de la edad madura.
3. ¿Existe o no la crisis de la madurez? Explique su respuesta.

CONTINUIDAD Y CAMBIOS FÍSICOS

Los cambios más palpables de la madurez son los de índole física. Por lo general es en esta etapa en la que recibimos los primeros recordatorios claros de que nuestro cuerpo comienza a envejecer.

"La edad es como el amor; no podemos ocultarla", escribió un dramaturgo del siglo XVII. Para muchas personas maduras, llega el "momento de la verdad" cuando el espejo les muestra nuevas arrugas, el abultamiento del vientre y una calvicie incipiente o algunas canas en las sienes que ya no dan un toque de distinción sino que deprimen. Estos signos de advertencia les generan más tristeza a unos que a otros, según la actitud que tengan ante el envejecimiento y la muerte. ¿Son señales de madurez o de decadencia?

Algunos hechos biológicos obvios, como la menopausia en la mujer, la creciente dificultad de lograr la erección en el hombre y la disminución de la agudeza visual en ambos sexos son hechos que imponen un cambio en la autoimagen o las actividades y es preciso integrarlos a un estilo de vida satisfactorio (Newman, 1982; Timiras, 1994). La mayoría de las capacidades físicas alcanzan su nivel más elevado en la adolescencia o en la juventud y se estancan durante la madurez; después empiezan a aparecer las primeras señales de deterioro físico. Pero al examinar estos cambios recuerde que las personas se desarrollan y envejecen a un ritmo distinto. Muchos factores influyen en el envejecimiento. Si esto se toma en cuenta, podemos aligerar el proceso y aliviar muchos de sus efectos negativos.

CAMBIOS EN LAS CAPACIDADES

En la edad madura suele observarse un deterioro o una reducción de las capacidades físicas (Birren y otros, 1980). Se ven afectadas las habilidades sensoriales y motoras, lo mismo que el funcionamiento interno del organismo.

La agudeza visual a menudo disminuye en la edad madura.

SENSACIÓN   Las capacidades visuales son muy estables de la adolescencia a los cuarenta años o hasta el inicio de los cincuenta; después, la agudeza visual empieza a disminuir (Kline y Schieber, 1985; Pollack y Atkeson, 1978). Una excepción parcial la constituye la miopía: en esta etapa de la vida vemos mejor los objetos distantes que durante la juventud. La audición pierde agudeza después de los 20 años y disminuye de modo gradual, sobre todo en lo relacionado con los sonidos de alta frecuencia. La pérdida auditiva es más común en los hombres que en las mujeres, hecho atribuible quizá a los factores ambientales como los trabajos tradicionalmente "masculinos" —por ejemplo, los de la construcción— en que hay una exposición constante a ruidos fuertes o de alta frecuencia. En cualquier caso, pocas veces es lo bastante grave como para afectar la conversación normal en la edad madura (Olsho y otros, 1985). El gusto, el olfato y la sensibilidad al dolor se deterioran en distintos momentos de este periodo, aunque son cambios más graduales y menos perceptibles que los visuales o auditivos. La sensibilidad a la temperatura sigue siendo grande (Newman, 1982).

HABILIDADES MOTORAS Y TIEMPO DE REACCIÓN   Estas dos capacidades tienden a disminuir. El tiempo de reacción se alarga lentamente durante la adultez y con más rapidez durante la vejez. Es posible que se deterioren las habilidades motoras, pero el desempeño se mantiene constante, tal vez debido a la experiencia y a la práctica constante (Newman, 1982). Por ejemplo, quien corte leña o juegue tenis todos los días observará una pequeña reducción de su desempeño en la madurez. En cambio, conforme pasan los años, cada día resulta más difícil aprender habilidades nuevas.

CAMBIOS INTERNOS   También empiezan a darse cambios internos. Se reduce la actividad del sistema nervioso, sobre todo después de los 50 años de edad (Newman, 1982). El esqueleto se vuelve rígido y se encoge un poco en el curso de la adultez; poco a poco la gravedad se hace sentir y la estatura disminuye. La piel y los músculos comienzan a perder su elasticidad y aparecen las arrugas. Se tiende a acumular más grasa subcutánea, especialmente en zonas como el torso. El corazón bombea hacia el cuerpo un promedio de ocho por ciento menos de sangre por cada década una vez iniciada la adultez; el calibre de las arterias coronarias se reduce casi a un tercio del tamaño que tenía entre los 20 y los 30 años de edad. Decrece la capacidad pulmonar. La resistencia depende de la cantidad de oxígeno que reciban los tejidos del cuerpo, por ello en general no puede realizarse tanto trabajo duro como en la juventud (Brody, 1979).

LA MENOPAUSIA Y EL CLIMATERIO

Para la mujer, el cambio interno más importante es la **menopausia** —cese de la ovulación y de la menstruación—, proceso con diversas consecuencias físicas y psicológicas. La menopausia forma parte del **climaterio**, que designa la totali-

menopausia   Cese permanente de la menstruación; ocurre en la madurez y puede acompañarse de síntomas físicos y de intensas reacciones emocionales en algunas mujeres más que en otras.

climaterio   Conjunto general de síntomas físicos y psicológicos que se acompañan de cambios reproductivos en la edad madura. Afecta por igual a ambos sexos.

dad de los efectos físicos y psicológicos que acompañan a las alteraciones hormonales de la madurez. Debido a las profundas repercusiones que tiene en la vida de la mujer, dedicaremos esta sección a los cambios físicos y emocionales inmediatos y a largo plazo que se relacionan con la menopausia. No existe algo equivalente a una "menopausia masculina", pese a que esporádicamente los medios aluden a ésta; pero muchos expertos consideran que los varones maduros pasan por cambios biológicos que se caracterizan por reajustes y modificaciones de su conducta sexual. Examinemos también esos cambios.

CAMBIOS Y SÍNTOMAS FÍSICOS En promedio, la menopausia comienza entre los 48 y 51 años de edad, aunque en algunas mujeres puede ocurrir un poco antes o mucho después. Al principio, la ovulación y el ciclo menstrual se vuelven impredecibles y luego cesan por completo. Se produce menos estrógeno y el sistema reproductor "queda clausurado". El útero se encoge con lentitud; disminuye en forma gradual el tamaño de los senos al irse atrofiando el tejido glandular y conforme lo va reemplazando el tejido graso. La menopausia se acompaña de síntomas físicos como bochornos, sudores nocturnos y, con menor frecuencia, cefaleas, mareos, palpitaciones y dolor en las articulaciones. Las investigaciones señalan que, de todos esos síntomas, sólo los bochornos y los sudores nocturnos se deben directamente a la menopausia, en concreto por la disminución de los niveles de estrógenos (Asso, 1983). Hasta 75 por ciento de las mujeres sufren bochornos durante la menopausia (Asso, 1983; Greenwood, 1984). Los sudores nocturnos a veces son tan fuertes que causan insomnio. Los otros síntomas, como las cefaleas y los dolores que afectan a algunas mujeres, suelen darse sobre todo en las que los han padecido antes o cuya menopausia es muy intensa (Asso. 1983). En conclusión, quizá apenas 15 por ciento de las menopáusicas necesitan tratamiento médico para sus síntomas (Shepard y Shepard, 1982).

EFECTOS EMOCIONALES INMEDIATOS En algunas mujeres, los cambios físicos se acompañan de cambios emocionales como la depresión y la sensación de ser menos femeninas por el cese de la función reproductora. En especial, las que no tuvieron hijos y no se han resignado a ello pueden experimentar la sensación de arrepentimiento, pérdida o depresión. Sin embargo, la mayoría no presenta este tipo de problemas (Asso, 1983). De hecho, algunos investigadores señalan que hay una *reducción* de los problemas emocionales durante y después de la menopausia en comparación con los años que la preceden.

En general, muchas investigaciones indican que las mujeres no responden de manera negativa a esta fase de la vida, ni a corto ni a largo plazos (Goodman, 1980; Neugarten, 1967; Neugarten y otros, 1968). En una encuesta, la mitad de las menopáusicas y las posmenopáusicas dijeron que el cambio había sido "fácil" o por lo menos "moderadamente fácil" (Goodman, 1980). Muchas se sienten más libres y en mejor control de su vida, con un sentimiento de liberación porque ya no deben preocuparse por sus periodos menstruales ni por la posibilidad de embarazarse. Por lo demás, ha terminado ya su rol activo de madres y dispondrán de más tiempo para ellas. Incluso aquellas a quienes no les agrada mucho la menopausia no suelen preocuparse ni sentir estrés; simplemente la aceptan como un hecho normal de la vida. En este periodo suele preocuparles más la posibilidad de la viudez que la menopausia (Neugarten, 1967).

El contexto cultural también influye en los sentimientos de la mujer relacionados con su persona, su conducta y sus síntomas físicos. En palabras de Margaret Lock (1993), la menopausia y otras experiencias universales del envejecimiento son "productos [...] de una interacción permanente entre la biología y la cultura, en la cual ambas son contingentes". Por ejemplo, en algunas castas de la India la menopausia tradicionalmente significa un estatus nuevo para la mujer. Ya no debe permanecer aislada de gran parte de la sociedad ni convivir

Muchas menopáusicas y posmenopáusicas se sienten felices por disponer de más tiempo para ellas ahora que su función procreativa ha llegado al final.

tan sólo con su esposo y su familia inmediata. Puede disfrutar la compañía de hombres y otras mujeres en una gama más amplia de situaciones sociales. En un estudio de un grupo de mujeres hindúes, ninguna mencionó los síntomas relacionados con la menopausia: excesivo malhumor, depresión o cefaleas (Flint, 1982). En opinión de algunos investigadores, la exagerada importancia que las culturas occidentales conceden a la juventud y al atractivo físico propiciaría los síntomas que algunas mujeres manifiestan durante la menopausia en esas sociedades.

EFECTOS A LARGO PLAZO   La pérdida de estrógeno que acompaña la menopausia produce dos, posiblemente tres, efectos a largo plazo. Los dos efectos evidentes son los cambios de la masa ósea y de los genitales. El más controvertido es un mayor riesgo de enfermedades coronarias.

La masa mineral de huesos alcanza su nivel máximo entre los 25 y los 40 años de edad; después se mantiene estable durante varios años. Hombres y mujeres pierden masa ósea al ir envejeciendo, pero la pérdida es dos veces mayor en las mujeres y ocurre con mayor rapidez (Asso, 1983). De ahí que las fracturas sean diez veces más frecuentes en ellas después de cumplir 50 años (Nathanson y Lorenz, 1982). La pérdida se acelera mucho terminada la menopausia, al parecer por la privación de estrógenos. La **osteoporosis**, término médico con que se designa la pérdida de masa ósea y el aumento de la fragilidad de los huesos (cualquiera que sea la causa) afecta a 25 millones de estadounidenses, en su mayoría, mujeres. Casi la mitad de las posmenopáusicas de más de 50 años presentarán fracturas relacionadas con la osteoporosis (McBean y otros, 1994).

El segundo cambio físico a largo plazo y plenamente demostrado se produce en los genitales. La atrofia vaginal se debe a la reducción de los estrógenos. Los tejidos de la vagina, así como los de los labios y de otros tejidos circundantes, se encogen y se vuelven más delgados y resecos. La vagina se acorta y se hace más estrecha; además, disminuye la lubricación durante el coito, lo que puede ocasionar dolor o sangrado durante la relación sexual (Asso, 1983; Shepard y Shepard, 1982).

Sin embargo, las modificaciones anteriores no significan que las relaciones sexuales sean imposibles. Se trata de alteraciones graduales, de modo que una menopáusica o posmenopáusica puede seguir teniéndolas sin problemas. Puede usarse un lubricante o una jalea. Con la reposición hormonal se alivian y hasta se invierten muchos de los síntomas (Asso, 1983; Shepard y Shepard, 1982), aunque no es una panacea como se menciona en el recuadro "Teorías y hechos" de la página 490.

El efecto a largo plazo más controvertido se refiere a la relación existente entre la menopausia y las enfermedades cardiovasculares y los ataques cardiacos. Las mujeres presentan un menor índice de enfermedades cardiovasculares antes de la menopausia; después el índice llega a ser casi tan elevado como el de los varones. Pese a ello, todavía no se determina si el incremento se debe a alteraciones menopáusicas; podrían relacionarse con otros aspectos del proceso de envejecimiento.

CAMBIOS EN LOS HOMBRES   Si bien los varones no presentan un proceso abrupto como el de la menopausia (Masters y otros, 1982), en ellos se observan cambios en su interés y actividad sexuales, en general entre los 40 y 50 años. Como en las mujeres, la magnitud de la alteración varía mucho y depende de la personalidad del individuo, de su estilo de vida y de factores culturales. Algunas modificaciones provienen de factores biológicos, sobre todo de una menor producción de andrógenos como la testosterona. Sin embargo, a diferencia de los estrógenos cuya disminución es considerable durante la menopausia, los andrógenos lo hacen de un modo gradual en un periodo más largo. No obstante, los hombres manifiestan síntomas esporádicos como impotencia,

osteoporosis   Pérdida de la masa ósea y aumento de la fragilidad de los huesos durante la madurez y en los años posteriores.

TEORÍAS Y HECHOS

TERAPIA DE REPOSICIÓN HORMONAL Y OTROS TRATAMIENTOS

Esta terapia sirve para tratar los efectos a corto y a largo plazos de la menopausia, ya sea mediante suplementos de estrógenos o de progesterona, ya sea mediante una combinación de ambos (Dan y Bernhard, 1989). Alivia síntomas como los bochornos y parece que contribuye a disminuir e incluso detener la evolución de la pérdida ósea, aunque no revierte el daño ya producido (Shepard y Shepard, 1982). Durante los primeros cinco años después de la menopausia, la pérdida ósea se debe casi por completo a la desaparición del estrógeno y sólo se reduce reponiéndolo (McBean y otros, 1994).

La terapia de reposición hormonal también se asocia con un menor índice de enfermedades coronarias y de muertes relacionadas con enfermedades cardiovasculares (Stampfer y otros, 1991). En un estudio longitudinal de más de 121,000 enfermeras, los investigadores médicos descubrieron que las que reciben el tratamiento presentan mucho menor riesgo de muerte por cardiopatía, al menos en los primeros años; los beneficios disminuyen con la administración prolongada (Grodstein y otros, 1997). En resumen, "...los beneficios de los estrógenos parecen superar con mucho los riesgos" (*New England Journal of Medicine*, 1997), pero sólo a corto plazo. Sin embargo, no se sabe con certeza si esta terapia ayuda a las mujeres a afrontar los síntomas psicológicos que a menudo acompañan a la menopausia.

El aspecto negativo consiste en que la administración de estrógenos puede asociarse con un mayor riesgo general de cáncer, sobre todo uterino (Lee y otros, 1986; Davidson, 1996). Si bien las investigaciones revelan asimismo que hay un nexo específico entre consumo prolongado y mayor riesgo de cáncer de mama (Grodstein y otros, 1997; véase también *Scientific American*, 1997), las pruebas no son concluyentes (Petrovitch y otros, 1997). Se considera que con una combinación de estrógenos y progesterona se reducen al mínimo los riesgos y quizá aumente la capacidad del estrógeno de prevenir la osteoporosis (Gambrell, 1987); la progesterona disminuye el sangrado uterino que se observa con la administración intermitente de estrógenos (*Journal of the American Medical Association*, 1996). Sin embargo, en todos los casos es necesario adaptar al individuo a la combinación particular de agentes de reposición hormonal. Además, los feministas sostienen que definir de hecho la menopausia como una "enfermedad" que necesita tratamiento a largo plazo, "medicaliza" un proceso normal del desarrollo y convierte en pacientes a una población de mujeres sanas (Gonyea, 1998).

Hay otras alternativas a la terapia de reposición hormonal. Se han venido acumulando pruebas de que una mayor ingestión de calcio aminora la pérdida ósea producida por la osteoporosis. Con el aporte de suficiente calcio durante la niñez y la juventud se crea la masa ósea que se necesitará durante toda la vida. Los estudios han demos-

trado que las mujeres posmenopáusicas de mayor edad que consumen 800 mg de calcio al día sufren menos pérdida ósea que las que consumen 400. Sin embargo, los efectos positivos del calcio no se advierten en los primeros cinco años después de terminada la menopausia (Dawson-Hughes y otros, 1990). En la actualidad están en desarrollo otros medicamentos que previenen la osteoporosis posmenopáusica o que la reducen al mínimo (Rizzoli y Bonjour, 1997; Mestel, 1997).

Por último, el ejercicio de levantar pesas practicado de manera regular durante toda la vida contribuye a aumentar la densidad ósea y puede reducir el riesgo de la osteoporosis. Las posmenopáusicas que hacen ejercicio mejoran su fuerza, su estabilidad, su flexibilidad y equilibrio; de modo que están menos propensas a caerse y sufrir fracturas de los huesos (McBean y otros, 1994). Entre los ejercicios que acrecientan la masa ósea se encuentran correr, jugar tenis, levantar pesas y hacer aeróbicos de bajo impacto. Pero para que den buenos resultados hay que realizarlos por lo menos tres veces a la semana durante 30 a 45 minutos. La masa ósea que se obtiene con el ejercicio puede perderse cuando se interrumpe. En opinión de una investigadora fisiológica, Barbara Drinkwater: "A veces nos dicen que el ejercicio depositará hueso en nuestro banco. Creo que sería mejor decir que deposita hueso en nuestra cuenta de ahorros y en las asociaciones de financiamiento" (Skolnick, 1990).

micción frecuente y úlceras (Ruebsaat y Hull, 1975). Algunos pierden seguridad en sí mismos; otros se ven cansados, irritables y deprimidos. Varios de estos síntomas pueden estar relacionados con las alteraciones de los niveles hormonales; pero probablemente se deben a diversos tipos de tensiones psicológicas: presiones laborales, aburrimiento con un compañero sexual, responsabilidades familiares o miedo a la enfermedad.

LA SEXUALIDAD EN EL PERIODO DE LA MADUREZ

Como hemos visto, los cambios fisiológicos y psicológicos que acompañan a la madurez influyen sobremanera en el funcionamiento sexual de hombres y mujeres. La satisfacción sexual depende en gran medida de cómo respondan a éstos.

Aunque las capacidades sexuales disminuyen en la madurez, persisten los intereses sexuales y románticos de ambos sexos.

Por lo regular, durante la edad madura aminora la frecuencia de actividad sexual, lo mismo que los compañeros sexuales que una persona probablemente tenga en su vida (Michael y otros, 1994; Laumann y otros, 1994). Con todo, muchos individuos sanos pueden disfrutar —y lo hacen— una vida sexual satisfactoria hasta los 70 años y después; la frecuencia de la conducta sexual no conoce fronteras raciales ni étnicas. Los cambios fisiológicos explican en parte la disminución de la actividad sexual, pero a veces se reduce por enfermedad. Los problemas de salud que la inhiben son trastornos físicos como hipertensión, diabetes y enfermedades coronarias, así como problemas emocionales como la depresión. Además, los medicamentos con que se tratan tienen a veces efectos negativos en la actividad sexual. Por ejemplo, los bioquímicos usados en el tratamiento de la enfermedad coronaria pueden tener como efecto secundario la impotencia. También los tranquilizantes suelen amortiguar el deseo sexual.

La falta de oportunidades es otro factor más. Las presiones de tiempo relacionadas con la edad madura debilitan el interés sexual. Las presiones profesionales y familiares dejan a las parejas poco tiempo o energía para el sexo. Los problemas interpersonales y familiares reducen aún más la interacción sexual de algunas personas (Weg, 1989).

Para muchos adultos, la sexualidad se redefine en esta etapa de la vida y se da mayor importancia a la sensualidad, que abarca varias expresiones físicas que no siempre culminan en el acto sexual. Abrazar, tomar la mano de la pareja, tocar y acariciar son expresiones igualmente válidas de una sexualidad madura como de afecto e interés por el otro (Weg, 1989). En las mujeres, los cambios fisiológicos de la menopausia no eliminan la capacidad para la función sexual. Pero quizá necesiten más tiempo para alcanzar el orgasmo. Algo semejante ocurre en los hombres, quienes tal vez tarden más en lograr la erección y el orgasmo. Por tanto, como hombres y mujeres necesitan más tiempo, tiene lugar una conducta sexual más orientada a compartir, a diferencia de lo que sucedía en años anteriores en que todo se concentraban con mayor urgencia en conseguir el orgasmo (Weg, 1989). Una compensación consiste en que los hombres de edad madura pueden mantener la erección más tiempo (Masters y otros, 1982).

Un aspecto negativo consiste en que, a menudo, aumentan la ansiedad y la insatisfacción sexuales en los hombres de edad madura (Featherstone y Hepworth,

1985). Además del estrés relacionado con el trabajo y del aburrimiento con una pareja sexual de muchos años, una mala condición física puede afectar la actividad sexual del hombre. Si el sexo le provoca ansiedad o si ha sufrido un episodio de impotencia o de erección parcial, quizá empiece a creer que la edad ha aminorado su capacidad sexual. Para protegerse de otros "fracasos", rehuye el sexo o quizá inicie un amorío, a menudo con una mujer más joven.

Sin embargo, surge un patrón una y otra vez: las personas de edad madura, cuyas relaciones sexuales son poco frecuentes, consideran erróneamente que sus conocidos disfrutan una vida sexual activa y satisfactoria; muchos hombres creen que la llamada "crisis del séptimo año" está afectando a muchas de esas personas aunque no es así (Michael y otros, 1994). Estas ideas erróneas pueden aumentar su insatisfacción. En efecto, como señalan Robert Michael y sus colegas, los medios masivos dan la impresión de que la gente siempre está haciendo el amor, tanto en el matrimonio como fuera de él. No es así. Los resultados de su encuesta a gran escala "corroboran la idea extraordinariamente tradicional del amor, del sexo y del matrimonio", en la cual predomina la monogamia y la poca frecuencia con que se tienen relaciones sexuales.

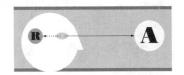

REPASE Y APLIQUE

1. ¿Cuáles son algunos de los cambios más importantes en el funcionamiento sensorial y motor durante la madurez?
2. Describa los cambios físico y emocionales a corto y a largo plazos relacionados con la menopausia.
3. ¿Cuáles son algunas de las formas en que la sexualidad va cambiando en la madurez?

SALUD Y ENFERMEDAD

Con los cambios físicos normales que ocurren durante la madurez se relacionan los cambios en la salud, algunos de los cuales están vinculados a enfermedades propias de esta etapa de la vida. Conforme el cuerpo empieza a envejecer, se hace cada vez más vulnerable a la enfermedad. Las personas de edad madura se percatan de su mortalidad cuando ellas o sus amigos se enferman. En esta sección estudiaremos los principales padecimientos que las afectan; los efectos acumulativos de los buenos o malos hábitos de salud; las relaciones entre raza, pobreza y salud; el nexo entre estrés y enfermedad. Pero antes presentaremos algunas estadísticas que nos dan buenas noticias.

LAS BUENAS NOTICIAS SOBRE EL ENVEJECIMIENTO Y LA SALUD

El Estudio Longitudinal del Envejecimiento de Baltimore (como lo resume Nancy Shute, 1997) presenta los siguientes resultados positivos:

■ Es posible detener o disminuir muchas pérdidas de función asociadas al envejecimiento.
■ Aun después de los 70 años, sólo de 20 a 30 por ciento de las personas muestran síntomas de cardiopatía.
■ Apenas 10 por ciento de las personas mayores de 65 años contraen la enfermedad de Alzheimer; gran parte del deterioro cognoscitivo de los ancianos (que explicaremos más adelante en el capítulo) es atribuible a enfermedades que pueden atenderse.

- Es bueno para la salud ganar un poco de peso a partir de los 40 años de edad; claro que las personas de edad madura deben evitar la obesidad, pero no vale la pena preocuparse por perder dos o cinco kilogramos.
- Por último, una aclaración: las personas no se vuelven más caprichosas al envejecer. Quienes son caprichosas en la edad madura también lo fueron en su juventud.

PRINCIPALES ENFERMEDADES EN LA MADUREZ

En Estados Unidos, los accidentes son la principal causa de muerte entre la gente de edad madura. Sin embargo, en ese mismo periodo empiezan a aumentar los fallecimientos a causa de la enfermedad (National Center for Health Statistics, 1995). Algunas afecciones se convierten en grandes problemas y otras afectan a un sexo más que a otro (vea la tabla 14-1). A lo largo de gran parte del ciclo vital, la mortalidad de los varones en cualquier edad duplica a la de las mujeres de la misma edad, en parte porque suelen trabajar más en ocupaciones peligrosas. También intervienen factores psicológicos: suelen preocuparse menos por su salud porque les han enseñado que el hombre debe ignorar el dolor; es menos probable que visiten al médico cuando se sienten enfermos o para que les haga un examen general. También existe la posibilidad de que los hombres tengan mayor predisposición genética a ciertos padecimientos.

En las siguientes secciones hablaremos de las principales enfermedades que afectan a la población estadounidense durante esta etapa de la vida.

ENFERMEDADES CARDIOVASCULARES Estas afecciones, que entre otras incluyen cardiopatías, arteriosclerosis e hipertensión, son la causa principal de muerte. Las cardiopatías representan 35 por ciento de los fallecimientos y el 28 por ciento de las muertes de personas cuya edad fluctúa entre 45 y 64 años de edad (National Center for Health Statistics, 1995). A lo largo de la edad madura, representa un riesgo mayor para los varones. Antes de la menopausia las mujeres están menos propensas a ataques cardiacos que los hombres, en parte porque su cuerpo produce estrógeno. Terminada la menopausia, las cardiopatías se convierten en un problema creciente también para ellas, pero incluso entonces un número menor de mujeres de este grupo de edad muere a consecuencia de un ataque cardiaco.

TABLA 14–1 **PRINCIPALES CAUSAS DE MUERTE DE HOMBRES Y MUJERES ENTRE LOS 45 Y LOS 64 AÑOS DE EDAD***

CAUSA	VARÓN	MUJER
Cardiopatías	314.1	122.7
Cáncer	306.7	245.0
Accidentes	42.6	15.8
Enfermedades cerebrovasculares	33.7	26.5
Enfermedades hepáticas crónicas	31.3	12.2
Enfermedades pulmonares crónicas	29.0	22.5
SIDA	28.7	Menos de 3.0
Suicidio	23.1	6.9
Diabetes	23.0	9.8
Neumonía	13.6	7.7

*Ordenadas por rangos según las tasas de los hombres.
Nota: las cifras representan los números anuales de muertes por cada 100,000 habitantes.
Fuente: National Center for Health Statistics (1995).

CÁNCER El cáncer es la segunda causa principal de muerte entre toda la población, pero en los últimos años se ha convertido en la primera causa de muerte entre las personas de 45 a 64 años de edad (National Center for Health Statistics, 1995). Sigue creciendo la mortalidad global por cáncer. Afecta más a los hombres que a las mujeres, pero la diferencia no es tan grande como en el caso de las cardiopatías. Los varones de edad madura suelen morir más de cáncer pulmonar, aunque empieza a subir el índice de las mujeres (National Center for Health Statistics, 1995).

DIABETES La diabetes es otra afección cuyo índice y gravedad aumentan durante la madurez; puede complicar otros problemas físicos, con consecuencias fatales. La mitad de los tres millones de diabéticos que viven en Estados Unidos tienen de 45 a 64 años de edad (Ebersole, 1979); mueren de diabetes casi la misma cantidad de personas de ambos sexos (National Center for Health Statistics, 1995).

ENFERMEDADES RESPIRATORIAS Estas afecciones representan un problema en la edad madura. Los hombres están mucho más propensos a la bronquitis, el asma y el enfisema (National Center for Health Statistics, 1990).

ENFERMEDADES RELACIONADAS CON EL VIRUS DE INMUNODEFICIENCIA HUMANA (VIH) Ocupan el séptimo lugar entre las causas de muerte de los varones de edad madura, pero el índice es más bajo en las mujeres.

Algunas enfermedades propias de esta edad son menos serias, pero aun así causan gran malestar y dificultan la vida diaria. La artritis, por ejemplo, aqueja a muchos hombres y mujeres en esta etapa.

EFECTOS ACUMULATIVOS DE LOS HÁBITOS DE SALUD

Por fortuna, la mayoría de las personas de edad madura no sufrirán ninguna de las enfermedades serias y mortales que acabamos de describir. En Estados Unidos, la esperanza de vida para los que cumplen 45 años es de unos 79 años (National Center for Health Statistics, 1995). Más de 80 por ciento de los que llegan a los 45 años sobreviven y se mantienen en buena salud por lo menos hasta los 65 años. Varios investigadores han señalado que aunque el promedio de vida no ha ido mucho más allá de los 85 años para cualquier subgrupo de la población, una proporción considerable conserva una salud relativamente buena en esta etapa de la vida.

HÁBITOS DE BUENA SALUD En parte, la longevidad se atribuye a los hábitos de buena salud. Con una dieta balanceada y nutritiva, con suficiente ejercicio y un cuidado regular de su salud, muchos viven una adultez activa y prolongada (Fries y Crapo, 1981; Siegler y Costa, 1985). En efecto, muchos expertos en el área de la salud piensan que, con un programa de ejercicio regular, con un menor estrés y una dieta sana, es posible disminuir el proceso del envejecimiento y seguir funcionando con vitalidad juvenil y con un sentido de bienestar durante la madurez y después de ésta (Fries y Crapo, 1981). Numerosos estudios han demostrado que el ejercicio, antes y después de la madurez, pueden mejorar la resistencia y las capacidades físicas (Weg, 1983). Ciertos tipos de ejercicios, sobre todo los aeróbicos, tienen por objeto aumentar la capacidad cardiaca y pulmonar, lo que suministra al organismo más oxígeno y, por lo mismo, más energía. Incluso los programas de ejercicios físicos ligeros a corto plazo, destinados a adultos mayores sedentarios, producen un impresionante aumento de la fuerza y la actividad cardiaca y pulmonar (Sidney, 1981). Con el ejercicio regular es posible disminuir el deterioro del tejido muscular, reducir la grasa del cuerpo, ayudar a prevenir el deterioro de las articulaciones y combatir algunas clases de artritis (Brody, 1979).

MALOS HÁBITOS DE SALUD Sus efectos acumulativos durante la juventud se manifiestan en la madurez. La mayoría de los padecimientos crónicos empiezan a desarrollarse mucho antes de ser diagnosticados. Entre éstos figuran

Las personas de edad madura que hacen ejercicio suelen conservar una vitalidad juvenil y un sentido de bienestar.

DIAGRAMA DE ESTUDIO · CAMBIOS FÍSICOS EN LA MADUREZ

TIPO DE CAMBIO	CARACTERÍSTICAS
Sensación	Disminución de la agudeza visual, salvo en el caso de objetos lejanos. Pérdida de audición, sobre todo de los sonidos de alta frecuencia.
	Deterioro del gusto, del olfato y de la sensibilidad al dolor.
Tiempo de reacción	Disminución lenta del tiempo de reacción.
Cambios internos	Disminución de la actividad del sistema nervioso.
	Rigidez y encogimiento del esqueleto.
	Pérdida de elasticidad en la piel y en los músculos; aparición de arrugas.
	Acumulación de grasa subcutánea.
	Disminución de la capacidad cardiaca y pulmonar.
Cambios relacionados con el sexo	
Menopausia	Cese de la ovulación y de la menstruación.
	Disminución de la producción de estrógeno.
	Encogimiento del útero y reducción del tamaño de los senos.
	Bochornos; sudores nocturnos.
	Pérdida de la masa ósea (osteoporosis).
	Atrofia vaginal.
Cambios del hombre	Disminución gradual en la producción de andrógenos.
	Aumento de la vulnerabilidad a ciertos padecimientos:
Salud	Enfermedades cardiovasculares, cáncer, diabetes, enfermedades respiratorias y enfermedades relacionadas con el virus de inmunodeficiencia humana.

en primer plano los problemas relacionados con el tabaquismo. El tabaquismo contribuye al cáncer (en pulmones, boca, faringe, laringe, esófago, colon, estómago, páncreas, cuello uterino, riñones, uretra y vejiga), a las enfermedades respiratorias y cardiovasculares, a la arteriosclerosis, la hipertensión, etc. De las más de dos millones de muertes que se registraron en Estados Unidos durante 1990, 20 por ciento (400,000) se debieron a enfermedades relacionadas con el tabaquismo. Fue la causa de más de 25 por ciento de los fallecimientos entre las personas de 35 a 64 años. La estadística anterior no debería sorprendernos pues, además de la nicotina, el humo del cigarro contiene 42 substancias más capaces de producir cáncer (Bartecchi y otros, 1995).

A pesar de 40 años de campañas en los medios relacionadas con los peligros del tabaquismo, en Estados Unidos uno de cada cuatro adultos sigue fumando. Aunque el porcentaje ha disminuido de modo considerable desde los años sesenta —cuando 41 por ciento de los adultos fumaba—, a los funcionarios de salud pública les preocupaba que el porcentaje de fumadores permaneciera constante entre 1990 y 1993 pese a los esfuerzos constantes por advertir al público sobre los peligros que el tabaquismo entraña para la salud. En parte, este consumo tan elevado se debe a la eficacia de los programas de marketing que, entre otras cosas, incluyen la preponderancia creciente de las marcas de descuento que hacen más accesibles los cigarrillos. En 1987, esas marcas representaban apenas 10 por ciento del mercado; al cabo de seis años su participación en el mercado aumentó a 36 por ciento. Los grupos demográficos más vulnerables al tabaquismo son los varones de raza blanca, los indios de Estados Unidos y de Alaska, las personas con menor escolaridad y las que se encuentran por debajo del nivel de pobreza (Bartecchi y otros, 1995).

Los efectos a largo plazo del abuso del alcohol se manifiestan durante la madurez.

Fumar regularmente es solo uno de los hábitos que propician trastornos crónicos. El consumo excesivo de cualquier estupefaciente, incluido el alcohol, acarrea consecuencias a largo plazo. A medida que el hígado y los riñones envejecen, empiezan a eliminar de manera menos eficaz la acumulación extraordinaria de sustancias en el cuerpo. Su daño acumulativo empieza a hacerse evidente durante la madurez (Rowe, 1982). En 1990, en Estados Unidos se atribuyeron aproximadamente 100,000 muertes evitables al consumo de alcohol; la ingestión ilícita de otras sustancias fue una de las causas de 20,000 fallecimientos (Bartecchi y otros, 1995).

Los efectos a largo plazo del tabaquismo, del abuso del alcohol y el consumo habitual de otras sustancias perjudiciales normalmente se agravan con otros hábitos prolongados, como la desnutrición y la falta de ejercicio regular. En la tabla 14-2 se resumen algunos hábitos de estilo de vida y otros factores que propician la aparición de trastornos crónicos (Weg, 1983).

ESTRÉS Y SALUD

Cada vez se cuenta con más pruebas de que el estilo de vida tiene una influencia profunda en la salud. En particular, el estrés es un factor importante en muchas de las enfermedades de la edad madura. Por ejemplo, en el caso de las cardiopatías se dan interrelaciones complejas entre estilo de vida, personalidad, factores genéticos y estrés. En general, los estudios sobre el estrés y las enfermedades coronarias se han concentrado en los varones, pues sufren cardiopatías con más frecuencia que las mujeres.

El nivel del estrés de una persona depende de su reacción subjetiva ante un acontecimiento o situación.

Una pregunta importante es qué tipos de estrés son peligrosos. ¿Genera un gran estrés el mero hecho de llegar a la madurez? ¿Y qué decir de la necesidad de redefinir las metas, ajustarse a los roles cambiantes en la familia, ceder el poder a competidores más jóvenes o enfrentar las primeras señales de envejecimiento biológico? La tabla 14-3 contiene algunos acontecimientos potencialmente estresantes que encontramos a lo largo de la vida. Para calcular los valores del estrés de los sucesos incluidos en la tabla, un grupo de individuos de todas las edades clasificaron cada situación atendiendo al estrés que produce. Por ejemplo, juzgaron que la muerte del cónyuge es el suceso más estresante y le asignaron un valor de 100. En el otro extremo, consideraron ligeramente estresante un cambio en los hábitos de alimentación y le asignaron un valor apenas de 15. Por ser la madurez un periodo en que se pierde al cónyuge por

TABLA 14–2   ENFERMEDADES Y ESTILOS DE VIDA

TRASTORNOS/ENFERMEDADES	FACTORES DEL ESTILO DE VIDA
Enfermedades del corazón y del sistema circulatorio	Dieta elevada en grasas, sal y carbohidratos refinados; sobrepeso; estilo de vida sedentario; tabaquismo; ingestión excesiva de alcohol, alcoholismo; estrés continuo sin resolver; tipo de personalidad
Apoplejías	Estilo de vida sedentario; dieta baja en fibra y elevada en grasas o sal; ingestión excesiva de alcohol, alcoholismo (que favorece la aterosclerosis, la arteriosclerosis y la hipertensión, factores de riesgo de los accidentes cerebrovasculares)
Osteoporosis y enfermedades dentales y de las encías	Desnutrición: insuficiencia de calcio, proteínas, vitamina K, fluoruro, magnesio y vitamina D; falta de ejercicio; inmovilidad; para las mujeres, bajo nivel de estrógenos
Enfermedades pulmonares como el enfisema	Tabaquismo; contaminación ambiental; estrés; hábitos sedentarios
Obesidad	Poca eliminación de calorías (estilo de vida sedentario), ingestión elevada de calorías; altos niveles de estrés; consumo excesivo de alcohol, alcoholismo; poca autoestima
Cáncer	Posible correlación con el tipo de personalidad; estrés; exposición a carcinógenos ambientales durante largo tiempo; deficiencias y excesos en la alimentación; radiación; hormonas esteroides sexuales; aditivos alimentarios; tabaquismo; carcinógenos ocupacionales (por ejemplo, el asbesto); virus; disminución de la inmunidad
Demencia y otras formas de pérdida de la memoria	Desnutrición; enfermedad prolongada y falta de de descanso; abuso de drogas; anemia; otras enfermedades orgánicas; duelo; aislamiento social
Disfunción sexual	Ignorancia (el anciano y la sociedad en general); actitudes sociales estereotipadas; socialización temprana; pareja inapropiada o ausencia de ella; efectos de los fármacos (por ejemplo, antihipertensivos); periodos prolongados de abstinencia; enfermedad seria

Fuente: según Aging: *Scientific Perspectives and Social Issues* de D. W. Woodruff y J. E. Birren. Copyright © 1983, 1975 Brooks/Cole Publishing Company, Pacific Grove, CA 93950, división de International Thomson Publishing Inc. Reimpreso con autorización de la editorial.

muerte, divorcio o separación y en que se dan cambios como la jubilación temprana y la enfermedad, es fácil entender que en la madurez las personas están muy expuestas a niveles mucho muy elevados de estrés.

Pero el estrés no se debe exclusivamente a los acontecimientos de la vida. También es importante la forma en que los percibimos e interpretamos. Una y otra vez los investigadores han señalado que un mismo suceso puede ocasionar gran estrés a un individuo y ser visto como un "reto positivo" por otro (Chiriboga y Cutler, 1980; Lazarus, 1981). La exposición esporádica a hechos de esta índole puede constituir un fuerte estímulo para continuar desarrollando la personalidad. Otro factor es que, si un acontecimiento se anticipa o se espera, puede causar menos estrés que si ocurriera de manera repentina o sin aviso. Y otro más es que los efectos de estos hechos son *acumulativos:* si varios acontecimientos estresantes se producen al mismo tiempo, su impacto será mayor que si ocurriera sólo uno o dos. En otras palabras, el impacto de un su-

TABLA 14–3 ESCALA DE LOS TIPOS DE ESTRÉS DE LOS ACONTECIMIENTOS DE LA VIDA

ACONTECIMIENTO	VALOR	ACONTECIMIENTO	VALOR
Muerte del cónyuge	100	Embarazo	40
Hijo o hija que abandonan el hogar	29	Cambio en los hábitos recreativos	19
Divorcio	73	Problemas sexuales	39
Problemas con parientes políticos	29	Cambio en las actividades religiosas	19
Separación conyugal	65	Llegada de un nuevo miembro a la familia	39
Logro personal sobresaliente	28	Cambio en las actividades sociales	18
Condena carcelaria	63	Reajuste de negocios	39
El cónyuge empieza a trabajar o deja de trabajar	26	Hipoteca o préstamos menores de $10,000 [en 1967]	17
Muerte de un pariente cercano	63	Cambio de la situación económica	38
Inicio o terminación de la escuela	26	Cambio en los hábitos de dormir	16
Lesión o enfermedad personal	53	Muerte de un amigo cercano	37
Cambio en las condiciones de vida	25	Cambio en el número de reuniones familiares	15
Matrimonio	50	Cambio a otra línea de trabajo	36
Revisión de hábitos personales	24	Cambio en los hábitos de alimentación	15
Despido en el trabajo	47	Cambio en el número de discusiones conyugales	35
Problemas con el jefe	23	Vacaciones	13
Reconciliación conyugal	45	Hipoteca o préstamo mayores de $10,000 [en 1967]	31
Cambio en el horario o en las condiciones de trabajo	20	Temporada navideña	12
Jubilación	45	Juicio de una hipoteca o préstamo	30
Cambio de residencia	20	Violación menor de la ley	11
Cambio de salud en un miembro de la familia	44	Cambio en las responsabilidades del trabajo	29
Cambio de escuela	20		

Fuente: The Social Readjustment Rating Scale de T. H. Holmes y R. H. Rahe, *Journal of Psychosomatic Research*, 1967, 11(2), 213-218. Copyright 1967, Pergamon Press, Ltd. Reimpreso con autorización.

ceso estresante depende de las circunstancias del momento (preocupaciones económicas, legales o familiares), la alteración que cause en las rutinas diarias y hasta qué punto representa un peligro personal. Richard Lazarus (1981) señala que en ocasiones la acumulación de pequeñas nimiedades causa más estrés a la larga que los grandes cambios de vida (consúltese el recuadro "Teorías y hechos" en la página siguiente).

RAZA, POBREZA Y SALUD

Los grupos minoritarios y los pobres sobrellevan la carga más pesada de las enfermedades y la muerte. Es una carga presente durante toda la vida, pero se pone de manifiesto sobre todo en la madurez y en años posteriores. En gran medida, la mala salud de estos sectores está ligada a una mayor incidencia de conductas poco saludables: tabaquismo, ingestión de alcohol, abuso de drogas y obesidad. Las consecuencias son devastadoras. Por ejemplo, en el grupo de edad de 45 a 64 años, la mortalidad entre los negros casi duplica la de los blancos (Kovar, 1992; National Center for Health Statistics, 1995), aunque también intervienen los elevados índices de asesinatos en algunos barrios negros de bajos ingresos.

Además de los homicidios, las estadísticas muestran que los negros suelen morir más de cardiopatías, hipertensión, cáncer, diabetes, accidentes y SIDA

TEORÍAS Y HECHOS

LOS PEQUEÑOS PROBLEMAS Y EL ESTRÉS

¿Alguna vez se ha sentido a punto de explotar cuando lo exacerban las dificultades comunes de la vida; por ejemplo, cuando la tintorería del barrio le quemó su traje nuevo o cuando quedó atrapado durante una hora en un congestionamiento de tránsito y no pudo asistir al primer acto de una obra teatral que llevaba meses esperando ver? Desde hace mucho se piensa que los estallidos menores, la irritación y el enojo son consecuencias de molestias de este tipo. Pero los efectos de estas frustraciones pueden ser mucho más serios, al menos así opinan Richard Lazarus (1981) y sus colegas de la Universidad de Berkeley.

Para probar su afirmación y determinar si las experiencias satisfactorias, agradables y placenteras contrarrestan los efectos negativos de los problemas cotidianos, estudiaron a 100 hombres y mujeres de 48 a 52 años de edad durante un año. Al inicio, los sujetos llenaban una escala de acontecimientos de la vida compuesta por 24 reactivos, semejantes a los de la tabla 14-3. Cada mes llenaban una lista de comprobación de "pequeños problemas" compuesta por 117 reactivos y otra de "pequeños éxitos" compuesta por 135 reactivos. Para averiguar cómo influían unos y otros en la salud de los participantes, al inicio y al final del año les hicieron llenar cuestionarios que medían su salud física y mental y se les hizo otras mediciones de los cambios en su salud.

Los resultados del estudio plantean serias dudas sobre la creencia de que los grandes acontecimientos de la vida son la causa principal del estrés. Según Lazarus,

las contrariedades cotidianas predicen la salud física y mental de una persona mucho mejor que los grandes acontecimientos. Los sujetos a quienes se les abrumaba con pequeñas nimiedades presentaban más problemas de salud física y mental que aquellos cuya vida transcurría con una calma relativa. Por el contrario, los que habían experimentado hechos importantes como el divorcio o la muerte de un pariente cercano no mostraron problemas graves de salud durante el periodo del estudio. Aquellos cuya salud había sido afectada por grandes acontecimientos los habían sufrido durante dos años y medio antes de comenzar el estudio. Por tanto, aunque existe un nexo entre esos acontecimientos y la salud a largo plazo, los pequeños problemas parecen determinar el bienestar a corto plazo.

Lo anterior no significa que no haya relación entre los grandes acontecimientos de la vida y los pequeños problemas. El divorcio, la muerte del cónyuge o hasta el matrimonio puede producir un efecto en espiral que crea una fuente aparentemente inagotable de malestares. El hombre que se divorcia después de 30 años de matrimonio se dará cuenta, por ejemplo, de la dificultad de preparar su comida, limpiar la casa y no tener a su lado una pareja sexual. Desde luego, no todos respondemos de la misma manera a las frustraciones diarias. En nuestra forma de reaccionar influyen la personalidad y el estilo de afrontamiento. además, Lazarus comprobó que la frecuencia, la duración y la intensidad del estrés interactúan y determinan si nos sentiremos abrumados o no. Si no encontramos la cartera, la bolsa o si nos han enyesado una pierna, estaremos menos preparados para asimilar la

notificación de que el banco nos rechazó un cheque.

¿Nos ayudan un poco los pequeños éxitos? ¿Contrarrestamos la presión de los problemas cotidianos con la noticia de un incremento salarial o con la agradable sensación que nos procura la familia? Por desgracia, el estudio citado reveló que los pequeños éxitos contribuyen poco a compensarlos.

Los 10 pequeños problemas y éxitos más importantes, propuestos por Lazarus

Pequeños problemas
1. Preocupación por el peso
2. Salud de un miembro de la familia
3. Aumento de los precios de los bienes de consumo
4. Mantenimiento de la casa
5. Muchas cosas que hacer
6. Extravío o pérdida de cosas
7. Trabajo en el patio o mantenimiento externo de la casa
8. Propiedad, inversión o impuestos
9. Delito
10. Aspecto físico

Pequeños éxitos
1. Relacionarse bien con el cónyuge o la pareja
2. Relacionarse bien con los amigos
3. Terminar un trabajo
4. Sentirse saludable
5. Dormir bien
6. Comer fuera de casa
7. Cumplir con las responsabilidades
8. Visitar, telefonear o escribir a alguien
9. Pasar tiempo con la familia
10. Tener una casa agradable

---

que los blancos. Por otra parte, la mortalidad por enfermedades infecciosas y parasitarias, por diabetes, hipertensión y SIDA es mayor entre los hispanos que entre los estadounidenses de origen europeo (National Center for Health Statistics, 1990, 1995).

Las diferencias anteriores se deben a diversos factores sociales. Aunque con las intervenciones médicas y los cambios en los estilos de vida se atenúan los efectos de muchas enfermedades, los afroamericanos y los hispanos suelen no recurrir al sistema de atención médica mientras no se encuentren en un estado de emergencia (por lo que no pueden ser rechazados en las salas de urgencias de los hospitales). Los niveles elevados de pobreza, junto con la falta de un seguro de gastos médicos, desalientan la utilización de los estudios de diagnóstico de laboratorio, los exámenes físicos y otros métodos de detección temprana (Harlan y otros, 1991; Kravitz y otros, 1990; Solis y otros, 1990). En particular, la probabilidad de tener un seguro médico es menor entre los hispanos que entre los blancos o los afroamericanos; el doble de hispanos que de blancos acuden a las salas de urgencias como su fuente primaria de atención médica. Las barreras culturales y del idioma les dificultan aún más la atención médica. Las investigaciones revelan que los hispanos que hablan inglés suelen tener más una fuente regular de atención médica que los que sólo hablan español (Council on Scientific Affairs, 1991).

Los malos hábitos de salud que aumentan los factores de riesgo están ligados en forma indisoluble a un sentido de desvalidez y a una vida en condiciones sociales difíciles (Williams, 1992). El cigarro, el alcohol, las drogas, la ingestión excesiva de alimentos ayudan a que la gente enfrente el estrés diario, razón por la cual el índice de esos hábitos es mayor entre los grupos minoritarios. Un investigador al estudiar el tabaquismo entre los afroamericanos señaló que "los cigarrillos les permiten levantarse y encarar el mundo, tranquilizarse cuando la tensión se vuelve imposible de soportar" (Mausner, 1973). Conforme a un estudio de la Asociación Estadounidense para el Estudio del Cáncer (American Cancer Society), una tercera parte de los afroamericanos fuman para aliviar la tensión (U.S. Department of Health and Human Services, 1985). Se da, pues, una especie de intercambio: aunque estos hábitos producen consecuencias negativas a largo plazo, ofrecen a los pobres y a los que están en desventaja una inmediata compensación fisiológica y psicológica que les permite enfrentar las preocupaciones de la vida diaria (Williams, 1992).

REPASE Y APLIQUE

1. Identifique las principales enfermedades que afectan a los adultos de edad madura y explique las relaciones entre malos hábitos de salud y la aparición de esos problemas.
2. Explique la forma en que afecta el estrés a la salud durante la madurez.
3. ¿Por qué los grupos minoritarios y los pobres soportan la carga más pesada de los problemas de salud?

CONTINUIDAD Y CAMBIO COGNOSCITIVO

inteligencia fluida Área general de inteligencia que abarca las capacidades que se emplean cuando se aprenden cosas nuevas, incluye la memorización, el razonamiento inductivo y la percepción rápida de las relaciones espaciales. Se piensa que esta clase de inteligencia alcanza su nivel máximo ya bien entrada la adolescencia.

inteligencia cristalizada Área general de la inteligencia que incluye emitir juicios, analizar problemas y extraer conclusiones de información y conocimientos basados en la experiencia. Este tipo de inteligencia, que se basa en la educación y cultura en general, aumenta a lo largo del ciclo vital.

Si bien los estudios longitudinales han indicado una y otra vez que el envejecimiento se acompaña de un deterioro de la actividad cognoscitiva, ahora sabemos que el deterioro es mucho más gradual de lo que los investigadores habían supuesto hace apenas 20 años. Se produce un deterioro serio a una edad mayor de lo que se creía y sólo en ciertas áreas del funcionamiento intelectual. Algunos aspectos de la inteligencia mejoran en la madurez y posteriormente, sobre todo entre los adultos con formación universitaria que siguen activos (Schaie, 1983, 1995). Contra el estereotipo de que el desarrollo intelectual alcanza su nivel máximo en la adolescencia o en la juventud, algunas capacidades cognoscitivas continúan perfeccionándose en la edad madura, en especial en áreas relacionadas con el trabajo y con la vida diaria (Willis, 1989).

INTELIGENCIA FLUIDA FRENTE A INTELIGENCIA CRISTALIZADA

Una forma de ver los cambios cognoscitivos que se operan en la madurez y en años posteriores es la propuesta por John Horn (1982), quien distinguió entre **inteligencia fluida** e **inteligencia cristalizada**. Ambos tipos influyen en las puntuaciones de las pruebas de inteligencia, pero analicémoslos por separado.

La inteligencia fluida consta de las capacidades que aplicamos al nuevo aprendizaje: la memorización, el razonamiento inductivo y la percepción de nuevas relaciones entre los objetos y los hechos. La designación *inteligencia fluida* es una metáfora en el sentido de que estos procesos básicos "fluyen" hacia otras actividades intelectuales: reconocimiento, aprendizaje, análisis y resolución de problemas (Horn, 1982; Neugarten, 1976). Se piensa que la inteligencia fluida aumenta al cabo de la adolescencia o hasta el inicio de la adultez, y se deteriora después en forma gradual en el resto de la vida al ocurrir lo mismo con la eficiencia y la integridad del sistema nervioso (Horn, 1982).

En cambio, la inteligencia cristalizada es el conocimiento que se logra con la educación formal y con las experiencias de la vida en general; se trata del conjunto de conocimientos e información que vamos acumulando con el tiempo. A semejanza de la inteligencia fluida, sirve para descubrir nuevas relaciones, hacer juicios y analizar problemas; pero se diferencia en que las estrategias antes adquiridas se aplican ampliamente. La gente adquiere este tipo de inteligencia por medio de la educación formal y también mediante el contacto diario con la cultura. A diferencia de la inteligencia fluida, la inteligencia cristalizada suele mejorar a lo largo de la vida en quienes no sufren daño cerebral, mientras permanezcan alertas y capaces de recibir información y de registrarla (Neugarten, 1976). Cuando se aplican pruebas que miden las habilidades que comprenden este tipo de inteligencia, los sujetos alcanzan calificaciones más elevadas entre los 50 y 60 años que entre los 20 y 30. Esto explica por qué los estudiosos y los científicos, cuya obra se basa fundamentalmente en la experiencia y en el conocimiento acumulados, suelen ser más productivos de los 40 a los 70 años que entre los 20 y 30 (Dennis, 1966; Simonton, 1990). En conclusión, en cierto modo el incremento de la inteligencia cristalizada compensa la decadencia de la inteligencia fluida.

PROBLEMAS DE INVESTIGACIÓN   ¿Qué pruebas hay de que la inteligencia fluida se deteriore y de que la inteligencia cristalizada aumente? Se trata de un problema difícil de la investigación y, como todos los problemas, los resultados dependerán de cómo lo estudiemos. En los capítulos 1 y 13 nos referimos a las diferencias existentes entre los estudios longitudinales y los transversales. Recuérdese que los primeros constan de la realización de varias mediciones de los mismos individuos en el tiempo y que los segundos consisten en medir a varias personas de distinta edad. Al examinar la inteligencia en la adultez, Horn y sus colegas (1980) se sirvieron de un método transversal con varios tipos de pruebas. Como se aprecia en la figura 14-1, las mediciones de vocabulario, información general y de un elemento llamado *evaluación de experiencias*

Según Lazarus, el mantenimiento de la casa es uno de los pequeños problemas centrales de la vida.

FIGURA 14–1

Comparación entre los cambios de la inteligencia fluida y de la inteligencia cristalizada durante la adultez.

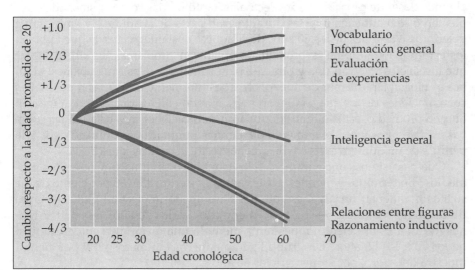

De acuerdo con Lazarus, un ambiente hogareño placentero constituye una de las fuentes de motivación más importantes en la vida.

eran mucho más elevadas en los individuos de entre cuarenta y cincuenta que de entre veinte y treinta años. En cambio, las mediciones de las relaciones entre figuras y razonamiento inductivo eran mucho más bajas en personas de entre cincuenta y sesenta que en los más jóvenes (Horn y Donaldson, 1980).

Pero recuerde que en un estudio transversal los sujetos de cada nivel de edad provienen de una cohorte distinta. Nacieron en otra época y sus experiencias han sido diferentes. Las cohortes más jóvenes recibieron una mejor educación formal, gozan de mejor salud y han recibido una alimentación más sana durante mucho tiempo. A las cohortes de mayor edad se les educó de una manera muy distinta a la de las generaciones más jóvenes. Se concedía más importancia a ciertos tipos de capacidades intelectuales; por ejemplo, a principios del siglo XX los docentes daban prioridad a la memorización mecánica de los hechos sobre la comprensión de lo que se aprendía en esa forma.

¿Qué sucede entonces cuando aplicamos el método longitudinal? Los resultados de los estudios varían un poco; pero entre los sujetos con un nivel escolar elevado siguen aumentando muchas de las capacidades estudiadas. Según una investigación muy amplia efectuada por Warner Schaie (1983, 1995), al parecer algunas clases de capacidades intelectuales, tanto fluidas como cristalizadas, aumentan o se mantienen intactas durante gran parte de la adultez, y empiezan a deteriorarse después de los 60 años de edad. No obstante, recuerde que también los estudios longitudinales prolongados plantean problemas. Es difícil lograr que los sujetos vuelvan una y otra vez para someterse a las evaluaciones: algunos se niegan a participar de nuevo, otros se enferman y otros más mueren. Las comparaciones de los que continúan participando con los que desertan indican que, en promedio, estos últimos obtuvieron calificaciones más bajas en las pruebas iniciales. Por tanto, el aumento de algunas puntuaciones quizá se deba a la pérdida de un número excesivo de quienes recibían calificaciones bajas.

¿Qué pasa si nos concentramos en los cambios individuales y no en los promedios? En términos generales, observamos que entre 45 y 60 por ciento de los sujetos mantienen un nivel estable del desempeño intelectual global —tanto fluido como cristalizado— hasta bien entrados en los 70 años de edad. Algunos (de 10 a 15 por ciento) muestran a menudo una mejoría en su desempeño de los 73 a los 76 años. Un grupo ligeramente más numeroso (30 por ciento) muestra deterioro, por lo menos a los 60 años.

En conclusión, los individuos manifiestan una gran variación en su crecimiento y deterioro intelectuales. Algunos presentan una disminución en la fluidez verbal y el razonamiento numérico, pero no en otras áreas cognoscitivas. Unos cuantos se mantienen estables o hasta mejoran su desempeño en las pruebas relacionadas con las habilidades verbales y numéricas. Cabe señalar que el razonamiento inductivo no parece decaer en forma más notable que otras capacidades (Schaie, 1983). En general, las pérdidas durante la edad madura son muy limitadas. De hecho, a menudo se observan aumentos en las puntuaciones globales de las pruebas de inteligencia hasta finales de los treinta o comienzos de los cuarenta, seguidos por un periodo de relativa estabilidad hasta mediados de los cincuenta o comienzos de los sesenta. En promedio, al parecer sólo la fluidez verbal y el razonamiento numérico muestran un deterioro estadísticamente significativo antes de cumplir 60 años (Schaie, 1990).

CONSECUENCIAS PARA EL FUNCIONAMIENTO INTELECTUAL   Así, pues, al parecer muchos adultos conservan durante la edad madura un elevado nivel de actividad dentro de un amplio espectro de capacidades intelectuales. Se observan, además, amplias diferencias individuales. Algunas de las capacidades que se clasifican como inteligencia fluida se deterioran un poco más rápido en algunas personas, pero su deterioro no es una consecuencia inevitable del envejecimiento. En una investigación, se comprobó que el deterioro se relacionaba con la complejidad de la vida de los sujetos. Las capacidades intelectuales persistían más tiempo y hasta mejoraban en los que tenían más oportunidad de estimulación ambiental, mayor satisfacción en su vida, menos ruido en el ambiente, una familia intacta, gran interacción social e influencias culturales constantes (Schaie, 1983).

Hay un factor que sí parece disminuir durante la madurez. Las habilidades que exigen rapidez van haciéndose cada día más difíciles a medida que envejecemos: poco a poco la velocidad de varios procesos psicomotores empieza a disminuir a causa del deterioro físico/neurológico. Los adultos maduros compensan la reducción de agilidad aumentando la eficiencia y los conocimientos generales (Salthouse, 1990). Las actividades intelectuales que se practican en forma constante y que se emplean normalmente en la solución de problemas ordinarios o en el trabajo conservan elevados niveles de eficiencia (Botwinick, 1977).

Adaptamos el desarrollo intelectual para atender las exigencias del ambiente. Si queremos tener éxito en un trabajo o en cierta red social, debemos concentrarnos en adquirir algunas habilidades y relegar otras (Lerner, 1990). Esta tendencia puede ser una de las razones por las que muchas personas de edad madura y mayores muestran un desempeño menor que los adultos jóvenes en las pruebas de razonamiento abstracto (Labouvie-Vief, 1985). Tienden a colocar los problemas dentro de su contexto y a hacerlos concretos: piensan en función del significado práctico y dan poca importancia al razonamiento abstracto, lo cual disminuye sus puntuaciones.

Es evidente que uno de los factores centrales de la cognición durante la madurez es la riqueza de las experiencias de la vida. Si reflexiona un poco, se preguntará por qué cuando se estudian el aprendizaje y la memoria se compara a estudiantes universitarios con personas mayores con instrumentos que contienen exclusivamente tareas e información nueva y quizá sin sentido, como sucede en la mayoría de las investigaciones. Lo hacen para no confundir el conocimiento acumulado con las capacidades "básicas" de pensar y razonar. Los estudiantes universitarios se hallan en un periodo de la vida en que manejar la nueva información es una importantísima habilidad de adaptación. Las personas maduras logran su mejor desempeño cuando pueden utilizar las experiencias y conocimientos que han venido acumulando (Labouvie-Vief, 1985). Por tanto, en vez de medir las capacidades cognoscitivas de los adultos maduros conforme a estrategias propias de los jóvenes, quizá deberíamos medir la cognición adulta en función de la experiencia y de la pericia (Salthouse, 1987).

Por lo visto, muchos adultos de edad madura siguen funcionando con un elevado nivel intelectual.

La experiencia es un factor que permite a los adultos maduros seguir siendo productivos.

EXPERIENCIA Y PERICIA

Como hemos visto, algunos aspectos del funcionamiento cognoscitivo se deterioran de manera gradual a partir de la madurez; ¿por qué entonces tantas personas, sobre todo las que ocupan puestos directivos, no pierden su competencia en el trabajo?, ¿en qué se distinguen los expertos viejos y los principiantes en la flor de la vida? Cuando alguien permanece intelectualmente activo, la edad aporta *más* conocimientos —tanto **declarativos** (factuales) como **procedimentales** (información práctica o relativa a la acción)— gracias al ejercicio y perfeccionamiento conscientes de las habilidades.

Así, pues, la pericia compensa el deterioro cognoscitivo de la madurez. Esto lo corroboran investigaciones exhaustivas. El conocimiento experto está mejor organizado; existen más interconexiones entre las unidades de información, incluidos los esquemas. Las habilidades expertas muestran mayor *automaticidad* (vea el capítulo 6), con lo cual liberan la capacidad consciente del cerebro al mismo tiempo que disminuyen ciertas capacidades de la memoria y de la concentración. Los expertos reconocen rápida y fácilmente los patrones y los relacionan con los procedimientos y con las respuestas apropiadas (Glaser, 1987). Es un proceso que se aplica de manera general a expertos tan distintos como los físicos, los programadores de computadoras, los músicos, los jugadores de bridge, los cocineros y los jardineros.

Los expertos recuerdan mejor la información relevante y trascendente, pero tienen las mismas limitaciones que los principiantes en lo que se refiere al recuerdo de material desorganizado, no estructurado o sin relación con un problema en particular. Este punto lo ejemplifica un experimento con jugadores de ajedrez. Se les clasificó como viejos y jóvenes, expertos y personas de habilidad intermedia; se les asignaron dos tareas. Primero les mostraron tableros de ajedrez con un juego iniciado y se les pidió recordar la posición de todas las piezas. Los jóvenes ajedrecistas tuvieron un mejor desempeño que los de mayor edad, pero el nivel de habilidad no contaba en absoluto. Después se les pidió que hicieran una jugada apropiada. Los expertos (tanto jóvenes como viejos) lograron un desempeño mucho mejor, pues para hacerla no necesitaban recordar dónde se encontraban todas las piezas. La memoria de los expertos era selectiva y organizada; se concentraba en las conexiones entre los patrones de las piezas y las jugadas más convenientes (Charness, 1981; Salthouse, 1987).

En conclusión, la experiencia no garantiza la conservación de una habilidad: los ajedrecistas más viejos no recordaban la posición de todas las piezas. Las

conocimiento declarativo Conocimiento factual; saber "qué".

conocimiento procedimental Conocimiento de la acción; saber "cómo".

mecanógrafas de mayor edad son más lentas en condiciones controladas; los arquitectos ancianos muestran pérdidas en sus habilidades visuales-espaciales (Salthouse y otros, 1990). Con todo, la experiencia compensa el deterioro. Los arquitectos con más experiencia saben casi de manera automática qué materiales serán los más idóneos para una construcción. Las mecanógrafas de mayor edad leen series más largas de palabras, con lo que aumenta la rapidez de la escritura. Estas compensaciones permiten a los adultos maduros y ancianos mantenerse productivos en el trabajo (Salthouse, 1990). En su actividad influyen evidentemente las oportunidades que ofrece el ambiente para obtener y aprovechar estas compensaciones. Los hallazgos anteriores demuestran que a menudo el desarrollo supone un intercambio: a medida que una habilidad se deteriora, otra mejora (Baltes, 1987).

En resumen, la pericia incluye un desarrollo ininterrumpido de la competencia; habilidades y conocimientos propios de determinada área o campo; un conocimiento muy procedimental u orientado a las metas; un reconocimiento rápido que reduce al mínimo la necesidad de una búsqueda exhaustiva en la memoria; habilidades generalizadas de pensamiento y de resolución de problemas (Glaser, 1987). Una vez más, una experiencia amplia no sólo tiende a aumentar la información, sino, además, a mejorar su organización. Continuamente reestructuramos nuestro sistema de conocimientos para hacerlo más cohesivo, correcto y accesible. Este proceso se aplica a un conocimiento tan común como el uso de la sección comercial del directorio telefónico o a los conocimientos profesionales; por ejemplo, cómo efectuar de manera más eficiente un procedimiento técnico. Las pruebas cognoscitivas pocas veces miden los efectos que la experiencia tiene en el conocimiento y en la solución de problemas entre los adultos mayores (Salthouse, 1987).

LAS CAPACIDADES COGNOSCITIVAS SEGÚN EL CONTEXTO

Para los adultos maduros, el trabajo es el contexto en el que siguen desarrollándose sus capacidades cognoscitivas. Éstas se hallan estrechamente vinculadas a las exigencias de su labor. Los que sin cesar afrontan los retos de la complejidad de su puesto alcanzan calificaciones más elevadas en las pruebas de flexibilidad intelectual que quienes realizan labores rutinarias (Kohn, 1980; Kohn y Schooler, 1983, 1990). Es decir, los adultos con un grado más elevado de *autodirección ocupacional* —uso regular del pensamiento, iniciativa y juicio independiente— muestran, asimismo, más flexibilidad intelectual (Schooler, 1987).

Cada vez es mayor la necesidad de flexibilidad en el ámbito del trabajo. El cambio tecnológico reclama que aprendamos nuevas habilidades, ya sea para conservar el empleo o para encontrar otro (consúltese el recuadro "Estudio de la diversidad", página 506). Los adultos de edad madura, con la capacidad y la habilidad cognoscitivas para aprender nuevas tareas y con la flexibilidad para asumir responsabilidades más difíciles, están en mejores condiciones de enfrentar las exigencias de un trabajo cambiante (Willis, 1989). Es una capacidad muy útil sobre todo en campos como la medicina, la ingeniería y la informática en los que el conocimiento pronto se vuelve obsoleto conforme van surgiendo adelantos y cambios. En lo que se refiere a las computadoras, es casi un trabajo de tiempo completo mantenerse al día en hardware, en sistemas operativos y en nuevos programas. De hecho, casi la mitad de los conocimientos de los expertos en el área quedan obsoletos en un lapso de dos o tres años (Cross, 1981; Dubin 1972).

El concepto de obsolescencia es muy importante durante la madurez porque la instrucción formal suele terminar años antes; sin embargo, en el último siglo se ha alargado muchísimo el tiempo que los adultos dedican al trabajo activo. En el cambiante lugar de trabajo de nuestros días, la obsolescencia es casi inevitable si no nos adaptamos a los nuevos métodos y tecnologías. A diferen-

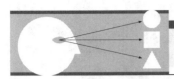

ESTUDIO DE LA DIVERSIDAD

DE REGRESO A LA ESCUELA EN LA EDAD MADURA

Visualice a un estudiante universitario "característico". ¿Qué ve? ¿A un adulto joven? ¿A alguien que pasó directamente de la preparatoria a la universidad? ¿A alguien que todavía mantienen sus padres durante una "adolescencia extendida"? La respuesta no por fuerza es alguna de esas posibilidades. Los campus están llenos de individuos de 18 a 22 años de edad; pero también hay estudiantes no tradicionales de mayor edad que vuelven a la escuela. En Estados Unidos, más de 2.8 millones de personas mayores de 35 años asisten a la universidad en programas de dos y cuatro años o de posgrado. En el periodo comprendido entre 1980 y 1995, los estudiantes de más de 35 años aumentaron 46 por ciento (U.S. Census Bureau, 1997).

Esta impresionante tendencia coincide con el reconocimiento de que el ser humano es un aprendiz permanente con capacidades cognoscitivas que le permiten adaptarse a la vida diaria. A pesar de los estereotipos sociales de que el tiempo de la instrucción escolar termina después de la adolescencia y la juventud, las personas maduras a menudo necesitan obtener la información y las habilidades necesarias para cumplir con las exigencias de su trabajo (Willis, 1989). Es una necesidad tanto para los banqueros como para los expertos en computación, quienes trabajan en campos que han venido cambiando de manera radical en los últimos años.

Algunos estudiantes de edad madura vuelven al aula para enriquecer su vida personal o para terminar una educación inconclusa; sin embargo, hay muchos que lo hacen por obligación. Algunos están desempleados, víctimas de la reestructuración de las empresas. Otros, tanto hombres como mujeres, ingresan al mercado laboral luego de pasar muchos años en casa dedicándose totalmente a sus deberes paternales o maternales. Una planificadora financiera que haya dejado de trabajar cinco años para criar a su hija tal vez deba ser recertificada para que una compañía la contrate. Incluso los adultos que ocuparon puestos de medio tiempo en los años de procreación volverán a la escuela para adquirir los conocimientos y las habilidades que les permitan conseguir un empleo de tiempo completo. Esto se observa sobre todo en los campos con un elevado grado de obsolescencia profesional. Pero, sin importar las razones por las que se reanudan la formación escolar, las investigaciones demuestran que la mayoría de los estudiantes de edad madura son muy escrupulosos en lo que respecta a su trabajo. Asisten regularmente a clases y en general obtienen calificaciones más altas que otros segmentos de la población estudiantil (Saslow, 1981).

Para regresar a la escuela se necesitan muchos ajustes y casi siempre el apoyo de otros miembros de la familia. Hace falta, además, la evaluación personal de las propias capacidades y habilidades. El rol del estudiante suele ser muy distinto a otros que desempeñan los adultos maduros; se necesita una capacidad considerable de adaptación para ser un alumno subordinado a profesores más jóvenes. El adulto maduro también deberá convivir con estudiantes de mucha menor edad, y la diferencia cronológica puede causar desconcierto. La inseguridad personal se observa de ordinario cuando las personas mayores vuelven al ambiente escolar y deben efectuar en forma prescrita algunas actividades desconocidas.

Antaño los colegios y las universidades dificultaban el éxito de los alumnos mayores (Women's Reentry Project, 1981). Debido a programas de tiempo completo y muy rígidos, a algunos adultos de edad madura les costaba mucho organizar su tiempo para cumplir otras responsabilidades. No siempre contaban con una asesoría psicológica adecuada; los que asistían a algunas clases descubrían que la transferencia de créditos, la consecución de ayuda económica y hasta la admisión estaban orientadas exclusivamente a las necesidades de estudiantes de tiempo completo cuya edad fluctuaba entre 18 y 22 años.

En la actualidad la situación ha cambiado en la generalidad de los colegios de estudios superiores y las universidades. Como saben que los estudiantes no tradicionales seguirán asistiendo a estas instituciones y que cada día son más importantes para conservar la matrícula, han hecho, pues, ajustes radicales para atender sus necesidades. Algunas instituciones cuentan con programas para ellos; otras tratan de incorporarlos al resto de la población ofreciendo un programa completo de cursos diarios, vespertinos y de fines de semana abiertos tanto a los estudiantes tradicionales como no tradicionales.

cia de 1900, cuando el adulto común pasaba 21 años en la fuerza laboral, en 1980 la cifra creció a 37 años. Además, los años laborables se caracterizan ahora por múltiples cambios de empleo que hacen necesario dominar conocimientos y habilidades más recientes. De ahí que "durante la instrucción formal no podamos obtener todo el conocimiento relevante que necesitamos en la vida profesional. El individuo debe seguir actualizándose en el periodo de la adultez" (Willis, 1987). Por fortuna, el desarrollo cognoscitivo continuo es posible en el área de las habilidades que se "ejercen" de manera ordinaria en el trabajo, sobre todo en profesiones en las que hay que tomar decisiones complejas y emitir juicios independientes que favorecen el desarrollo cognoscitivo (Willis, 1989).

CAMBIOS FUNCIONALES DE LA COGNICIÓN

Otra forma de estudiar el desarrollo cognoscitivo del adulto consiste en analizar los cambios *funcionales*. Schaie (1977-1978) propone que es la función de la inteligencia la que cambia con el tiempo y no su naturaleza. En el capítulo 12 dijimos que el joven se halla en la etapa de *realización*. Usa la inteligencia fundamentalmente para resolver problemas de la vida real que tienen consecuencias a largo plazo: escoger empleo o cónyuge. En la madurez, entra en la etapa de la *responsabilidad*. Ahora las responsabilidades con el cónyuge, los hijos, los compañeros de trabajo y la comunidad influyen de modo decisivo en la toma de decisiones. Para algunos este periodo adopta una forma un poco distinta y recibe el nombre de etapa *ejecutiva*, la cual se aplica a administradores, funcionarios gubernamentales y ejecutivos corporativos cuyas decisiones influyen en la vida de muchas personas.

En la vejez cambian otra vez los usos del intelecto. En la etapa *reintegrativa*, las personas vuelven a tener contacto con su intereses, valores y actitudes personales. Se muestran renuentes a realizar actividades como una prueba de inteligencia que tienen poca relación con la vida cotidiana. Piensan en forma abstracta, pero pocas veces abordan problemas por el simple gusto de resolverlos como lo haría un adulto joven.

En conclusión, los cambios intelectuales —en especial en la madurez— consisten básicamente en la orientación de la inteligencia y en la forma de aplicarla; no se trata en absoluto de un deterioro de las facultades intelectuales.

---

1. Describa las diferencias entre la inteligencia fluida y la inteligencia cristalizada.
2. ¿Qué relación guarda el funcionamiento cognoscitivo del adulto con el cambio tecnológico y la obsolescencia profesional?
3. ¿Cómo influye la experiencia en el desarrollo y en el funcionamiento cognoscitivo durante la madurez?

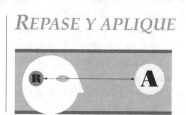

REPASE Y APLIQUE

RESUMEN

Desarrollo en la madurez

■ Los psicólogos del desarrollo no coinciden en qué momento comienza y termina la madurez. En gran parte, la respuesta depende de las experiencias del individuo.

■ El envejecimiento se caracteriza por diversas señales, a saber: el estatus social y familiar, los cambios físicos y biológicos, y los indicios psicológicos.

■ Las condiciones económicas, la clase social y la época que nos toca vivir influirán en la forma de ver este periodo.

■ Casi todos experimentan una sensación de ambivalencia durante este periodo. Puede ser la mejor época de la vida, pero la mayoría de la gente piensa que su tiempo se agota.

■ Si bien algunos investigadores creen que el adulto pasa por una crisis de madurez, según el modelo de la transición el desarrollo se caracteriza por grandes acontecimientos de la vida susceptibles de preverse y de planearse.

■ La madurez es el tiempo en que comenzamos a hacer un inventario de la vida. Al examinar su vida unos se sienten eficientes y competentes, pero otros sufren.

■ Los que están más propensos a una crisis de la madurez suelen evitar la introspección y recurren a la negación para no pensar en los cambios de su cuerpo y de su vida.

Continuidad y cambios físicos

■ Los cambios físicos son los que se asocian con mayor claridad con la madurez.

■ Las capacidades visuales son bastante estables hasta los cuarenta o principios de los cincuenta años y después empiezan a mermar. La audición pierde agudeza después de los 20 años y se deteriora de modo gradual. El gusto, el olfato y la sensibilidad al dolor disminuyen en forma más paulatina y menos perceptible.

■ El tiempo de reacción y las habilidades motoras suelen disminuir, aunque el desempeño se mantiene bastante estable gracias a la práctica y la experiencia constantes.

■ Entre los cambios internos cabe mencionar la reducción de la actividad del sistema nervioso, la rigidez y el encogimiento del esqueleto, y la pérdida de elasticidad en la piel y en los músculos.

■ En la mujer el cambio interno más notable es la menopausia, es decir, el cese de la ovulación y la menstruación. Esto forma parte del climaterio, conjunto de efectos físicos y psicológicos que acompañan los cambios hormonales de la madurez.

■ La menopausia se caracteriza por síntomas físicos como bochornos y sudores nocturnos. Algunas mujeres experimentan además alteraciones psicológicas como la depresión. Las investigaciones señalan que la mayoría no responde en forma negativa a la menopausia.

■ La pérdida de estrógenos que se observa durante la menopausia hace disminuir la masa ósea (osteoporosis) y produce adelgazamiento y resequedad del tejido vaginal. También puede aumentar el riesgo de enfermedades coronarias.

■ Si bien en el varón no hay un hecho individual relativamente abrupto que se asemeje a la menopausia, el hombre sufre modificaciones que se manifiestan en su interés y actividad sexual, éstas dependen de su personalidad y de su estilo de vida.

■ La frecuencia de la actividad sexual en general disminuye en la madurez. No obstante, muchos individuos sanos disfrutan una vida sexual satisfactoria. En el caso de muchos adultos, éstos redefinen la sexualidad y conceden mayor importancia a diversas expresiones físicas como los abrazos, el tomarse de la mano y las caricias.

Salud y enfermedad

■ Es posible detener o posponer muchas pérdidas de funcionamiento asociadas con el envejecimiento; y gran parte del deterioro cognoscitivo de las personas mayores es atribuible a enfermedades tratables.

■ Entre los principales padecimientos de la edad madura, se encuentran las enfermedades cardiovasculares, el cáncer, la diabetes, las enfermedades respiratorias y las enfermedades relacionadas con el virus de inmunodeficiencia humana. (Consúltese el diagrama de estudio en la página 495.)

■ En parte, la longevidad se atribuye a los buenos hábitos de vida: una dieta balanceada y nutritiva, suficiente ejercicio y un cuidado regular de la salud.

■ En la madurez se manifiestan los efectos de los malos hábitos de salud de la juventud: tabaquismo, abuso del alcohol y consumo habitual de otras sustancias perjudiciales.

■ El estrés influye en muchas enfermedades propias de la edad madura. Los grandes acontecimientos de la vida, como la muerte del cónyuge, causan estrés, pero su impacto depende de cómo se perciban y se interpreten. Más aún, a la postre, la acumulación de pequeñas nimiedades causa en ocasiones más estrés que los grandes acontecimientos de la vida.

■ En los grupos minoritarios la mala salud se asocia con un mayor índice de conductas poco saludables. Además, las minorías suelen desaprovechar el sistema de atención médica y recurren a éste sólo en casos de urgencia.

Continuidad y cambios cognoscitivos

■ John Horn distingue entre inteligencia fluida e inteligencia cristalizada. La primera consta de las capacidades que se aplican al nuevo aprendizaje; la segunda se compone de los conocimientos que se obtienen con la instrucción escolar y las experiencias de la vida.

■ A diferencia de la inteligencia fluida, la cristalizada suele aumentar a lo largo de la vida, siempre que nos mantengamos alertas y podamos recibir y registrar la información.

■ La mayoría de las personas conservan un nivel estable de desempeño intelectual general hasta bien entrada la séptima década de su vida; pero muestran gran variación en su crecimiento y deterioro intelectuales.

■ El deterioro de la inteligencia fluida parece relacionarse con la complejidad de nuestra vida. La estimulación ambiental, la satisfacción con la vida, una familia intacta y factores similares contribuyen a mantener las capacidades intelectuales.

■ Conforme la gente va envejeciendo, las habilidades que exigen rapidez se vuelven cada vez más difíciles.

■ La pericia compensa el deterioro cognoscitivo que se da durante la madurez. Los expertos reconocen rápida y fácilmente los patrones y los relacionan con los procedimientos y respuestas correspondientes.

■ Los elementos que comprenden la pericia presentan: el desarrollo ininterrumpido de la competencia; los conocimientos y habilidades propios de un área o campo en especial; los conocimientos procedimentales o muy orientados a las metas; las habilidades generalizadas de pensamiento y de resolución de problemas.

■ El campo laboral es el contexto en el que la mayoría de las personas desarrolla sus capacidades cognoscitivas de modo continuo. Los que muestran un elevado grado de autodirección profesional poseen, asimismo, gran flexibilidad intelectual, rasgo que cada día se vuelve más necesario en el ámbito del trabajo.

■ De acuerdo con Schaie, el desarrollo cognoscitivo del adulto presenta varios cambios funcionales. En la etapa de realización, la inteligencia sirve primordialmente para resolver problemas de la vida real; en la etapa ejecutiva o de responsabilidad, las obligaciones para con otros influyen mucho en la toma de decisiones; en la etapa regenerativa, volvemos a establecer contacto con nuestros intereses, valores y actitudes.

CONCEPTOS BÁSICOS

modelo de transición	climaterio	inteligencia cristalizada
modelo de crisis	osteoporosis	conocimiento declarativo
menopausia	inteligencia fluida	conocimiento procedimental

UTILICE LO QUE APRENDIÓ

Algunas veces es difícil distinguir la realidad y el mito. Ahora que la gente vive más tiempo y goza de mejor salud, descubrimos que algunas de nuestras ideas acerca de la madurez —perpetuadas por los medios de comunicación y la literautura popular— son demasiado estrechas, exageradas o simplemente erróneas.

Haga una lista de los adjetivos que se le ocurran relacionados con este periodo. ¿Coinciden con los conceptos de crisis de la edad madura, del "inicio del fin" y de los estereotipos y mitos relacionados con ella? ¿Concuerdan las características de su lista con los resultados de las investigaciones que expusimos en este capítulo? ¿Corresponden a los vecinos y a los miembros de su familia que se hallan en esta etapa de la vida?

LECTURAS COMPLEMENTARIAS

CUTLER, W. B., y GARCÍA, C. R. (1992). *Menopause: A guide for women and those who love them* (edición revisada). Nueva York: Norton. Guía informativa sobre la salud de la mujer, con especial hincapié en los síntomas de la menopausia y las decisiones que toman las mujeres acerca de su salud.

GALLAGHER, W. (1993). Midlife myths. *The Atlantic* (mayo), 51-55, 58-65, 68-69. Artículo innovador y bien documentado acerca de los efectos y los mitos relacionados con la madurez.

GARDNER, H. (1993). *Creating minds: An anatomy of creativity seen through the lives of Freud, Einstein, Picasso, Stravinsky, Eliot, Graham and Gandhi.* Nueva York: Basic Books. Este científico, humanista y estudioso que consagró toda su vida a examinar el nacimiento del pensamiento humano, adopta una nueva perspectiva sobre el genio creativo. Esta interesante obra, a la vez análisis y biografía, nos ofrece un punto de vista fresco sobre la pericia y la generatividad.

GENOVESE, R. G. (1997). *Americans at midlife: Caught between generations.* Nueva York: Bergin y Garvey. En una presentación erudita pero accesible, Rosalie Genovese explora la madurez en el marco de las tendencias de una sociedad más amplia. Las tendencias incluyen una mayor esperanza de vida, una población que envejece, cambios en el matrimonio, en el divorcio y en la composición de la familia, así como el crecimiento de las familias de doble ingreso.

HUNTER, S., y SUNDEL, M. (1989). *Midlife myths: Issues, findings, and practice implications.* Newbury Park, CA: Sage. Excelente recopilación de estudios científicos sobre varios aspectos de la madurez.

McCRAE, R. P., & COSTA, P. T. (1990). *Personality in adulthood.* Nueva York: Guilford Press. Esta presentación actualizada de los autores contiene teorías e investigaciones que ponen de relieve la continuidad de las características de la personalidad.

NOTELOVITZ, M., y TONNESSEN, D. (1993). *Menopause and midlife health.* Nueva York: St. Martin's Press. Una de las principales autoridades médicas ofrece esta guía exhaustiva acerca de la salud de la mujer durante la madurez. Analiza a fondo la alimentación, el ejercicio, el estrés, el abuso de alcohol y de otras sustancias perjudiciales, lo mismo que muchos aspectos de la menopausia, de la terapia de reposición hormonal, el riesgo del cáncer y muchos otros temas.

OPPENHEIM, M. (1994). *The man's health book.* Englewood Cliffs, NJ: Prentice Hall. Guía completa y útil para hombres de todas las edades.

SHEEHY, G. (1998). *The Silent Passage.* Nueva York: Pocket Books. Esta edición de bolsillo del éxito de ventas de Gail Sheehy es franco, brillante e ingenioso; abarca todo, de la menopausia temprana a los remedios chinos.

Madurez: desarrollo de la personalidad y socialización

CAPÍTULO

15

Cuando termine este capítulo, podrá:

1. Identificar las principales tareas del desarrollo de la madurez.
2. Describir algunos de los problemas más importantes que las personas maduras encaran como padres de adultos.
3. Describir algunos de los problemas más importantes que las personas maduras encaran como hijos de padres ancianos.
4. Explicar los problemas y las consecuencias del divorcio y de contraer segundas nupcias en la edad madura.
5. Explicar los problemas y las consecuencias de las familias reconstituidas.
6. Explicar algunos de los principales cambios ocupacionales que tienen lugar en la madurez, entre los que se cuentan la reevaluación profesional, el colapso laboral y la pérdida de empleo.

H ay un libro de Robert Kegan que lleva por título *In Over Our Heads* (1995), y con esta frase pretende describir la complejidad de los roles y las responsabilidades del adulto en el mundo moderno. En el texto de la contraportada se lee: "¿Habría quien se graduara si la cultura contemporánea fuera una escuela en la que el currículo incluyese todas las tareas y las expectativas de la vida moderna?" Esta idea parece especialmente oportuna en la madurez, periodo en que los adultos tratan de dar sentido a los cambios continuos en las exigencias de la paternidad/maternidad, a los roles en las relaciones íntimas y al mundo del trabajo, así como a los problemas generales del mundo: racismo, sexismo y tecnologías emergentes -en suma, una impresionante serie de inquietudes.

Podemos decir que hay pocas bases sólidas en las cuales apoyarse durante la madurez, pues los acontecimientos se precipitan y desencadenan un flujo constante de cambios sociales y cognoscitivos. No obstante, también podemos decir que es un periodo de continuidad de la personalidad y de las perspectivas. El cambio interno es gradual aun cuando nos sintamos abrumados por los cambios externos y los grandes sucesos de la vida.

Es justo en el contexto de la continuidad y el cambio que se dan la reflexión y la reevaluación. Entre los 40 y los 65 años de edad, reescribimos mentalmente nuestra biografía conforme transcurre el tiempo. Revisamos los guiones de nuestra vida a medida que experimentamos los grandes acontecimientos y transiciones (la muerte de un pariente, la enfermedad grave de un amigo, un nuevo empleo, el nacimiento de un hijo, el ingreso del último hijo a la secundaria o la preparatoria). Hacemos el inventario de nuestra vida, contemplamos nuestra mortalidad (sobre todo cuando un pariente o amigo muere o cae enfermo de gravedad) y ordenamos nuestros valores en un esfuerzo constante por decidir lo que en realidad importa en la vida. Al reflexionar, pensamos menos en cuánto hemos vivido y más en cuánto tiempo nos queda.

Las reflexiones y revaloraciones anteriores tienen lugar dentro del contexto de tres mundos interrelacionados: el yo, la familia y el trabajo (vea el capítulo 13). El adulto expresa su desarrollo de manera peculiar en esos tres ámbitos. Por ejemplo, los que optan por tener un hijo a los 40 años, por entrar y salir de la fuerza laboral muchas veces durante su carrera o por divorciarse y volverse a casar tendrán estilos de vida y experiencias muy distintas a quienes procrean a edad más temprana, tienen una profesión estable y viven toda la vida con el mismo cónyuge.

En este capítulo examinaremos la complejidad del desarrollo psicosocial en la madurez y nos concentraremos en las relaciones interpersonales y el trabajo. El cambio, y la necesidad de ajustarse a éste, son constantes durante este periodo, lo mismo que reordenar nuestra idea de cómo debieran ser las cosas. Por ejemplo, es en esta etapa en que muchas familias han de adaptarse a las consecuencias del divorcio, a las exigencias de las familias reconstituidas y al desempleo. Comenzaremos el capítulo analizando la continuidad y el cambio de la personalidad.

CONTINUIDAD Y CAMBIO DE LA PERSONALIDAD

Al hablar de los acontecimientos de la adultez, en general los teóricos se refieren a los cambios de roles, a hechos más importantes, a los hitos, a los problemas críticos y a las tareas del desarrollo. La expresión concreta de estos elementos de continuidad y cambio están vinculados al ciclo de vida familiar y al modelo del desarrollo basado en su sincronización. Ciertas tareas del desarrollo definen la madurez, aunque las relacionadas con la juventud y la vejez pueden mezclarse con las de la madurez. Dichas tareas difieren también en el hombre y la mujer.

LAS TAREAS DE LA MADUREZ
Numerosos estudios recientes aportan pruebas de que esta etapa es muy diversa y variada (Lachman y James, 1997) y, en ocasiones, turbulenta. En otras palabras, también las personas de edad madura "crecen", a menudo a raíz de los estresores físicos y sociales (Fiske y Chiriboga, 1990).

Carl Jung (1993/1960) fue uno de los primeros teóricos en subrayar la importancia de la segunda mitad de la vida: estaba convencido de que las personas mayores tienen una gran necesidad de encontrarle significado a su vida. Desde entonces se han propuesto varios modelos del desarrollo adulto que indican lo complejo que puede ser este periodo y los años posteriores. La mayoría de las personas maduras tienen hijos que se encuentran en la adolescencia o en la juventud y padres ancianos (Troll, 1989). Pero un número creciente de la población, entre quienes se cuentan los individuos de 40 a 50 años con hijos muy pequeños, pasa por muchos acontecimientos normativos a una edad mayor que la mayoría de los miembros de su generación. Tener hijos pequeños en la madurez es muy común entre las profesionistas que posponen la procreación y entre los divorciados que se casan con mujeres más jóvenes deseosas de tener un hijo. Estos adultos, aunque sean cronológicamente mayores, suelen compartir sus actividades y establecer amistades con otros que se encuentren en la misma etapa del ciclo de la vida familiar.

GENERATIVIDAD FRENTE A ESTANCAMIENTO   De acuerdo con Erik Erikson (1981), el problema fundamental que se encara en esta época de la vida es el de la *generatividad frente al estancamiento*. Respecto a la generatividad, Erikson afirma que operamos dentro de tres dominios: el *procreativo*, que consiste en dar y en responder a las necesidades de la siguiente generación; el *productivo*, que consiste en integrar el trabajo a la vida familiar y cuidar a la siguiente generación; el *creativo*, que consiste en hacer aportaciones a la sociedad en gran escala. Además, la generatividad se expresa tradicionalmente en la mujer mediante actividades sociales, el trabajo y la inmersión en la maternidad y en el cuidado de los seres queridos (Peterson y Klohnen, 1995). La investigación más reciente proporciona más pruebas de que la generatividad de la mujer se manifiesta en numerosos roles, entre ellos los de la familia y los del trabajo (MacDermid y otros, 1997).

Son cada vez más los adultos maduros que tienen hijos pequeños, de modo que experimentan los acontecimientos normativos de la vida a una edad mayor que la de casi todos sus coetáneos.

La alternativa de ambos sexos es el estancamiento y el sentido de ensimismamiento y de tedio. Algunos no perciben el valor de ayudar a la siguiente generación y tienen sentimientos recurrentes de llevar una vida insatisfactoria. Alcanzan pocos logros o demeritan los que han obtenido (Monte, 1987).

El modelo de Havighurst tal como se aplica a la edad madura (vea el capítulo 12) se parece al de Erikson. Los dos modelos subrayan la importancia de establecer relaciones cada vez más complejas con otros y de adaptarse a los numerosos cambios que trae consigo este periodo. Sin embargo, de acuerdo con Erikson, las responsabilidades más importantes provienen del simple hecho de hallarse literalmente "en la mitad de la vida", entre la generación mayor y la más joven. Nos referiremos a las consecuencias de esto más adelante en el capítulo.

EXTENSIÓN DE LA TEORÍA DE ERIKSON POR PARTE DE PECK Como resumimos en el capítulo 1, Erikson describió un proceso del desarrollo que dura toda la vida y que consta de ocho etapas. Ya nos hemos ocupado de las primeras seis en otras partes del libro; aquí, abordaremos la séptima. La madurez, sin embargo, plantea otros aspectos importantes. A Robert Peck (1968) le interesa mucho ampliar la concepción de la segunda mitad de la vida que nos propone Erikson.

La principal crítica de Peck contra Erikson es que las ocho etapas conceden excesiva importancia a la niñez, la adolescencia y la juventud. Los seis problemas del desarrollo de esos periodos —confianza frente a desconfianza, autonomía frente a vergüenza y duda, iniciativa frente a culpa, laboriosidad frente a inferioridad, identidad del ego frente a su difusión e intimidad frente a aislamiento— provocan crisis serias que es preciso resolver en los primeros años. Según Peck, los problemas y procesos que se presentan en la madurez y la vejez son demasiados como para resumirlos en dos etapas: generatividad frente a estancamiento y, más tarde, *integridad frente a desesperación* (cuando las personas mayores examinan el pasado y evalúan su vida; vea el capítulo 17).

En este periodo de la madurez, todas las dificultades anteriores y su solución reaparecen de cuando en cuando, en especial en periodos de estrés y de cambio. Un repentino problema físico, digamos un ataque cardiaco, puede revivir las luchas con la autonomía y la dependencia a los 45 años de edad. La muerte del cónyuge a veces renueva las profundas necesidades de intimidad en el sobrevi-

En la madurez, algunas personas reconsideran sus prioridades; por ejemplo, un individuo puede decidir cambiar de carrera: convertirse en artista en vez de contador, en profesor en lugar de ejecutivo de publicidad.

viente. De hecho, cada ajuste importante en la vida puede exigir reevaluaciones y revisiones de las soluciones precedentes. Erikson pensaba que, cuando nos impactan circunstancias como la muerte del cónyuge, *debemos* revisar aspectos como la confianza básica, la autonomía, la iniciativa, la identidad y la intimidad, pues de lo contrario no podremos cultivar la generatividad adulta.

Al explicar los retos especiales de la vida adulta, Peck propone siete problemas o conflictos del desarrollo adulto que se sintetizan en la tabla 15-1. Los primeros cuatro son particularmente importantes en la madurez; los tres últimos adquieren importancia en la vejez, aunque la persona comienza a enfrentarlos desde la edad madura.

A semejanza de las etapas de Erikson, ninguno de los conflictos de Peck se restringe a la madurez ni a la vejez. Las decisiones tomadas en los primeros años de vida sientan las bases de las soluciones en los años de la adultez, y las personas maduras ya comienzan a resolver los desafíos que se les presentarán en la senectud. De hecho, las investigaciones señalan que el periodo comprendido entre los 50 y los 60 años constituye a menudo una etapa crítica para realizar ajustes que determinarán cómo viviremos el resto de nuestra vida (Peck y Berkowitz, 1964).

TABLA 15–1   ASPECTOS (CONFLICTOS) DEL DESARROLLO ADULTO SEGÚN PECK

MADUREZ

Aprecio de la sabiduría frente a aprecio de la fuerza física. A medida que empiezan a deteriorarse la resistencia y la salud, las personas deben canalizar gran parte de su energía de las actividades físicas hacia las mentales.

Socialización frente a sexualización en las relaciones humanas. Es otro ajuste impuesto por las restricciones sociales y por los cambios biológicos. Los cambios físicos pueden obligar a redefinir las relaciones con miembros de ambos sexos, a dar prioridad a la camaradería sobre la intimidad sexual o la competitividad.

Flexibilidad catéctica (emotiva) frente a empobrecimiento catéctico. La flexibilidad emocional es el origen de varios ajustes que se hacen en la madurez cuando las familias se separan, cuando los amigos se marchan y los antiguos intereses dejan de ser el centro de la vida.

Flexibilidad frente a rigidez mental. El individuo debe luchar contra la tendencia a obstinarse en sus hábitos o a desconfiar demasiado de las nuevas ideas. La rigidez mental es la tendencia a dejarse dominar por las experiencias y los juicios anteriores, a decidir, por ejemplo, que "Toda mi vida he rechazado a los republicanos (a los demócratas o a los independientes), de modo que no veo por qué deba cambiar de opinión ahora".

VEJEZ

Diferenciación del ego frente a preocupación por los roles laborales. Si las personas se definen tan sólo en función de su trabajo o de su familia, acontecimientos como la jubilación, el cambio de ocupación, un divorcio o el hecho de que un hijo se marche de casa producirán sin duda una turbulencia en su vida. La diferenciación del ego significa definirse uno mismo como persona en formas que van más allá del trabajo o de los roles familiares.

Trascendencia del cuerpo frente a preocupaciones por el cuerpo. Este aspecto alude a la habilidad del individuo de no preocuparse por las molestias, dolores e incomodidades físicas que acompañan al proceso de envejecimiento.

Trascendencia del ego frente a preocupación por el ego. Esto es particularmente importante en la vejez. No debemos dejarnos llevar por los pensamientos relacionados con la muerte (la "noche del yo", diría Peck). Los que envejecen de modo exitoso trascienden la perspectiva de su mortalidad pues comparten muchas cosas con la generación más joven. Se trata de un legado que persistirá después de su muerte.

REACCIONES PERSONALES ANTE LA MADUREZ

En la madurez, hombres y mujeres revaloran sus objetivos y reflexionan sobre si han alcanzado o no sus metas originales. Durante la juventud, tomaron decisiones y consolidaron su carrera; ahora reexaminan sus decisiones. Casi todos se dan cuenta de que, para bien o para mal, deben proseguir la carrera que eligieron. Quienes están insatisfechos con su trabajo, se encuentran desempleados o no han progresado cuanto quisieran, tal vez se sientan amargados o desanimados. Otros se limitan a reorganizar sus prioridades. Por ejemplo, algunos decidirán dedicar más tiempo a su familia y a otros compromisos interpersonales e incluso morales y menos tiempo al desarrollo profesional (Fiske, 1980).

REACCIÓN DE LOS VARONES ANTE LA MADUREZ Un grupo de investigadores entrevistó a 300 hombres maduros en un estudio sobre las actitudes ante la familia, el trabajo y el yo físico (Farrell y Rosenberg, 1981). Descubrieron que reaccionaban ante la madurez en formas individuales pero con algunas semejanzas. Casi todos ellos se sentían comprometidos con el trabajo y la familia. Habían establecido un estilo de vida que les ayudaba a afrontar los problemas que iban surgiendo. Muchos encaraban las mismas dificultades: cuidar a progenitores ancianos y dependientes, tratar con hijos adolescentes, aceptar sus limitaciones personales y reconocer su creciente vulnerabilidad física.

Aunque el bienestar psicológico del varón se ha ligado tradicionalmente a su rol laboral, ahora se sabe que también las relaciones familiares son en extremo importantes en esta etapa. En palabras de los investigadores: "Nuestro contacto con las familias demostró que lo que un hombre siente en la madurez depende muchísimo de la cultura y de la estructura de su familia. Las relaciones cambiantes con la esposa y los hijos impulsan su desarrollo [...] Tal interacción entre los procesos del desarrollo del individuo y de la familia representan un elemento esencial de su experiencia en esta fase de la existencia" (Farrell y Rosenberg, 1981). En efecto, la madurez ha sido caracterizada como el "momento cumbre" de los padres, pues entonces la influencia en los hijos adultos suele aumentar (Nydegger y Mitteness, 1996). Otras investigaciones corroboran la importancia que tiene la familia en los varones durante la madurez. En uno de estos estudios, la calidad de sus roles conyugales y parentales predecía con mucha exactitud el nivel de los problemas psicológicos e influía en la tensión que experimentaban en el trabajo (Barnett y otros, 1992).

Atendiendo a las investigaciones mencionadas, al parecer los hombres tienen cuatro trayectorias generales en esta fase de su existencia. La primera es la del *hombre trascendente-generativo*. No sufre la crisis de la madurez y ha encontrado soluciones adecuadas a casi todos los problemas, de manera que la madurez es un periodo de realización y de logros. La segunda trayectoria es la del *hombre seudodesarrollado*. Es un individuo que resuelve los problemas aparentando que todo está bajo control, aunque no sea así; en lo profundo de su ser se siente perdido, confundido o aburrido. Un *hombre en la crisis de la madurez* -la tercera trayectoria- se siente confundido y piensa que todo su mundo está desintegrándose. Es incapaz de cumplir con las exigencias y resolver los problemas. Para algunos se trata de una fase temporal; para otros puede marcar el inicio de un deterioro continuo. La última trayectoria es la del *hombre vengativo-decepcionado*, quien ha sido infeliz o se ha sentido enajenado durante gran parte de su vida y, además, muestra las señales de una crisis de la madurez y no puede enfrentar los problemas.

Conviene señalar que la sociedad occidental tradicionalmente ha obligado a los hombres a adoptar un criterio de éxito y masculinidad, al cual casi todos siguen tratando de ajustarse. Muchos de los problemas que los hombres enfrentan en esta fase se deben a la necesidad de encarar la idea de que no han cumplido ese criterio o de que han dejado de lado muchos otros intereses y deseos

Según Farrell y Rosenberg, la mayoría de las personas maduras sienten que no han cumplido con los criterios sociales de éxito y masculinidad.

al tratar de hacerlo. Sólo unos cuantos logran evitar por lo menos algunos sentimientos de fracaso, de alejamiento o de pérdida de autoestima.

REACCIONES DE LAS MUJERES ANTE LA MADUREZ También las mujeres presentan a menudo transiciones y reevaluaciones difíciles. Se dan amplias diferencias individuales, pero una vez más advertimos la presencia de algunos patrones comunes. Tradicionalmente, las mujeres se definen a partir del ciclo familiar y no en función del ciclo profesional. Una investigación realizada con mujeres de la región central de Estados Unidos (Reinke y otros, 1985) reveló que solían informar grandes transiciones en tres momentos del ciclo familiar. Un 80 por ciento mencionó grandes cambios de roles relacionados con el nacimiento de sus hijos y con el periodo temprano de la crianza durante su juventud. Otras dos transiciones importantes ocurrían en la madurez. Cerca de 40 por ciento señaló una transición importante cuando los hijos se marchaban del hogar, aunque muy pocas la consideraban traumática. La última gran transición (33 por ciento de las mujeres) era la menopausia.

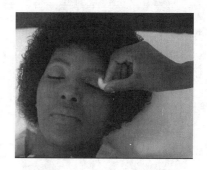

En nuestra sociedad, a las mujeres se les juzga por su aspecto físico y para que se les considere atractivas deben tener una apariencia juvenil. Así pues, no debe sorprendernos que los investigadores den cuenta de un elevado índice de depresión en las mujeres de edad madura.

Desde otra perspectiva y con base en investigaciones más recientes, Terri Apter (1995) identificó cuatro "tipos de mujeres maduras" en una muestra de 80 cuyas edades fluctuaban entre 39 y 55 años. A las *mujeres tradicionales* (18 de las 80 estudiadas), quienes se habían definido antes en función de los roles familiares, les era relativamente sencillo adoptar el rol de mujeres maduras responsables de su futuro. Sus problemas principales giraban en torno a los compromisos pasados y al potencial no utilizado. Las *mujeres innovadoras* (24), que habían realizado una carrera, comenzaban a considerar muy difícil llegar a la cima y empezaban a revalorar "el trabajo que habían hecho en su persona" en su búsqueda y sus efectos. Las *mujeres expansivas* (18) al llegar a la madurez introdujeron cambios profundos en sus metas con el fin de ampliar sus horizontes. Algunas iban a regresar a la escuela a fin de prepararse para nuevos trabajos, o convertían los pasatiempos en vocaciones. Por último, encontramos a las *manifestantes* (13), que habían sido empujadas a una adultez prematura durante la adolescencia y que trataban de posponer en lo posible la madurez. Sin embargo, Apter observa que sólo una pequeña minoría de las mujeres tenían problemas serios con la transición.

El modelo de desarrollo del momento en que ocurren los hechos se aplica sobre todo a las mujeres durante la edad madura. En otras palabras, el momento de los hitos en el ciclo de la vida familiar y de la carrera define el estatus de las mujeres, su estilo de vida y sus opciones: sus principales actividades, sus placeres y tensiones, sus amistades y colegas. Una mujer que pospone el matrimonio y la procreación hasta los 40 años suele hacerlo para dedicarse a su profesión. Una vez nacido el hijo, ingresará a la fuerza laboral y saldrá muchas veces durante esta fase de su existencia. La decisión de combinar la familia con una carrera disminuye las probabilidades de pobreza en la vejez (Baruch y Brooks-Gunn, 1984). El momento en que ocurren los hechos define asimismo la naturaleza concreta de los conflictos y tensiones de los roles (vea el capítulo 13). Los *conflictos de roles comunes* de la mujer madura tienen que ver con la necesidad de dedicar tiempo suficiente a la familia y a la carrera. Por ejemplo, ¿cómo se las arregla una ejecutiva muy atareada para preparar la cena todas las noches y al mismo tiempo cumplir con los plazos de la empresa que posiblemente exijan horas extras? La *tensión de los roles* se acompaña de una sobrecarga de exigencias dentro de un mismo rol, como cuando una madre trata de dar a sus tres hijos adolescentes la atención que necesitan y se siente incapaz de hacerlo (Lopata y Barnewolt, 1984).

Las mujeres reaccionan con mayor intensidad ante los cambios físicos del envejecimiento. En la sociedad occidental se considera más atractivas a las que parecen juveniles. Algunas perciben las arrugas, el encanecimiento y otras señales del envejecimiento como indicadores de que han perdido su atractivo sexual. Como vimos en el capítulo 14, algunas reaccionan negativamente a la menopausia y les molesta perder la capacidad de procrear. Por ello, no debe sorprendernos que los investigadores comuniquen un mayor índice de depresión en ellas que en las mujeres de otros grupos de edad (Boyd y Weissman, 1981).

Las afroamericanas comparten muchas de las reacciones de las mujeres de raza blanca frente a la madurez, como se aprecia en la siguiente descripción:

> Nunca nos hemos casado, separado, divorciado ni enviudado [...] A algunas de nosotras nos preocupan el peso, la edad, las manchas y la piel reseca más de lo que nos inquietaba el color en la adolescencia. Durante la madurez, a muchas nos interesa más el enralecimiento del cabello que su textura. A otras no les hacen mella las señales físicas de la madurez y, si acaso, les causa un poco de envidia la lozanía natural de algunas de nuestras hermanas. En las estadísticas se nos incluye entre las deprimidas y las bien ajustadas. Algunas estamos experimentando cambios en la vida profesional; otras empezamos a ajustarnos a la jubilación prematura. Se nos incluye entre las profesionales y la clase obrera, lo mismo que entre quienes trabajan por su cuenta en negocios estables e inestables (Spurlock, 1984, página 246).

A pesar de las semejanzas entre las afroamericanas y las mujeres de raza blanca, los efectos combinados de la raza y del género dan origen a diferencias notables entre las afroamericanas de edad madura. Los recuerdos de la discriminación causan ira en algunas de ellas y negación psicológica en otras. Además, por factores socioeconómicos, muchas se ven obligadas a aceptar trabajos mal remunerados y sin esperanzas de progreso, lo que con frecuencia las conduce a la pobreza. Algunas sufren problemas de salud por no tener acceso a la atención médica (Spurlock, 1984).

REPASE Y APLIQUE

1. De acuerdo con Erikson, ¿qué tareas debemos cumplir en la madurez para sentirnos satisfechos con nuestra vida?
2. Describa cómo amplió Peck las etapas del desarrollo humano propuestas por Erikson. ¿Reaparecen en la madurez los conflictos que caracterizan las etapas anteriores del desarrollo? Explique su respuesta.
3. ¿Cuáles son las diferencias y las semejanzas entre las reacciones de ambos sexos a la edad madura?

FAMILIA Y AMIGOS: CONTEXTOS INTERPERSONALES

Durante la madurez las relaciones personales son esenciales para hombres y mujeres. Podemos afirmar que el elemento fundamental que la define son las relaciones con los miembros de la familia y con los amigos. Comenzaremos por examinar las complejas y cambiantes relaciones de las personas de edad madura con sus hijos adultos, entre otras cosas la tarea de impulsarlos a la vida independiente y la tarea (habitualmente más fácil) de adaptarse a un hogar sin su presencia. Nos ocuparemos después de la relación de las personas de edad madura con sus padres ancianos, así como de su nuevo rol de abuelos. Examinaremos, asimismo, la importancia de las relaciones con los amigos.

LA GENERACIÓN QUE DIRIGE

Las personas de edad madura sirven de puente entre la generación más joven (generalmente sus hijos) y la generación mayor (sus padres ancianos). A medida que se ajustan a los roles cambiantes en estas relaciones, a menudo obtienen una nueva perspectiva acerca de su vida personal. Representan ahora la generación que debe asumir el control. La nueva responsabilidad exige examinar el pasado. Tal vez les moleste no haber conquistado ciertas metas y tengan que admitir que algunas nunca las alcanzarán. Más que cualquier otro grupo, deben vivir en el presente. El joven puede ver hacia adelante y los ancianos a menudo vuelven la vista atrás; en cambio, los de edad madura deben vivir aquí y ahora, pues tienen la responsabilidad de dos generaciones además de la propia. Al hacerlo, realizan la función de **"guardianes de la estirpe"**: son los que mantienen los rituales familiares, celebran los logros, conservan vivas las tradiciones familiares, se ponen en contacto con los familiares que están lejos y reúnen a la familia para celebrar las fiestas.

RELACIONES CON LOS HIJOS ADULTOS

Estas relaciones incluyen iniciar a los hijos en una vida independiente y adaptarse a vivir sin ellos. También implican establecer con ellos una relación recíproca.

INICIACIÓN DE LOS ADOLESCENTES Y LOS JÓVENES La redefinición del vínculo entre progenitor e hijo comienza con la *iniciación de los adolescentes* en el mundo adulto. Algunas familias hacen esto muy bien. Los adolescentes a punto de asumir roles de adultos responsables reciben un excelente apoyo de los progenitores que no sólo mantienen un diálogo constante con ellos, sino que además confían y respetan sus juicios, decisiones y avance hacia la madurez. Hasta cierto punto deben aprender a darles libertad y aceptar a sus hijos como son.

No cabe duda que esta etapa de los adolescentes representa una transición muy importante para sus padres (Harris y otros, 1986). Si bien muchas mujeres mencionan que se sienten tristes durante esta transición, la causa de su tristeza se relaciona a menudo con el trabajo o el matrimonio que con la partida de los hijos (Harris y otros, 1986). Lo mismo les sucede a los varones, en especial si creen que de alguna manera se perdieron de verlos crecer (Rubin, 1980).

Muchos padres no se cansan de repetir que, aun cuando les da gusto haber tenido hijos, es un periodo placentero por el aumento de libertad, de privacía y por el ingreso discrecional una vez que se marchan (Alpert y Richardson, 1980; Cooper y Guttman, 1987; Nock, 1982; Rubin, 1980). A las mujeres, en especial, les beneficia sentirse libres de las responsabilidades maternas y mencionan una mayor asertividad y libertad para cultivar sus intereses personales.

Dado el elevado índice de divorcios en Estados Unidos, muchos estadounidenses crían solos a sus hijos, por lo menos durante un tiempo. Otros han optado por permanecer solos sin casarse nunca. Es posible que estos progenitores tengan fuertes conflictos o relaciones cambiantes con los hijos adolescentes (Alpert y Richardson, 1980). Algunos estudios indican que esto ocurre sobre todo cuando los hijos son preadolescentes. En ese periodo surgen conflictos casi diarios por los derechos y las responsabilidades (Smetana, 1988). Cuando los hijos se casan, los progenitores de repente se percatan de que deben tratar con un nuevo miembro de la familia: un yerno o una nuera. Esta exigencia abrupta de intimar con una persona totalmente desconocida es otro ajuste común que ha de efectuarse en esta etapa (Neugarten, 1976).

Por último, conviene señalar que no todos los hijos iniciados en el mundo de los adultos logran permanecer en éste la primera o la segunda vez. Ante los

En este momento de su vida, muchos progenitores maduros comienzan a dar libertad a sus hijos para que inicien el proceso de ingresar al mundo de los adultos.

guardianes de la estirpe Rol asumido por las personas de edad madura que incluye preservar los rituales de la familia, celebrar los logros y las fiestas, conservar vivas las historias familiares y contactar a los parientes que viven muy lejos.

fracasos matrimoniales, la pérdida de empleo y la dificultad de ganar lo suficiente para llevar una vida independiente en el mundo moderno, muchos se ven obligados a volver a la casa paterna para recuperarse antes de intentar independizarse de nuevo. ¿Cómo afecta esto a los progenitores? Casi siempre en forma negativa. Además de cuestiones tan simples como tener que compartir el espacio y los recursos con otro adulto, el retorno a la dependencia viola las expectativas de los padres respecto al desarrollo de sus hijos; por tanto, disminuye su satisfacción y tensa la relación entre ellos (Aquilino, 1996). Además, el retorno a menudo ocurre cuando los progenitores tratan de enfrentar problemas relacionados con la madurez y viene a complicar aún más las cosas.

EL "SÍNDROME DEL NIDO VACÍO"   Tras iniciar con éxito a su último hijo en el mundo de los adultos, los padres se ocupan de nuevo de otras funciones e intereses no relacionados con el absorbente rol de la paternidad/maternidad. Es un proceso que cobra importancia a medida que aumenta la longevidad. Mientras que a comienzos del siglo XIX apenas 41 por ciento de los adultos estadounidenses esperaba vivir hasta los 65 años o más, en 1990 más de 75 por ciento de los adultos esperaban vivir ese tiempo. Debido a este aumento tan impresionante de la esperanza de vida, los progenitores que no se divorcian pueden prever que vivirán mucho tiempo juntos después que se marche su último hijo. Esta etapa del ciclo de la vida familiar, a veces llamada **nido vacío,** puede ser difícil si los padres se han ido distanciando con el tiempo, si cultivaron intereses distintos y si ya no están acostumbrados a una convivencia prolongada.

Sin embargo, muchas parejas de edad madura muestran una gran reciprocidad que abarca compartir tradiciones, valores y experiencias. Incluso las que ya no disfrutan el alto nivel de camaradería que caracteriza a los primeros años de matrimonio cuentan a veces con un sistema emocional sólido y son interdependientes en lo material y en sus actividades. Comparten un hogar y su mobiliario; se han acostumbrado a sus rutinas diarias. La satisfacción conyugal durante este último periodo no siempre se basa en los mismos patrones de interacción ni en la solución a problemas conjuntos, como sucedía en las fases anteriores del ciclo familiar (Troll, 1985).

RELACIONES MUTUAMENTE RECÍPROCAS   En la madurez, las relaciones entre padres e hijos son más recíprocas que en cualquier etapa precedente. Su evolución permite que dos adultos interactúen con mayor igualdad que la que era posible cuando el joven era niño. La transición a una relación recíproca pocas veces tiene lugar de manera repentina y fluida; casi siempre ocurre en una serie de fluctuaciones a lo largo de varios años. A su vez, la naturaleza de la relación parental puede facilitar o dificultar la transición. Si fue autoritaria, los roles y las obligaciones suelen ser formales, rígidas y resistentes al cambio. Los padres de edad madura y sus hijos jóvenes habrán de luchar durante años para establecer una relación recíproca, si es que lo consiguen.

Los hijos adultos a menudo sienten la necesidad de alejarse de sus padres -y de sus puntos de vista- por lo menos durante algún tiempo para verlos en una forma realista. Cuando se da el distanciamiento, los padres pueden sentirse ignorados o no apreciados. Muchas veces es en los momentos de crisis familiares -la muerte o la enfermedad de un miembro de la familia, problemas económicos, divorcio o desempleo- en los cuales unos y otros encuentran la manera de renegociar su relación para interactuar en formas nuevas y más recíprocas. En algunas familias, el proceso tarda años y en otras aparece el respeto mutuo a medida que va terminando la adolescencia.

nido vacío   Periodo del ciclo de la vida familiar que ocurre después de que el último hijo se marcha del hogar.

RELACIONES CON LOS PADRES ANCIANOS

En 1900, uno de cada cuatro niños veía morir a un progenitor antes de cumplir 15 años. En los años ochenta esto ocurría en menos de uno de cada 20. En cambio, en 1980, 40 por ciento de las personas mayores de 55 años tenían vivo al menos un progenitor (Brody, 1985). Las estimaciones indican que, de las mujeres nacidas en los treinta, una cuarta parte tendrá viva a su madre cuando cumpla 60 años (Gatz y otros, 1990) y estas cifras siguen elevándose. De ahí que los adultos de edad madura habrán de ajustarse a las necesidades y a los papeles cambiantes de un progenitor anciano (Brody, 1985). Cuando los padres están sanos y llevan una vida independiente, la relación se caracteriza por la reciprocidad; el progenitor y el hijo adulto se ayudan en formas concretas. La relación cambia cuando los progenitores se enferman o son demasiado débiles para vivir solos.

En gran medida, el comportamiento de los hijos adultos con los padres dependerá de sus experiencias y, en concreto, de la etapa del ciclo de la vida familiar en que se encuentren. Una mujer de 42 años con hijos mayores que se encuentra en la cúspide de su vida profesional y que vive a 1000 kilómetros de distancia de sus padres adoptará ante ellos una actitud distinta a la de una mujer de edad similar pero que se dedica a su casa todo el tiempo y vive cerca de sus padres. Las relaciones entre adulto y progenitor se basan en el repertorio de creencias y prácticas que han definido sus relaciones con los años. Al paso del tiempo surgen diversas estrategias y entendimientos entre ellos que terminan originando patrones diferentes de interacción y de trato. Más aún, la ayuda que los hijos deben dar a sus padres varía con los individuos y las familias (Stueve y O'Donnell, 1984).

Al leer sobre las relaciones en desarrollo de los adultos maduros con sus padres ancianos, tenga presente que las diferencias de género a menudo influyen en ellas. "Las hijas adoptan una actitud distinta a la de los hijos con los padres ancianos; la diferencia depende incluso de si se trata del padre o de la madre" (Troll, 1989). Tradicionalmente la relación primaria entre progenitor e hijo en esta etapa de la vida suele incluir a la hija como cuidadora. También la clase social y el grupo étnico influyen en las relaciones entre generaciones.

INTERCAMBIO RECÍPROCO DE AYUDA En general, las personas de edad madura sostienen una relación permanente con sus progenitores ancianos que abarca un contacto periódico, recuerdos comunes y un intercambio recíproco de asistencia. Numerosas encuestas han revelado los intercambios duraderos de carácter social, psicológico y material que se dan entre los hijos adultos y sus padres (Stueve y O'Donnell, 1984). Muchos progenitores de edad avanzada dan ayuda económica a sus hijos de edad madura y a sus nietos (Giordano y Beckman, 1985; Hill y otros, 1970), por lo menos en las familias de clase media y de clase media alta. En las familias afroamericanas, la generación mayor a menudo no cuenta con recursos financieros para ello (Jackson y otros, 1990). En cambio, suelen ofrecer a sus hijos apoyo social y, quizá, se encarguen del cuidado de los niños, sobre todo cuando sus hijos tienen responsabilidades de progenitores solos.

Contra la opinión pública generalizada, parece ser que la mayoría de las personas maduras se preocupa mucho por sus padres y sus hijos y mantiene un estrecho contacto con ellos (consúltese el recuadro "Teorías y hechos", página 522). En la tabla 15-2 se resumen diversos mitos relativos a la desvinculación entre generaciones durante la madurez.

INVERSIONES DE ROLES Con los años poco a poco se invierten los roles entre las personas de edad madura y sus padres. Los de edad madura se convierten en la generación que tiene el control: trabajan, crían a los niños y funcionan en general como los "hacedores" en la sociedad. Sus padres, si todavía viven, tal vez estén enfermos, jubilados o necesiten ayuda económica. Al cabo de algunos años, el poder pasará de manera gradual y espontánea a manos del hijo de edad madura. A menos que ambas generaciones se den cuenta de que esta inversión de ro-

TEORÍAS Y HECHOS

¿SE ALEJAN LAS PERSONAS MADURAS DE SUS PROGENITORES Y DE SUS HIJOS?

Se acostumbra decir que las personas de edad madura están "atrapadas" en medio de las necesidades antagónicas de sus hijos adultos (y de sus nietos) y de sus padres ancianos. Se considera que cuando se hallan en tal situación, optan por concentrarse en sus necesidades y tienen poco contacto con la generación más joven o la más vieja.

Pese a ser una creencia generalizada, la investigación dedicada a las relaciones entre generaciones ha demostrado que es más un mito que un hecho. En palabras de Lillian Troll (1989): "El mito de que, en lo esencial, los progenitores y sus hijos adultos están distanciados en la sociedad moderna se halla tan generalizado y profundamente arraigado que no es fácil convencer al público en general de su falsedad". Los mitos entre generaciones hacen más difícil que las personas maduras perciban como algo normal los sentimientos positivos hacia los miembros de la familia; de ahí la importancia de averiguar la verdad.

A pesar de la difundida creencia de que el distanciamiento y el aislamiento son la norma y de que existe un contacto mínimo, las encuestas revelan que los hijos de edad madura suelen llevar una relación bastante estrecha con sus progenitores; los ven o hablan con ellos con regularidad. Sin embargo, esto no significa que las generaciones suelan compartir un hogar. Como aprecian mucho la independencia, menos de 10 por ciento de los padres ancianos conviven con sus hijos y muchos lo hacen sólo en caso de que los problemas económicos o una discapacidad física no les dejen otra opción.

La mayoría de los progenitores de edad madura tienen contacto periódico con sus hijos, y este contacto tiende a aumentar cuando surgen problemas

Por lo regular, las mujeres de edad madura asumen casi todas las responsabilidades del cuidado de los progenitores ancianos.

para unos u otros. Con todo, aunque los miembros de la familia se unen para apoyarse entre sí en periodos de crisis, reanudan los patrones de su interacción normal una vez superada la dificultad (Belsky y Rovine, 1984; Morgan, 1984).

Cuando las generaciones conviven, tratan de ayudarse en aspectos concretos. Si se necesita ayuda y si se da, se hace en el contexto de una relación mutua y recíproca cuyo equilibrio se modifica con el tiempo. En los primeros años de la adultez, la mayor parte de la ayuda que se da durante la enfermedad va del progenitor al hijo. En la madurez, el flujo cambia hacia la generación mayor cuando los adultos se ven obligados a cuidar a sus progenitores ancianos. La responsabilidad, y la carga, de cuidar a jóvenes y viejos casi siempre recae en la "mujer de en medio" (Brody, 1985), quien tal vez tenga que conciliar las necesidades de sus

progenitores ancianos, sus hijos jóvenes y la salud de su esposo, lo mismo que su carrera y sus exigencias personales. La mayoría se las arregla para cumplir con tales responsabilidades, pero le queda poco tiempo para su persona.

A menudo las relaciones de la generación intermedia con sus hijos y sus progenitores se caracterizan por intentos de influir en la conducta (Hagestad, 1985). En casi todos los casos, tales intentos se dirigen a los hijos más que a los progenitores; cualquiera que sea el objetivo, por lo regular se desea dar un consejo práctico. Los intentos de modificar los malos hábitos de salud son frecuentes en todas las generaciones: las personas de edad madura, sus progenitores y sus hijos tratan de persuadirse unos a otros de dejar de fumar, de llevar una dieta adecuada, de consultar al médico periódicamente y de tomar los medicamentos.

TABLA 15–2   **MITOS ENTRE GENERACIONES RELACIONADOS CON LA MADUREZ**

1. Los hombres y las mujeres maduros viven lo más lejos posible de sus hijos y de sus progenitores.

2. Los hombres y las mujeres maduros pocas veces visitan a sus hijos adultos y a sus progenitores o los reciben en su casa.

3. Los hombres y las mujeres maduros pocas veces telefonean (o reciben llamadas telefónicas) y escriben (o reciben cartas) de sus hijos adultos o de sus padres.

4. Los hombres y las mujeres maduros abandonan a sus progenitores cuando éstos envejecen o enferman.

5. Los progenitores de edad madura y sus hijos adultos suelen mantenerse más en contacto e identificarse si comparten valores y personalidad.

6. Los abuelos piensan que saben criar a sus nietos mejor de lo que lo hacen sus hijos y son proclives a interferir.

7. El contacto frecuente con la familia extendida perjudica la salud mental.

Fuente: Myths of Midlife: Intergenerational Relationships. En S. Hunter y M. Surdel (eds.), *Midlife Myths: Issues, Funding, and Practice Implications.* Newbury Park, CA: Sage Publications, Inc., página 211.

les es parte inevitable del ciclo de la vida, puede generarles resentimiento y conflictos (Gould, 1978; Neugarten, 1976).

Algunos hijos adultos no cuidan a sus padres enfermos o ancianos, sino que los recluyen en asilos y en otras instituciones sociales de carácter impersonal. Pero se trata de una minoría. En la actualidad, las personas sobreviven muchos años a la aparición de enfermedades o discapacidades crónicas, y pocos llegan al final de su vida sin pasar por un periodo en que dependen de sus hijos. La responsabilidad del cuidado prolongado de los padres se ha convertido en la regla, no en la excepción. En un estudio (Marks, 1996) se descubrió que uno de cada cinco adultos de 35 a 64 años había cuidado a un pariente o amigo en el último año. Varias investigaciones efectuadas en los años setenta demostraron que los miembros de la familia y no el sistema social se encargaron de entre 80 y 90 por ciento de la atención médica y personal, de las tareas domésticas, del transporte y de las compras de los progenitores ancianos (Brody, 1985).

Los miembros de la familia reaccionan ante situaciones de emergencia, pero también ante la necesidad de una atención prolongada a quienes sufren discapacidad crónica (Matthews y Rosner, 1988). En la Encuesta de Atención Prolongada a quienes cuidan a personas ancianas muy débiles, 75 por ciento de las hijas ofrecían asistencia diaria. Sólo 10 por ciento de estas personas utilizaba los servicios formales (Stone y otros, 1987). Las familias ofrecen apoyo social, afecto y la seguridad de que tenemos alguien en quien confiar. Sin embargo, también es cierto que los recursos familiares pueden agotarse o que el progenitor puede debilitarse tanto que los miembros de la familia se vean obligados a dejar la responsabilidad primaria en manos ajenas; por ejemplo, en un asilo. No obstante, estimaciones conservadoras indican que más de cinco millones de estadounidenses participan en el cuidado de sus padres en un momento dado (Brody, 1985).

Las hijas están más dispuestas que los hijos a cuidar a los progenitores ancianos (Brody y otros, 1987; Gatz y otros, 1990; Spitze y Logan, 1990). Lo mismo podemos decir de las nueras (Globerman, 1996), pero se observan menos diferencias entre las mujeres que trabajan y las que no lo hacen (Brody y Schoonover, 1986). Las primeras ayudan en actividades como las compras, el transporte y el apoyo emocional. Una encuesta demostró que las segundas suelen ayudar más en la preparación de los alimentos y en el cuidado personal. Un número considerable de mujeres que trabajan cambia el horario para atender a sus padres (Brody y otros, 1987). Las encuestas revelan que de 20 a 30 por ciento de las hijas encargadas del cuidado de sus padres han reorganizado su horario para cumplir con estas obligaciones. De hecho, el cuidado de los parientes enfermos es la segunda causa más frecuente por la que las mujeres de edad madura abandonan la fuerza laboral (la primera es su salud personal).

Los hermanos a veces colaboran para atender a sus padres enfermos (Goetting, 1982). Sin embargo, la distribución del trabajo entre ellos no siempre es igual; una vez más las hijas suelen cumplir con esta obligación más que los hijos. De hecho, los progenitores esperan más ayuda de ellas (Brody y otros, 1984). Si hay dos hijas y sólo una de ellas trabaja fuera de casa, la que no cumple con un horario de trabajo prestará más atención y ayuda diaria en casos de emergencia (Matthews y otros, 1989). Pese a ello, se espera que la hija que trabaja colabore de manera estrecha, casi siempre ayudando por las noches y durante los fines de semana.

En gran medida, la manera en que una hija responde a las necesidades de sus progenitores ancianos dependerá de las circunstancias de su vida: la edad (¿cumplió ya treinta, cuarenta o cincuenta años?), la posición que ocupe en el ciclo de la vida familiar (¿tiene hijos grandes o está criando a preescolares?) y la participación en la fuerza laboral (¿tiene un empleo de tiempo completo o se dedica de lleno al hogar?) (Stueve y O'Donnell, 1984). Las hijas sufren tensiones físicas por este tipo de cuidados. Pero cuando tienen hijos dependientes, lo padecen menos y sienten una mayor sensación de bienestar que las que no los tienen (Stull y otros, 1994).

En resumen, la responsabilidad del cuidado de los progenitores es a la vez satisfactoria y estresante. En algunos casos genera tensión entre la dependencia y la independencia. Puede reactivar los viejos conflictos de la dependencia u otros problemas de las relaciones entre el progenitor y el hijo o entre los hermanos. A veces reaparecen las antiguas lealtades, alianzas o rivalidades. La necesidad de cuidar al padre o a la madre anuncia el futuro de los cuidadores, que al envejecer dependerán de sus hijos. Es a la vez un anticipo y modelo de la renuncia a la autonomía, al control y a la responsabilidad. Estos conflictos internos —junto con las exigencias tan reales de tiempo y libertad, las responsabilidades antagónicas y la interferencia con el estilo de vida, y las actividades sociales y recreativas— pueden dar origen a un ambiente de tensión. Es interesante precisar que entre 80 y 90 por ciento de los adultos maduros persisten en las actividades y las responsabilidades del cuidado de sus padres. En efecto, algunas mujeres prácticamente hacen una profesión del cuidado de los parientes ancianos, uno tras otro. Sin embargo, a pesar de su dedicación y generosidad, tres quintas partes de las participantes en una investigación mencionaron que se sentían culpables por no hacer lo suficiente y tres cuartas partes coincidieron en que los hijos modernos no atienden a sus progenitores ancianos como sucedía en el pasado (Brody, 1985).

INTRODUCCIÓN A LA VIDA DE ABUELO

Muchas personas de edad madura asumen de pronto el nuevo rol de abuelos. Es algo muy satisfactorio para muchas de ellas; pueden ayudar a criar la nueva generación sin las responsabilidades diarias del progenitor y sin participar en las relaciones y los conflictos tan intensos que surgen en ocasiones entre progenitor e hijo (Robertson, 1977).

La mayoría de los estadounidenses se convierten en abuelos en la madurez; las personas de los grupos minoritarios y las mujeres suelen hacerlo un poco antes que los blancos y los varones (Szinovacz, 1998). Si sus hijos adultos se divorcian o tienen otros problemas, algunos abuelos se convierten en padres sustitutos de tiempo completo para sus nietos; otros los cuidan medio tiempo aunque todavía trabajen de tiempo completo (Szinovacz, 1998). Así, pues, en muchos aspectos nuestro concepto de abuelo/abuela ya no es el de un anciano sentado en una mecedora; en la actualidad, representa a un miembro activo e interesado en la familia (Troll, 1989).

Aunque el rol de abuelo es una actividad muy individualizada, hay algunas funciones específicas que pueden desempeñar los abuelos, según la naturaleza de la relación que guarden con sus nietos (Troll, 1980). Si la madre vive sola o ambos progenitores trabajan, los abuelos pueden cuidar a los niños durante el día. Algunos se convierten en "personas divertidas" para ellos: los llevan a la calle, a las tiendas o a otros lugares interesantes. En ciertos grupos étnicos, el abuelo conserva su estatus y su posición como jefe formal de la familia.

Un autor dice que hay cuatro roles importantes y, a menudo, simbólicos en general del abuelo y la abuela (Bengston, 1985).

1. *Presencia.* A veces los abuelos dicen que su rol más importante consiste simplemente en estar allí. Son una presencia tranquilizadora en caso de problemas familiares o de catástrofes externas. Ofrecen una base de estabilidad a los nietos y a los padres. En ocasiones actúan incluso como reconciliadores e impiden la separación familiar.
2. *Guardián de la familia.* Algunos abuelos señalan que su función más importante es estar disponibles en momentos de emergencia. En tales circunstancias, a menudo necesitan ir más allá de la mera presencia física y dirigir de manera activa a los nietos.
3. *Árbitro.* Algunos abuelos consideran que su función consiste en inculcar valores familiares y negociarlos, en preservar la continuidad de la familia y en ayudar cuando surgen conflictos. Aunque a menudo se dan diferencias de valores entre las generaciones, hay abuelos que se consideran más capaces de resolver los conflictos entre sus hijos adultos y sus nietos, gracias a una distancia relativa y a una mayor experiencia.
4. *Conservar la memoria histórica de la familia.* Los abuelos ofrecen un sentido de continuidad a la familia pues transmiten a los nietos el legado y las tradiciones familiares.

Los roles anteriores pueden ser reales o simbólicos. Algunas veces los valores de la familia se mantienen porque a los hijos adultos y a los nietos les preocupa más la reacción del abuelo que una intervención concreta de él (Bengtson, 1985). Por ejemplo, un nieto quizá opte por no casarse fuera de su grupo racial, étnico o religioso por consideración a sus abuelos.

AMISTADES: UNA PERSPECTIVA DE TODA LA VIDA

Muchas etapas importantes de la vida se definen por las relaciones familiares, pero algunas personas maduras tienen más confianza en los amigos que en su familia. Aunque la mayoría se casa y tiene hijos, un número considerable y cada vez mayor opta por la soltería o por criar solos a los hijos. Para todos ellos la amistad es una parte esencial de su vida. Por ejemplo, algunas funciones importantes de la vida, como establecer intimidad, deben efectuarse por medio de las amistades y no del matrimonio ni de la familia. La amistad cubre a menudo muchas necesidades psicológicas esenciales en el caso de ancianos que enviudaron o cuyos hijos son mayores.

Marjorie Fiske y sus colegas (1990) realizaron durante 12 años un estudio en el cual entrevistaron a individuos en cuatro etapas diferentes de la vida. El estudio consistió en preguntarles por sus actitudes ante la amistad y por los tipos de amigos que tenían. En la investigación participaron estudiantes de nivel medio superior, recién casados y personas que se hallaban al inicio y al final de la madurez.

En los últimos años de la madurez se aprecia a los amigos por lo que los hace únicos.

Casi todas las personas maduras dijeron haber tenido varios amigos íntimos al menos durante seis años; los adolescentes y los recién casados solían tener amistades menos prolongadas. Los integrantes de las cuatro etapas de la vida expresaron ideas similares, cuando se les preguntó qué cualidades eran importantes en una amistad auténtica y qué cualidades caracterizaban al amigo ideal. La reciprocidad les parecía muy importante e hicieron hincapié en la ayuda y en el hecho de compartir. Consideraban a sus amigos semejantes a ellos en muchos aspectos y subrayaron la importancia de compartir experiencias y de una buena comunicación. Las diferencias sexuales fueron más significativas que las de edad. Las mujeres respondieron en una forma más detallada y parecían estar más profundamente comprometidas con la amistad; las mujeres pensaban que la reciprocidad era más importante en una amistad cercana, mientras que los varones solían escoger a sus amigos en función de semejanzas. Sin embargo, conviene precisar que muchas de las personas de edad madura actuales son *baby boomers* (generación de la posguerra) que crecieron en una época de normas liberales respecto a las amistades y a los conocidos; por ello, como dicen Rebecca Adams y Rosemary Blieszner (1998), las amistades durante la madurez son en la actualidad mucho más heterogéneas en cuanto al grupo étnico, la raza y el género.

En general, las amistades más complejas se daban en el grupo de personas que estaban en los últimos años de la madurez. Las personas que se encontraban en los primeros años se identificaban más con su familia y su trabajo, por lo que disponían de menos tiempo para dedicarlo a los amigos. Con todo, en los últimos años de la madurez predominaban las relaciones complejas y multidimensionales. Los individuos tendían a apreciar las características especiales de sus amigos. El aprecio puede deberse a ciertos cambios de la personalidad durante esta etapa de la vida. Jung describió el lapso comprendido entre los 40 y los 60 años como un periodo de conciencia interna, en el que nos alejamos de las actividades de la mente consciente y encaramos el inconsciente. Es posible que, conforme nos percatamos de las sutilezas de nuestra naturaleza, comencemos a apreciar la complejidad de los otros más de lo que lo hicimos en etapas anteriores de nuestra existencia (Fiske y Chiraboga, 1990).

1. ¿Por qué calificamos de "cambiante" a la relación entre los progenitores maduros y sus hijos adultos?
2. ¿Cuál es la actitud que predomina entre las personas maduras hacia sus progenitores ancianos?
3. Mencione algunos de los principales problemas que las personas maduras afrontan cuando tratan a sus progenitores ancianos.
4. ¿En qué se distinguen y se asemejan las amistades de la edad madura y las que se forman en otros periodos del ciclo vital?

REPASE Y APLIQUE

LA FAMILIA CAMBIANTE

Como hemos visto en capítulos anteriores, cada vez es más necesario examinar las relaciones familiares dentro del contexto de una unidad familiar cambiante que se caracteriza por el divorcio, las segundas nupcias y las familias reconstituidas. En esta sección analizaremos el impacto que la familia cambiante tiene en los adultos maduros.

Nadie, ni siquiera los críticos sociales más radicales, se atreverá a proclamar la muerte de la familia nuclear tradicional. Pero pocas familias encajan dentro del molde tradicional en que el padre trabaja y la madre se queda en casa a cuidar a los hijos. Del mismo modo que los individuos adaptan su estilo de vida para que corresponda a sus necesidades y a sus prioridades, la idea de la familia ha venido adaptándose a los cambios de las necesidades y prioridades sociales y personales de sus miembros. Según se advierte en la figura 15-1, el estado civil (y por lo mismo la familia) de la población estadounidense ha cambiado mucho en las décadas recientes. Hay un menor número de matrimonios y ha aumentado la cantidad de solteros y divorciados.

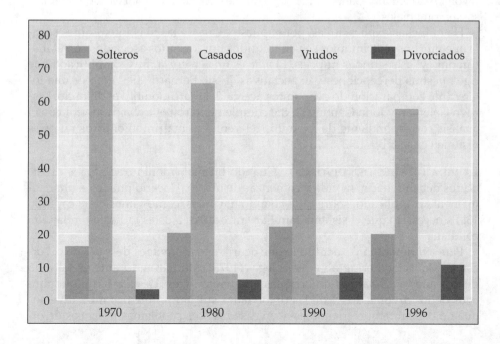

FIGURA 15–1
ESTADO CIVIL CAMBIANTE DE LA POBLACIÓN ESTADOUNIDENSE, DE 18 AÑOS EN ADELANTE, 1970-1996 (EN PORCENTAJE)

Fuente: U.S. Census Bureau, 1997.

DIVORCIO Y SEGUNDAS NUPCIAS

Como vimos en el capítulo 13, dos matrimonios fracasan por cada tres que permanecen unidos. Aunque el divorcio es más frecuente en la juventud, también alcanza elevados índices en la madurez y en los años posteriores (vea la figura 13-5, página 459). ¿Cuáles son algunas de las razones por las que las personas se divorcian y qué sucede cuando tantas de éstas vuelven a casarse?

POR QUÉ SE DIVORCIA LA GENTE Los matrimonios pocas veces se separan en forma repentina. Por lo regular el divorcio es la culminación de un largo proceso de distanciamiento emocional. Ambos cónyuges recuerdan casi siempre que los últimos meses de su matrimonio fueron infelices. Pero la decisión final de divorciarse la toma en general uno de ellos. Normalmente es la esposa quien plantea primero la posibilidad. Se siente insatisfecha con el matrimonio antes que el marido, aunque la insatisfacción no siempre los lleva a tomar la decisión (Kelly, 1982).

En la madurez los matrimonios se divorcian por muchas de las mismas razones que los matrimonios más jóvenes. Quieren más de su matrimonio que lo que están recibiendo, y el divorcio parece preferible a mantener una relación desdichada. Además, si el matrimonio no es estable, la etapa del nido vacío del ciclo de la vida familiar causa a veces crisis personales o conyugales. Los cónyuges se percatan de que ya no es necesario mantener el vínculo matrimonial por amor a los hijos y se preguntan si quieren pasar juntos el resto de su vida. Además, el divorcio se asocia con frecuencia con ideas erróneas del matrimonio. Las iglesias, los abogados, los consejeros matrimoniales, los medios masivos, la familia y los amigos rinden homenaje a los mitos sobre lo que debiera ser el matrimonio. Estos mitos incluyen expectativas poco realistas que predisponen al fracaso.

MITOS RELATIVOS AL MATRIMONIO, AL DIVORCIO Y A LAS SEGUNDAS NUPCIAS En 1994, cerca de 2.36 millones de estadounidenses se casaron y 1.19 millones se divorciaron. En otras palabras, casi la mitad de los casados terminan divorciándose. En realidad, algunos analistas se sienten alentados con las cifras anteriores, porque las tasas de matrimonio y divorcio han disminuido ligeramente respecto a los niveles de 1981 y lo mismo sucede con la proporción entre divorcio y matrimonio respecto de su nivel anterior que era más elevado (Clarke, 1995). Más de 40 por ciento de los matrimonios contemporáneos culminan en segundas nupcias de uno o ambos cónyuges, y casi la mitad de las segundas nupcias terminan en divorcio (Coleman y Ganong, 1985). ¿A qué se debe un índice tal elevado de fracasos matrimoniales?

Hay muchas explicaciones, por supuesto. Una de las más interesantes señala que muchos matrimonios se ven influidos por los mitos asociados con el matrimonio y las segundas nupcias. El *mito* es una creencia muy simplificada que rige nuestras percepciones y expectativas. Jessie Bernard (1981) ofrece una interesante comparación de ocho mitos acerca del matrimonio y el divorcio. Marilyn Coleman y John Ganong (1985) complementaron el trabajo anterior con el análisis correspondiente de los mitos referentes al matrimonio. Estos mitos se resumen en la tabla 15-3.

LA VIDA DESPUÉS DEL DIVORCIO Cuando un matrimonio fracasa, los divorciados deben rehacer su vida y comenzar de nuevo. Hacerlo puede resultar sumamente complicado, sobre todo cuando hay hijos, como vimos en el capítulo 13. Es necesario que el sistema familiar introduzca ajustes radicales en la vida cotidiana.

Para averiguar con exactitud lo que ocurre a los cónyuges después de divorciarse, Mavis Hetherington y sus colegas (1978) estudiaron durante un periodo de dos años a 96 parejas divorciadas que tenían hijos. Descubrieron que muchos de los divorciados y de las divorciadas sufrían problemas muy diversos que no habían tenido cuando estaban casados. Los problemas prácticos de or-

Tabla 15–3   Mitos relacionados con matrimonio, el divorcio y las segundas nupcias

Matrimonio

Todo funcionará si nos amamos.

Siempre considere primero al otro.

Concéntrese en los aspectos positivos; no critique.

Si las cosas salen mal, concéntrese en el futuro.

Primero véase como parte de una pareja y luego como individuo.

Lo mío es tuyo.

El matrimonio hace a las personas más felices de lo que eran antes de casarse.

Lo mejor para los hijos es también lo mejor para nosotros.

Divorcio

Ya nada puede funcionar bien pues hemos dejado de amarnos.

Siempre hay que pensar primero en uno.

Concéntrese en los aspectos negativos y critique todo.

Si las cosas salen mal, concéntrese en el pasado.

Primero véase como un individuo y luego como parte de una pareja.

Lo mío es mío.

El divorcio hace desdichada a la gente.

Lo mejor para nosotros debe ser devastador para los hijos.

Segundas Nupcias

Esta vez vamos a hacer todo bien para que el matrimonio funcione.

Siempre hay que pensar antes en todos.

Concéntrese en los aspectos positivos e ignore los negativos.

Si las cosas marchan mal, reflexione sobre lo que salió mal en el pasado y asegúrese de que no vuelva a ocurrir.

Según la personalidad de cada cual, podríamos repetir el mito del matrimonio o del divorcio y considerarnos primero como parte de una pareja o como un individuo.

Lo mío es mío y lo tuyo es nuestro.

El matrimonio hace a la gente mucho más feliz de lo que era antes de casarse.

Lo que es mejor para nosotros debe ser perjudicial para los hijos.

ganizar y mantener una familia abrumaban a muchos hombres acostumbrados a que sus esposas se encargaran de ellos. Ambos sexos mencionaron algunas dificultades económicas. Con dos familias que mantener en vez de una, algunos varones se daban cuenta de que sus ingresos se diluían y no eran suficientes. Muchos tomaron un segundo empleo o trabajaban horas extras para ganar más dinero. Las mujeres que antes del divorcio habían sido amas de casa se encontraban bajo presiones económicas, en especial si el marido no les daba la pensión alimenticia ordenada por el tribunal o los pagos para mantener a sus hijos. Agobiadas por las nuevas cargas económicas, muchas se veían obligadas a dedicar menos tiempo a sus hijos y a sus asuntos personales (Goetting, 1981).

El divorcio puede ocasionar problemas serios durante la madurez porque los cónyuges se han acostumbrado a cierto nivel de vida. Las nuevas circunstancias sociales y económicas resultantes del divorcio pueden abrumar a las personas de edad madura, sobre todo si tienen que concentrarse en actividades (regresar a la escuela, encontrar un nuevo empleo, cortejar) que se consideran más apropiadas de los jóvenes.

La alteración de la relación conyugal, por divorcio o fallecimiento, es un acontecimiento estresante. A menudo causa dolor y duelo la pérdida de una relación íntima, aun cuando haya sido infeliz —generalmente se vuelve a poner en consideración si el divorcio fue lo más conveniente. Se alteran las rutinas y los patrones de la vida cotidiana. Hay una nueva independencia y autonomía, positivas o negativas, lo mismo que una gran soledad en ciertos momentos. No obstante, se observan notables diferencias entre el divorcio y la viudez, como veremos en el capítulo 17.

En general, los divorciados ven en su situación una especie de fracaso. Al que no tomó la decisión de separarse le queda a menudo una sensación de rechazo. No son infrecuentes los sentimientos de humillación y de impotencia. Aunque el matrimonio no fuera satisfactorio, la decisión final causa una profunda impresión. Para el que toma la decisión, el estrés suele ser mayor durante los meses o años tan terribles que anteceden la separación. El cónyuge que inicia los trámites se sentirá triste, culpable o irritado, pero tiene, por lo menos, cierta sensación de control. Ha analizado la situación y se ha preparado mentalmente para el divorcio (Kelly, 1982), que puede ser algo inesperado para el otro cónyuge.

COMIENZO DE UNA VIDA NUEVA Iniciar un nuevo estilo de vida después del divorcio es más fácil para unas personas que para otras. Algunas muestran alivio al liberarse de restricciones, obligaciones y conflictos emocionales. Las mujeres, sobre todo, suelen sentir que tienen una "nueva oportunidad" (Caldwell y otros, 1984; Kelly, 1982). A otras les causa terror la idea de vivir solas. Tras un largo periodo de matrimonio, a las mujeres mayores no les es fácil abandonar su rol anterior. En el pasado, les costaba más que a los hombres mantener la amistad de otros matrimonios y encargarse de asuntos financieros y legales como conseguir una tarjeta de crédito, un préstamo bancario o una hipoteca. Las cosas han cambiado, pero muchas divorciadas todavía no cuentan con ingresos suficientes para obtener préstamos. Quienes se casaron jóvenes no saben lo que es vivir solo y tienen poca experiencia con la vida independiente que ahora les aguarda. A menudo subestiman los problemas de ajuste que conlleva el estar solo. Finalmente, sin importar cuánto dure el matrimonio, los recién divorciados y divorciadas presentan índices elevados de alcoholismo, enfermedades físicas y depresión, a veces como resultado directo de los cambios de vida que acompañan a la separación.

La mayoría de las personas divorciadas muestran un mejoramiento de su situación en los dos o tres años siguientes a la separación definitiva (Spanier y Furstenberg, 1982). Las divorciadas suelen mejorar su autoestima (Wallerstein y Blakeslee, 1989). Quienes desean con vehemencia llevar una vida feliz vuelven a casarse en un lapso de entre tres y cuatro años. De hecho, los divorciados presentan la tasa más elevada de segundas nupcias entre los grupos de solteros. En general, la frecuencia con que vuelven a casarse triplica la de las divorciadas. Después de los 40 años de edad, casi todos contraen segundas nupcias, mientras que sólo la tercera parte de las divorciadas lo hacen (Spanier y Furstenberg, 1982). Muchos varones de edad madura se casan con mujeres más jóvenes y comienzan una segunda familia. Los divorciados de ambos sexos que establecen una nueva relación íntima tienen mayores probabilidades de hacer un ajuste positivo después de la separación, en parte porque la nueva relación aminora el apego a su ex cónyuge (Tschann y otros, 1989).

A los que se quedan solos en la edad madura les resulta muy difícil volver a cortejar a alguien, en especial porque esta actividad se asocia con los jóvenes.

Una importante minoría de divorciados de ambos sexos permanecen amargados y aislados hasta 10 años después de separarse. Algunos divorciados pierden prácticamente todo contacto con sus hijos y, a pesar de contar con suficientes recursos, se niegan a ayudar a cubrir gastos como la colegiatura (Wallerstein y Blakelee, 1989). Algunas divorciadas usan a sus hijos como "arma" contra los ex maridos, con el propósito de hacerlos sentir culpables y avergonzados.

Por ser el divorcio tan común, algunos investigadores estudian más bien por qué permanecen juntos los matrimonios y no por qué se divorcian (Lauer y Lauer, 1985). Aunque los hombres y las mujeres de edad madura aducen razones diferentes para seguir casados, unos y otras mencionan "Mi marido (o esposa) es mi mejor amigo (amiga)" como motivo fundamental. Es interesante señalar que las diez razones principales que citan quienes llevan 15 años casados o más son las mismas.

- Mi pareja es mi mejor amigo.
- Me gusta mi pareja como persona.
- El matrimonio es un compromiso a largo plazo.
- El matrimonio es sagrado.
- Hemos adoptado objetivos y metas comunes.
- Mi pareja se ha vuelto más interesante.
- Quiero que la relación tenga éxito.

Los matrimonios más felices del estudio estaban satisfechos con su vida sexual, pero el sexo no era el factor primordial de su felicidad ni de su satisfacción conyugal. Los varones mencionaron la satisfacción sexual como el duodécimo motivo más importante de permanecer juntos; las mujeres lo mencionaron como el decimocuarto.

Las personas maduras que siguen casadas o que contraen segundas nupcias indican niveles más elevados de felicidad y satisfacción generales que las que están solas. El matrimonio les ayuda a afrontar los sucesos estresantes de la vida -como la jubilación, la pérdida de ingresos, la enfermedad y la discapacidad. Son efectos positivos provenientes del sentido de intimidad, interdependencia y pertenencia que ofrece el matrimonio (Gilford, 1986).

FAMILIAS RECONSTITUIDAS

Cuando las personas divorciadas o viudas con hijos vuelven a casarse, forman **familias reconstituidas o mezcladas**. Éstas plantean muchos más problemas de ajuste de funciones para los padrastros y los hijastros que la familia primaria. Con poca preparación para desempeñar sus nuevas funciones y con poco apoyo de la sociedad, los padrastros y las madrastras a menudo descubren que lograr una relación familiar satisfactoria es más difícil de lo que imaginaron. Pero cuando se realizan bien, las segundas nupcias pueden atenuar el estrés, sobre todo el del progenitor que tiene la custodia legal de los hijos (Furstenberg, 1987). El nuevo cónyuge podrá ofrecer un gran alivio a un progenitor divorciado si está dispuesto a compartir las responsabilidades financieras, los quehaceres domésticos, las decisiones relativas a la crianza de los hijos y otras actividades. Los hombres que vuelven a casarse tal vez tengan que soportar presiones adicionales, si están obligados mantener dos familias.

En todo caso, las segundas nupcias son distintas al primer matrimonio. Operan dentro de una organización familiar más compleja —hijastros, ex cónyuges y ex parientes políticos, por ejemplo— que puede causar muchos conflictos. Con todo, el segundo matrimonio a menudo se caracteriza por una comunicación más abierta, por mayor aceptación del conflicto y por la seguridad de que cualquier problema que surja podrá resolverse de modo satisfactorio (Furstenberg, 1987).

familias reconstituidas o mezcladas Familias en las que la madre o el padre con hijos han vuelto a casarse.

La mayoría de los padrastros o madrastras y de los hijos terminan por lograr un ajuste positivo.

LAS FAMILIAS RECONSTITUIDAS EN PERSPECTIVA Suele pensarse que las tasas elevadas de divorcio y de segundas nupcias han originado un fenómeno por completo nuevo. Después de todo, casi en 40 por ciento de los matrimonios, al menos uno de los contrayentes ya se ha casado.

Pero las familias reconstituidas no constituyen un fenómeno reciente. De hecho, su tasa actual es muy semejante a la de segundas nupcias en Europa y en Estados Unidos durante los siglos XVII y XVIII. No obstante, existe una gran diferencia. En la actualidad, la mayoría de las familias reconstituidas es resultado de la secuencia: matrimonio-divorcio-segundas nupcias. En el pasado, eran resultado de la secuencia matrimonio-muerte-segundas nupcias (Ihinger-Tallman y Pasley, 1987).

La diferencia entre ambos tipos de familia es, por supuesto, la presencia del ex cónyuge. El contacto con él suele proseguir y puede incluir la custodia legal compartida, ayuda económica y visitas. En algunas familias es difícil conservar las distancias, resolver los conflictos y evitar los sentimientos de rechazo de uno de los cónyuges. Para los niños esta situación significa ambivalencia, conflictos, incertidumbre y una lealtad dividida. No debe sorprendernos, pues, que los padrastros o madrastras que son viudos a menudo mencionan relaciones más positivas entre ellos y con sus hijos después del segundo matrimonio que cuando están divorciados (Ihinger-Tallman y Pasley, 1987).

CÓMO APRENDER A VIVIR EN UNA FAMILIA RECONSTITUIDA La expectativa de que estas familias pueden reanudar su vida donde desapareció la familia primaria es poco realista y provoca frustración y decepción. Tanto los padrastros como los hijastros necesitan tiempo para adaptarse, para conocer la personalidad del otro y probarla. El mejor consejo en este caso es que los padrastros o madrastras traten de ocupar un sitio en la vida de los hijos que no sea igual al del progenitor biológico. Si tratan de competir con el verdadero progenitor, lo más seguro es que fracasen.

Cuando se les pregunta cuáles son los principales desafíos en la relación de padrastros e hijastros, los primeros mencionan en su mayoría que es corregirlos, adaptarse a sus hábitos y a sus personalidades y ganarse su aceptación

(Schlesinger, 1975; citado en Kompara, 1980). Para las madrastras suele ser más difícil ajustarse a sus nuevos roles. Para salir adelante deben superar terribles desventajas, en parte por el estereotipo de "la madrastra malvada" y en parte porque pasan más tiempo con los niños que los padrastros.

También es popular el estereotipo del hijastro. Se le considera una persona olvidada, tal vez maltratada, y alguien a quien no se quiere tanto como al hijo "verdadero". Las encuestas al público general e incluso a los profesionales que ayudan a estas familias revelan que se trata de estereotipos bastante generalizados (Coleman y Ganong, 1987) a los que contribuyen los cuentos de hadas como Cenicienta o Hansel y Gretel. En realidad, esos estereotipos no son exactos, pero es común culpar al padrastro o la madrastra cuando se presenta una situación así (lo cual no ocurre con frecuencia). Los hijos pueden poner obstáculos. Pueden rechazar el afecto del padrastro o la madrastra y hacer imposible la armonía familiar si no han aceptado el divorcio o la pérdida del progenitor biológico, si son usados como peones de ajedrez en un divorcio amargo y conflictivo o si tienen una imagen idealizada del progenitor faltante.

El hecho de generar paulatinamente confianza mutua, afecto y un sentimiento de intimidad y respeto por el punto de vista del niño contribuye a establecer una relación positiva. A las niñas les resulta más difícil que a los varones establecer una buena relación con el padrastro (Hetherington, 1989). Es posible que se deba a que tienen una relación más estrecha con su madre antes del divorcio y a él lo consideran un intruso. Por su parte, los varones a menudo tienen relaciones difíciles y conflictivas con su madrastra.

Aunque los padrastros o las madrastras pocas veces ocupan el lugar idealizado que el progenitor biológico tiene en la vida del niño, logran crear con frecuencia un ambiente cálido, afectuoso y seguro, a menudo más satisfactorio que el que existía antes del divorcio. De hecho, la mayoría de los padrastros e hijastros de ambos sexos terminan haciendo ajustes positivos (Clingempeel y Segal, 1986; Visher y Visher, 1983). El ajuste es más probable cuando la familia reconstituida crea una nueva unidad social que extiende las características de la familia biológica de los hijos e incluya nuevas relaciones y estilos de comunicación, nuevos métodos de disciplina y estrategias de resolución de problemas (Paernow, 1984; Pasley e Ihinger-Tallman, 1989; Whiteside, 1989).

1. ¿Cuáles son algunos de los problemas que plantea el divorcio a los individuos y al sistema familiar?
2. ¿Cuáles son algunos de los problemas de ajuste que los progenitores y los hijos afrontan en las familias reconstituidas?
3. ¿Qué factores hacen especialmente difícil en la madurez el divorcio, las segundas nupcias y la formación de una familia reconstituida?

REPASE Y APLIQUE

CONTINUIDAD Y CAMBIOS OCUPACIONALES

La madurez es un periodo en el que se cumplen las metas profesionales a largo plazo, en el que tal vez haya que hacer correcciones a la mitad del camino o en el que aparecen las decepciones. Es también un periodo en el que el estrés del trabajo alcanza su nivel máximo.

Hasta hace poco se pensaba que la vida laboral consistía, o debería consistir, en ingresar a una ocupación o carrera al inicio de la adultez y permanecer en ésta hasta jubilarse. Por supuesto, esta trayectoria "preferida" exigía una elección bien meditada de la carrera y una rigurosa preparación inicial. Una vez comenzado un trabajo, se espera que sentemos las bases de una ocupación para toda la vida y que escalemos con la mayor rapidez posible la escala del éxito.

El escenario anterior se ha modificado mucho, en parte porque el desarrollo del adulto puede originar numerosos cambios de actitud, de necesidades y de metas profesionales. Más aún, en el mundo moderno de impresionantes adelantos tecnológicos y gran inestabilidad económica, los trabajos cambian con tanta rapidez o desaparecen en cantidades tan grandes que la pauta de una sola carrera ya no se aplica a la mayoría de las personas. En palabras de Phyllis Moen: "El suelo cambia bajo sus pies a medida que se reconfigura la naturaleza del trabajo, de la familia, de las carreras y de la jubilación". La reestructuración y la subcontratación empiezan a hacerse sentir en el trabajador estadounidense (véase el recuadro "Tema de controversia" en la página siguiente). Con frecuencia, la gente cambia de empresa o de puesto dentro de ésta.

Casi todas las personas no hacen modificaciones radicales una vez establecidas en su carrera; pero en la actualidad es poco frecuente que empiecen y terminen su vida profesional en el mismo trabajo o profesión. Esto se aplica sobre todo a las mujeres que interrumpen su carrera para dedicar unos 10 años a criar los hijos. En la madurez están preparados para canalizar su energía hacia otra forma de creatividad. Es en el trabajo en el que adquieren un nuevo sentido de logro y establecen relaciones significativas y perdurables. Teniendo presente esta posibilidad, vamos a examinar el proceso de reevaluación de la carrera que a menudo se da durante la edad madura, lo mismo que las reacciones ante el cambio de trabajo y ante el estrés.

REEVALUACIÓN A MITAD DE LA CARRERA

Como hemos visto, cuando analizamos la historia laboral de los individuos de décadas anteriores, tenemos la impresión de que los ciclos de la vida ocupacional descritos por Havighurst (vea el capítulo 13) dejan fuera un periodo de profunda reevaluación o reexamen de la carrera que a menudo ocurre en la madurez, época en que los trabajadores mencionan un menor bienestar que los más jóvenes o más viejos (Warr, 1992). La reevaluación se debe a varias razones; dos motivos importantes son el hecho de que los trabajadores se dan cuenta de que no los ascienden con la rapidez que esperaban y que el trabajo puede resultar menos atractivo de lo previsto.

La probabilidad de hacer cambios laborales importantes es mayor entre las personas que pasan por importantes transiciones en la madurez. Levinson (1978) observó que los adultos de 40 a 50 años pueden presentar un cambio de valores y de metas que los lleva a pensar en modificar el curso de su carrera. Explica el cambio por la reaparición del sueño: la inspiración, los ideales y las metas de la juventud (vea el capítulo 13). La investigación indica que los adultos pueden afrontar en forma óptima este periodo de reevaluación si logran hacer un juicio realista y sistemático de sus capacidades personales y de las ventajas e inconvenientes de su actual puesto (Okun, 1984; Schein, 1978).

Eugene Thomas (1979) considera que ciertas condiciones sociales permiten hacer algo al respecto a aquellos cuyos valores y actitudes presentan alteraciones radicales. En la actualidad hay una mayor esperanza de vida, de modo que cuando terminan las responsabilidades para con los hijos, los progenitores están en condiciones de hacer cambios que pueden incluso disminuir sus ingresos o transformar su forma de vida. Cuando los dos cónyuges trabajan, uno puede seguir obteniendo ingresos y el otro cambiar de carrera. Thomas menciona que la mayor tolerancia de las desviaciones de las normas sociales tradicionales (incluido el hecho de que la esposa mantenga al marido) permite ser coherente con las nuevas creencias e ideales.

TEMA DE CONTROVERSIA

REESTRUCTURACIÓN Y SUBCONTRATACIÓN

La reestructuración corporativa adopta muchas formas cuando los alto directivos procuran minimizar los costos y maximizar las utilidades (al hacerlo ganan a menudo un excelente bono). La *reestructuración* o *reducción del tamaño* es un método: se eliminan puestos, se liquida a los empleados y a los que se quedan se les exige hacer más cosas, trabajar más duro y alargar el horario. Otro método es la *subcontratación*: el trabajo que antes se efectuaba en la compañía se asigna a proveedores, los cuales, a su vez, contratan a las mismas personas que se encargaban del trabajo antes que les redujeran sus prestaciones (sobre todo los planes de jubilación) y que se eliminara la seguridad laboral. Como en el despido de empleados, se espera que los trabajadores subcontratados laboren más arduamente y aumenten su productividad -expectativas que intensifican sobremanera el estrés (Gowing y otros, 1997).

Para quienes son despedidos por un reestructuración, la pérdida del empleo es mucho más que un problema económico. Puede ocasionar una verdadera catástrofe a ellos y a su familia. A veces produce enfermedad, divide a las familias y genera sentimientos de futilidad y ausencia de autoestima. Para muchos, el desempleo representa algo más que una pérdida de ingresos. Casi siempre se observa un mayor índice de cefaleas, problemas estomacales e insomnio. También se observa un mayor consumo de tabaco, de alcohol y preocupaciones más fuertes que cuando se trabajaba (Liem, 1981). El desempleo afecta más gravemente a los varones a quienes se socializó para que fueran el sostén de la familia. Sufren más depresión y ansiedad, y presentan un índice más elevado de conductas psicóticas que los que trabajan (Liem, 1981). Además, la enfermedad, el suicidio, el alcoholismo, el divorcio y hasta el crimen ocurren en tasas epidémicas entre los desempleados. Muchos de ellos piensan que ya nada pueden esperar. Extrañan a los compañeros y la rutina de ir a trabajar. Para muchos, la sensación de impotencia cobra mayor fuerza cada vez que buscan empleo y son rechazados. Cuando este proceso tiene lugar con mucha frecuencia, pueden sentirse totalmente excluidos de la fuerza laboral. El rechazo que experimentan se exacerba cuando los amigos y los vecinos los evitan.

¿Qué sucede a las personas que sobreviven a una reestructuración? Experimentan una inseguridad constante respecto de su futuro ("Puedo ser el siguiente") y bajo la presión de mayores exigencias, están sujetos a muchas fuentes de estrés (Burke y Nelson, 1997). Sufren confusión de roles, sobrecarga de trabajo, más políticas y conflictos en la oficina, mayor conflicto entre su trabajo y su vida familiar y personal y, en general, una atmósfera tensa que se acompaña de síntomas como mareos, problemas estomacales e hipertensión. Pierden la satisfacción laboral y se vuelven irritables, cínicos y deprimidos; la lealtad a la compañía suele desaparecer.

¿Qué efectos a largo plazo tendrá la tendencia creciente a la reestructuración y la subcontratación? Por ahora, es algo que se discute. En la actualidad, el desempleo es bajo en Estados Unidos, se observa un auge en las utilidades corporativas y en los mercados accionarios, y la economía se considera sana; gran parte de la riqueza se atribuye a la reestructuración de las empresas. No obstante, conviene señalar que a principios del siglo XX existía una situación similar, cuando los trabajadores tenían pocos derechos en el ámbito federal y eran explotados en todas las formas imaginables. Podríamos preguntarnos si la reestructuración y la subcontratación representan la moderna tecnología de la administración para volver al pasado.

Con todo, sólo unos cuantos realizan modificaciones profesionales drásticas durante la madurez (Levinson, 1983). Una causa de los cambios es la convicción de que se subutiliza sus habilidades en su puesto actual, quizá por los cambios en el puesto o por enfrentar menos retos una vez que se domina una especialidad. Otra causa es el **colapso laboral** -sensación de ser incapaz de seguir soportando el trabajo que cada mañana se acompaña del terror de tener que ir a trabajar. Desde luego el colapso no se limita a la madurez (Stagner, 1985). De hecho, no es exclusivo de este periodo el proceso entero de reevaluar la estructura de la vida personal, el trabajo entre otras cosas (Levinson, 1986). En general, las personas mayores tienen menos probabilidades de cambiar de trabajo que los jóvenes (Rhodes, 1983).

EL CAMBIO DE TRABAJO Y EL ESTRÉS

Para muchos, los cambios de carrera no son agradables y a veces no se realizan sin sobresaltos o problemas. La inestabilidad ocupacional puede tener efectos nocivos. Las personas cuya vida laboral transcurre según acontecimientos predecibles y programados por lo general sienten menos estrés que quienes deben encarar hechos impredecibles o no contemplados. Una persona puede sufrir

colapso laboral Fatiga psicológica que a menudo afecta a las personas maduras en las profesiones de servicios y de ayuda.

Para las personas maduras puede ser más difícil enfrentar la pérdida del empleo que para los jóvenes, pues aquéllas suelen invertir más en el trabajo.

elevados niveles de estrés, ansiedad y desequilibrio cuando ni el progreso ni los ascensos se realizan conforme a lo planeado, o cuando se ve obligada a cambiar de trabajo o queda desempleada de repente. Otros acontecimientos intempestivos de la edad madura pueden incluir la necesidad de regresar a la escuela e iniciar otra profesión o retirarse del trabajo para actualizar sus habilidades y seguir progresando en la carrera actual.

PÉRDIDA DEL EMPLEO   Las personas que son despedidas, que permanecen sin trabajo en forma indefinida o que se ven obligadas a jubilarse manifiestan a menudo problemas emocionales que pueden ser más graves que el de la pérdida de ingresos (una vez más consúltese el recuadro "Tema de controversia", página 535). Muchas veces el autoconcepto se destruye y también la autoestima. Ante la pérdida de la carrera, el individuo reacciona a menudo en formas semejantes a la respuesta de duelo desencadenada por la muerte de un ser querido (Jones, 1979). La pauta del duelo puede aparecer de modo repentino: al inicio, la pérdida involuntaria del trabajo provoca una fuerte impresión e incredulidad, seguidas después de ira y protesta. Algunos pasan incluso por una etapa de negociación parecida a la de los enfermos terminales, en la cual suplican (al empleador, al cónyuge o a Dios) más tiempo, una segunda oportunidad, etc. En esta etapa puede haber depresión, soledad o trastornos físicos. Los desempleados a veces sienten pánico, culpa por la pérdida o resentimiento; en ocasiones no logran participar en las actividades ordinarias aunque no se relacionen con el trabajo. Algunos optan por convertirse en "vengadores postales" —expresión que se refiere a los empleados del servicio postal estadounidense que tanta publicidad han recibido y que buscan vengarse causando la muerte a quienes consideran responsables de la pérdida de su empleo, lo mismo que a cualquier persona que se encuentre cerca de ellos en esos momentos.

Una vez terminadas las reacciones de duelo y de ira, el desempleado comenzará a aceptar la pérdida, a abrigar esperanzas y a reencauzar sus energías para encontrar otro trabajo o iniciar otra carrera. Sin embargo, la pérdida de empleo puede ser más difícil de resolver en el caso de las personas maduras que de los jóvenes. En primer lugar, es probable que su identidad esté más vinculada al trabajo o puesto. En segundo lugar, suelen sufrir la discriminación de la edad en los programas de contratación y capacitación, a pesar de que en Estados Unidos hay leyes que la prohíben. En tercer lugar, si encuentran trabajo su sueldo y su estatus serán seguramente más bajos que antes (Kelvin y Jarrett, 1985; Sinfeld, 1985). Esto les ocurre sobre todo a quienes han logrado ascender en la jerarquía de una empresa y han alcanzado un puesto que supere su formación académica, pues sus habilidades sólo se aplican a esa compañía en concreto (DuBrin, 1978).

En términos generales, quienes se adaptan mejor a la pérdida de empleo lo toman con serenidad, no dirigen su enojo contra sí mismos, no se culpan ni se consideran fracasados en el ámbito profesional y personal. En la tabla 15-4 se resumen otros factores más que determinan la eficacia con que la gente se ajusta a la pérdida de empleo.

COLAPSO LABORAL   Como vimos en páginas anteriores, es un estado psicológico de fatiga emocional, acompañado a menudo de cinismo extremo, que predomina en quienes se dedican a los servicios de ayuda (Maslach y Jackson, 1979). El riesgo de sufrirlo es elevado entre trabajadoras sociales, policías, enfermeras, terapeutas, profesores y otros profesionistas que deben trabajar en estrecho contacto personal con aquellos a quienes atienden, a menudo en situaciones de gran tensión y estrés. En otro sentido, la designación se aplica también al efecto que sufren quienes, habiendo trabajado duro y dedicado toda su energía a tratar de alcanzar una meta prácticamente imposible, fracasan en su intento (Freudenberger y Richelson, 1980). El colapso también se observa en los que ocupan puestos subordinados de bajo nivel y no pueden responder al maltrato del que a veces son objeto (Holt, 1982).

TABLA 15–4   **FACTORES EN EL AFRONTAMIENTO DE LA PÉRDIDA DE EMPLEO**

Salud física. Una de las primeras formas de encarar la pérdida de empleo consiste en encontrar otro; es más fácil proyectar una buena imagen en las entrevistas cuando se tiene buena salud. La buena condición física también mejora la capacidad de sortear el estrés, los desafíos imprevistos y la fatiga causada por la pérdida de empleo.

Recursos físicos y financieros. El desempleo produce mayor estrés en las personas sin recursos financieros que en quienes pueden pagar los gastos ordinarios mientras buscan trabajo. Estos últimos tal vez se vean obligados a vender su casa y a reducir su nivel de vida, lo cual intensifica el estrés ocasionado por la pérdida del trabajo.

Habilidades específicas. A los que poseen habilidades apreciadas en el mercado de trabajo probablemente les cueste menos trabajo encontrar empleo que quienes han recibido una formación inadecuada u obsoleta.

Apoyo social. A menudo el individuo rodeado por una familia amorosa y servicial logra afrontar mejor el desempleo que el que vive solo o cuyas relaciones familiares son problemáticas.

Comprensión de los hechos. La capacidad de entender las causas de la pérdida del empleo (¿se debió a una reestructuración, a un desempeño deficiente o a un conflicto de personalidades?) ayuda a superar la separación y a reunir energía suficiente para buscar otro trabajo. Esta capacidad se obtiene en parte con la educación y la experiencia.

Previsión y preparación. Mucho antes de que lo despidan, un ingeniero aeroespacial que conoce las consecuencias del desmantelamiento de la Unión Soviética y del final de la guerra fría preverá la posibilidad de quedarse sin trabajo y podría prepararse para trabajar en otras áreas afines. Cuentan con menos opciones los que no pueden prever que van a perder el trabajo.

Factores de la personalidad. Los rasgos de la personalidad como flexibilidad, la apertura a nuevas experiencias y la adaptabilidad preparan a la persona para que soporte las presiones relacionadas con la obtención de un nuevo empleo.

Historial. Quienes han perdido el trabajo antes y ya pasaron por periodos de desempleo reaccionarán de manera diferente que los que nunca han tenido tales experiencias.

Por lo regular, los miembros de profesiones orientadas a la ayuda son idealistas, están muy motivados y son muy competentes pero terminan por percatarse de que no influyen tanto en el curso de las cosas como pensaban. En este caso la causa general del problema es la ausencia de recompensas en una situación laboral en la que se puso mucho esfuerzo y predominaron grandes esperanzas al inicio (Chance, 1981).

Las personas que presentan colapso laboral inician a menudo su vida de trabajo con grandes ideales y las mejores intenciones. En el curso de su trabajo se dan cuenta de que tienen poca influencia en la gente a quien tratan de ayudar o que los problemas son tan abrumadores y las soluciones tan difíciles que nunca tendrán éxito, en parte por la naturaleza de los problemas que decidieron abordar —pobreza, fracaso educativo, enfermedad y prevención de enfermedades, violencia familiar, abuso de drogas— y en parte porque aquellos a quienes tratan de ayudar muchas veces rechazan su intervención. Y para empeorar más las cosas, pueden verse obligados a pasar muchas horas llenando formularios para cumplir con las regulaciones institucionales, estatales y federales, actividad ingrata que consume mucho tiempo y energía.

Los primeros síntomas de colapso laboral incluyen frecuentes episodios de ira, frustración y desesperación. El trabajo se convierte en una carga que no es posible soportar más tiempo. Los trabajadores pueden incluso volverse contra las personas a las que deberían ayudar o evadir los vínculos emocionales, convirtiéndolos en fría indiferencia. Se observan también cansancio físico, enfermedades psicosomáticas, poco espíritu de grupo, desempeño mediocre y ausentismo (Maslach y Jackson, 1979).

Poco puede hacerse para eliminar las causas del colapso laboral sin transformar de manera radical la sociedad y la situaciones del trabajo. Los empleados pueden evitarlo o por lo menos reducirlo si adoptan una actitud realista ante su trabajo o sus metas, si impulsan cambios en el perfil de su puesto o en el flujo de trabajo, si tratan de separar el trabajo de su vida familiar y social (es decir, si no llevan los problemas del trabajo a casa) y si cultivan intereses en otros ámbitos. Éste es un buen consejo para todos y no sólo para las víctimas potenciales de colapso.

EL CONTEXTO DEL ESTRÉS LABORAL   Este tipo de tensión no sólo depende de lo que suceda en el lugar de trabajo. Ambos sexos desempeñan muchos roles laborales y familiares que en ocasiones compiten entre sí. En el trabajo se practica en ocasiones una forma sutil de discriminación cuando se considera que sólo las mujeres encaran este tipo de conflicto de roles; a veces se teme que lleven al trabajo sus problemas familiares y que, por tanto, estén menos calificadas para ocupar puestos de gran responsabilidad. Así, pues, renuncian o se ven sometidas a un estrés excesivo que les impide cumplir bien con las exigencias del trabajo. Algunos autores afirman que redescubriremos los roles del varón como padre y esposo, si incluimos las múltiples funciones laborales y familiares en el modelo de este tipo de estrés. En este paradigma, tanto el hombre como la mujer pueden reconocer y manejar las causas de estrés provenientes del trabajo y la familia; por su parte, las organizaciones podrán hacer ajustes y adaptarse a las exigencias antagónicas del trabajo y de la familia (Baruch y otros, 1987).

REPASE Y APLIQUE

1. ¿En qué se distingue del ciclo ocupacional "clásico" el patrón laboral que caracteriza en la actualidad a la madurez?
2. ¿Por qué la madurez es con frecuencia un periodo de reevaluación de la carrera?
3. Mencione algunos problemas y mecanismos de afrontamiento relacionados con la pérdida del empleo.
4. Describa las causas y los síntomas del colapso laboral.

RESUMEN

Continuidad y cambio de la personalidad

■ Numerosos estudios recientes aportan pruebas de que la madurez es un periodo muy variado y diverso.
■ La etapa de la madurez y los años posteriores pueden resultar complejos en extremo, porque las personas tienen hijos adolescentes o adultos, así como padres ancianos.
■ Según Erikson, los principales problemas que se encaran en esta fase de la vida es el de la generatividad frente al estancamiento. La generatividad se da en tres dominios: el procreativo, el productivo y el creativo. La alternativa es el estancamiento y una sensación de ensimismamiento y tedio.

■ En opinión de Peck, los problemas y procesos de la madurez y de la vejez son más numerosos de lo que propuso Erikson. Éste sugiere siete procesos o conflictos del desarrollo adulto (vea la tabla 15-1).
■ Los varones de edad madura se sienten comprometidos con el trabajo y con la familia, han aprendido rutinas que les ayudan a afrontar los problemas conforme van surgiendo y deben encarar los problemas de cuidar a padres ancianos, tratar con hijos adolescentes, aceptar las limitaciones personales y reconocer su creciente vulnerabilidad física.
■ La edad madura presenta a los varones cuatro trayectorias generales. En el caso de los trascendentes-generativos, se trata de un periodo de realización y

logros; los seudodesarrollados mantienen las apariencias pero se sienten perdidos, confundidos o aburridos; los que se encuentran en la crisis de la madurez se creen incapaces de cumplir con las exigencias y de resolver los problemas; los vengativos-decepcionados se siente tristes o enajenados.

■ Por tradición las mujeres se definen a sí mismas más en función del ciclo familiar que de su lugar en el ciclo profesional. Apter identificó cuatro "tipos de mujeres maduras". A la mujer tradicional le cuesta relativamente poco adoptar el rol de persona madura; la innovadora reevalúa sus funciones; la expansiva efectúa cambios considerables en sus metas de este periodo con el fin de ampliar sus horizontes; la manifestante trata de posponer en lo posible la madurez.

■ En la mujer madura, los conflictos comunes de roles se concentran en disponer de tiempo para su familia y su carrera. La tensión que se produce está relacionada con una sobrecarga de las exigencias de un mismo rol.

Familia y amigos: contextos interpersonales

■ Las personas de edad madura sirven de puente entre la generación más joven y la anterior. A menudo son los guardianes de la estirpe pues preservan los rituales familiares, celebran los logros, conservan viva la historia familiar, etcétera.

■ Las relaciones con los hijos adultos incluyen, entre otras cosas, lanzarlos a la vida independiente. Se trata de una transición importante para los progenitores. Pueden sentirse tristes durante ésta, pero una vez que los hijos se hayan marchado disfrutarán de más libertad, intimidad e ingreso discrecional.

■ Muchos estadounidenses crían solos a sus hijos y pueden verse agobiados por profundos conflictos o por relaciones cambiantes con los hijos adolescentes.

■ Luego de lograr la independencia de su último hijo, los progenitores empiezan a cultivar roles e intereses ajenos a la paternidad/maternidad. A esta etapa de la vida familiar se le da a veces el nombre de nido vacío.

■ En la madurez, la relación entre progenitores e hijos es más recíproca que en cualquier otra fase.

■ La conducta de los hijos con sus padres dependerá de las experiencias y de la etapa del ciclo de la vida familiar en que se encuentren. La mayoría de las personas maduras mantienen una relación constante con sus padres ancianos que abarca contacto regular, recuerdos compartidos e intercambio de ayuda.

■ Con los años poco a poco se invierten los roles entre las personas de edad madura y sus progenitores. Es una etapa en que las personas maduras se convierten en la generación al mando.

■ La mayoría de las personas maduras se encarga de cuidar a sus padres durante mucho tiempo. Les ofre-

cen apoyo social, afecto y alguien en quien confiar. Las hijas están más dispuestas que los hijos a cuidarlos.

■ La mayoría de los estadounidenses se convierten en abuelos en el periodo de la madurez. Aunque este rol es individual, el abuelo cumple cuatro funciones: da estabilidad, está presente en momentos de emergencia, sirve de árbitro y conserva la memoria histórica de la familia.

■ Las amistades son a menudo parte central de la vida de las personas maduras. Satisfacen muchas necesidades emocionales básicas de las personas mayores cuyos hijos ya crecieron o enviudaron.

La familia cambiante

■ El divorcio suele ocurrir como culminación de un largo proceso de distanciamiento emocional. Muchos matrimonios observan que ya no es necesario permanecer unidos por amor a los hijos. En parte, el divorcio se debe a expectativas poco realistas acerca del matrimonio.

■ Los divorciados sufren problemas muy diversos, entre otros los financieros y los relacionados con el mantenimiento de la familia. El divorcio puede ser particularmente difícil en la edad madura porque los cónyuges se han acostumbrado a una forma de vida en común.

■ Establecer un nuevo estilo de vida después de divorciarse es más fácil para algunos. A unos les agrada la oportunidad de volver a comenzar; a otros les resulta aterradora la idea de vivir solos.

■ La mayoría de las personas divorciadas se siente mucho mejor en los dos o tres años que siguen a la separación definitiva. Sin embargo, una minoría considerable se siente amargada y aislada incluso 10 años después del divorcio.

■ Las principales razones por las que los matrimonios permanecen unidos son dos: les agrada el cónyuge y se consideran los mejores amigos.

■ Las personas de edad madura que no se divorcian o que contraen segundas nupcias mencionan niveles más elevados de felicidad general y de satisfacción que las que se quedan solas.

■ Las segundas nupcias a menudo dan origen a lo que se conoce como familia reconstituida o mezclada. Este tipo de familia presenta muchos problemas de ajuste de roles tanto para los padrastros o las madrastras como para los hijastros e hijastras. Por lo demás, las segundas nupcias funcionan dentro de una organización familiar más compleja capaz de ocasionar grandes conflictos.

■ Los problemas principales de la relación entre padrastros o madrastras e hijastros o hijastras son: corregir a los hijos, ajustarse a sus hábitos y personalidad y ganarse su aceptación. Resulta más fácil establecer una relación positiva si se toma un poco de tiempo para que aparezcan la confianza, el afecto y el respeto.

Continuidad y cambio ocupacional

- El desarrollo adulto puede generar muchos cambios de actitudes, de necesidades profesionales y de metas. Por otro lado, los trabajos se modifican con tal rapidez o se eliminan en cantidades tan grandes que ya no se aplica la pauta de una sola carrera a la mayoría de la gente.

- A menudo se observa un periodo de seria reevaluación o reconsideración de la carrera durante la madurez, porque las personas se dan cuenta de que no están siendo ascendidas con la rapidez deseada o que el trabajo es menos conveniente de lo previsto.

- Hay más probabilidades de que las personas que pasan por grandes transiciones en este periodo hagan cambios radicales en su trabajo, pero sólo unos cuantos realizan dichos cambios.

- Los cambios de carrera causan gran estrés, ansiedad y desequilibrio.

- Se observan problemas psicológicos en los que son despedidos, que permanecen sin trabajo de manera indefinida o que se ven obligados a jubilarse. Sus reacciones se asemejan a la respuesta de duelo desencadenada por la muerte de un ser querido.

- A las personas maduras les resulta más difícil ajustarse a la pérdida de empleo que a los jóvenes. Los que logran sortear mejor la situación la toman con mucha serenidad, no dirigen el enojo hacia su interior, no se culpan ni se consideran fracasados.

- El colapso laboral es un estado psicológico de cansancio emocional, acompañado a menudo de un cinismo extremo, que predomina sobre todo entre los que se dedican a profesiones de servicio y ayuda.

CONCEPTOS BÁSICOS

guardianes de la estirpe
nido vacío

familias reconstituidas o mezcladas
colapso laboral

UTILICE LO QUE APRENDIÓ

¿Cuáles son los principales problemas y preocupaciones en la madurez? Discútalo con un amigo o un pariente de 40 a 60 años de edad. ¿En qué forma influyen en esto los aspectos de la vida familiar y laboral? Anime al entrevistado para que compare sus inquietudes e intereses actuales con los de hace 10 años. ¿Cómo cambió la vida de esa persona en la última década?

¿Ha experimentado el entrevistado algunos de los sucesos y las ideas que se explican en el capítulo? ¿Se trata de acontecimientos y reacciones normativos y predecibles o inusuales? ¿Puede identificar un campo que se caracterice por la continuidad y otro por el cambio? ¿La fuente principal de estrés son las relaciones personales o su carrera?

LECTURAS COMPLEMENTARIAS

ANDERSON, J. (1990). *The single mother's book*. Atlanta: Peachtree Publishers. Guía bien organizada para orientar la vida de una madre sola: hijos, trabajo, hogar, finanzas y todo lo demás.

APTER, T. E. (1995). *Secrets paths: Women in the new midlife*. Nueva York: W. W. Norton and Company. La psicóloga social Terri Apter realiza otro de sus estudios exhaustivos mediante entrevistas y lo presenta en un formato de divulgación.

CARNOY, M. Y CARNOY, D. (1995). *Fathers of a certain age: The joys and problems of middle-aged fatherhood*. Boston: Faber y Faber. Motivado por su segundo matrimo-

nio y su paternidad, este padre de edad madura (Martin), en colaboración con su hijo adulto (David), explora, con ayuda de datos muy completos de entrevistas, las complejidades de la familia reconstituida y sus roles cambiantes.

GEIST, W. (1997). *The big five-oh: Facing, fearing and fighting fifty*. Nueva York: William Morrow. El comentador y humorista televisivo Bill Geist reacciona ante el fenómeno aparentemente imprevisto del envejecimiento.

GOWING, M. K., KRAFT, J. D. Y QUICK, J. C. (eds.) (1998). *The new organizational reality: Downsizing, restructu-*

ring, and revitalization. Washington, DC: American Psychological Association. Recopilación multidisciplinaria de lecturas sobre las tendencias recientes de la administración que incluye el punto de vista de la empresa y de los empleados.

KEGAN, R. (1995). *In over our heads: The mental demands of modern life.* Cambridge, MA: Harvard University Press. Robert Kegan, especialista del desarrollo, describe las complejas "exigencias mentales" de la vida privada y pública que en la actualidad encaran los adultos y sus luchas personales para interpretarlas.

LOPATA, H. Z. (ed.) (1987). *Widows.* Durham, NC: Duke University Press. Recopilación de artículos dedicados a las viudas de diversas culturas y a los sistemas disponibles de apoyo social.

MCCRAE, R. P. Y COSTA, P. T. (1990). *Personality in adulthood.* Nueva York: Guilford Press. Presentación actualizada por los autores que contiene una teoría e investigaciones que subrayan la continuidad de las características de la personalidad.

RAWLINS, W. K. (1992). *Friendship matters.* Hawthorne, NY: Aldine de Gruyter. Reseña de estudios que de-muestran la importancia de los amigos como amortiguadores del estrés y como fuente de retroalimentación positiva.

ROUNDTREE, C. (1994). *On women turning 50: Celebrating midlife discoveries.* San Francisco: Harper. Atractiva serie de entrevistas, fotografías y perfiles de la mujer contemporánea durante la madurez, de Charlayne Hunter-Gault a Gloria Steinam.

SCHREIBER, L. A. (1990). *Midstream: The story of a mother's death and a daughter's renewal.* Nueva York: Penguin. Crónica personal de las experiencias de esta periodista de 40 años con la enfermedad y la muerte de su madre. Se trata de una remembranza cálida, afectuosa y llena de humorismo, esperanza, ira y renovación.

SHEEHY, G. (1995). *New passages: Mapping your life across time.* Nueva York: Random House. Tomando como base sus entrevistas, este periodista afirma que los baby boomers actuales rechazan el concepto de madurez y prefieren comenzar una segunda adultez a los 45 años -con un significado más profundo y mayor optimismo.

La vejez: desarrollo físico y cognoscitivo

CAPÍTULO

16

543

OBJETIVOS DEL CAPÍTULO

Cuando termine este capítulo, podrá:

1. Describir los mitos y las realidades del envejecimiento.
2. Describir los cambios físicos que caracterizan al proceso del envejecimiento y los factores que los producen.
3. Comparar y contrastar las distintas teorías y explicaciones del proceso de envejecimiento.
4. Explicar los cambios cognoscitivos que ocurren con los años, distinguiendo los que son intrínsecos al envejecimiento de las causas secundarias del deterioro cognoscitivo.

Hace algunos años, Don y su padre de 77 años escalaban fatigosamente una cuesta escarpada en un parque nacional; los rebasaron dos hombres mucho más jóvenes que subían la colina con paso ágil. Al pasar junto a ellos, uno de los jóvenes se volteó y le dijo al otro: "De veras, no me gustaría hacerme viejo". El padre de Don se apresuró a responder con brillo en los ojos: "¡Tampoco a mí!" Como se advierte en este ejemplo, la edad es relativa; nuestra edad depende en parte de cuán viejos *pensemos* que estamos.

La vejez es un periodo importante por su propia naturaleza. Comienza al inicio de los sesenta años aproximadamente y, en algunos casos, puede abarcar hasta 40 años. En algunas sociedades, a los ancianos se les admira y se les recompensa con una elevada condición que corresponde a su edad. Por el contrario, apenas recientemente descubrió el Mundo Occidental a este numeroso y creciente segmento de la población, más conocido como la "tercera edad".

En este capítulo, examinaremos el desarrollo físico e intelectual que ocurre en la vejez a las reacciones a dichos cambios. Aunque parezca extraño emplear el término *desarrollo* en el título del capítulo, en realidad designa el crecimiento y el deterioro debidos a factores hereditarios y ambientales.

EL ENVEJECIMIENTO EN LA ACTUALIDAD

¿Cómo es el envejecimiento? Para muchos, las perspectivas son tan sombrías que no quisieran averiguarlo. De hecho, algunos jóvenes ven la senectud como un estado de existencia marginal. Temen perder la energía, el control, la flexibilidad, la sexualidad, la movilidad física, la memoria y hasta la inteligencia que consideran que acompañan al envejecimiento. En esta sección examinaremos algunos de los estereotipos relacionados con los ancianos y el impacto que ejercen en este grupo de edad. También examinaremos década por década algunas de las características de las personas mayores.

ANCIANISMO Y ESTEREOTIPOS

A menudo se estereotipa a los ancianos. Las encuestas de opinión aplicadas a la población en general, y en las que también ellos participan, revelan imágenes positivas y negativas (vea la tabla 16-1). Los estereotipos dificultan ver a los ancianos con objetividad y entender su diversidad. Estos estereotipos pueden incluso originar actitudes y políticas que desalientan la participación activa de los ancianos en el trabajo y en las actividades recreativas. Las investigaciones señalan que las percepciones sobre el envejecimiento muestran diferencias de género. Por ejemplo, en un sondeo de algunas películas populares de las últimas décadas, Doris Bazzini y sus colegas (1997) descubrieron que es más frecuente que a las ancianas se les represente como feas, hostiles y tontas que a los ancianos.

EL ERROR DE GENERALIZAR A PARTIR DE UNOS CUANTOS   Desde un punto de vista objetivo, la situación de algunos ancianos parece insatisfactoria. En promedio, tienen más baja escolaridad que la población general en la actuali-

Una percepción errónea respecto de los ancianos que se basa en un estereotipo negativo es que son trabajadores menos productivos y eficientes que los jóvenes.

TABLA 16–1   PERCEPCIONES ERRÓNEAS SOBRE LOS ANCIANOS BASADAS EN ESTEREOTIPOS

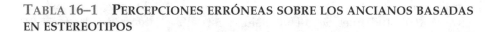

EJEMPLOS DE PERCEPCIONES ERRÓNEAS BASADAS EN ESTEREOTIPOS NEGATIVOS

Casi todos los ancianos son pobres.

La mayoría de los ancianos es incapaz de mantenerse al día en cuanto a la inflación.

La mayoría de los ancianos vive en casas mal acondicionadas.

Casi todos los ancianos son débiles y enfermizos.

Los ancianos carecen de fuerza política y, por tanto, necesitan ayuda.

La mayoría de los ancianos son empleados inadecuados; las personas de la tercera edad son menos productivas, eficientes, motivadas, innovadoras y creativas que los jóvenes. Están propensas a sufrir accidentes.

Los ancianos son mentalmente más lentos y más olvidadizos; les cuesta más aprender cosas nuevas.

Los ancianos suelen ser intelectualmente rígidos y dogmáticos. Casi todos son obstinados e incapaces de cambiar o no están dispuestos a hacerlo.

Casi todos los ancianos viven aislados de la sociedad y son solitarios; se están desvinculando en su mayoría de la sociedad o ya se desvincularon.

Casi todos los ancianos viven recluidos en instituciones de cuidado a largo plazo.

EJEMPLOS DE PERCEPCIONES ERRÓNEAS BASADAS EN ESTEREOTIPOS POSITIVOS

Los ancianos llevan una vida relativamente acomodada; no son pobres, sino que su situación económica es desahogada. Los beneficios de que disfrutan son generosamente aportados por los miembros de la sociedad que trabajan.

Los ancianos son una fuerza política potencial que vota y participa como bloque y en gran número.

Los ancianos hacen amigos con facilidad. Son amables y afectuosos.

Casi todos los ancianos son personas maduras, interesantes y con experiencia.

La mayoría de los ancianos sabe escuchar y es especialmente paciente con los niños.

Casi todos los ancianos son muy amables y generosos con sus hijos y sus nietos.

Fuente: S. Lubomudrov (1987). Congressional Perceptions of the Elderly: The Use of Stereotypes in the Legislative Process. *Journal of Gerontology, 27,* 77-81. Copyright © The Gerontological Society of America.

dad. Algunos asilos se han ganado la fama de aprovecharse de los ancianos y de proporcionarles apenas los cuidados suficientes para que sobrevivan y pocas razones para vivir y crecer. Si dejamos de lado las historias de abusos que se comenten en tales lugares, en los periódicos proliferan las terribles noticias sobre ancianas que son atracadas, robadas y hasta violadas por grupos de adolescentes malvados, y sobre ancianos que roban carne de hamburguesa o que viven de alimentos enlatados para perros. En Estados Unidos, antes de que algunos grupos agresivos de defensa como Gray Panthers comenzaran a expresar las necesidades de estas personas y que la Asociación Estadounidense de Jubilados (*American Association of Retired Persons*, AARP) empezara a reunir recursos para ayudarles, el público en general suponía que ni siquiera podían hablar para defenderse. Había tan poco interés en ellos que casi no se les dedicaban investigaciones hasta las tres últimas décadas. Bernice Neugarten (1970) emplea el término **ancianismo** para describir esta actitud de indiferencia y olvido. Así pues, no debe sorprendernos que la senectud parezca un destino ignominioso.

¿Existen todavía los estereotipos ahora que las personas mayores de 65 años constituyen casi 13 por ciento de la población y que el público se ocupa más de ellos? A 160 estudiantes de la Universidad Estatal de California se les formuló una serie de preguntas sobre cómo son los ancianos (Babladelis, 1987). Estimaron que 30 por ciento de la población estadounidense era de ancianos y que necesitaba servicios. Pensaron que el adjetivo *viejo* debería aplicarse a personas mayores de 60 años. También señalaron que, si bien tenían parientes y vecinos longevos, "no querían pasar su tiempo con viejos". Confesaron además que tenían una actitud respetuosa y consciente de sus deberes hacia ellos, pero sentían que esas personas reunían muchas características negativas: eran seniles, egocéntricas, aburridas y demasiado locuaces. Les parecían incapacitados en el aspecto físico. Aunque muchos de los estudiantes tenían abuelos de 60 a 70 años muy vigorosos, sus actitudes no habían cambiado mucho respecto a las que predominaban a fines de la década de los años setenta (Babladelis, 1987).

En términos generales, las personas de todas las edades suelen asignar estereotipos más negativos a los ancianos y más positivos a los jóvenes (Hummert y otros, 1995). Pero estas actitudes y estereotipos no son la regla. En varios estudios se ha comprobado que las actitudes hacia los ancianos son a menudo ambivalentes, si no es que contradictorias. Se les considera sabios y seniles, amables y gruñones, interesados en la gente a la vez que inactivos y antisociales (Crokett y Hummert, 1987). Así, los estereotipos que acabamos de presentar son un mosaico de hechos y de fantasía. Algunos problemas guardan poca relación con el envejecimiento: el deterioro de la salud y la soledad no por fuerza forman parte del envejecimiento, como tampoco el acné y la torpeza social son características propias del adolescente. En la población mayor de 65 años encontramos corredores de maratón y ejecutivos, lo mismo que solitarios y desamparados. Los estereotipos negativos no sólo inculcan el temor a los viejos en los jóvenes, sino que además influyen poderosamente en los primeros. Los sondeos de opinión han demostrado que la mayor parte de los longevos tienen una opinión más positiva de su situación económica y social que el público en general. Sin embargo, a menudo creen contarse entre los pocos afortunados que han escapado a la desgracia de envejecer en Estados Unidos.

UNA PERSPECTIVA SOCIOLÓGICA/CULTURAL   La vejez no siempre ha inspirado temor a la gente. En la Biblia, se creía que los ancianos poseían una gran sabiduría. En las tribus de indios estadounidenses, se les venera por tradición como hombres sabios, transmisores de la cultura y depositarios de la memoria histórica. En China, en Japón y en otras naciones del Lejano Oriente se les venera y se les respeta en la tradición de la **piedad filial**. Por ejemplo, en Japón más de tres de cada cuatro ancianos viven con sus hijos y se les muestra respe-

ancianismo   Actitud social predominante que sobrestima la juventud y discrimina a los ancianos.

piedad filial   Veneración que se tributa a los ancianos en las culturas orientales. Se manifiesta en las tradiciones culturales, lo mismo que en los encuentros cotidianos.

to en diversas actividades ordinarias. En casa, las comidas se preparan para todos, y en público la gente se inclina con respeto al ver pasar a un anciano. Sin embargo, aunque este respeto se conserva en Japón, es más pronunciado entre las personas maduras y los habitantes de las zonas rurales que entre los jóvenes y quienes habitan en las ciudades (Palmore y Maeda, 1985).

La tradición bíblica de veneración a los ancianos fue un potente factor cultural en las colonias de América. La senectud era vista como una manifestación exterior de la gracia y del favor divinos, como premio de una vida totalmente íntegra. Benjamin Franklin fue uno de los que redactaron la constitución de aquel país no sólo por ser un sagaz parlamentario, sino también por tener más de 80 años en aquella época y porque se le veía "coronado" con la gloria de los años. Desde un punto de vista pragmático, este tipo de reverencia era tan profunda pues pocos alcanzaban una edad avanzada. El contraste demográfico entre el pasado y la actualidad es extraordinario: en el periodo colonial, la edad promedio de la población era 16 años y apenas dos por ciento llegaba a los 65 años de edad. En algunas relaciones de los primeros colonos se describe a adultos de entre 30 y 40 años como personas canosas, con arrugas y con una incipiente calvicie (Fischer, 1978).

En la actualidad la edad promedio de la población estadounidense es de 34.6 y sigue en aumento. Aproximadamente uno de cada ocho habitantes tiene 65 años o más. El porcentaje de la población mayor de 65 años crecerá de modo impresionante durante las tres próximas décadas por causa del envejecimiento de los *baby boomers* (o generación de la posguerra), por la tendencia a una menor natalidad y por la mortalidad decreciente. De acuerdo con las proyecciones de la Oficina de Censos de Estados Unidos, en el año 2030 uno de cada cinco estadounidenses tendrá 65 años o más (vea la tabla 16-2). La medicina moderna ayuda a muchos individuos a sobrevivir a enfermedades y lesiones serias, y algunos siguen existiendo pese a deficiencias graves. Sin embargo, muchos ancianos son vigorosos, activos e independientes. Claro que estamos presenciando el nacimiento de un grupo sin precedentes de ancianos sanos, educados, jubilados o parcialmente jubilados, al menos en las naciones desarrolladas. En la figura 16-1 se aprecia las pirámides demográficas de hombres y mujeres de algunos países (las áreas sombreadas representan porcentajes en la fuerza laboral asalariada). Advierta en particular que son más las personas de 65 años o más que habitan en naciones industrializadas como Estados Unidos.

En muchas sociedades, como las de China, Japón y otras naciones asiáticas, suele venerarse y respetarse a los ancianos.

CUATRO DÉCADAS DE SENECTUD

En nuestros días, se prevé que las personas de 60 años en promedio vivan otros 21 años; las que actualmente tienen 75 pueden vivir un promedio de 11

TABLA 16–2   ENVEJECIMIENTO DE LA POBLACIÓN: PORCENTAJE DE LA POBLACIÓN DE 65 AÑOS EN ADELANTE

REAL		PROYECTADO	
Año	**Total**	**Año**	**Total**
1950	8.1%	2000	12.8%
1960	9.2	2010	13.4
1970	9.8	2020	16.3
1980	11.3	2030	20.1
1990	12.5		

Fuente: U.S. Census Bureau, 1997.

Figura 16–1 Pirámide demográfica de algunos países

Fuente: U.S. Census Bureau.

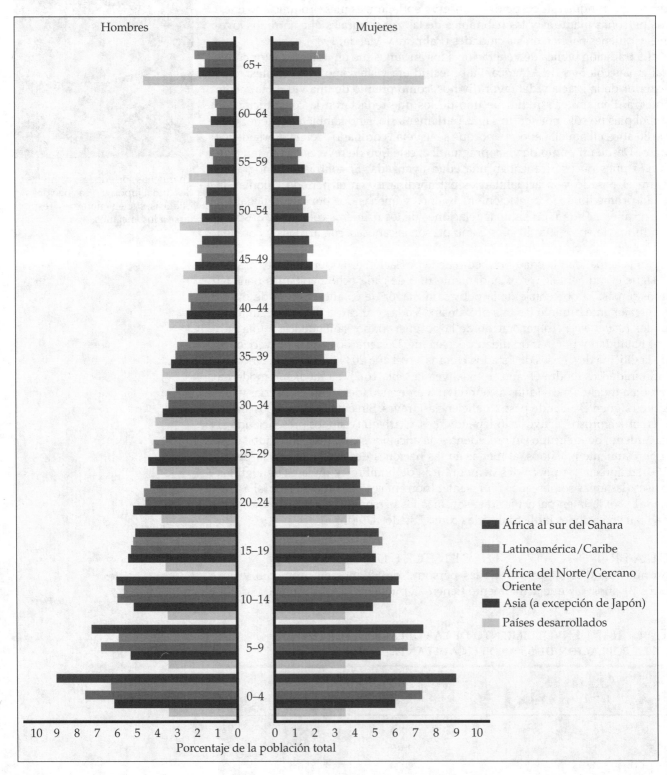

Hombres

Mujeres

África al sur del Sahara

Latinoamérica/Caribe

África del Norte/Cercano Oriente

Asia (a excepción de Japón)

Países desarrollados

Porcentaje de la población total

años más (National Center for Health Statistics, 1995). Por tanto, la vejez se ha vuelto parte importante del ciclo vital. Sin embargo, los ancianos no constituyen un grupo homogéneo. Una persona de 65 años que trabaje o que recientemente se haya jubilado quizá cuide a un progenitor muy débil de 85 a 90 años. Estas personas corresponden a dos generaciones; es evidente que pertenecen a cohortes distintas respecto de los acontecimientos históricos. Los avances médicos, lo mismo que los factores culturales, influyen en la vida que llevan los longevos. En la actualidad muchos individuos de 70 años realizan cosas que hace treinta años llevaban a cabo los de entre 50 y 60 años (Neugarten y Neugarten, 1987).

Irene Burnside y sus colegas (1979) analizaron la senectud a partir de cuatro décadas. A continuación ofrecemos un breve resumen de las principales características de cada una.

SEXAGENARIOS: DE 60 A 69 AÑOS DE EDAD   Esta década marca una importante transición: comenzamos a adaptarnos a una nueva estructura de roles (Havighurst, 1972). El ingreso disminuye por la jubilación o la disminución de las horas de trabajo —tanto voluntarias como por otros motivos— y mueren algunos amigos y colegas. La sociedad disminuye sus expectativas, pues exige menos dinamismo, independencia y creatividad. Burnside lamenta que esto suceda, pues considera que se desmoraliza a los ancianos, sobre todo a quienes se mantienen sanos y fuertes. Muchos aceptan estas expectativas y responden reduciendo el ritmo de su vida, creando así una profecía que se autorrealiza.

La fortaleza física decrece un poco y esto plantea problemas a los trabajadores de la industria que siguen activos. Con todo, muchos poseen mucha energía y buscan otras actividades distintas. Muchos recién jubilados son personas sanas, resistentes y con un elevado grado de escolaridad. Pueden dedicar su tiempo libre a su superación o a actividades comunitarias o políticas. A algunos les encanta la actividad atlética regular y disfrutan el sexo. Otros están decididos a seguir dando, produciendo y asesorando. Se convierten en ejecutivos voluntarios de pequeñas empresas, en visitantes de hospitales o en abuelos adoptivos.

Durante su tiempo libre muchos recién jubilados participan en actividades comunitarias o políticas.

La jubilación varía mucho en este grupo de edad. La mayoría se retira hacia los 65 años, otros a los 55 y algunos más a los 75. La decisión que se adopte en una década dependerá de cuestiones como la salud, el nivel de energía y el tipo de trabajo (como mencionamos antes en el capítulo, los que realizan trabajos físicos duros se ven obligados a retirarse mucho antes que los profesionistas). Depende también de factores interpersonales como la salud del cónyuge y la reubicación de los amigos, lo mismo que de factores "ambientales" como las finanzas familiares (Quinn y Burkhauser, 1990). Mientras que un anciano de 68 años con pocos ahorros posiblemente se vea obligado a seguir trabajando para pagar los gastos ordinarios, otro tal vez se jubile con la comodidad de una pensión y de los ahorros invertidos y complementados con los beneficios del seguro social.

SEPTUAGENARIOS: 70 A 79 AÑOS DE EDAD En la séptima década ocurre un cambio más importante que en las dos décadas anteriores. Según Burnside, la más importante tarea del desarrollo es mantener íntegra la personalidad que se consiguió en la década anterior. Muchos *septuagenarios* sufren pérdidas y enfermedades. Mueren más amigos y parientes. Además de la reducción de su mundo social, deben adaptarse a una menor participación en las organizaciones formales. A menudo muestran inquietud e irritabilidad. Los problemas de salud suelen agravarse en esta década. Disminuye la actividad sexual de hombres y mujeres, muchas veces por la pérdida de la pareja. A pesar de todo, muchos septuagenarios logran evitar los efectos más serios de las discapacidades que a menudo acompañan a la senectud. Con frecuencia sobreviven los que sufrieron ataques cardiacos, apoplejías o cáncer —la mayoría sin consecuencias graves— gracias a los avances de la atención médica y a estilos de vida más sanos (vea la figura 16-2). (Advierta que esta cifra se limita a patrones de discapacidad de las mujeres, porque superan con mucho a los varones en las últimas décadas de vida.)

OCTOGENARIO: DE 80 A 89 AÑOS DE EDAD Sin duda la edad es uno de los indicadores de la transición de la etapa del "anciano joven" a la del "anciano viejo", pero no es el único. La senectud del octogenario ha sido descrita acerta-

La mayoría de las personas de más de 70 años mantiene su independencia y vive en su propia casa.

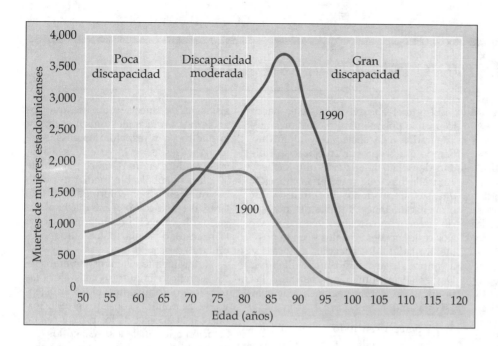

FIGURA 16–2

Han empezado a cambiar los patrones de discapacidad y de muerte. Por estilos de vida más sanos y por el mejoramiento de la atención médica, en la actualidad las personas que sufren cardiopatía, apoplejía y cáncer viven más que antes. Como resultado de una vida más larga, las personas de 85 años en adelante pueden vivir con un elevado grado de discapacidad.

Fuente: Extraído de "The Aging of Human Species" de S. Jay Olshansky, Bruce A. Carnes y Christine K. Cassel. Copyright © 1993 de Scientific American, Inc. Todos los derechos reservados.

damente como un "proceso gradual que inicia el día en que comenzamos a vivir de los recuerdos (Burnside y otros, 1979).

A la mayoría de los octogenarios les resulta más difícil adaptarse e interactuar con el ambiente. Muchos necesitan un ambiente moderno, sin barreras, que ofrezca privacidad y estimulación. Requieren ayuda para mantener los contactos sociales y culturales.

En general, las personas de 85 años son débiles. Pero su debilidad no significa necesariamente discapacidad ni dependencia total. Aunque en el año anterior 25 por ciento de las personas de este grupo de edad fueron hospitalizadas durante algún tiempo, sólo 10 por ciento presenta una discapacidad seria. La mayoría vive en su propia casa, incluso 30 por ciento de los que viven solos. Sólo 25 por ciento se encuentra en asilos o en otras instituciones (Longino, 1987, 1988). Con todo, cuidar a los ancianos débiles se ha venido convirtiendo en un problema internacional, como se comenta en el recuadro "Estudio de la diversidad", página 552. En el capítulo 17 analizaremos más a fondo la política social y a este grupo de ancianos.

Las personas mayores de 85 años constituyen el segmento demográfico de más rápido crecimiento. En 1980 había 2.3 millones de personas en este grupo de edad; en cambio, se estima que la cifra aumente a cinco millones en el año 2000. Y en el año 2040, cuando los baby boomers rebasen esa edad, se prevé que el grupo alcanzará entre ocho y 13 millones (Longino, 1988; U.S. Census Bureau, 1995).

NONAGENARIOS: DE 90 AÑOS EN ADELANTE   Aunque los problemas de salud se vuelven más graves, los nonagenarios pueden modificar exitosamente sus actividades para aprovechar al máximo sus capacidades. Una psiquiatra de 90 años recomienda crear nuevas áreas de actividad y eliminar el elemento competitivo de años anteriores. Resalta las ventajas de la senectud, entre éstas la ausencia de presiones y de responsabilidades (Burnside y otros, 1979). Los cambios que moldean la vida del nonagenario ocurren en forma gradual y en un periodo largo. Si las crisis anteriores se resolvieron de manera satisfactoria, será una década alegre, serena y gratificante. Cabe mencionar además que quienes llegan a esta edad son a menudo personas más sanas, más ágiles y ac-

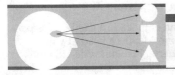

ESTUDIO DE LA DIVERSIDAD

CUIDADO DE LOS ANCIANOS DÉBILES

En todo el mundo, los longevos, los miembros de su familia y los planificadores de la política pública desean saber cuál es la mejor manera de cuidar a las personas más débiles y ancianas de la población. Por ser el centro de la política, en la última década el cuidado de los ancianos ha sufrido cambios drásticos de enfoque y de instrumentación en países como Gran Bretaña, Suecia, Dinamarca, Países Bajos y Australia. El propósito del cambio de estas políticas es reducir los costos a los contribuyentes y hacer del cuidado algo más eficaz y adecuado.

La presión de los usuarios de tales servicios —este sector de la población— es muy intensa en países que cuentan con grupos organizados. Por ejemplo, en Suecia, 30 por ciento de los ancianos está afiliado a asociaciones de pensionados que hacen sentir la voz de sus miembros a nivel nacional y municipal. Incluso en naciones con menos grupos organizados, los funcionarios gubernamentales han captado el mensaje de que deben escuchar lo que quieren los ancianos y sus familias y adaptar los programas actuales para atenderlos. En general, luego de escuchar la opinión de estos grupos, los planificadores han adoptado tres objetivos que empiezan a cambiar la naturaleza de la atención a los longevos.

El primer objetivo consiste en hacer lo posible por mantener a los ancianos integrados a la sociedad y al mismo tiempo que se procura mejorar su calidad de vida y la atención que reciben. Para ello hay que mejorar la atención que se ofrece en los hospitales y en otras instituciones. También es necesario hacer menos restrictivos los servicios residenciales actuales y, en lo posible, trasladar a los ancianos a su casa y a centros de atención diurna. Bleddyn Davies (1993), quien ha analizado las políticas de varias naciones, comenta así esta tendencia:

> Al parecer, en todo el mundo, los autores oficiales de los documentos de políticas tratan de expresar los mismos sentimientos, a veces casi con las mismas palabras. La versión inglesa es representativa: uno de los tres objetivos centrales de la nueva política general es "permitir que las personas vivan, en la medida de lo posible, en su hogar o en un ambiente familiar dentro de la comunidad local". (Cm. 849, 1989; Davies, 1993).

El objetivo de atender a los ancianos en su casa supone una segunda meta: reconocer las cargas y los diferentes tipos de estrés de los cuidadores y diseñar programas que eviten su colapso. Las declaraciones de política hechas en Gran Bretaña buscan ante todo ofrecer apoyo práctico a los cuidadores. La legislación de Suecia establece que los gobiernos municipales deben escuchar lo que dicen y respaldarlos en sus esfuerzos. Desde 1989, parte de ese apoyo se traduce en un permiso pagado de 30 días, reembolsable mediante políticas de seguro por enfermedad. Tanto Gran Bretaña como Australia han elevado a la categoría de interés nacional la necesidad de dar a los cuidadores un largo descanso.

Naturalmente objetivos tan ambiciosos significan impuestos más elevados para los contribuyentes. El tercer objetivo de las políticas consiste en reducir y mejorar la eficacia de los programas de atención a los ancianos. Así, en los Países Bajos, a una comisión para el financiamiento a la atención médica se le asignó la tarea de proponer "estrategias de contención de volumen y costo frente al trasfondo de una población que envejece" (Dekker y otros, 1987). Por su parte, la Estrategia de Reforma para el Cuidado de los Ancianos en Australia tiene por objeto utilizar los fondos públicos de modo eficaz y equitativo.

En la mayor parte de los países, atender las necesidades cambiantes de los ancianos débiles y de sus cuidadores exige grandes modificaciones a las premisas, conductas y prácticas de la sociedad. Satisfacer estas necesidades exige, asimismo, superar la resistencia del público a asignar los recursos al cuidado de los ancianos a costa de otros programa sociales.

tivas que las que tienen 20 años menos (Perls, 1995), lo cual se debe a que han sobrevivido a las enfermedades y otros problemas que causan la muerte entre los sexagenarios y septuagenarios.

Reiterémoslo: "los ancianos" no forman un grupo cohesivo, sino un conjunto de subgrupos que abarcan desde el individuo activo de 65 años hasta el nonagenario más débil. Cada grupo tiene sus capacidades y problemas especiales. En cierto modo, muchos comparten las dificultades propias de su edad: disminución del ingreso, enfermedades y pérdida de seres queridos. Pero *tener* un problema no es lo mismo que *ser* un problema. La idea generalizada de que las personas mayores de 65 años son indigentes, improductivas y desdichadas está de veras fuera de toda verdad.

DIAGRAMA DE ESTUDIO ▸ CUATRO DÉCADAS DE SENECTUD

Sexagenarios (de 60 a 69 años de edad): En muchos de ellos comienza a desaparecer la fuerza física y, sin embargo, algunos se conservan fuertes, sanos y resistentes. Según su carrera o profesión algunos se jubilan a esta edad y otros no.

Septuagenarios (de 70 a 79 años de edad): Aumentan los problemas de salud y se observa una notable reducción de la actividad sexual. Una de las principales tareas de la vida consiste en conservar la integridad de la personalidad frente al deterioro de las capacidades sensoriales y ante el aumento de las probabilidades de discapacidad.

Octogenarios (de 80 a 89 años de edad): A la mayoría de las personas les es más difícil llevar una vida normal y comienzan a debilitarse y a necesitar algún tipo de cuidado. Las personas mayores de 85 años son en la actualidad el segmento de la población que crece más rápidamente.

Nonagenarios (de 90 años en adelante): Los problemas psicológicos y de salud son más graves para muchas personas de 90 o más años de edad, aunque algunos son más sanos y activos que otros ancianos más jóvenes. Esto ocurre sobre todo en quienes logran sobrevivir a enfermedades y dolencias que llevan a algunos a la muerte o al debilitamiento entre los setenta y los ochenta años.

1. ¿Qué ideas positivas y negativas del envejecimiento tiene el Mundo Occidental? Distinga entre estereotipos y realidad.
2. ¿En qué difieren las actitudes hacia los ancianos en otras culturas?
3. ¿Por qué se falsea la imagen de los ancianos al agruparlos en una categoría general?

REPASE Y APLIQUE

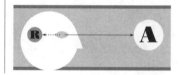

ASPECTOS FÍSICOS DEL ENVEJECIMIENTO

Los aspectos físicos del envejecimiento rigen muchos de los cambios y de las limitaciones propias de esta etapa de la vida. El envejecimiento es un fenómeno universal. Ocurre antes en algunas personas y después en otras, pero es inevitable. Todos los sistemas del organismo envejecen incluso en condiciones genéticas y ambientales óptimas, aunque no con la misma rapidez. En casi todos los sistemas corporales estos procesos comienzan en la juventud y en la madurez. Muchos de los efectos no se perciben sino hasta los últimos años de la adultez, porque el envejecimiento es gradual y los sistemas físicos poseen una gran capacidad de reserva. Pocas veces se perciben interrupciones en la vida diaria o se sufren problemas graves de salud antes de los 75 a 80 años. En lo que se refiere a la esperanza de vida, la figura 16-3 muestra que los negros y los blancos viven menos tiempo que las mujeres, y que las mujeres de raza blanca tienen la mayor esperanza de vida.

El deterioro sensorial y sistemático que examinaremos a continuación suele acompañar al envejecimiento, pero no todas las personas lo manifiestan. Los estudios han revelado que quienes se mantienen en buenas condiciones físicas y activos muestran el mismo desempeño que otras personas más jóvenes que no están en buenas condiciones (Birren y otros, 1980). Además, no podemos decir que la única explicación del envejecimiento físico sea el deterioro biológico normal. Muchos se quedan total o parcialmente sordos por las experiencias de su vida; por ejemplo, disparar cohetes cerca del oído o asistir frecuentemente a conciertos de música ruidosa. En general, las deficiencias sensoriales y los defectos de los órganos internos inician el proceso de deterioro. Los fumadores

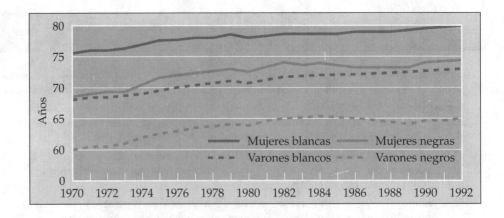

FIGURA 16–3 ESPERANZA DE VIDA POR SEXO Y RAZA: 1970-1992

Fuente: National Center for Health Statistics, 1995.

habituales a veces presentan problemas respiratorios en la senectud. Una anciana con problemas de espalda tal vez haya sufrido un desgarre cuando sostenía en brazos a sus hijos. Un varón de 65 años afectado de cardiopatía pudo haber mostrado los primeros síntomas durante una breve enfermedad a los 40 años. Así pues, no todos los cambios que acompañan a la edad forman parte del proceso de envejecimiento. A este proceso contribuyen el tipo de vida que hayamos llevado, los accidentes y enfermedades que hayamos tenido, condiciones todas estas conocidas como **factores patológicos del envejecimiento** (Elias, 1987). En opinión de algunos expertos, los efectos acumulados de enfermedades y accidentes están tan estrechamente ligados a la vida que es imposible distinguirlos de los aspectos normales del envejecimiento (Kohn, 1985).

Comenzaremos por estudiar en esta sección algunos de los cambios físicos más comunes atribuibles al envejecimiento. Después describiremos ciertas enfermedades y hábitos de la personalidad que contribuyen al deterioro físico.

EL CUERPO CAMBIANTE

El cuerpo cambia en muchas formas durante los últimos años de la adultez. En concreto, se producen modificaciones en el aspecto físico, en los sentidos, en los músculos, en los huesos, en la movilidad y en los órganos internos. También cambian los ciclos diarios, aunque no siempre por el envejecimiento como se comenta en el recuadro "Teorías y hechos" de la página siguiente.

ASPECTO FÍSICO Al vernos en el espejo nos damos cuenta del proceso de envejecimiento. Las canas, la piel vieja, el cambio de postura y las arrugas profundas son señales más que evidentes. La piel se reseca, se vuelve más delgada y pierde elasticidad. En épocas anteriores las arrugas se debían al uso de ciertos músculos —por ejemplo las "líneas de la expresión". En la senectud, las arrugas se deben en parte a la pérdida de tejido adiposo subcutáneo y, en parte, a la reducción de la elasticidad de la piel. Ésta puede presentar una apariencia de papel suave y arrugado o de pergamino fino (Rossman, 1977). Aumentan los lunares en el tronco, en el rostro y en el cráneo. Los capilares pequeños a veces se rompen y producen tenues marcas negras y azules. A veces aparecen manchas; son áreas de pigmentación que se conocen comúnmente como "manchas hepáticas", aunque nada tienen que ver con el funcionamiento de este órgano.

Algunos cambios de aspecto físico provienen del envejecimiento normal que todos experimentamos, aunque pueden modificarlos factores genéticos. Los gemelos idénticos, por ejemplo, muestran patrones muy similares. Pero para muchos los cambios de la piel están estrechamente relacionados con la exposición al viento, con el clima, con las excoriaciones y, en especial, con los rayos ultravioletas. El sol disminuye la capacidad de la piel para renovarse; un "bronceado sano" produce una piel delgada y arrugada en algunos y cáncer de

factores patológicos del envejecimiento Efectos acumulados de enfermedades y accidentes que pueden acelerar el envejecimiento.

PATRONES DE SUEÑO DE LOS ANCIANOS

¿Es normal el insomnio en la senectud como lo son las canas y las arrugas? Los cambios en los patrones de sueño lo son, no así el insomnio. La mitad de las personas mayores de 65 años que vive en casa y cerca de dos terceras partes de las que habitan en instituciones de cuidados prolongados sufren problemas de insomnio; pero éstos no son parte inevitable del envejecimiento (Becker y Jamieson, 1992). Pueden estar ligados a un trastorno primario del sueño, a una enfermedad e incluso a los medicamentos. A los ancianos con insomnio se les puede ayudar a resolver su problema.

Este tipo de problemas debe verse primero en el contexto de los cambios normales del sueño. De acuerdo con los investigadores, los siguientes patrones caracterizan a los individuos de 60 a 80 años de edad (Bachman, 1992; Becker y Jamieson, 1992):

- Los ancianos promedian entre seis y seis y media horas de sueño por noche, aunque muchos se quedan en cama hasta ocho horas.
- Muchos ancianos duermen más que los adultos jóvenes, pero el promedio fluctúa entre cinco y más de nueve horas. Muchos ancianos tienen dificultades para conciliar el sueño y se mueven en la cama hasta 30 minutos antes de quedarse dormidos.
- Después de dormirse, despiertan con mucho mayor facilidad que los jóvenes. Se juzga normal que pasen despiertos hasta 20 por ciento del tiempo de dormir y que compensen la falta de sueño quedándose más tiempo en cama.
- Un cambio en la distribución de las etapas de sueño aumenta el sueño de la etapa 1 (sueño ligero) y disminuye el de las etapas 3 y 4 (sueño profundo). Por tanto, cuando se concilia el sueño, en general no es un sueño profundo ni satisfactorio.

Los *trastornos de ajuste del sueño* le ocurren aproximadamente a una tercera parte de los ancianos, muchos de los cuales nunca tuvieron problemas. En estos casos, el insomnio se relaciona con diferentes tipos de estrés recientes en su vida: una hospitalización reciente, la jubilación o la muerte del cónyuge o de un amigo íntimo. La reacción

Los cambios en los patrones del sueño son normales en los ancianos, pero no los problemas de insomnio.

consiste en la imposibilidad de conciliar el sueño o en permanecer despierto durante largos periodos. Privados del sueño, de día se ven irritables, ansiosos y letárgicos y de noche preocupados por su insomnio, de manera que les es más difícil dormir. El trastorno de ajuste del sueño generalmente desaparece con el tiempo, a medida que el individuo aprende a afrontar el estrés que lo causa.

La *higiene inadecuada del sueño* —hábitos y conductas relacionados con el sueño que son incompatibles con dormir— es otra causa de insomnio. Por ejemplo, los que ingieren bebidas con cafeína antes de acostarse, trabajan hasta tarde o que observan el reloj sentirán una activación intensa que no les permite conciliar el sueño. El problema se agrava cuando se retiran a dormir a horas irregulares. Muchos ancianos que sufren estos problemas se preocupan porque no pueden dormir. Tratan de tomar una siesta durante el día o de beber café para permanecer despiertos, lo cual no hace más que empeorar el insomnio. Los problemas relacionados con una higiene inadecuada del sueño pueden remediarse mediante la modificación de la conducta. Por ejemplo, se les alienta para que mantengan horarios regulares de sueño y se abstengan de ingerir cafeína.

El *insomnio psicofisiológico* a veces está ligado a los trastornos de ajuste y a una higiene inadecuada del sueño. Los que lo sufren asocian la hora de acostarse y la recámara con la activación mental y física, así como con niveles elevados de frustración. Esto lo expli-

can así los psiquiatras Philip Becker y Andrew Jamieson, quienes se especializan en trastornos del sueño:

> Estos trastornos del sueño continúan debido a una activación condicionada y aprendida, aun después de que se restablecen la rutina y los hábitos normales del sueño. Luego de jubilarse, una de nuestras pacientes de mayor edad se acostaba en la cama para planear sus inversiones. Al cabo de 12 meses, logró invertir con éxito su dinero pero no podía dormirse antes de la una de la mañana. Sin embargo, con gran sorpresa descubrió que podía dormirse rápidamente en un cuarto de motel. Sin darse cuenta, había asociado su cama y la hora de dormir con pensar y resolver problemas en lugar de relacionarlas con un inicio rápido del sueño (Becker y Jamieson, 1992, páginas 48-49).

Las terapias conductuales que subrayan la importancia de una higiene adecuada del sueño se emplean a menudo para tratar el insomnio psicofisiológico.

En los ancianos el insomnio a veces está vinculado a varios trastornos psiquiátricos como depresión y ansiedad graves. En tales casos, los medicamentos apropiados pueden aliviar los síntomas. El insomnio también se acompaña de síntomas de problemas médicos. Así, el dolor de la artritis a veces interrumpe el sueño. Además, los medicamentos con que se tratan las enfermedades pueden ocasionar el efecto indeseable de alterar el sueño.

Por último, los trastornos del sueño se relacionan también con la apnea y con movimientos periódicos de las extremidades. La *apnea del sueño* interrumpe la respiración por un mínimo de 10 segundos y ocurre por lo menos cinco veces por hora. Los que la padecen se ven atormentados por ronquidos fuertes, sueño inquieto, somnolencia en el día y depresión. Los *movimientos periódicos de las extremidades* son espasmos repetidos de las piernas que despiertan al individuo. El tratamiento médico beneficia a quienes los sufren.

En resumen, aunque algunos problemas graves del sueño no son parte inevitable del envejecimiento, ocurren con frecuencia en esta etapa de la vida y deben considerarse como problemas que pueden tratarse exitosamente.

Los ancianos generalmente sufren algún deterioro sensorial, pero puede variar el patrón y el grado de la pérdida.

la piel en otros. Podemos evitar algunos de estos signos del envejecimiento de la piel si comemos bien, si nos conservamos saludables y si protegemos la piel contra una exposición prolongada a los rayos solares, ya sea evitando la exposición o usando lociones bloqueadoras.

LOS SENTIDOS Los sentidos —oído, vista, gusto y olfato— por lo general pierden eficiencia con la edad. Muchos ancianos encuentran más difícil percibir y procesar un estímulo a través del sistema sensorial (Hoyer y Plude, 1980). Pero aunque el deterioro de los sentidos que vamos a describir es común entre los ancianos, no los afecta a todos. Una vez más, se observa una gran variación en el proceso global de envejecimiento.

Las deficiencias auditivas son muy frecuentes. De hecho, afectan la vida diaria de una tercera parte de este grupo de edad (Fozard, 1990). Suelen ir de ligeras a moderadas y a menudo se relacionan con la identificación de voces en medio de un ruido de fondo (Olsho y otros, 1985). Además, se pierde agudeza auditiva en los tonos de alta frecuencia, es decir, los que ocurren en los sonidos del habla como *s, ch* y *f*. Si bien algunas veces los audífonos atenúan estos problemas, a menudo causan frustración. La mayor parte de los audífonos amplifican las frecuencias del sonido, entre éstas el ruido de fondo, por eso no ayudan mucho a distinguir los detalles de lo que se dice. Con o sin audífonos, los ancianos con pérdida auditiva parecen ser desatentos o sentirse avergonzados cuando de hecho no oyen lo que se les dice. Otros se aíslan o se muestran suspicaces de lo que no pueden escuchar.

Hay varias clases de deficiencias visuales que se observan en los ancianos. El enfoque de objetos y la percepción de profundidad decrecen a medida que el cristalino pierde flexibilidad y la capacidad de acomodarse. Otro problema relacionado con el envejecimiento es que el cristalino puede opacarse y finalmente sufrir **cataratas** —bloqueo casi completo de la luz y de la sensación visual. Otro problemas es el **glaucoma** —aumento de la presión en el globo ocular que puede causar daño y pérdida gradual de la vista. Por fortuna, casi siempre es posible eliminar las cataratas mediante cirugía de rayos láser y el glaucoma puede tratarse con medicamentos. También se remedian con cierta facilidad otros problemas más sutiles como la disminución de la flexibilidad del cristalino (Kline y Schieber, 1985).

Los ancianos a menudo pierden parte de la *agudeza visual*, es decir, de la capacidad para distinguir los detalles finos. Les cuesta mucho percibirlos cuando deben leer nombres o cifras en el buzón, distinguir una escalera de un patrón confuso de alfombra o leer un periódico (Perlmutter, 1978). Esto se debe en parte a la rigidez del cristalino y en parte a la pérdida de células visuales "receptoras" en el fondo del ojo. La agudeza visual puede mejorar con el uso de lentes correctivas, incluidas las bifocales y las trifocales (Kline y Schieber, 1985). En la actualidad los procedimientos quirúrgicos con que se mejora la agudeza visual todavía se hallan en fase experimental.

Desde el punto de vista perceptual, a muchos ancianos les resulta difícil ignorar estímulos irrelevantes. Por ejemplo, les cuesta más distinguir una señal de tráfico entre una serie compacta de señales. La *redundancia* por repetición de señales convencionales que transmiten las mismas instrucciones les ayudan a entender los signos visuales (Allen y otros, 1992). Sin embargo, tarde o temprano llega el momento en que deben dejar de conducir por la disminución de la agudeza visual (o del tiempo de reacción), transición nada fácil en zonas en donde no hay otros medios de transporte.

En cambio, el sentido del gusto manifiesta gran estabilidad incluso en una edad relativamente avanzada. La capacidad para saborear el azúcar es de las más persistentes (Bartoshuk y Weiffenbach, 1990). Pero parece disminuir la capacidad de detectar y distinguir los sabores amargos (Spitzer, 1988). A los que

catarata Opacamiento del cristalino que obstruye la visión.

glaucoma Aumento potencialmente nocivo de la presión en el interior del globo ocular.

sufren complicaciones como la **hipertensión** (presión sanguínea elevada) les es más difícil distinguir los sabores. Los medicamentos que toman los ancianos pueden ser otro factor, aunque Mary Spitzer (1988) supone que también intervienen umbrales sensoriales más altos. En lo que respecta a la sal, se necesita mayor cantidad para poder gustarla. Pero si se aumenta el consumo, la hipertensión puede empeorar.

Los ancianos tienen dificultades para distinguir los sabores de alimentos combinados. El problema parece deberse más a un deterioro del olfato que a la disminución de la sensibilidad del gusto (Bartoshuk y Weiffenbach, 1990). El olfato presenta a menudo un gran deterioro en comparación con el gusto.

MÚSCULOS, HUESOS Y MOVILIDAD

Con los años disminuye el peso muscular y, por tanto, también la fuerza y la resistencia. Se alteran la estructura y la composición de las células musculares; el peso puede ser menor al de la juventud y la madurez, debido a la pérdida de tejido muscular, salvo que se compense con un aumento de grasa tisular.

El funcionamiento muscular se ve afectado por la estructura y la composición cambiantes del esqueleto. Los ancianos suelen medir tres centímetros menos de lo que medían en la juventud debido a la compresión del cartílago de la espina dorsal (efecto a largo plazo atribuible a la fuerza de gravedad), a los cambios de postura y a la pérdida de calcio (Whitbourne, 1985). Los huesos se vuelven más débiles, porosos y frágiles. La porosidad los hace más propensos a fracturas y tardan más en soldarse (vea el capítulo 14). Los ancianos son especialmente vulnerables a las fracturas (Belsky, 1984). Y para empeorar las cosas, la tendencia a caerse aumenta por los cambios en el *sistema vestibular* que regula el equilibrio (Ochs y otros, 1985). La sensibilidad de los receptores vestibulares, que detectan el movimiento y los cambios de posición, decrece en forma considerable en la senectud.

Casi siempre disminuyen la reacción y el funcionamiento musculares; los músculos tardan más tiempo en alcanzar un estado de relajación y de preparación tras haber sido sometidos a un gran esfuerzo (Gutmann, 1977). Funcionan con menor eficiencia si el sistema cardiovascular no les suministra suficientes nutrientes o si no eliminan los desechos tóxicos, problemas que pueden deberse al envejecimiento y a malos hábitos de salud en años anteriores. Los vasos sanguíneos pierden elasticidad; algunos se obturan. De ahí que llegue menos sangre a los músculos. Al disminuir el funcionamiento de los pulmones, se reduce el aporte de oxígeno a los músculos y al cerebro. En consecuencia, decrecen la coordinación motora fina y el tiempo de reacción (Botwinick, 1984; Shock, 1952b).

Diversos estudios han demostrado que el ejercicio intenso —dentro de los límites apropiados a la edad— ayuda a contrarrestar la debilidad muscular y la consecuente fragilidad física en las personas muy ancianas. Por ejemplo, en un estudio realizado con 37 varones cuya edad promedio era de 87 años, el ejercicio regular aumentó la fuerza muscular en más de 113 por ciento (Fiatarone y otros, 1994). En forma parecida, en un estudio realizado durante tres años por el Instituto Nacional para el Estudio del Envejecimiento (National Institute of Aging) y por el Centro Nacional de Investigación en Enfermería (National Center for Nursing Research) se explicó cómo pueden beneficiar a octogenarios y nonagenarios los ejercicios de fuerza y de equilibrio. Los que practicaron ejercicios de desarrollo muscular pudieron duplicar y hasta triplicar su fuerza y, por primera vez en muchos años, realizar sin ayuda actividades que exigen fuerza (Krucoff, 1994).

ÓRGANOS INTERNOS

El corazón es un músculo muy especializado que, durante el envejecimiento, sufre algunos de los mismos problemas que afectan a otros. Se basa en la eficiencia del sistema cardiovascular, que puede presentar muchos de los problemas asociados con el envejecimiento. El resultado es una

hipertensión Presión arterial anormalmente alta, acompañada en ocasiones de cefaleas y de mareos.

reducción del flujo de la sangre que llega al corazón y que sale de éste, así como un mayor tiempo de recuperación después de cada contracción (Timiras, 1978).

En la senectud, a menudo decrece la capacidad de los pulmones para captar oxígeno. Desde luego, gran parte de la deficiencia pulmonar puede deberse no tanto al proceso normal de envejecimiento, sino al daño prolongado causado por el tabaquismo y la contaminación ambiental.

Con los años también aminora la capacidad de reserva del corazón, de los pulmones y de otros órganos. En la juventud el funcionamiento de estos órganos puede superar, en condiciones de estrés, su nivel normal entre cuatro y 10 veces. La capacidad de reserva disminuye de manera lenta pero constante en la madurez y en los años subsecuentes. Quizá los ancianos no se den cuenta de ello en su vida ordinaria, pero lo advierten cuando, por ejemplo, tratan de quitar la nieve con una pala, después de la primera tormenta de la estación. La reducción puede ser considerable bajo un calor o frío intensos. Muchos ancianos se adaptan con mayor lentitud a ambientes fríos que cuando eran jóvenes; se enfrían con mayor rapidez y la baja temperatura corporal representa un serio riesgo para su salud. Por eso, los ancianos se quejan de tener frío y lo tienen aun a temperaturas que los jóvenes consideran normales o cálidas. Tienen dificultad para soportar el calor, sobre todo cuando se fatigan, como sucede cuando cortan el pasto en un caluroso día de verano. No obstante, pueden realizar muchas de las actividades que hacían de jóvenes, siempre que las efectúen con más lentitud, descansen con frecuencia y consuman más líquidos como agua y productos que reponen nutrientes como "Gatorade".

El sistema inmunológico también se altera en la vejez; la producción de anticuerpos alcanza su nivel máximo durante la adolescencia y luego comienza a decrecer. El resultado es que los ancianos tienen menos protección contra los microorganismos y las enfermedades (La Rue y Jarvik, 1982). La reducción de la protección explica, entre otras cosas, por qué se les recomiendan las vacunas anuales contra la gripe (aunque también se recomiendan a personas no tan viejas). La influenza puede ser mortal para los viejos, no sólo por su virulencia sino porque los hace vulnerables a infecciones bacterianas secundarias como la neumonía.

SALUD, ENFERMEDAD Y ALIMENTACIÓN

En general, los ancianos dicen tener buena o excelente salud la mayor parte del tiempo. Tal vez deban adaptarse a la lenta aparición de la artritis o a los efectos secundarios de los medicamentos con que se controla la hipertensión y otros trastornos; pero por lo regular se adaptan con facilidad. Las alteraciones de la salud que se presentan en los últimos años de la adultez encajan en tres categorías generales: pueden ser crónicas, pueden relacionarse con las necesidades cambiantes de la alimentación o pueden deberse al uso incorrecto de los medicamentos prescritos.

PROBLEMAS CRÓNICOS DE SALUD Cuando surgen problemas de salud, pueden ser crónicos, es decir, durar mucho tiempo y volverse recurrentes. Una diferencia notable entre la niñez y la senectud estriba en la frecuencia de las enfermedades agudas frente a las crónicas. En la niñez, las primeras son muy comunes, duran poco tiempo y alcanzan su clímax con fiebre y una crisis. En cambio, los ancianos sufren a menudo problemas crónicos, o sea padecimientos que ocurren de manera constante y nunca desaparecen. Los más comunes son artritis, cardiopatías e hipertensión, así como las deficiencias visuales y auditivas que ya mencionamos (Belsky, 1984). Las caídas también ocasionan efectos crónicos. En términos generales, este tipo de problemas afecta la vida de un número considerable de personas ancianas: en Estados Unidos 85 por ciento de las personas mayores de 65 años sufre por lo menos una enfermedad crónica y 50 por ciento informa de dos o más (Belsky, 1984).

En gran medida, el incremento de estos problemas de salud refleja la decreciente capacidad del organismo para enfrentar el estrés, incluida la tensión que genera la enfermedad. Un padecimiento que un joven supera sin dificultad —por ejemplo, una infección respiratoria—, puede persistir por mucho tiempo en los ancianos y causarles daño permanente. Es irónico pero, al disminuir con los años la capacidad para afrontar el estrés, suele elevarse el número de acontecimientos estresantes (Timiras, 1978). Además de los problemas de salud, el estrés sobreviene a raíz de crisis del ciclo de vida como la jubilación y la viudez.

Los factores socioeconómicos, la raza y el sexo intervienen en la aparición de las enfermedades en la senectud. Así, en las personas mayores de 25 años los días de restricción de actividades por enfermedad guardan una correlación más estrecha con el nivel socioeconómico que con la edad (Kimmel, 1974). Hay datos similares sobre las principales causas de muerte. Casi todos los fallecimientos de personas mayores de 65 años son atribuibles a tres categorías: enfermedad cardiovascular, cáncer y apoplejía. Las tasas correspondientes a los hombres son más elevadas que las de las mujeres en todas las categorías de edad. El índice de enfermedades cardiovasculares entre los blancos es dos veces mayor que entre los asiáticos (National Center for Health Statistics, 1990).

Los ancianos estadounidenses a veces están excedidos de peso y mal alimentados, pero conviene señalar que muchos están bien alimentados.

ALIMENTACIÓN En parte, la mala salud de los longevos se debe a una dieta o alimentación deficientes. Por la reducción de la actividad física y del metabolismo, no necesitan tanta comida como los adultos más jóvenes. De hecho, al llegar a los 65 años de edad, necesitan por lo menos 20 por ciento menos calorías que ellos. Pero siguen necesitando casi la misma cantidad de nutrientes. De ahí que a veces los ancianos estadounidenses estén excedidos de peso y mal alimentados. Algunos sufren anemia y desnutrición porque son demasiado pobres, porque no están bien informados o se hallan demasiado deprimidos para comprar y consumir cantidades suficientes de alimentos nutritivos. Las deficiencias más comunes son las de hierro, calcio, vitaminas A y C (National Dairy Control, 1977).

Gran parte del problema radica en el consumo excesivo de grasas. Conforme el cuerpo envejece, va perdiendo la capacidad de aprovechar varias clases de grasa presentes en muchos alimentos. La que no se usa se deposita en células *lípidas* especiales y dentro de las paredes de la arterias. Allí puede endurecerse y formar placas que reducen el flujo de sangre. Esta alteración, llamada **aterosclerosis**, o sea endurecimiento de las arterias, causa muchos de los problemas cardiacos tan generalizados en la vejez. Es tan común en los ancianos de Estados Unidos y de Europa Occidental que casi se le considera parte normal del envejecimiento. Sin embargo, es poco frecuente en otras naciones que consumen dietas radicalmente distintas (Belsky, 1984).

Así, pues, con el paso de los años el organismo exige cambios en la dieta. Como ya señalamos en éste y en el capítulo 14, los huesos de los ancianos se vuelven frágiles y porosos. Van perdiendo más calcio del que pueden absorber de los alimentos. Para contrarrestar esta pérdida se les recomienda a ellos y a las personas de edad madura que complementen su dieta con calcio. El tono muscular de los intestinos disminuye con la edad, lo que a menudo ocasiona estreñimiento y la tentación de recurrir a laxantes que pueden crear hábito. Los nutriólogos les aconsejan a quienes sufren estreñimiento que agreguen a su dieta alimentos ricos en fibras como salvado y que tomen mucha agua para que el intestino siga funcionando de manera adecuada (National Dairy Council, 1977).

USO INCORRECTO DE LOS MEDICAMENTOS PRESCRITOS El abuso intencional de sustancias no es un problema serio en este grupo de la población. De hecho, la "sustancia social" más popular es el alcohol y, en términos generales, los ancianos estadounidenses lo ingieren con más moderación que los integrantes de los grupos más jóvenes de edad (Snyder y Way, 1979). No obstante, algunos investigadores están convencidos de que se hospitaliza a una tercera

aterosclerosis Endurecimiento de las arterias, problema común del envejecimiento ocasionado por la creciente incapacidad del cuerpo para aprovechar el exceso de grasas de la dieta. Las grasas son almacenadas en las paredes de las arterias y restringen el flujo sanguíneo cuando se endurecen.

parte de los ancianos por ingestión excesiva, uso incorrecto o abuso de medicamentos (Poe y Holloway, 1980). ¿Por qué? Para muchos el problema tal vez se relacione con los cambios de la química corporal que disminuyen la necesidad de un medicamento de patente, situación que puede pasar inadvertida durante meses o hasta años. Además, a menudo toman combinaciones de medicamentos para varios problemas; y aquellos cuya capacidad cognoscitiva empieza a deteriorarse olvidan el horario y la dosis de cada medicamento. A veces no mencionan todos sus medicamentos a la enfermera o al médico. Por su parte, algunos médicos no recetan el fármaco indicado. Una investigación reciente (Spore y otros, 1977) reveló que, entre los ancianos que vivían en instituciones, entre 20 y 25 por ciento había recibido por lo menos una prescripción inapropiada.

Las interacciones entre medicamentos pueden tener efectos tóxicos. De hecho, se han registrado casos de octogenarios que son hospitalizados con numerosos síntomas y un nivel bajo de funcionamiento, lo cual puede indicar que están en peligro de muerte. Con todo, cuando ciertos medicamentos se administran en dosis pequeñas o se interrumpen por completo, algunos de los ancianos recobran un nivel de funcionamiento del que hacía años que no disfrutaban (Poe y Holloway, 1980).

Los efectos de los medicamentos pueden producir síntomas semejantes a los de la **demencia**. Los diversos tipos de demencia (entre los que se cuentan la asociada con la enfermedad de Alzheimer, que explicaremos más adelante en este capítulo) presentan deficiencias cognoscitivas comunes: disminución de la memoria y de la capacidad para aprender, deterioro del funcionamiento lingüístico y motor, incapacidad progresiva para reconocer a personas y objetos familiares, y confusión frecuente (DMS-IV, 1994). A la demencia suelen acompañarla cambios de personalidad. Los tranquilizantes como el Valium o el Librium y los medicamentos para males cardiacos, entre éstos el Digitalis, pueden ocasionar desorientación y confusión semejantes a la demencia (Rudd y Balaschke, 1982; Salzman, 1982). Otro factor que favorece el abuso involuntario de los medicamentos es que a los ancianos les resulta más difícil eliminarlos a través de sistemas orgánicos en deterioro progresivo como el hígado y los riñones, de manera que cantidades mayores de estos fármacos permanecen más tiempo en su sistema.

REPASE Y APLIQUE

1. Describa las modificaciones físicas que ocurren durante el proceso de envejecimiento. ¿Pasan todas las personas por esos cambios? Explique su respuesta.
2. Describa los problemas crónicos de salud que se observan en la senectud.
3. ¿Cómo contribuyen una alimentación inadecuada y el abuso de medicamentos de patente a la aparición de los problemas de salud en este sector de la población?

CAUSAS DEL ENVEJECIMIENTO

demencia Confusión, olvido y cambios de personalidad que pueden asociarse con el envejecimiento y los cuales están ligados a varias causas primarias y secundarias.

Además de los efectos del estrés, de la enfermedad, de una mala alimentación y de otros factores, ¿cuáles son los procesos normales del envejecimiento?, ¿cuál es su fisiología?, ¿qué sucede con las células y los órganos?, ¿la ciencia médica o los controles ambientales pueden hacer más lento el proceso o detenerlo? Se han propuesto muchas posibles teorías, pero ninguna decisiva. Algunas resultan demasiado complejas para exponerlas aquí, por lo cual nos limitaremos a los temas centrales. Comenzaremos por examinar los factores hereditarios y ambientales; después, expondremos las teorías del envejecimiento.

FACTORES HEREDITARIOS Y AMBIENTALES

En la naturaleza, observamos muchas clases de envejecimiento: las plantas florecen, producen semillas, mueren y se regeneran cada año conforme a un código genético preprogramado; los árboles crecen hasta que dejan de hacer llegar los nutrientes y líquidos a los puntos más elevados, un ciclo vital de muchos años que puede predecirse en función de la especie. En los mamíferos inferiores, el envejecimiento y la muerte suelen ocurrir casi al mismo tiempo que la pérdida de la fertilidad; los progenitores mueren en cuanto la generación más joven logra sobrevivir en el mundo. El hombre y otros primates (lo mismo que los elefantes) constituyen las pocas excepciones a esta regla. El ciclo de vida humana se alarga mucho más allá de la capacidad reproductiva, la cual finaliza hacia los 50 años de edad para la mujer y después para el varón (Kimmel, 1974).

Las investigaciones efectuadas en varias especies revelan sin lugar a dudas que el ciclo de vida que caracteriza a cada planta o animal presenta un componente hereditario. En el ser humano, la influencia genética es particularmente notable en los estudios de gemelos idénticos. Con la misma rapidez pierden el cabello, acumulan arrugas y se encogen a pesar de una larga separación que los expone a influencias ambientales muy diversas. Los que mueren por causa natural a menudo fallecen al mismo tiempo. En cambio, los gemelos fraternos envejecen a ritmo distinto y su ciclo vital es por completo diferente (Kallman y Sander, 1949). Sin embargo, para que los componentes hereditarios del envejecimiento y de las enfermedades se expresen con plenitud, es preciso mantener constantes los otros factores: estrés, accidentes y enfermedades. Dada la imposibilidad de conseguirlo, debemos tener en cuenta otros procesos, tanto internos como externos, que determinan en qué medida se realizará el potencial genético y si podemos ampliarlo.

Además de los factores antes expuestos, existen otros factores externos de carácter reversible o permanente que alargan o acortan la esperanza de vida (Jones, 1959). Por ejemplo, vivir en el campo agrega cinco años más al ciclo de vida en comparación con la vida urbana, lo mismo que el matrimonio en comparación con la soltería. La obesidad tiene efectos negativos: disminuye 3.6 años de vida a los que tienen un exceso de peso de 25 por ciento y cerca de 15 años de vida a los que tienen un exceso de 67 por ciento.

TEORÍAS DEL ENVEJECIMIENTO

¿Cómo se realiza el proceso de envejecimiento? ¿Simplemente se detiene el "reloj genético" o es un fenómeno de deterioro y desgaste? La **senescencia**, o sea el envejecimiento normal, designa los procesos biológicos universales del envejecimiento; no incluye los efectos de la enfermedad.

Podemos agrupar en dos categorías las teorías del envejecimiento: las estocásticas y la preprogramadas o "de reloj".

TEORÍAS ESTOCÁSTICAS   Según las **teorías estocásticas**, el cuerpo envejece por los ataques aleatorios del medio interno y externo (Schneider, 1992). En estas teorías, a veces llamadas de *deterioro y desgaste*, se compara el cuerpo humano con una máquina que termina por deteriorarse por el uso constante y por la acumulación de agresiones y lesiones de las células. Se supone, por ejemplo, que las células al envejecer eliminan los desechos en una forma menos eficiente. Las sustancias prescindibles, en particular una sustancia grasa llamada *lipofucsina*, se acumulan especialmente en la sangre y en las células del tejido muscular. Con el tiempo ocupan más espacio y disminuyen la rapidez de los procesos celulares. Sin embargo, los gerontólogos consideran en general que la acumulación de sustancias químicas como la lipofucsina es un efecto del envejecimiento, no su causa.

senescencia   El proceso normal de envejecimiento que no se relaciona con la aparición de enfermedades en el individuo.

teorías estocásticas   Teorías según las cuales el cuerpo envejece por las agresiones aleatorias de los medios interno y externo.

Una teoría estocástica más conocida se concentra en la acción de fragmentos de moléculas llamados *radicales libres*. Durante el uso normal del oxígeno prácticamente en todos los procesos celulares, se liberan pequeños electrones no pareados con una carga alta. En el interior de la célula, estos radicales libres reaccionan con otros compuestos y pueden interrumpir su funcionamiento normal. En condiciones normales, la célula dispone de mecanismos de reparación que aminoran el daño causado por los radicales libres. Sin embargo, producen un daño considerable tras una lesión grave, como un ataque cardiaco o la exposición a la radiación. Los investigadores analizan los efectos de algunas sustancias dietéticas, entre éstas las vitaminas C y E, que al parecer reducen sus efectos. Pero las cantidades excesivas de vitamina E, por ejemplo, pueden tener además efectos secundarios negativos. Hasta la fecha no contamos con pruebas concluyentes de que la esperanza de vida mejora con niveles más altos de esas dos vitaminas (Walford, 1983).

Hay otras teorías estocásticas. Por ejemplo, el daño podría ocurrir en el ADN de los genes. Se sabe que la luz ultravioleta del sol puede dañar el ADN de las células de la piel. Por lo regular, cuando se dañan los genes, la célula se repara por sí misma o muere y es reemplazada por otras. En los ancianos, la reparación es menos eficaz y el daño suele persistir. Tal vez el envejecimiento no sea otra cosa que una disminución de la capacidad de autorreparación.

El deterioro y el desgaste afectan también a los tejidos y a los sistemas. Algunas veces dañan el tejido conectivo. Éste pierde parte de su flexibilidad y se vuelve rígido. En el envejecimiento, el sistema inmunológico pierde eficiencia. Algunas veces las células inmunes atacan a las células sanas del cuerpo, como sucede en la *artritis reumatoide* o en ciertas renopatías. Con todo, los procesos descritos por las teorías estocásticas, aunque muy comunes, podrían deberse a un proceso más profundo de envejecimiento sin ser la causa del proceso propiamente dicho.

En resumen, aunque esas teorías son interesantes, no explican el envejecimiento en su totalidad. Por ejemplo, no explican por qué se deterioran las funciones del "taller interno de reparaciones". Tampoco explican por qué el ejercicio —una modalidad de deterioro y desgaste— produce efectos positivos, no negativos.

TEORÍAS DEL RELOJ BIOLÓGICO   El segundo tipo general de teorías se concentra en la programación genética. Las teorías de la preprogramación sostienen que el envejecimiento se rige por las acciones programadas de ciertos genes. Se piensa que aproximadamente 200 genes humanos determinan la esperanza media de vida en el hombre (Schneider, 1992). El concepto de reloj biológico se asocia con el de envejecimiento programado. La idea es que hay cronómetros o relojes integrados que están puestos para activarse según un programa. Pueden estar situados en las células o en el cerebro. En el nivel celular se ha descubierto que algunas clases de células parecen estar preprogramadas para dividirse (y por tanto, para reemplazar las células dañadas o desgastadas) sólo determinado número de veces. Por ejemplo, algunas células embrionarias del ser humano se dividen sólo 50 veces. Aun cuando las congeláramos al cabo de 30 divisiones, al descongelarlas se dividirían tan sólo otras 20 veces. El número máximo de reproducciones varía según los tipos de células y de especies. También puede variar el número de reproducciones de varias clases de células en el individuo.

Otra teoría del reloj biológico indica que hay una especie de cronómetro, alojado en el hipotálamo y en la hipófisis. Según este planteamiento, poco después de la pubertad, la hipófisis segregaría una hormona que comienza el proceso de deterioro por el resto de la vida a un ritmo programado.

Los relojes biológicos del ser humano parecen controlar el ciclo menstrual, el cual inicia hacia los 12 años y termina más o menos a los 50. También parecen regular el sistema inmunológico, que se fortalece hasta los 20 años de edad y después empieza a debilitarse gradualmente. Algunos teóricos aseguran que este deterioro está ligado a muchos problemas relacionados con la edad: vulnerabilidad al cáncer y a infecciones como la gripe y la neumonía, alteración de las paredes de los vasos sanguíneos y aterosclerosis (Schneider, 1992).

En suma, ninguna teoría explica de modo satisfactorio el envejecimiento. Es preferible combinarlas; sin duda los descubrimientos futuros nos permitirán conocer más a fondo este proceso normal. A los investigadores les interesa mucho estudiar los medios de alargar el proceso para que vivamos más tiempo. Algunos de sus trabajos se refieren a las enfermedades. Un ejemplo de ello es el estudio de la relación entre cáncer infantil o artritis juvenil y envejecimiento prematuro. Otras investigaciones se proponen ayudar a la gente a llevar una vida sana y sin enfermedades hasta que se acerque al final de la existencia. Pero, a pesar de los avances recientes, todavía parece muy lejano el día en que podamos alargar mucho la duración normal de nuestra vida.

1. ¿Cómo interactúan la herencia y el ambiente en el proceso de envejecimiento?
2. Describa y compare las teorías estocásticas y preprogramadas del envejecimiento.

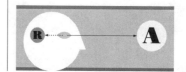

REPASE Y APLIQUE

CAMBIOS COGNOSCITIVOS EN LA EDAD AVANZADA

Una vez examinados varios procesos y teorías del envejecimiento, analicemos ahora los cambios que ocurren en la cognición con el envejecimiento.

Muchos suponen que el intelecto de los ancianos decae de un modo automático. Por ejemplo, nadie se sorprende si un joven o una persona de mediana edad se prepara para asistir a una fiesta y no recuerda dónde dejó el abrigo. Pero si el mismo olvido se observa en un anciano, la gente se encoge de hombros y dice "La memoria empieza a fallarle" o "Está perdiendo el juicio". En esta sección estudiaremos los hechos y los mitos concernientes a los cambios cognoscitivos que se relacionan con la senectud y las formas en que los afrontan los ancianos.

LA COGNICIÓN EN LA SENECTUD

Como señalamos en el capítulo 14 al abordar el tema de la inteligencia fluida y cristalizada, si bien se discute mucho sobre el grado de deterioro del funcionamiento intelectual atribuible al envejecimiento normal, en algo hay cierto consenso: la mayoría de las habilidades mentales permanecen intactas. Investigaciones exhaustivas han demostrado que el deterioro de la memoria no es tan generalizado ni tan grave como se creía (Perlmutter y otros, 1987). Muchos de los problemas de memoria que sufren algunos ancianos no constituyen una consecuencia inevitable del envejecimiento, sino que se deben a otros factores: depresión, inactividad o efectos secundarios de los medicamentos prescritos. Hay compensaciones cuando ocurre el deterioro, y se ha demostrado sin lugar a dudas que disminuye la *rapidez* del procesamiento cognoscitivo. En realidad, las pérdidas suelen tener un efecto muy pequeño en la vida diaria (Perlmutter y otros, 1987; Salthouse, 1985, 1990). A continuación examinaremos algunos cambios cognoscitivos que se relacionan con la rapidez del desempeño, con la memoria y la adquisición de conocimientos.

RAPIDEZ DE LA COGNICIÓN Con la senectud disminuye la rapidez del desempeño mental y físico (Birren y otros, 1980). Muchas investigaciones han demostrado que, en esta etapa de la vida, se deterioran las funciones intelectuales que exigen un desempeño acelerado (Salthouse, 1985, 1990). Por lo regular, los ancianos muestran mayor lentitud en los tiempos de reacción, en los procesos perceptuales y en los procesos cognoscitivos en general. Aunque esto se debe en parte sin duda al envejecimiento, en parte también puede deberse a que los ancianos dan a la exactitud mayor valor que los jóvenes. Cuando realizan pruebas, cometen menos errores y tratan de contestar en forma correcta todos los reactivos. Por otra parte, quizá están menos familiarizados con algunas de las actividades en las situaciones de prueba. Por ejemplo, a menudo se les compara con los estudiantes universitarios en pruebas de retención de sílabas sin sentido. Los estudiantes practican de manera regular el aprendizaje de vocabularios nuevos para los exámenes, no así los ancianos. En muchas de estas actividades a veces son más lentos por no haber ejercitado recientemente las habilidades cognoscitivas en cuestión; en consecuencia, tales comparaciones son poco realistas y llevan a conclusiones falsas (Labouvie-Vief, 1985). Por eso, aunque el deterioro del procesamiento cognoscitivo asociado con el envejecimiento es real, en gran medida parece exagerado.

Los trabajos dedicados al desempeño en las tareas ordinarias de memoria revelan una diferencia de rapidez en el desempeño de las personas de 30 y de 70 años. En actividades cognoscitivas relativamente simples como aquellas en que se pide a los sujetos que comparen el tamaño de diferentes objetos, los ancianos tardan cerca de 50 por ciento más para terminarlas que los jóvenes. Conforme los problemas se vuelven más complejos -y exigen, por ejemplo, comparaciones simultáneas de tamaño y lugar-, tardan casi el doble del tiempo para resolverlos (Baltes, 1993).

Sin embargo, los ancianos recurren a ciertos medios para compensar la pérdida de rapidez. En un estudio, los capturistas mayores realizaron su trabajo con la misma agilidad que los jóvenes, pese a la mayor lentitud del procesamiento visual y del tiempo de reacción y a la reducción de la destreza. ¿Por qué? Cuando los investigadores redujeron el número de palabras que los capturistas podían leer con anticipación, se redujo de modo considerable la velocidad de los ancianos y los jóvenes se vieron mucho menos afectados. Al parecer, los primeros habían aprendido a ver con anticipación y por tanto tecleaban con rapidez (Salthouse, 1985). Con un entrenamiento muy limitado, los ancianos logran compensar la pérdida de rapidez en ese tipo de tareas y muchas veces recuperan gran parte de la rapidez perdida (Willis, 1985).

La mayor parte de las habilidades mentales se conserva intacta en los ancianos.

MEMORIA Quizá ningún otro aspecto del envejecimiento haya sido estudiado de manera tan exhaustiva como la memoria. Recuérdese el modelo de memoria basado en el procesamiento de la información que expusimos en el capítulo 6. Durante unos cuantos segundos la información se retiene en la memoria sensorial por medio de imágenes visuales o auditivas, luego se transfiere a la memoria a corto plazo donde se organiza y codifica, y por último se transfiere a la memoria a largo plazo donde se retiene. En estudios sobre la memoria del adulto hemos encontrado pruebas de una memoria más permanente o *terciaria*, la cual contiene información sumamente remota. Se han examinado con detalle estos tres niveles hipotéticos (Poon, 1985).

El *almacenamiento sensorial* es una memoria visual o auditiva muy breve que conserva la información sensorial por fracciones de segundo mientras es procesada. Al parecer los ancianos pueden captarla y mantenerla ligeramente menos tiempo que los jóvenes. En promedio, tienen un alcance perceptual un poco más corto, sobre todo cuando dos cosas ocurren al mismo tiempo. No se sabe por qué es así. ¿Se ha debilitado su sistema visual o auditivo? ¿Se reducen la atención selectiva o el patrón de reconocimiento? ¿Acaso hay menor motivación para un buen desempeño en esas tareas de gran precisión? Sea como fuere, difícilmente la pequeña pérdida de memoria sensorial observada en esta fase de la vida influirá mucho en la vida diaria. La deficiencia puede compensarse observando o escuchando las cosas más tiempo (Poon, 1985), aunque no siempre es posible: los letreros de las carreteras que pasan en forma fugaz pueden causar problemas a los conductores mayores.

Con la edad cambia poco la *memoria a corto plazo*, la cual es un depósito de capacidad limitada que almacena las cosas que están presentes en la "mente" en el momento. Las investigaciones revelan que no hay una diferencia notable en la capacidad de esta memoria entre ancianos y adultos jóvenes.

Sin embargo, los estudios han revelado claras diferencias de edad en el caso de la *memoria a largo plazo*. En los estudios del aprendizaje y la retención, los ancianos a menudo recuerdan menos elementos de una lista o menos detalles de un diseño. ¿Pero las diferencias se deben acaso a su capacidad de almacenamiento o a los procesos de aprendizaje o de recuerdo (es decir, a la *transferencia* de información de la memoria a corto plazo a la memoria a largo plazo)? En algunas investigaciones, parece ser que los ancianos organizan, repasan y codifican en forma menos eficaz el material que deben aprender, funciones todas estas de la memoria a corto plazo. Pero pueden mejorar mucho con una instrucción cuidadosa y con un poco de práctica (Willis, 1985). Incluso los que se aproximan a los 80 años manifiestan algunos beneficios al entrenarse en organizar y repasar la información para una retención permanente (Poon, 1985; Willis y Nesselroade, 1990).

Sin embargo, la eficacia del entrenamiento es limitada. Aun después de recibirlo, los septuagenarios no alcanzan los mismos niveles que los jóvenes (Campbell y Charness, 1990). En algunos estudios en los que se comparan a unos y otros, el entrenamiento más bien ensanchó la brecha en el desempeño porque los jóvenes lograban progresos aún mayores (Keigl y otros, 1990). Significa esto que los ancianos tal vez tengan menos capacidad de reserva (Baltes, 1987), por lo menos en algunas habilidades. Dicho de otra manera, su pensamiento ofrece menos margen de memoria y menos plasticidad.

Paul Baltes (1993) demostró la limitación de la capacidad de reserva de las personas mayores, en un estudio en el que se pidió a sujetos jóvenes y ancianos con escolaridad semejante, que recordaran listas largas de palabras en orden correcto; por ejemplo, 30 sustantivos. Sabedores de que en condiciones normales podemos recordar una cadena de cinco a siete palabras presentadas a una velocidad de dos por segundo, los investigadores entrenaron a los sujetos en el uso de una mnemotecnia —esto es, una estrategia de memoria— llamada *método de los loci*. En ésta, el sujeto asocia las cosas que debe recordar en una situación con la cual está familiarizado, digamos una habitación o el vecindario donde vive. Después forma imágenes mentales humorísticas u originales que le ayudan a recordar. Cuando se le pide que mencione las cosas, recuerda con facilidad los objetos familiares y luego las cosas asociadas en la lista.

Los investigadores descubrieron que los ancianos sanos podían aplicar el método bastante bien. Pero observaron claras diferencias de desempeño relacionadas con la edad. Dichas diferencias se centraban en la rapidez y precisión del desempeño. Por ejemplo, tras 38 sesiones de entrenamiento, muy pocos alcanzaban el nivel conseguido por los jóvenes al cabo de unas cuantas sesiones. De hecho, ninguno de los sujetos mayores de 70 años lograba rebasar el promedio de los adultos jóvenes.

Hay otras diferencias de edad en la realización de tareas de memoria a largo plazo. Los sujetos ancianos se desempeñan mejor en las tareas de reconocimiento que en las de recuerdo de cosas como listas de términos (Craik y McDowd, 1987). Suelen ser un poco más selectivos en lo que retienen. Pueden negarse a memorizar listas de palabras inútiles, pero obtienen excelentes resul-

Los ancianos parecen ser más sabios que los adultos jóvenes.

sabiduría Sistema de conocimientos expertos que se concentra en los aspectos pragmáticos de la vida y que incluye excelentes juicios y consejos sobre problemas trascendentales, entre los que se cuentan el significado de la vida y la condición humana; la sabiduría representa la cúspide de la inteligencia humana.

FIGURA 16–4 MODELO DE LA SABIDURÍA

Fuente: Baltes (1993).

tados en la comprensión de párrafos (Meyer, 1987). En un estudio se descubrió que recuerdan metáforas interesantes como "las estaciones son el vestuario de la naturaleza" mejor que los estudiantes universitarios. No trataban de reproducir con exactitud la oración, sino que entendían su significado y lo recordaban (Labouvie-Vief y Schell, 1982). En otras palabras, recordaban lo que les parecía útil e importante. Así, pues, este hallazgo nos recuerda que el desarrollo y el comportamiento se dan en un contexto y que, aun cuando envejezcamos, las exigencias y las oportunidades ambientales moldean nuestras capacidades y habilidades (Lerner, 1990).

Al parecer la *memoria terciaria*, llamada también memoria de hechos muy remotos, permanece relativamente intacta en el anciano. Así, en algunas investigaciones los viejos recuerdan mejor los detalles de los acontecimientos históricos que los jóvenes. La tendencia se observa sobre todo en el caso de los acontecimientos históricos que experimentaron en forma personal y de los cuales los jóvenes se enteraron en forma indirecta. Esto explica la facilidad con que a menudo describen sucesos memorables de su niñez.

En suma, existen muy pocas diferencias significativas relacionadas con la edad en las etapas de la memoria, a excepción de la memoria a largo plazo; las diferencias que se observan dependen de varios factores. Los ancianos tendrán un desempeño deficiente, cuando la tarea de memoria exija métodos especiales de organización y de repaso que no se han practicado mucho. Pero casi todos mejorarán si se les enseña estrategias de organización y de retención. La memoria también es selectiva en los ancianos. El material más interesante y significativo se recuerda con mayor facilidad. En términos generales, podemos calificar de mito el concepto de un notable deterioro de la memoria asociado con el envejecimiento.

SABIDURÍA Los mecanismos de la memoria son un poco más fuertes en los jóvenes que en el anciano, pero lo contrario ocurre respecto a la **sabiduría**, es decir, el conocimiento experto que se concentra en el aspecto pragmático de la vida y que supone buen juicio y consejos sobre los asuntos más importantes de la vida. "Para entender la sabiduría total y correctamente se requiere más sensatez de la que tenemos", escribió Robert Sternberg (1990). No obstante, Paul Baltes ha propuesto que el conocimiento experto propio de la sabiduría puede clasificarse en cinco categorías: conocimiento factual, conocimiento procedimental, contextualismo a lo largo del ciclo vital, relativismo de los valores e incertidumbre (vea la figura 16-4). La sabiduría es por lo menos una cualidad cognoscitiva que encontramos en la inteligencia cristalizada basada en la cultura (vea el capítulo 14)

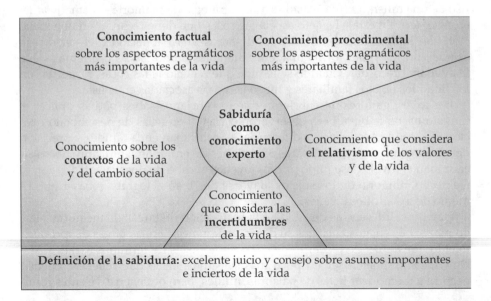

y que se relaciona con la experiencia y la personalidad. Recordemos que la inteligencia cristalizada proviene del conocimiento y de la información que obtenemos acerca del mundo y de las relaciones humanas a lo largo de la existencia.

Según Baltes (1993), la sabiduría reúne cinco características generales. Primero, parece concentrarse en los asuntos importantes y difíciles que a menudo se asocian con el significado de la vida y la condición humana. Segundo, el nivel de conocimiento, sensatez y consejo reflejado en la sabiduría es superior. Tercero, el conocimiento asociado con la sabiduría tiene un alcance, una profundidad y un equilibrio extraordinarios, y se aplica además a situaciones concretas. Cuatro, la sabiduría combina la mente y la virtud (carácter) y se emplea en favor del bienestar personal y de la humanidad. Quinto, aunque la sabiduría es difícil de alcanzar, la mayoría de la gente la reconoce con facilidad.

Para medir el acervo de conocimientos asociados con la sabiduría, Baltes (1993) pidió a los participantes en su investigación que analizaran dilemas como éste: Una joven de 15 años quiere casarse de inmediato. ¿Qué debería hacer? Baltes pidió a los participantes que "pensaran en voz alta" en el problema. Grabó los pensamientos expresados en una cinta magnetofónica, los transcribió y los evaluó basándose en el grado de aproximación a los cinco criterios del conocimiento relacionados con la sabiduría: conocimiento factual, conocimiento procedimental, contextualismo del ciclo de vida, relativismo de valores, reconocimiento y manejo de incertidumbre. Clasificó las respuestas para determinar cuánto y qué tipo de conocimientos poseían. En la tabla 16-3 se resumen los criterios y la evaluación.

De acuerdo con Baltes, hay dos razones que explican por qué aumenta con los años la cantidad y la calidad de conocimiento relacionado con la sabiduría y por qué es más probable conseguir una calificación elevada que baja. En primer lugar, se necesitan largos años de experiencia en varias circunstancias de la vida para comprender con plenitud los factores que mejoran la sabiduría y para trabajarlos. Esto se aprende con la edad. En segundo lugar, al envejecer adquirimos atributos que favorecen la obtención de la sabiduría. Esos atributos comprenden el crecimiento cognoscitivo y de la personalidad. Pero no se trata de un proceso irreversible. Las pérdidas de procesamiento cognoscitivo que se observan en los ancianos pueden limitar su sabiduría o su capacidad para aplicarla.

DETERIORO COGNOSCITIVO

Aunque muchos ancianos conservan las capacidades de memoria y adquieren la sabiduría, algunos presentan un deterioro notable de su funcionamiento cognoscitivo. Puede ser temporal, progresivo o intermitente. En algunos casos es pequeño y dura poco, pero en otros es grave y progresivo.

El deterioro puede deberse a causas primarias o secundarias. Entre las primeras se encuentran la enfermedad de Alzheimer y la apoplejía. No obstante, conviene precisar que el deterioro no es intrínseco al proceso de envejecimiento, sino que se atribuye, más bien, a otros factores como problemas de salud, una deficiente instrucción formal, pobreza y falta de motivación. También hay que tener en cuenta esas causas secundarias, aunque no es fácil distinguirlas de las causas primarias. Comenzaremos el examen del deterioro cognoscitivo con su manifestación extrema, la demencia.

DEMENCIA   Como ya señalamos, la demencia designa confusión, olvido y cambios de personalidad crónicos que a veces acompañan a la senectud. Tiene muchas causas, entre las que se cuenta la enfermedad de Alzheimer. Muchos temen la demencia pues creen erróneamente que es parte inevitable de la vejez. Para ellos hacerse viejos significa perder el control intelectual y emocional, convirtiéndose así en personas desvalidas e inútiles que llegan a ser una "carga" para su familia.

TABLA 16–3 USO DE CRITERIOS RELACIONADOS CON LA SABIDURÍA PARA EVALUAR EL DISCURSO SOBRE ASUNTOS DE LA VIDA

Ejemplo: una joven de 15 años quiere casarse de inmediato. ¿Qué debería considerar y hacer?

Conocimiento factual:

__¿Quién, cuándo, dónde?

__Ejemplos de posibles situaciones

__Opciones múltiples (formas de amor y de matrimonio)

Conocimiento procedimental:

__Estrategias de búsqueda de información, toma de decisiones y formulación de consejos

__Tiempo del consejo, vigilancia de las reacciones emocionales

__Escenarios del análisis de costo/beneficio

__Análisis de medios/fines

Contextos del ciclo de vida:

__Contextos normados por la edad (por ejemplo, problemas de la adolescencia), normados por la cultura (por ejemplo, cambio de las normas), idiosincrásicos (por ejemplo, enfermedad terminal) en los dominios del tiempo y de la vida

Relativismo de valores:

__Distinción entre los valores personales y los de otros

__Preferencias religiosas

__Valores actuales/futuros

__Relativismo histórico-cultural

Incertidumbre:

__Inexistencia de soluciones perfectas

__Optimización de la razón ganancia/pérdida

__Futuro no enteramente predecible

__Soluciones de respaldo

EJEMPLOS DE DOS RESPUESTAS EXTREMAS (SINTETIZADOS)

Puntuación baja

¿Quiere casarse una joven de 15 años? No, de ninguna manera; casarse a los 15 años sería un gran error. Hay que decirle que el matrimonio no es posible. (Después de investigar más a fondo) Sería irresponsable apoyar semejante idea. No, no es más que una idea tonta.

Puntuación elevada

Bueno, parece tratarse de un problema fácil. Por lo regular, no conviene que se casen las jóvenes de 15 años. Creo que muchas podrían pensar en hacerlo cuando se enamoran por primera vez. Y se dan muchas situaciones en que no encaja el caso típico. Quizá esta vez haya circunstancias especiales; por ejemplo, que la joven tenga una enfermedad terminal. O que venga de otro país. Quizá vive en otra cultura y periodo histórico. Necesito más información para poder dar mi opinión definitiva.

De acuerdo con los gerontólogos, se ha exagerado y distorsionado el índice y la naturaleza de la demencia. Lejos de tratarse de algo inevitable, afecta apenas a entre 3 y 4 por ciento de las personas mayores de 65 años (Brockelhurst, 1977, citado en Wershow, 1981). Por desgracia, sin embargo, una encuesta reciente aplicada a comunidades indica que el porcentaje aumenta de manera considerable entre las personas muy ancianas. La encuesta realizada en Boston reveló que casi 20 por ciento de las personas entre 75 y 84 años parecían sufrir demencia en la modalidad de enfermedad de Alzheimer. El porcentaje se aproximaba a 50 por ciento entre los habitantes de 85 años en adelante (Evans y otros, 1989).

Los que sufren demencia muestran poca capacidad para entender las abstracciones; carecen de ideas, repiten lo mismo una y otra vez, piensan con mayor lentitud que los individuos normales y no prestan atención a quienes los rodean. Pierden el flujo del pensamiento a la mitad de una frase u oración. No recuerdan los acontecimientos recientes. Tal vez se acuerden claramente de un hecho de su niñez pero no de algo que ocurrió hace una hora. Por estos síntomas de deterioro mental, tal vez no puedan realizar actividades ordinarias como asearse y arreglarse. Ya no piensan, ni se comportan ni se relacionan con la gente de una manera normal, pues funcionan en los confines de un mundo que se contrae (Kastenbaum, 1979).

Por desgracia, el adjetivo *senil* se atribuye con demasiada frecuencia a los ancianos que manifiestan el más ligero signo de confusión, de lapsos mentales o de conducta desorientada, pese a que esos problemas pueden deberse a otras causas. Es difícil hacer un diagnóstico seguro pues existen numerosas causas secundarias. La mala alimentación —lo mismo que la falta crónica de sueño por enfermedad, ansiedad, depresión, sufrimiento o temor— puede distorsionar el pensamiento de jóvenes y de ancianos. Los problemas cardiacos o renales pueden ocasionar cambios en los ritmos normales o en el metabolismo del cuerpo; la acumulación de desechos tóxicos también afecta a la capacidad de pensar con claridad. La confusión, la agitación y la somnolencia pueden deberse a los medicamentos con que se tratan otras enfermedades. En todos los casos, los síntomas de senilidad desaparecen cuando se trata con eficacia el trastorno físico o psicológico (Kastenbaum, 1979).

Cerca de 50 por ciento de las personas a quienes se les diagnostica demencia sufre la enfermedad de Alzheimer. Otro 30 por ciento ha padecido pequeñas apoplejías que dañaron el tejido cerebral. El resto padece diversos problemas o trastornos como traumatismo cerebral ocasionado por accidentes.

PRINCIPALES CAUSAS DEL DETERIORO   Como ya señalamos, la causa principal de demencia y de otras formas de deterioro cognoscitivo es la enfermedad de Alzheimer. Es, asimismo, la cuarta causa de muerte entre los ancianos (Schneck y otros, 1982).

La **enfermedad de Alzheimer** produce un deterioro progresivo de las células cerebrales que comienza en la corteza cerebral externa. Las autopsias revelan un patrón característico en las zonas dañadas que parecen pequeños fragmentos de hilaza trenzada. En vida, el diagnóstico del paciente se basa en patrones de pérdida de memoria y desorientación progresivas.

No se conocen todavía las causas del padecimiento, aunque el elevado índice en algunas familias hace que algunos investigadores sospechen que hay un origen genético (Miller, 1993). La investigación no ha comprobado la existencia de otras causas posibles como los altos niveles de aluminio en el cerebro (Doll, 1993; Mason, 1993).

Sin importar sus causas, los efectos de la enfermedad son devastadores para el paciente y su familia. Por lo regular, los primeros síntomas son el olvido y pequeñas alteraciones del habla. En un principio, sólo se olvidan los detalles insig-

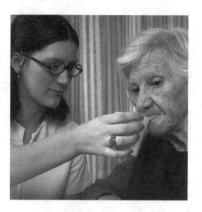

Por lo general, cuidar a un ser querido que sufre la enfermedad de Alzheimer resulta emocionalmente abrumador para los miembros de la familia.

enfermedad de Alzheimer
Afección que causa demencia por el deterioro progresivo de las células cerebrales, en especial las de la corteza cerebral.

nificantes; a medida que avanza, ya no se recuerdan los lugares, los nombres ni las rutinas; por último, se olvidan hasta los hechos que acaban de ocurrir. La fase del olvido se acompaña de un sentido de confusión. Es mucho más difícil planear y efectuar incluso las actividades más simples; por ejemplo, resulta difícil comer algo porque no se encuentra el refrigerador. La pérdida de contacto con la rutina y con los aspectos ordinarios de la vida produce gran desorientación, confusión y ansiedad. Entonces se hace evidente que no debe dejarse sola a la persona porque podría lastimarse. Finalmente aparece la demencia total. El paciente no puede realizar ni siquiera las actividades más sencillas, como vestirse o comer. No reconoce a los parientes; e incluso el devoto cónyuge que lleva mucho tiempo cuidándolo en su deterioro puede parecerle un perfecto extraño.

La enfermedad de Alzheimer ejerce un profundo impacto en la familia del paciente. En unos cuantos años, un adulto independiente y conocedor se convierte en un niño que necesita cuidado y supervisión las 24 horas del día. En las primeras etapas, es más o menos fácil adaptarse. Sin mucha dificultad se simplifica el ambiente y se etiquetan los objetos, incluso el mobiliario. El paciente puede quedarse solo, al menos por periodos cortos; y, por ejemplo, si un miembro de la familia le prepara un emparedado, a la hora de la comida pueden prevenirse accidentes en la cocina. Más tarde, cuando hay que cuidarlo todo el día, habrá que hacer adaptaciones más importantes. Independientemente de las cuestiones prácticas, los familiares a menudo sienten dolor, desesperación y, quizá, enojo y frustración. Son comunes el resentimiento, el sentimiento de culpa, la vergüenza y el aislamiento. Aunque todo esto es comprensible, los miembros de la familia deben tener en cuenta los sentimientos del paciente. Es de gran utilidad el apoyo de otras familias con experiencias parecidas (Cohen y Eisdorfer; 1986; Zarit y otros, 1985). Muchas veces es preciso tomar la difícil decisión de internarlo en un asilo u hospital. Algunas veces la decisión resulta más fácil en las etapas finales, si el paciente da la impresión de no saber dónde está o quién es, aun cuando se encuentre en casa con miembros de su familia. Otras veces el ambiente más simple y predecible de la institución le permite llevar una vida más tranquila (pero consúltese el recuadro "Teorías y hechos" del capítulo 17, página 598, donde se expone el abuso de los ancianos).

Las **apoplejías**, y entre éstas las miniapoplejías, constituyen otra causa primaria de demencia. A este tipo de deterioro cognoscitivo se le llama también demencia por infartos múltiples. El *infarto* es la obstrucción de un vaso sanguíneo que impide que llegue la sangre necesaria a alguna zona del cerebro. La insuficiencia destruye el tejido cerebral y se le llama comúnmente apoplejía o miniapoplejía. Se les denomina *ataques isquémicos transitorios*, si se trata de episodios muy pequeños y temporales. A menudo el afectado ni siquiera se da cuenta de que han tenido lugar. Como su nombre lo indica la demencia por infartos múltiples se debe a una serie de procesos que dañan el tejido cerebral.

A menudo la causa latente de las miniapoplejías y la destrucción del tejido cerebral es la aterosclerosis, o sea la acumulación de placas de grasa en el revestimiento de las arterias. El riesgo de sufrir apoplejía es mayor entre los que tienen aterosclerosis, cardiopatías, hipertensión o diabetes. Se les recomienda que adopten medidas para mejorar su circulación, como puede ser el ejercicio moderado, y que controlen la hipertensión y la diabetes por medio de una dieta y medicamentos.

CAUSAS SECUNDARIAS DEL DETERIORO Las expectativas psicológicas, la salud mental y otros factores pueden ejercer una influencia profunda en el funcionamiento cognoscitivo del anciano.

En cualquier edad, las creencias o juicios sobre nuestras capacidades influyen en nuestro desempeño. Algunos ancianos están plenamente convencidos de que van a perder la memoria y que ya no podrán realizar lo que hacían an-

apoplejía Bloqueo de la sangre que llega al cerebro que puede causar daño cerebral.

Incluso la ingestión moderada de alcohol deteriora con el tiempo la memoria primaria y secundaria.

tes. Se temen que llegarán a ser desvalidos, que dependerán de la gente y que perderán el control de su vida. Imaginan que su destino quedará en manos de la suerte o de personas poderosas. En una profecía autorrealizada, los individuos que tienen esas expectativas pierden competencia y control. Tienen menor autoestima y manifiestan además menor persistencia y esfuerzo. Por otro lado, pueden mejorar mucho si se logra convencerlos de que pueden asumir el control de su vida y de que la pérdida cognoscitiva no es inevitable (Perlmutter y otros, 1987).

La salud mental influye directamente en la realización de las actividades cognoscitivas. La depresión es una reacción común en la senectud, en parte por la pérdida de los parientes y amigos; muchos han pasado varias veces por este tipo de experiencia. La depresión aminora la concentración y la atención, de modo que reduce el nivel general de funcionamiento cognoscitivo.

Hay otros factores secundarios que producen deterioro cognoscitivo (Perlmutter y otros, 1987). He aquí algunos de los más importantes:

■ La condición física influye en las actividades mentales y también en las de índole física. En muchas pruebas de las funciones cognoscitivas los individuos con una buena condición física se desempeñan a un nivel más elevado.

■ Las deficiencias nutricionales, como la anemia, y las de vitaminas o de colina originan un desempeño insatisfactorio en las tareas intelectuales. La colina, que se encuentra en la carne, en el pescado y en las yemas de huevo, le sirve al cerebro para elaborar acetilcolina, sustancia química esencial para un procesamiento nervioso eficaz (Wurtman, 1979).

■ El alcohol consumido durante largo tiempo —así sea en cantidades moderadas— afecta a la memoria a corto y a largo plazos. Si se ingiere en exceso, éste suele entorpecer el funcionamiento diario y también interferir en la alimentación. De manera directa e indirecta, altera las funciones mentales aun cuando el individuo no se encuentre bajo su influjo.

El aislamiento social o la depresión pueden deteriorar el funcionamiento mental del anciano.

■ Los medicamentos de patente y los que no exigen receta médica, desde los somníferos hasta los analgésicos y los fármacos para la hipertensión, producen efectos secundarios que disminuyen el estado de alerta y la atención. Ni el hígado ni los riñones eliminan siempre con facilidad los medicamentos. A medida que envejecemos, las dosis pequeñas pueden ser tan fuertes como las grandes. En ocasiones mejora muchísimo el funcionamiento mental con sólo reducir un poco la dosis.

■ Inactividad del funcionamiento mental. Tras periodos prolongados de enfermedad, de aislamiento social o de depresión algunos no recobran su nivel anterior de funcionamiento mental. El viejo refrán de "Úsalo o piérdelo" se aplica perfectamente a tales situaciones (Perlmutter y otros, 1987).

COMPENSACIÓN DE LA MENTE QUE ENVEJECE

La investigación efectuada por Baltes (1993) se concentra en los mecanismos con que los ancianos coordinan las ganancias y las pérdidas de una mente que envejece. Esos mecanismos son especialmente importantes a medida que el deterioro biológico y el que se relaciona con la salud van modificando el equilibrio del funcionamiento cognoscitivo. El modelo que diseñó Baltes se basa en una "optimización selectiva con compensación". Por medio del siguiente ejemplo, Baltes describe cómo funciona este proceso de adaptación:

Cuando, en una entrevista televisiva, al concertista Rubinstein le preguntaron cómo se las arreglaba para seguir siendo un excelente pianista a su avanzada edad, mencionó tres estrategias: 1) en la vejez ejecutaba menos piezas, 2) ahora practicaba más a menudo cada una y 3) introducía más *retardandos* antes de los segmentos rápidos, de modo que parecía que tocaba con mayor rapidez. Los anteriores son ejemplos de selección (menos piezas), optimización (más práctica) y compensación (mayor uso del contraste en la rapidez). Sostengo que este tipo de conocimiento de la vida constituye otra faceta de la pragmática de la mente que envejece. (Baltes, 1993, página 590).

Baltes afirma que a medida que los ancianos reconocen sus pérdidas objetivas y subjetivas, lo mismo que el equilibrio cambiante entre las ganancias y las pérdidas, reorganizan y ajustan su sentido del yo. Este reajuste, considera Baltes, explicaría por qué la mayoría de ellos no sufre una importante disminución en su sentido de bienestar subjetivo o de control personal. Hay otras investigaciones que corroboran esta opinión. Por ejemplo, algunos factores como un nivel escolar más elevado (Leibovici y otros, 1996) y un nivel sostenido de actividad global (Christensen y otros, 1996) ayudan a compensar y, en cierto modo, minimizar, algunos aspectos del deterioro cognoscitivo a una edad muy avanzada.

REPASE Y APLIQUE

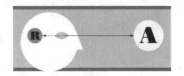

1. Explique en forma detallada los cambios cognoscitivos que tienen lugar en la vejez, incluidos los que influyen en la rapidez de desempeño y en la memoria.
2. Identifique las cinco propiedades generales de la sabiduría.
3. ¿El deterioro cognoscitivo es intrínseco al proceso de envejecimiento? Describa los factores primarios y secundarios que favorecen el deterioro, incluidos los relacionados con la enfermedad de Alzheimer.
4. Explique cómo compensan los ancianos las pérdidas de funcionamiento cognoscitivo.

RESUMEN

El envejecimiento en la actualidad

■ Los estereotipos sobre los ancianos dificultan entenderlos como los individuos diversos que son en realidad.

■ Con el término *ancianismo* se designa una actitud de indiferencia y de olvido hacia los ancianos.

■ Las personas de todas las edades suelen asignar estereotipos más negativos a los ancianos y más positivos a los jóvenes.

■ En algunas culturas y épocas históricas, los ancianos han sido respetados como personas sabias, transmisores de cultura y depositarios de la memoria histórica.

■ La edad promedio de la población estadounidense ha venido aumentando y producirá una proporción cada vez mayor de ancianos durante las próximas décadas.

■ Burnside y sus colegas analizaron la vejez basándose en cuatro décadas: los sexagenarios (de 60 a 69 años de edad), los septuagenarios (de 70 a 79 años de edad), los octogenarios (de 80 a 89 años de edad) y los nonagenarios (de 90 años en adelante). Estas décadas poseen rasgos distintivos que se resumen en el diagrama de estudio de la página 553.

Aspectos físicos del envejecimiento

■ Muchos de los efectos del envejecimiento no se perciben antes de la senectud, porque éste es gradual y la mayoría de los sistemas físicos poseen una gran capacidad de reserva.

■ No todos los ancianos manifiestan los signos del envejecimiento en igual grado. Estos dependen en gran parte de si permanecen físicamente aptos y activos.

■ El tipo de vida que se ha llevado, las enfermedades y los accidentes sufridos influyen en el envejecimiento; a veces a estas situaciones se les llama factores patológicos del envejecimiento.

■ Entre los signos del envejecimiento figuran las canas, la pérdida de elasticidad de la piel, el cambio de postura y arrugas más profundas.

■ En general los sentidos se vuelven menos eficientes con los años; muchos ancianos tardan más tiempo en percibir y en procesar un hecho por medio de los sistemas sensoriales.

■ Las deficiencias auditivas son muy frecuentes pero casi siempre ligeras o moderadas. Se pierde mucha capacidad auditiva para tonos de alta frecuencia.

■ En los ancianos se observan muchos tipos de deterioro visual: cataratas (opacamiento del cristalino que bloquea la luz), glaucoma (acumulación de presión en el interior del globo ocular), disminución de la capacidad para enfocar los objetos y menor agudeza visual (capacidad para distinguir los detalles finos).

■ El gusto manifiesta una gran estabilidad durante la senectud.

■ Con la edad disminuye el peso muscular, también la fuerza y la resistencia. Los huesos se debilitan, se vuelven huecos y más frágiles; de ahí que sean más vulnerables a las fracturas y tarden más en sanar.

■ El entrenamiento con ejercicios intensos contrarresta la debilidad de los músculos y la debilidad física de los ancianos.

■ El sistema cardiovascular pierde eficiencia con los años y disminuye la capacidad pulmonar. También decrece la capacidad de reserva del corazón, de los pulmones y de otros órganos.

■ El sistema inmunológico cambia durante la senectud, de manera que el anciano es más vulnerable a las enfermedades.

■ Los ancianos están más propensos a sufrir problemas crónicos de salud que enfermedades agudas. Esto se debe en gran medida a una menor capacidad del organismo para afrontar el estrés; también intervienen factores socioeconómicos, la raza y el sexo.

■ En parte, la mala salud de los ancianos se debe a una dieta o alimentación deficientes. El consumo excesivo de grasas produce aterosclerosis, o sea endurecimiento de las arterias, estado que causa muchas de las cardiopatías tan comunes en esta etapa de la vida.

■ El consumo excesivo, el uso indebido y el abuso de los medicamentos puede ocasionar problemas de salud a los ancianos.

Causas del envejecimiento

■ El ciclo de vida característico de un organismo presenta un componente genético, pero también participan otros factores como el estrés, los accidentes y la enfermedad.

■ En el hombre, la vida de campo y el matrimonio suelen alargar la vida, mientras que la obesidad y la exposición a la radiación tienden a acortarla.

■ La senescencia, o envejecimiento normal, designa los procesos biológicos y universales del envejecimiento.

■ Conforme a las teorías estocásticas, el cuerpo envejece a causa de las agresiones aleatorias provenientes de los medios interno y externo; a veces se les da el nombre de teorías de deterioro y desgaste.

■ Según las teorías del envejecimiento programado o del reloj biológico, las acciones programadas de ciertos genes específicos rigen el envejecimiento. Podemos ver pruebas en favor de los relojes biológicos en el sistema inmunológico y en el ciclo menstrual femenino.

Cambios cognoscitivos en la edad avanzada

■ Muchos suponen que el intelecto de los ancianos se deteriora de modo automático. Pero casi todas las capacidades mentales permanecen relativamente intactas, aunque se observa una reducción en la rapidez del procesamiento cognoscitivo. Con entrenamiento, es posible compensar esta pérdida.

■ El almacenamiento sensorial y la memoria a corto plazo cambian poco con la edad, pero se deteriora la memoria a largo plazo. Con una instrucción cuidadosa y un poco de práctica los ancianos pueden mejorar su capacidad de retención.

■ La memoria terciaria, o recuerdo de hechos sumamente remotos, parece conservarse más o menos intacta en esta fase de la vida.

■ La sabiduría designa el conocimiento experto que se concentra en los aspectos pragmáticos de la vida y comprende buen juicio y consejo sobre asuntos trascendentes de la vida.

■ Con la edad mejoran a menudo la cantidad y la calidad de los conocimientos del individuo relacionados con la sabiduría.

■ Entre las causas primarias del deterioro cognoscitivo del anciano se encuentran la enfermedad de Alzheimer y la apoplejía. Las causas secundarias son factores como la pobreza o una mala salud.

■ La demencia indica la confusión y el olvido crónicos, así como los cambios concomitantes de la personalidad que a veces se asocian con esta etapa de la existencia.

■ La confusión, los lapsos mentales o la desorientación conductual pueden atribuirse a diversas causas, incluidas enfermedades físicas o psicológicas que pueden tratarse.

■ Aproximadamente 50 por ciento de las personas a quienes se diagnostica demencia sufren la enfermedad de Alzheimer, la cual se caracteriza por un deterioro progresivo de las células del cerebro. El resultado final es una desorientación seria que no permite dejar solo al paciente. Los miembros de la familia que deben cuidarlo sufren fuertes tensiones.

■ Las apoplejías o las miniapoplejías son otra causa primaria de demencia. A menudo se deben a la aterosclerosis, o sea a una acumulación de placas de lípidos en el revestimiento de las arterias.

■ Las expectativas psicológicas, la salud mental y otros factores influyen de modo profundo en el funcionamiento cognoscitivo de los ancianos. Con frecuencia, los que creen que quedarán desvalidos y dependerán de la gente terminan por hacerlo. La depresión es común en la senectud, en parte por la pérdida de los seres queridos y de los amigos.

■ He aquí otros factores que ocasionan el deterioro cognoscitivo: mala condición física, deficiencias nutricionales, consumo prolongado de alcohol, efectos secundarios de medicamentos y falta de ejercicio de las funciones mentales.

■ A medida que los ancianos reconocen las pérdidas objetivas y subjetivas de carácter cognoscitivo, reorganizan y ajustan el sentido del yo.

CONCEPTOS BÁSICOS

ancianismo
piedad filial
factores patológicos del
  envejecimiento
cataratas

glaucoma
hipertensión
aterosclerosis
demencia
senescencia

teorías estocásticas del
  envejecimiento
sabiduría
enfermedad de Alzheimer
apoplejía

UTILICE LO QUE APRENDIÓ

¿Qué hace sabias a las personas? Haga una lista de entre cinco y 10 de las personas más sabias que conozca. Podría incluir a líderes mundiales y nacionales de muchos campos o a individuos de su barrio, campus o ciudad. Procure incluir a hombres y mujeres y por lo menos a alguien a quien conozca de manera personal. Luego, examine los cinco criterios de la sabiduría propuestos por Baltes. ¿Los reúnen las personas de su lista? ¿Le gustaría agregar otras características? Los investigadores que estudian la sabiduría mencionan a menudo la capacidad de integrar varias clases de conocimientos e incluso sentimientos, pensamientos y acciones. ¿Hacen esto las personas de su lista? ¿Qué factores, experiencias, escolaridad o entrenamiento favorecen el desarrollo de la sabiduría en ellas?

LECTURAS COMPLEMENTARIAS

COHEN, D. y EISDORFER, K. (1986). *The loss of self: A family resource for the care of Alzheimer's disease and related disorders.* Nueva York: Norton. Fuente de utilidad para conocer la enfermedad de Alzheimer y afrontar el estrés y los graves problemas de un cuidado prolongado.

FOWLER, M. y MCCUTCHEON, P. (eds.) (1991). *Songs of experience: An anthology of literature on growing old.* Nueva York: Ballantine. Poemas, entradas de diario, historias, meditaciones y palabras inspiradoras de hombres y mujeres al final de su vida, entre ellos E. B. White, Helen Hayes, Robert Coles, Eleanor Roosevelt y muchos otros.

PALMORE, E. B. (1988). *The facts of aging quiz: A handbook of uses and results.* Nueva York: Springer. Presentación resumida de investigaciones sobre las actitudes ante el envejecimiento, en la que, entre otras cosas, se presentan resultados que muestran los estereotipos respecto del envejecimiento entre los jóvenes y los viejos.

WHITBOURNE, S. K. (1985). *The aging body: Physiological changes and psychological consequences.* Nueva York: Springer-Verlag. Excelente exposición del envejecimiento físico, con una descripción muy completa de las adaptaciones del individuo, de sus ajustes y reacciones.

ZARIT, S., ORR, N. K. y ZARIT, J. N. (1985). *The hidden victims of Alzheimer's disease: Families under stress.* Nueva York. New York University Press. Otro libro de gran utilidad y penetración para las familias.

La vejez: desarrollo de la personalidad y socialización

TEMARIO

OBJETIVOS DEL CAPÍTULO

Cuando termine este capítulo, podrá:

1. Explicar los cambios de la personalidad y las tareas del desarrollo en la vejez.
2. Describir las condiciones físicas, económicas y sociales que influyen para la jubilación de los ancianos.
3. Resumir los factores que favorecen la decisión de jubilarse.
4. Describir los patrones de las relaciones familiares y personales que definen muchas de las tensiones y de las satisfacciones en la vejez.
5. Exponer la relación entre las necesidades de los ancianos y las políticas y actitudes de la sociedad estadounidense hacia los ancianos.

S e da el nombre de **transición de estatus** a un cambio importante de roles y de posición social. Estos cambios ocurren a lo largo del ciclo vital. El adolescente se convierte en un joven adulto; el joven ingresa a la madurez; en ambos casos el individuo asume roles y responsabilidades más amplias, por lo general con un aumento de estatus y de poder. No obstante, la transición de estatus a la vejez es muy distinta. La transición a la jubilación, a la viudez o a una salud deteriorada puede disminuir el poder, la responsabilidad y la autonomía (Rosow, 1974).

Desde un punto de vista positivo, el hecho de jubilarse da libertad para cultivar intereses personales y el de convertirse en bisabuelo ofrece la oportunidad de dedicar más tiempo a la familia. Así, con mucha frecuencia la forma en que se interpretan las transiciones de estatus y los cambios concomitantes es por lo menos tan importante como los acontecimientos mismos. El efecto de muchos de los acontecimientos que ocurren en la vejez depende en gran medida del significado que se les dé. Podemos ver en el retiro una señal de que terminan la utilidad y la productividad en la fuerza laboral, incluso como el final de una parte importante de la identidad personal —ya sea como conductor de autobús, dentista, bailarina o ejecutivo empresarial. Pero podemos considerar el retiro desde un punto de vista muy distinto si durante los últimos 30 a 40 años hemos odiado nuestro trabajo y todo lo relacionado con éste. En tal caso, el retiro significará liberarse del aburrimiento, la monotonía y el servilismo a la autoridad. (De hecho, un factor que predice una buena adaptación a la jubilación es el "malestar con el trabajo"). De igual manera, la viudez puede liberarnos del desgaste de cuidar a un cónyuge que padece una enfermedad crónica y ofrecernos más libertad. También puede significar que ya no tenemos que vivir con alguien que desde hacía años nos desagradaba pero de quien no queríamos divorciarnos. Por otra parte, la muerte del cónyuge puede ocasionar un dolor intenso y duradero.

La enfermedad y las discapacidades físicas son algunas de las circunstancias más difíciles que tal vez debamos afrontar en la senectud. Pero también aquí encontramos una amplia variedad de estilos de afrontamiento. Como comentó una persona mayor: "Ahora tengo algunas limitaciones, pero nunca disfruté tanto mi jardín como en estos últimos años y mi último nieto es una gran alegría para mí".

Cuando Gail Sheehy entrevistó a un grupo de sexagenarios y de septuagenarios, descubrió que para muchos ancianos la vida sigue siendo fuente de posibilidades más que de limitaciones. Prevén una vida "que les permitirá con-

transición de estatus Cambio de roles o posición que ocurre cuando una persona entra en la adolescencia, tiene hijos, se jubila o enviuda.

centrarse en mejorar, ser más fuertes, más sabios, más graciosos, más libres, más sensuales y vivir con mayor plenitud los momentos privilegiados de la vida" (Sheehy, 1995). Muchos sexagenarios disfrutan de una buena salud y se sienten maravillosamente libres del trabajo y de las preocupaciones. A los setenta años y a edad más avanzada, afinan sus prioridades y se concentran en lo que pueden realizar, no en lo que ya no pueden hacer.

En este capítulo examinaremos los cambios de estatus que marcan la vejez en lo que se refiere a la personalidad, el ajuste a tareas del desarrollo como la jubilación y las relaciones con los nietos y los bisnietos. También abordaremos temas como el cuidado del cónyuge enfermo, la adaptación a la viudez y la reafirmación de la relación con hermanos y amigos. Por último analizaremos a fondo cómo afecta a los ancianos la política social en campos como la atención médica y la vivienda.

LA PERSONALIDAD Y EL ENVEJECIMIENTO

Es fácil hacer generalizaciones excesivas respecto de la personalidad, la satisfacción con la vida y las tareas del desarrollo de la senectud. En el capítulo anterior vimos que hay muchas diferencias entre los longevos recién retirados, sanos y vigorosos, los ancianos frágiles y los de una edad intermedia. Sin importar su edad, el individuo tiene un patrón peculiar de actitudes, valores y creencias sobre la vejez y sobre sí mismo, además de una serie de experiencias que refuerzan el patrón. Pero, a pesar de tales disimilitudes, hay algunos hechos e intereses comunes a todos ellos. La manera de encararlos influye de manera profunda en que se dé un envejecimiento sin problemas serios.

TAREAS DEL DESARROLLO EN LA VEJEZ

Ante todo, conviene retomar la teoría de Erikson para examinar las tareas centrales del desarrollo. En su opinión, los que saben encararlas y afrontarlas conservan una salud mental más satisfactoria.

CONSERVACIÓN DE LA IDENTIDAD   A partir de la adolescencia una de las principales tareas consiste en mantener una identidad personal relativamente estable. En la acepción que le damos aquí, con el término **identidad** designamos una serie de conceptos que tenemos sobre nuestros atributos físicos, psicológicos y sociales. En opinión de la teórica Susan Whitbourne (1987), el proceso de mantener una identidad estable se asemeja al proceso de adaptación propuesto por Piaget (vea el capítulo 1): consiste en la asimilación de hechos nuevos y circunstancias cambiantes en los autoconceptos existentes y en acomodarse a los principales acontecimientos o amenazas que no es posible asimilar con facilidad. Por ejemplo, en el caso de una enfermedad crónica seria, se ven amenazados los aspectos físicos, psicológicos y sociales del autoconcepto y pueden exigir una acomodación importante.

En teoría, según Whitbourne, mantenemos un equilibrio entre la asimilación y la acomodación. El rechazo a acomodarse puede significar que se está negando la realidad. Esa persona puede ser defensiva y rígida, y culpar de manera injusta a otros por sus fracasos. Por otra parte, si alguien se acomoda con demasiada facilidad, puede volverse histérico, impulsivo o hipersensible. En general, conservar el equilibrio entre una identidad estable y la apertura a nuevas experiencias constituye una importante tarea del desarrollo, del mismo modo que lo fue en los periodos anteriores del ciclo vital.

En el caso de los muy ancianos resulta sumamente importante mantener el sentido de estabilidad en la identidad personal. En un estudio con más de 600 individuos, casi todos ellos septuagenarios y octogenarios que habían experi-

identidad   Conjunto de conceptos bastante congruentes que tiene una persona sobre sus atributos físicos, psicológicos y sociales.

Las personas de edad avanzada necesitan recordar y reflexionar sobre el pasado para dar significado a su vida.

mentado cambios importantes de salud y de estilo de vida (Lieberman y Tobin, 1983), los investigadores descubrieron que la acomodación era una tarea muy difícil, sobre todo para quienes estaban débiles o dependían mucho de la gente. Los que mejor se adaptaban lo conseguían manteniendo y "validando" su identidad. A pesar de la adversidad podían decir "Soy lo que siempre he sido". ¿Cómo lo lograban ante los cambios tan reales de su existencia y de sus capacidades físicas?" En general, dejaban de pensar en el presente y se trasladaban al pasado. Por ejemplo, una mujer al principio se describió a sí misma en los siguientes términos: "Soy importante para mi familia y mis amigos; debería usted ver cuántas tarjetas de cumpleaños recibo". Al cabo de dos años, después de algunos cambios importantes en su vida, se definía a sí misma así: "Creo que soy importante para mi familia; siempre les he dado lo mejor de mí y ellos lo aprecian". Su pasado se convirtió en una prueba que le permitía conservar un concepto de su identidad personal presente que coincidía con lo que había sido (Tobin,1988).

INTEGRIDAD FRENTE A DESESPERACIÓN La última etapa de la teoría de Erikson es el conflicto psicosocial de *integridad frente a desesperación*. En esta perspectiva, los ancianos se preguntan si su vida ha correspondido a las expectativas que tenían. Los que ven hacia atrás y se sienten satisfechos del significado de su existencia y de haber hecho lo mejor posible adquieren un profundo sentido de integridad personal. Por el contrario, los que sólo ven una larga sucesión de errores, de oportunidades perdidas y de fracasos adquieren un sentido de desesperación. En teoría, la resolución de este conflicto incluye el predominio de la integridad matizada con una desesperación realista (Erikson y otros, 1986), lo cual contribuye a la sabiduría (vea el capítulo 18). Esta última permite a los ancianos preservar su dignidad y un yo integrado ante el deterioro físico e incluso ante la inminencia de la muerte.

En parte, el ajuste a la vejez comprende la necesidad psicológica de recordar los hechos pasados y de reflexionar sobre ellos. Los ancianos a menudo pasan tiempo buscando temas e imágenes que le den significado y coherencia a su vida. Algunas veces necesitan ordenar e interpretar los episodios y situaciones del pasado (Kübler-Ross, 1969; Neugarten, 1976). Algunos meditan sobre el legado que dejarán, las aportaciones que han realizado y la forma en que los recordará el mundo: por alguna obra de arte, por el servicio social, por los logros en el trabajo, por los hijos que procrearon y educaron o por la riqueza material que heredarán a sus hijos o a la comunidad. Muchos buscan en sus hijos y en sus nietos un legado donde perdurarán su personalidad y sus valores.

Una mujer de 85 años expresó con elocuencia algunas de las reflexiones, de las melancolías y expresiones de pequeños arrepentimientos que caracterizan a este proceso:

Si volviera a vivir, me atrevería a cometer más errores. Me relajaría. Sería más flexible. Sería más espontánea de lo que he sido hasta ahora. Tomaría menos en serio algunas cosas. Correría más riesgos. Viajaría más. Escalaría más montañas y nadaría más ríos. Comería más helados y menos guisantes. Quizá tendría más problemas ahora, pero también habría tenido menos problemas imaginarios.

Pues soy una de las personas que tratan de llevar una vida sana y equilibrada hora tras hora, día tras día. Claro que he tenido momentos de debilidad y, si volviera a vivir, tendría muchos más. Eso sería lo único que buscaría. Viviría sólo momentos, uno tras otro, en vez de vivir todos los días pensando en el futuro. He sido una de esas personas que nunca va a ningún sitio sin un termómetro, una botella de agua caliente, un paraguas y un paracaídas. Si tuviera que hacerlo de nuevo, lo haría con un equipaje más ligero.

Si pudiera volver a vivir, en la primavera saldría de mi casa sin zapatos y seguiría así hasta bien entrado el otoño. Asistiría a más bailes. Me subiría a más tiovivos. Cortaría más margaritas. (Burnside, 1979a, página 425).

CONTINUIDAD Y CAMBIOS EN LA VEJEZ

Como hemos visto en capítulos anteriores, en su mayoría, los teóricos contemporáneos suelen ver el desarrollo como un fenómeno permanente; de ahí que el ajuste a la senectud sea una extensión de los estilos anteriores de la personalidad. No obstante, aun en esta etapa de la vida los científicos difieren en cuanto a la cuestión de la continuidad y el cambio.

Los teóricos de las "etapas" piensan que en la vejez surgen nuevas estructuras u organizaciones de la vida, basadas en las etapas anteriores. Levinson (1978, 1986, 1996), por ejemplo, considera que hay un periodo de transición (de los 60 a los 65 años) que enlaza la estructura de la vida anterior con la senectud. Erikson ve en la integridad del yo (o la desesperación, su contrario) el resultado de un largo proceso de desarrollo (Erikson y otros, 1986). Peck (1968) considera la vejez como la resolución del conflicto entre la *trascendencia del ego* (alcanzar un estado de la mente que rebase las perspectivas personales de la muerte) y la *preocupación por el ego* (con la muerte) (vea el capítulo 15).

Otros teóricos advierten mayor continuidad aún de los ajustes y reacciones anteriores con el envejecimiento. Robert Atchley (1989) asegura que la continuidad ofrece identidad y el sentido de lo que somos. Tratamos de tener una conducta congruente porque nos hace sentirnos más seguros. La coherencia nos permite decir con confianza cosas como "Nunca comeré eso" o "Así soy yo". Por lo demás, hay presiones externas que nos impulsan a la coherencia. Los demás esperan que nos comportemos de modo similar en distintas situaciones y se sienten incómodos cuando somos impredecibles. Sin embargo, Atchley se apresura a puntualizar que la continuidad no significa que no se den cambios en absoluto. Es evidente que cambian nuestros roles, nuestras capacidades y relaciones. Este cambio exige que modifiquemos nuestro comportamiento, nuestras expectativas e incluso nuestros valores. Para Atchley tales cambios corresponden a un "núcleo interno" relativamente constante con el cual nos definimos. A continuación examinaremos ese núcleo con mayor amplitud.

PERSONALIDAD   ¿Se aplica a nosotros los adultos la siguiente descripción hecha por William James (1842-1910): "En casi todos nosotros, a los 30 años, el carácter se ha fijado como un yeso que nunca volverá a ablandarse..." (citado en Costa y McCrae, 1994)?

Por lo visto sí. Varios estudios longitudinales se han concentrado en la conservación de los rasgos o tipos básicos de la personalidad a lo largo de la adultez y han revelado el tipo de continuidad mencionado por James. En uno de ellos, Paul Costa y Robert McCrae (1989) evaluaron tres aspectos de la personalidad en un grupo de 2,000 hombres adultos. Primero, examinaron el *neuroticismo*, es decir, el grado de ansiedad, depresión, timidez, vulnerabilidad, impulsividad y hostilidad mostrados por los sujetos. En general, no observaron cambios reales del neuroticismo durante un periodo de 10 años. Los muy neuróticos solían quejarse de su salud; fumaban mucho; tenían problemas sexuales, financieros y de alcoholismo; se sentían insatisfechos con su vida. En particular, los más neuróticos tendían a ser hipocondríacos, lo que coincide con el estereotipo popular de los viejos. Pese a ello, las pruebas demostraron que probablemente habían sido hipocondríacos toda su vida (Costa y McCrae, 1985).

Segundo, los investigadores analizaron la *extroversión* frente a la *introversión*. Los extrovertidos son asertivos y comunicativos; buscan la emoción y la actividad. Los introvertidos son más propensos a la timidez y el retraimiento. En este estudio, los participantes muy extrovertidos por lo general conservaban esta característica de su personalidad. Eran más felices y estaban más satisfechos con su vida que los muy introvertidos. Pero se registraba una pequeña transición a la introversión cuando las circunstancias les exigían depender más de la gente. Otros investigadores estudiaron la introversión y la extroversión por periodos más largos y llegaron a la conclusión de que muchos de los sujetos se habían vuelto más introvertidos al envejecer.

La tercera dimensión analizada fue la *apertura a las experiencias.* Los varones que eran abiertos presentaban una gama más extensa de intereses. Solían sentir con más profundidad los acontecimientos, tanto positivos como negativos. Se mostraban más satisfechos con la vida que los que eran más defensivos, cautos o conformistas. Este aspecto de la personalidad también se conservaba estable de la madurez a la senectud.

Muchas investigaciones han demostrado una coherencia general de la personalidad. Tenemos creencias o patrones organizados, congruentes e integrados acerca de nosotros y actuamos en formas compatibles con esta autoimagen. Cuando, a pesar de los cambios trascendentes de la vida, podemos juzgar que hemos obrado conforme a esa imagen, expresaremos más satisfacción con la vida y mayor autoestima. Desde luego, el autoconcepto es vulnerable a los sucesos y a los cambios importantes en la salud, la situación económica, la participación social, la clase social, el sexo, las condiciones de vivienda y el matrimonio. A su vez los cambios significativos del autoconcepto influyen en el sentido de bienestar (Thomae, 1980). Con todo, el envejecimiento en sí no parece afectar en forma directa al autoconcepto.

Aunque en la vejez ocurren unos cuantos cambios universales de personalidad, algunos han investigado si al envejecer existe algún patrón definido de cambio de la personalidad. En un estudio longitudinal (Gutman, 1964) se utilizó el Test de Apercepción Temática (TAT), en que los sujetos inventan historias referentes a imágenes ambiguas y a partir de los relatos los investigadores deducen actitudes y sentimientos. Deseaban averiguar si se producían cambios consistentes a lo largo del periodo de 20 años que duró el estudio. Descubrieron que los varones de 40 años creían tener control sobre el ambiente y que obtendrían recompensas por ser osados y correr riesgos, se veían a la altura de los desafíos que les planteaba el mundo exterior. Por el contrario, a los varones de 60 años el mundo les parecía un lugar más complejo y peligroso que no podían cambiar a voluntad. Se veían como personas acomodaticias que se conformaban a su ambiente.

ESTILOS DE AFRONTAMIENTO La investigación que acabamos de comentar propone que las habilidades de afrontamiento decaen con los años; en cambio, otros trabajos interpretan de modo diferente los cambios y señalan que la gente adquiere mayor madurez en sus destrezas de afrontamiento (Valliant, 1977). Por ejemplo, ante el estrés aumenta una actitud de sabio distanciamiento y de humorismo. Otros investigadores sostienen que en el afrontamiento se dan diferencias relacionadas con la edad, pero que éstas dependen de las distintas tensiones que afectan a los ancianos y a los jóvenes (Folkman y Lazarus, 1980; McCrae, 1982). Las tensiones que ofrecen retos positivos (una promoción en el trabajo, por ejemplo) se hacen menos frecuentes con la edad. Aunque las pérdidas no aumentan mucho con los años, tal vez las que experimentan los ancianos estén más estrechamente relacionadas con su identidad y, por tanto, resulten más amenazadoras. De igual manera, con la edad cambia la naturaleza de los pequeños problemas que también causan estrés (Folkman y otros, 1987).

Algunos teóricos, comenzando con Jung (1933/1960), afirman que los estilos de afrontamiento de ambos sexos se modifican en diversas formas. Los hombres al parecer pasan de un estilo activo a uno pasivo. Tras una vida de responsabilidades y de toma de decisiones, se sienten libres para expresar más aspectos de la complejidad de su personalidad, entre otras cosas los rasgos considerados tradicionalmente femeninos (Gutmann, 1969, 1975). Las personas muy ancianas pasan de la pasividad a un estilo denominado *dominio mágico*, en que encaran la realidad por medio de la proyección y la distorsión. Cuando las mujeres envejecen, se vuelven más agresivas, manipuladoras y dominantes conforme a los estereotipos masculinos. Quizá sea la forma en que ambos sexos responden al verse liberados del *imperativo parental*, o sea las presiones sociales para que la mujer acepte los roles de madre y los hombres asuman sus responsabilidades financieras y supriman los rasgos que choquen con ello (Gutmann, 1969, 1975).

También la investigación transversal indica que se operan cambios en los estilos de afrontamiento relacionados con la edad. Susan Folkman y sus colegas (1987) descubrieron que los adultos más jóvenes suelen utilizar estilos activos orientados a los problemas, mientras que los adultos de mayor edad son más pasivos y se concentran en las emociones. Por ejemplo, una anciana posiblemente dé poca importancia al accidente de tráfico que acaba de sufrir o lo vea desde un ángulo más positivo al decir "De todos modos ya era hora de deshacerme de ese automóvil" o "Por lo menos nadie resultó herido". En cambio, una mujer más joven podría manejar la situación enfrentándose al otro conductor, anotando su nombre y domicilio, contactando a la compañía de seguros y estimando el costo de la reparación. Como en toda investigación transversal, podríamos atribuir estas disimilitudes a las diferencias de cohorte (vea el capítulo 1). Pero, en general, también la investigación longitudinal suele encontrar una continuidad en los estilos de afrontamiento conforme vamos envejeciendo (por ejemplo, McCrae, 1989).

En resumen, los ajustes en la senectud se parecen mucho a los que se dan en etapas anteriores. Adquirimos una identidad personal; producimos temas que persisten toda la vida. Cuando nos hacemos viejos, nuestras reacciones ante la senectud y ante las nuevas situaciones son individuales y compatibles con la identidad y los temas que nos hemos creado a lo largo de la existencia. En conclusión, en la vejez, el desarrollo de la personalidad consiste en hacer una interpretación de los acontecimientos y las reacciones ante ellos que concuerde con las reacciones de la vida pasada (Ryff, 1985).

UN ENVEJECIMIENTO EXITOSO

Llega el momento en que los ancianos deben afrontar los problemas del deterioro sensorial o de la enfermedad, tanto en su persona como en la de sus amigos y parientes. Muchos se ven obligados a encarar las realidades de un estatus más bajo, de la reducción de la productividad o de sus ingresos. Cuanto más tiempo vivan, mayores probabilidades habrá de que vean morir a amigos y miembros de la familia, entre ellos su cónyuge. Los problemas resultan abrumadores para algunos. Les preocupan la salud, las restricciones, los problemas y una disminución continua de la autonomía.

¿Qué es, pues, un envejecimiento exitoso? Primero, recuerde que la descripción anterior no es el patrón que predomina. Con harta frecuencia, el pensamiento estereotipado concerniente al envejecimiento pinta un cuadro pesimista que muchos aceptan y adoptan. En realidad, la mayoría de los longevos se percibe en una forma distinta y más positiva. Así, una encuesta reveló que, aunque muchos coincidían en que "la vida es realmente difícil para las personas mayores de 65 años", por alguna razón ellos y sus amigos constituían la excepción a la regla (Harris y Associates, 1978).

Como observan Paul y Margaret Baltes (1990), el estadista romano Cicerón (106-43 a. de C.) escribió quizá el primer ensayo sobre los aspectos positivos del envejecimiento. Sostuvo que en la senectud podemos por fin disfrutar la vida y reflexionar sin que nos distraigan los "placeres corporales". En esta etapa, la satisfacción con la vida y el ajuste dependen de múltiples factores, pero poco tienen que ver con la edad propiamente dicha (Larson, 1978). La salud es el factor

La mayoría de los ancianos debe enfrentarse al reconocimiento de su propia vulnerabilidad.

más importante, y después de ésta, el dinero, la clase social, el estado civil, una vivienda adecuada, el nivel de interacción social y hasta el transporte son factores que influyen de manera profunda en que uno sienta o no satisfacción con la vida. En etapas anteriores, esto también incide en la satisfacción que se sentirá en la vejez. Si bien la satisfacción con la vida es comparable entre los jóvenes y los viejos, las fuentes de la satisfacción pueden cambiar. Los primeros la obtienen en mayor grado con los logros y progreso en el trabajo, con el desarrollo personal y en otras áreas; a los segundos les basta conservar la capacidad de funcionar (Bearon, 1989). Además, muchos ancianos se refugian en la religión y en redes sociales más amplias para obtener apoyo y validación, como se comenta en el recuadro "Estudio de la diversidad" de la página siguiente.

La satisfacción en la vejez también depende de cómo definan los longevos un funcionamiento positivo. En un estudio realizado con 171 personas maduras y ancianas, Carol Ryff (1989) descubrió que ambas cohortes definían el bienestar psicológico a partir de una orientación al "otro": interesarse por los demás, ser compasivo y tener buenas relaciones con la gente. Los ancianos también mencionaron la aceptación del cambio como una cualidad importante de un funcionamiento positivo.

Cuando Ryff y sus colegas (Heidrich y Ryff, 1993b) intentaron determinar por qué muchos ancianos mantenían una actitud positiva a pesar de la enfermedad y del deterioro de sus capacidades, se percataron de la importancia de la **comparación social**, la cual consiste en evaluar la propia persona y situación en relación con las de otros. Los ancianos que comparaban su situación con la de personas cercanas a ellos modificaban su punto de vista. Eran en particular las mujeres enfermas las que realizaban con más frecuencia la comparación social. Cuanto más positivos eran los resultados, mejor era su salud mental a pesar de sufrir graves problemas físicos. Es interesante señalar que las mujeres de peor salud mostraban los efectos más fuertes de la comparación social y lograban una adaptación psicológica semejante a la de las mujeres sanas: llegaban a percibirse en términos más positivos de lo que eran en realidad. Otro estudio (Heidrich y Ryff, 1993a) demostró que la comparación y la integración sociales —conservación de roles significativos, de directrices y de grupos de referencia— compensan los efectos negativos de la enfermedad y contribuyen a mantener el bienestar y a reducir al mínimo los problemas psicológicos.

En suma, no interrumpir actividades que realizamos bien y compensar en forma activa cualquier deterioro físico o mental son factores importantes de un envejecimiento exitoso (Schulz y Heckhausen, 1996; véase también el capítulo 16). Dicho con otras palabras, hay que evitar la enfermedad y la discapacidad, conservar el funcionamiento físico y cognoscitivo y, sobre todo, participar en actividades sociales y productivas (Rowe y Kahn, 1997). En conclusión, lo que será nuestra vejez depende de nosotros en gran medida.

comparación social   Evaluación que hacemos de nosotros mismos y de nuestra situación en relación con otros.

Repase y aplique

1. Explique el proceso de conservación de la identidad en la vejez y dé un ejemplo de cómo pueden mantener los ancianos una identidad estable ante los cambios importantes de su vida.
2. ¿Cómo se manifiesta en la vejez la crisis de integridad frente a la desesperación propuesta por Erikson?
3. ¿Cómo influyen en el ajuste al envejecimiento el tipo de personalidad y los estilos de afrontamiento? ¿Las investigaciones indican estabilidad o cambio en el tipo de personalidad entre la madurez y la senectud?
4. ¿Qué factores intervienen en un envejecimiento exitoso?

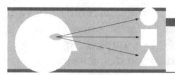

ESTUDIO DE LA DIVERSIDAD

CÓMO SE ENVEJECE EN LA COMUNIDAD AFROAMERICANA

Se da una paradoja entre la difícil situación de muchos afroamericanos ancianos y su extraordinaria capacidad para mantener su bienestar psicológico a medida que envejecen. Nadie duda que los afroamericanos son más proclives que los blancos a vivir en la pobreza, a una escolaridad más baja, a tener hijos sin casarse y a recibir una atención médica de mala calidad. Con todo, encuesta tras encuesta se ha comprobado que muchos poseen recursos que les permiten encarar con éxito el envejecimiento, a menudo con mejores resultados que los blancos.

Los investigadores han identificado dos factores esenciales en que se basa la fuerza permanente de muchos afromericanos: 1) oración y filiación a una confesión religiosa y 2) ayuda de la familia y de los amigos. "El valor adaptativo de estas dos estrategias", observa la investigadora Rose Gibson (1986) "hace que su ingreso a la vejez sea más una transición que una crisis".

Gibson basó su conclusión en un análisis de las versiones de las encuestas *Americans View Their Mental Health* correspondientes a 1957 y 1976, en las cuales se preguntaba a los entrevistados cómo resolvían sus problemas o preocupaciones. Se obtuvieron varios resultados importantes.

La encuesta demostró la importancia que la oración tiene en la vida de muchos afroamericanos. De hecho, suelen recurrir más que los blancos a la oración como fuente de ayuda y de consuelo. Este hallazgo se observó en 1957 y en 1976, cuando los afroamericanos usaron la oración con más frecuencia que cualquier otra estrategia de afrontamiento. Sin embargo, en 1976 la oración disminuyó en forma notoria entre los afroamericanos de edad madura. A diferencia de 1957, año en que una clara mayoría de afroamericanos maduros seguía recurriendo a la oración conforme envejecía, en 1976 muchos menos (27.3 por ciento) oraban para hacer frente a los problemas.

El uso de la oración en este sector de la población se debe, en parte, al influjo de la iglesia en la comunidad negra. Muchos afroamericanos acuden a la iglesia para recibir varios servicios sociales, lo mismo que para participar en las ceremonias. La investigación indica que recurren más a su iglesia en busca de asistencia práctica, sobre todo cuando la comunidad les ofrece poca ayuda (Haber, 1984; Hirsch y otros, 1972). Por ello, los afroamericanos ancianos buscan en la iglesia apoyo práctico y en la familia apoyo emocional (Walls, 1992). Los que obtienen mucho apoyo de la iglesia y de la familia suelen sentirse mejor que los que reciben un apoyo moderado.

La encuesta revela un patrón de búsqueda informal de ayuda entre varios miembros de la familia y entre los amigos. A diferencia de 1957 y en 1976 cuando los blancos estaban más propensos que los negros a recurrir a una red interna en momentos de preocupación, la persona a quien recurrían era generalmente el cónyuge o un miembro de otra familia. Por el contrario, en 1957 los afroamericanos solían recurrir más a amigos en busca de ayuda, y a una combinación de miembros de la familia en 1976. De acuerdo con Gibson (1987): "Acudir a varios miembros de la familia para recibir ayuda en los problemas parece que aumentan conforme los negros pasan de la madurez a la vejez". Esta red informal de apoyo social influye de manera profunda en la vida de los afroamericanos ancianos de bajos ingresos, quienes recurren a parientes de la segunda y tercera generación para recibir la ayuda física y emocional que necesitan durante esta etapa de la vida (Luckey, 1994).

Así pues, aunque los afroamericanos ancianos sufren más problemas en su vida y poseen menos recursos económicos en la vejez, consiguen un enorme consuelo y respaldo en su familia, en los amigos y en la oración. Con todo, conviene recordar que este sentido de bienestar psicológico no puede substituir a una adecuada asistencia económica o social. No obstante la paz interior que sienten, la escasez de recursos continúa afligiendo su vida.

LA JUBILACIÓN: UN CAMBIO RADICAL DEL ESTATUS

Una de las tareas primarias del envejecimiento consiste en adaptarse al retiro. Tradicionalmente este ajuste afectaba mucho más a los hombres que a las mujeres por la mayor participación masculina en la fuerza de trabajo. Sin embargo, durante los últimos 30 años las diferencias de género cambiaron en forma extraordinaria a medida que más mujeres ingresaron y permanecieron en la fuerza de trabajo hasta el momento de jubilarse. En el pasado, el retiro era la culminación de una carrera larga y estable. También eso ha cambiado (vea el capítulo 15). En la actualidad, son muchos los trabajadores que no permanecen en el mismo puesto ni trabajarán para la misma empresa a lo largo de su vida laboral; situación que a menudo tiene un impacto negativo en su situación socioeconómica después del retiro (Hayward y otros, 1998). En efecto, el retiro voluntario es uno de los factores que influye más directamente en la vida futura de los jubilados (Reitzes y otros, 1996); ésta será muy diferente si se les obliga a hacerlo por su edad, si son desplazados por una persona más joven o si se realiza una reestructuración.

Sin embargo, en ambos casos la jubilación es un cambio significativo de estatus en la vejez. El trabajo ofrece una estructura de vida, un programa diario. Ofrece compañeros y otras personas con quienes interactuar con regularidad. También ofrece roles y funciones, lo que favorece la identidad personal. De ahí que la jubilación exija un ajuste considerable.

El jubilado no sólo debe encontrar en qué ocupar el mayor tiempo libre disponible. Debe elegir opciones, hacer negociaciones y determinar patrones de afrontamiento compatibles con los significados que ha adoptado; en efecto, cada cual se crea su propia realidad social cuando se retira; y la facilidad con que adopte el nuevo rol depende de varios factores. Es probable que la transición sea muy difícil si el retiro fue repentino y drástico o si la identidad ha estado ligada estrechamente a un rol ocupacional.

CONDICIONES FÍSICAS, ECONÓMICAS Y SOCIALES

El patrón de la jubilación y el ajuste correspondiente son resultado de muchos factores: salud física, nivel económico, actitudes de los otros y la necesidad de una realización que se relacione con el trabajo. Como veremos, el hombre y la mujer a menudo encaran circunstancias diferentes cuando se retiran.

SALUD FÍSICA   La salud es una consideración importante que influye en la forma en que se reacciona ante la jubilación. Muchos ancianos abandonan la fuerza laboral —por voluntad propia u obligados a ello— por una mala salud. Una investigación de un numeroso grupo de varones que estaban a punto de jubilarse (Levy, 1978) reveló que quienes mejor se adaptaron fueron los que querían retirarse y gozaban de buena salud. A aquellos que estaban enfermos les fue mal, sin importar si deseaban o no retirarse. Este resultado tal vez se deba a que la jubilación muchas veces ocurre de manera repentina para quienes están enfermos (Ekerdt y otros, 1989). Por eso, están menos preparados en lo econó-

Quienes se jubilan estando saludables llevan una vida mejor que aquellos que se retiran por una enfermedad.

mico y psicológico que los que disponen de suficiente tiempo para prever y planear ese momento. Más aún, los gastos médicos representan una carga financiera, sobre todo si sufren alguna discapacidad; los jubilados que padecen alguna discapacidad necesitan mucho más el seguro social que el resto (Social Security Administration, 1986). Los beneficios del seguro representan hasta 67 por ciento del ingreso de estas personas, pero apenas 50 por ciento del ingreso de los no discapacitados ni casados.

A menudo cambian las actitudes durante los primeros años del retiro (Levy, 1978). Se comprobó que los varones sanos que no están dispuestos a jubilarse rápidamente se manifiestan insatisfechos, se alejan de la sociedad y suelen mostrarse amargados e irritables. Con el tiempo se recobran y poco a poco adoptan actitudes similares a las de quienes desean jubilarse. En cambio, la actitud de quienes están enfermos en el momento de jubilarse mejora poco con el tiempo, aun cuando esperaban con ansias el retiro.

Nivel económico   El nivel económico es otro factor importante que incide en el ajuste del jubilado a una nueva forma de vida. Contra lo que se cree, los ancianos estadounidenses tienen suficiente dinero para vivir. En términos de valor neto, suelen tener más dinero que los jóvenes adultos (Radner, 1989). Pero 10.5 por ciento vive por debajo de la línea de pobreza (U.S. Census Bureau, 1997). Es un porcentaje más bajo que el de los adultos jóvenes, pero encubre la situación de algunos subgrupos de longevos. La pobreza es mucho más probable entre los solteros que entre los casados (Radner, 1989). Y lo mismo podemos decir de los miembros de grupos minoritarios (Dressel, 1988; Jackson, 1985). Por ejemplo, 27 por ciento de los ancianos hispanos vive por debajo de la línea de pobreza (Ford Foundation, 1989). La pobreza es más común entre las mujeres que entre los varones. Vive en la pobreza más de 25 por ciento de las ancianas solteras de raza blanca. Las que sufren la discriminación que acompaña al hecho de ser mujer y pertenecer a un grupo minoritario están más propensas a la pobreza. En esa situación se halla más de 60 por ciento de las ancianas negras solteras (Ford Foundation, 1989). Además, los ancianos tienen menos probabilidades de escapar de la pobreza que los jóvenes. Esta tendencia se observa sobre todo cuando llevan más de tres años en tales condiciones. La mayoría de los adultos pobres mejorarán su estado en un lapso de 10 años, mientras que sólo 5 por ciento de los ancianos lo consigue (Coe, 1988).

Necesidad de la realización en el trabajo   Como ya vimos, la actitud que tengamos ante el trabajo influye también en lo que pensemos de la jubilación. En algunos segmentos de la sociedad moderna se observa una devoción casi religiosa por éste (Tilgher, 1962). Muchos varones han dedicado tanto tiempo y energía a su trabajo que su autoestima general y su sentido de valor personal dependen del tipo de trabajo desempeñado. Para muchos, las actividades recreativas son superficiales y, por lo mismo, no tienen significado. En un sentido muy real, la jubilación para estos hombres significa abandonar la vida anterior. Y desvincularse les parece muy difícil a quienes nunca han encontrado satisfacción alguna fuera de su trabajo en pasatiempos, en la lectura, en la educación continua o en la participación en asociaciones cívicas. El problema empeora entre los que tienen baja escolaridad o problemas económicos y en los que participan poco en actividades sociales o políticas; pero también a los profesionales y a los ejecutivos les resulta difícil encontrar algo que hacer al disponer de tanto tiempo libre. Entre otras cosas, a ello se debe el gran número de personas que siguen trabajando de medio tiempo luego de retirarse (Quinn y Burkhauser, 1990).

¿Diferencias de género en el retiro?   Antes de los años ochenta las investigaciones que incluían a ambos sexos (y, en algunos casos, sólo a mujeres) registraban resultados similares a los de las investigaciones anteriores en las que participaban nada más hombres: factores como buena salud, seguridad económica y un grado de escolaridad elevado predicen un ajuste positivo en unos y otras (Atchley, 1982; Block, 1981). Por desgracia, sin embargo, muchas mujeres perciben sueldos más bajos y a menudo gozan de menos seguridad financiera después de jubilarse, sobre todo si son solteras o si han enviudado o se han divorciado recientemente. Además, su satisfacción después del retiro disminuirá mucho si tuvieron que retirarse para cuidar a un cónyuge o progenitor enfermo.

Por lo demás, es común creer que las mujeres se adaptan al retiro con mayor facilidad que los varones, ya que muchas han interrumpido el trabajo en otras ocasiones y, en consecuencia, ya saben lo que significa vivir desempleadas. Sin embargo, las pruebas experimentales no ofrecen gran sustento a esta idea. De hecho, en un estudio se descubrió que la adaptación a la nueva situación era más sencilla para las mujeres que habían trabajado sin interrupción durante gran parte de su vida (Block, 1981). Pero, en términos generales, esas mujeres tenían mayor seguridad financiera y estaban mejor preparadas para el retiro que las que habían tenido una experiencia laboral intermitente.

LA DECISIÓN DE JUBILARSE

Desde luego que la jubilación no es intrínsecamente perjudicial para la salud. En realidad, casi una tercera parte de los retirados dicen que su salud mental y física mejoró en el periodo inmediato posterior a la jubilación. Otro 50 por ciento no menciona cambio alguno. Por lo regular, muchos recién jubilados sienten que ha aumentado su satisfacción con la vida (Ekerdt, 1987).

PREPARACIÓN PARA LA JUBILACIÓN   Como hemos señalado, ajustarse al retiro es más fácil si uno se ha venido preparando. Según una teoría (Thompson, 1977), la preparación consta de tres elementos:

1. *Desaceleración.* A medida que la gente envejece, comienza a abandonar o disminuir sus responsabilidades laborales a fin de evitar una reducción abrupta de su actividad en el momento de jubilarse.
2. *Planeación de la jubilación.* La gente planea con detalle la vida que llevará una vez que se retire.
3. *Vida de jubilado.* La gente encara los problemas que entraña dejar de trabajar y reflexiona sobre cuál será su vida de jubilado.

Algunas empresas cuentan con consejeros de la jubilación que guían a los empleados a lo largo del proceso y les ayudan a decidir el mejor momento para ello. Se tienen en cuenta varios factores concretos (Johnson y Riker, 1981). ¿Cuánto tiempo trabajaron? ¿Cuentan con bastantes ahorros e ingresos, un lugar donde vivir y planes de trabajo o actividades futuras después de jubilarse? ¿Tienen suficiente edad para pensar en el retiro? Algunos consejeros llaman a las respuestas a estas preguntas índice de **madurez para la jubilación** —es decir, el nivel de preparación de un individuo para tomar esta decisión. En general, las personas más maduras muestran actitudes positivas hacia la jubilación y se adaptan a ella con mayor facilidad.

OPCIONES DE JUBILACIÓN   Por supuesto, el total abandono del trabajo no es la única opción para las personas de edad avanzada. Algunos expertos opinan que la sociedad quizá sufra escasez de mano de obra en el futuro (Forman, 1984), que tal vez esté perdiendo de manera innecesaria empleados talentosos y productivos y que el aumento de este sector de la población impondrá una fuerte presión en los planes futuros de pensiones (Alsop, 1984; Wojahn, 1983). Por tanto, quizá hagan falta soluciones creativas para las personas mayores, como el trabajo de medio tiempo o empleos que exijan menos esfuerzo físico. En Estados Unidos, había pocos o nulos incentivos económicos para que los ancianos permanecieran en la fuerza laboral; pero los cambios a las normas del

madurez para la jubilación
Preparación de una persona para el retiro.

Seguro Social han reducido el costo de que sigan trabajando de medio tiempo (Quinn y Burkhauser, 1990).

Los programas piloto para emplear a jubilados han dado frutos extraordinarios. Por ejemplo, se ha contratado a hombres de negocios retirados para que entrenen a empleados jóvenes e inexpertos. Otra posibilidad consiste en capacitar a los ancianos para que trabajen con niños discapacitados. Ahora empiezan a explorarse otras opciones (Donovan, 1984; Kieffer, 1984). Cuando analizamos cómo ha cambiado la jubilación en los últimos 50 años y cómo tenderá a hacerlo en el futuro, nos damos cuenta de la conveniencia de ver la jubilación dentro de un contexto histórico. En 1950 cerca de la mitad de los varones mayores de 65 años seguían trabajando; en cambio, en 1995 apenas 12 por ciento de este grupo de edad seguía haciéndolo o buscaba trabajo (Quinn y Burkhauser, 1990; Kaye y otros, 1995). En parte, muchas de las decisiones de jubilación temprana se deben al aumento de beneficios del seguro social, a los fondos de retiro y a las pensiones. Los que siguen trabajando después de jubilarse suelen trabajar de medio tiempo o trabajar por su cuenta más que los adultos jóvenes (Quinn y Burkhauser, 1990).

El trabajo de medio tiempo representa una solución creativa para los ancianos que no han perdido su productividad ni su talento.

Pero si se mantienen las tendencias económicas actuales, menos personas tendrán la opción de una jubilación temprana en los años por venir. Según las predicciones de los expertos, en Estados Unidos muchos de los 76 millones de baby boomers (generación de la posguerra) se verán obligados a continuar trabajando hasta los 70 años o más porque no podrán darse el lujo del retiro. De acuerdo con la Comisión para el Desarrollo Económico, varios factores presionan a ese sector de la población para que no deje el empleo, a saber: la decisión del gobierno de aumentar la edad mínima para recibir los beneficios del seguro social, la incertidumbre que rodea al sistema del seguro social y los bajos niveles de ahorro de los baby boomers (Kaye y otros, 1995).

---

1. Describa los factores que influyen en cómo reaccionamos ante la jubilación.
2. ¿Cómo podemos prepararnos para la jubilación? ¿Cómo puede la sociedad ayudarnos a hacerlo?

REPASE Y APLIQUE

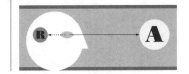

RELACIONES FAMILIARES Y PERSONALES

Un cambio de estatus relacionado con la edad, tan importante como la jubilación, son las alteraciones que ocurren en las relaciones familiares y personales, las cuales a menudo consisten en enfrentar la enfermedad y la muerte y en iniciar una nueva vida como viudo o viuda.

En todo periodo de la vida, el contexto social de la familia y las relaciones personales contribuyen a definir nuestros roles, responsabilidades y satisfacciones con la vida. En el mundo moderno, el contexto social ha ido cambiando tanto para los ancianos como para los jóvenes. En la actualidad son más comunes el divorcio y las segundas nupcias. Se han vuelto más complicadas las relaciones de parentesco con los nietos y los nietos políticos. Asimismo, los solteros tienen una mayor variedad de estilos de vida. Con todo, las relaciones interpersonales siguen definiendo muchas de las tensiones y satisfacciones de la vida en la senectud. Examinaremos esas relaciones concentrándonos primero en el periodo "posparental" y luego en la función que muchos adultos cumplen cuando cuidan al cónyuge enfermo o en fase terminal. También hablaremos de la importancia del apoyo que dan los hermanos y los amigos.

Las parejas de edad avanzada, ya sin las responsabilidades del trabajo ni de los hijos, a menudo mencionan que sienten mayor satisfacción y armonía.

CUANDO TERMINA LA PATERNIDAD/MATERNIDAD

La satisfacción conyugal cambia a menudo en el periodo posparental, lo mismo que las relaciones con hijos y nietos. En la vejez casi siempre terminan las responsabilidades de la paternidad/maternidad (suponiendo que haya habido hijos). Por lo regular, los matrimonios de edad avanzada dicen sentirse más satisfechos con su vida conyugal después que los hijos se marchan. En un principio surgen algunas dificultades para ajustarse a la pareja, pero la mayoría de las que no se divorcian mencionan menos estrés y una mayor satisfacción y armonía (Lee, 1988; Olson y Lavee, 1989). Los que obtienen una satisfacción por encima del promedio suelen ser aquellos cuyo matrimonio ocupa el centro de su vida. El matrimonio les procura ahora más comodidad, apoyo emocional e intimidad. Los matrimonios felices que perduran hasta la vejez son más igualitarios y cooperativos. Se observa una igualdad razonable respecto al amor, al estatus y al dinero (Reynolds y otros, 1995). Los roles de género tradicionales pierden importancia (Troll y otros, 1979).

RELACIONES CON LOS HIJOS Y CON LOS NIETOS A pesar de la gran movilidad y del cambio social, la mayoría de los ancianos mantiene un contacto relativamente frecuente con sus hijos y sus nietos, si no en forma personal al menos por teléfono. Casi siempre sienten la responsabilidad de ayudar a sus hijos cuando lo necesiten, aunque procuran no entrometerse en su vida (Blieszner y Mancini, 1987; Greenberg y Becker, 1988; Hagestad, 1987). Aparte de los consejos, solicitados o no, los progenitores prestan a sus hijos varias clases de ayuda, como dinero o su servicio para cuidar a los hijos.

A menudo el papel de abuelos (vea el capítulo 15) es visto como uno de los roles más satisfactorios de la vejez. La investigación revela que muchos abuelos establecen relaciones sólidas y de camaradería con los nietos. Estos vínculos, que se basan en el contacto regular, constituyen la base de relaciones estrechas y afectuosas (Cherlin y Furstenberg, 1986).

Más de 40 por ciento de los ancianos estadounidenses tienen bisnietos (Doka y Mertz, 1988). En general, a los bisabuelos les agrada su rol y le dan una importancia emocional. Les procura el sentido de renovación personal y familiar, una nueva distracción en su vida y un signo de longevidad que los enorgullece (Doka y Mertz, 1988). Por eso, a veces disfrutan de un estatus especial en la familia.

Con todo, los patrones del parentesco han sido objeto de presión y han cambiado en los últimos años. Los índices elevados de divorcio y de segundas nupcias los han hecho más complejos. No debe sorprendernos, pues, que los abuelos a menudo se sientan más cercanos a sus nietos cuando el hijo adulto tiene la patria potestad. Algunos piensan que tienen la obligación de ayudar a mantener la estabilidad y el sentido de los valores durante los periodos de desunión familiar (Johnson y Barer, 1987).

CUIDADO DEL CÓNYUGE ENFERMO

Aunque la mayoría de los ancianos no necesita mucha ayuda en su vida cotidiana, los que sí la requieren acuden principalmente a su familia (Gatz y otros, 1990; Stone y otros, 1987). Si sobrevive el cónyuge, seguramente se encargará de los cuidados; las esposas suelen hacerlo más que los maridos. Por tanto, el cuidador suele ser una persona mayor con problemas de salud. En una encuesta realizada en Estados Unidos, la edad promedio del cuidador era un poco más de 57 años, con 25 por ciento en el intervalo de entre 65 y 74 años y con un 10 por ciento por arriba de los 75 (Stone y otros, 1987).

Las esposas sufren mayor tensión que los maridos en estos cuidados, aunque algunos estudios indican que las diferencias son pequeñas (Miller, 1990). Probablemente intervengan muchos factores: la investigación señala que uno de éstos puede ser el cambio de roles de género que se da en la vejez (Pruchno y Resch, 1989). A medida que los varones se sienten más orientados a la familia, su interés por ofrecer estos cuidados puede ser mayor que el de las mujeres, quienes piensan quizá que ya dedicaron casi toda su vida a atender a otros. Pero también es posible que las diferencias de estrés que sufre el cuidador se deban a factores como la mayor disposición de la mujer a admitir que tiene problemas médicos o psicológicos (Miller, 1990).

Cuidar a un paciente que sufre la enfermedad de Alzheimer supone tensiones especiales, sobre todo cuando su conducta se vuelve desorganizada o socialmente embarazosa (Deimling y Bass, 1986). Además, estos cuidadores por lo regular no cuentan con sistemas de apoyo tan eficaces como los que atienden a quienes sufren trastornos físicos pero no mentales (Birkel y Jones, 1989). Ni siquiera los programas organizados de descanso parecen ser muy útiles (Lawton y otros, 1989). Sin embargo, pese al estrés y a las tensiones, los cuidadores afirman que se sienten muy satisfechos de atender a alguien que significó tanto para ellos (Motenko, 1989).

VIUDOS Y VIUDAS

En la vejez muchas veces muere un miembro cercano de la familia, un amigo o el cónyuge, pérdida que suele caracterizarse por duelo y luto, seguida de un periodo de reajuste (como veremos en el capítulo 18). Los hombres y mujeres cuyo cónyuge fallece también adoptan un nuevo estatus de vida, el de viudo o viuda. Algunas veces se trata de una transición difícil que supone cambios radicales en los patrones de vida y el riesgo de aislamiento social. Otras veces brinda la oportunidad largamente esperada de asumir el control de la propia existencia, sobre todo si llevan mucho cuidando al cónyuge enfermo.

En Estados Unidos las viudas quintuplican a los viudos, en total unas 9.2 millones en 1992 (vea la figura 17-1). Además, casi todos los ancianos están casados, no así las ancianas. A los 85 años, cuatro de cada cinco mujeres han enviudado (U.S. Census Bureau, 1993). Las cifras anteriores se deben en parte a la longevidad. En promedio, las viudas sobreviven 50 por ciento más que los viudos tras el fallecimiento del cónyuge (Burnside, 1979).

FORMAS DE VIDA Las estadísticas que acabamos de citar significan soledad para muchos ancianos, pero la independencia obligatoria que experimenta la mujer es muy distinta de la del hombre. Igual que en el divorcio, tras la muerte del ma-

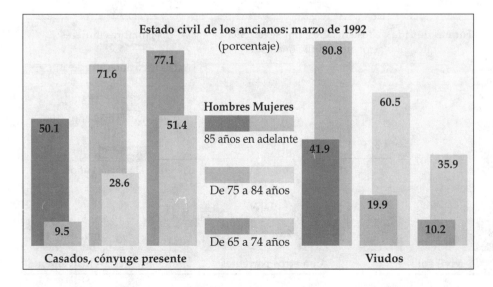

FIGURA 17–1

Hay muchas más viudas que viudos entre la población estadounidense de ancianos.

Fuente: U.S. Census Bureau, 1993.

rido las mujeres de todas las edades suelen volverse a casar menos; las ancianas tienen por lo regular una probabilidad ocho veces menor que los hombres de contraer nuevas nupcias (Burnside, 1979). Esta tendencia se debe en parte a que el mundo occidental favorece tradicionalmente los matrimonios entre un hombre de edad avanzada y una mujer joven, lo cual explica en parte la cantidad desproporcionada de viudas: los esposos ancianos mueren antes. En parte, también se explica por el hecho de que hay menos hombres disponibles pues las mujeres viven más tiempo. De las estadounidenses mayores de 65 años, casi la mitad son viudas y más de 40 por ciento de ellas viven solas; otro 40 por ciento vive con su marido; de los estadounidenses mayores de 65 años, apenas 15 por ciento de ellos son viudos y menos de 20 por ciento viven solos; casi todos siguen casados y viven con su esposa. Un estudio reveló que, entre los octogenarios, 10 por ciento de las mujeres estaban casadas y que cerca de dos terceras partes vivían solas; en cambio, 50 por ciento de los hombres estaban casados y menos de la mitad de ellos vivían solos (Barer, 1994). En general, unos 9.5 millones de ancianos viven solos y ocho de cada 10 son de sexo femenino (vea la figura 17-2). Así pues, el temor morboso a la viudez que algunas veces se observa en las mujeres maduras y ancianas tiene su origen en la realidad.

Hay muchas realidades prácticas y psicológicas que los viudos y las viudas han de afrontar si viven solos. Deben hacer las compras diarias, mantener el contacto social y encargarse de las decisiones financieras. Algunos ven en ello una buena oportunidad; otros tienen problemas porque su cónyuge siempre se había ocupado de ciertos asuntos, como las finanzas de la familia.

APOYO SOCIAL   Tanto los viudos como las viudas disponen de muchos sistemas de apoyo potencial: la familia, los amigos, los compañeros de trabajo (o ex compañeros) y los participantes en las actividades recreativas (Lopata, 1979). La mayoría de los ancianos estadounidenses tienen por lo menos un hijo que vive a unas 10 millas de ellos; los hijos adultos que se han marchado suelen retornar cuando sus padres necesitan ayuda (Lin y Rogerson, 1995). Es probable que las madres y los padres reciban ayuda de sus hijos, sobre todo si tienen hijas (Spitze y Logan, 1989, 1990). Un padre viudo posiblemente visite con menos frecuencia a sus hijos que una madre viuda, aunque la diferencia suele ser

FIGURA 17–2

La forma de vida de los ancianos es muy distinta de la de las ancianas.

Fuente: U.S. Census Bureau, 1993.

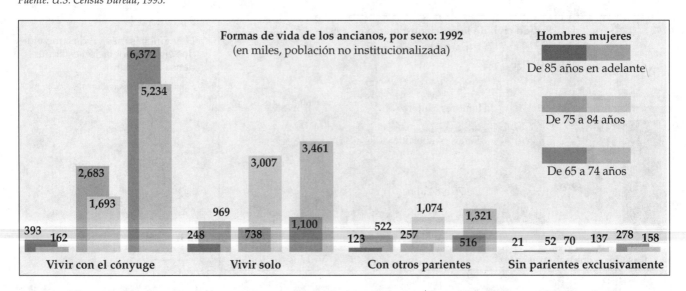

pequeña (Spitze y Logan, 1989). Tras el fallecimiento del cónyuge aumentan el contacto, la ayuda y la percepción de las obligaciones del parentesco. A veces se deterioran las relaciones entre el progenitor sobreviviente y sus hijos. Pero con el tiempo la relación entre madre e hijo mejora o permanece muy estrecha, con intercambios de ayuda y de finanzas. Las relaciones entre padre e hijo son menos predecibles y pueden verse afectadas de manera negativa. En tales casos, la esposa ha sido a menudo el guardián de la familia (Aquilino, 1994).

A las viudas les cuesta menos mantener la vida social, ya que por tradición conservan comunicación con los miembros de la familia e inician actividades sociales con los amigos (Lopata, 1975; Stevens, 1995). En consecuencia, es más probable que los viudos se aíslen de los contactos sociales del matrimonio. Suelen ser menos activos en las organizaciones sociales. Por último, son vulnerables a ciertos problemas sexuales una vez concluido el duelo. Los intentos de poner fin a una prolongada inactividad sexual, en especial cuando la esposa muere tras una larga enfermedad, pueden ocasionar un intenso sentido de culpa y esto a su vez produce una forma de impotencia denominada *impotencia del viudo* (Comfort, 1976).

Así pues, casi siempre varía mucho la forma en que hombres y mujeres se adaptan a la viudez. Los resultados de dos estudios efectuados en los Países Bajos, en los que se entrevistó a ancianos y ancianas que llevaban de tres a cinco años de viudos y que vivían solos revelan que los viudos por lo general tienen ingresos más elevados, cursaron estudios superiores, no sufren problemas de salud y tienen acceso a más relaciones afectivas que las viudas. Pero también les es más difícil afrontar los problemas emocionales que a las viudas, quienes por lo general cuentan con una red más amplia de apoyo que abarca amigas, hijos y vecinos serviciales (Stevens, 1995). Los viudos más solitarios son los que tienen pocos hijos o ninguno, los que enviudaron en forma repentina y temprana, y los que llevan por lo menos seis años en esa situación (Lopata y otros, 1982).

Las viudas que se adaptan bien a su nueva vida por lo general cuentan con una amplia red de apoyo formada por amigas íntimas.

HERMANOS Y AMIGOS

Muchos ancianos dan cuenta de un mayor interés y contacto con los hermanos. Las relaciones que se distanciaron en el ajetreo de la madurez, algunas veces se renuevan y se revitalizan. Los hermanos comparten la casa, ofrecen consuelo y apoyo en momentos de crisis, y se ayudan mutuamente en caso de enfermedad. Son compañeros valiosos porque el tipo de recuerdos que comparten favorece la integridad del yo. Colaboran para organizarse y ayudar a los padres enfermos (Goetting, 1982). Además, con su apoyo la viuda se recobra del duelo tras la muerte del marido y recupera el bienestar. Las investigaciones demuestran que la ayuda que la viuda recibe de sus hermanos depende de diversos factores, entre lo que se cuentan el sexo, el estado civil y la proximidad de ellos y de sus propios hijos. En ocasiones las relaciones más útiles son las que existen entre una viuda y las hermanas casadas (O'Bryant, 1988).

Por supuesto, las relaciones entre hermanos no siempre son suaves y compatibles. Sin embargo, al menos un mínimo de responsabilidad familiar entre ellos suele formar parte de la red social de los ancianos. La red es muy importante para quienes viven solos o necesitan cuidados y atención, pero que no tienen hijos mayores.

Como vimos en el capítulo 15, las amistades ofrecen gran estabilidad y satisfacción para los casados y los solteros. Con todo, se han descubierto distinciones claras en los estudios en los que se comparan las amistades con las relaciones familiares. La mayoría de los longevos consideran permanentes las relaciones de parentesco. Podemos recurrir a los familiares cuando queremos un compromiso a largo plazo; no podemos exigirle lo mismo a un amigo. La visión predominante es que los amigos ayudarán en una situación de emergencia —digamos una enfermedad repentina—, pero que los parientes deben asumir la responsabilidad de un problema prolongado (Aizenberg y Treas, 1985). Sin embargo, los amigos cobran especial importancia para los que carecen de hermanos. Las amistades son además fuente importante de apoyo social para los ancianos que viven en comunidades de retiro (Potts, 1997).

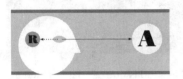

REPASE Y APLIQUE

1. ¿Cuáles son algunos de los patrones característicos de las relaciones durante el periodo posparental?
2. Analice algunos de los principales ajustes que han de hacer el viudo o la viuda.
3. Caracterice las relaciones entre hermanos durante la vejez.

LA POLÍTICA SOCIAL Y LOS ANCIANOS

Si bien la estabilidad y el cambio de personalidad, la jubilación, las relaciones familiares y personales son problemas que los ancianos encaran como individuos, sus necesidades tienen además consecuencias para la política social.

La estructura demográfica de este sector de la población influye en la política social que los afecta. Esta última es importante sobre todo para los débiles, quienes a menudo dependen de alguien que los cuida. Con frecuencia, la política social significa opciones de estilos de vida para ellos.

DEMOGRAFÍA DEL ENVEJECIMIENTO EN ESTADOS UNIDOS

Como se observa en la figura 17-3, en Estados Unidos la demografía de la población anciana ha cambiado de manera notable desde 1900 y seguirá haciéndolo conforme avancemos al año 2050. En 1900 había apenas 3.1 millones de ancianos —o sea aproximadamente una de cada 25 personas—, mientras que en 1990 había 31.1 millones, es decir, una de cada ocho personas. Se calcula que en el año 2050 este segmento de la población llegue a 79 millones de personas y que represente uno de cada cinco estadounidenses (U.S. Census Bureau, 1993). Se prevé que muchos de ellos se mantengan sanos después de los 70 años.

El segmento de más rápido crecimiento de esta población tiene 85 años o más. A diferencia de la población general que aumentó 30 por ciento en los últimos 35 años, la población de 85 años en adelante creció 232 por ciento durante el mismo periodo. En la actualidad, los nonagenarios representan 1.2 por ciento de la población total, cifra que podría llegar casi 10 por ciento en el año 2050 (Angier, 1995). Aun cuando la mayoría sostiene que este cambio demográfico impondrá una enorme carga financiera al sistema de atención médica, en particular al programa Medicare (programa de atención médica para mayores de 65 años), los datos actuales indican que los nonagenarios son acaso las personas más sanas en este grupo de edad. Richard Suzman del Instituto Nacional para el Estudio del Envejecimiento (National Institute of Aging) explica: "Parece haber un proceso selectivo; y una vez que ha pasado lo peor, empieza una trayectoria menos acentuada hacia la discapacidad" (citado en Angier, 1995). Más aún, los nonagenarios suelen morir pronto a causa de enfermedades como la neumonía y es menos probable que sufran una hospitalización prolongada que los sexagenarios o septuagenarios.

Cuando los investigadores de la Dirección de Financiación para la Asistencia Médica (Health Care Financing Administration) calcularon el impacto que el aumento de la longevidad significa para los gastos del programa Medicare,

FIGURA 17–3

En los últimos 150 años, la población de ancianos en Estados Unidos creció
de uno de cada 25 habitantes a uno de cada cinco.

Fuente: U.S. Census Bureau, 1993.

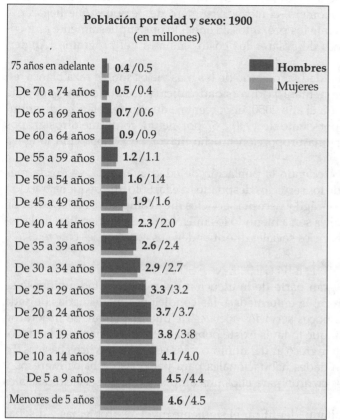

Población por edad y sexo: 1900
(en millones)

	Hombres / Mujeres
75 años en adelante	0.4 / 0.5
De 70 a 74 años	0.5 / 0.4
De 65 a 69 años	0.7 / 0.6
De 60 a 64 años	0.9 / 0.9
De 55 a 59 años	1.2 / 1.1
De 50 a 54 años	1.6 / 1.4
De 45 a 49 años	1.9 / 1.6
De 40 a 44 años	2.3 / 2.0
De 35 a 39 años	2.6 / 2.4
De 30 a 34 años	2.9 / 2.7
De 25 a 29 años	3.3 / 3.2
De 20 a 24 años	3.7 / 3.7
De 15 a 19 años	3.8 / 3.8
De 10 a 14 años	4.1 / 4.0
De 5 a 9 años	4.5 / 4.4
Menores de 5 años	4.6 / 4.5

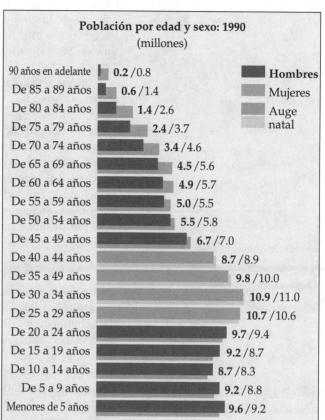

Población por edad y sexo: 1990
(millones)

	Hombres / Mujeres
90 años en adelante	0.2 / 0.8
De 85 a 89 años	0.6 / 1.4
De 80 a 84 años	1.4 / 2.6
De 75 a 79 años	2.4 / 3.7
De 70 a 74 años	3.4 / 4.6
De 65 a 69 años	4.5 / 5.6
De 60 a 64 años	4.9 / 5.7
De 55 a 59 años	5.0 / 5.5
De 50 a 54 años	5.5 / 5.8
De 45 a 49 años	6.7 / 7.0
De 40 a 44 años	8.7 / 8.9
De 35 a 49 años	9.8 / 10.0
De 30 a 34 años	10.9 / 11.0
De 25 a 29 años	10.7 / 10.6
De 20 a 24 años	9.7 / 9.4
De 15 a 19 años	9.2 / 8.7
De 10 a 14 años	8.7 / 8.3
De 5 a 9 años	9.2 / 8.8
Menores de 5 años	9.6 / 9.2

Hombres / Mujeres / Auge natal

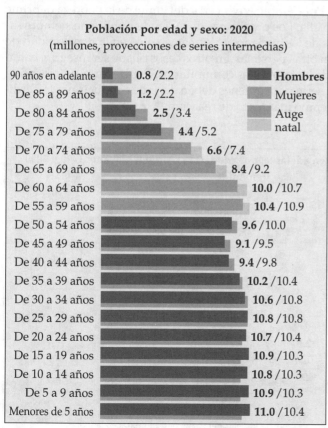

Población por edad y sexo: 2020
(millones, proyecciones de series intermedias)

	Hombres / Mujeres
90 años en adelante	0.8 / 2.2
De 85 a 89 años	1.2 / 2.2
De 80 a 84 años	2.5 / 3.4
De 75 a 79 años	4.4 / 5.2
De 70 a 74 años	6.6 / 7.4
De 65 a 69 años	8.4 / 9.2
De 60 a 64 años	10.0 / 10.7
De 55 a 59 años	10.4 / 10.9
De 50 a 54 años	9.6 / 10.0
De 45 a 49 años	9.1 / 9.5
De 40 a 44 años	9.4 / 9.8
De 35 a 39 años	10.2 / 10.4
De 30 a 34 años	10.6 / 10.8
De 25 a 29 años	10.8 / 10.8
De 20 a 24 años	10.7 / 10.4
De 15 a 19 años	10.9 / 10.3
De 10 a 14 años	10.8 / 10.3
De 5 a 9 años	10.9 / 10.3
Menores de 5 años	11.0 / 10.4

Hombres / Mujeres / Auge natal

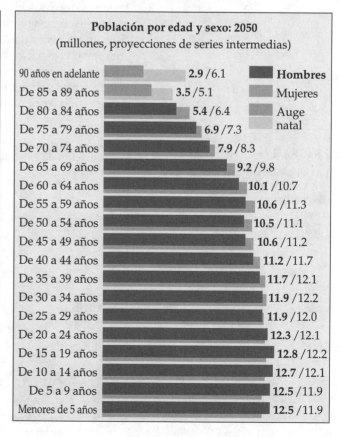

Población por edad y sexo: 2050
(millones, proyecciones de series intermedias)

	Hombres / Mujeres
90 años en adelante	2.9 / 6.1
De 85 a 89 años	3.5 / 5.1
De 80 a 84 años	5.4 / 6.4
De 75 a 79 años	6.9 / 7.3
De 70 a 74 años	7.9 / 8.3
De 65 a 69 años	9.2 / 9.8
De 60 a 64 años	10.1 / 10.7
De 55 a 59 años	10.6 / 11.3
De 50 a 54 años	10.5 / 11.1
De 45 a 49 años	10.6 / 11.2
De 40 a 44 años	11.2 / 11.7
De 35 a 39 años	11.7 / 12.1
De 30 a 34 años	11.9 / 12.2
De 25 a 29 años	11.9 / 12.0
De 20 a 24 años	12.3 / 12.1
De 15 a 19 años	12.8 / 12.2
De 10 a 14 años	12.7 / 12.1
De 5 a 9 años	12.5 / 11.9
Menores de 5 años	12.5 / 11.9

Hombres / Mujeres / Auge natal

descubrieron que el aumento de la esperanza de vida no ejerce un gran impacto financiero en el sistema (Angier, 1995). Más bien es el tamaño mismo de la cohorte de los baby boomers -el elevado número de personas que llegarán a los 65 años o más durante los próximos 25 años- lo que supuestamente aumentará en 98,000 millones de dólares los costos anuales del programa (Angier, 1995).

Aunque en la actualidad la mayoría de los más viejos son de raza blanca, en los próximos años aumentará la diversidad étnica y racial de este grupo de edad. Se prevé que para el año 2050, el porcentaje de adultos blancos disminuya de su nivel de 87 por ciento de 1990 a 67 por ciento, conforme otros grupos vayan representando una proporción mucho mayor de la población longeva (vea la figura 17-4).

A medida que va creciendo la población de edad avanzada, se presta más atención a la calidad de los servicios destinados a ella. Sólo una pequeña fracción del total de ancianos es frágil y necesita servicios muy completos. Pero a pesar de esto, los ancianos frágiles son a menudo los miembros más vulnerables de la sociedad. Hacen falta servicios sociales que atiendan sus necesidades concretas.

LOS ANCIANOS DÉBILES EN ESTADOS UNIDOS

En los años setenta, gran parte de la atención del público estadounidense se concentró en la pobreza, la enfermedad, las condiciones inadecuadas de vida de los ancianos y los pocos servicios sociales de que disponían. Se mejoraron muchos servicios. Aunque todavía existe pobreza entre los ancianos, a la mayoría se les garantiza un ingreso anual mínimo y los servicios médicos básicos. Se les asignaron más unidades habitacionales para personas de bajos ingresos y algunas comunidades crearon para ellos una amplia gama de servicios sociales (Kutza, 1981).

Más difícil ha resultado identificar el siguiente nivel de problemas y diseñar las soluciones posibles. Por ejemplo, vivir cerca del límite de la pobreza deprime casi tanto como vivir en ella. Los programas de vivienda pública no siempre satisfacen las necesidades de los ancianos. Algunas no ofrecen la oportunidad de compartir el espacio con otras personas; en otros casos puede ser inseguro caminar por los corredores de los proyectos comunitarios. Por su parte, el transporte puede ser un problema serio para quienes deben dejar de conducir por la pérdida de visión o por un tiempo más lento de reacción.

FIGURA 17–4

La población de ancianos de Estados Unidos presentará mayor diversidad racial y étnica en el futuro.

Fuente: U.S. Census Bureau, 1993.

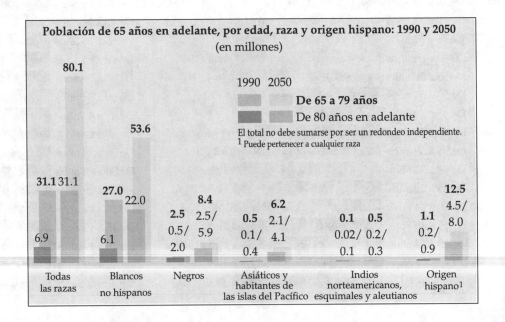

Población de 65 años en adelante, por edad, raza y origen hispano: 1990 y 2050
(en millones)

Hay por lo menos 1.6 millones de ancianos no **institucionalizados** en instituciones que reciben ayuda de uno o más cuidadores sin sueldo (Steon y otros, 1987). Miles más viven en casas de atención residencial dentro de la comunidad (Mor y otros, 1986). Sólo un reducido porcentaje de personas mayores de 65 años se encuentra en asilos (Shanas y Maddox, 1985). Los que terminan en un asilo suelen ser solteros, sufrir algún trastorno mental y ser mayores de 85 años (Birkel y Jones, 1989; Mor y otros, 1986; Shapiro y Tate, 1988). Aunque la mayoría recibe buena atención, algunos sufren abuso físico y mental (vea el recuadro Teorías y hechos, página 598).

Los programas sociales destinados a los ancianos débiles no están diseñados para atender las necesidades específicas del individuo. Los críticos advierten que algunas veces la gente opta por internar a los ancianos en asilos cuando otros servicios serían más apropiados. A toda costa deseamos evitar su catástrofe médica y económica, pero no nos resulta difícil considerar la gama de servicios menores que podrían ayudarles a mantener una mejor calidad de vida y prevenir una calamidad (Brody, 1987). Otros críticos advierten la necesidad de recordar que el envejecimiento no es un problema en sí: los ancianos con discapacidades físicas y mentales deben ser tratados por esas discapacidades. Algunos ancianos carecen del apoyo social de la familia o de los amigos, muestran patrones infrecuentes de conducta o no pueden valerse por sí mismos; necesitan ayuda sobre todo en esas áreas, no necesariamente el cuidado de un asilo. Tal vez necesiten instrucción, consejería, ayuda legal, redes sociales o tan sólo cosas más interesantes que hacer (Knight y Walker, 1985).

La calidad de la atención institucional que se da a los ancianos varía en forma considerable. Existen muchas instituciones bien planeadas y muy profesionales; pero en los últimos años se ha descubierto que muchos asilos son lugares aburridos y sin sentido donde los internos casi se limitan a esperar el final de su existencia. Esto explica los sentimientos de ansiedad y terror que invaden a quienes están a punto de ingresar a una institución y la culpabilidad que a veces sienten los hijos. Las personas que están a punto de ingresar a la institución pueden mostrar además muchas características de los que ya están internados: apatía, pasividad, amargura o depresión (Tobin y Lieberman, 1976). Ven rota la continuidad de su vida, pierden su independencia, se separan de muchas de sus posesiones y de las rutinas familiares. Una vez que entran en una institución, verán cómo se hunde aún más su identidad personal (ahora son "querido" o "preciosa" en lugar de señor o señora X); quizá tengan que aceptar rutinas diarias que no conocen o que les desagradan (Kastenbaum, 1979).

Para los ancianos, encontrarse al borde de la pobreza puede ser tan deprimente como vivir sumidos en ella.

OPCIONES DE ESTILOS DE VIDA PARA LOS ANCIANOS ESTADOUNIDENSES

Como hemos visto, los ancianos estadounidenses forman un grupo muy variado: no constituyen una masa humana individual y uniforme. Las frases comodines como "personas de la tercera edad", "personas de edad avanzada" no describen con precisión la multitud de cualidades que encontramos en los ancianos. Por lo demás, la senectud abarca un amplio periodo. En consecuencia (como se señaló en el capítulo 16), los sexagenarios que acaban de retirarse y que a menudo son personas sanas y vigorosas presentan grandes diferencias con los nonagenarios que están más expuestos a las enfermedades, a una movilidad restringida y al aislamiento social. Las políticas sociales diseñadas para atenderlos deben tener en cuenta esta diversidad si quieren cumplir con su cometido (Kane y Kane, 1980).

Las políticas sociales se concentran en los cuidados, en la vivienda y en otros servicios que brindan a los ancianos la ayuda que necesitan para vivir con dignidad. El impulso del reconocimiento proviene de ellos mismos.

institucionalización Permanencia a largo plazo en una institución, por lo regular en forma permanente.

TEORÍAS Y HECHOS

MALTRATO A LOS ANCIANOS

A finales de los años setenta los estadounidenses descubrieron la existencia y el enorme grado de maltrato hacia los ancianos (Callahan, 1988). Con gran asombro y tristeza comenzaron a enterarse de ancianos que eran abandonados, despreciados o maltratados en su hogar, en las calles y en las instituciones. Dada la atención que se dio a este tema en los noticieros nocturnos, casi todo el público se convenció de que el maltrato a los ancianos era un problema generalizado. En efecto, según las primeras estimaciones, cada año se registraba más de un millón de casos de maltrato (Callahan, 1988; Salend y otros, 1984). Aunque no contamos con cifras confiables sobre su frecuencia, el testimonio recabado en 1989 durante las audiencias celebradas por una comisión investigadora constituida por diputados (House Select Committee on Aging) indicó que puede afectar a una de cada 25 personas mayores de 65 años (Weith, 1994).

El maltrato a los ancianos adopta diversas formas (Pillemer y Finkelhor, 1988; Salend y otros, 1984), entre las que cabe citar la violencia física, la negligencia (por ejemplo, no darles comida o los medicamentos), el maltrato psicológico o la explotación económica. Hay una gran controversia respecto de cuál de las formas es más frecuente. Algunos investigadores señalan que es la violencia física, con un índice de 20 casos por cada 1000 personas (Pillemer y Finkelhor, 1988). Los organismos del servicio social han comprobado que la negligencia es la forma más común, aunque estas cifras a menudo incluyen el abandono personal y el de los cuidadores (Salend y otros, 1984). Sin embargo, en la actualidad la explotación económica parece ser la forma más común. Simplemente no contamos con suficiente información.

¿Quiénes son las víctimas y quiénes los victimarios? Los ancianos enfermos tienen de tres a cuatro veces más probabilidades de sufrir maltrato que los sanos (Pillemer y Finkelhor, 1988). Las mujeres muy ancianas son las que más acuden a los organismos de servicio social (Callahan, 1988). Los que viven con alguien tienen más probabilidades de sufrir maltrato. No sorprende, entonces, que el cónyuge de la víctima sea el que suela infligir este tipo de perjuicio (Pillemer y Finkelhor, 1988). Es particularmente probable que los cónyuges con antecedentes de conflicto y violencia constantes se entreguen a comportamientos de maltrato. Ahora bien, cuando consideramos el número de ancianos que, en su mayoría, viven con el cónyuge y lo comparamos con el que vive con sus hijos, el índice es un poco más elevado en el segundo grupo (Pillemer y Finkelhor, 1988). El maltrato lo propinan con más frecuencia cuidadores que abusan del alcohol o de otras sustancias o que son mentalmente incompetentes, lo mismo que aquellos a quienes otros miembros de la familia obligan a atender al anciano (Kosberg, 1988).

Jordan Kosberg (1988) sostiene que las actitudes sociales son el principal factor del maltrato a los ancianos. Afirma que seguiremos observándolo mientras Estados Unidos sea una sociedad violenta y con prejuicios contra los ancianos. En el fenómeno intervienen asimismo otros valores sociales, como la discriminación contra los discapacitados y las mujeres. Si queremos acabar con el maltrato habrá que evaluar otros factores que aumentan la probabilidad de disfunción familiar como la pobreza, el desempleo, la ausencia de recursos comunitarios y la violencia cíclica en la familia.

Por último, las diferencias culturales significativas hacen difícil generalizar a otras naciones los resultados concernientes al maltrato a los ancianos en Estados Unidos. Los investigadores de Gran Bretaña y de otros países investigan actualmente cómo afecta este problema a su población longeva y las medidas con que podría reducirse su frecuencia (McCreadie y Tinker, 1993).

CENTROS DE ATENCIÓN DIURNA PARA LOS ANCIANOS De los individuos mayores de 65 años, uno de cada cuatro espera sufrir alguna discapacidad a tal grado que sea necesaria la **institucionalización**, es decir, recluirlo a largo plazo, casi siempre en forma permanente. Muchos más necesitarán un poco de asistencia médica, social y psicológica para vivir. Los centros de atención diurna constituyen una opción en tales casos (Irwin, 1978). Ofrecen una buena alternativa a los asilos para quienes necesitan un poco de atención. A las familias dispuestas a cuidar a sus parientes ancianos por las tardes y por la noche les ofrecen periodos de descanso y la oportunidad de cumplir un programa normal de trabajo. Pongamos el caso de una anciana de 77 años que había sufrido un ataque de apoplejía. Vivía con su hija y su yerno pero pasaba los días en un centro diurno de Baltimore, donde recibía terapia, se mantenía ocupada y hacia nuevos amigos. Su estado de ánimo y su temperamento mejoraron muchísimo al cabo de unas cuantas semanas de atención, de modo que la carga de atenderla se aligeró en forma notable para su familia. Sin embargo, debe advertirse que las pólizas de seguro muchas veces no cubren el costo de estos centros a pesar de que son más rentables que los asilos. De ahí que puedan ser un gasto prohibitivo para muchas familias (Gurewitsch, 1983).

La mayoría de los ancianos adopta estilos de vida activos.

OTRAS OPCIONES   Hay varias opciones para los ancianos que gozan de buena salud. Las comunidades de retiro les permiten convivir y compartir intereses y actividades en un ambiente seguro. Sin embargo, hay una limitación que consiste en que los aíslan del resto del mundo, situación que desagrada a muchos de los longevos estadounidenses. Los sondeos de opinión indican que la mayoría quiere pasar los años de pensión en su comunidad y de preferencia en su hogar (Lord, 1995).

Organizaciones como Gray Panthers y los Cuáqueros prueban otras opciones. Un experimento exitoso es el Life Center operado por los cuáqueros en Filadelfia: los ancianos viven en una gran casa reformada con estudiantes y personas de otros grupos de edad. Comparten los gastos, el trabajo doméstico y las comidas; el sentido de comunidad obtenido de esta manera mantiene a los ancianos en las actividades normales de la vida. Compartir el hogar también ha dado buenos resultados en localidades como Boulder (Colorado) y Rochester (Vermont) (Lord, 1995).

SERVICIOS COMUNITARIOS   Los ancianos cuentan con más servicios cada día: diversos medios de transporte, entre los que se hallan los servicios a domicilio y de escolta en barrios peligrosos; los servicios de "comida sobre ruedas"; la atención doméstica que prestan amas de casa y profesionales de la salud; visitantes amistosos; ayuda telefónica; servicios culturales como bibliotecas rodantes y otros programas de bibliotecas y admisión gratuita o de tarifa reducida a museos y conciertos; oportunidades para realizar labores como abuelos adoptivos o alguna otra actividad voluntaria, posiblemente con una remuneración; y asistencia legal gratuita.

Muchas comunidades y grupos religiosos han creado centros para los ancianos en que éstos participan en diversas actividades, asisten a clases y a fiestas, y reciben los servicios necesarios (Kaplan, 1979). Otras comunidades han probado programas de atención comunitaria en los que las personas que de otra manera serían institucionalizadas reciben atención de tiempo completo en un hogar privado (Oktay y Volland, 1981).

PROGRESO MEDIANTE AUTOAYUDA   Aunque la sociedad empieza por fin a prestar más atención a las necesidades de los ancianos, éstos son un recurso importante para atender sus necesidades y las de otros. A menudo no conocen los

En algunos países, existe transporte especial para ancianos, con el fin de ayudarlos a que se trasladen más fácilmente.

servicios ni los beneficios ya disponibles para ellos. Un uso más eficaz de los medios masivos podría darles a conocer sus derechos y sus oportunidades. Un mejor medio de autoayuda son las organizaciones activistas como Gray Panthers (en realidad una coalición de ancianos y jóvenes) y la AARP, que integra a los primeros en una fuerza social y política (Miller, 1981; Rowe, 1982). Estos grupos han descubierto en este sector de la población un recurso poco explotado en Estados Unidos.

Los miembros de éstos y otros grupos luchan por conquistar más derechos para los ancianos tanto en el lugar de trabajo como en la sociedad en general. Gracias a su labor tanto los ancianos como otros miembros de la sociedad han logrado mayor autonomía y mejores condiciones de vida. Una anciana lisiada causó gran impacto en Filadelfia al demostrar en público que el sistema de transporte urbano no podía recibir a los débiles ni a los viejos. La principal deficiencia consistía en que los estribos para abordar los autobuses eran demasiado elevados. Este tipo de protestas ha impulsado el uso de "autobuses bajos" y de vagones especiales para los discapacitados. Por último, organizaciones como Gray Panthers y AARP proyectan una imagen más positiva de los longevos, algo que durante mucho tiempo se había descuidado en un mundo para el que la juventud es sinónimo de belleza, la madurez es sinónimo de poder y la vejez es sinónimo de obsolescencia (Mackenzie, 1978).

Muchos otros estilos idóneos de vida pueden implantarse con un poco de flexibilidad en la política social y con soluciones creativas a los problemas de salud y de movilidad y a las necesidades sociales. Una población mayor de ancianos no por fuerza significa una carga también mayor para la población más joven. Los recursos económicos y creativos de este segmento les permiten financiarse con creces.

REPASE Y APLIQUE

1. Describa la población de ancianos de Estados Unidos atendiendo a las principales características demográficas.
2. Describa algunos programas sociales dirigidos a los ancianos débiles que tengan en cuenta la diversidad de las necesidades individuales.
3. ¿Cómo han contribuido Gray Panthers y AARP a mejorar la vida de los ancianos en Estados Unidos?

RESUMEN

Personalidad y envejecimiento

- De acuerdo con Erikson, una tarea central del desarrollo a partir de la adolescencia consiste en conservar una identidad relativamente uniforme, es decir, un conjunto congruente de conceptos sobre los propios atributos físicos, psicológicos y sociales.

- Para los muy ancianos, mantener la cohesión de la identidad personal puede ser muy importante cuando experimentan grandes cambios en su salud y en su forma de vida.

- La última etapa de la teoría de Erikson es el conflicto psicosocial de integridad frente a la desesperación. Los que al mirar en retrospectiva se sienten satisfechos con el significado de su vida adquieren un sentido de integridad personal; en cambio, quienes no ven sino errores, oportunidades desperdiciadas y fracasos adquieren un sentido de desesperación.

- En parte, el ajuste a la vejez incluye la necesidad psicológica de recordar acontecimientos pasados y de reflexionar sobre ellos.

- Según Levinson, existe un periodo de transición que enlaza la estructura de la vida anterior del individuo con la de la vejez.

- Atchley considera que tratamos de mantener una conducta congruente, porque esto nos hace sentir más seguros de nuestros roles, capacidades y cambio de relaciones.

- Las investigaciones señalan que algunos rasgos de la personalidad -el neuroticismo, la extroversión frente a la introversión y la apertura a las experiencias- se mantienen estables de la madurez a la vejez.

- Algunos estudios señalan que las habilidades de afrontamiento decaen durante la senectud, pero otros indican que la gente madura en cuanto a su estilo de afrontamiento. Hay pruebas de que los estilos de afrontamiento de hombres y mujeres cambian de manera distinta.

- Algunas investigaciones revelan que los estilos de afrontamiento cambian con la edad. Los jóvenes suelen utilizar más estilos activos y orientados a la solución de problemas; los ancianos son más pasivos y se concentran más en las emociones.

- El pensamiento estereotipado nos pinta un cuadro sombrío del envejecimiento que muchos longevos aceptan. En realidad, la gran mayoría de ellos se percibe bajo una luz positiva.

- La satisfacción con la vida y el ajuste durante la senectud dependen de otros factores además de la edad, a saber: salud, dinero, clase social, estado civil, vivienda adecuada y nivel de interacción social.

- La comparación social, o sea evaluarse uno mismo y la situación personal en función de otros, influye de manera profunda en la actitud de los longevos.

Jubilación: un cambio radical del estatus

- Una de las consideraciones más importantes de la suerte que corren los que se jubilan es determinar si se retiraron por decisión propia o si se vieron obligados a hacerlo. En uno y otro caso, la jubilación es el cambio de estatus más importante en la vejez.

- La salud es un factor importante en las reacciones ante la jubilación. Muchos abandonan la fuerza de trabajo por enfermedad. Otros pueden estar sanos pero tienen que jubilarse por su edad.

- La situación económica es otro factor importante. La mayoría de los ancianos estadounidenses tiene suficiente dinero para vivir. La pobreza es más probable entre los solteros, los miembros de los grupos minoritarios y las mujeres.

- La actitud que se haya tenido hacia el trabajo también influye en los sentimientos relativos a la jubilación. Para quienes se han consagrado al trabajo, la jubilación significa abandonar su vida anterior. Es un paso muy difícil para quienes nunca han encontrado la satisfacción personal fuera del trabajo en pasatiempos y en otras actividades.

- En general, las mujeres con experiencia laboral continua muestran mayor seguridad económica y están mejor preparadas para jubilarse que las que han laborado de manera intermitente.

- La preparación para la jubilación consta de tres elementos: desaceleración (reducir las responsabilidades del trabajo), planeación del retiro y vida como jubilado. Algunas compañías cuentan con consejeros especializados que guían a los empleados en el proceso.

- Algunos expertos sostienen que tal vez estemos perdiendo innecesariamente empleados talentosos y productivos y que se necesitan soluciones creativas para este sector de la población, entre ellas opciones menos exigentes como el trabajo de medio tiempo.

Relaciones familiares y personales

- Las relaciones personales estrechas siguen definiendo buena parte del estrés y de las satisfacciones de la vida en la senectud.

- En general, los matrimonios dicen sentirse más satisfechos con su vida conyugal después que se marchan los hijos. Los matrimonios felices que logran sobrevivir hasta la vejez suelen ser más igualitarios y cooperativos.

- Casi todos los adultos afirman tener contacto frecuente con sus hijos y sus nietos. Por lo regular, asumen la responsabilidad de ayudarles cuando lo necesitan.
- Los roles de abuelo/abuela se consideran casi siempre los más satisfactorios en la vejez. A los bisabuelos les encanta desempeñarlos.
- Los ancianos que necesitan ayuda en la vida cotidiana suelen apoyarse mucho en su familia. Si al llegar a la vejez sobrevive el cónyuge, éste suele ser el cuidador. El estrés afecta más a las esposas que cumplen esta función que a los maridos.
- Cuidar a un paciente de la enfermedad de Alzheimer produce tensiones especiales, sobre todo cuando su conducta se desorganiza o resulta embarazosa.
- La viudez representa una difícil transición que supone cambios radicales en los patrones de vida y el riesgo de aislamiento social.
- Como hay mayores probabilidades de que se casen los hombres que las mujeres tras la muerte del cónyuge, son más las ancianas que viven solas. Este tipo de vida exige adaptarse a muchas realidades prácticas y psicológicas.
- Los sistemas de apoyo social con que cuentan los viudos y las viudas son la familia, los amigos, los compañeros de trabajo y los participantes en actividades de tiempo libre.
- A las viudas les resulta más sencillo que a los viudos mantener su vida social; éstos están más propensos a aislarse de los contactos anteriores de la pareja.
- Muchos ancianos aumentan el contacto y el interés en sus hermanos. Los hermanos comparten la vivienda, ofrecen consuelo y apoyo en momentos de crisis y se ayudan mutuamente en caso de enfermedad.
- Los amigos también ofrecen gran estabilidad y satisfacción con la vida tanto a los casados como a los solteros.

La política social y los ancianos

- Las personas de 85 años en adelante constituyen el segmento de más rápido crecimiento en la población de ancianos. Según los datos actuales, los nonagenarios pueden ser más sanos que los sexagenarios.
- Aunque en la actualidad la mayoría de los longevos son de raza blanca, este grupo mostrará mayor diversidad racial y étnica en el futuro.
- A medida que crece la población de personas de edad avanzada, se ha ido prestando mayor atención a la calidad de los servicios que se les ofrecen.
- Muchos ancianos no institucionalizados reciben ayuda de uno o varios cuidadores no pagados en su vida cotidiana. Otros viven en hogares de cuidado residencial dentro de las comunidades. Sólo un pequeño porcentaje vive en los asilos.
- Los programas sociales destinados a los ancianos frágiles no están diseñados para atender las necesidades del individuo. Algunos ancianos sufren discapacidad física o mental, carecen de apoyo de su familia o amigos o no pueden valerse por sí mismos; necesitan ayuda en estas áreas, no necesariamente el cuidado completo en un asilo.
- Cerca de una de cada cuatro personas puede suponer que sufrirá discapacidad y que habrá de ser institucionalizada; muchas más necesitarán un poco de asistencia médica, social y en la vida diaria. Estos servicios pueden ofrecerlos los centros de atención diurna, donde reciben cuidados limitados y regresan a casa por las noches.
- Los ancianos que gozan de buena salud disponen de otras opciones, como las comunidades de retiro. Sin embargo, casi todos los adultos quieren pasar sus años de jubilación en su propia comunidad y de preferencia en casa.
- Los ancianos cuentan cada día con una mayor cantidad de servicios, entre éstos: diversos medios de transporte, comida sobre ruedas, cuidado en casa, servicios culturales y oportunidades de trabajo como voluntarios.
- Algunas organizaciones activistas como AARP integran a los ancianos en una fuerza social y política. Luchan por conquistarles más derechos en el lugar de trabajo y en la sociedad en general.

CONCEPTOS BÁSICOS

transición del estatus
identidad
comparación social

madurez para la jubilación
institucionalización

UTILICE LO QUE APRENDIÓ

¿Cuáles son los problemas, intereses y necesidades de los sexagenarios en comparación con las de los octogenarios? ¿Cómo viven en la comunidad en que usted habita? Encuentre a dos individuos (que no se hallen en asilos, de preferencia) que sean mayores de 60 años, pero con una diferencia de edad de 20 años por lo menos. ¿Dónde los hallará? ¿Se encuentran en el campo de golf? ¿En un centro de atención a personas de la tercera edad? ¿En una organización de servicios o en la iglesia? ¿Son sus vecinos o parientes? ¿Están todavía trabajando por lo menos de medio tiempo? Procure hablar un poco con ellos, quizá de los sucesos de la comunidad, las estrategias de inversión, la música popular, los programas de televisión o computadora, los acontecimientos mundiales, de sus hermanos y abuelos o incluso de los cambios reciente en su vida. ¿Cómo encaran los problemas actuales? ¿Les ayudaría la disponibilidad de servicios simples como transporte a la tienda, trabajo en el jardín, etcétera?

LECTURAS COMPLEMENTARIAS

ALLEN, K. R. (1989). *Single women/family ties: life histories of older women.* Newbury Park, CA: Sage. Como parte del Syracuse Family Relative Project se incluyen estudios de casos de ancianas, en los cuales se pone de relieve los sucesos relacionados con el cambio de vida.

ELKIND, D. (1989). *Grandparenting: Understanding today's children.* Glenview, IL: Scott, Foresman. Un autor popular habla a los abuelos sobre las semejanzas y diferencias entre generaciones.

LUSTRADER, W. (1991). *Counting on kindness: The dilemmas of dependency.* Nueva York: Free Press. A menudo no apreciamos debidamente la salud y la independencia. En este libro sobre los procesos naturales de la enfermedad, la muerte, sobre los cuidados y sobre el hecho de "estar en deuda", se examinan el poder y la dependencia de los ancianos discapacitados y de los que se valen por sí mismos.

ROGERS, C. (198). *A way of being.* BOSTON: Houghton Mifflin. Este humanista reúne toda una serie de reflexiones sobre la vida, todas escritas entre los 65 y los 78 años de edad. En el ensayo expresa su apertura constante a nuevas experiencias y una perspectiva filosófica creciente y cambiante.

RUBENSTEIN, R. (1986). *Singular paths: Old men and living alone.* Nueva York: Columbia University Press. Presentación basada en la investigación sobre los patrones de los hombres que viven solos, con aplicación a los servicios sociales para las habilidades de la vida.

SHEEHY, GAIL (1995). *New passages: Mapping your life across time.* Nueva York: Random House. Basándose en sus entrevistas, esta periodista propone una segunda adultez que comenzaría hacia los 45 años de edad, con un significado más profundo, con menos roles impuestos y con más alegría.

La muerte y el proceso de morir

Cuando termine este capítulo, podrá:

1. Exponer las actitudes de los estadounidenses y de otras culturas hacia la muerte y los enfermos terminales.
2. Explicar las etapas del ajuste a la muerte y proponer medios para enfrentarlas.
3. Comparar y contrastar las actitudes respecto a la muerte y a la fase terminal que se dan en hospicios y hospitales.
4. Exponer la controversia referente al derecho a morir.
5. Explicar con detalle el proceso de duelo.
6. Reflexionar sobre el significado personal de la muerte, basándose en los factores que se exponen a lo largo del capítulo.

L a muerte es el último hito, el final de la vida que conocemos. "La vida es corta. Más corta para algunos que para otros", observó Gus, uno de los personajes centrales de la película de televisión *Lonesome Dove*. A ese comentario que se refiere a la mayoría de las personas podríamos agregar, a manera de corolario, lo siguiente: 1) Por mucho que vivamos, nunca será suficiente, y 2) cuando llegue el final nos parecerá que ha llegado demasiado repentina o abruptamente.

Desde el punto de vista fisiológico, la muerte es la terminación irrevocable de las funciones vitales. Desde el punto de vista psicológico, es claro que tiene profunda importancia y significado personal para el moribundo, lo mismo que para su familia y sus amigos. Morir significa dejar de sentir, abandonar a los seres queridos, dejar cosas inconclusas y entrar en lo desconocido (Kalish, 1987). Pero conviene recordar que la muerte es un proceso *natural*, no importa si ocurre en forma prematura por una enfermedad o un accidente o al final de una vida plena y rica. Todas las criaturas mueren; la muerte forma parte esencial del desarrollo tanto como la vida.

La muerte de una persona está profundamente vinculada al contexto cultural. Hay significados colectivos, muchos de los cuales se expresan en la literatura, las artes, la música, la religión y la filosofía. En la mayoría de las culturas, la muerte se acompaña de complejos rituales y ceremonias. En algunas culturas —de acuerdo con las creencias e interpretaciones personales—, la muerte es un hecho temido que causa pavor y aborrecimiento y que se procura retrasar lo más posible. Por el contrario, muchas culturas y religiones la ven más como una transición que como un final, un tránsito esperado a otra vida y a un mundo supuestamente mejor, a un plano de la existencia más satisfactorio. Para algunos puede significar la liberación de un sufrimiento extremo que acompaña a la enfermedad o a la vejez. Para otros, como los suicidas, puede ser un escape desesperado y definitivo de una vida llena de dolor y de angustia. La muerte posee muchos significados.

Si conociéramos mejor la experiencia de la muerte, así como el proceso de duelo y luto de los dolientes, ¿nos sería más fácil ayudar a la gente a vivir con las tragedias y con los triunfos de su vida? Los psicólogos del desarrollo tradicionalmente han ignorado el tema de la muerte. Por supuesto, no es fácil estudiarlo. Quizá juzgaron inapropiado analizar las actitudes y las reacciones de los enfermos en fase terminal; tal vez era mejor no molestarlos. Sin embargo, en las últimas décadas, la muerte ha sido estudiada de manera exhaustiva. En este capítulo expondremos algunos de los descubrimientos relacionados y algunas de las formas de aplicarlos. Examinaremos los pensamientos y temores que la rodean, el proceso de confrontar nuestra muerte, la búsqueda social e individual de una muerte humana y el proceso de duelo y luto tras el fallecimiento —con respecto tanto a la muerte "normal" en la senectud como a edades más tempranas. Por último veremos qué significa concluir el ciclo vital.

PENSAMIENTOS Y TEMORES RELACIONADOS CON LA MUERTE

El nacimiento y la muerte son dos procesos naturales, el comienzo y el final de la vida. Pero su impacto psicológico y su significado personal varían sobremanera. El nacimiento se espera con emoción y optimismo, pero casi siempre se evita la muerte, incluso cuando se cree en el más allá. En ocasiones, llega a negarse la realidad de la muerte.

NEGACIÓN DE LA MUERTE

Varios autores afirman que el Mundo Occidental, tecnológico y orientado a la juventud, tiene el curioso hábito de negar y evitar la muerte al mismo tiempo que muestra una extraña preocupación por ella —sobre todo en los medios masivos, aunque en éstos podemos desligarnos de ella y pocas veces pensemos que nos ocurrirá a nosotros. Creemos que los asesinatos y los accidentes fatales sólo les suceden a los *otros*.

Solemos evadir el tema cuando convivimos con un moribundo. Para ejemplificar este aspecto, un autor (Kalish, 1985) nos relata la historia de que un hombre fue invitado a una cena en casa de un amigo. Al entrar en la sala se sorprendió al encontrar un caballo marrón sentado tranquilamente a la mesa. Se volvió a ver las reacciones de los otros invitados y del anfitrión; todos los rostros reflejan desconcierto y confusión. Pero nadie quería avergonzar al anfitrión diciéndole lo que tanto los incomodaba. La cena prosiguió con largos silencios, sólo interrumpidos de vez en cuando por una conversación inocua e intrascendente. ¿No es acaso esto, pregunta el autor, semejante a lo que sucede cuando alguien está muriendo y nadie quiere decírselo o siquiera permitirle que hable de ello?

En periodos anteriores de la historia, la muerte era un acontecimiento familiar. En general, tenía lugar en casa, en presencia de los parientes que cuidaban al moribundo hasta el final. Incluso después del fallecimiento, los detalles de preparar el cadáver para el funeral y los rituales finales eran un asunto familiar y comunitario. Los miembros de la familia y los amigos se encargaban de abrir y llenar la fosa.

En cambio, en el siglo XX hemos convertido la muerte en una especie de maravilla tecnológica. En Estados Unidos, la mayoría de la gente muere en el hospital: el personal médico atiende sus necesidades y los parientes se limitan a estar presentes. En muchos sectores de la sociedad occidental, los empresarios de pompas fúnebres preparan el cadáver para los ritos finales y el entierro; y el cuerpo se vela en una funeraria. En general, se limita mucho el contacto con el moribundo antes y después del deceso. De ahí que algunos señalen que vivimos en la era de la "muerte invisible". ¿Nos hemos engañado a nosotros mismos y creemos que la muerte no es más que otro problema que hay que resolver, como una enfermedad para la cual todavía no tenemos una cura (Aris, 1981)?

La *negación* es un mecanismo muy común para afrontar el estrés —simplemente nos negamos a ver la realidad o a aceptarla—, pero puede resultar contraproducente. Afrontar de manera activa la muerte significa tomar las precauciones realistas respecto de los peligros de la vida sin limitarnos de manera innecesaria. Hemos de aceptar las limitaciones de la vida y nuestra vulnerabilidad, aunque estemos rodeados por imágenes violentas e irreales. Algunos expertos aseguran que, si nuestra cultura afrontara de modo más directo la muerte, posiblemente a nuestros hijos les presentaríamos una imagen menos distorsionada de ella (Pattison, 1977). La persona promedio de 21 años no ha presenciado una muerte auténtica, pero ha visto más de 13,000 en la televisión (DeSpelder y Strickland, 1983). Nos hallamos ante una imagen paradójica de negación, ambigüedad y fascinación.

Sin embargo, a juicio de algunos investigadores, empieza a debilitarse el tabú de la cultura occidental contra la muerte. Hay muchos libros, artículos y clases de preparación para morir que tal vez modifiquen la actitud de la gente. Incluso los miembros de la profesión médica que a diario ven la muerte y la agonía necesitan programas y seminarios sobre cómo afrontar esta clase de sentimientos. A mediados de los años sesenta, cuando Elisabeth Kübler-Ross comenzó su estudio del proceso de la muerte (trabajo que comentaremos en la siguiente sección), encontró mucha resistencia y negación entre los integrantes del personal hospitalario (Kübler-Ross, 1969). Sus visitas a las salas la inquietaban por la conducta de las enfermeras y de los médicos. Una vez hecho el diagnóstico de una enfermedad terminal, unas y otros prestaban poca atención al paciente, evitando en lo posible todo contacto innecesario. Hablaban menos con él, le ofrecían un cuidado rutinario menos esmerado y pocas veces le decían que se hallaba en la etapa terminal, aunque lo preguntara. Se desalentaba en los enfermos cualquier tipo de plática relacionada con sus sentimientos acerca de la muerte.

En la actualidad el tratamiento empieza a cambiar. Los programas de enfermería y los de medicina incluyen seminarios de educación sobre la muerte que ponen el acento en el contacto con el paciente y en el respeto a su "derecho a saber la verdad". Se reconoce que si los profesionales de la salud conocen el proceso de la muerte estarán en mejores condiciones de establecer metas realistas para obtener "buenos" resultados que le permitan al paciente morir con dignidad, expresar sus últimos sentimientos a la familia y a los amigos y enfrentar el paso final en forma congruente con su estilo de vida (Haber, 1987).

PREOCUPACIÓN POR LA MUERTE Y POR LO QUE SIGNIFICA

¿A los ancianos les preocupa más la muerte o sienten más miedo que las personas más jóvenes? ¿Las personas jóvenes y quienes tienen mayor control de su vida sienten menos (o quizá) más miedo ante la perspectiva de la muerte? La teoría psicoanalítica sostiene que la ansiedad o el temor ante la propia muerte es normal y que puede o no ser universal. Además, quienes experimentan ansiedad difieren en la forma en que la manejan. Algunos descubren el significado y el propósito de la vida, incorporando la muerte en ese significado. Los fanáticos religiosos que se sacrifican por su causa (por ejemplo, en los atentados suicidas) constituyen un ejemplo extremo de esa "solución". En cambio, posiblemente se sienta aterrorizado ante la muerte un existencialista o un ateo, cuyo objetivo primario es la vida en sí, aunque no siempre es el caso: es muy probable que quienes no creen en una vida futura acepten la muerte como un estado natural, quizá hasta pacífico. En efecto, cuando no hay nada después de esta vida tampoco puede haber estrés ni dolor; ni por qué preocuparse por la muerte.

Cuando se les pregunta a los ancianos lo que harían si sólo les quedaran seis meses de vida, a menudo dicen que pasarían más tiempo con su familia.

En el caso de muchos individuos que se hallan entre ambos extremos, los investigadores señalan que el significado personal y cultural de la muerte determina en gran parte si la muerte despierta temor o preocupación. En algunas investigaciones se ha descubierto que los ancianos muestran menos ansiedad que los jóvenes (Kastenbaum, 1986), y que el temor a la muerte es menor entre quienes persiguen una meta (Durlak, 1979). Asimismo, se ha puesto en evidencia que, aunque algunos ancianos piensan a menudo en ella, la idea no los perturba. Otro factor importante son las creencias religiosas: las investigaciones han revelado una y otra vez que quienes poseen sólidas convicciones religiosas y creen con firmeza en la otra vida sienten menos depresión y ansiedad (Alvarado y otros, 1995). Sin embargo, como señalan los autores, lo importante es la convicción personal; tratar de atenuar la ansiedad mediante una mayor participación religiosa y obligarse a creer "no es un remedio garantizado".

Cuando a los jóvenes se les pregunta cómo les gustaría pasar los últimos seis meses de vida si fueran a morir, mencionan actividades como viajar y tratar de realizar cosas que todavía no hacen. Los ancianos tienen otras prioridades. Unas veces hablan de la contemplación o de la meditación y de otras actividades orientadas a su interior; otras veces hablan de pasar el tiempo con su familia y con los seres queridos (Kalish, 1987; Kalish y Reynolds, 1981). En efecto, en una serie muy completa de entrevistas aplicadas a un grupo numeroso de longevos voluntarios, apenas 10 por ciento contestó afirmativamente a la pregunta "¿Le da miedo morir?" (Jeffers y Verwoerdt, 1977). Sin embargo, muchos participantes manifestaron que le temían a una muerte lenta y dolorosa.

Aunque en general los ancianos mencionan bajos niveles de ansiedad ante la muerte, no todos piensan así. Se observan notables diferencias individuales entre ellos respecto a este tipo de ansiedad (Stillion, 1985). ¿Existe un patrón que identifique a quienes manifestaran mayor o menor ansiedad? Es difícil conciliar los resultados de las investigaciones. En algunos estudios, quienes muestran menos ansiedad son aquéllos que cuentan con un buen ajuste psicológico y que parecen haber logrado la integridad de la personalidad en términos de Erikson. En otros estudios, los que gozan de buena salud física y mental y que consideran que controlan su vida son los más ansiosos. La ansiedad tampoco es constante. Por ejemplo, a menudo la gente experimenta un elevado grado de ansiedad cuando se le diagnostica una enfermedad posiblemente mortal, pero la ansiedad va disminuyendo poco a poco al cabo de unas cuantas semanas o después de unos meses (Belsky, 1984). La ansiedad ante la muerte parece ser sólo un síntoma de un proceso permanente de establecer y aceptar el significado de la muerte en el contexto del significado de la vida.

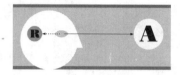

REPASE Y APLIQUE

1. ¿Cómo se enfrenta en la actualidad la muerte en la cultura estadounidense en comparación a como se hacía en el siglo pasado?
2. Explique cómo interviene la negación psicológica en el afrontamiento de la muerte.
3. ¿Preocupa más a los ancianos la muerte y les inspira más miedo que a personas más jóvenes? Explique su respuesta.

CÓMO ENFRENTAR LA PROPIA MUERTE

A medida que envejecemos o nos enfermamos, nos damos cuenta de que la muerte no es un hecho distante y su inminencia cruza nuestra mente cada vez con mayor frecuencia. Los jóvenes pueden darse el lujo de desechar estos pensamientos, pero son inevitables en la enfermedad o en la vejez. ¿Cómo reacciona la gente ante esta etapa final del desarrollo? Muchos pasan por etapas ordenadas de ajuste que al final abarcan la aceptación. La muerte tiene trayectorias alternas.

LA MUERTE COMO ETAPA FINAL DEL DESARROLLO

Los que no se hallan ante la perspectiva de una muerte inmediata pueden dedicar más tiempo a hacerse a la idea. A menudo pasan sus últimos años volviendo la vista hacia atrás y reviviendo los placeres y los dolores de otras épocas. De acuerdo con un teórico (Butler, 1968, 1971), esta consideración retrospectiva es un paso importantísimo en el crecimiento del individuo a lo largo de su existencia. En ninguna otra etapa de la vida como en la vejez sentimos un impulso tan fuerte a la introspección. El proceso a menudo favorece el crecimiento de la personalidad: se resuelven viejos conflictos, se recupera el significado de la vida y hasta descubrimos nuevas cosas sobre nosotros. Sólo si afrontamos la realidad de una muerte cercana podremos tomar las decisiones cruciales sobre lo que es importante y sobre quiénes somos en realidad. La muerte nos ofrece la perspectiva necesaria (Kübler-Ross, 1975). En conclusión, por paradójico que parezca, morir puede ser "un proceso de un nuevo compromiso con la vida" (Imara, 1975).

Igual que en periodos anteriores del desarrollo, para encontrar el significado y el propósito de la vida hay que reestructurar activamente los pensamientos y las creencias filosóficas, religiosas y pragmáticas (Sherman, 1987). En 1974, cuando el autor Ernest Becker fue hospitalizado en las últimas etapas de un cáncer terminal, fue entrevistado sobre lo que estaba experimentando. Durante su vida había escrito de manera profusa sobre cómo encarar la muerte, así que sabía lo que experimentaba en muchos niveles. Becker había atravesado por varias etapas de ajuste a la muerte y en el momento de la entrevista había llegado a la etapa final de trascendencia. Sus palabras reflejaron un tono religioso: "Lo que hace menos difícil la muerte es saber que [...] más allá de lo que nos sucede aquí existen energías muy creativas del cosmos que nos utilizan para propósitos que desconocemos" (citado en Keen, 1974). Otros adoptan una actitud por completo diferente para aceptar su muerte; las creencias relacionadas con ella varían de modo considerable entre las culturas y las religiones. Pero en todo caso el testimonio de Becker es un argumento muy persuasivo que nos permite hallar nuestra respuesta personal y encarar la muerte con dignidad y en paz.

ETAPAS DE AJUSTE

Elisabeth Kübler-Ross (1969) fue una de las primeras en estudiar a fondo los temas de la muerte y la fase terminal. Se concentró en la situación relativamente breve en que la muerte se convierte en una posibilidad inmediata; por ejemplo, cuando a alguien se le diagnostica un cáncer terminal u otra enfermedad que pronto será mortal. A través de entrevistas exhaustivas con estas personas, identificó cinco etapas en el proceso de ajuste a la idea de la muerte: negación, ira, negociación, depresión y, finalmente, aceptación.

- En la etapa de *negación*, la persona rechaza la posibilidad de fallecer y busca otras opiniones y diagnósticos más favorables.
- Una vez que comprende que va a morir, siente cólera, resentimiento y envidia. Es la etapa de *ira*. Siente la frustración de no poder realizar sus planes ni sus sueños.
- En la etapa de *negociación* busca formas de ganar tiempo, haciendo promesas y negociando con su Dios, con los médicos, las enfermeras u otras personas para alargar la vida, para aliviar el dolor y el sufrimiento.
- Pueden sobrevenir la impotencia o la desesperación cuando fracasa la negociación o se acaba el tiempo. En la etapa de *depresión* el paciente llora las pérdidas que ya ocurrieron, la muerte y la separación inminentes de su familia y de los amigos.
- En la etapa final de *aceptación* se resigna y espera la muerte con serenidad.

Las etapas que describe Kübler-Ross no son universales, pese a que caracterizan las reacciones comunes ante la inminencia de la muerte y, por lo mismo, nos ayudan a entender los sentimientos de quienes están a punto de morir. No todos pasan por todas ellas y sólo unos cuantos lo hacen en el orden señalado. Hay muchos factores que influyen en las reacciones de una persona: la cultura, la personalidad, la religión, la filosofía personal, la duración y la naturaleza de la enfermedad terminal. A algunos se les ve deprimidos y enojados hasta el final; otros acogen la muerte como una liberación del dolor. Cada persona afronta la muerte a su manera y ésta no debe encajonarse en un patrón de etapas fijo (Hudson, 1981). Por el contrario, como observa Robert Kastenbaum (1979), hay que permitirles que sigan su propia trayectoria. Si quieren, hay que dejarlos que hablen de sus sentimientos, sus inquietudes y experiencias; que obtengan respuesta a sus preguntas; que arreglen sus asuntos, que vean a parientes y amigos, que perdonen a alguien o que le pidan perdón por pleitos o pequeñas faltas. En opinión de Kastenbaum, estas acciones son más importantes para el individuo que experimenta estados emocionales generales en un orden determinado. La figura 18-1 contiene algunas recomendaciones prácticas para los cuidadores que tratan de brindar apoyo a los seres queridos moribundos.

TRAYECTORIAS ALTERNAS

A menudo la evolución de la enfermedad influye en las reacciones ante el proceso de morir. Si el fallecimiento es repentino, habrá poco tiempo para examinar la vida y para la integración. Una enfermedad que causa mucho dolor, que limita la movilidad o que exige una intervención médica frecuente y compleja dejará al paciente poco tiempo o energía para ajustarse a la muerte. El personal médico y los miembros de la familia se equivocarían al suponer que una persona se encuentra en la etapa de "enojo", cuando en realidad la reacción se relaciona de manera directa con su estado físico o con el tratamiento médico (Kastenbaum y Costa, 1977).

**FIGURA 18–1
SU PRESENCIA
TRANQUILIZADORA:
FORMAS DE OFRECER UN
BUEN APOYO A LOS DEMÁS**

Fuente: El Centre for Living with
Dying.

1. Sea honesto acerca de sus sentimientos, sus inquietudes y sentimientos.

2. Cuando tenga dudas, pregunte:

    ¿Cómo es esto para ti?

    ¿Cómo te sientes en este momento?

    ¿Puedes decirme algo más al respecto?

    ¿Estoy entrometiéndome?

    ¿Qué necesitas?

    ¿De qué formas puedes valerte por ti mismo?

3. Cuando responda a una persona que enfrente una situación de crisis, asegúrese de utilizar expresiones como las siguientes:

    Siento _____

    Creo _____

    Me gustaría _____

    En vez de:

    Deberías _____

    Eso está mal.

    Todo estará bien.

    ¿Cuáles de los enunciados anteriores no le dan a la persona la oportunidad de expresar sus necesidades y sentimientos especiales?

4. Permanezca en el presente lo más posible: ¿cómo te sientes EN ESTE MOMENTO?, ¿qué necesitas EN ESTE MOMENTO?

5. Escuchar tiene excelentes efectos terapéuticos. No es necesario mejorar las cosas. No es necesario tener las respuestas. No es necesario eliminar el dolor. El dolor es del otro. Él necesita sufrirlo en su momento y a su manera.

6. En medio de una crisis, las personas deben saber que tienen el poder para tomar decisiones. Tal vez convenga proponer algunas alternativas.

7. Ofrezca la ayuda práctica que considere que podrá dar sin sentirse mal.

8. Si la situación lo amerita, envíe la persona a la oficina u organismo correspondientes.

En ninguna otra enfermedad como en el SIDA, la naturaleza del padecimiento influye tanto en las reacciones ante el proceso de la muerte, padecimiento que con frecuencia se transmite por vía sexual y que, por tanto, se ve rodeado de fuertes emociones del paciente y de sus seres queridos. El autor homosexual Fenton Johnson (1994) se concentra en los temas del recuerdo y del perdón que "se halla en el corazón de toda comunidad" y que la enfermedad pone a prueba. He aquí sus palabras:

Las personas más sabias que conozco, tanto seropositivas como seronegativas, no viven negando la muerte sino aceptándola, no en un estado de perdón y olvido, sino de perdón y recuerdo. Los procesos más difíciles y necesarios del doliente son estos imperativos contradictorios: olvidar y recordar, aceptar y nunca callarse. (1994, página 15)

El prolongado proceso de morir que sufren muchos enfermos de SIDA hace que resulten difíciles la aceptación y el perdón para quienes deben enfrentar las emociones en torno a la muerte. El problema se agrava en algunos segmentos de las comunidades hispanas y afroamericanas por la juventud de muchas de las víctimas de este mal. Como se aprecia en la tabla 18-1, el SIDA es la causa principal de muerte entre los hispanos y afroamericanos de 25 a 44 años. Además, el duelo por varias muertes, al mismo tiempo que se padece la enfer-

TABLA 18–1   CLASIFICACIÓN DEL VIRUS DE INMUNODEFICIENCIA
HUMANA COMO CAUSA DE MUERTE

EDAD	HISPANOS	AFRO-AMERICANOS	BLANCOS/NO HISPANOS
15–24	5	5	7
25–44	1	1	3
45–64	5	6	9

Fuente: K. D. Kochanek & B. L. Hudson (1995). *Advance Report of Final Mortality Statistics, 1992; 43*(6) Supplement. NCHS.

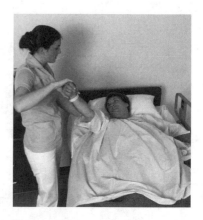

El proceso de morir de las víctimas de SIDA, generalmente prolongado, hace que resulte muy difícil para ellas y para su propia comunidad enfrentar las emociones que lo rodean.

medad, no deja tiempo ni energía suficientes para pasar por las etapas tradicionales asociadas con la aceptación del desenlace (Horn, 1993).

Del mismo modo que existen muchas trayectorias especiales en el desarrollo del adulto, también las hay para morir. La trayectoria ideal comúnmente aceptada es ser una persona sana de 85 años o más, poner todo en orden y morir de manera repentina de un ataque cardiaco sin sufrir (Kalish, 1985), quizá durante el sueño. En efecto, las encuestas demuestran que la mayoría preferiría una muerte repentina, en especial los jóvenes (Kalish, 1985). Cuando sobreviene una enfermedad con una trayectoria conocida, los miembros de la familia y el paciente se ajustan y se adaptan al "tiempo que queda de vida". Para muchos hay cosas que realizar, arreglos que hacer, cosas que decir: los pendientes de la vida. Algunos tratan de influir en la trayectoria aceptando o rechazando el tratamiento, ejerciendo la "voluntad de vivir" o resignándose a lo inevitable. Muchos necesitan conservar un poco de control y dignidad en la trayectoria final, como lo hicieron a lo largo de su existencia. Todos buscan una forma humana de morir.

EL SUICIDIO   El suicidio es sorprendentemente común entre las personas de edad madura y los ancianos. Aunque los más difundidos son los suicidios de jóvenes, adolescentes y hasta niños en edad escolar, ocurren en número mucho mayor entre las personas de más de 45 años; de este grupo, se dan sobre todo en las personas de 65 años en adelante (U.S. Census Bureau, 1990). El número de suicidios entre los hombres cuadruplica al de las mujeres. En el caso de los varones, la tasa aumenta de modo estable con la edad y alcanza el nivel máximo en los mayores de 80 años (Manton y otros, 1987; Miller, 1979; Riley y Waring, 1976). Los hombres blancos y de grupos minoritarios muestran un incremento extraordinario de suicidios en la senectud (Manton y otros, 1987). En las estadísticas anteriores no se consideran las formas más pasivas de suicidio, como el hecho de dejarse morir, que recibe el nombre de **muerte sumisa** (Riley y Waring, 1976) o las formas indirectas como el tabaquismo y el consumo excesivo de alcohol y de drogas, conocidos en conjunto como **erosión suicida** (Miller, 1979). Otra forma indirecta de suicidio consiste en "alcanzar fama efímera": el agresor dispara contra un grupo de inocentes esperando morir en el asalto, cosa que casi siempre sucede.

El suicidio entre los ancianos casi siempre se debe a "pérdidas vitales", como los problemas laborales, la conmoción producida por el retiro o la viudez. Por tanto, los viudos y las viudas encajan en este grupo de alto riesgo de suicidas potenciales. El riesgo disminuye de modo notable después del primer año de luto, pero se mantiene más elevado que el promedio por varios años (Miller, 1981). Hay otro factor importante además de la jubilación y la viudez. Los ancianos que normalmente están solos o que tienen antecedentes de inestabilidad

muerte sumisa   Suicidio que consiste en dejarse morir.

erosión suicida   Forma indirecta de suicidio que se da por tabaquismo y consumo excesivo de alcohol y otras sustancias.

emocional —en especial los que sufren profundas ansiedades y sentimientos de inferioridad— tienen mayores probabilidades de suicidarse.

Los grupos de autoayuda son uno de los tratamientos más eficaces para que viudos y viudas mejoren su salud mental y atiendan sus necesidades sociales. Quienes participan en esos grupos encuentran consuelo al compartir sus temores y sentimientos. Los grupos ofrecen además un ambiente protector en el que puede establecer nuevas relaciones y probar nuevos roles, de modo que los participantes se sienten menos aislados y se ayudan mejor a sí mismos. Una y otra vez el seguimiento sistemático de los participantes en este tipo de grupos ha mostrado resultados positivos como los anteriores para la mayoría de sus integrantes (Gartner, 1984).

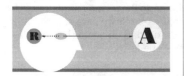

REPASE Y APLIQUE

1. ¿Cuáles son las etapas de ajuste a la muerte que describe Kübler-Ross? ¿Son universales?
2. ¿En qué sentido podemos considerar a la muerte como una etapa del desarrollo?
3. ¿Cuáles son las trayectorias alternas de la muerte y cómo varían entre los individuos?
4. ¿Cómo influye la naturaleza de la enfermedad en la aceptación de la muerte?
5. ¿Qué grupo de edad está más propenso al suicidio y por qué?

LA BÚSQUEDA DE UNA MUERTE HUMANA

Como hemos visto, se han dedicado muchos estudios a la experiencia de morir, y empiezan a borrarse nuestra ignorancia y descuido del tema. No obstante, quizá pase mucho tiempo antes que la actitud general de la sociedad corresponda al pensamiento progresista de algunos teóricos. Si bien ofrecemos una excelente atención médica a los pacientes en fase terminal mediante medicamentos y sistemas que los mantienen con vida, no sabemos ayudarles a enfrentar sus inquietudes y sus pensamientos. Con frecuencia las personas a su alrededor los tratan como si no fuesen del todo humanos. Se les aísla de sus seres queridos en un ambiente estéril; más aún, se toman decisiones por ellos sin considerar sus deseos. A veces ni siquiera se les dice para qué sirve el tratamiento, y se les seda cuando se rebelan o se molestan. En comparación con la aterradora y fría atmósfera de un hospital, parece casi un lujo la muerte en casa a la antigua usanza, rodeado de rostros y objetos familiares.

Los médicos y otros profesionales de la salud por lo menos son ahora más sinceros con los pacientes en fase terminal acerca de su estado (Fixx, 1981). Se ha sugerido darles un poco de autonomía en estos momentos finales (Birren y Birren, 1987). Por ejemplo, si pueden opinar sobre la cantidad de analgésicos o de sedantes que reciben pensarán que aún controlan algunos aspectos de su vida. Esto es muy importante para los que se sienten arrastrados por fuerzas fuera de su control. De hecho, algunas investigaciones indican que casi cualquier animal —una rata, un perro o una cucaracha— renuncia a vivir cuando parece haber perdido el control sobre su existencia (Seligman, 1974). En un experimento, en el cual se metió al agua a un grupo de ratas para ver por cuánto tiempo podían nadar, algunas lo hicieron durante 60 horas y otras se sumergieron y se ahogaron al instante. ¿A qué se debieron esas reacciones tan divergentes? A las ratas que murieron rápido se les había restringido durante largos periodos antes de ponerlas en el agua, así adquirieron un "desamparo aprendido" y simplemente desistieron. Las que siguieron luchando no habían sido restringidas y, por tanto, luchaban por sobrevivir. Algo semejante ocurre cuando se interna a la gente de manera prematura en hospitales u hospicios y siente que ya no tiene un control racional sobre su vida. Su respuesta consiste en dejar de luchar. Por el contrario, quienes han pasado su vida controlando el ambiente tratarán de controlar al personal del hospital. Estos pacientes suelen vivir más tiempo aunque tal vez no se muestren cooperativos ni sean personas de trato fácil (Tobin. 1988).

Hemos visto que si bien son pocos los ancianos que afirman temer a la muerte (Jeffers y Verwoerdt, 1970), muchos informan de otros temores relativos al proceso de morir. No desean una agonía larga y dolorosa, ni quieren depender de los otros, y temen perder sus facultades y su dignidad. Algunos hablan incluso de desear una "buena muerte" y no una agonía degradante. La búsqueda de una buena muerte ha llevado a que se propongan varios cambios en los servicios que ofrecemos a los moribundos. Tales modificaciones consisten en los hospicios y el derecho a morir.

HOSPICIOS

El concepto de que los pacientes en fase terminal deberían conservar el control de su vida y, por tanto, de su muerte ha originado recientemente la proliferación de hospicios. Los hospicios están diseñados para ayudarles a vivir sus últimos días en la forma más plena e independiente posible, pues les brindan el apoyo necesario tanto a ellos como a sus familias. El primer hospicio de este tipo se inauguró en Inglaterra, en 1967, como programa para pacientes internos. La idea llegó a Estados Unidos en 1974, con la creación de un programa de hospicios en New Haven (Connecticut) y fue un éxito inmediato. Cuatro años más tarde cerca de 200 programas se encontraban en diversas etapas de planeación y de puesta en práctica en 39 estados y en el distrito de Columbia (Abbot, 1978).

La idea de los hospicios ha sido adoptada en muchas localidades de Estados Unidos; hay una organización, la Organización Nacional de Hospicios (National Hospice Organization), que establece las normas y supervisa los programas (Birnbaum y Kidder, 1984). Algunos son independientes pero la mayoría forma parte de organizaciones generales de atención médica. Un programa exhaustivo suele comprender una unidad para pacientes internos, programas de cuidados a domicilio con varios servicios en casa, consulta médica y psicológica, servicios médicos y de enfermería permanentes para aliviar el dolor y ayudar a controlar los síntomas (Haber, 1987). Una ley promulgada en 1982 contribuyó a hacer más accesibles los servicios a los pacientes en fase terminal. Conforme a la Ley Pública 97-248, las personas amparadas por el sistema de seguridad social podrán recibir los servicios en casa por un máximo de dos periodos de tres meses cada uno. Estos servicios incluyen la participación del médico de cabecera, cuidados de enfermería en casa, consejería psicológica, evaluación de la alimentación, cuidado de descanso, guía espiritual, servicios de apoyo en casa, asesoría legal y financiera, terapia ocupacional, física y del habla, así como atención a la familia durante el periodo de duelo. Este tipo de servicio en casa no sólo ha recibido una magnífica acogida por parte de los pacientes, sino que en muchos casos resulta más rentable que la hospitalización (Haber, 1987).

Los hospitales buscan ante todo preservar la vida; para el personal hospitalario la muerte es el enemigo y, como ya dijimos, esa actitud se refleja muchas veces en el cuidado que dan al paciente en fase terminal. En cambio, el concepto de hospicio no ve en la muerte un fracaso, sino una etapa normal y natural de la vida que es preciso encarar con dignidad. La muerte es tan natural como el nacimiento y como éste a veces es una labor dura que exige asistencia (Garrett, 1978). Los hospicios están diseñados para ofrecer ayuda y consuelo. Su

En los hospicios se percibe la muerte como una etapa normal de la vida que es preciso encarar con dignidad.

objetivo fundamental es manejar el dolor en todas sus modalidades: física, mental, social y espiritual (Garrett, 1978). Además, procuran que "el individuo participe activamente en su cuidado y en la toma de decisiones" (Rosel, 1978), y se respeta en lo posible sus derechos relacionados con las decisiones concernientes a la muerte (Koff, 1980). Por otro lado, ayudan a la familia a entender la experiencia y las necesidades de su pariente, y mantienen abiertas las líneas de comunicación para que el familiar moribundo se sienta menos aislado. El contacto del hospicio con la familia se prolonga más allá de la muerte, ya que se extiende al periodo de luto.

EL DERECHO A MORIR

Si, como lo consideran muchos, la muerte es una experiencia natural y esencialmente positiva, ¿tenemos derecho a manipularla? ¿Privamos a la gente de una muerte humana cuando por medios artificiales conservamos sus sistemas vitales más allá del punto del que no podrán recobrarse jamás? ¿Hay algún momento en que "deban" morir, en el cual convendría más dejar que la naturaleza siga su curso? ¿Prolongamos la vida por temor a la muerte, aun cuando el paciente esté preparado para el trance final? Las preguntas anteriores han recibido mucha atención en los últimos años, y muchos exigen hoy el **derecho a morir.**

Por supuesto, la idea de dejar que la naturaleza siga su curso —o incluso ayudarle un poco— no es del todo nueva. La *eutanasia*, o muerte por compasión, se practicaba en la antigua Grecia y probablemente desde tiempos más remotos. En este siglo, una de las "víctimas" mas conocidas de eutanasia fue Sigmund Freud. En 1939, a los 83 años, Freud, quien llevaba 16 años padeciendo cáncer de mandíbula, decidió que ya había sufrido bastante: "Ahora mi vida es una tortura y no tiene caso seguir viviendo" (citado en Shapiro, 1978). Con anterioridad, Freud había acordado con su médico que éste le administraría una dosis letal de morfina en caso de que decidiera que no soportaba el intenso dolor ni la frustración. Después, pidió cumplir con lo pactado y el médico accedió a sus deseos (Shapiro, 1978).

En el caso de Freud, no se dejó que la naturaleza siguiera su curso, sino que se tomaron medidas para provocarle la muerte. A este proceso se le llama **eutanasia activa,** aunque muchos considerarían que el término es un eufemismo.

derecho a morir Opinión de que la muerte es un derecho que debe ejercerse a discreción del individuo.

eutanasia activa Hecho de tomar medidas para provocar la muerte de otra persona, como en los casos de enfermedad terminal. En Estados Unidos se considera un asesinato.

En la sociedad estadounidense actual, el Dr. Jack Kevorkian ha dado mucha difusión a los problemas morales, éticos y legales que plantea la eutanasia activa.

TEMA DE CONTROVERSIA

SUICIDIO ASISTIDO

De acuerdo con diversos analistas, entre ellos John Horgan, escritor asistente de *Scientific American* (1997), los sondeos de opinión indican que la mayoría de los estadounidenses apoya el derecho del paciente a que reciba un fármaco letal de parte de su médico, si así lo desea. Lo mismo piensan algunas organizaciones profesionales relacionadas con la salud. Por su parte, la Asociación Médica Estadounidense (*American Medical Association*, AMA) y muchas otras se oponen de manera rotunda al suicidio asistido por un médico. ¿Cuál es el fondo del debate?

Los partidarios del suicidio asistido sostienen que un número considerable de personas muere tras una dolorosa agonía y una lucha prolongada contra enfermedades como el cáncer y el SIDA. A pesar de los adelantos en el control del dolor, los analgésicos modernos no lo eliminan. Más aún, las leyes estadounidenses actuales a menudo prohiben a los médicos recetar dosis excesivas de analgésicos. Además, la tolerancia a los narcóticos aumenta con el empleo prolongado, de modo que cada vez se necesitan dosis más fuertes y, por tanto, excesivas que dejan al paciente inmóvil e inconsciente por mucho tiempo. Así, pues, pronto se deteriora la calidad de vida de muchos enfermos terminales. Los partidarios del suicidio asistido consideran absurdo

todo esto. ¿Por qué no mejor permitir al paciente escoger una "muerte buena" y rápida, después de despedirse de sus seres queridos y dejar en orden sus asuntos financieros? Agregan que "agilizar" la muerte tras bambalinas en formas menos drásticas que un suicidio asistido no es una práctica infrecuente de los enfermos terminales y lleva años realizándose. En otras palabras, el equivalente del suicidio asistido ya es práctica generalizada, del mismo modo que lo era el aborto antes de legalizarlo.

Para los opositores, el suicidio asistido es una forma de eutanasia, de modo que les preocupa mucho el precedente que se sentaría con su legalización. Por ejemplo, ¿el siguiente paso sería permitir la muerte de pacientes no terminales pero víctimas de enfermedades incurables y debilitantes como los trastornos mentales? ¿Quién tomaría la decisión en tales casos, puesto que el paciente es incapaz de dar su pleno consentimiento? ¿Tendrían ese derecho los parientes? En conclusión, si consideramos que el suicidio asistido "abre la puerta" a la eutanasia, ¿dónde fijamos el límite de lo permisible?

En la mayoría de las discusiones relacionadas con el suicidio asistido participa el doctor Jack Kevorkian, ex médico, que ha ayudado a muchos pacientes terminales (nadie sabe con exactitud a cuántos) y quien hasta ahora ha sido absuelto de delito en todos los casos por los que se le ha enjuiciado. Defiende abiertamente la eutanasia no sólo para este tipo de personas, sino también, entre otros, en el caso de los discapacitados, de los enfermos mentales e infantes con defectos congénitos (Betzold, 1997). ¿Quién tomará la decisión final en tales casos? El médico lo hará, propone Kevorkian, afirmación que causa alarma entre muchos miembros de la comunidad médica y en la sociedad en general. Además, los críticos afirman que por lo menos algunos de los pacientes de Kevorkian no sufrían una enfermedad terminal, lo cual corresponde a su propuesta pero no a la forma en que los medios presentan lo que hizo (véase a Guttman, 1996).

La controversia prosigue en Estados Unidos. Continúan las acciones legislativas, los plebiscitos estatales y las discusiones en los tribunales. Lo mismo sucederá con seguridad con los juicios civiles y criminales contra lo que abiertamente colaboran en el suicidio. Y aunque los hospicios ofrecen cada vez mejores servicios que atenúan el dolor, el sufrimiento y el aislamiento que acompañan al proceso de la muerte (páginas 615-616), un hecho es innegable, como lo expresa Joe Loconte (1998): "Demasiadas personas mueren en Estados Unidos en una forma miserable". A ello podemos agregar que muchísimas de ellas temen ese tipo de final, lo cual hace que los cuidados a los enfermos terminales —de cualquier tipo— sigan siendo un problema de interés nacional.

En Estados Unidos se considera simple y llanamente asesinato, aunque a veces se castiga con indulgencia (Shapiro, 1978). Esta situación se presenta sobre todo en caso de que el acto final lo lleve a cabo el enfermo, por lo cual podemos considerarlo suicidio desde el punto de vista legal. Este **suicidio asistido** ocurre en casos muy difundidos en que se da acceso a los enfermos terminales a "máquinas de muerte" que les permiten administrarse un fármaco letal, como se comenta en el recuadro anterior *"Tema de controversia"*.

La **eutanasia pasiva**, en cambio, consiste en no ofrecer (o en desconectar) el equipo que mantiene al paciente con vida para que la muerte ocurra de modo natural. La eutanasia pasiva voluntaria ha suscitado muchas polémicas porque los avances de la medicina permiten mantener vivo al paciente -a veces por tiempo indefinido. La tabla 18-2 contiene los criterios de Harvard para definir la muerte. Tales criterios se han utilizado en muchos casos para fundamentar las

suicidio asistido Ofrecer al paciente terminal los medios para poner fin a su vida.

eutanasia pasiva No utilizar o desconectar el equipo que sustenta la vida para que la muerte ocurra de modo natural.

TABLA 18–2 CRITERIOS DE HARVARD PARA DETERMINAR EL CESE PERMANENTE DE LAS FUNCIONES DEL CEREBRO (O MUERTE CEREBRAL)

Ausencia de reacción y de sensibilidad: No se observa conciencia de los estímulos externos ni una necesidad interna de ellos. La falta de respuesta es absoluta, aun si se aplican estímulos que normalmente causarían un gran dolor.

Ausencia de movimiento y de respiración: No existe la respiración espontánea ni otros movimientos musculares espontáneos.

Ausencia de reflejos: No se observan los reflejos habituales que pueden provocarse en un examen neurológico (por ejemplo, cuando se proyecta una luz en el ojo, la pupila no se contrae).

Electroencefalograma plano: Los electrodos conectados al cráneo producen una impresión de actividad eléctrica proveniente del cerebro vivo. A esto se le llama ondas cerebrales. El cerebro no produce en estos casos el patrón habitual de picos y valles. Más bien, el movimiento automático de la plumilla registra una línea plana. Lo cual se supone demuestra la ausencia de actividad electrofisiológica.

Ausencia de circulación hacia el cerebro o en su interior: Si la corriente sanguínea no le suministra oxígeno y alimento al cerebro, éste deja de funcionar pronto. (El tiempo exacto que puede conservar la viabilidad, o sea la capacidad de sobrevivir sin la circulación, es actualmente objeto de muchas investigaciones y depende de las circunstancias.)

Fuente: R. Kastenbaum (1986). *Death, society, and human experience* (página 9). Columbus, OH: Merrill.

definiciones legales de la muerte. Sin embargo, a pesar de que parecen sencillos e irrefutables, no resuelven todas las interrogantes (Kantenbaum, 1986). Por ejemplo, ¿para considerar muerta a la persona debe cesar el funcionamiento y el flujo sanguíneo en todas las regiones cerebrales o basta con el cese de la actividad de la corteza cerebral? Con toda probabilidad se plantearán tales preguntas —y se recurrirá a los criterios— cuando haya opiniones distintas entre la familia o el personal médico, además de que un juez debe emitir una orden para interrumpir el sustento vital (Robbins, 1986).

Un ejemplo de esfuerzo por garantizar al paciente un poco de autonomía en las etapas finales de la vida es la carta de derecho a una muerte digna que preparó un consejo educativo en Estados Unidos (Concern for Dying and Educational Council) (vea la figura 18-2). Este documento explica a la familia del signatario o a otros interesados su deseo de que no se recurra a "medidas heroicas" para mantenerlo vivo en caso de una enfermedad irreversible. Aunque este documento no tiene sustento legal, sí protege contra la responsabilidad civil a quienes lo cumplen (Shapiro, 1978).

REPASE Y APLIQUE

1. ¿Cuál es la diferencia entre un hospital y un hospicio? Explique la filosofía del hospicio y las ventajas de la atención que ahí se ofrece.
2. ¿Cuáles son los aspectos controvertidos relacionados con la eutanasia? ¿Cómo las enfrenta la sociedad estadounidense?
3. Describa cómo ayuda a las personas la carta de derecho a una muerte digna para que se aseguren de tener una muerte humana.

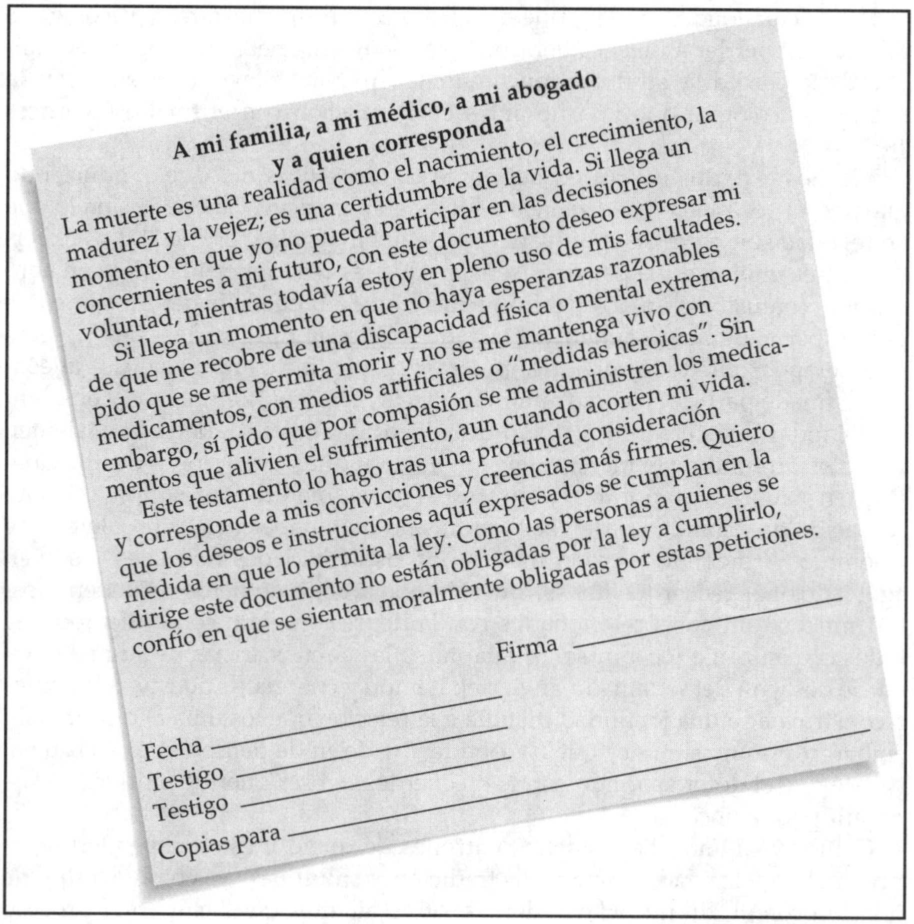

> **A mi familia, a mi médico, a mi abogado y a quien corresponda**
>
> La muerte es una realidad como el nacimiento, el crecimiento, la madurez y la vejez; es una certidumbre de la vida. Si llega un momento en que yo no pueda participar en las decisiones concernientes a mi futuro, con este documento deseo expresar mi voluntad, mientras todavía estoy en pleno uso de mis facultades.
>
> Si llega un momento en que no haya esperanzas razonables de que me recobre de una discapacidad física o mental extrema, pido que se me permita morir y no se me mantenga vivo con medicamentos, con medios artificiales o "medidas heroicas". Sin embargo, sí pido que por compasión se me administren los medicamentos, con medios que alivien el sufrimiento, aun cuando acorten mi vida.
>
> Este testamento lo hago tras una profunda consideración y corresponde a mis convicciones y creencias más firmes. Quiero que los deseos e instrucciones aquí expresados se cumplan en la medida en que lo permita la ley. Como las personas a quienes se dirige este documento no están obligadas por la ley a cumplirlo, confío en que se sientan moralmente obligadas por estas peticiones.
>
> Firma _____
>
> Fecha _____
> Testigo _____
> Testigo _____
> Copias para _____

FIGURA 18–2
CARTA DE DERECHO A UNA MUERTE DIGNA

Ésta es una petición formal preparada por Concern for Dying, and Educational Council. Informa a la familia del signatario, o a otros interesados, que en caso de una enfermedad irreversible desea evitar el uso de "medidas heroicas" para mantenerlo con vida.

DUELO Y LUTO

¿Y los dolientes? A menudo los miembros de la familia y los amigos cercanos deben realizar ajustes importantes ante el fallecimiento de un ser querido comenzando con el proceso de la muerte. Para ellos la vida debe continuar.

Unos y otros deben efectuar ajustes a corto y a largo plazos cuando muere un ser querido. Entre los ajustes a corto plazo figuran las reacciones y emociones iniciales frente a la pérdida —el **trabajo de duelo**, como se le llama a menudo—, además de cosas tan prácticas como los arreglos del funeral, los asuntos financieros y los trámites legales. Los ajustes a largo plazo, en especial los relacionados con la viuda o el viudo, incluyen cambios en los patrones de vida, las rutinas, los roles y las actividades que pueden necesitarse para llenar el vacío social dejado por la muerte, como vimos en el capítulo anterior. Cada uno de esos ajustes exige más tiempo y participación de lo que se había previsto. El proceso de duelo difiere de una cultura a otra, y a menudo lo rodean costumbres y rituales también distintos. Como señalaremos, el duelo es especialmente difícil cuando muere un niño.

DUELO

¿Es en verdad necesario el duelo? ¿Cumplen una función esencial el dolor y la angustia? ¿Qué propósito cumple el trabajo de duelo?

trabajo de duelo   Afrontamiento de las reacciones emocionales ante la pérdida de un ser querido.

En la actualidad, se piensa que deben realizarse algunas tareas psicológicas después de perder a un ser querido. El sobreviviente necesita aceptar la realidad de la pérdida y su dolor concomitante. Además, tiene que reencauzar la energía psicológica que invirtió antes en la relación con el finado (Worden, 1982).

Muchos expertos dudan en definir fases específicas del duelo, aduciendo que podría "presionar" a la gente a adoptar en una secuencia establecida lo que en realidad son patrones muy variables de duelo (Gallagher, 1987). Los expertos que examinan estos patrones señalan que las reacciones iniciales son conmoción, confusión mental, negación e incredulidad. Puede haber ira e intentos por culpar a alguien o a algo. La fase de *conmoción* dura varios días, a veces más tiempo. Sobre todo cuando la muerte es repentina e imprevista, los allegados al finado participan como autómatas en las ceremonias fúnebres y en el entierro, todavía sin creer la realidad de la pérdida. En la segunda fase, sienten un dolor profundo y lo manifiestan con llanto u otras expresiones de aflicción. Pueden extrañar o añorar al difunto. Algunos manifiestan síntomas como sensación de debilidad o de vacío, lo mismo que inapetencia y problemas de insomnio. A menudo pierden interés por las actividades normales y se ven agobiados por recuerdos del ser querido que acaban de perder. Pueden mostrar muchos síntomas relacionados con la depresión. Pero con el tiempo casi todos comienzan a recobrarse. Se adaptan a las circunstancias de su nueva vida. Se desligan del ser amado, invierten tiempo y energía en nuevas relaciones, reconstruyendo una identidad distinta a la relación que los unía al difunto. Sin embargo, esto no significa que "lo olviden" y dejen de pensar en él; más bien, parece que el dolor asociado con los recuerdos del ser querido empieza a disminuir poco a poco.

Como ya dijimos, hay muchos patrones de duelo y éstos dependen de la personalidad, la edad, el sexo y las tradiciones culturales, así como del tipo de relación con el difunto. Hay, además, otros factores que facilitan el proceso de recuperación. Por ejemplo, si la muerte estuvo precedida por una larga enfermedad o por la pérdida de funciones, en cierto modo los sobrevivientes se preparan para el desenlace: sufren un **duelo anticipado**. Quizá hablen con el enfermo de los sentimientos de pérdida, de culpa o de oportunidades desperdiciadas. Sin embargo, el duelo anticipado no elimina el dolor después de la muerte. Tal vez ni siquiera aminore su intensidad (Rando, 1986). No obstante, sí puede atenuar sus efectos porque pueden anticiparse planes y ajustes, y porque puede mejorar la forma de afrontar el duelo. En cambio, cuando una enfermedad dura más de 18 meses, el desgaste emocional que causa cuidar a la persona enferma tiende a superar cualquier compensación de esta índole. Más aún, en el caso de una enfermedad prolongada, el superviviente puede convencerse de que el enfermo terminal en realidad no va a morir, sino que ha logrado salir adelante, de ahí que cuando llega la muerte pueda causar un impacto más fuerte que la muerte repentina (Rando, 1986).

El apoyo social también interviene en el duelo. Los modelos teóricos del estrés y del afrontamiento consideran el valor de un sólido sistema de apoyo social para negociar con éxito las crisis de la vida. Pero no todas las formas de apoyo social cumplen una función positiva (Bankoff,1986; Morgan, 1989). En un estudio realizado con viudas, 40 por ciento de sus comentarios sobre las relaciones sociales después del duelo resultaron negativos (Morgan, 1989). El apoyo de las personas de la misma edad, en especial de las que han sufrido la pérdida del cónyuge, parece ser más útil que el de la familia. Los grupos de autoayuda de los viudos son de gran utilidad (Morgan, 1989). De igual modo, a los progenitores que han perdido a un hijo les consuela interactuar con otros cuyos hijos han fallecido (Edelstein, 1984).

duelo anticipado Prepararse emocionalmente para la muerte de un ser querido, como en el caso de una prolongada enfermedad terminal.

Hay circunstancias en que el duelo resulta abrumador en extremo. Por ejemplo, los ancianos que pierden a varios amigos o familiares en un lapso relativamente corto experimentarán una *sobrecarga de duelo*. Esta sobrecarga afecta también a las comunidades de homosexuales y minoritarias que son golpeadas por el SIDA. En esos casos la depresión representa un riesgo serio durante el luto, sobre todo para los varones (Stroebe y Stroebe, 1987). Lo mismo sucede con el abuso del alcohol y de otras sustancias, una vez más en especial para los varones. La salud física puede verse afectada; los dolientes visitan a su médico con mayor frecuencia que otros grupos (Mor y otros, 1986). Pero cabe la posibilidad de que las visitas se realicen para recibir la atención de rutina que se descuidó mientras cuidaban al finado. Muchas de esas visitas se deben a la depresión más que a una enfermedad física propiamente dicha (Mor y otros, 1986)

Las viudas sienten que su principal apoyo proviene de las personas de su misma edad, en especial las que también han enviudado.

EL LUTO DESDE UNA PERSPECTIVA TRANSCULTURAL

¿Se producen respuestas universales de duelo tras el fallecimiento de un ser querido? Las investigaciones señalan que algunas respuestas tradicionalmente consideradas como norma 1) tal vez no sean compartidas por la mayoría de los dolientes, 2) pueden estar ligadas a una cultura y 3) acaso ni siquiera sean adaptaciones sanas. Cuando Margaret Stroebe y sus colegas (1992) estudiaron la universalidad de las reacciones al duelo, descubrieron que tenían raíces históricas y culturales. Muchas culturas no occidentales ponen de relieve un vínculo ininterrumpido con el finado, a diferencia de la concepción occidental moderna que exige realizar un "duelo apropiado", recuperarse de él lo más pronto posible y reanudar las actividades normales. En Japón los dolientes tienen en casa un altar dedicado a los antepasados, ponen ofrendas y hablan con ellos pues creen que es posible contactarlos. En Egipto, a los dolientes se les anima para que expresen el dolor en desahogos emocionales. Ofrecemos una explicación detallada de la celebración tradicional del Día de Muertos en México (véase el recuadro "Estudio de la diversidad", página, 622).

Las ideas actuales del mundo occidental acerca del duelo hacen hincapié en una respuesta racional para reanudar las actividades normales; en cambio, la concepción era totalmente diferente durante el Romanticismo, en el siglo XIX. Esto lo explica Stroebe en los términos siguientes:

Dado que las relaciones estrechas reflejaban un vínculo muy profundo, la muerte de un ser querido constituía un punto central de la definición de la vida. Vivir el duelo era una señal de la importancia de la relación y de la profundidad del espíritu. La disolución de los vínculos con el difunto no sólo definía las relaciones como superficiales, sino que además negaba el sentido de profundidad y de valor personal. Avergonzaba el compromiso personal y aminoraba el sentido de llevar una vida significativa. En contraste con la orientación del modernismo hacia la ruptura de vínculos, en el romanticismo resultaba valioso mantener esos vínculos a pesar de "un corazón destrozado" (Stroebe y otros, 1993).

Stroebe y sus colegas señalaron que, a pesar de la importancia concedida por el mundo occidental a la "ruptura de vínculos", muchas viudas y viudos los conservan como los dolientes de la época Romántica. "Sienten" la presencia del cónyuge quizá durante años después de su fallecimiento, y los difuntos siguen teniendo fuerte influjo psicológico en la vida del sobreviviente.

Otros teóricos (Wortman y Silver, 1989) ponen en tela de juicio las ideas contemporáneas del duelo que se concentran en una intensa emocionalidad inmediata. Rechazan la idea popular que afirma que el dolor o la depresión son inevitables, que no sentir dolor es patológico, que es importante "resolver" la

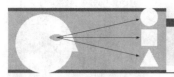

ESTUDIO DE LA DIVERSIDAD

TODOS LOS SANTOS: EL DÍA DE MUERTOS

La fuerza que las influencias culturales ejercen sobre el luto y la muerte se observa con claridad en la cultura mexicana tradicional. Durante la fiesta de *Todos los santos*, los mexicanos de todas las clases sociales —ricos y pobres, educados y analfabetas, habitantes de las ciudades y del campo— interrumpen todas sus actividades para recordar y celebrar a los muertos. Esta conmemoración contrasta de modo radical con las prácticas del luto en casi todo Estados Unidos, que parece más impulsada por la ansiedad y el dolor que por la celebración y el recuerdo.

La fiesta de Todos los Santos nace de la creencia de que la muerte es un elemento natural del ciclo vital, elemento que ha de celebrarse en una fiesta comunitaria (Cohen, 1992). La celebración combina costumbres precolombinas y las creencias de las culturas autóctonas con las de la España católica.

El centro de la celebración lo ocupan los altares comunitarios que saludan el regreso de los ancestros. Cada familia prepara su altar, llamado *ofrenda*, para honrar y recordar a sus difuntos. La *ofrenda* contiene su comida y su bebida preferidos, así como algunas de sus prendas y pertenencias personales. Se preparan ofrendas especiales para el alma de los niños difuntos, que se cree que son los que regresan primero. Las ofrendas se preparan en miniatura e incluyen muchos dulces. Después de que el alma de los muertos hace sentir su presencia, los vivos participan en la celebración. Los parientes consumen parte de la comida y de la bebida, las comparten con sus vecinos y colocan una ofrenda final en la tumba de los difuntos. ¿Qué significado tienen estas costumbres?

Esta participación gozosa crea una reciprocidad comunitaria: ayuda a vincular a la comunidad con sus muertos y esto, a su vez, produce una presencia simbólica de los muertos dentro de ella (Cohen, 1992, página 108).

En vez de proteger al niño contra las realidades de la muerte, ellos son el centro de la festividad de Todos los Santos. Ayudan a preparar la ofrenda y participan en las celebraciones en el panteón. Ayudan a decorar las tumbas con flores de colores brillantes y encienden velas de recuerdo. Gracias a ello aprenden que la muerte es una parte natural de la vida y que no deben temerle. Por tanto,

> En muchas culturas la muerte [...] no se considera como el final, sino como el paso a otro nivel de existencia. Es un acontecimiento marcado al inicio por emociones inciertas, pero que finalmente ha de celebrarse a medida que los muertos son venerados como ancestros (Carmichael y Sayer, 1991, página 7).

En México este reacomodo presenta un carácter de tradición nacional.

---

pérdida, y que el doliente debe tener la esperanza de recobrarse. Por ejemplo, citan algunos estudios en los que se demuestra que, pese a la creencia de que quienes se deprimen tras una pérdida se adaptan de manera más eficaz que los que no se deprimen, los que sufren o se deprimen más suelen seguir así por uno o dos años más. Identifican, además, un **duelo crónico**, o la imposibilidad de recuperarse alguna vez de la pérdida, como un proceso patológico de duelo que se observa en muchos dolientes.

Un extenso estudio longitudinal sobre la respuesta del duelo (Cleiren, 1993) se concentró en la reacción ante la pérdida, en la salud y en el funcionamiento social de 309 miembros de familia que eran parientes cercanos de personas que se habían suicidado, que habían fallecido en accidentes de tránsito o tras una enfermedad prolongada. El estudio, conocido con el nombre de Estudio del duelo de Leiden (*Leiden Bereavement Study*), en honor del pueblo holandés donde se efectuó, reveló variantes en las respuestas de duelo atribuibles al significado de las relaciones antes de la muerte, a la naturaleza de ésta, a si fue o no posible preverla y al apoyo práctico que los dolientes recibían tras el fallecimiento.

En conclusión, las reacciones del duelo difieren mucho de una persona a otra y entre las culturas. No existe una forma universal "correcta", aunque las expectativas sociales influyen tan poderosamente que dan la impresión de que la hay.

duelo crónico Proceso patológico en que el sobreviviente nunca logra superar el dolor.

RITUALES Y COSTUMBRES

Las costumbres y los rituales de la muerte en Estados Unidos han cambiado mucho a lo largo de la historia. Por ejemplo, antes un viudo o una viuda usaba ropa de color negro y durante un año se abstenía de asistir a actividades sociales. Esta conducta simbolizaba su dolor psicológico supuesto y esperado. A otras personas se les asignaba la misión de ofrecerle consuelo y apoyo; la cultura admitía un largo periodo de adaptación (Aries, 1981). En la actualidad, sucede lo contrario en muchas de las culturas occidentales. En condiciones normales, se prevé que el doliente reanude su vida normal en cuestión de unos cuantos días.

Los funerales y los servicios fúnebres dan la sensación de orden, decoro y continuidad. Reafirman los valores y las creencias del individuo y de su comunidad, demostrando al mismo tiempo el apoyo de los parientes y de los amigos. En algunas ceremonias fúnebres, se reseña y se celebra la vida del difunto en un foro público y con la participación de los presentes. Sin embargo, en ocasiones las ceremonias públicas chocan con los valores y las experiencias de los dolientes, dejándoles un sentido aún mayor de aislamiento. Algunas veces los rituales y las instituciones no corresponden a la vida personal de los participantes. Con todo, nos resulta difícil pensar que la muerte de uno de nuestros seres queridos no se acompañe de algún ritual en absoluto: los rituales marcan el final en forma "oficial".

CUANDO MUERE UN NIÑO

Muchos aspectos del duelo y del luto se intensifican cuando fallece un niño. Si muere de modo repentino o imprevisto, las reacciones de los padres y de los hermanos son a menudo prolongadas e intensas. Pueden sobrevenir la confusión, la culpa y los intentos de atribuirle a alguien la culpa (Miles, 1984). Los hermanos y las hermanas de un niño moribundo se sentirán muy confundidos y desorientados. La muerte se ve a veces como una especie de castigo —contra el niño, el progenitor o contra sus hermanos y hermanas— o quizá para resignarse la familia simplemente recurra a frases convencionales como "Dios obra en forma misteriosa para nosotros". A menudo los padres abrumados por el dolor no pueden ayudar a sus hijos o adaptar siquiera las respuestas a su nivel de desarrollo. Muchos hermanos no revelan sus temores secretos ni los sentimien-

Los funerales ayudan a los dolientes, pues les ofrecen, entre otras cosas, un sentido de continuidad.

tos de culpa o malos entendidos; sin embargo, las ideas y los sentimientos que surgen en tales crisis familiares pueden durar toda la vida (Coleman y Coleman, 1984).

Cuando un niño muere en forma lenta por una enfermedad terminal, hay otros problemas que resolver. ¿Debemos decirle la verdad? ¿Cómo podemos ayudarlo a afrontar el trance? ¿Cómo enfrentan los progenitores su sensación de fracaso, de culpa y de impotencia? A menudo los cuidadores médicos participan intensamente en la esperanza de una recuperación. También ellos experimentan algunos de los sentimientos de fracaso y de duelo anticipado de los padres. Las personas interesadas suelen negar sentimientos tan dolorosos. En general, el duelo y la recuperación son muy difíciles cuando muere un niño (Wass y Corr, 1984).

A veces se produce una crisis de valores tras el fallecimiento de un niño. Es verdad que el niño no merecía morir. Los sobrevivientes luchan por revalorizar sus creencias y valores más arraigados —los religiosos en especial—, al mismo tiempo que muestran muchos síntomas de sufrimiento y depresión (Kushner, 1981). Los que encuentran alguna forma de resolver esto mencionan a menudo haber descubierto un significado más profundo en su vida; a los que no lo encuentran tal vez les aguarde una larga vida de desesperación. En el caso de accidentes fatales por imprudencia, hallarán el significado y la resolución afiliándose a grupos de defensa como Madres en contra de la Conducción en Estado de Ebriedad (*Mothers Against Drunk Driving*, MADD), que tratan de prevenir las muertes innecesarias de los niños.

REPASE Y APLIQUE

1. Describa el proceso del duelo en términos generales, señalando lo que es *probable* que experimenten los sobrevivientes.
2. ¿De qué manera los rituales y las costumbres constituyen a veces una fuente de mayor sufrimiento?
3. ¿Cómo influyen los factores culturales e históricos en el proceso de duelo?
4. ¿Qué problemas especiales se observan en la muerte de un niño?

CONCLUSIÓN DEL CICLO VITAL

La muerte de un niño, de un anciano, de un adulto débil o de cualquier otra persona marca el final de su ciclo de vida. Terminamos este capítulo (y el libro) con algunas reflexiones sobre lo que esto significa. El ciclo vital de cada individuo se desarrolla dentro de un contexto cultural e histórico. El nacimiento, los primeros pasos, las primeras palabras, la instrucción escolar, la mayoría de edad, encontrar pareja, el trabajo, la formación de una familia, el encuentro con la sabiduría y el afrontamiento de la propia mortalidad son procesos universales; pero se dan en el rico mosaico de patrones biológicos y culturales de cada individuo. En otras palabras, herencia y ambiente en interacción. Las ciencias sociales tienen mucho que decir sobre los patrones e influencias comunes, así como sobre el momento en que ocurren; pero la comunidad inmediata tiene mucho que decir sobre su significado.

Algunas prácticas culturales hacen explícitos los nexos entre muerte, nacimiento y ciclo de vida. Por ejemplo, en la cultura china tradicional cuando un abuelo muere, al nieto en edad conveniente se le presiona para que se case o tenga un hijo. En la cultura judía, y en otras, se acostumbra poner al primogénito el nombre del pariente muerto de la familia inmediata; así, con el nuevo nacimiento, se celebran la renovación y la continuidad. En conclusión, lo que parecen ser polos opuestos —nacimiento y muerte— se enlazan como parte de un hilo familiar continuo.

Cualquiera que sea el trasfondo cultural, la muerte y sus perspectivas a menudo imprimen un significado nuevo a la vida del individuo y de la comunidad. Reconsideramos nuestras prioridades y nuestros valores cuando tratamos de interpretar la vida y la muerte de una persona. La muerte del líder de la comunidad o de una figura pública depura los valores individuales y comunitarios. Con todo, las muertes más comunes a menudo contribuyen de igual manera a definir el significado del valor, la lealtad, la bondad y la virtud en una forma personal y duradera.

Por lo demás, y como señalamos al inicio del capítulo, independientemente de sus circunstancias, la muerte forma parte de la naturaleza. Es innegable y definitiva. Afecta a los miembros de todas las especies de la naturaleza. Siempre se debatirá lo que está más allá de la muerte para cada uno de nosotros y probablemente la ciencia nunca nos lo revele; pero lo que está más allá para el *Homo sapiens* es una nueva vida para el que vendrá después.

RESUMEN

Pensamientos y temores relacionados con la muerte

- La moderna sociedad tecnológica orientada a la juventud suele negar la muerte y al mismo tiempo preocuparse por ella.
- En los periodos históricos anteriores, la muerte era un acontecimiento familiar que normalmente tenía lugar en el hogar. En cambio, en el siglo XX se ha convertido en una maravilla tecnológica y hoy casi todo mundo muere en los hospitales.
- Para afrontar la realidad de la muerte, hay que tomar precauciones realistas sin limitaciones innecesarias.
- En el pasado había mucha resistencia a discutir el proceso de morir, pero las cosas empiezan a cambiar.
- Los significados personal y cultural de la muerte influyen de manera importante en el hecho de que las personas muestren miedo o preocupación con los pensamientos de su muerte.

Cómo enfrentar la propia muerte

- Las personas que no afrontan la perspectiva de una muerte inmediata pueden dedicar más tiempo a hacerse a la idea, sobre todo si hacen un examen de su vida.
- Para encontrarle significado y propósito a la vida, es necesario hacer una reestructuración activa de las ideas y creencias filosóficas, religiosas y pragmáticas.
- Kübler-Ross identificó cinco etapas en el proceso de ajustar la idea de la muerte: negación, enojo, negociación, depresión y aceptación. No todos pasan por ellas y pocos lo hacen en un orden determinado.
- En las reacciones al proceso de morir influye de manera profunda la naturaleza de la enfermedad, sobre todo en el caso del SIDA, ya que muchos pacientes sufren una muerte lenta que dificulta la aceptación y el perdón.
- El suicidio es frecuente entre personas de edad madura y ancianos. Hay formas más pasivas de suicidio como la muerte sumisa (dejarse morir) y la erosión suicida (matarse indirectamente fumando y bebiendo en exceso o abusando de las drogas).
- El suicidio entre los ancianos casi siempre resulta de pérdidas vitales como la del cónyuge. Los grupos de autoayuda son un medio eficaz para mejorar la salud mental de viudos y viudas.

La búsqueda de una muerte humana

- Se ha sugerido que los pacientes terminales deben tener información sobre su estado y autonomía para decidir, por ejemplo, la dosis de analgésicos que recibirán.
- Las personas que consideran que en realidad ya no controlan su vida pueden optar por renunciar a vivir.
- En Estados Unidos, los hospicios están diseñados para ayudar a los enfermos terminales a vivir sus últimos días lo más plena e independientemente posible, brindándoles apoyo a ellos y a sus parientes.
- La primera meta de los hospicios es manejar el dolor de todo tipo: físico, mental, social y espiritual. También tratan de respetar en lo posible los deseos de los pacientes.
- En la actualidad muchos reclaman el derecho a morir, en lugar de que se mantengan vivos sus sistemas corporales con medios artificiales. Se da el nombre de eutanasia activa al hecho de tomar medidas que tienden a causar la muerte y ésta incluye el suicidio asistido. La eutanasia pasiva consiste en no aplicar o

en desconectar el equipo que mantiene al paciente con vida, de manera que la muerte ocurra de manera natural.

■ Un ejemplo del esfuerzo por garantizar al individuo su autonomía en las últimas etapas de la vida es la carta de derecho a una muerte digna, documento que contiene el deseo del signatario de que no se apliquen "medidas heroicas" para conservarlo vivo en caso de una enfermedad irreversible.

Duelo y luto

■ Los miembros de la familia y los amigos cercanos deben hacer ajustes a corto y a largo plazos cuando muere un ser querido. Los ajustes a corto plazo incluyen entre otras cosas las reacciones psicológicas iniciales, a menudo llamadas proceso de duelo, y también los asuntos prácticos. Los ajustes a largo plazo abarcan cambios de rutinas, de roles y actividades.

■ Generalmente se acepta la necesidad de realizar algunas tareas psicológicas tras la pérdida de un ser querido; por ejemplo, aceptar la realidad de la pérdida y reencauzar la energía emocional invertida antes en la relación con el difunto.

■ Las reacciones iniciales son la conmoción, la confusión, la negación, la incredulidad y, en ocasiones, la ira y la culpa. Después, aparece el duelo activo que consiste en llorar y añorar al difunto. Con el tiempo, los sobrevivientes empiezan a adaptarse a la nueva situación.

■ Si la muerte está precedida por una enfermedad larga o por la pérdida de funciones, los sobrevivientes mostrarán un duelo anticipado. Con esto no se elimina el duelo, pero se atenúan los efectos de la muerte.

■ El apoyo social, especialmente el de los coetáneos, ayuda mucho en el proceso de duelo.

■ Las personas que pierden seres queridos en un periodo más o menos breve sufren una sobrecarga de duelo. Esto es común en las comunidades de homosexuales y de las minorías que pierden muchos de sus miembros a causa del SIDA.

■ Las respuestas del duelo tienen raíces históricas y culturales.

■ Algunos teóricos rechazan la idea popular del duelo y sostienen que quienes más sufren seguirán sufriendo al cabo de uno o dos años.

■ El duelo crónico, o imposibilidad de recuperarse de una pérdida, ha sido identificado como un proceso patológico.

■ Los funerales y los servicios fúnebres pueden dar un sentido de orden y de continuidad. Reafirman los valores y las creencias de la comunidad y además manifiestan apoyo.

■ Muchos aspectos del duelo y del luto se intensifican más cuando fallece un niño, sobre todo si muere de manera repentina o inesperada.

Conclusión del ciclo vital

■ El ciclo vital del individuo está integrado dentro de un contexto cultural e histórico. A lo largo de este ciclo interactúan patrones biológicos y culturales.

■ La muerte y sus perspectivas a menudo imprimen un nuevo significado al individuo y a la comunidad.

CONCEPTOS BÁSICOS

muerte sumisa	eutanasia activa	trabajo de duelo
erosión suicida	suicidio asistido	duelo anticipado
derecho a morir	eutanasia pasiva	duelo crónico

UTILICE LO QUE APRENDIÓ

Las actitudes ante la muerte y el proceso de morir dependen de la edad, la etapa de la vida y la experiencia que hayamos tenido con la muerte. Del mismo modo que a un niño de ocho años le es difícil entender las luchas de identidad de un adolescente de 16 años, los adultos jóvenes y dinámicos con seguridad evitarán pensar en la muerte hasta que la confronten. Aun entonces, sus reacciones serán muy distintas a las de los dolientes en la vejez.

Reflexione sobre la muerte reciente de algún conocido. ¿Cómo reaccionaron los miembros de la familia y los amigos según la edad y la experiencia del doliente? ¿Les ayudaron los rituales más a unos que a otros? ¿Pudieron encontrar formas de trascender las generaciones y ayudarse mutuamente?

LECTURAS COMPLEMENTARIAS

ARIS, P. (1990). *The hour of our death*. Nueva York: Knopf, 1981. Reseña histórica sobre las prácticas y costumbres relacionadas con la muerte.

BEISSER, A. (1990). *A graceful passage: Notes on the freedom to live or die*. Nueva York: Doubleday. Explicación franca y compasiva de las enfermedades terminales progresivas y de los problemas asociados con el derecho a morir.

COOK, A. S. y OLTJENBRUNO, K. A. (1989). *Dying and grieving: Lifespan and family perspectives*. Nueva York: Holt, Rinehart y Winston. Texto muy completo sobre la muerte, el proceso de morir y el de luto.

FITZGERALD, H. (1994). *The mourning handbook: A complete guide for the bereaved*. Nueva York: Simon and Schuster. Una de las guías más útiles que examina lo práctico y lo traumático con consejos e ideas delicadas y equilibradas.

KALISH, R. (1985). *Death, grief, and caring relationships*. Monterey, CA: Brooks/Cole. Libro sobre la muerte y el proceso de morir, que hace hincapié en la importancia de permitir al paciente terminal, a su familia y a sus amigos expresar sus sentimientos y afrontar la idea de la muerte.

KÜBLER-ROSS, E. (1969). *On death and dying*. Nueva York: Macmillan. Basándose en entrevistas exhaustivas con pacientes terminales, Kübler-Ross describe las reacciones más comunes ante la inminencia de la muerte.

KUSHNER, H. (1981). *When bad things happen to good people*. Nueva York: Schocken. Explicación penetrante y comprensiva de cómo encarar las ideas de justicia y las creencias religiosas en situaciones como la muerte.

MOR, V. (1987). *Hospice care systems: Structure, process, costs and outcome*. Nueva York: Springer. Panorama general y análisis de los sistemas de cuidado en hospicios con que se cuenta en la actualidad.

NULAND, S. B. (1993). *How we die: Reflections on life's final chapter*. Nueva York: Random House. Extraordinario libro galardonado con un premio, que combina información médica accesible con valiosas intuiciones sobre las duras realidades de la vida y de la muerte. Este autor y cirujano ofrece descripciones claras sobre los mecanismos del cáncer, las cardiopatías, la apoplejía, el SIDA y la enfermedad de Alzheimer con exactitud clínica y a la vez con elocuencia poética, ofreciéndonos así una exposición fresca y compasiva de esta última etapa de la vida.

abortos espontáneos Expulsión del organismo prenatal antes que sea viable.

absolutismo moral Cualquier teoría de la moralidad que descarte las diferencias culturales en las creencias morales.

ácido desoxirribonucleico (ADN) Molécula grande y compleja que se compone de carbono, hidrógeno, oxígeno, nitrógeno y fósforo. Contiene el código genético que regula el funcionamiento y el desarrollo del organismo.

ácido ribonucleico (ARN) Sustancia que se forma a partir del ADN y que se asemeja a éste. Sirve de mensajero en la célula y como catalizador de la información referente al nuevo tejido.

acomodación Término con que Piaget designa el acto de modificar los procesos del pensamiento cuando un objeto o suceso nuevos no encajan en los esquemas actuales.

adaptación En la teoría de Piaget, es el proceso mediante el cual los esquemas del infante se elaboran, se modifican y se desarrollan.

agresión hostil Conducta cuyo fin es lastimar a otra persona.

agresión instrumental Conducta cuyo fin no es lastimar, sino un medio para obtener algo de otra persona.

alelos Par de genes, presentes en los cromosomas correspondientes, que influyen en el mismo rasgo.

amniocentesis Prueba para detectar anormalidades cromosómicas que se efectúa en el segundo trimestre del embarazo; consiste en extraer y analizar el líquido amniótico con una jeringa.

ancianismo Actitud social predominante que sobrestima la juventud y discrimina a los ancianos.

andamiaje Estructuración progresiva de la interacción entre progenitor e hijo por parte de los padres.

anoxia Ausencia de oxígeno que puede causar daño cerebral.

ansiedad Sentimiento de inquietud, aprensión o temor que se debe a una causa vaga o desconocida.

ansiedad ante extraños y ante la separación Miedo del niño a los extraños o que lo separen de quien lo cuida. Ambos tipos de ansiedad aparecen en la segunda mitad del primer año de vida e indica, en parte, una nueva capacidad cognoscitiva de responder a las diferencias del ambiente.

apego Vínculo que se crea entre un niño y otro individuo. El primer apego se caracteriza por una gran interdependencia, por sentimientos mutuos de mucha intensidad y por vínculos emocionales muy sólidos.

apego inseguro Resultado de cuidados inconstantes o poco afectuosos.

apego seguro Fuerte vínculo emocional entre el niño y quien lo atiende que se debe a un cuidado sensible y afectuoso.

apoplejía Bloqueo de la sangre que llega al cerebro que puede causar daño cerebral.

aprendizaje Proceso básico del desarrollo en que el individuo cambia por la experiencia o la práctica.

aproximación holista Las personas son criaturas "totales" y de ninguna manera están "compartimentadas".

asimilación En la teoría de Piaget, proceso de integrar la nueva información a los esquemas existentes.

atenazar Método por medio del cual se sostienen objetos, desarrollado hacia los 12 meses de edad, y que consiste en que el pulgar se opone al índice.

aterosclerosis Endurecimiento de las arterias, problema común del envejecimiento ocasionado por la creciente incapacidad del cuerpo para aprovechar el exceso de grasas de la dieta. Las grasas son almacenadas en las paredes de las arterias y restringen el flujo sanguíneo cuando se endurecen.

audiencia imaginaria Suposición del adolescente de que otros se fijan mucho en él y lo critican.

autoconcepto Percepción de la identidad personal.

autoestima Hecho de verse uno mismo como una persona con características positivas —como alguien que tendrá un buen desempeño en las cosas que juzga importantes.

automaticidad Realizar conductas motoras bien practicadas sin tener que pensar en ellas.

autonomía Fuerte pulsión a hacer las cosas por uno mismo, a dominar el ambiente físico y social, a ser competente y exitoso.

autorrealización Realizar plenamente nuestro potencial único.

autosomas Todos los cromosomas menos los que determinan el sexo.

bacterias Microorganismos que causan infecciones pero que no pueden atravesar la barrera de la placenta.

blástula Esfera hueca y líquida de células que se forma varios días después de la concepción.

cariotipo Fotografía de los cromosomas de una célula dispuestos por pares según su tamaño.

catarata Opacamiento del cristalino que obstruye la visión.

células gliales Células que aíslan las neuronas y mejoran la eficacia con que se transmiten los impulsos nerviosos.

centros de nacimiento Sitios en que se realiza el proceso íntegro de parto, desde el trabajo de parto y el parto hasta la recuperación.

cesárea Procedimiento quirúrgico con que se extraen el niño y la placenta del útero mediante una incisión en la pared abdominal.

CI de desviación Método que asigna una puntuación de CI mediante la comparación de la puntuación bruta de un individuo con las de otros sujetos del mismo grupo de edad.

ciclo ocupacional Secuencia variable de periodos o etapas en la vida del trabajador que va de la exploración y decisión vocacional a la formación y capacitación profesionales, el estatus de principiante, los ascensos y los periodos de mayor experiencia.

cigoto Primera célula de un ser humano que se produce con la fertilización; óvulo fertilizado.

climaterio Conjunto general de síntomas físicos y psicológicos que se acompañan de cambios reproductivos en la edad madura. Afecta por igual a ambos sexos.

clonación Método por medio del cual los científicos hacen una réplica de un animal a partir de una célula somática.

cociente de inteligencia (CI) Edad mental de un individuo dividida entre la edad cronológica y multiplicada por 100 para eliminar el punto decimal.

cognición social Pensamiento, conocimiento y comprensión del mundo social.

colapso laboral Fatiga psicológica que a menudo afecta a las personas maduras en las profesiones de servicios y de ayuda.

compañeros imaginarios Compañeros inventados por el niño, quien finge que son reales.

comparación social Evaluación que hacemos de nosotros mismos y de nuestra situación en relación con otros.

condición de pretérmino Niño que nace antes de un periodo de gestación de 35 semanas.

condicionamiento clásico Tipo de aprendizaje en que un estímulo neutral (digamos una campana), llega a producir una respuesta (la salivación por ejemplo) al parearse varias veces con un estímulo incondicionado como el alimento.

condicionamiento operante Tipo de condicionamiento que se realiza cuando se refuerza o se castiga a un organismo por emitir de manera voluntaria una respuesta determinada.

condiciones de valor Condiciones que nos imponen para considerarnos seres humanos valiosos y que a menudo es imposible cumplir.

conducta autorregulada Comportamiento personal regulado por el niño.

conducta motivada extrínsecamente Comportamiento que se realiza para obtener recompensa o evitar situaciones aversivas.

conducta motivada intrínsecamente Comportamiento que se realiza por su valor intrínseco, sin perseguir una meta en especial.

conducta prosocial Comportamiento que consiste en acciones mediante las cuales se ayuda, comparte o coopera y cuyo fin es beneficiar a otros.

conductismo radical Suposición de que sólo la conducta observable y mensurable puede estudiarse en forma científica.

congénito Innato o hereditario.

conocimiento declarativo Conocimiento factual; saber "qué".

conocimiento procedimental Conocimiento de la acción; saber "cómo".

consecución de la identidad Estado de quienes han pasado por una crisis de identidad y han hecho compromisos.

consejería genética Tipo de asesoría que ayuda a los futuros padres a evaluar los factores de riesgo de tener un hijo con trastornos genéticos.

conservación Entender que ni la forma ni el aspecto cambiante de un objeto alteran su magnitud o volumen.

consideración positiva incondicional Idea de Rogers según la cual deberíamos aceptar con afecto a los demás como seres humanos valiosos, sin reservas ni condiciones.

constancia del género Conocimiento del niño mayor de que el género es estable y que permanece inalterado pese a cambios de aspecto superficiales.

contenido Significado de un mensaje escrito u oral.

contexto Ambiente o situación particulares en que se realiza el desarrollo; el "trasfondo" del desarrollo.

contingencia Relación entre la conducta y sus consecuencias.

cordón umbilical "Cuerda" de tejido que conecta la placenta al embrión; contiene dos arterias y una vena fetales.

corregulación Adquisición del sentido de responsabilidad compartida entre los progenitores y sus hijos.

correlación Proposición matemática de la relación o correspondencia entre dos variables.

crisis de identidad Periodo de toma de decisiones sobre cuestiones importantes como "¿Quién soy y a dónde me dirijo?".

cromosoma Cadenas de genes, visibles bajo el microscopio.

cromosomas sexuales El vigesimotercer par de cromosomas que determina el sexo.

decisión y compromiso Darse cuenta de estar enamorado y hacer el compromiso de mantenerlo.

definiciones operacionales Procedimientos que emplea el investigador al realizar experimentos.

demencia Confusión, olvido y cambios de personalidad que pueden asociarse con el envejecimiento y los cuales están ligados a varias causas primarias y secundarias.

derecho a morir Opinión de que la muerte es un derecho que debe ejercerse a discreción del individuo.

desarrollo Cambios que con el tiempo se producen en la estructura, el pensamiento y la conducta de una persona como resultado de influencias biológicas y ambientales.

desensibilización sistemática En la terapia conductual, método que aminora de manera gradual la ansiedad de un individuo ante un objeto o situación específicos.

discriminación Tratar a otros en forma prejuiciada.

diseño de secuencias de cohortes Combinación de diseños longitudinales y transversales.

diseño longitudinal Estudio en que a los mismos sujetos se les observa sin interrupción durante un periodo.

diseños transversales Método para el estudio del desarrollo en que se observa una muestra de individuos de una edad y se compara con una o más muestras de individuos de otras edades.

dominante En genética, gen de un par que hace que se exprese un rasgo determinado.

duelo anticipado Prepararse emocionalmente para la muerte de un ser querido, como en el caso de una prolongada enfermedad terminal.

duelo crónico Proceso patológico en que el sobreviviente nunca logra superar el dolor.

edad biológica Posición de la persona en relación con su esperanza de vida.

edad cronológica Años de vida.

edad de viabilidad Edad (hacia las 24 semanas) en que el feto tiene 50 por ciento de probabilidades de sobrevivir fuera del vientre materno.

edad psicológica Capacidad actual del individuo para enfrentar y adaptarse a las exigencias sociales y ambientales.

edad social Estado actual del individuo en comparación con las normas culturales.

efectos del alcohol en el feto Anomalías similares pero más moderadas que se deben a la ingestión de alcohol durante el embarazo.

ego (yo) Componente de la personalidad consciente y orientado a la realidad.

egocentrismo Concepción del mundo orientada al yo, que consiste en percibir todo en relación con uno mismo.

embrión De un verbo griego que significa "engrosarse".

enfermedad de Alzheimer Afección que causa demencia por el deterioro progresivo de las células cerebrales, en especial las de la corteza cerebral.

episiotomía Incisión que se practica para agrandar la abertura vaginal.

erosión suicida Forma indirecta de suicidio que se da por tabaquismo y consumo excesivo de alcohol y otras sustancias.

Escala de Apgar Sistema estándar de calificación que permite a los hospitales evaluar de manera rápida y objetiva el estado del recién nacido.

espermatozoide Célula reproductora masculina, llamada también gameto.

esquemas Término con que Piaget designa las estructuras mentales que procesan la información, las percepciones y las experiencias; los esquemas del individuo cambian con el crecimiento.

esquemas de género Normas cognoscitivas (incluidos los estereotipos) relativas a las conductas y actitudes que son apropiadas para cada uno de los sexos.

estado de exclusión Estado de quienes han hecho compromisos sin pasar por una crisis de identidad.

estado de difusión Estado de quienes no han pasado por una crisis de identidad ni han hecho compromisos.

estado de moratoria Estado de quienes se encuentran en una crisis de identidad.

estatus fraterno Orden del nacimiento.

estereotipos de los roles de género Ideas rígidas y fijas de lo que es apropiado para la conducta masculina o femenina.

estirón del crecimiento Aumento repentino en la tasa de crecimiento que marca el inicio de la pubertad.

estructura vital Patrón global en que se basa la vida de una persona.

etapas Periodos diferenciados, a menudo con transiciones abruptas de uno al siguiente.

etapas psicosexuales Etapas freudianas del desarrollo de la personalidad que se concentran en las zonas erógenas.

etnocentrismo Tendencia a suponer que nuestras creencias, percepciones, costumbres y valores son correctos o normales y que los de otros son inferiores o anormales.

etología Ciencia que estudia los patrones de la conducta animal, en especial la que se rige por el instinto.

eutanasia activa Hecho de tomar medidas para provocar la muerte de otra persona, como en los casos de enfermedad terminal. En Estados Unidos se considera un asesinato.

eutanasia pasiva No utilizar o desconectar el equipo que sustenta la vida para que la muerte ocurra de modo natural.

evolución Proceso por el cual las especies cambian de una generación a otra, adquiriendo características positivas y perdiendo las que se han vuelto obsoletas o inútiles.

exosistema Tercer nivel que indica los ambientes u organizaciones sociales fuera de la experiencia inmediata del niño que influyen en él.

expulsión de secundinas Tercera y última etapa del parto; por lo general ocurre 20 minutos después del parto y durante esta fase se expulsan del útero la placenta y el cordón umbilical. (El término también es llamado "alumbramiento" en la jerga ginecológica.)

fábula personal Sensación del adolescente de que es especial e invulnerable, que no está sujeto a las leyes de la naturaleza que controlan el destino de los mortales comunes.

factores extrínsecos del trabajo Satisfacción por medio de sueldo, estatus y otras recompensas.

factores intrínsecos del trabajo Satisfacciones que se obtienen cuando se realiza el trabajo por su propio valor.

factores patológicos del envejecimiento Efectos acumulados de enfermedades y accidentes que pueden acelerar el envejecimiento.

familias reconstituidas o mezcladas Llamada también familia de divorciados; aquella en que los progenitores han vuelto a casarse para formar otra familia.

familias reconstituidas o mezcladas Familias en las que la madre o el padre con hijos han vuelto a casarse.

fenotipo En genética, rasgos que se expresan en el individuo.

feto Palabra de origen francés que significa "embarazado" o "fecundo".

fobia Temor infundado a un objeto o una situación.

fontanelas Placas blandas y óseas del cráneo, conectadas sólo por cartílago.

forma Símbolo con que se representa el contenido.

formación de la identidad Obtención del sentido de lo que somos y de cómo encajamos en la sociedad.

gametos Células reproductoras (espermatozoides y óvulos).

gemelos dicigóticos (fraternos) Los que proceden de la fertilización de dos óvulos distintos por dos espermatozoides.

gemelos monocigóticos (idénticos) Los que proceden de la división de un solo óvulo fertilizado.

genes Unidades básicas de la herencia.

genética de la conducta Estudio de las relaciones entre conducta y características físico-genéticas.

genotipo Estructura genética de un individuo o grupo.

glaucoma Aumento potencialmente nocivo de la presión en el interior del globo ocular.

gramática pivotal Sistema con que se forman oraciones de dos palabras y que emplean los niños de entre un año y medio y dos años; comprende palabras de acción, preposiciones y posesivos (palabras pivotes) en combinación con palabras abiertas que suelen ser sustantivos.

grupo de compañeros Grupo de dos o más personas con un estatus similar, que interactúan y comparten normas y metas.

guardianes de la estirpe Rol asumido por las personas de edad madura que incluye preservar los rituales de la familia, celebrar los logros y las fiestas, conservar vivas las historias familiares y contactar a los parientes que viven muy lejos.

habilidades motoras finas Competencia en el uso de las manos.

habilidades motoras gruesas Destrezas en que intervienen los músculos más grandes o todo el cuerpo y que también muestran perfeccionamiento.

habituación Proceso de acostumbrarse a ciertas clases de estímulos y dejar de responder a ellos.

habla holofrásica En las primeras etapas de adquisición del lenguaje, el niño pequeño usa palabras aisladas para comunicar pensamientos completos u oraciones.

habla telegráfica Frases de niños de entre un año y medio y de dos años que omiten las palabras menos significativas y contienen palabras que transmiten la mayor parte del significado.

heterocigoto Indica el caso en que son diferentes los dos alelos de un rasgo dominante-recesivo simple.

hipertensión Presión arterial anormalmente alta, acompañada en ocasiones de cefaleas y de mareos.

hipótesis de la discrepancia Teoría cognoscitiva según la cual, hacia los siete meses, el niño adquiere los esquemas de objetos familiares. Cuando se le presenta una imagen y un objeto que difieren de los ya conocidos, siente incertidumbre y ansiedad.

homocigoto Indica el caso en que son iguales dos alelos de un rasgo dominante-recesivo simple.

hormonas Secreciones bioquímicas de la glándula endocrina llevadas por la sangre u otros líquidos corporales a un órgano o tejido y que estimulan o aceleran su funcionamiento.

id (ello) Componente primitivo y hedonista de la personalidad.

identidad Conjunto de conceptos bastante congruentes que tiene una persona sobre sus atributos físicos, psicológicos y sociales.

identidad de género Conocimiento de que uno es hombre o mujer y capacidad para emitir ese mismo juicio acerca de otras personas.

inferencia social Conjeturas y suposiciones sobre lo que otra persona piensa, siente o desea.

influencias no normadas Factores ambientales individuales que no ocurren en momentos predecibles de la vida de una persona.

influencias normadas por la edad Cambios biológicos y sociales que por lo regular ocurren en edades predecibles —una combinación de herencia y de factores ambientales de la especie.

influencias normadas por la historia (llamadas también **factores ambientales de la especie**) Acontecimientos históricos, como guerras, depresión económica y epidemias, que afectan de manera simultánea a grandes cantidades de individuos.

injerto genético Transplante de material genético de una especie a otra, con lo cual se obtiene un híbrido con características de ambos donadores.

instinto Conducta que se observa en todos los miembros normales de una especie, en las mismas condiciones y en la misma forma.

institucionalización Permanencia a largo plazo en una institución, por lo regular en forma permanente.

inteligencia cristalizada Área general de la inteligencia que incluye emitir juicios, analizar problemas y extraer conclusiones de información y conocimientos basados en la experiencia. Este tipo de inteligencia, que se basa en la educación y en cultura en general, aumenta a lo largo del ciclo vital.

inteligencia fluida Área general de inteligencia que abarca las capacidades que se emplean cuando se aprenden cosas nuevas, incluye la memorización, el razonamiento inductivo y la percepción rápida de las relaciones espaciales. Se piensa que esta clase de inteligencia alcanza su nivel máximo ya bien entrada la adolescencia.

interdependencia Dependencia recíproca.

interiorización Hacer que formen parte de uno las reglas y las normas de la conducta y adoptarlas como conjunto de valores.

intimidad Sensación de contacto estrecho que se experimenta en las relaciones amorosas.

jerga expresiva Balbuceo producido cuando un infante emplea inflexiones y patrones que imitan el habla del adulto.

laboriosidad frente a inferioridad Conflicto psicosocial que, según Erikson, ocurre durante la niñez media, en la cual los niños trabajan con mucho empeño y se les recompensa por su esfuerzo o fracasan y adquieren un sentimiento de inferioridad.

lateralización Proceso por medio del cual se ubican algunas habilidades y competencias en uno de los hemisferios del cerebro.

lenguaje productivo Comunicación oral o escrita del preescolar.

lenguaje receptivo Repertorio de palabras y órdenes que entiende el niño, aun cuando no sepa utilizarlas.

ley del efecto Principio de la teoría del aprendizaje según el cual las consecuencias de una conducta determinan la probabilidad de que se repita.

licencia familiar Permiso que establece la ley estadounidense para atender asuntos y problemas de familia, sobre todo los relacionados con el cuidado de los hijos.

liquido amniótico Líquido que sirve de amortiguador al embrión o al feto y que los protege.

longitud promedio de la emisión Extensión de las oraciones que genera el niño.

macrosistema A diferencia de otros niveles, éste —el nivel más externo— no alude a un ambiente en particular. Consta de los valores, las leyes y las costumbres de la sociedad en la que vivimos.

madurez para la jubilación Preparación de una persona para el retiro.

maltrato del niño Daños intencionales de carácter psicológico o físico que se infligen al niño.

mecanismo de adquisición del lenguaje Expresión con que Chomsky indica una serie de estructuras mentales que ayudan al hombre a aprender el lenguaje.

mecanismos de defensa "Trucos" cognoscitivos de los que se vale el individuo para reducir las tensiones que le provocan ansiedad.

meiosis Proceso de división celular en las células reproductoras que produce una cantidad infinita de arreglos cromosómicos diferentes.

menarquia Momento en que ocurre el primer periodo menstrual.

menopausia Cese permanente de la menstruación; ocurre en la madurez y puede acompañarse de síntomas físicos y de intensas reacciones emocionales en algunas mujeres más que en otras.

mesosistema Segundo nivel que está constituido por las interrelaciones entre dos o más microsistemas.

metacognición Proceso que consiste en supervisar el pensamiento, la memoria, el conocimiento, las metas y las acciones personales.

método de habituación Para estudiar las capacidades perceptuales del infante, los investigadores lo acostumbran a ciertos estímulos y luego los cambian.

método de la preferencia A los infantes se les permite escoger entre los estímulos que verán o escucharán. El investigador registra a cuáles presta mayor atención. Si un niño siempre dedica más tiempo a uno de los dos estímulos, la preferencia indica que es capaz de percibir una diferencia y de responder a ella de manera deliberada.

microsistema Primer nivel que designa las actividades, roles e interacciones de un individuo y de su ambiente inmediato: el hogar, el centro de atención diurna o la escuela.

mielinización Formación de la vaina de mielina que cubre las vías rápidas del sistema nervioso central. La vaina aumenta la rapidez de transmisión y la precisión del sistema nervioso.

miopía Defecto visual que consiste en ver sólo los objetos próximos al ojo.

mitosis Proceso de división celular normal que produce dos células idénticas a la célula madre.

modelo de crisis Teoría que fundamenta que los cambios de la madurez son abruptos y a menudo causan estrés.

modelo de sistemas ecológicos Paradigma de desarrollo en que el niño reestructura de manera activa los aspectos de los cuatro niveles ambientales donde vive, al mismo tiempo que recibe el influjo de los niveles y de sus interrelaciones.

modelo de transición Teoría que sustenta que los cambios de la madurez son graduales.

modificación de conducta   Método que utiliza técnicas del condicionamiento (como el reforzamiento, la recompensa y el moldeamiento) para modificar un comportamiento.

moldeamiento   Reforzamiento sistemático de las aproximaciones sucesivas a un acto deseado.

monitor fetal   Monitor externo que registra la intensidad de las contracciones uterinas y los latidos cardiacos del niño por medio de dos cinturones que se colocan alrededor del abdomen de la madre. El monitor externo es un tubo de plástico con electrodos que se introduce en la vagina y se sujeta a la cabeza del niño.

monólogos colectivos   Conversaciones de los niños que incluyen tomar turnos para hablar, pero no necesariamente sobre el mismo tema.

motivación de logro   Motivo aprendido que impulsa a destacar y a conseguir el éxito.

muerte sumisa   Suicidio que consiste en dejarse morir.

muestreo de vello coriónico   Extracción de células de las membranas que rodean al feto; este método se realiza con una jeringa o con un catéter. Esta prueba puede llevarse a cabo más rápidamente que con la amniocentesis, ya que se obtienen más células.

neonatos   Bebés durante el primer mes de vida.

neuronas   Células que constituyen el sistema nervioso. Se forman en el periodo prenatal y continúan creciendo y ramificándose durante toda la vida.

nido vacío   Periodo del ciclo de la vida familiar que ocurre después de que el último hijo se marcha del hogar.

niños resistentes   Los que superan los ambientes difíciles y llevan una vida socialmente adecuada.

normas sociales   Reglas y convenciones que regulan las interacciones sociales.

obesidad   Pesar por lo menos 20 por ciento más del peso ideal correspondiente a la estatura.

observación de laboratorio   Método en que el investigador crea situaciones controladas, cuyo fin es producir la conducta de interés.

observación naturalista o de campo   Método en que el investigador acude a las situaciones comunes, observa y registra la conducta procurando mantenerse lo más objetivo posible.

osteoporosis   Pérdida de la masa ósea y aumento de la fragilidad de los huesos

durante la madurez y en los años posteriores.

otros significativos   Personas a cuyas opiniones un individuo da mucha importancia.

ovulación   Liberación del óvulo hacia una de las dos tropas de Falopio; se realiza por lo regular a los 14 días posteriores a la menstruación.

óvulos   Células reproductoras de la mujer.

padres autoritarios   Progenitores que adoptan estructuras con reglas rígidas y las imponen a sus hijos; en esta situación, el niño no interviene en el proceso de toma de decisiones de la familia.

padres autoritativos (o **con autoridad**) Progenitores que aplican un control firme a sus hijos, pero que alientan la comunicación y la negociación en el establecimiento de las reglas de la familia.

padres indiferentes   Progenitores a quienes no les interesa su rol de padres ni sus hijos; ejercen poco control sobre ellos y les muestran poco afecto.

padres permisivos   Progenitores que ejercen poco control sobre sus hijos pero que son muy afectuosos con ellos; en esta situación, a los hijos les es difícil frenar sus impulsos o posponer la gratificación.

paradigma de la sorpresa   Método de investigación con que se prueban la memoria del infante y sus expectativas. No puede registrar lo que recuerda o espera, pero reacciona con sorpresa cuando no se cumplen sus expectativas.

paradigma de la novedad   Plan de investigación que se sirve de la preferencia del infante por estímulos novedosos sobre los conocidos para investigar su capacidad de distinguir las diferencias de sonidos, patrones o colores.

paradigmas contextuales   Planteamiento de que muchos factores ambientales, sociales, psicológicos e históricos interactúan y determinan el desarrollo.

pareja con doble ingreso   Matrimonio o pareja que comparte un hogar en el que ambos cónyuges contribuyen al ingreso familiar como miembros de la fuerza laboral asalariada.

parto "natural" o preparado   Parto que adopta diversas modalidades, pero se basa siempre en los procedimientos ideados principalmente por el obstetra francés Fernand Lamaze.

parto tradicional   Trabajo de parto y parto en el hospital.

pasión   Segundo componente del amor que se refiere a la atracción física, la ex-

citación y la conducta sexual en una relación.

pensamiento dialéctico   Pensamiento que trata de integrar ideas u observaciones contrarias o antagónicas.

pequeño para la fecha de nacimiento Recién nacido a término que pesa menos de 2.40 kilogramos.

percepción   Proceso complejo por el cual la mente interpreta la información sensorial y le da significado.

perinatología   Rama de la medicina que estudia el parto como un lapso que abarca la concepción, el periodo prenatal, el parto y los primeros meses de vida.

periodo crítico   Único momento en que determinado factor ambiental puede producir su efecto.

periodo embrionario   Segundo periodo prenatal que abarca del final de la segunda semana al término del segundo mes posterior a la concepción. En esta etapa se constituyen las estructuras y órganos principales del nuevo ser.

periodo fetal   Etapa final del desarrollo prenatal que comprende desde el inicio del segundo mes posterior a la concepción hasta el nacimiento. Durante este periodo todos los órganos maduran y se vuelven funcionales.

periodo germinal   Después de la concepción, periodo de división muy rápida de la célula y de la diferenciación celular inicial que dura unas dos semanas.

periodo sensoriomotor   Primer periodo de Piaget del desarrollo cognoscitivo (del nacimiento a los dos años aproximadamente). Los infantes usan esquemas de acción —observar, coger, etc.— para conocer su mundo.

periodos   Etapas.

periodos sensibles u **óptimos**   Aquellos en que ciertos tipos de aprendizaje y desarrollo se realizan en la forma más adecuada y eficaz, pero no de modo exclusivo.

permanencia del objeto   Según Piaget, inicio de la comprensión, hacia los ocho meses de edad, de que los objetos siguen existiendo cuando no están a la vista.

permisividad (o **usos potenciales de los objetos** -*affordances*)   Diferentes oportunidades de interacción que ofrece una percepción; por ejemplo, los pasillos se construyen para andar por ellos.

personalidad   Creencias, actitudes y formas características de interactuar con la gente.

personalidad andrógina   Individuos que poseen un elevado grado tanto de características masculinas como femeninas.

piedad filial Veneración que se tributa a los ancianos en las culturas orientales. Se manifiesta en las tradiciones culturales, lo mismo que en los encuentros cotidianos.

placenta Masa de tejido en forma de disco que se forma a lo largo de la pared del útero, por la que el embrión recibe nutrientes y elimina los desechos.

pragmática Aspectos sociales y prácticos del uso del lenguaje.

prejuicio Actitud negativa que se forma sin una razón suficiente y que en general se dirige contra las personas por su pertenencia a cierto grupo

presentación de nalgas Posición del niño en el útero en la cual las nalgas son lo que aparecen primero; generalmente, en tales casos se requiere ayuda para que el niño no se lastime ni sufra anoxia.

problemas de aprendizaje Dificultades extremas para aprender asignaturas como la lectura, la escritura o las matemáticas, pese a poseer una inteligencia normal y no tener defectos sensoriales ni motores.

procesos de control Procesos cognoscitivos superiores que mejoran la memoria.

pruebas referidas a un criterio Instrumentos que evalúan el desempeño de un individuo en relación con el dominio de determinadas habilidades u objetivos.

pruebas referidas a una norma Instrumentos que comparan el desempeño de un individuo con el de otros miembros del mismo grupo de edad.

psicología humanista Teoría de que el ser humano toma decisiones y busca cumplir metas positivas de índole personal y social.

pubertad Obtención de la madurez sexual en varones y en mujeres.

realismo moral Expresión con que Piaget designa la primera etapa del desarrollo moral, en la cual el niño cree que las reglas son cosas reales e indestructibles.

recesivo En genética, uno de un par de genes que determina un rasgo en el individuo, sólo si el otro miembro del par también es recesivo.

reciprocidad, o sincronía de la interacción Patrón de intercambio entre el cuidador y el infante, en que cada uno responde e influye en los movimientos y ritmos del otro.

reconocimiento Capacidad de identificar de manera correcta lo que se ha experimentado antes cuando aparece de nuevo.

recuerdo Capacidad de recuperar la información y los hechos que no están presentes, con señales o sin ellas.

referenciación social Señales emocionales sutiles, por lo general provenientes de los progenitores que influyen en la conducta del niño.

reflejos de supervivencia Reflejos que son necesarios para adaptarse y sobrevivir, especialmente en las primeras semanas de vida antes que los centros superiores del cerebro asuman el control.

reflejos primitivos Reflejos que no tienen un evidente valor de supervivencia, pero que quizá fueron importantes en alguna etapa de la historia evolutiva de la humanidad.

reforzamiento parcial Procedimiento en que sólo se refuerzan algunas respuestas; genera hábitos más sólidos que el reforzamiento continuo.

relativismo moral Expresión con que Piaget designa la segunda etapa del desarrollo moral, en la cual el niño se da cuenta de que las reglas son acuerdos susceptibles de modificarse en caso necesario.

reloj biológico Forma de sincronización interna con que se mide el desarrollo del adulto; medio por el que sabemos si estamos progresando muy rápida o lentamente en relación con los sucesos sociales más importantes que ocurren durante la adultez.

replicación Repeticiones sistemáticas de experimentos para determinar si los resultados son válidos y generalizables.

representación simbólica Uso de una palabra, imagen, gesto u otro signo para representar hechos, experiencias y conceptos pasados y presentes.

responsabilidad social Obligaciones con la familia, los amigos y la sociedad en general.

retraso mental Funcionamiento intelectual y habilidades de autoayuda muy por debajo del promedio, cuya aparición se da antes de los 18 años de edad.

ritos de transición Hechos o rituales simbólicos que marcan las transiciones de la vida, como el que se da entre la niñez y la condición de adulto.

roles de género Papeles que adoptamos respecto al hecho de ser varón o mujer.

sabiduría Sistema de conocimientos expertos que se concentra en los aspectos pragmáticos de la vida y que incluye excelentes juicios y consejos sobre problemas trascendentales, entre los que se cuentan el significado de la vida y la condición humana; la sabiduría representa la cúspide de la inteligencia humana.

saco amniótico Membrana llena de líquido que alberga al embrión o al feto.

selección natural Teoría de Darwin sobre cómo se realiza la evolución.

senescencia El proceso normal de envejecimiento que no se relaciona con la aparición de enfermedades en el individuo.

sensación Registro simple del estímulo por un órgano sensorial.

síndrome de alcoholismo fetal Anomalías congénitas que comprenden tamaño pequeño, bajo peso al nacer, ciertos rasgos faciales y retraso mental, debidos al consumo de alcohol por parte de la madre durante el embarazo.

síndrome de inmunodeficiencia adquirida (SIDA) Enfermedad mortal causada por el virus de inmunodeficiencia humana. Cualquier persona puede contraerla por contacto sexual o por exposición a la sangre o agujas infectadas.

síndrome de los niños que no progresan Estado en que los infantes son pequeños para su edad y a menudo se enferman por desnutrición o un cuidado inadecuado.

sistemas de significado Sistemas de creencias que moldean nuestras experiencias, organizan nuestros pensamientos y sentimientos y determinan nuestra conducta.

sobrerregulación Generalización de los principios complejos del lenguaje, casi siempre en preescolares que empiezan a ampliar en forma rápida su vocabulario.

sobrextensiones Tendencia del niño a generalizar algunas palabras específicas, como cuando emplea "gato" para designar a todos los felinos.

socialización Proceso mediante el cual aprendemos las reglas de nuestra sociedad, sus leyes, sus normas y valores.

sociobiología Rama de la etología según la cual la conducta social está determinada en gran medida por la herencia biológica del organismo.

subdialectos Diferencias subculturales del lenguaje; los hablantes de los diferentes subdialectos suelen entenderse unos a otros.

subordinación funcional Integración de varias acciones o esquemas simples a un patrón de conducta más complejo.

suicidio asistido   Ofrecer al paciente terminal los medios para poner fin a su vida.

superego (superyó)   Componente consciente que abarca al ego ideal.

temor   Estado de activación, tensión o aprensión causado por una circunstancia específica e identificable.

temperamento   Estilos conductuales innatos.

tendencia cefalocaudal   Secuencia del crecimiento que ocurre primero en la cabeza y que avanza hacia los pies.

tendencia de lo general a lo específico   Tendencia a reaccionar ante los estímulos primero con movimientos generalizados del cuerpo entero, los cuales después se vuelven locales y específicos.

tendencia proximodistal   Secuencia del crecimiento que se realiza de la parte medial del cuerpo hacia afuera.

teoría del desarrollo cognoscitivo   Enfoque que se concentra en el desarrollo del pensamiento, del razonamiento y de la solución de problemas.

teoría del procesamiento de información   Teoría del desarrollo humano que se sirve de la computadora como analogía de la forma en que la mente humana recibe, analiza y almacena la información.

teoría psicoanalítica   Teoría que se basa en las ideas de Freud, quien propuso una concepción determinista de la naturaleza humana. Pensaba que la personalidad está motivada por pulsiones biológicas innatas.

teoría psicosocial   Según Erikson, hay fases del desarrollo durante las cuales la capacidad del individuo para experimentar determina los grandes ajustes al ambiente social y con el yo (o sí mismo) mismo.

teorías estocásticas del envejecimiento   Teorías según las cuales el cuerpo envejece por las agresiones aleatorias de los medios interno y externo.

teóricos del aprendizaje   Designación que se aplica generalmente a los conductistas radicales que se concentran en este proceso.

terapia génica (o terapia correctiva de genes)   Reparación o sustitución de genes individuales para corregir defectos.

teratógenos   Agentes tóxicos de cualquier tipo que causan anomalías o defectos congénitos.

trabajo de duelo   Afrontamiento de las reacciones emocionales ante la pérdida de un ser querido.

trabajo de parto y parto   Segunda etapa del parto que comienza con contracciones más fuertes y regulares y que termina con el nacimiento del niño. Una vez dilatada la cervix en su totalidad, las contracciones empiezan a impulsar el producto por el canal de parto.

trabajo inicial de parto   Primera etapa del trabajo de parto en que la abertura cervical del útero comienza a dilatarse para permitir el paso del niño.

transición de estatus   Cambio de roles o posición que ocurre cuando una persona entra en la adolescencia, tiene hijos, se jubila o enviuda.

Trastorno de déficit de la atención con hiperactividad   Incapacidad para concentrarse en algo lo suficiente como para aprenderlo, acompañada a menudo de un deficiente control de los impulsos.

trimestre   Los tres segmentos temporales de igual duración que comprenden el periodo de gestación.

trompas de Falopio   Par de conductos que dan a la parte superior del útero y que transportan los óvulos del ovario al útero.

ultrasonido   Método que se sirve de ondas sonoras para obtener una imagen del feto en el útero.

uso   Forma en que un hablante emplea el lenguaje para darle un significado en vez de otro.

validez ecológica   Nivel en que el investigador aplica lo que sucede en el mundo real.

variable dependiente   Variable que cambia en un experimento cuando se manipula la variable independiente.

variable independiente   Variable que se manipula en un experimento para observar sus efectos en la variable dependiente.

virus   Organismos ultramicroscópicos que se reproducen sólo en células vivas y que pueden cruzar la barrera de la placenta.

zona del desarrollo proximal   Concepto de Vygotsky de que, con ayuda de los adultos o de compañeros mayores, los niños se desarrollan al participar en actividades que rebasen un poco su competencia.

■■■■■ Bibliografía

AAP TASK FORCE ON INFANT POSITIONING AND SIDS. (1992). Positioning and SIDS. *Pediatrics, 89(6)*, 1120–1126.

ABBOTT, J. W. (1978). Hospice. *Aging, 5(3)*, 38–40.

ABEL, E. L. (1995). An update on incidence of FAS: FAS is not an equal opportunity birth defect. *Neurotoxicology and Teratology, 17*, 437–443.

ABLER, R. M., & SEDLACEK, W. E. (1989). Freshman sexual attitudes and behaviors over a 15–year-period. *Journal of College Student Development, 30*, 201–209.

ABRAHAMS, B., FELDMAN, S. S., & NASH, S. C. (1978). Sex role self-concept and sex role attitudes: Enduring personality characteristics or adaptations to changing life situations? *Developmental Psychology, 14(4)*, 393–400.

ABRAMOVITCH, R., & GRUSEC, J. E. (1978). Peer imitation in a natural setting. *Child Development, 49*, 60–65.

ACHENBACH ET AL. (1991). National survey of problems and competencies among four-to-sixteen-year olds. *Monographs of the Society for Research in Child Development, 56*, (Serial No. 225) 3.

ACHENBACH, T. M. (1982). *Developmental Psychopathology*. New York: Wiley.

ADAMS, B. B. (1979). Mate selection in the United States: A theoretical summarization. In W. Butt, R. Hill, I. Nye, & I. Reis (Eds.), *Contemporary theories about the family* (Vol. 1, pp. 259–267). New York: Free Press.

ADAMS, D. (1983). *The psychosocial development of professional black women's lives and the consequences of career for their personal happiness*. Unpublished doctoral dissertation. Wright Institute, Berkeley, CA.

ADAMS, R. G., & BLIESZNER, R. (1998). Baby boomer friendships. *Generations*, Spring, 70–75.

ADOLPH, K. E. (1997). Learning in the development of infant locomotion. *Monographs of the Society for Research in Child Development, 62* (3, Serial No. 251).

AINSWORTH, M. D. (1967). *Infancy in Uganda: Infant care and the growth of love*. Baltimore: Johns Hopkins University Press.

AINSWORTH, M. D. (1973). The development and infant–mother attachment. In B. M. Caldwell & H. N. Ricciuti (Eds.), *Review of child development research* (Vol. 3). Chicago: University of Chicago Press.

AINSWORTH, M. D. S. (1983). Patterns of infant–mother attachment as related to maternal care. In D. Magnusson & V. Allen (Eds.), *Human development: An interactional perspective*. New York: Academic Press.

AINSWORTH, M. D. S., & BOLBY, J. (April 1991). An ethological approach to personality development. *American Psychologist, 46(4)*, 333–341.

AINSWORTH, M. D., BLEHAR, M., WATERS, E., & WALL, S. (1978). *Patterns of attachment*. Hillsdale, NJ: Erlbaum.

AINSWORTH, M. D. S., BLEHAR, M. C., WATERS, E., & WALL, S. (1979). *Patterns of attachment: A psychological study of the strange situation*. Hillsdale, NJ: Erlbaum.

AINSWORTH, M. D., BLEHAR, M. C., WATERS, E., & WALL, S. (1979). *Patterns of attachment*. New York: Halsted Press.

AIZENBERG, R., & TREAS, J. (1985). The family in late life: Psychosocial and demographic considerations. In J. Birren & K. Warner Schaie (Eds.), *Handbook of the psychology of aging* (2nd ed.). New York: Van Nostrand Reinhold.

ALAN GUTTMACHER INSTITUTE (1994). *Sex and America's teenagers*. New York: Alan Guttmacher Institute.

ALDOUS, J. (1978). *Family careers: Developmental change in families*. New York: Wiley.

ALESSANDRI, S. M. (1992). Effects of maternal work status in single-parent families on children's perception of self and family and school achievement. *Journal of Experimental Child Psychology, 54*, 417–433.

ALEXANDER, T. (November 1970). Psychologists are rediscovering the mind. *Fortune*, pp. 108–111ff.

ALLEN, M., DONOHUE, P., & DUSMAN, A. (1993). The limits of viability—Neonatal outcome of infants born at 22 to 25 weeks' gestation. *New England Journal of Medicine, 329(22)*, 1597–1601.

ALLEN, P. A., ET AL. (1992). Impact of age, redundancy, and perceptual noise on visual search. *Journal of Gerontology: Psychological Sciences, 47(2)*, 69–74.

ALLGAIER, A. (1978). Alternative birth centers offer family-centered care. *Hospitals, 52*, 97–112.

ALMO, H. S. (1978). Without benefit of clergy: Cohabitation as a noninstitutionalized marriage role. In K. Knafl & H. Grace (Eds.), *Families across the life cycle: Studies from nursing*. Boston: Little, Brown.

ALPERT, J. L., & RICHARDSON, M. (1980). Parenting. In L. W. Poon (Ed.), *Aging in the 1980s*. Washington, DC: American Psychological Association.

ALPERT-GILLIS, L. J., & CONNELL, J. P. (1989). Gender and sex-role influences on children's self-esteem. *Journal of Personality, 57*, 97–113.

ALSOP, R. (April 24, 1984). As early retirement grows in popularity, some have misgivings. *Wall Street Journal*.

AMATO, P. R. (February 1993). Children's adjustment to divorce: Theories, hypotheses, and empirical support. *Journal of Marriage and the Family, 55*, 23–38.

AMERICAN ACADEMY OF PEDIATRICS (1996). Policy statement: Drug-exposed infants. Washington, DC.

AMERICAN ASSOCIATION OF UNIVERSITY WOMEN. (1991) *Shortchanging girls, shortchanging America: Executive Summary*. Washington, DC: American Association of University Women Educational Foundation.

AMERICAN ASSOCIATION OF UNIVERSITY WOMEN. (1992) *How schools shortchange women: The AAUW Report*. Washington, DC: American Association of University Women Educational Foundation.

AMERICAN PSYCHIATRIC ASSOCIATION (1994). *Diagnostic andstatistical manual of mental disorders* (4th ed.). Washington, DC.

AMERICAN PSYCHOLOGICAL ASSOCIATION. (1973). *Ethical principles in the conduct of research with human participants*. Washington, DC: APA.

AMES, L. B. (December 1971). Don't push your preschooler. *Family Circle*.

ANCOLIE-ISRAEL, S., KRIPKE, D. F., MASON, W., & KAPLAN, O. J. (1985). Sleep apnea and periodic movements in an aging sample. *Journal of Gerontology, 40(4)*, 419–425.

ANDERSON, D. R., & COLLINS, P. A. (1988). The impact on children's education: Television's influence on cognitive development. Washington, DC: U.S. Department of Education, Office of Educational Research and Improvement.

ANDERSON, D. R., LORCH, E. P., FIELD, D. E., & SANDERS, J. (1981). The effects of TV program comprehensibility on preschool children's visual attention to television. *Child Development, 52*, 151–157.

ANDERSON, E. S. (March 1979). *Register variation in young children's role-playing speech*. Paper presented at the Communicative Competence, Language Use, and Role-playing Symposium, Society for Research and Child Development.

ANDERSSON, B-E. (1989). Effects of public daycare: A longitudinal study. *Child Development, 60*, 857–866.

ANGIER, N. (June 11, 1995). If you're really ancient, you may be better off. *New York Times*, section 4, pp. 1, 5.

ANTHONY, E. J., & COHLER, B. J. (Eds.). (1987). *The invulnerable child*. New York: Guilford.

ANTIAL, J. K., & COTTIN, S. (1988). Factors affecting the division of labor in households. *Sex Roles, 18*, 531–553.

APA TASK FORCE ON WOMEN AND DEPRESSION. (Winter 1991). APA study finds no simple explanation for high rate of depression in women. *Quarterly Newsletter of the National Mental Health Association*, p. 5.

APGAR, V. (1953). Proposal for a new method of evaluating the newborn infant. *Anesthesia and Analgesia, 32*, 260–267.

APTER, T. E. (1995). *Secret paths: Women in the new midlife*. New York: Norton.

AQUILINO, W. S. (1990). The likelihood of parent–adult child coresidence: Effects of family structure and parental characteristics. *Journal of Marriage and the Family, 52,* 405–419.

AQUILINO, W. S. (November 1994). Late life parental divorce and widowhood: Impact on young adults' assessment of parent–child relations. *Journal of Marriage and the Family, 56,* 908–922.

AQUILINO, W. S. (1996). The returning child and parental experience at midlife. In C. D. Ryff & M. M. Seltzer (Eds.) *The parental experiment in midlife.* Chicago: University of Chicago Press.

ARCHER, S. L. (1985). Identity and the choice of social roles. *New Directions for Child Development, 30,* 79–100.

AREND, R. A., GORE, F. L., & SROUFE, L. A. (1979). Continuity of individual adaptation from infancy to kindergarten, *Child Development, 50,* 950–959.

ARIES, P. (1962). *Centuries of childhood.* (R. Baldick, Trans.). New York: Knopf.

ARIES, P. (1981). *The hour of our death.* New York: Knopf.

ARIES, P. (1989). Introduction. In R. Chartier (Ed.), *A history of a private life: Vol. 3. Passions of the Renaissance* (pp. 1–11). Cambridge, MA: Belknap Press of Harvard University Press.

ARMITAGE, S. E., BALDWIN, B. A., & VINCE, N. A. (1980). The fetal sound environment of sheep. *Science, 208,* 1173–1174.

ARMSTRONG, T. (1996). A holistic approach to attention deficit disorder. *Educational Leadership, 53,* 34–36.

ASHER, S. R. (1983). Social competence and peer status: Recent advances and future directions. *Child Development, 54,* 1427–1434.

ASHER, S. R. (1990). Recent advances in the study of peer rejection. In S. R. Asher & J. D. Coie (Eds.), *Peer rejection in childhood* (pp. 3–13). New York: Cambridge University Press.

ASHER, S. R., RENSHAW, P. D., & HYMEL, S. (1982). Peer relations and the development of social skills. In W. W. Hartup (Ed.), *The young child: Reviews of research* (Vol. 3). Washington, DC: National Association for the Education of Young Children.

ASLIN, R. (1987). Visual and auditory development in infancy. In J. Osofsky (Ed.), *Handbook of infant development* (2nd ed.). New York: Wiley.

ASLIN, R. N. (1987). Motor aspects of visual development in infancy. In P. Salapatek & L. Cohen (Eds.), *Handbook of infant perception: Vol. 1. From sensation to perception: Vol. 1.* New York: Academic Press.

ASLIN, R. N., PISONI, D. V., & JUSCZYK, P. W. (1983). Auditory development and speech perception in infancy. In P. H. Mussen (Ed.), *Handbook of child psychology* (Vol. 2). New York: Wiley.

ASLIN, R. N., & SMITH, L. B. (1988). Perceptual development. *Annual Review of Psychology, 39,* 435–473.

ASSO, D. (1983). *The real menstrual cycle.* Chichester, UK: Wiley.

ASTIN, A. W. (1977). *Four critical years.* San Francisco: Jossey-Bass.

ASTLEY, S. J., CLARREN, S. K., LITTLE, R. E., SAMPSON, P. D. & DALING, J. R. (1992). Analysis of facial shape in children gestationally exposed to marijuana, alcohol and/or cocaine. *Pediatrics, 89,* 67–77.

ATCHLEY, R. (1989). A continuity theory of normal aging. *The Gerontologist, 29,* 183–190.

ATCHLEY, R. C. (1982). The process of retirement: Comparing women and men. In M. Szlnovacy (Ed.), *Women's retirement: Policy implications of recent research.* London: Sage.

ATHEY, I. J. (1984). Contributions of play to development. In T. D. Yawkey & A. D. Pellegrini (Eds.), *Child's play.* Hillsdale, NJ: Erlbaum.

ATKINSON, R. C., & SHIFFRIN, R. M. (1971). The control of short-term memory. *Scientific American, 225*(2), 82–90.

AUSUBEL, F., BECKWITH, J., & JANSSEN, K. (June 1974). The politics of genetic engineering: Who decides who's defective? *Psychology Today,* p. 30ff.

BABLADELIS, G. (1987). Young persons' attitudes toward aging. *Perceptual and Motor Skills, 65,* 553–554.

BABSON, S. G., & BENSON, R. C. (1966). *Primer on prematurity and high-risk pregnancy.* St. Louis: Mosby.

BACHMAN, D. L. (September 1992). Sleep disorders with aging: Evaluation and treatment. *Geriatrics, 47*(23), 41–52.

BAILLARGEON, R. (1987). Object permanence in three-and-a-half- and four-and-a-half-month-old infants. *Developmental Psychology, 23*(5), 655–674.

BAILLARGEON, R., & DEVOS, J. (1991). Object permanence in young infants: Further evidence. *Child Development, 62,* 1227–1246.

BAKEMAN, R., & ADAMSON, L. B. (1990). !Kung infancy: The social context of object exploration. *Child Development, 61,* 794–809.

BAKER, B. L., & BRIGHTMAN, A. J. (1989). *Steps to independence: A skills training guide for parents and teachers of children with special needs* (2nd ed.). Baltimore: Paul H. Brookes.

BALDWIN, B. A. (October 1986). Puberty and parents: Understanding your early adolescent. *PACE,* pp. 13, 15–19.

BALDWIN, J. M. (1906). *Mental development in the child and the race: Methods and processes* (3rd ed.). New York: Macmillan.

BALL, W., & TRONICK, E. (1971). Infant responses to impending collision: Optical and real. *Science, 171,* 818–820.

BALTES, P. B. (1979). Life-span developmental psychology: Some converging observations on history and theory. In P. B. Baltes & O. G. Brim, Jr. (Eds.), *Life-span development and behavior* (Vol. 2). New York: Academic Press.

BALTES, P. B. (1987). Theoretical propositions of life-span developmental psychology: On the dynamics of growth and decline. *Developmental Psychology, 23,* 611–626.

BALTES, P. B. (1993). The aging mind: Potential and limits. *Gerontologist, 33*(5), 580–594.

BALTES, P. B., & BALTES, M. M. (1990). Psychological perspectives on successful aging: The model of selective optimization with compensation. In P. B. Baltes & M. M. Baltes, (Eds.), *Successful aging: Perspectives from the behavioral sciences.* New York: Press Syndicate of the University of Cambridge.

BANDURA, A. (1964). The stormy decade: Fact or fiction. *Psychology in the Schools, 1,* 224–231.

BANDURA, A. (1965). Influence of models' reinforcement contingencies on the acquisition of imitative responses. *Journal of Personality and Social Psychology, 1,* 589–595.

BANDURA, A. (1969). *Principles of behavior modification.* New York: Holt, Rinehart and Winston.

BANDURA, A. (1977). *Social learning theory.* Englewood Cliffs, NJ: Prentice Hall.

BANDURA, A. (1982). The psychology of chance encounters and life paths. *American Psychologist, 37,* 747–755.

BANDURA, A. (1986). *Social foundations of thought and action.* Englewood Cliffs, NJ: Prentice Hall.

BANDURA, A., & WALTERS, R. H. (1959). *Adolescent aggression.* New York: Ronald Press.

BANDURA, A., & WALTERS, R. H. (1963). *Social learning and personality development.* New York: Holt, Rinehart & Winston.

BANDURA, A., ROSS, D., & ROSS, S. A. (1963). Imitation of film-mediated aggressive models. *Journal of Abnormal and Social Psychology, 66,* 3–11.

BANKOFF, E. (1986). Peer support for widows: Personal and structural characteristics related to its provision. In S. Hobfoll (Ed.), *Stress, social support, and women* (pp. 207–222). Washington, DC: Hemisphere.

BANKS, M., & DANNEMILLER, J. (1987). Infant visual psychophysics. In P. Salapatek & L. Cohen (Eds.), *Handbook of infant perception: Vol. 1. From sensation to perception.* New York: Academic Press.

BANKS, M. S., & SALAPATEK, P. (1983). Infant visual perception. In P. H. Mussen (Ed.), *Handbook of child psychology* (4th ed.). New York: Wiley.

BARBERO, G. (1983). Failure to thrive. In M. Klaus, T. Leger, & M. Trause (Eds.), *Maternal attachment and mothering disorders.* New Brunswick, NJ: Johnson & Johnson.

BARER, B. M. (1994). Men and women aging differently. *International Journal of Aging and Human Development, 38,* 29–40.

BARKER, R. G., DEMBO, T., & LEWIN, K. (1943). Frustration and regression. In R. G. Barker, J. S. Kounin, & H. F. Wright (Eds.), *Child behavior and development.* New York: McGraw-Hill.

BARNES, D. M. (1989). "Fragile X" syndrome and its puzzling genetics. *Research News,* pp. 171–172.

BARNES, H. L., & OLSEN, D. H. (1985). Parent-adolescent communication and the circumplex model. *Child Development, 56,* 438–447.

BARNETT, M., & PLEACK, M. (1992). Men's multiple roles and their relationship to men's psychological distress. *Journal of Marriage and the Family, 54,* 358–367.

BARNETT, R., & BARUCH, G. (1987). Social roles, gender, and psychological distress. In R. Barnett, L. Biener, & G. Baruch (Eds.), *Gender and stress* (pp. 122–143). New York: Free Press.

BARON, N. S. (1992). *Growing up with language: how children learn to talk.* Reading, Ma.: Addison-Wesley Publishing Co.

BARR, H. DARBY, B., STREISSGUTH, A., & SAMPSON, P. (1990). Prenatal exposure to alcohol, caffeine, tobacco, and aspirin: Effects on fine and gross motor performance in 4–year-old children. *Developmental Psychology, 26*(3), 339–348.

BARRETT, H. C. (March 1994). Technology-supported assessment portfolios. *The Computing Teacher*, 9–12.

BARTECCHI, C. E., MACKENZIE, T. D., & SCHRIER, R. W. (May 1995). The global tobacco epidemic. *Scientific American*, pp. 44–51.

BARTOSHUK, L., & WEIFFENBACH, J. (1990). Chemical senses and aging. In E. Schneider & J. Rowe (Eds.), *Handbook of the biology of aging* (pp. 429–444). San Diego: Academic Press.

BARUCH, G. K., & BARNETT, R. C. (1986a). *Consequences of fathers' participation in family work: Parent role strain and well-being* (Working Paper No. 159). Wellesley, MA: Wellesley College Center for Research on Women.

BARUCH, G., & BARNETT, R. (1986b). Role quality, multiple role involvement, and psychological well-being in midlife women. *Journal of Personality and Social Psychology, 51*, 578–585.

BARUCH, G. K., BIENER, L., & BARNETT, R. (February 1987). Women and gender in research on work and family stress. *American Psychologist*, pp. 130–135.

BARUCH, G., & BROOKS-GUNN, J. (1984). The study of women in mid-life. In G. Baruch & J. Brooks-Gunn (Eds.), *Women in midlife* (pp. 1–8). New York: Plenum.

BASIC BEHAVIORAL SCIENCE TASK FORCE (1996). Vulnerability and resilience. *American Psychologist, 51*:1, 22–28.

BASSUCK, E. L., BROWNE, A., & BUCKNER, J. C. (1996). Single mothers and welfare. *Scientific American, 275*, October, 60–67.

BATEMAN, D., NG, S., HANSEN, C., & HEAGARTY, M. (1993). The effects of interuterine cocaine exposure in newborns. *American Journal of Public Health, 83*(2), 190–194.

BATES, E., O'CONNELL, B., & SHORE, C. (1987). Language and communication in infancy. In J. D. Osofsy (Ed.), *Handbook of infant development* (2nd ed.). New York: Wiley.

BATES, J. E. (1987). Temperament in infancy. In J. D. Osofsky (Ed.), *Handbook of infant development* (2nd ed., pp. 1101–1149). New York: Wiley.

BATESON, G. (1955). *A theory of play and fantasy.* Psychiatric Research Reports, 2, 39–51.

BAUER, P. J., & THAL, D. J. (1990). Scripts or scraps: Reconsidering the development of sequential understanding. *Journal of Experimental Child Psychology, 50*, 287–304.

BAUMRIND, D. (1972). Socialization and instrumental competence in young children. In W. W. Hartup (Ed.), *The young child: Reviews of research* (Vol. 2). Washington, DC: National Association for the Education of Young Children.

BAUMRIND, D. (1975). *Early socialization and the discipline controversy.* Morristown, NJ: General Learning Press.

BAUMRIND, D. (1978). A dialectical materialist's perspective on knowing social reality. *New Directions for Child Development, 2.*

BAUMRIND, D. (1980). New directions in socialization research. *American Psychologist, 35*, 639–650.

BAUMRIND, D. (1987). A developmental perspective on adolescent risk-taking in contemporary America. *New Directions for Child Development, 37*, 93–125.

BAUMRIND, D. (1991). The influence of parenting style on adolescent competence and substance use. *Journal of Early Adolescence, 11*(1), 56–95.

BAYDAR, N. & BROOKS-GUNN, J. (1991). Effects of maternal employment and child-care arrangements on preschoolers' cognitive and behavioral outcomes: Evidence from the children of the National Longitudinal Survey of Youth. *Developmental Psychology, 27*(6), 932–945.

BAYLEY, N. (1965). Research in child development: A longitudinal perspective. *Merrill-Palmer Quarterly, 11*, 183–208.

BAYLEY, N. (1969). *Bayley scales of infant development.* New York: Psychological Corporation.

BAZZINI, D. G., MCINTOSH, W. D., SMITH, S. M., COOK, S., & HARRIS, C. (1997). The aging woman in popular film: Underrepresented, unattractive, unfriendly, and unintelligent. *Sex Roles, 36*, 531–543.

BEAL, C. R. (1987). Repairing the message: Children's monitoring and revision skills. *Child Development, 58*, 401–408.

BEARON, L. (1989). No great expectations: The underpinnings of life satisfaction for older women. *The Gerontologist, 29*, 772–776.

BECK, M. (August 15, 1988). Miscarriages. *Newsweek*, pp. 46–49.

BECKER, J. (1993). Young children's numerical use of number words: counting in many-to-one situations. *Developmental Psychology, 29*(3), 458–465.

BECKER, P. M., & JAMIESON, A. O. (March 1992). Common sleep disorders in the elderly: Diagnosis and treatment. *Geriatrics, 47*(3), 41–52.

BECKER, W. C. (1964). Consequences of different kinds of parental discipline. In M. L. Hoffman (Ed.), *Review of child developmental research* (Vol. 1). New York: Russell Sage Foundation.

BECKWITH, L., & COHEN, S. E. (1989). Maternal responsiveness with preterm infants and later competency. In M. H. Bornstein (Ed.), *New Directions for Child Development; Vol. 43. Maternal responsiveness: Characteristics and consequences.* San Francisco: Jossey-Bass.

BEEGLY, M., & CICCHETTI, D. (1994). Child maltreatment, attachment, and self system: Emergence of an internal state lexicon in toddlers at high social risk. *Development and Psychopathology, 6*, 5–30.

BEHRMAN, R.E. (1992). Introduction. *The future of children: U.S. health care for children. 2*(2). Los Angeles, CA: The David and Lucile Packard Foundation.

BEIT-HALLAHMI, B., & RABIN, A. (1977). The kibbutz as a social experiment and as a child-rearing laboratory. *American Psychologist, 32*, 532–541.

BELL, A. P., & WEINBERG, M. S. (1978). *Homosexualities: A study of diversity among men and women.* New York: Simon & Schuster.

BELL, B. D. (1978). Life satisfaction and occupational retirement: Beyond the impact years. *International Journal of Aging and Human Development, 9*(1), 31–49.

BELL, S. M., & AINSWORTH, M. D. (1972). Infant crying and maternal responsiveness. *Child Development, 43*, 1171–1190.

BELLER, E. K. (1955). Dependency and independence in young children. *Journal of Genetic Psychology, 87*, 25–35.

BELLER, F., & ZLATNIK, G. (1994). Medical aspects of the beginning of individual lives. In Fritz K. Beller and Robert F. Weir (Eds.), The beginning of human life (pp. 3–18). Dordrect, the Netherlands: Kluwer.

BELLUGI, U. (1970). Learning the language. *Psychology Today*, December, 32–38.

BELLUGI, U. (December 1970). Learning the language. *Psychology Today*, pp. 32–38.

BELMONT, I., & BELMONT, L. (1980). Is the slow learner in the classroom learning disabled? *Journal of Learning Disabilities, 13*, 32–33.

BELSKY, J. (1980). Child maltreatment: An ecological integration. *American Psychologist, 35*, 320–335.

BELSKY, J. (1984). *The psychology of aging: Theory and research and practice.* Monterey, CA: Brooks/Cole.

BELSKY, J. (1986). Infant day care: A cause for concern? *Zero to Three, 6*, 1–7.

BELSKY, J. (February 1987). Risks remain. *Zero to Three*, pp. 22–24.

BELSKY, J., & ROVINE, M. (1984). Social-network contact, family support, and the transition to parenthood. *Journal of Marriage and the Family, 46*(2), 455–462.

BELSKY, J., & ROVINE, M. (1988). Nonmaternal care in the first year of life and the security of infant–parent attachment. *Child Development, 59*, 157–167.

BELSKY, J., & ROVINE, M. (1990a). Q-sort security and first-year nonmaternal care. In *New Directions for Child Development: Vol. 49. Child care and maternal employment: A social ecology approach* (pp. 7–22).

BELSKY, J., & ROVINE, M. (1990b). Patterns of marital change across the transition to parenthood: Pregnancy to three years postpartum. *Journal of Marriage and the Family, 52*, 5–19.

BELSKY, J., ROVINE, M., & TAYLOR, D. (1984). The Pennsylvania infant and family development project III. The origins of individual differences in infant–mother attachment: Maternal and infant contributions. *Child Development, 58*, 718–728.

BEM, S. (1985). Androgyny and gender schema theory: A conceptual and empirical integration. In T. B. Sondegegger (Ed.), *Nebraska Symposium on Motivation, 1984: Psychology and gender.* Lincoln: University of Nebraska.

BEM, S. L. (September 1975). Androgyny vs. the tight little lives of fluffy women and chesty men. *Psychology Today*, pp. 59–62.

BENDER, B. G., LINDEN, M. G. & ROBINSON, A. (1987). Environment & developmental risk in children with sex chromosome abnormalities. *Journal of the Academy of Child and Adolescent Psychiatry, 26*, 499–503.

BENEDEK, T. (1970). Parenthood during the life cycle. In E. J. Anthony & T. Benedek

(Eds.), *Parenthood: Its psychology and psychopathology.* Boston: Little, Brown.

BENGSTON, V. L. (1985). Diversity and symbolism in grandparents' role. In V. L. Bengston & J. F. Robertson (Eds.), *Grandparenthood.* Beverly Hills, CA: Sage.

BENGSTON, V. L., & ROBERTSON, J. F. (Eds.). (1985). *Grandparenthood.* Beverly Hills, CA: Sage.

BENIN, M. H., & EDWARDS, D. A.(May 1990). Adolescents' chores: The differences between dual- and single-earner families. *Journal of Marriage and the Family,* 361–373.

BENNETT, D. A., & KNOPMAN, D. S. (August 1994). Alzheimer's disease: A comprehensive approach to patient management. *Geriatrics, 49*(8), 20–26.

BENNETT, N. (1976). *Teaching styles and pupil progress.* Cambridge, MA: Harvard University Press.

BENNETT, S. C., ROBINSON, N. M., & SELLS, C. J. (1983). Growth and development of infants weighing less than 800 grams at birth. *Pediatrics, 7*(3), 319–323.

BERARDO, D., SHEEHAN, C., & LESLIE, G. (1987). A residue of tradition: Jobs, careers, and spouses' time in housework. *Journal of Marriage and the Family, 49,* 381–390.

BEREITER, C., & ENGELMANN, S. (1966). *Teaching disadvantaged children in the preschool.* Englewood Cliffs, NJ: Prentice Hall.

BERGMANN, B. (1986). *The economic emergence of women.* New York: Basic Books.

BERK, L. E. (July 1985). Why children talk to themselves. *Young Children,* pp. 46–52.

BERK, L. E. (1986). Relationship of elementary school children's private speech to behavioral accompaniment to task, attention and task performance. *Developmental Psychology, 22*(5), 671–680.

BERK, L. E. (1992). Children's private speech: An overview of theory and the status of research. In R. M. Diaz & L. E. Berk (Eds.), *Private speech: From social interaction to self-regulation* (pp. 17–53). Hillsdale, NJ: Erlbaum.

BERK, L.E. (1994). Vygotsky's theory: The importance of make-believe play. *Young Children.* 30–39.

BERK, S. F. (1985). *The gender factory: The apportionment of work in American households.* New York: Plenum.

BERKE, L. E. (November 1994). Vygotsky's theory: The importance of make-believe play. *Young Children,* pp. 30–39.

BERKO, J. (1958). The child's learning of English morphology. *Word, 14,* 150–177.

BERNARD, J. (1981). The good-provider role: Its rise and fall. *American Psychologist, 36,* 1–12.

BERNDT, T. (1983). Social cognition, social behavior and children's friendships. In E. T. Higgins, D. Ruble, & W. Hartup, *Social cognition and social development: A socio-cultural perspective.* Cambridge, MA: Cambridge University Press.

BERNDT, T. J. (1982). The features and effects of friendship in early adolescence. *Child Development, 53,* 1447–1460.

BEROFF, J., DOUVAN, E., & JULKA, R. (1981). *The inner American: A self-portrait from 1957–1976.* New York: Basic Books.

BERTENTHAL, B. I., & CAMPOS, J. J. (1987). New directions in the study of early experience. *Child Development, 58,* 560–567.

BIELBY, W., & BARON, J. (1986). Sex segregation within occupations. *American Economic Review, 76,* 43–47.

BINET, A., & SIMON, T. (1905). Methodes nouvelles pour le diagnostic du niveau intellectual des anormaux. *L'Annee Psychologique, 11,* 191–244.

BINET, A., & SIMON, T. (1916). *The development of intelligence in children.* (E. S. Kite, Trans.). Baltimore: Williams & Wilkins.

BIRCH, H. G., & GUSSOW, J. D. (1970). *Disadvantaged children: Health, nutrition and school failure.* New York: Harcourt Brace Jovanovich.

BIRCHLER, G. R. (1992). Marriage. In V. B. Van Hasselt & M. Hersen (Eds.). *Handbook of social development: A lifespan perspective* (pp. 392–420). New York: Plenum.

BIRKEL, R., & JONES, C. (1989). A comparison of the caregiving networks of dependent elderly individuals who are lucid and those who are demented. *The Gerontologist, 29,* 114–119.

BIRNBAUM, H. G., & KIDDER, D. (1984). What does hospice cost? *American Journal of Public Health, 74*(7), 689–692.

BIRREN, J. E., & CUNNINGHAM, W. R. (1985). Research on the psychology in aging: Principles and experimentation. In J. E. Birren & K. W. Schaie (Eds.), *Handbook of the psychology of aging* (2nd ed.). New York: Van Nostrand Reinhold.

BIRREN, J. E., WOODS, A. M., & WILLIAMS, M. V. (1980). Behavioral slowing with age: Causes, organization, and consequences. In L. W. Poon (Ed.), *Aging in the 1980s.* Washington, DC: American Psychological Association.

BIRTH. (June 1988). Report for American College of Obstetricians and Gynecologists. *BIRTH, 15*(2), 113.

BJORKLUND, D. F. (1988). Acquiring a mnemonic: Age and category knowledge effects. *Journal of Experimental Child Psychology, 45,* 71–87.

BLAESE, R. M. (1997). Gene therapy for cancer. *Scientific American, 276 (6),* 111–115.

BLAIR, S. L., & JOHNSON, M. P. (1992). Wives' perceptions of fairness of the division of labor: The intersection of housework and ideology. *Journal of Marriage and the Family, 54,* 570–581.

BLAKE, J. (1989). Number of siblings and educational attainment. *Science, 245,* 32–36.

BLIESZNER, R., & MANCINI, J. (1987). Enduring ties: Older adults' parental role and responsibilities. *Family Relations, 36,* 176–180.

BLOCK, J. (1971). *Lives through time.* Berkeley, CA: Bancroft Books.

BLOCK, J. (1981). Some enduring and consequential structures of personality. In A. I. Rabin et al. (Eds.), *Further explorations in personality.* New York: Wiley.

BLOOM, B. S. (1964). *Stability and change in human characteristics.* New York: Wiley.

BLOOM, B. S., & KRATHWOHL, D. R. (1956). *Taxonomy of educational objectives: Handbook I: The cognitive domain.* New York: McKay.

BLOOM, L. (1970). *Language development: Form and function in emerging grammars.* Cambridge, MA: MIT Press.

BLOOM, L., & LAHEY, M. (1978). *Language development and language disorders.* New York: Wiley.

BLOOM, L., LIFTER, K., & BROUGHTON, J. (1985). The convergence of early cognition and language in the second year of life: Problems in conceptualization and measurement. In M. Barrett (Ed.), *Children's single-word speech.* New York: Wiley.

BLUMSTEIN, P., & SCHWARTZ, P. (1983). *American couples.* New York: Morrow.

BLYTH, D., BULCROFT, A. R., & SIMMONS, R. G. (1981). *The impact of puberty on adolescents: A longitudinal study.* Paper presented at the annual meeting of the American Psychological Association, Los Angeles.

BOCCIA, M., & CAMPOS, J. J. (1989). Maternal emotional signals, social referencing, and infants' reactions to strangers. In N. Eisenberg (Ed.), *New Directions for Child Development: Vol. 44. Empathy and related emotional responses.* (pp. 25–50).

BOHANNON, J. N., JR., & HIRSH-PASEK, K. (1984). Do children say as they're told? A new perspective on motherese. In L. Feagans, C. Garvey, & R. Golinkoff (Eds.), *The origins and growth of communication.* Norwood, NJ: Ablex.

BOLTON, F. G., MORRIS, L. A., AND McEACHERON, A. E. (1989). *Males at risk: The other side of child sexual abuse.* Newbury Park, CA: Sage.

BOOTH-KEWLEY, S., & FRIEDMAN, H. (1987). Psychological predictors of heart disease: A quantitative review. *Psychological Bulletin, 101,* 343–362.

BORKE, H. (1971). Interpersonal perception of young children: Egocentrism or empathy. *Developmental Psychology, 5,* 263–269.

BORKE, H. (1973). The development of empathy in Chinese and American children between 3 and 6 years of age: A cross-cultural study. *Developmental Psychology, 9,* 102–108.

BORNSTEIN, M. H. (1978). Chromatic vision in infancy. In H. W. Reese & L. P. Lipsett (Eds.), *Advances in child development and behavior* (Vol. 12). New York: Academic Press.

BORNSTEIN, M. (Ed.). (1987). *Sensitive periods in development: Interdisciplinary perspectives.* Hillsdale, NJ: Erlbaum.

BORNSTEIN, M. H. (Ed.). (1989). *Maternal responsiveness: Characteristics and consequences.* San Francisco: Jossey-Bass.

BORNSTEIN, M. H., & BRUNER, J. (1986). *Interaction in human development.* Hillsdale, NJ: Erlbaum.

BORNSTEIN, M. H., & TAMIS-LEMONDA, C. S. (1989). Maternal responsiveness and cognitive development in children. In M. H. Bornstein (Ed.), *New Directions for Child Development: Vol. 43. Maternal responsiveness: Characteristics and consequences* (pp. 49–62).

BORNSTEIN, M. H., ET AL. (1992). Maternal responsiveness to infants in three societies: The United States, France, and Japan. *Child Development, 63,* 808–821.

BOSSARD, J. H. S., & BOLL, E. S. (1960). *The sociology of child development.* New York: Harper & Brothers.

BOSTON WOMEN'S HEALTH BOOK COLLECTIVE. (1976). *Our bodies, ourselves* (2nd ed.). New York: Simon & Schuster.

BOTWINICK, J. (1977). Intellectual abilities. In J. Birren & K. W. Schaie (Eds.), *Handbook of the psychology of aging.* New York: Van Nostrand Reinhold.

BOTWINICK, J. (1984). *Aging and behavior: A comprehensive integration of research findings* (3rd ed.). New York: Springer.

BOUCHARD, R. J., JR. (June 25, 1987). Environmental determinants of IQ similarity in identical twins reared apart. Paper presented at the 17th annual meeting of the Behavior Genetics Association, Minneapolis, MN.

BOUCHARD, T. J., JR., LYKKEN, D. T., McGUE, M., SEGAL, N., & TELLEGEN, A. (1990). Sources of human psychological differences: The Minnesota study of twins reared apart. *Science, 250,* 223–228.

BOULTON, M., & SMITH, P. K. (1989). Issues in the study of children's rough-and-tumble play. In M. N. Block & A. D. Pelligrini (Eds.), *The ecological content of children's play.* Norwood, NJ: Ablex.

BOUVIER, L. (1980). America's baby boom generation: The fateful bulge. *Population Bulletin, 35,* 1–35.

BOWER, B. (1991). Emotional aid delivers labor-saving results. *Science News, 139,* 277.

BOWER, B. (1991a). Same family: Different lives. *Science News* (December 7), 375–478.

BOWER, B. (1991b). Teenage turning point: Does adolescence herald the twilight of girls' self-esteem? *Science News, 139*(12), 184–186.

BOWER, T. G. R. (October 1971). The object in the world of the infant. *Scientific American,* pp. 30–38.

BOWER, T. G. R. (1974). *Development in infancy.* San Francisco: Freeman.

BOWER, T. G. R. (1989). *The rational infant: Learning in infancy.* New York: Freeman. A closer look at infant cognitive studies from a most imaginative researcher.

BOWLBY, J. (1960). Separation anxiety. *International Journal of Psychoanalysis, 41,* 89–113.

BOWLBY, J. (1973). *Attachment and loss: Vol. 2. Separation.* New York: Basic Books.

BOWLBY, J. (1980). *Attachment and loss: Vol. 3. Loss, sadness and depression.* New York: Basic Books.

BOWLBY, J. (1982). *Attachment and loss: Vol. 1. Attachment* (2nd ed.). New York: Basic Books.

BOWLBY, J. (1988). *A secure base.* New York: Basic Books.

BOWLBY, J. (1990). *Charles Darwin: A new life.* New York: Norton.

BOYD, J. H., & WEISSMAN, M. M. (1981). The epidemiology of psychiatric disorders of middle age: Depression, alcoholism, and suicide. In J. G. Howels (Ed.), *Modern perspectives in the psychiatry of middle age.* New York: Brunner/Mazel.

BRACKBILL, Y. (1979). Obstetrical medication and infant behavior. In J. Osofsky (Ed.), *Handbook of infant development.* New York: Wiley.

BRACKBILL, Y., McMANUS, K., & WOODWARD, L. (1985). *Medication in maternity: Infant exposure and maternal information.* International Academy for Research on Learning Disabilities. Monographs, Series Number 2. Ann Arbor: University of Michigan Press.

BRACKBILL, Y., & NEVILL, D. (1981). Parental expectations of achievement as affected by children's height. *Merrill-Palmer Quarterly, 27,* 429–441.

BRADLEY. R. H., ET AL. (1989). Home environment and cognitive development in the first 3 years of life: A collaborative study involving six sites and three ethnic groups in North America. *Developmental Psychology, 25*(2), 217–235.

BRADSHAW, J. (1989). *Hemispheric specialization and psychological function.* New York: Wiley.

BRADWAY, K. P., THOMPSON, C. W., & GRAVEN, S. B. (1958). Preschool IQs after 25 years. *Journal of Educational Psychology, 49,* 278–281.

BRAINE, M. D. S. (1963). The ontogeny of English phrase structure: The first phase. *Language, 39,* 1–13.

BRAND, H. J., & WELCH, K. (1989). Cognitive and social-emotional development of children in different preschool environments. *Psychological Reports, 65,* 480–482.

BRASSARD, M. R., & McNEILL, L. E. (1987). Child sexual abuse. In M. Brassard, R. Germain, & S. Hart (Eds.), *Psychological maltreatment of children and youth.* New York: Pergamon.

BRATCHER, W. (October 1982). The influence of the family on career selection: A family systems perspective. *Personnel and Guidance Journal,* pp. 87–91.

BRAY, D. W., & HOWARD, A. (1983). The AT&T longitudinal studies of managers. In K. W. Schaie (Ed.), *Longitudinal studies of adult development.* New York: Guilford.

BRAZELTON, T. B. (1969). *Infants and mothers: Differences in development.* New York: Dell.

BRAZELTON, T. B. (1973). *Neonatal behavioral assessment scale.* London: Heinemann.

BRAZELTON, T. B., NUGENT, J. K., & LESTER, B. M. (1987). Neonatal behavioral assessment scale. In J. Osofsky (Ed.), *Handbook of infant development* (2nd ed., pp. 780–817). New York: Wiley.

BRAZELTON, T. B., YOGMAN, M., ALS, H., & TRONICK, E. (1979). The infant as a focus for family reciprocity. In M. Lewis & L. A. Rosenblum (Eds.)., *The child and his family.* New York: Plenum.

BREHM, S. (1992). *Intimate relationships.* New York: McGraw-Hill.

BRENNER, A. (1984). *Helping children cope with stress.* Lexington, MA: D. C. Heath.

BRETHERTON, I. (1992). Attachment and bonding. In V. B. Van Hasselt & M. Hersen (Eds.), *Handbook of social development: A lifespan perspective* (pp. 133–155). New York: Plenum Press.

BRETHERTON, I., & WATERS, E. (Eds.). (1985). Growing points of attachment. *Monographs of the Society for Research in Child Development, 50*(1–2), Serial 209.

BRIESEMEISTER, L. A., & HAINES, B. A. (1988). The interactions of fathers and newborns.

In K. L. Michaelson (Ed.), *Childbirth in America: Anthropological perspectives.* South Hadley, MA: Bergin & Garvey.

BRIGGS, G. C., FREEMAN, R. K., & YAFFE, S. J. (1986). *Drugs in pregnancy and lactation* (2nd ed.). Baltimore: Williams & Wilkins.

BRODY, E. M. (1985). *Parent care as a normative family stress.* Donald P. Kent Memorial Lecture, presented at the 37th annual scientific meeting of the Gerontological Society of America, San Antonio, Texas.

BRODY, E., JOHNSEN, P., & FULCOMER, M. (1984). What should adult children do for elderly parents? Opinions and preferences of three generations of women. *Journal of Gerontology, 39,* 736–746.

BRODY, E., KLEBAN, M., JOHNSEN, P., HOFFMAN, C., & SCHOONOVER, C. (1987). Work status and parent care: A comparison of four groups of women. *The Gerontologist, 27,* 201–208.

BRODY, E., & SCHOONOVER, C. (1986). Patterns of parent-care when adult daughters work and when they do not. *The Gerontologist, 26,* 372–381.

BRODY, J. (June 6, 1979). Exercising to turn back the years. *New York Times,* pp. C18–19.

BRODY, S. J. (1987). Strategic planning: The catastrophic approach. *The Gerontologist, 27*(2), 131–138.

BROMAN, S. (1986). Obstetric medication: A review of the literature on outcomes in infancy and childhood. In Michael Lewis (Ed.), *Learning disabilities and prenatal risk.* Urbana: University of Illinois Press.

BRONFENBRENNER, U. (1970). *Two worlds of childhood: U.S. and U.S.S.R.* New York: Russell Sage Foundation.

BRONFENBRENNER, U. (1979). *The ecology of human development.* Cambridge, MA: Harvard University Press.

BRONFENBRENNER, U. (1989). Ecological systems theory. In R. Vasta (Ed.), *Annals of Child Development.* (Vol. 6, pp. 187–251). Greenwich, CT.: JAI Press.

BRONFENBRENNER, U., & CECI, S. J. (1993). Heredity, environment, and the question "How?"—A first approximation. In R. Plomin & G. E. McClearn (Eds.), *Nature, nurture and psychology* (pp. 313–339). Washington, DC: American Psychological Association.

BRONSON, G. (1978). Aversion reactions to strangers: A dual process interpretation. *Child Development, 49,* 495–499.

BRONSON, W. (1975). Developments in behavior with agemates during the second year of life. In M. Lewis & L. A. Rosenblum (Eds.), *Peer relations and friendship.* New York: Wiley.

BRONSON, W. C. (1981). Toddlers' behavior with agemates: Issues of interaction and cognition and affect. In L. P. Lipset (Ed.), *Monographs on Infancy* (Vol. 1). Norwood, NJ: Ablex.

BROOKS, R. L., & OBRZUT, J. E. (1981). Brain lateralization: Implications for infant stimulation and development. *Young Children, 26,* 9–16.

BROOKS-GUNN, J., & FURSTENBERG, F. F., JR. (1986). The children of adolescent mothers: Physical, academic, and psychological outcomes. *Developmental Review, 6,* 224–251.

BROOKS-GUNN, J., & FURSTENBERG, F. F., JR. (1989). Adolescent sexual behavior. *American Psychologist, 44,* 249–257.

BROOKS-GUNN, J., KLEBANOV, P. K., & DUNCAN, G. J. (1996). Ethnic differences in children's intelligence test scores: Role of economic deprivation, home environment, and maternal characteristics. *Child Development, 67,* 396–408.

BROPHY, J. (1986). Teacher influences on student achievement. *American Psychologist, 41,* 1069–1077.

BROUGHTON, J. (1977). Beyond formal operations: Theoretical thought in adolescence. *Teacher's College Record, 79,* 88–97.

BROUSSARD, E. R. (1989). The infant–family resource program: Facilitating optimal development. *Prevention in Human Services, 6*(2), 179–224.

BROWN, B. B., CLASEN, D. R., & EICHER, S. A. (1986). Perceptions of peer pressure, peer conformity dispositions, and self-reported behavior among adolescents. *Developmental Psychology, 22,* 521–530.

BROWN, B. B., & LOHR, M. J. (1987). Peer-group affiliation and adolescent self-esteem: An integration of ego-identity and symbolic-interaction theories. *Journal of Personality and Social Psychology, 52,* 47–55.

BROWN, D. L. (1996). Kids, computers, and constructivism. *Journal of Instructional Psychology, 23,* 189–195.

BROWN, J. L., & POLLITT, E. (1996). Malnutrition, poverty and intellectual development. *Scientific American, 276* (2), 38–43.

BROWN, R. (1965). *Social psychology.* New York: Free Press.

BROWN, R. (1973). *A first language: The early stages.* Cambridge, MA: Harvard University Press.

BROWNELL, C. A., & CARRIGER, M. S. (1990). Changes in cooperation and self-other differentiation during the second year. *Child Development, 61,* 1164–1174.

BRUCK, M. (1987). The adult outcomes of children with learning disabilities. *Annals of Dyslexia, 37,* 252–263.

BRUNER, J. S. (1960). *The process of education.* Cambridge, MA: Harvard University Press.

BRUNER, J. S. (1971). *The relevance of education.* New York: Norton.

BRUNER, J. S. (1973). *Beyond the information given: Studies in the psychology of knowing.* New York: Norton.

BRUNER, J. (1983). *Child's talk.* New York: Norton.

BRUNER, J., & HASTE, H. (Eds.). (1987). *Making sense: The child's construction of the world.* London & New York: Methuen.

BRUNER, J. S., & OLVER, R. R., & GREENFIELD, P. M. (1966). *Studies in cognitive growth.* New York: Wiley.

BRUSCHWEILER-STERN, N. (1997). Imagining the baby, imagining the mother: Clinical representations of perinatology. *Ab Initio: The Brazelton Institute Newsletter, 4,* 1–5.

BRYAN, J. H. (1975). Children's cooperation and helping behaviors. In E. M. Hetherington (Ed.), *Review of child development* (Vol. 5). Chicago: University of Chicago Press.

BUCHANAN, C. M., ECCLES, J. S., & BECKER, J. B. (1992). Are adolescents the victims of raging hormones? Evidence for activational effects of hormones on moods and behavior at adolescence. *Psychological Bulletin, 111*(1), 62–107.

BUCHOFF, R. (Winter 1990). Attention deficit disorder: help for the classroom teacher. *Childhood Education, 67*(2), 86–90.

BUIS, J. M., & THOMPSON, D. N. (1989). Imaginary audience and personal fable: A brief review. *Adolescence, 24,* 773–781.

BULTERYS, M. G., GREENLAND, S., & KRAUS, J. F. (1989). Cigarettes and pregnancy. *Pediatrics, 86*(4), 535–540.

BULTERYS, M. G., GREENLAND, S., & KRAUS, J. F. (October 1990). Chronic fetal hypoxia and sudden infant death syndrome: Interaction between maternal smoking and low hematocrit during pregnancy. *Pediatrics, 86*(4), 535–540.

BURGESS, R. L., & CONGER, R. D. (1978). Family interaction in abusive, neglectful, and normal families. *Child Development, 49,* 1163–1173.

BURI, J. R., LOUISELLE, P. A., MISUKANIS, T. M., & MUELLER, R. A. (1988). Effects of parental authoritarianism and authoritativeness on self-esteem. *Personality and Social Psychology Bulletin, 14,* 271–282.

BURKE, R. J., & NELSON, D. (1997). Mergers and acquisitions, downsizing, and privatization: A North American perspective. In M. K. Gowing, J. D. Kraft, & J. C. Quick (Eds.), *The new organizational reality: Downsizing, restructuring, and revitalization.* Washington, DC: American Psychological Association.

BURKE, R., & WEIR, T. (1976). Relationship of wives' employment status to husband, wife and pair satisfaction and performance. *Journal of Marriage and the Family,* 279–287.

BURNSIDE, I. M. (1979a). The later decades of life: Research and reflections. In I. M. Burnside, P. Ebersole, & H. E. Monea (Eds.), *Psychosocial caring throughout the life span.* New York: McGraw-Hill.

BURNSIDE, I. M. (1979b). Sensory and cognitive functioning in later life. In I. Burnside, P. Ebersole, & H. E. Monea (Eds.), *Psychosocial caring throughout the life span.* New York: McGraw-Hill.

BURNSIDE, I. M., EBERSOLE, P., & MONEA, H. E. (Eds.) (1979). *Psychosocial caring throughout the life span.* New York: McGraw-Hill.

BUSCH, J. W. (1985). Mentoring in graduate schools of education: Mentors' perceptions. *American Educational Research Journal, 22,* 257–265.

BUSHNELL, E., AND BOUDREAU, J. P. (1993). Motor development and the mind: The potential role of motor abilities as a determinant of aspects of perceptual development. *Child Development, 64,* 1005–1021.

BUSKIRK, E. R. (1985). Health maintenance and longevity: Exercise. In C. E. Finch & E. L. Schneider (Eds.), *Handbook of the biology of aging* (2nd ed.). New York: Van Nostrand Reinhold.

CALDWELL, R., BLOOM, B., & HODGES, W. (1984). Sex differences in separation and di-

vorce: A longitudinal perspective. In A. Rickel, M. Gerrard, & I. Iscoe (Eds.), *Social and psychological problems of women* (pp. 103–119). Washington, DC: Hemisphere.

CALLAHAN, J. (1988). Elder abuse: Some questions for policymakers. *The Gerontologist, 28,* 453–458.

CAMPBELL, M., & SPENCER, E. K. (1988). Psychopharmacology in child and adolescent psychiatry: A review of the past five years. *Journal of the American Academy of Child and Adolescent Psychiatry, 27,* 269–279.

CAMPOS, J. J., LANGER, A., & KROWITZ, A. (1970). Cardiac responses on the visual cliff in prelocomotor human infants. *Science, 170,* 196–197.

CANTOR, J., & WILSON, B. J. (1988). Helping children cope with frightening media presentations. *Current Psychology: Research and Reviews, 7*(1), 58–75.

CAPELLI, C. A., NAKAGAWA, N., & MADDEN, C. M. (1990). How children understand sarcasm: The role of context and intonation. *Child Development, 61,* 1824–1841.

CAPLAN, N., CHOY, M. H., & WHITMORE, J. K. (February 1992). Indochinese refugee families and academic achievement. *Scientific American,* pp. 36–42.

CARD, J. J., & WISE, L. L. (1978). Teenage mothers and teenage fathers: The impact of early childbearing on the parents' personal and professional lives. *Family Planning Perspectives, 10,* 199–205.

CARLO, G., KOLLER, S. H., EISENBERG, N., DA SILVA, M. S., & FROHLICH, C. B. (1996). A cross-national study on the relations among prosocial moral reasoning, gender role orientations, and prosocial behaviors. *Developmental Psychology, 32,* 231–240.

CARLSON, C. I., COOPER, C. R., & SPRADLING, V. Y. (1991). Developmental implications of shared versus distant perspectives of the family in early adolescence. *New Directions in Child Development, 51,* 13–31.

CARMICHAEL, E., & SAYER, C. (1991). *The skeleton at the feast: The day of the dead in Mexico.* London: British Museum Press.

CARPENTER, G. (1974). Mother's face and the newborn. *New Scientist, 61,* 742–744.

CARSKADON, M. A., VAN DEN HOED, J., & DEMENT, W. C. (October 13, 1979). *Insomnia and sleep disturbances in the aged: Sleep and daytime sleepiness in the elderly.* Paper presented at a scientific meeting of the Boston Society for Gerontologic Psychiatry.

CARTER, B., & MCGOLDRICK, M. (1980). *The family life cycle.* New York: Gardner.

CARVER, C., & HUMPHRIES, C. (1982). Social psychology of the Type A coronary-prone behavior pattern. In G. Sanders & J. Suls (Eds.), *Social psychology of health and illness.* Hillsdale, NJ: Erlbaum.

CASE, R. (1996). Reconceptualizing the nature of children's conceptual structures and their development in middle childhood. *Monographs of the Society for Research in Child Development, 61,* 1–26.

CASPI, A. (1987). Personality in the life course. *Journal of Personality and Social Psychology, 53,* 1203–1213.

CASPI, A., & ELDER, G. H., JR. (1988). Childhood precursors of the life course: Early personality and life disorganization. In

E. M. Hetherington, R. N. Lerner, & M. Perlmutter (Eds.), *Child development* (pp. 259–276). Hillsdale, NJ: Erlbaum.

CASPI, A., ELDER, G. H., JR., & BEM, D. J. (1987). Moving against the world: Life-course patterns of explosive children. *Developmental Psychology, 23*, 308–313.

CASSIDY, J. (1986). The ability to negotiate the environment: An aspect of infant competence as related to quality of attachment. *Child Development, 57*, 331–337.

CASSIDY, J., & BERLIN, L. J. (1994). The insecure/ambivalent pattern of attachment: Theory and research. *Child Development, 65*, 971–991.

CAUDILL, W., & WEINSTEIN, H. (1969). Maternal care and infant behavior in Japan and America. *Psychiatry, 32*, 12–43.

CENTERS, R. (1975). *Sexual attraction and love: An instrumental theory.* Springfield, IL: Chas. C Thomas.

CHAN, M. (1987). Sudden Infant Death Syndrome and families at risk. *Pediatric Nursing, 13*(3), 166–168.

CHANCE, P. (January 1981). That drained-out, used-up feeling. *Psychology Today*, pp. 88–95.

CHAO, R. K. (1994). Beyond parental control and authoritarian parenting style: Understanding Chinese parenting through the cultural notion of training. *Child Development, 65*, 1111–1119.

CHAPMAN, K. L., & MERVIS, C. B. (1989). Patterns of object-name extension in production. *Journal of Child Language, 16*, 561–571.

CHARLESWORTH, W. (1988). Resources and resource acquisition during ontogeny. In K. B. MacDonald (Ed.), *Sociobiological perspectives on human development.* New York: Springer-Verlag.

CHARNESS, N. (1981). Search in chess: Age and skill differences. *Journal of Experimental Psychology: Human Perception and Performance, 7*, 467–476.

CHASE-LANSDALE, P. L., BROOKS-GUNN, J., & ZAMSKY, E. S. (1994). Young African-American multigenerational families in poverty: Quality of mothering and grandmothering. *Child Development, 65*, 373–393.

CHASNOFF, I. J. (1989). Cocaine, pregnancy and the neonate. *Women and Health, 5*(3), 33.

CHERLIN, A., & FURSTENBERG, F. F. (Summer 1986). Grandparents and family crisis. *Generations,* 26–28.

CHESNICK, M., MENYUK, P., LIEBERGOTT, J., FERRIER, L., & STRAND, K. (April 1983). *Who leads whom?* Paper presented at the meeting of the Society for Research in Child Development, Detroit.

CHESS, S. (1967). Temperament in the normal infant. In J. Hellmuth (Ed.), *The exceptional infant* (Vol. 1). Seattle: Special Child Publications.

CHESS, S. (February 1987). Comments: "Infant day care: A cause for concern." *Zero to Three*, pp. 24–25.

CHICCHETTI, D., & ROGOSCH, F. A. (1997). The role of self-organization in the promotion of resilience in maltreated children. *Development and Psychopathology, 9*, 797–815.

CHILDREN'S DEFENSE FUND. (1991). *The state of America's children, 1991.* Washington, DC: Children's Defense Fund.

CHILDREN'S DEFENSE FUND. (1992). *The State of America's Children 1992.* Washington, DC: Children's Defense Fund.

CHILDREN'S DEFENSE FUND (1994). *The state of America's children yearbook, 1994.* Washington, DC: The Fund.

CHILDREN'S DEFENSE FUND (1998). *The State of America's Children Yearbook 1998.* Washington, DC.

CHILMAN, C. (1979). *Adolescent sexuality in changing American society.* Washington, DC: Government Printing Office.

CHIRIBOGA, D. A. (1981). The developmental psychology of middle age. In J. Howells (Ed.), *Modern perspectives in the psychiatry of middle age.* New York: Brunner/Mazel.

CHIRIBOGA, D. A., & CUTLER, L. (1980). Stress and adaptation: Life span perspectives. In L. W. Poon, (Ed.), *Aging in the 1980s.* Washington, DC: American Psychological Association.

CHOMSKY, C. (1969). *The acquisition of syntax from 5 to 10.* Cambridge, MA: MIT Press.

CHOMSKY, N. (1959). Review of *Verbal Behavior* by B. F. Skinner, *Language, 35*, 26–58.

CHOMSKY, N. (1975). *Reflections on language.* New York: Pantheon.

CHOMSKY, N. (1975). *Reflections on language.* New York: Pantheon.

CHRISTENSEN, H., KORTEN, A., JORM, A. F., HENDERSON, A. S., SCOTT, R., & MACKINNON, A. J. (1996). Activity levels and cognitive functioning in an elderly community sample. *Age and Ageing, 25*, 72–80.

CHUKOVSKY, K. (1963). *From two to five.* (M. Morton Ed. & Trans.). Berkeley: University of California Press.

CICCHETTI, D., & BEEGHLY, M. (1990). Perspectives on the study of the self in transition. In D. Cicchetti & M. Beeghly (Eds.), *The self in transition: Infancy to childhood* (pp. 5–6). Chicago: University of Chicago Press.

CICCHETTI, D. & TOTH, S.L. (1998). The development of depression in children and adolescents. *American Psychologist, 53,* 2, 221–241.

CLARK, E. V. (1983). Meaning and concepts. In P. H. Mussen (Ed.), *Handbook of child psychology* (4th ed., Vol. 4). New York: Wiley.

CLARK, E. V. (1987). The principle of contrast: A constraint on acquisition. In B. Macwhinner (Ed.), *Mechanisms of language acquisition.* Hillsdale, NJ: Erlbaum.

CLARK, J. E., & PHILLIPS, S. J. (1985). A developmental sequence of the standing long jump. In J. E. Clark & J. H. Humphrey (Eds.), *Motor development: Current selected research.* Princeton, NJ: Princeton Book Company.

CLARK, K. (May 31, 1957). *Present threats to children and youth.* Draft Report, manuscript in the office of the National Committee on the Employment of Youth, New York City.

CLARK, R., HYDE, J. S., ESSEX, M. J., & KLEIN, M. H. (1997). *Child Development, 68,* 364–383.

CLARKE, S. C. (March 22, 1995). Advance report of final divorce statistics, 1989 and 1990. *Monthly vital statistics report, U. S. Department of Health and Human Services,* 43(9), 1–4. Washington, DC: Centers for Disease Control and Prevention.

CLARKE-STEWART, A. (1982). *Daycare.* Cambridge, MA: Harvard University Press.

CLARK-STEWART, A. (1988). Parent's effects on children's development: A decade of progress? *Journal of Applied Developmental Psychology, 9*, 41–84.

CLARKE-STEWART, K. A. (1978). And daddy makes three: The father's impact on mother and young child. *Child Development, 49*, 466–478.

CLARKE-STEWART, K. A., & FEIN, G. C. (1983). Early childhood programs. In M. Haith & J. Campos (Eds.), *Handbook of child psychology: Vol. 2. Infancy and developmental psychobiology* (4th ed.). New York: Wiley.

CLARKE-STEWART, K. A., & HEVEY, C. M. (1981). Longitudinal relations in repeated observations of mother–child interaction from 1 to 2½ years. *Developmental Psychology, 17*, 127–145.

CLAUSEN, J. A. (1995). Gender, contexts, and turning points in adults' lives. In Moen, P., Elder, G. H., & Luscher, K. (Eds.) *Examining lives in context: Perspectives on the ecology of human development.* Washington, DC: American Psychological Association.

CLAUSER, J. A. (1986). *The life course: A sociological perspective.* Englewood Cliffs, NJ: Prentice Hall.

CLEIREN, M. (1993). *Bereavement and adaptation: A comparative study of the aftermath of death.* Washington, DC: Hemisphere Publishing.

CLINGENPEEL, G., & SEGAL, S. (1986). Stepparent–stepchild relationships and the psychological adjustment of children in stepmother and stepfather families. *Child Development, 57*, 474–484.

COE, R. (1988). A longitudinal examination of poverty in the elderly years. *The Gerontologist, 28*, 540–544.

COHEN, D., & EISDORFER, K. (1986). *The loss of self: A family resource for the care of Alzheimer's disease and related disorders.* New York: Norton.

COHEN, J. S., & HOGAN, M. E. (1994). The new genetic medicines. *Scientific American 271*(6), 76–82.

COHEN, L. B., & GELBER, E. R. (1975). Infant visual memory. In L. B. Cohen & P. Salapatek (Eds.), *Infant perception: From sensation to cognition* (Vol. 1). New York: Academic Press.

COHEN, N. & ESTNER, L. (1983). *Silent knife: Caesarean prevention and vaginal birth after Caesarean.* South Hadley, MA: Bergin & Garvey.

COHEN, S. (Winter 1992). Life and death: A cross-cultural perspective. *Childhood Education,* 107–108.

COLBY, A., KOHLBERG, L., GIBBS, J., & LIEBERMAN, M. (1983). A longitudinal study of moral development. *Monographs of the Society for Research in Child Development, 48* (1–2 Serial No. 200).

COLE, M. A. (Winter 1979). Sex and marital status differences in death anxiety. *Omega, 9*, 139–147.

COLE, M., & BRUNER, J. S. (1971). Cultural differences and inferences about psychological processes. *American Psychologist, 26*, 867–876.

COLE, P. M., MICHEL, M. K., & TETI, L. O. (1994). The development of emotion regulation and dysregulation: A clinical perspective. In N. A. Fox (Ed.), *Monographs of the Society for Research in Child Development*, 59(2–3), Serial No. 240, 73–100.

COLEMAN, F. W., & COLEMAN, W. S. (1984). Helping siblings and other peers cope with dying. In H. Wass & C. A. Corr, *Childhood and death*. Washington, DC: Hemisphere.

COLEMAN, M., & GANONG, L. (1985). Remarriage myths; Implications for the helping professions. *Journal of Counseling and Development*, 64, 116–120.

COLEMAN, M., & GANONG, L. (1987). The cultural stereotyping of stepfamilies. In K. Pasley & M. Ihinger-Tallman (Eds.), *Remarriage and stepparenting: Current research and theory* (pp. 19–41). New York: Guilford.

COLES, R. (1968). Like it is in the alley. *Daedalus*, 97, 1315–1330.

COLES, R. (1980). *Children of crisis: Privileged ones*. Boston: Atlantic-Little, Brown.

COLEY, R. L., & CHASE-LANSDALE, P. L. (1998). Adolescent pregnancy and parenthood: Recent evidence and future directions. *American Psychologist*, 53, 152–166.

COLLINS, W. A., SOBOL, B. L., & WESTBY, S. (1981). Effects of adult commentary on children's comprehension and inferences about a televised aggressive portrayal. *Child Development*, 52, 158–163.

COLUMBIA UNIVERSITY COLLEGE OF PHYSICIANS AND SURGEONS (1985). *Complete home medical guide*. New York: Crown.

COMBER, L. C., & KEEVES, J. (1973). *Science achievement in nineteen countries*. New York: Wiley.

COMER, J. P., & POUSSAINT, A. F. (1975). *Black child care*. New York: Simon & Schuster.

COMFORT, A. (1976). *A good age*. New York: Crown.

COMMITTEE FOR ECONOMIC DEVELOPMENT. (1987). *Children in need*. Washington, DC: Committee for Economic Development, Research and Policy Committee.

CONNELLY, B., JOHNSTON, D., BROWN, I. D. R., MACKAY, S., & BLACKSTOCK, E. G. (1993). The prevalence of depression in a high school population. *Adolescence*, 28(109), 149–158.

CONNOR, E. M, SPERLING, R. S., GELBER, R., KISELEV, P., SCOTT, G., O'SULLIVAN, M. J., VANDYKE, R., BEY, M., SHEARER, W., JACOBSON, R. L., JIMENEZ, E., O'NEIL, E., BAZIN, B., DELFRAISSY, J., CULNANE, M., COOMBS, R., ELKINS, M., MOYE, J., STRATTON, P., & BALSEY, J. (1994). Reduction of maternal-infant transmission of human immunodeficienty virus type I with zidovudine treatment. *The New England Journal of Medicine*, 331, 1173–1180.

COOK, M., & BIRCH, R. (1984). Infant perception of the shapes of tilted plane forms. *Infant Behavior and Development*, 7, 389–402.

COOPER, K., & GUTTMAN, D. (1987). Gender identity and ego mastery style in middle-aged, pre- and post-empty nest women. *The Gerontologist*, 27, 347–352.

COPPLE, C. E., CLINE, M. G., & SMITH, A. N. (1987). *Path to the future: Long-term effects of Head Start in the Philadelphia school district*. Washington, DC: Office of Human Development Services.

COREN, S. & PORAC, C. (1980). Birth factors and laterality: The effect of birth order, parental age, and birth stress on four indices of lateral preference. *Behavioral Genetics*, 10, 123–138.

COSTA, A. (Ed.). (1985). *Developing minds: A resource book for teaching thinking*. Washington, DC: Association for Supervision and Curriculum Development.

COSTA, A., HANSON, R., SILVER, H., & STRONG, R. (1985). Building a repertoire of strategies. In A. Costa (Ed.), *Developing minds: A resource book for teaching thinking*. Washington, DC: Association for Supervision and Curriculum Development.

COSTA, P. T., & MCCRAE, R. R. (1980). Still stable after all these years: Personality as a key to some issues in adulthood and old age. In P. B. Baltes & O. G. Brim, *Lifespan development and behavior* (Vol. 3). New York: Academic Press.

COSTA, P. T., JR., & MCCRAE, R. R. (1982). An approach to the attribution of aging, period and cohort effects. *Psychological Bulletin*, 92, 238–250.

COSTA, P., & MCCRAE, R. (1985). Hypochondriasis, neuroticism, and aging: When are somatic complaints unfounded? *American Psychologist*, 40, 19–28.

COSTA, P. T., & MCCRAE, R. R. (1994). Set like plaster? Evidence for the stability of adult personality. In T. F. Heatherton, & J. L. Weinberger (Eds.), *Can personality change?* Washington, DC: American Psychological Association. PRIVATE

COSTER, G. (November 1972). *Scientific American*, p. 44.

COSTIN, S. E., & JONES, D.C. (1992). Friendship as a facilitator of emotional responsiveness and prosocial interventions among young children. *Developmental Psychology*, 28(5), 941–947.

CÔTÉ, J. E., & LEVINE, C. (1988). A critical examination of the ego identity status paradigm. *Developmental Review*, 8, 147–184.

COUNCIL OF ECONOMIC ADVISERS. (1987). *The economic report of the president*. Washington, DC.

COUNCIL OF ECONOMIC ADVISERS. (1990). *The economic report of the president*. Washington, DC.

COUNCIL ON SCIENTIFIC AFFAIRS (January 9, 1991). Hispanic health in the United States. *Journal of the American Medical Association*, 365(2), 248–252.

COWAN, C. P., & COWAN, P. A. (1992). When partners become parents: The big life change for couples. New York: Basic Books.

COWAN, P. A., & WALTERS, R. H. (1963). Studies of reinforcement of aggression: I. Effects of scheduling. *Child Development*, 34, 543–551.

COWGILL, D. O. (1972a). The role and status of the aged in Thailand. In D. O. Cowgill & L. D. Holmes (Eds.), *Aging and modernization*. New York: Appleton-Century-Crofts.

COWGILL, D. O. (1972b). Aging in American society. In D. O. Cowgill & L. D. Holmes (Eds.), *Aging and modernization*. New York: Appleton-Century-Crofts.

COX, H., & BHAK, A. (1979). Symbolic interaction and retirement adjustment: An empirical asset. *International Journal of Aging and Human Development*, 9(3), 279–286.

CRAIG, G. J., & GARNEY, P. (1972). *Attachment and separation behavior in the second and third years*. Unpublished manuscript. University of Massachusetts, Amherst.

CRAIK, F. I. M., & MCDOWD, J. M. (1987). Age differences in recall and recognition. *Journal of Experimental Psychology: Learning, Memory, and Cognition*, 13(3), 474–479.

CRATTY, B. (1986). *Perceptual and motor development in infants and children*. Englewood Cliffs, NJ: Prentice Hall.

CRATTY, B. J. (1970). *Perceptual and motor development in infants and children*. New York: Macmillan.

CRAWFORD, J. W. (1982). Mother–infant interaction in premature and full-term infants. *Child Development*, 53, 957–962.

CRICK, N. R., & LADD, G. W. (1993). Children's perceptions of their peer experiences: Attributions, loneliness, social anxiety, and social avoidance. *Developmental Psychology*, 28(2), 244–254.

CRIDER, C. (1981). Children's conceptions of body interior. In R. Bibace & M. E. Walsh (Eds.), *Children's conceptions of health, illness, and bodily functions*. San Francisco: Jossey-Bass.

CROCKENBERG, S. (1981). Infant irritability, mother responsiveness, and social support influences on the security of infant–mother attachment. *Child Development*, 52, 857–865.

CROCKENBERG, S., & MCCLUSKEY, K. (1986). Change in maternal behavior during the baby's first year of life. *Child Development*, 57, 746–753.

CROCKETT, W. H., & HUMMERT, M. L. (1987). Perceptions of aging and the elderly. In K. Warner Schaie & K. Eisdorfer (Eds.), *Annual review of gerontology and geriatrics* (Vol. 7, pp. 217–241). New York: Springer.

CROSS, K. P. (1981). *Adults as learners*. San Francisco: Jossey-Bass.

CRUICKSHANK, W. M. (1977). Myths and realities in learning disabilities. *Learning Disabilities*, 10(1), 57–64.

CSIKSZENTMIHALYI, M., & LARSON, R. (1984). *Being adolescent*. New York: Basic Books.

CUMMING, E., & HENRY, W. E. (1961). *Growing old: The process of disengagement*. New York: Basic Books.

CUMMINGS ET AL. (1994). Responses of physically abused boys to interadult anger involving their mothers. *Development and Psychopathology*, 6, 31–41.

CURRAN, D. K. (1987). Adolescent suicidal behavior. Washington, DC: Hemisphere Publishing.

CUTRONA, C., & TROUTMAN, B. (1986). Social support, infant temperament, and parenting self-efficacy: A mediational model of postpartum depression. *Child Development*, 57, 1507–1518.

CYTRYNBAUM, S., BLUM, L., PATRICK, R., STEIN, J., WADNER, D., & WILK, C. (1980). Midlife development: A personality and social systems perspective. In L. W. Poon (Ed.), *Aging in the 1980s*. Washington, DC: American Psychological Association.

DAHL, B. (1994). Windows on the world: Using literature to integrate curriculum. *The Computing Teacher*, 27–30.

DAIUTE, C. (1993). Synthesis. In C. Daiute (Ed.), *New directions in child development (61)*, (pp. 121–124). San Francisco: Jossey-Bass.

DAIUTE, C., ET AL. (1993). Young authors' interactions with peers and a teacher: Toward a developmentally sensitive sociocultural literacy theory. In C. Daiute (Ed.), *New directions in child development (61)* (pp. 41–66). San Francisco: Jossey-Bass.

DALEY, S. (January 9, 1991) Girls self-esteem is lost on the way to adolescence, new study finds. *New York Times Magazine*.

DAMON, W. (1991). *The moral child: Nurturing children natural moral growth*. New York: Free Press.

DAMON, W., & HART, D. (1982). The development of self-understanding from infancy through adolescence. *Child Development, 53*, 841–864.

DAMON, W. & HART, D. (1992). Self understanding and it's role in social and moral development. In M. H. Bornstein & M. E. Lamb (Eds.), *Developmental Psychology: An advanced textbook*. Hillsdale, N.J.: Lawrence Erlbaum.

DAN, A. J., & BERNHARD, L. A. (1989). Menopause and other health issues for midlife women. In S. Hunter & M. Sundel, *Midlife myths: Issues, findings, and practice implications* (pp. 56–59). Newberry Park, CA: Sage.

DANIELS, P., & WEINGARTEN, K. (1982). *Sooner or later: The timing of parenthood in adult lives*. New York: Norton.

DANSEREAU, H. K. (1961). Work and the teenager. *Annals of the American Academy of Political and Social Sciences, 338*, 44–52.

DARGASSIES, S. S. (1986). *The neuromotor and psychoaffective development of the infant* (English language edition). Amsterdam, the Netherlands: Elsevier.

DARLING, N., & STEINBERG, L. (1993). Parenting style as context: An integrative model. *Psychological Bulletin, 113*, 487–496.

DARWIN, C. (1859). *On the origin of the species*. London: Murray.

DATAN, N., & GINSBERG, L. (Eds.). (1975). *Life-span developmental psychology*. New York: Academic Press.

DAVIDSON, J. I. (1996). *Emergent literacy and dramatic play in early education*. New York: Delmar.

DAVIDSON, N. E. (1996). Current controversies: Is hormone replacement therapy a risk? *Scientific American, 275, September*, 101.

DAVIES, B. (Winter 1993). Caring for the frail elderly: An international perspective. *Generations*, Vol. 17, (4), 51–54.

DAWDAON-HUGHES, B., ET AL. (September 27, 1990). A controlled trial of the effect of calcium supplementation on bone density in postmenopausal women. *New England Journal of Medicine, 323*(130), 878–883.

DAWSON, D. A. (August 1991). Family structure and children's health and well-being: Data from the 1988 National Health Interview Survey on child health. *Journal of Marriage and the Family, 53*, 573–584.

DAY, D. E., PERKINS, E. P., & WEINTHALER, J. A. (1979). *Naturalistic evaluation for program improvement*. Unpublished monograph.

DEAN, P. G. (1986). Monitoring an apneic infant: Impact on the infant's mother. *Maternal-Child Nursing Journal, 15*, 65–76.

DE BOYSSON-BARDIES, B., HALLE, P., SAGART, L., & DURAND, C. (1989). A crosslinguistic investigation of vowel formants in babbling. *Journal of Child Language, 16*, 1–17.

DECHARMS, R., & MOELLER, G. H. (1962). Values expressed in American children's readers: 1800–1950. *Journal of Abnormal and Social Psychology, 64*, 136–142.

DEIMLING, G., & BASS, D. (1986). Symptoms of mental impairment among elderly adults and their effects on family caregivers. *Journal of Gerontology, 41*, 778–784.

DEKKER, R., ET AL. (1987). *Willingness to change*. The Hague: Ministry of Welfare, Health and Cultural Affairs.

DELOACHE, J. S., CASSIDY, D. J., & BROWN, A. L. (1985). Precursors of mnemonic strategies in very young children's memory. *Child Development, 56*, 125–137.

DELOACHE, J. S. (1987). Rapid change in the symbolic functioning of young children. *Science, 238*, 1556–1557.

DEMARIS, A., & LESLIE, G. (February 1984). Cohabitation with a future spouse: Its influence upon marital satisfaction and communication. *Journal of Marriage and the Family, 46*, 77–84.

DEMAUSE, L. (Ed.). (1974). *The history of childhood*. New York: Psychohistory Press.

DEMOTT, R. K., & SANDMIRE, H. F. (1990). *The Green Bay Caesarean section study: The physician factor as a determinant of Caesarean birth rates*. Presented at the fifty-seventh annual meeting of the Central Association of Obstetricians and Gynecologists, Scottsdale, AZ.

DENCIK, L. (1989). Growing up in the postmodern age: On the child's situation in the modern family, and on the position of the family in the modern welfare state. *Acta Sociologica, 32*, 155–180.

DENNEY, N. (1982). Aging and cognitive changes. In B. Wolman (Ed.), *Handbook of developmental psychology* (pp. 807–827). Englewood Cliffs, NJ: Prentice Hall.

DENNIS, W. (1960). Causes of retardation among institutional children: Iran. *Journal of Genetic Psychology, 96*, 47–59.

DENNIS, W. (1966a). Causes of retardation among institutional children: Iran. *Journal of Genetic Psychology, 96*, 47–59.

DENNIS, W. (1966b). Creative productivity between the ages of 20 and 80 years. *Journal of Gerontology, 21*(1), 1–8.

DENNIS, W. (1973). *Children of the creche*. New York: Appleton-Century-Crofts.

DENNIS, W., & NAJARIAN, P. (1957). Infant development under environmental handicap. *Psychological Monographs, 717* (Whole No. 436).

DERR, C. B. (1986). *Managing the new careerists*. San Francisco: Jossey-Bass.

DESPELDER, L., & STRICKLAND, A. (1983). *The last dance: Encountering death and dying*. Palo Alto, CA: Mayfield.

DE VILLIERS, P. A., & DE VILLIERS, J. G. (1979). *Early language*. Cambridge, MA: Harvard University Press.

DE VILLIERS, P. A., & DE VILLIERS, J. G. (1992). Language development. In M. H. Borstein & M. Lamb (Eds.), *Developmental psychology: An advanced textbook*. (3rd ed., pp. 344–345). Hillsdale, NJ: Erlbaum.

DEWEY, J. (1961). *Democracy and education*. New York: Macmillan.

DE WOLFF, M. S., & VAN IJZENDOORN, M. H. (1997). Sensitivity and attachment: A meta-analysis on parental antecedences of infant attachment. *Child Development, 68*, 571–591.

DIAZ, R. M. (1985). Bilingual cognitive development: Addressing three gaps in current research. *Child Development, 56*, 1376–1388.

DIAZ, R. M., & LOWE, J. R. (1987). The private speech of young children at risk: A test of three deficit hypotheses. *Early Childhood Research Quarterly, 2*, 181–184.

DICK-READ, G. (1953). *Childbirth without fear*. New York: Harper & Brothers.

DIETZ, W. H., JR. (1987). Childhood obesity. *Annals of the New York Academy of Sciences, 499*, 47–54.

DIPETRO, J. A. (1981). Rough and tumble play: A function of gender. *Developmental Psychology, 17*, 50–58.

DITZION, J. S., & WOLF, P. W. (1978). Beginning parenthood. In Boston Women's Book Collective (Ed.), *Ourselves and our children*. New York: Random House.

DIXON, R. A. (1992). Contextual approaches to adult intellectual development. In R. J. Sternberg & C. A. Berg (Eds.) *Intellectual development*. New York: Cambridge University Press.

DODGE, K. A., COIE, J. D., PETTIT, G. S., & PRICE, J. M. (1990). Peer status and aggression in boys' groups: Developmental and contextual analyses. *Child Development, 61*, 1289–1309.

DODGE, K. A., PETTIT, G. S., & BATES, J. E. (1994). Effects of physical maltreatment on the development of peer relations. *Development and Psychopathology, 6*, 43–55.

DODWELL, P., HUMPHREY, G. K., & MUIR, D. (1987). Shape and pattern perception. In P. Salapatek & L. Cohen (Eds.), *Handbook of infant perception*. New York: Academic Press.

DOKA, K., & MERTZ, M. (1988). The meaning and significance of great-grandparenthood. *The Gerontologist, 28*, 192–197.

DOLL, R. (March 1993). Alzheimer's disease and environmental aluminum. *Age and Aging, 22*(2), 138.

DOLLARD, J., DOOB, L. W., MILLER, N. E., MOWRER, O. H., & SEARS, R. R. (1939). *Frustration and aggression*. New Haven: Yale University Press.

DOLLARD, J., & MILLER, N. E. (1950). *Personality and psychotherapy: An analysis in terms of learning, thinking, and culture*. New York: McGraw-Hill.

DOMAN, G. (1963). *How to teach your baby to read*. New York: Random House.

DONALDSON, M. (1978). *Children's minds.* New York: Norton.

DONALDSON, M. (1979). The mismatch between school and children's minds. *Human Nature, 2,* 158–162.

DONOVAN, B. (1986). *The Caesarean birth experience.* Boston: Beacon Press.

DONOVAN, J. E., JESSOR, R., & COSTA, F. M. (1988). Syndrome of problem behavior in adolescence: A replication. *Journal of Consulting and Clinical Psychology, 56,* 762–765.

DONOVAN, J.E., JESSOR, R., & COSTA, F.M. (1988). Syndrome of problem behavior in adolescence: A replication. *Journal of Consulting and Clinical Psychology, 56,* 762–765.

DONOVAN, R. (February–March 1984). Planning for an aging work force. *Aging,* pp. 4–7.

DORNBUSCH, S. M., CARLSMITH, J. M., BUSHWALL, S. J., RITTER, P. L., LEIDERMAN, H., HASTORF, A. H., & GROSS, R. T. (1985). Single parents, extended households, and the control of adolescents. *Child Development, 56,* 326–341.

DORNBUSCH, S. M., RITTER, P. L., LEIDERMAN, P. H., ROBERTS, D. F., & FRALEIGH, M. J. (1987). The relation of parenting style to adolescent school performance. *Child Development, 58,* 1244–1257.

DOUVAN, E., & ADELSON, J. B. (1966). *The adolescent experience.* New York: Wiley.

DOUVAN, E., & GOLD, M. (1966). Modal patterns in American adolescence. In L. W. Hoffman & M. L. Hoffman (Eds.), *Review of child development research* (Vol. 2). New York: Russell Sage Foundation.

DOYLE, A. B., BEAUDET, J., & ABOUD, F. (1988). Developmental patterns in the flexibility of children's ethnic attitudes. *Journal of Cross-Cultural Research, 19*(1), 3–18.

DRAPER, T. W., & JAMES, R. S. (1985). Preschool fears: Longitudinal sequence and cohort changes. *Child Study Journal, 15*(2), 147–155.

DREIKURS, R., & SOLTZ, V. (1964). *Children: The challenge.* New York: Duell, Sloan & Pearce.

DRESSEL, P. (1988). Gender, race, and class: Beyond the feminization of poverty in later life. *The Gerontologist, 28,* 177–180.

DREYER, P. H. (1982). Sexuality during adolescence. In B. Wolman (Ed.), *Handbook of developmental psychology.* Englewood Cliffs, NJ: Prentice Hall.

DROEGE, R. (1982). *A psychosocial study of the formation of the middle adult life structure in women.* Unpublished doctoral dissertation. California School of Professional Psychology, Berkeley.

DROTAR, D. (Ed.). (1985). *New directions in failure to thrive: Implications for research and practice.* New York: Plenum.

DUBIN, S. (1972). Obsolescence or life-long education: A choice for the professional. *American Psychologist, 17,* 486–498.

DUBRIN, A. (1978). Psychological factors: Reentry and mid-career crises. In *Women in midlife-security and fulfillment* (pp. 180–185). Washington, DC: Government Printing Office.

DUCK, S. (1983). *Friends for life: The psychology of close relationships.* Brighton, UK: Harvester Press.

DUNLAP, D. W. (October 18, 1994). Gay survey raises a new question. *New York Times,* p. B8.

DUNN, J. (1983). Sibling relationships in early childhood. *Child Development, 54,* 787–811.

DUNN, J. (1985). *Sisters and brothers.* Cambridge, MA: Harvard University Press.

DUNN, J. (1986). Growing up in a family world: Issues in the study of social development of young children. In M. Richards & P. Light (Eds.), *Children of social worlds: Development in a social context.* Cambridge, MA: Harvard University Press.

DUNN, J. (1993). Young children's close relationships: Beyond attachment (pp. 48–51). Newberry Park, CA: Sage.

DUNN, J., & BROWN, J. (1991). Becoming American or English? Talking about the social world in England and the United States (pp. 155–171).

DUNN, J., & KENDRICK, C. (1979). Interaction between young siblings in the context of family relationships. In M. Lewis & L. Rosenblum (Eds.), *The child and its family: The genesis of behavior* (Vol. 2). New York: Plenum.

DUNN, J., & KENDRICK, C. (1980). The arrival of a sibling: Changes in interaction between mother and first-born child. *Journal of Child Psychology, 21,* 119–132.

DUNN, J., & KENDRICK, C. (1982). *Siblings: Love, envy and understanding.* Cambridge, MA: Harvard University Press.

DUNN, J., & MUNN, P. (1985). Becoming a family member: Family conflict and the development of social understanding in the second year. *Child Development, 56,* 480–492.

DUNN, J., & MUNN, P. (1987). Development of justification in disputes with mother and sibling. *Developmental Psychology, 23,* 791–798.

DUNPHY, D. C. (1963). The social structure of urban adolescent peer groups. *Sociometry, 26,* 230–246.

DUNPHY, D. C. (1980). Peer group socialization. In R. Muuss (Ed.), *Adolescent behavior and society* (3rd ed.). New York: Random House.

DURLAK, J. A. (1979). Comparison between experimental and didactic methods of death education. *Omega, 9,* 57–66.

DWYER, T., PONSONBY, A. B., NEWMAN, N. M. & GIBBONS, L. E. (1991). Prospective cohort study of prone sleeping position and sudden infant death syndrome. *The Lancet, 337,* 1244–1247.

DYSON, A. H. (1993). A sociocultural perspective on symbolic development in primary grade classrooms. In C. Daiute (Ed.), *New directions in child development, (61)* (pp. 25–40). San Francisco: Jossey-Bass.

DYSON, L. L. (1996). The experiences of families of children with learning disabilities: Parental stress, family functioning, and sibling self-concept. *Journal of Learning Disabilities, 29,* 280–286.

EAKINS, P. S. (Ed.), (1986). *The American way of birth.* Philadelphia: Temple University Press.

EATON, W. O., & YU, A. P. (1989). Are sex differences in child motor activity level a

function of sex differences in maturational status? *Child Development, 60,* 1005–1011.

EBERSOLE, P. (1979). The vital vehicle: The body. In I. M. Burnside, P. Ebersole, & H. E. Monea (Eds.), *Psychosocial caring throughout the life span.* New York: McGraw-Hill.

ECCLES, J., ET AL. (1993). Age and gender differences in children's self- and task perceptions during elementary school. *Child Development, 64,* 830–847.

EDDY, D. M. (1991). The individual vs. society: Is there a conflict? *Journal of the American Medical Association, 265*(11), 1446–1450.

EDELSTEIN, L. (1984). *Maternal bereavement.* New York: Praeger.

EDWARDS, C. P., & GANDINI, L. (1989). Teachers' expectations about the timing of developmental skills: A cross-cultural study. *Young Children, 44*(4), 15–19.

EGELUND, B., PIANTA, R., & O'BRIEN, M. A. (1993). Maternal intrusiveness in infancy and child maladaptation in early school years. *Development and Psychopathology, 5,* 359–370.

EIBL-EIBESFELDT, I. (1989). *Human ethology.* New York: Aldine de Gruyter.

EICHORN, D. (1979). Physical development: Current foci of research. In J. D. Osofsky (Ed.), *Handbook of infant development* (pp. 253–282). New York: Wiley.

EIMAS, P. D. (1974). Linguistic processing of speech by young infants. In R. L. Schiefelbusch & L. L. Lloyd (Eds.), *Language perspectives: Acquisition, retardation, and intervention.* Baltimore: University Park Press.

EIMAS, P. D. (1975). Speech perception in early infancy. In Lin L. B. Cohen & P. Salapatek (Eds.), *Infant perception: From sensation to cognition* (Vol. 2), New York: Academic Press.

EIMAS, P. D., & QUINN, P. C. (1994). Studies on the formation of perceptually based basic-level categories in young infants. *Child Development, 65,* 903–917.

EISENBERG, N. (1988). The development of prosocial and aggressive behavior. In M. Bornstein & M. Lamb (Eds.), *Developmental psychology: An advanced textbook* (2nd ed.). Hillsdale, NJ: Erlbaum.

EISENBERG, N. (1989). Empathy and sympathy. In W. Damon (Ed.), *Child development today and tomorrow* (pp. 137–154). San Francisco: Jossey-Bass.

EISENBERG, N. (1989a). *The development of prosocial moral reasoning in childhood and mid-adolescence.* Paper presented at the April meeting of the Society for Research in Child Development, Kansas City.

EISENBERG, N. (1989b). The development of prosocial values. In N. Eisenberg, J. Reykowski, & E. Staub (Eds.), *Social and moral values: Individual and social perspectives.* Hillsdale, NJ: Erlbaum.

EISENBERG, N., PASTERNACK, J. F., CAMEROR, E., & TRYON, K. (1984). The relation of quantity and mode of prosocial behavior to moral cognitions and social style. *Child Development, 55,* 1479–1485.

EISENBERG, N., SHELL, R., PASTERNACK J., BELLER, R., LENNON, R., & MATHY, R. (1987). Prosocial development in middle childhood: A longitudinal study. *Developmental Psychology, 23*(5), 712–718.

EISENDORFER, D., & WILKIE, F. (1977). Stress, disease, aging and behavior. In J. E. Birren & K. W. Schaie (Eds.), *Handbook of the psychology of aging.* New York: Van Nostrand Reinhold.

EKERDT, D. (1987). Why the notion persists that retirement harms the health. *The Gerontologist, 27*(4), 454–457.

EKERDT, D., VINICK, B., & BOSSE, R. (1989). Orderly endings: Do men know when they will retire? *Journal of Gerontology, 44,* S28–35.

ELBEDOUR, S., BENSEL, R. T., & BASTIEN, D. T. (1993). Ecological integrated model of children of war: Individual and social psychology. *Child Abuse & Neglect, 17,* 805–819.

ELBERS, L., & TON, J. (1985). Play pen monologues: The interplay of words and babbles in the first words period. *Journal of Child Language, 12,* 551–565.

ELDER, G. H. (1980). Adolescence in historical perspective. In J. Adelson (Ed.), *Handbook of adolescent psychology.* New York: Wiley.

ELDER, G. H., & CASPI, I. (1990). Studying lives in a changing society. In Rubin, A. I., Zucher, R. A., Frank, S., & Emmons, R. (Eds.), *Study in persons and lives.* New York: Springer.

ELDER, J. L., & PEDERSON, D. R. (1978). Preschool children's use of objects in symbolic play. *Child Development, 49,* 500–504.

ELDER, L., CASPI, A., & BURTON, L. (1988). Adolescent transition in developmental perspective: Sociological and historical insights. In M. Gunnar & W. Collins (Eds.), *Minnesota Symposia on Child Development: Vol. 21. Development during the transition to adolescence* (pp. 151–179). Hillsdale, NJ: Erlbaum.

ELIAS, J. W., & MARSHALL, P. H. (Eds.). (1987). *Cardiovascular disease and behavior.* Washington, DC: Hemisphere.

ELIAS, M. J. (1997). Computer-facilitated counseling for at-risk students in a social problem solving "lab." *Elementary School Guidance and Counseling, 31,* 293–309.

ELKIND, D. (1967). Egocentrism in adolescence. *Child Development, 38,* 1025–1034.

ELKIND, D. (1974). *Children and adolescents: Interpretive essays on Jean Piaget.* New York: Oxford University Press.

ELKIND, D. (1981). *The hurried child.* Reading, MA: Addison-Wesley.

ELKIND, D. (1984). *All grown up and no place to go: Teenagers in crisis.* Reading, MA: Addison-Wesley.

ELKIND, D. (May 1986). Formal education and early childhood education: An essential difference. *Phi Delta Kappan,* pp. 631–636.

ELKIND, D. (1987). *Miseducation: Preschoolers at risk.* New York: Knopf.

ELKIND, D., & BOWEN, R. (1979). Imaginary audience behavior in children and adolescents. *Developmental Psychology, 15,* 38–44.

ELLWOOD, D., & CRANE, J. (1990). Family change among black Americans: What do we know? *Journal of Economic Perspectives, 4,* 65–84.

ELMER-DEWITT, P. (October 17, 1994). Now for the truth about Americans and sex. *Time,* p. 62ff.

EMDE, R. N., & BUCHSBAUN, II. K. (1990). "Didn't you hear my Mommy?" Autonomy with connectedness in moral self-emergence. In D. Cicchetti & M. Beeghly (Eds.), The self in transition: Infancy to childhood (pp. 35–52). Chicago: University of Chicago Press.

EMERY, R. E. (1989). Family violence. *American Psychologist, 44,* 321–328.

ENTWISLE, D. (1985). Becoming a parent. In L. L'Abate (Ed.), *The handbook of family psychology and therapy.* (Vol. 1, pp. 560–578). Homewood IL: Dorsey.

ENTWISLE, D. R., & DOERING, S. (1988). The emergent father role. *Sex Roles, 18,* 119–141.

EPSTEIN, J. L. (1983). Selecting friends in contrasting secondary school environments. In J. L. Epstein & M. L. Karweit (Eds.), *Friends in school.* New York: Academic Press.

EPSTEIN, L. H., VALOSKI, A., WING, R. R., & McCURLEY, J. (1990). Ten-year follow-up of behavioral, family-based treatment for obese children. *Journal of the American Medical Association, 264,* 2519–2523.

EPSTEIN, L. H., & WING, R. R. (1987). Behavioral treatment of childhood obesity. *Psychological Bulletin, 101,* 331–342.

ERICSSON, K. A. (1990). Peak performance in sports. In P. B. Baltes & M. M. Baltes (Eds.), *Successful Aging: Perspectives from the Behavioral Sciences.* New York: Cambridge University Press.

ERIKSON, E. H. (1959). The problem of ego identity. In E. H. Erikson (Ed.), *Identity and the life cycle: Selected papers. Psychological Issues Monograph,* No. 1.

ERIKSON, E. H. (1963). *Childhood and society* (2nd ed.). New York: Norton.

ERIKSON, E. H. (1968). *Identity, youth, and crisis.* New York: Norton.

ERIKSON, E. H. (1981). On generativity and identity. *Harvard Educational Review, 51,* 249–269.

ERIKSON, E. (1985). *Young man Luther.* New York: Norton.

ERIKSON, E. H., & ERIKSON, J. M. (1981). Generativity and identity. *Harvard Educational Review, 51,* 249–269.

ERIKSON, E. H., ERIKSON, J., & KIVNICK, H. (1986) *Vital involvement in old age.* New York: Norton.

ERNST, C., & ANGST, J. (1983). *Birth order: Its influence on personality.* New York: Springer-Verlag.

ESTERBROOK, M. A., & GOLDBERG, W. A. (1984). Toddler development in the family: Impact of father involvement and parenting characteristics. *Child Development, 55,* 740–752.

EVANS, D. W., LECKMAN, J. F., CARTER, A., REZNICK, J. S., HENSHAW, D., KING, R. A., & PAULS, D. (1997). Ritual, habit, and perfectionism: The prevalence and development of compulsive-like behavior in normal young children. *Child Development, 68,* 58–68.

EVANS, D., FUNKENSTEIN, H., ALBERT, M., SCHERR, P., COOK, N., CHOWN, M.,

HEBERT, L., HENNCKENS, C., & TAYLOR, D. (1989). Prevalence of Alzheimer's disease in a community population of older people. *Journal of the American Medical Association, 262,* 2551–2556.

EVANS, E. D. (1975). *Contemporary influences in early childhood education* (2nd ed.). New York: Holt, Rinehart & Winston.

EVELETH, P. B., & TANNER, J. M. (1976). *Worldwide variation in human growth.* New York: Cambridge University Press.

FABES, R. A., WILSON, P., & CHRISTOPHER, F. S. (1989). A time to reexamine the role of television in family life. *Family Relations, 38,* 337–341.

FADIMAN, A. (February 1982). The skeleton at the feast: A case study of anorexia nervosa. *Life,* pp. 63–78.

FAGAN, J. F., III. (1977). Infant recognition memory: Studies in forgetting. *Child Development, 48,* 66–78.

FAGEN, J., PRIGOT, J., CARROLL, M., PIOLI, L., STEIN, A., & FRANCO, A. (1997). Auditory context and memory retrieval in young infants. *Child Development, 68,* 1057–1066.

FAGOT, B. I., LEINBACH, M. A. & O'BOYLE, C. (1992). Gender labeling, gender stereotyping and parenting behaviors. *Developmental Psychology, 28,* 225–231.

FANTZ, R. L. (1958). Pattern vision in young infants. *Psychological Record, 8,* 43–47.

FANTZ, R. L. (May 1961). The origin of form perception. *Scientific American,* pp. 66–72.

FANTZ, R. L., ORDY, J. M., & UDELF, M. S. (1962). Maturation of pattern vision in infants during the first six months. *Journal of Comparative and Physiological Psychology, 55,* 907–917.

FARB, P. (1978). *Humankind.* Boston: Houghton Mifflin.

FARBER, J. (1970). *The student as nigger.* New York: Pocket Books.

FARBER, S. (January 1981). Telltale behavior of twins. *Psychology Today,* pp. 58–64.

FARRELL, M. P., & ROSENBERG, S. D. (1981). *Men at midlife.* Boston: Auburn House.

FARVER, J. A. M., & SHIN, Y. L. (1997). Social pretend play in Korean- and Anglo-American preschoolers. *Child Development, 68,* 544–556.

FAVIA, S., AND GENOVESE, R. (1983). Family, work and individual development in dual-career marriages. In H. Lopata & J. H. Pleck (Eds.), *Research in the interweave of social roles: Jobs and families* (Vol. 3). Greenwich, CT: JAI Press.

FEATHERMAN, D., HOGAN, D., & SORENSON, A. (1984). Entry into adulthood: Profiles of young men in the fifties. In *Life span development and behavior* (Vol. 6). New York: Academic Press.

FEATHERSTONE, H. (June 1985). Preschool: It does make a difference. *Harvard Education Letter,* pp. 16–21.

FEATHERSTONE, M., & HEPWORTH, M. (1985). The male menopause: Lifestyle and sexuality. *Maturitas, 7*(3), 235–246.

FEDOR-FREYBERGH, P., & VOGEL, M. L. V. (1988). *Prenatal and perinatal psychology and medicine.* Carnforth, Lanc: Parthenon.

FEHR, B. (1996). *Friendship processes.* Thousand Oaks, CA: Sage.

FEIN, G. G. (1981). Pretend play in childhood: An integrated review. *Child Development, 52,* 1095–1118.

FEIN, G. G. (1984). The self-building potential of pretend play, or "I gotta fish all by myself." In T. D. Yawkey & A. D. Pellegrini (Eds.), *Child's play.* Hillsdale, NJ: Erlbaum.

FEINGOLD, A. (1988). Cognitive gender differences are disappearing. *American Psychologist, 43(2),* 95–103.

FEIRING, C., LEWIS, M., & STARR, M. D. (1984). Indirect affects and infants' reactions to strangers. *Developmental Psychology, 20,* 485–491.

FEITELSEN, W., & ROSS, G. S. (1973). The neglected factor—play. *Human Development, 16,* 202–223.

FELDMAN, R. S. (1998). *Social psychology* (2nd ed.). Upper Saddle River, NJ: Prentice Hall.

FELGNER, T. (1997). Nonviral strategies for gene therapy. *Scientific American, 276 (6),* 102–106.

FENSON, L., ET AL. (1994). Variability in early communicative development. *Monographs of the Society for Research in Child Development, 59(5),* Serial No. 242, 92–93.

FERBER, M. (1982). Labor market participation of young married women: Causes and effects. *Journal of Marriage and the Family, 44,* 457–468.

FERBER, M., GREEN, C., & SPAITH, J. (1986). Work power and earnings of women and men. *American Economic Review, 76,* 53–56.

FERGUSON, C., & SNOW, C. (1977). *Talking to children: Language input and acquisition.* Cambridge, UK: Cambridge University Press.

FERLEGER, N., GLENWICK, D. S., GAINES, R. R. W., & GREEN, A. H. (1988). Identifying correlates of reabuse in maltreating parents. *Child Abuse and Neglect, 12,* 41–49.

FESHBACK, S., & SINGER, R. D. (1971). *Television and aggression: An experimental field study.* San Francisco: Jossey-Bass.

FIATARONE, M. A., ET AL. (June 23, 1994). Exercise training and nutritional supplementation for physical fraility in very elderly people. *New England Journal of Medicine, 330(25),* 1–6.

FIELD, T. (1977). Effects of early separation, interactive deficits, and experimental manipulations on infant–mother face-to-face interaction. *Child Development, 48,* 763–771.

FIELD, T. (1978). Interaction behaviors of primary vs. secondary caretaker fathers. *Developmental Psychology, 14(2),* 183–184.

FIELD, T. M. (1979). Interaction patterns of pre-term and term infants. In T. M. Field (Ed.), *Infants born at risk.* New York: Spectrum.

FIELD, T. (1986). Models for reactive and chronic depression in infancy. In E. Tronick & T. Fields (Eds.), *New Directions for Child Development, 34. Maternal depression and infant disturbance.*

FIELD, T. (1991). Quality infant day-care and grade school behavior and performance. *Child Development, 62,* 863–870.

FIELDING, J. E., & WILLIAMS, C. A. (1991). Adolescent pregnancy in the United States: A review and recommendations for clinicians and research needs. *American Journal of Preventive Medicine, 7(1),* 47–51.

FIELDS, M. V., & SPANGLIER, K. L. (1995). *Let's begin reading right: Developmentally appropriate beginning literacy* (3rd ed). Englewood Cliffs, NJ: Merrill.

FILIPOVIC, Z. (1994). *Zlata's Diary: A Child's Life in Sarajevo.* Quoted in *Newsweek,* February 28, 1994, pp. 25–27.

FILLMORE, C. J. (1968). The case for case. In E. Bach & R. T. Harms (Eds.), *Universals of linguistic theory.* New York: Holt, Rinehart & Winston.

FINCHER, J. (July/August 1982). Before their time. *Science 82 Magazine,* p. 94.

FINKELHOR, D. (1984). *Child sexual abuse: New theory and practice.* New York: Free Press.

FINN, R. (1996). Biological determination of sexuality heating up as a research field. *The Scientist, 10,* Jan. 8, 13–16.

FISCHER, D. H. (1978). *Growing old in America.* New York: Oxford University Press.

FISCHER, J. L., SOLLIE, D. L., & MORROW, K. B. (1986). Social networks in male and female adolescents. *Journal of Adolescent Research, 6(1),* 1–14.

FISKE, M. (1968). *Adult transitions: Theory and research from a longitudinal perspective.* Paper presented at the meeting of the Gerontological Society.

FISKE, M. (1980). Tasks and crises of the second half of life: The interrelationship of commitment, caring and adaptation. In J. E. Birren & R. B. Sloane (Eds.), *Handbook of mental health and aging.* Englewood Cliffs, NJ: Prentice Hall.

FISKE, M., & CHIRIBOGA, D. A. (1990). *Change and continuity in adult life.* San Francisco: Jossey-Bass.

FITZCHARLES, A. (February 1987). Model versus modal child care. *Zero to Three,* p. 26.

FIVUSH, R., & HUDSON, J. A. (1990). *Knowing and remembering in young children.* New York: Cambridge University Press.

FLASTE, R. (October 1988). The myth about teenagers. *New York Times Magazine,* pp. 19, 76, 82, 85.

FLAVELL, J. H. (1963). *The developmental psychology of Jean Piaget.* Princeton, NJ: Van Nostrand Reinhold.

FLAVELL, J. H. (1977). *Cognitive development.* Englewood Cliffs, NJ: Prentice Hall.

FLAVELL, J. H. (1985). *Cognitive development* (2nd ed.). Englewood Cliffs, NJ: Prentice Hall.

FLAVELL, J. H., FLAVELL, E. R., & GREEN, F. L. (1987). Young children's knowledge about the apparent-real and pretend-real distinctions. *Developmental Psychology, 23,* 816–822.

FLAVELL, J. H., GREEN, F., & FLAVELL, E. R. (1986). Development of knowledge about the appearance-reality distortion. *Monographs of the Society for Research in Child Development, 212.*

FLAVELL, J. H., MILLER, P. H. & MILLER, S. A. (1993). *Cognitive Development.* Englewood Cliffs, NJ: Prentice Hall.

FLINT, M. (1982). Male and female menopause: A cultural put-on. In A. Voda, M. Dennerstein, & S. O'Donnel (Eds.), *Changing perspectives in menopause* (pp. 363–375). Austin: University of Texas Press.

FOGEL, A., DICKSON, K. L., HSU, H., MESSINGER, D., NELSON-GOENS, G. C., & NWOKAH, E. (1997). Communication of smiling and laughter in mother-infant play: Research on emotion from a dynamic systems perspective. In Barrett, K. C. (Ed.), *The communication of emotion: Current research from diverse perspectives.* San Francisco: Jossey-Bass.

FOLK, K. F. (1996). Single mothers in various living arrangements: Differences in economic and time resources. *American Journal of Economics and Sociology, 55,* 277–291.

FOLKMAN, S., LAZARUS, R., PIMLEY, S., & NOVACEK, J. (1987). Age differences in stress and coping processes. *Psychology and Aging, 2,* 171–184.

FONTAINE, K. R., & JONES, L. C. (1997). *Journal of Clinical Psychology, 53,* 59–63.

FORD, D. H., & LERNER, R. M. (1992). *Developmental systems theory: An integrated approach.* Newbury Park, CA: Sage.

FORD FOUNDATION PROJECT ON SOCIAL WELFARE AND THE AMERICAN FUTURE. (1989). *The common good: Social welfare and the American future.* New York: Ford Foundation.

FORMAN, B. I. (June 1984). Reconsidering retirement: Understanding emerging trends. *The Futurist,* pp. 43–47.

FORMAN, G. (June 1985). The value of kinetic print in computer graphics for young children. In E. L. Klein (Ed.), *Children and Computers,* and issue of *New Directions for Child Development.* San Francisco: Jossey-Bass.

FORMAN, G. E. (April 1972). *The early growth of logic in children: Influences from the bilateral symmetry of human anatomy.* Paper presented at the conference of the Society for Research in Child Development, Philadelphia.

FORMAN, G. E., & FOSNOT, C. (1982). The use of Piaget's constructivism in early childhood education programs. In B. Spodek (Ed.), *Handbook on early childhood education.* Englewood Cliffs, NJ: Prentice Hall.

FORMAN, G. E., & HILL, F. (1980). *Constructive play: Applying Piaget in the preschool.* Monterey, CA: Brooks/Cole.

FORREST, L., & MIKOLAITIS, N. (December 1986). The relational component of identity: An expansion of career development theory. *The Career Development Quarterly,* pp. 76–85.

FOSBURGH, L. (August 7, 1977). The make-believe world of teenage pregnancy. *New York Times Magazine.*

FOUTS, R., with MILLS, S. T. (1997). *What chimpanzees have taught us about who we are.* New York: William Morrow.

FOZARD, J. L. (1990). Vision and hearing in aging. In J. E. Birren & K. W. Schaie (Eds.), *Handbook of the psychology of aging* (3rd ed., pp. 150–170). New York: Academic Press.

FRAIBERG, S. H. (1959). *The magic years.* New York: Scribner's.

FRAIBERG, S. H. (1974). Blind infants and their mothers: An examination of the sign system. In M. Lewis & L. Rosenblum (Eds.), *The effect of the infant on its caregiver.* New York: Wiley.

FRANK, S., & QUINLAN, D. M. (1976). Ego development and female delinquency: A cognitive-developmental approach. *Journal of Abnormal Psychology, 85*, 505–510.

FRANKENBURG, W. K., & DODDS, J. B. (1967). The Denver developmental screening test. *Journal of Pediatrics, 71*, 181–191.

FRAUENGLASS, M. H., & DIAZ, R. M. (1985). Self-regulatory functions of children's private speech: A critical analysis of recent challenges to Vygotsky's theory. *Developmental Psychology, 21*, 357–364.

FRAZIER, A., & LISONBEE, L. K. (1950). Adolescent concerns with physique. *School Review, 58*, 397–405.

FREDA, V. J., GORMAN, J. G., & POLLACK, W. (1966). Rh factor: Prevention of isoimmunization and clinical trial on mothers. *Science, 151*, 828–830.

FREEDMAN, D. G. (January 1979). Ethnic differences in babies. *Human Nature*, pp. 36–43.

FREEMAN, N. H. (1980). *Strategies of representation in young children.* London: Academic Press.

FRENKEL-BRUNSWIK, E. (1963). Adjustments and reorientation in the course of the life span. In R. G. Kuhlen & G. G. Thompson (Eds.), *Psychological studies of human development* (2nd ed.). New York: Appleton-Century-Crofts.

FREUD, A. (1958). Adolescence. In *Psychoanalytic study of the child* (Vol. 13). New York: International Universities Press.

FREUD, A. (1966). *The writings of Anna Freud, Vol. II, The ego and the mechanisms of defense.* New York: International Universities Press.

FREUD, A., & DANN, S. (1951). An experiment in group up-bringing. In R. S. Eisler, A. Freud, H. Hartmann & E. Kris (Eds.), *The Psychoanalytic study of the child* (Vol. 6). New York International Universities Press.

FREUDENBERGER, H., & RICHELSON, G. (1980). *Burnout: The high cost of high achievement.* New York: Anchor Press/Doubleday.

FRIED, P. A., & OXORN, H. (1980). *Smoking for two: Cigarettes and pregnancy.* New York: Free Press.

FRIEDLANDER, M., & SIEGEL, S. (1990). Separation-individuation difficulties and cognitive-behavior indicators of eating disorders among college women. *Journal of Counseling Psychology, 37*, 74–78.

FRIEDMANN, T. (1997). Overcoming the obstacles to gene therapy. *Scientific American, 276 (6)*, 96–101.

FRIES, J. F., & CRAPO, L. M. (1981). *Vitality and aging.* San Francisco: Freeman.

FRISCH, R. E. (March 1988). Fatness and fertility. *Scientific American*, pp. 88–95.

FRISCHHOLZ, E. J. (1985). In R. P. Kluft (Ed.), *Childhood antecedents of multiple personality.* Washington, DC: American Psychiatric Press.

FROST, J. L., & SUNDERLINE, S. (Eds.). (1985). *When children play.* Proceedings of the International Conference on Play and Play Environments, Association for Childhood Education International, Weaton, MD.

FULLER, J., & SIMMEL, E. (1986). *Perspectives in behavioral genetics.* Hillsdale, NJ: Erlbaum.

FURST, K. (1983). *Origins and evolution of women's dreams in early adulthood.* Unpublished doctoral dissertation. California School of Professional Psychology, Berkeley.

FURSTENBERG, F. (1976). *Unplanned parenthood: The social consequences of teenage childbearing.* New York: Free Press.

FURSTENBERG, F. F., JR. (1987). The new extended family: The experience of parents and children after remarriage. In K. Pasley & M. Ihinger-Tallman (Eds.), *Remarriage and stepparenting: Current research and theory* (pp. 42–64). New York: Guilford.

FURTH, H. G. (1980). *The world of grown-ups: Children's conceptions of society.* New York: Elsevier.

GABBARD, C., DEAN, M., & HAENSLY, P. (1991). Foot preference behavior during early childhood. Journal of Applied *Developmental Psychology, 12*, 131–137.

GALINSKY, E. (1980). *Between generations: The six stages of parenthood.* New York: Times Books.

GALLAGHER, D. (1987). Bereavement. In G. L. Maddox ET AL. (Eds.), *The encyclopedia of aging.* New York: Springer.

GALLAGHER, J. M. (1973). Cognitive development and learning in the adolescent. In J. F. Adams (Ed.), *Understanding adolescence* (2nd ed.). Boston: Allyn & Bacon.

GALLAGHER, W. (May 1993). Midlife myths. Atlantic, pp. 51–55, 58–62, 65, 68–69.

GALLER, J. R. (1984). *Human nutrition: A comprehensive treatise:* (Vol. 5). *Nutrition and behavior.* New York: Plenum.

GANDINI, L., & EDWARDS, C. P. (1988). Early childhood integration of the visual arts. *Gifted International, 5(2)*, 14–18.

GARBARINO, J., KOSTELNY, K., & DUBROW, N. (April 1991). What children can tell us about living in danger. *American Psychologist, 36(1)*, 376–383.

GARBARINO, J., SEBES, J., & SCHELLENBACH, C. (1984). Families at risk for destructive parent–child relations in adolescence. *Child Development, 55*, 174–183.

GARBER, J. (December 1984). The developmental progression of depression in female children. In D. Chicchetti & K. Schneider-Rosen (Eds.), *New Directions for Child Development, 26.*

GARBER, K., & MARCHESE, S. (1986). *Genetic counseling for clinicians.* Chicago: Year Book Medical Publishers.

GARBER, K., & MARCHESE, S. (1986). *Genetic counseling for clinicians.* Chicago: Year Book Medical Publishers.

GARDNER, H. (1973). *The quest for mind: Piaget, Levi-Strauss, and the structuralist movement.* New York: Random House.

GARDNER, H. (1973a). *The arts and human development: A psychological study of the artistic process.* New York: Wiley-Interscience.

GARDNER, H. (1973b). *The quest for mind: Piaget, Levi-Strauss, and the structuralist movement.* New York: Random House.

GARDNER, H. (1983). *Frames of mind.* New York: Basic Books.

GARDNER, J. M., & KARMEL, B. Z. (1984). Arousal effects on visual preference in neonates. *Developmental Psychology, 20*, 374–377.

GARLAND, A. F. & ZIGLER, E. (1993). Adolescent suicide prevention: Current research and social policy implications. *American Psychologist, 48(2)*, 169–182.

GARRETT, D. N. (1978). The needs of the seriously ill and their families: The haven concept. *Aging, 6(1)*, 12–19.

GARROD, A., BEAL, C., & SHIN, P. (1989). *The development of moral orientation in elementary school children.* Paper presented at the April meeting of the Society for Research in Child Development, Kansas City.

GARTNER, A. (Winter 1984). Widower self-help groups: A preventive approach. *Social Policy*, pp. 37–38.

GARVEY, C. (1977). *Play.* Cambridge, MA: Harvard University Press.

GARVEY, C. (1984). *Children's talk.* Cambridge, MA: Harvard University Press.

GARVEY, C. (1990). *Play.* Cambridge, MA: Harvard University Press.

GATZ, M., BENGTSON, V., & BLUM, M. (1990). Caregiving families. In J. Birren & K. W. Schaie (Eds.) *Handbook of the psychology of aging* (3rd ed., pp. 405–426). San Diego: Academic Press.

GE, X., CONGER, R. D., & ELDER, G. H., JR. (1996). Coming of age too early: Pubertal influences on girls' vulnerability to psychological distress. *Child Development, 67*, 3386–3400.

GEE, E. M. (1986). The life course of Canadian women: A historical and demographic analysis. *Social Indicators Research, 18*, 263–283.

GEE, E. M. (1987). Historical change in the family life course of Canadian men and women. In V. Marshall (Ed.), *Aging in Canada* (2nd ed., pp. 265–287). Markham, ON: Fitzhenry & Whiteside.

GEE, E. M. (October 1988). *The changing demography of intergenerational relations in Canada.* Paper presented at the annual meeting of the Canadian Association of Gerontology, Halifax.

GELIS, J. (1989). The child: From anonymity to individuality. In R. Chartier (Ed.), *A history of a private life: Vol. 3. Passions of the Renaissance* (pp. 309–325). Cambridge, MA: Belknap Press of Harvard University Press.

GELMAN, R. & GALLISTEL, C. R. (1986). *The child's understanding of number.* Cambridge, MA: Harvard University Press.

GENESEE, F. (1989). Early bilingual development: One language or two? *Journal of Child Language, 16*, 161–179.

GEORGE, T. P., & HARTMANN, D. P. (1996). Friendship networks of unpopular, average, and popular children. *Child Development, 67*, 2301–2316.

GERRARD, M. (1987). Sex, sex guilt, and contraceptive use revisited: The 1980s. *Journal of Personality and Social Psychology, 52*, 975–980.

GESELL, A. (1940). *The first five years of life: The preschool years.* New York: Harper & Brothers.

GESELL, A. & AMES, L. B. (1947). The development of handedness. *Journal of Genetic Psychology, 70*, 155–175.

GIBBONS, D. C. (1976). *Delinquent behavior* (2nd ed.). Englewood Cliffs, NJ: Prentice Hall.

GIBSON, E. J., & SPELKE, E. S. (1983). The development of perception. In P. Mussen (Ed.), *The handbook of child psychology: Vol. 3. Cognitive development* (pp. 2–60). New York: Wiley.

GIBSON, E. J., & WALK, R. D. (April 1960). The "visual cliff." *Scientific American*, pp. 64–71.

GIBSON, E., & WALKER, A. S. (1984). Development of knowledge of visual–tactile affordances of substance. *Child Development, 55,* 453–456.

GIBSON, R. C. (Summer 1986). Older black Americans. *Generations,* 35–39.

GILFORD, R. (Summer 1986). Marriages in later life. *Generations,* pp. 16–20.

GILLIGAN, C. (1982). *In a different voice: Psychological theory and women's development.* Cambridge, MA: Harvard University Press.

GILLIGAN, C. (1987). Adolescent development reconsidered. *New Directions for Child Development, 37,* 63–92.

GILLIS, J. J., ET AL. (1992). Attention deficit disorder in reading-disabled twins: Evidence for a genetic etiology. *Journal of Abnormal Child Psychology, 20*(3), 303.

GINSBURG, E. (1972). Toward a theory of occupational choice: A restatement. *Vocational Guidance Quarterly, 20,* 169–176.

GIORDANO, J., & BECKMAN, K. (1985). The aged within a family context: Relationships, roles, and events. In L. L'Abate (Ed.) *The handbook of family psychology and therapy* (Vol. 1, pp. 284–320). Homewood, IL: Dorsey.

GLASER, R. (1963). Instructional technology and the measurement of learning outcomes: Some questions. *American Psychologist, 18,* 519–521.

GLASER, R. (1987). Thoughts on expertise. In C. Schooler & K. W. Schaie (Eds.). *Cognitive functioning and social structure over the life course* (pp. 81–91). Norwood, NJ: Ablex.

GLEITMAN, L., & WANNER, E. (1982). Language learning: State of the art. In E. Wanner & L. Gleitman (Eds.), *Language learning.* Cambridge, UK: Cambridge University Press.

GLICK, P. C. (1977). Updating the lifecycle of the family. *Journal of Marriage and the Family, 39,* 5–13.

GLICK, P., & LIN, S. (1986). More young adults are living with their parents: Who are they? *Journal of Marriage and the Family, 48,* 107–112.

GLIDEWELL, J. C., KANTOR, M. B., SMITH, L. M., & STRINGER, L. A. (1966). Socialization and social structure in the classroom. In L. W. Hoffman & M. L. Hoffman (Eds.), *Review of child development research* (Vol. 2). New York: Russell Sage Foundation.

GLOBERMAN, J. (1996). Daughters- and sons-in-law caring for relatives with Alzheimer's disease. *Family Relations, 45,* 37–45.

GOETTING, A. (1981). Divorce outcome research: Issues and perspectives. *Journal of Family Issues, 2,* 350–378.

GOETTING, A. (1982). The six stations of remarriage: Developmental tasks of remarriage after divorce. *Family Relations, 31,* 213–222.

GOLD, M. (1985). The baby makers. *Science, 6*(3), 26–38.

GOLDBERG, M., & HARVEY, J. (September 1983). A nation at risk: The report to the National Commission on Excellence in Education. *Phi Delta Kappan,* pp. 14–18.

GOLDBERG, S. (1972). Infant care and growth in urban Zambia. *Human Development, 15,* 77–89.

GOLDBERG, S. (1979). Premature birth: Consequences for the parent–infant relationship. *American Scientist, 67,* 214–220.

GOLDBERG, S. (1983). Parent–infant bonding: Another look. *Child Development, 54,* 1355–82.

GOLDBERG, S., & LEWIS, M. (1969). Play behavior in the year-old infant: Early sex differences. *Child Development, 40,* 21–31.

GOLDBERG, S., LOJKASEK, M., GARTNER, G., & CORTER, C. (1988). Maternal responsiveness and social development in preterm infants. In M. H. Bornstein (Ed.). *New Directions for Child Development: Vol. 43. Maternal responsiveness: Characteristics and consequences.* San Francisco: Jossey-Bass.

GOLDFIELD, E. C. (1989). Transition from rocking to crawling: Postural constraints on infant movement. *Developmental Psychology, 25*(6) 913–919.

GOLDIN-MEADOW, S., & MYLANDER, C. (1984). Gestural communication in deaf children: The effects and noneffects of parental input on early language development. *Monographs of the Society for Research in Child Development, 49* (3–4, Serial No. 207).

GOLDSMITH, H. H. (1983). Genetic influence on personality from infancy to adulthood. *Child Development, 54,* 331–355.

GONCU, A. (1993). Development of intersubjectivity in social pretend play. *Human Development, 36,* 185–198.

GONCZ, L. (1988). A research study on the relation between early bilingualism and cognitive development. *Psychologische-Beitrage, 30*(1–2), 75–91.

GONYEA, J. G. (1998). Midlife and menopause: Uncharted territories for Baby Boomer women. *Generations, 21, Spring,* 87–89.

GOODCHILDS, J. D., & ZELLMAN, G. L. (1984). Sexual signalling and sexual aggression in adolescent relationships. In N. M. Malmuth & E. D. Donnerstein (Eds.), *Pornography and sexual aggression.* New York: Academic Press.

GOODE, W. J. (1970) *World revolution and family patterns.* New York: Free Press.

GOODLIN, R. C. (1979). History of fetal monitoring. *American Journal of Obstetrics and Gynecology, 133,* 323–347.

GOODMAN, M. (1980). Toward a biology of menopause. *Signs, 5,* 739–753.

GOODMAN, P. (1960). *Growing up absurd.* New York: Random House.

GOODNOW, J. (1977). *Children drawing.* Cambridge, MA: Harvard University Press.

GOODNOW, J. J., MILLER, P. J., & KESSEL, F. (Eds.) (1995). *Cultural practices as contexts for development.* New York: Jossey-Bass.

GOODWIN, F. (1991). From the alcohol, drug abuse, and mental health administration: Alcohol, caffeine and fetal cells. *Journal of the American Medical Association, 266*(8), 1056.

GOPNIK, A. (1988). Three types of early word: The emergence of social words, names and cognitive-relational words in the one-word stage and their relation to cognitive development. *First Language, 8,* 49–70.

GOPNIK, A., & MELTZOFF, A. N. (1987). The development of categorization in the second year and its relation to other cognitive and linguistic developments. *Child Development, 58,* 1523–1531.

GORDON, I. (1969). Early childhood stimulation through parent education. *Final Report to the Children's Bureau Social and Rehabilitation Services Department of HEW.* ED 038–166.

GORTMAKER, S. L., DIETZ, W. H., JR., SOBOL, A. M., & WEHLER, C. A. (1987). Increasing pediatric obesity in the United States. *American Journal of Diseases of Children, 141,* 535–540.

GOSLIN, D. A. (Ed.). (1969). *Handbook of socialization theory and research.* Chicago: Rand McNally.

GOTTMAN, J. M. (1983). How children become friends. *Monographs of the Society for Research in Child Development, 48*(3).

GOTTMAN, J. M., KATZ, L. F., & HOOVEN, C. (1996). Parental meta-emotion philosophy and the emotional life of families: Theoretical models and preliminary data. *Journal of Family Psychology, 10,* 243–268.

GOULD, R. L. (1978). *Transformations, growth and change in adult life.* New York: Simon & Schuster.

GOULD, S. J. (1981). *The mismeasure of man.* New York: Norton.

GOWING, M. K., KRAFT, J. D., & QUICK, J. C. (Eds.) (1997). Foreword to *The new organizational reality: Downsizing, restructuring, and revitalization.* Washington, DC: American Psychological Association.

GRANRUD, C. D., YONAS, A., & PETTERSON, L. (1984). A comparison of monocular and binocular depth perception in 5 and 7 month old infants. *Journal of Experimental Child Psychology, 38,* 19–32.

GRATCH, G., & SCHATZ, J. (1987). Cognitive development: The relevance of Piaget's infancy books. In J. Osofsy (Ed.), *Handbook of infant development* (2nd ed.). New York: Wiley.

GRAY, D. B., & YAFFE, S J. (1983). Prenatal drugs. In C. C. Brown (Ed.), *Prenatal Roundtable: Vol. 9. Childhood learning disabilities and prenatal risk.* (pp. 44–49). Rutherford, NJ: Johnson & Johnson.

GRAY, D. B., & YAFFE, S. J. (1986). Prenatal drugs and learning disabilities. In M. Lewis (Ed.), *Learning disabilities and prenatal risk.* Urbana: University of Illinois Press.

GRAY, S. (1976). *A report on the home-parent centered intervention programs: Home visiting with mothers of toddlers and their siblings.* DARCEE, Peabody College.

GREENBERG, J., & BECKER, M. (1988). Aging parents as family resources. *The Gerontologist, 28,* 786–791.

GREENBERG, M., & MORRIS, N. (July 1974). Engrossment: The newborn's impact upon the father. *American Journal of Orthopsychiatry, 44*(4), 520–531.

GREENE, A. L. (1990). Great expectations: Constructions of the life course during adolescence. *Journal of Youth and Adolescence, 19*, 289–303.

GREENE, A. L., & BROOKS, J. (April 1985). *Children's perceptions of stressful life events*. Paper presented at the Society for Research in Child Development, Toronto, Canada.

GREENFIELD, P. (1984). *Mind and media: The effects of television, video games and computers*. Cambridge, MA: Harvard University Press.

GREENOUGH, W. T., BLACK, J. E., & WALLACE, C. S. (1987). Experience and brain development. *Child Development, 58*, 539–559.

GREENSPAN, S., & GREENSPAN, N. (1985). *First feelings*. New York: Penguin.

GREENWOOD, S. (1984). *Menopause, naturally: Preparing for the second half of life*. San Francisco: Volcano Press.

GREIF, E. B., & ULMAN, K. J. (1982). The psychological impact of menarche on early adolescent females: A review of the literature. *Child Development, 53*, 1413–1430.

GRESS, L. D., & BAHR, R. T. (1984). *The aging person: A holistic perspective* (p. 145). St. Louis & Toronto: Mosby.

GRIMM-THOMAS, K., & PERRY-JENKINS, M. (April 1994). All in a day's work: Job experiences, self-esteem, and fathering in working-class families. *Family Relations, 43*, 174–181.

GROBESTEIN, C., FLOWER, M., & MENDELOFF, J. (1983). External human fertilization: An evaluation of policy. *Science, 22*, 127–133.

GRODSTEIN, F., STAMPFER, M. J., COLDITZ, G. A., WILLETT, W. C., MANSON, J. E., JOFFE, M., ROSNER, B., FUCHS, C., HANKINSON, S. E., HUNTER, D. J., HENNEKENS, C. H., & SPEIZER, F. E. (1997). Postmenopausal hormone therapy and mortality. *The New England Journal of Medicine, 336*, 1769–1775.

GRONLUND, G. (1995). Bringing the DAP message to kindergarten and primary teachers. *Young Children, 50 (5)*, 4–13.

GROSJEAN, F. (1982). *Life with two languages: An introduction to bilingualism*. Cambridge, MA: Harvard University Press.

GROSS, T. F. (1985). *Cognitive development*. Monterey, CA: Brooks/Cole.

GROSSMAN, F. K., POLLACK, W. S., & GOLDING, E. (1988). Fathers and children: Predicting the quality and quantity of fathering. *Developmental Psychology, 24(1)*, 82–91.

GROTEVANT, H. D., & COOPER, C. R. (1985). Patterns of interaction in family relationships and the development of identity exploration in adolescence. *Child Development, 56*, 415–428.

GRUSEC, J. E., & ARNASON, L. (1982). Consideration for others: Approaches to enhancing altruism. In S. Moore & C. Cooper (Eds.), *The young child: Reviews of research* (Vol. 3). Washington, DC: National Association for the Education of Young Children.

GUELZOW, M. G., BIRD, G. W., & KOBALL, E. H. (February 1991). An exploratory path analysis of the stress process for dual-career men and women. *Journal of Marriage and the Family, 53*, 151–164.

GUILFORD, J. P. (1959). Three faces of intellect. *American Psychologist, 14*, 469–479.

GUNNAR, M. R. (1989). Studies of the human infant's adrenocortical response to potentially stressful events. *New Directions for Child Development, 45*. San Francisco: Jossey-Bass.

GUREWITSCH, E. (July/August 1983). Geriatric day care: The options reconsidered. *Aging Magazine*, pp. 21–26.

GUTIERREZ DE PINEDA, V. (1948). Organizacion social en la Guajira. *Rev. Institute etnolog., 3*.

GUTMANN, D. L. (1964). An exploration of ego configurations in middle and later life. In B. L. Neugarten (Ed.), *Personality in middle and late life: Empirical studies*. New York: Atherton Press.

GUTMANN, D. L. (1969). The country of old men: Cross-cultural studies in the psychology of later life. *Occasional Papers in Gerontology, No. 5*. Ann Arbor: Institute of Gerontology, University of Michigan–Wayne State University.

GUTMANN, D. L. (1975). Parenthood: A key to the comparative study of the life cycle. In N. Datan & L. H. Ginsberg (Eds.), *Life-span developmental psychology: Normative life crises*. New York: Academic Press.

GUTMANN, D. (1987). *Reclaimed powers: Toward a new psychology of men and women in later life*. New York: Basic Books.

GUTMANN, E. (1977). In C. E. Finch & L. Hayflock (Eds.), *Handbook of the biology of aging*. New York: Van Nostrand Reinhold.

HABER, D. (1984). Church-based programs for black caregivers of noninstitutionalized elders. *Journal of Gerontological Social Work, 7*, 43–49.

HABER, P. (1987). Hospice. In G. L. Maddox et al. (Eds.), *The encyclopedia of aging*. New York: Springer.

HAGEN, J. W., LONGEWARD, R. H. J., & KAIL, R. V., JR. (1975). Cognitive perspectives on the development of memory. In H. W. Reese (Ed.), *Advances in child development and behavior* (Vol. 10). New York: Academic Press.

HAGESTAD, G. (1987). Able elderly in the family context: Changes, chances, and challenges. *The Gerontologist, 27*, 417–422.

HAGESTAD, G. O. (1985). Continuity and connectedness. In V. L. Bengston & J. Robertson (Eds.). *Grandparenthood* (pp. 31–48). Beverly Hills, CA: Sage.

HAGESTAD, G. O. (1990). Social perspectives on the life course. *Handbook of aging and the social sciences* (3rd ed., pp. 151–163). New York : Academic Press.

HALL, E. (April 1980). Interview of B. Neugarten, Acting one's age: New rules for old. *Psychology Today*.

HALL, W. M., & CAIRNS, R. B. (1984). Aggressive behavior in children: An outcome of modeling or social reciprocity? *Developmental Psychology, 20*, 739–745.

HALLIDAY, M. (1973). *Exploration in the functions of language*. London: Edward Arnold.

HALLINAN, M. T., & TEIXEIRA, R. A. (1987). Students' interracial friendships: Individual characteristics, structural effects, and racial differences. *American Journal of Education, 95*, 563–583.

HALPERN, D. F. (1986). *Sex differences in cognitive abilities*. Hillsdale, NJ: Erlbaum.

HALSEY, N. A., BOULOS, R., HOLT, E., RUFF, A. B., KISSINGER, P., QUINN, T. C., COBERLY, J. S., ADRIEN, M., & BOULOS, C. (October 1990). Transmission of HIV-1 infections from mothers to infants in Haiti. *Journal of the American Medical Association, 264(16)*.

HANAWALT, B. A. (1995). *Growing up in medieval London: The experience of childhood in history*. New York: Oxford University Press.

HANDYSIDE, A. H., LESKO, J. G., TARIN, J. J., WINSTON, R. M. L. & HUGHES, M. R. (1992). Birth of a normal girl after in vitro fertilization and preimplantation diagnostic testing for cystic fibrosis. *New England Journal of Medicine, 327(13)*, 905–909.

HANSEN, L. S. (1974). Counseling and career (self) development of women. *Focus on Guidance, 7*, 1–15.

HANSON, D., CONAWAY, L. P. & CHRISTOHER, J. S. (1989). Victims of child physical abuse. In Robert T. Ammerman and Micheal Hersen (Eds.), *Treatment of family violence*. New York: Wiley.

HARKNESS, S., & SUPER, C. M. (1983). *The cultural structuring of children's play in a rural African community*. Paper presented at the annual meeting of the Association for the Anthropological Study of Play, Baton Rouge, LA.

HARLAN, L. C., BERNSTEIN, A. B., & KESSLER, L. G. (1991). Cervical cancer screening: Who is not screened and why? *American Journal of Public Health, 81(7)*, 885–890.

HARLOW, H. F. (June 1959). Love in infant monkeys. *Scientific American*, pp. 68–74.

HARLOW, H. F., & HARLOW, M. K. (November 1962). Social deprivation in monkeys. *Scientific American*, pp. 137–146.

HARRE, R. (January 1980). What's in a nickname? *Psychology Today*, pp. 78–84.

HARRIS, B. (1979). Whatever happened to Little Albert? *American Psychologist, 34(2)*, 151–160.

HARRIS, K. R. (1990). Developing self-regulated learners: The role of private speech and self-instruction. *Educational Psychologist 25*, 35–49.

HARRIS, LOUIS, & ASSOCIATES. (1978). Myths and realities of life for older Americans. In R. Gross, B. Gross, & S. Seidman (Eds.), *The new old: Struggling for decent aging*. Garden City, NY: Anchor Press/Doubleday. (Originally published 1975)

HARRIS, P. L., BROWN, E., MARRIOTT, C., WHITTALL, S., & HARMER, S. (1991). Monsters, ghosts and witches: Testing the limits of the fantasy–reality distinction in young children. *British Journal of Developmental Psychology, 9*, 105–123.

HARRIS, R., ELLICOTT, A., & HOMMES, D. (1986). The timing of psychosocial transitions and changes in women's lives: An examination of women aged 45 to 60. *Journal of Personality and Social Psychology, 51*, 409–416.

HARRISON, A., WILSON, M., PINE, C., CHAN, S., & BURIEL, R. (1990). Family ecologies of ethnic minority children. *Child Development, 61*, 347–362.

HART, S. N. & BRASSARD, M. R. (1991). Psychological maltreatment: Progress achieved. *Development and Psychopathology*, 3, 61–70.

HART, S. N., GERMAIN, R. B., & BRASSARD, M. R. (1987). The challenge: To better understand and combat psychological maltreatment of children and youth. In M. R. Brassard, R. Germain, & S. N. Hart (Eds.), *Psychological maltreatment of children and youth* (pp. 3–24). New York: Pergamon.

HARTER, S. (1982). The perceived competence scale for children. *Child Development*, 53, 87–97.

HARTER, S. (1983). Developmental perspectives on the self system. In P. H. Mussen (Ed.), *Handbook of child psychology* (4th ed., Vol. 4). New York: Wiley.

HARTER, S. (1988). Developmental processes in the construction of the self. In T. D. Yawkey & J. E. Johnson (Eds.), *Integrative processes and socialization: Early to middle childhood*. Hillsdale, NJ: Erlbaum.

HARTUP, W. W. (1963). Dependence and independence. IN H. W. Stevenson, J. Kagan, & C. Spiker (Eds.), *Child psychology*. Chicago: National Society for the Study of Education.

HARTUP, W. W. (1970a). Peer interaction and social organization. In P. H. Mussen (ed.), *Carmichael's manual of child psychology* (3rd ed., Vol. 2). New York: Wiley.

HARTUP, W. W. (1970b). Peer relations. In T. D. Spencer & N. Kass (Eds.), *Perspectives in child psychology: Research and review*. New York: McGraw-Hill.

HARTUP, W. W. (1983). Peer relations. In P. H. Mussen (Ed.), *Handbook of child psychology* (4th ed., Vol. 4). New York: Wiley.

HARTUP, W. W. (1989). Social relationships and their developmental significance. *American Psychologist*, 44(2), 120–126.

HARTUP, W. W. (Summer 1993). Adolescents and their friends. *New Directions for Child Development*, 60, 3–19.

HARTUP, W. W. (1996). The company they keep: Friendships and their developmental significance. *Child Development*, 67, 1–13.

HASKETT, M. E. & KISTNER, J. A. (1991). Social interactions and peer perceptions of young physically abused children. *Child Development*, 62, 979–990.

HASS, A. (1979). *Teenage sexuality: A survey of teenage sexual behavior*. New York: Macmillan.

HASSETT, J. (September 1984). Computers in the classroom. *Psychology Today*, 18, 9.

HASTE, H., & TORNEY-PURTA, J. (Eds.) (Summer 1992). The development of political understanding: A new perspective (pp. 1–10). San Francisco: Jossey-Bass.

HATCH, T. (1997). Getting specific about multiple intelligences. *Educational Leadership*, 54, 26–29.

HAUSER, S. T. (1976). Loevinger's model and measure of ego development: A critical review. *Psychological Bulletin*, 83, 928–955.

HAUSER, S. T., BOOK, B. K., HOULIHAN, J., POWERS, S., WEISS-PERRY, B., FOLLANSBEE, D., JACOBSON, A. M., & NOAM, G. (1987). Sex differences within the family: Studies of adolescent and operent family interac-tions. *Journal of Youth and Adolescence, 16*, 199–220.

HAVIGHURST, R. (1982). The world of work. In B. Wolman (Ed.), *The handbook of developmental psychology* (pp. 771–790). Englewood Cliffs, NJ: Prentice Hall.

HAVIGHURST, R. J. (1953). *Human development and education*. New York: Longman.

HAVIGHURST, R. J. (1964). Stages of vocational development. In H. Borow (Ed.), *Man in a world at work*. Boston: Houghton Mifflin.

HAVIGHURST, R. J. (1972). *Developmental tasks and education* (3rd ed.). New York: McKay.

HAVIGHURST, R. J., & DREYER, P. H. (1975). Youth and cultural pluralism. In R. J. Havighurst & P. H. Dreyer (Eds.), *Youth: The 74th yearbook of the NSSE*. Chicago: University of Chicago Press.

HAWKINS, J. A., & BERNDT, T. J. (1985). *Adjustment following the transition to junior high school*. Paper presented at the biennial meeting of the Society for Research in Child Development.

HAWKINS, J., SHEINGOLD, K., GEARHART, M., & BURGER, C. (1982). Microcomputers in schools: Impact on the social life of elementary classrooms. *Applied Developmental Psychology*, 3, 361–373.

HAYES, H. T. P. (June 12, 1977). The pursuit of reason. *New York Times Magazine*.

HAYNE, H., & ROVEE-COLLIER, C. (1995). The organization of reactivated memory in infancy. *Child Development*, 66, 893–906.

HAYWARD, M. D., FRIEDMAN, S., & CHEN, H. (1998). *Journal of Gerontology, 53B*, S91–S103.

HAZEN, N. L., & LOCKMAN, J. J. (1989). Skill in context. In J. J. Lockman & N. L. Hazen (Eds.) *Action in social context: Perspectives on early development* (pp. 1–22). New York: Plenum.

HEBB, D. O. (1966). *A textbook of psychology*. Philadelphia: Saunders.

HECHTMAN, L. (1989). Teenage mothers and their children: Risks and problems: A review. *Canadian Journal of Psychology, 34*, 569–575.

HECOX, K. (1975). Electrophysiological correlates of human auditory development. In L. B. Cohn & P. Salapatek (Eds.), *Infant perception: From sensation to cognition* (pp. 151–191). New York: Academia.

HEIDRICH, S. D., & RYFF, C. D. (1993a). Physical and mental health in later life: The self-system as mediator. *Psychology and Aging, 8*(3) 327–338.

HEIDRICH, S. D., & RYFF, C. D. (1993b). The role of social comparisons processes in the psychological adaptation of elderly adults. *Journal of Gerontology: Psychological Sciences, 48*(3), 127–136.

HELFER, R. (1982). The relationship between lack of bonding and child abuse and neglect. In *Round Table on Maternal Attachment and Nurturing Disorder* (Vol. 2). New Brunswick, NJ: Johnson & Johnson.

HELLIGE, J. B. (1993). Unity of thought and action. Varieties of interaction between the left and right cerebral hemispheres. *Current Directions in Psychological Science, 2*(1), 21–25.

HELSON, R. (1997). The self in middle age. In Lachman, M. E., & James, J. B. (Eds.), *Multiple paths of midlife development*. Chicago: University of Chicago Press.

HELSON, R., & PICANO, J. (1990). Is the traditional role bad for women? *Journal of Personality and Social Psychology, 59*, 311–320.

HELWIG, C. C. (1995). Adolescents' and young adults' conceptions of civil liberties: Freedom of speech and religion. *Child Development, 66*, 152–166.

HEPPER, P. (1989). Foetal learning: Implications for psychiatry? *British Journal of Psychiatry, 155*, 289–293.

HERKOWITZ, J. (1978). Sex-role expectations and motor behavior the young child. In M. V. Ridenour (Ed.), *Motor development: Issues and applications*. Princeton, NJ: Princeton Book Co.

HERNANDEZ, D. J. (Spring 1994).Childrens changing access to resources: A historical perspective. *Social Policy Report: Society for Research in Child Development, 8*(1), 1–3.

HERRON, R. E., & SUTTON-SMITH, B. (1971). *Child's play*. New York: Wiley.

HERSHBERGER, S. L., & D'AUGELLI, A. R. (1995). The impact of victimization on the mental health and suicidality of lesbian, gay, and bisexual youths. *Developmental Psychology, 31*, 65–74.

HERSHEY, D. (1974). *Life-span and factors affecting it*. Springfield, IL: Charles C Thomas.

HESS, E. H. (1970). Ethology and developmental psychology. In P. H. Mussen (Ed.), *Carmichael's manual of child psychology* (3rd ed., Vol. 1). New York: Wiley.

HESS, E. H. (August 1972). "Imprinting" in a natural laboratory. *Scientific American*, pp. 24–31.

HESS, R. D. & HOLLOWAY, S. D. (1984). Family and school as educational institutions. In R. D. Parked (ed.), *Review of Child Development Reearch 7: The Family* (pp. 179–222). Chicago: University of Chicago Press.

HETHERINGTON, E. M. (1989). Coping with family transitions: Winners, losers, and survivors. *Child Development, 60*, 1–14.

HETHERINGTON, E. M. (1992). Coping with marital transitions: A family systems perspective. *Monographs of the Society for Research in Child Development, 57*(2–3), Serial No. 227, 1–14.

HETHERINGTON, E. M. (June 1984). Stress and coping in children and families. In A. Doyle, D. Gold, & D. Moskowitz (Eds.), *New Directions for Child Development, 24*.

HETHERINGTON, E. M., & BALTES, P. B. (1988). Child psychology and life-span development. In E. M. Hetherington, R. Lerner, & M. Perlmutter (Eds.) *Child development in life-span perspective* (pp. 1–20). Hillsdale, NJ: Erlbaum.

HETHERINGTON, E. M., & CAMARA, K. A. (1984). Families in transition: The process of dissolution and reconstitution. In R. D. Parke (Ed.), *Review of child development research* (Vol. 7). Chicago: University of Chicago Press.

HETHERINGTON, E. M., COX, M., & COX, R. (1982). Effects of divorce on parents and children. In M. L. Lamb (Ed.), *Nontradi-*

tional families: Parenting and child development. Hillsdale, NJ: Erlbaum.

HETHERINGTON, E. M., ET AL. (1978). The aftermath of divorce. In J. H. Stevens & M. Athews (Eds.), *Mother–child, father–child relationships.* Washington, DC: National Association for the Education of Young Children.

HETHERINGTON, E. M., STANLEY-HAGAN, M., & ANDERSON, E. R. (1989). Marital transitions: A child's perspective. *American Psychologist, 44,* 303–312.

HEWLETT, S. A. (1984). *A lesser life: The myth of women's liberation in America.* New York: Warner Books.

HILL, J. P. (1980). The family. In M. Johnson (Ed.), *Toward adolescence: The middle school years. The seventy-ninth yearbook of the national society for the study of education.* Chicago: University of Chicago Press.

HILL, J. P. (1980). *Understanding early adolescence: A framework.* Carrboro, NC: Center for Early Adolescence.

HILL, J. P. (1987). Research on adolescents and their families past and present. *New Directions for Child Development, 37,* 13–32.

HILL, R., & ALDOUS, J. (1969). Socialization for marriage and parenthood. In D. A. Goslin (Ed.), *Handbook of socialization theory and research.* Chicago: Rand McNally.

HILL, R., FOOTE, N., ALDOUS, J., CARLSON, R., & MACDONALD, R. (1970). *Family development in three generations.* Cambridge, MA: Schenkman.

HINDE, R. A. (1987). *Individuals, relationships & culture: Links between ethology and the social sciences.* Cambridge, UK, & New York: Cambridge University Press.

HIRSCH, B., KENT, D. P., & SILVERMAN. S. (1972). Homogeneity and heterogeneity among low-income Negro and white aged. In D. P. Kent, R. Kastenbaum, and S. Sherwood (Eds.), *Research planning and action for the elderly: The power and potential of social science* (pp. 400–500). New York: Behavioral Publishers.

HIRSHBERG, L. (1990). When infants look to their parents: II. Twelve-month-olds' response to conflicting parental emotional signals. *Child Development, 61,* 1187–1191.

HIRSHBERG, L. M., & SVEJDA, M. (1990). When infants look to their parents: I. Infants' social referencing of mothers compared to fathers. *Child Development, 61,* 1175–1186.

HIRSH-PASEK, K., NELSON, D. G., JUSCZYK, P. W., & WRIGHT, K. (April 1986). *A moment of silence: How the prosaic cues in motherese might assist language learning.* Paper presented at the International Conference on Infant Studies, Los Angeles.

HISCOCK, M., & KINSBOURNE, M. (1987). Specialization of the cerebral hemispheres: Implications for learning. *Journal of Learning Disabilities, 20,* 130–142.

HITE, S. (1976). *The Hite report.* New York: Macmillan.

HO, D. Y., & SAPOLSKY, R. M. Gene therapy for the nervous systems. *Scientific American, 276 (6),* 116–120.

HOBBS, D., & COLE, S. (1976). Transition to parenthood: A decade of replication. *Journal of Marriage and the Family, 38,* 723–731.

HOCHSCHILD, A. (1989). *The second shift.* New York: Avon Books.

HODGES, W., & COOPER, M. (1981). Head start and follow-through: Influences on intellectual development. *Journal of Special Education, 15,* 221–237.

HOFFMAN, J. (1984). Psychological separation of late adolescents from their parents. *Journal of Counseling Psychology, 31,* 170–178.

HOFFMAN, L. (1989). Effects of maternal unemployment in the two-parent family. *American Psychologist, 44,* 283–292.

HOFFMAN, M. L. (1970). Moral development. In P. H. Mussen (Ed.), *Carmichael's manual of child psychology* (3rd ed., Vol. 2). New York: Wiley.

HOFFMAN, M. L. (1977). Sex differences in empathy and related behaviors. *Psychological Bulletin, 84*(4), 712–722.

HOFFMAN, M. L. (1980). Moral development in adolescence. In J. Adelson (Ed.), *Handbook of adolescent psychology.* New York: Wiley.

HOFFMAN, M. L. (1981). Is altruism part of human nature? *Journal of Personality and Social Psychology, 40,* 121–137.

HOGAN, D. (1980). The transition to adulthood as a career contingency. *American Sociological Review, 45,* 261.

HOLDEN, C. (1980). Identical twins reared apart. *Science, 207,* 1323–1328.

HOLLAND, J. L. (1973). *Making vocational choices: A theory of careers.* Englewood Cliffs, NJ: Prentice Hall.

HOLT, J. (1964). *How children fail.* New York: Dell.

HOLT, R. R. (1982). Occupational stress. In L. Goldberger & S. Breznity (Eds.). *Handbook of Stress* (p. 4). New York: Free Press.

HONG, R., MATSUYAMA, E., & NUR, K. (1991). Cardiomyopathy associated with the smoking of crystal methamphetamine. *Journal of the American Medical Association, 265*(9), 1152–1154.

HONIG, A. S. (October 1980). The importance of fathering. *Dimensions,* pp. 33–38, 63.

HONIG, A. S. (May 1986). Stress and coping in young children. *Young Children,* pp. 50–63.

HONIG, A. (May 1989). Quality infant/toddler caregiving: Are there magic recipes? *Young Children,* pp. 4–10.

HOOD, J. C. (1986). The provider role: Its meaning and measurement. *Journal of Marriage and the Family, 48,* 349–359.

HOPKINS, B. (1991). Facilitating early motor development: An intercultural study of West Indian mothers and their infants living in Britain. In J. K. Nugent, B. M. Lester, and T. B. Brazelton (Eds.), *The cultural context of infancy* (Vol. 2, pp. 93–144). Norwood, NJ: Ablex.

HORGAN, J. (1993). Eugenics revisited. *Scientific American, 268*(6), 122–128, 130–131.

HORN, J. L. (1982). The theory of fluid and crystallized intelligence in relation to concepts of cognitive psychology and aging in adulthood. In F. I. M. Craik & S. Trehub (Eds.), *Aging and cognitive processes.* New York: Plenum.

HORN, J. L., & DONALDSON, G. (1980). Cognitive development in adulthood. In J. Kagan & O. G. Brim, Jr. (Eds.), *Constancy*

and change in development. Cambridge, MA: Harvard University Press.

HORN, J. M. (1983). The Texas adoption project: Adopted children and their intellectual resemblance to biological and adoptive parents. *Child Development, 54,* 268–275.

HORN, M. (June 14, 1993). Grief re-examined: The AIDS epidemic is confounding the normal work of bereavement. *U.S. News & World Report,* pp. 81–84.

HOROWITZ, F. D. (1982). The first two years of life: Factors related to thriving. In S. Moore & C. Cooper (Eds.), *The young child: Reviews of research* (Vol. 3). Washington, DC: National Association for the Education of Young Children.

HOROWITZ, S. M., KLERMAN, L. V., SUNGKUO, H., AND JEKEL, J. F. (1991). Intergenerational transmission of school age parenthood. *Family Planning Perspective, 23,* 168–177.

HOVERSTEN, G. H., & MONCUR, J. P. (1969). Stimuli and intensity factors in testing infants. *Journal of Speech and Hearing Research, 12,* 687–702.

HOWARD, J. (1995). You can't get there from here: The need for a new logic in education reform. *Daedalus, 124 (4),* 85–93.

HOWARD, J., & HAMMOND, R. (September 9, 1985). Rumors of inferiority. *The New Republic,* pp. 17–21.

HOWE N. & STRAUSS, W. The new generation gap. *The Atlantic Monthly.* December 1992, pages 67–89.

HOWES, C., & OLENICK, M. (1986). Family and child care influences on toddler's compliance. *Child Development, 57,* 202–216.

HOYER, W. J., & PLUDE, D. J. (1980). Attentional and perceptual processes in the study of cognitive aging. In L. W. Poon (Ed.), *Aging in the 1980s.* Washington, DC: American Psychological Association.

HUDSON, H. (1981). As cited in H. J. Wershow, *Controversial issues in gerontology.* New York: Springer.

HUESMANN, L. R., LAGERSPETZ, K., & ERON, L. D. (1984). Intervening variables in the TV violence-aggression relation: Evidence from two countries. *Developmental Psychology, 20,* 746–775.

HUGES, F. P. (1991). *Children, play and development.* Boston: Allyn & Bacon.

HUGHES, M., & DONALDSON, M. (1979). The use of hiding games for studying the coordination of viewpoints. *Educational Review, 31,* 133–140.

HULL, C. L. (1943). *Principles of behavior.* New York: Appleton-Century.

HUMMERT, M. L., GARSTKA, T. A., SHANER, J. L., & STRAHM, S. (1995). Judgments about stereotypes of the elderly. *Research on aging, 17,* 168–189.

HUNT, B., & HUNT, M. (1975). *Prime time.* New York: Stein & Day.

HUNT, J. G., & HUNT, L. L. (1987). Here to play: From families to life-styles. *Journal of Family Issues, 8,* 440–443.

HUNT, J. M. (1961). *Intelligence and experience.* New York: Ronald Press.

HUNT, M. (1974). *Sexual behavior in the 1970s.* New York: Dell.

HUNTER, S., & SUNDEL, M. (1989). Midlife myths: Issues, findings, and practice implications. Newbury Park, CA: Sage.

HUSEN, T. (1967). *International study of achievement in mathematics: A comparison of twelve countries.* New York: Wiley.

HUSTON, A. (1983). Sex typing. In P. H. Mussen (Ed.), *Handbook of child psychology* (Vol. 4). New York: Wiley.

HUSTON, A. C., WATKINS, B. A., & KUNKEL, D. (1989). Public policy and children's television. *American Psychologist, 44,* 424–433.

HUTCHESON, R. H., JR. (1968). Iron deficiency anemia in Tennessee among rural poor children. *Public Health Reports, 83,* 939–943.

HWANG, C. P., & BROBERG, A. (1992). The historical and social context of child care in Sweden. In M. E. Lamb, & K. J. Sternberg (Eds.). *Child care in context.* Hillsdale, NJ: Erlbaum, 27–53.

HYDE, J. S. (1984). How large are gender differences in aggression? A developmental metaanalysis. *Developmental Psychology, 20,* 722–736.

HYDE, J. S. (1986). *Understanding human sexuality* (3rd ed.). New York: McGraw-Hill.

IHINGER-TALLMAN, M., & PASLEY, K. (1987). Divorce and remarriage in the American family: A historical review. In R. Pasley & M. Ihinger-Tallman (Eds.), *Remarriage and stepparenting: Current research and theory.* New York: Guilford.

IMARA, M. (1975). Dying as the last stage of growth. In E. Kübler-Ross (Ed.), *Death: The final stage of growth.* Englewood Cliffs, NJ: Prentice Hall.

IMHOF, A. E. (1986). Life course patterns of women and their husbands. In A. B. Sorensen, F. E. Weinert, & L. R. Sherrod (Eds.), *Human development and the life course: Multidisciplinary perspectives* (pp. 247–270). Hillsdale, NJ: Erlbaum.

INHELDER, B., & PIAGET, J. (1958). *The growth of logical thinking: From childhood to adolescence.* (A. Parsons & S. Milgram, Trans.). New York: Basic Books.

IRWIN, T. (1978). After 65: Resources for self-reliance. In R. Gross, B. Gross, & S. Seidman (Eds.), *The new old: Struggling for decent aging.* Garden City, NY: Anchor-Press/Doubleday.

ISAACS, S. (1930). *Intellectual growth in young children.* London: Routledge & Kegan Paul.

ISABELLA, R. A., BELSKY, J., & VON EYE, A. (1989). Origins of infant–mother attachment: An examination of interactional synchrony during the infant's first year. *Developmental Psychology, 25*(1), 12–21.

ISENBERG, J., & QUISENBERRY, N. L. (February 1988). Play: A necessity for all children. *Childhood Education.*

JACACK, R. A., ET AL. (1995). Moral reasoning about sexually transmitted diseases. *Child Development, 66,* 167–177.

JACKSON, J. J. (1985). Race, national origin, ethnicity, and aging. In R. B. Binstock & E. Shanas (Eds.), *Handbook of aging and the social sciences.* New York: Van Nostrand Reinhold.

JACKSON, J., ANTONUCCI, T., & GIBSON, R. (1990). Cultural, racial, and ethnic minor-ity influences on aging. In J. Birren & K. W. Schaie (Eds.), *Handbook of the psychology of aging* (3rd ed., pp. 103–123). San Diego: Academic Press.

JACOBSON, A. L. (1978). Infant day care: Toward a more human environment. *Young Children, 33,* 14–23.

JACOBSON, J. L., & WILLE, D. E. (1984). Influence of attachment and separation experience on separation distress at 18 months. *Developmental Psychology, 70,* 477–484.

JACOBSON, J. & WILLE, D. (1986). The influence of attachment pattern on developmental changes in peer interaction from the toddler to the preschool period. *Child Development, 57,* 338–347.

JACOBSON, J. L., JACOBSON, S. W., SCHWARTZ, P. M., FEIN, G., & DOWLER, J. K. (1984). Prenatal exposure to an environmental toxin: A test of the multiple effects model. *Developmental Psychology, 20,* 523–532.

JAEGER, E., & WEINRAUB, M. (Fall 1990). Early nonmaternal care and infant attachment: In search of progress. In *New Directions for Child Development, 49,* 71–90.

JAMES, W. (1890). *Principles of psychology.* New York: Holt.

JEFFERS, F. C., & VERWOERDT, A. (1970). Factors associated with frequency of death thoughts in elderly community volunteers. In E. Palmore (Ed.), *Normal aging.* Durham, NC: Duke University Press.

JELLIFFE, D. B., JELLIFFE, E. F. P., GARCIA, L., & DE BARRIOS, G. (1961). The children of the San Blas Indians of Panama. *Journal of Pediatrics, 59,* 271–285.

JENSEN, A. R. (1969). How much can we boost IQ and scholastic achievement? *Harvard Educational Review, 39,* 1–123.

JENSH, R. (1986). Effects of prenatal irradiation on postnatal psychophysiologic development. In E. P. Riley & C. V. Vorhees (Eds.), *Handbook of behavioral periontology.* New York: Plenum.

JERSILD, A. T., & HOLMES, F. B. (1935). *Children's fears.* (Child Development Monograph No. 20). New York: Teachers College Press, Columbia University.

JESSNER, L., WEIGERT, E., & FOY, J. L. (1970). The development of parental attitudes during pregnancy. In E. J. Anthony & T. Benedek (Eds.), *Parenthood: Its psychology and psychopathology.* Boston: Little, Brown.

JESSOR, R. (1993). Successful adolescent among youth in high-risk settings. *American Psychologist, 48*(2), 117–126.

JOHNSON, C. L., & BARER, B. M. (June 1987). Marital instability and the changing kinship networks of grandparents. *The Gerontologist, 27*(3), 330–335.

JOHNSON, J. E., CHRISTIE, J. F., & YAWKEY, T. D. (1987). *Play and early childhood development.* Glenview, IL: Scott, Foresman.

JOHNSON, R. P., & RIKER, H. C. (1981). Retirement maturity: A valuable concept for preretirement counselors. *Personnel and Guidance Journal, 59,* 291–295.

JOHNSTON, L. D., O'MALLEY, P. M., & BACHMAN, G. J. (1987). *National trends in drug use and related factors among American high school students and young adults, 1975–1986.* Rockville, MD: U.S. Department of Health and Human Services, National Institute on Drug Abuse.

JONES, A. B. (1959). The relation of human health to age, place, and time. In J. E. Birren (Ed.), *Handbook of aging and the individual.* Chicago: University of Chicago Press.

JONES, A. P., & CRNIC, L. S. (1986). Maternal mediation of the effects of malnutrition. In E. P. Riley & C. V. Vorhees (Eds.), *Handbook of behavioral teratology.* New York: Plenum.

JONES, M. C. (1965). Psychological correlates of somatic development. *Child Development, 36,* 899–911.

JONES, M. C. (1979). Psychological correlates of somatic development. *Child Development, 36,* 899–911.

JORDANOVA, L. (1989). Children in history: Concepts of nature and society. In G. Scarr (Ed.), *Children, parents, and politics* (pp. 3–24). Cambridge, UK: Cambridge University Press.

JOSEPHS, L. (1982). *Professional women in the first two years of motherhood: A study of female-to-female support, nurturance, and autonomy.* Unpublished thesis, University of Massachusetts.

JOURNAL OF THE AMERICAN MEDICAL ASSOCIATION (1996). Boning up on estrogen: New options, new concerns (editorial). *Volume 276,* 1430–1432.

JUDD, L. J. (Winter 1991). Study finds mental disorders strike youth earlier than thought. *Quarterly Newsletter of the National Mental Health Association,* p. 4.

JUNG, C. G. (1931/1960). The stages of life. In H. Read, M. Fordham, & G. Adler (Eds.), *The collected works of C. G. Jung* (Vol. 8, pp. 387–402.) New York: Pantheon.

KADKAR, S. (1986). Male and female in India: Identity formation and its effects on cultural adaptation in tradition and transformation. In R. H. Brown & G. V. Coelho (Eds.). *Asian Indians in America.* Williamsburg, VA: College of William and Mary.

KAGAN, J. (1971). *Change and continuity in infancy.* New York: Wiley.

KAGAN, J. (1978). The baby's elastic mind. *Human Nature, I,* 66–73.

KAGAN, J., & MOSS, H. A. (1962). *Birth to maturity: A study in psychological development.* New York: Wiley.

KAGAN, J., & SNIDMAN, N. (1991). Temperamental factors in human development. *American Psychologist, 46*(8), 856–862.

KAGAN, J., ARCUS, D., & SNIDMAN, N. (1993). The idea of temperament: Where do we go from here? In R. Plomin & G. E. McClearn (Eds.), *Nature, nurture and psychology* (pp. 197–210). Washington, DC: American Psychological Association.

KAKU, D. A., ET AL. (1991). Emergence of recreational drug abuse as a major risk factor for stroke in young adults. *Journal of the American Medical Association, 265*(11), 1382.

KALES, J. D. (September 1979). Sleepwalking & night terrors related to febrile illness. *American Journal of Psychiatry, 136*(9), 1214–1215.

KALISH, R. A. (1985). *The final transition.* From the *Perspectives on Death & Dying* series. Farmingdale, NY: Baywood.

KALISH, R. (1987). Death. In G. L. Maddox et al. (Eds.), *The encyclopedia of aging.* New York: Springer.

KALISH, R. A., & REYNOLDS, D. K. (1981). *Death and ethnicity: A psychological study.* Farmingdale, NY: Baywood.

KALLEBERG, A., & ROSENFELD, R. (1990). Work in the family and in the labor market: A cross-national, reciprocal analysis. *Journal of Marriage and the Family, 52,* 331–346.

KALLMANN, F. J., & SANDER, G. (1949). Twin students on senescence. *American Journal of Psychiatry, 106,* 29–36.

KALNINS, I. V., & BRUNER, J. S. (1973). Infant sucking used to change the clarity of a visual display. In L. J. Stone, H. T. Smith, & L. B. Murphy (Eds.), *The competent infant: Research and commentary.* New York: Basic Books.

KAMII, C., & DEVRIES, R. (1980). *Group games in early education.* Washington, DC: National Association for the Education of Young Children.

KAMIN, L. (1974). *The science and politics of IQ.* Hillsdale, NJ: Erlbaum.

KAMMERMAN, S., KAHN, A., & KINGSTON, P. (1983). *Maternity policies and working women.* New York: Columbia University Press.

KANDEL, D. B., RAVEIS, V. H., & DAVIES, M. (1991). Suicidal ideation in adolescence: Depression, substance use & other risk factors. *Journal of Youth and Adolescence, 20,* 289–309.

KANE, R. L., & KANE, R. A. (1980). Alternatives to institutional care of the elderly: Beyond the dichotomy. *The Gerontologist, 20*(30), 197.

KANE, S. R., & FURTH, H. G. (1993). Children constructing social reality: A frame analysis of social pretend play. *Human Development, 36,* 199–214.

KANTER, R. (1977). *Men and women of the corporation.* New York: Basic Books.

KANTER, R. M. (March 1976). Why bosses turn bitchy. *Psychology Today,* pp. 56–59.

KANTROWITZ, B. (May 16, 1988). Preemies. *Newsweek,* pp. 62–67.

KAPLAN, L. J. (1984). *Adolescence: The farewell to childhood.* New York: Touchstone.

KAPLAN, M. (1979). *Leisure: Lifestyle and lifespan.* Philadelphia:

KAPLAN, N., CHOY, M. H., AND WHITMORE, J. K. (February 1992). Indochinese refugee families and academic achievement. *Scientific American,* 36–42.

KAREN, R. (February 1990). Becoming attached. *The Atlantic Monthly.*

KARLSON, A. L. (1972). *A naturalistic method for assessing cognitive acquisition of young children participating in preschool programs.* Unpublished doctoral dissertation, University of Chicago.

KASTENBAUM, R. (December 1971). Age: Getting there ahead of time. *Psychology Today,* pp. 52–54ff.

KASTENBAUM, R. (1979). *Growing old: Years of fulfillment.* New York: Harper & Row.

KASTENBAUM, R. (1986). *Death, society and human experience.* Columbus, OH: Merrill.

KASTENBAUM R., & COSTA, P. T. (1977). Psychological perspectives on death. In M. R. Rosenzweig & L. W. Porter (Eds.), *Annual*

review of psychology (Vol. 28). Palo Alto, CA: Stanford University Press.

KATZ, L. G. (September 1990). Impressions of Reggio Emilia preschools. *Young Children, 45*(6), 4–10.

KAVALE, K. A., & FORNESS, S. R. (1996). Social skill deficits and learning disabilities. *Journal of Learning Disabilities, 29,* 226–237.

KEATING, D. (1976). Intellectual talent, research, and development: Introduction. In D. Keating (Ed.), *Hyman Blumberg Symposium in Early Childhood Education.* Baltimore: Johns Hopkins University Press.

KEATING, D. P. (1980). Thinking processes in adolescence. In J. Adelson (Ed.), *Handbook of adolescent psychology.* New York: Wiley.

KEEN, S. (April 1974). The heroics of everyday life: A theorist of death confronts his own end. *Psychology Today,* pp. 71–75ff.

KEGAN, R. (1982). *The evolving self: Problem and process in human development.* Cambridge, MA: Harvard University Press.

KEGAN, R. (1995). *In over our heads: The mental demands of modern life.* Cambridge, MA: Harvard University Press.

KEISTER, M. E. (1970). *The good life for infants and toddlers.* New York: Harper & Row.

KEITH-SPIEGEL, R. (1976). Children's rights as participants in research. In G. P. Koocher (Ed.), *Children's rights in mental health professions.* New York: Wiley.

KELLOGG, R. (1970). *Analyzing children's art.* Palo Alto, CA: National Press.

KELLY, J. B. (1982). Divorce: The adult perspective. In B. Wolman (Ed.), *Handbook of developmental psychology.* Englewood Cliffs, N.J.: Prentice Hall.

KELLY, T. (1986). *Clinical genetics and genetic counseling* (3rd ed.). Chicago: Year Book Medical Publishers.

KELVIN, P., & JARRETT, J. (1985). *Unemployment: Its social psychological effects.* Cambridge, UK: Cambridge University Press.

KEMPE, R. S., & KEMPE, C. H. (1984). *The common secret: Sexual abuse of children and adolescents.* San Francisco: Freeman.

KENISTON, K. (Winter, 1968–69). Heads and seekers: Drugs on campus, counterculture, and American society. *American Scholar,* pp. 126–151.

KENISTON, K. (1975). Youth as a stage of life. In R. J. Havighurst & P. H. Dreyer (Eds.), *Youth: The 74th yearbook of the NSSE.* Chicago: University of Chicago Press.

KENISTON, K. (1977). *All our children: The American family under pressure.* Report of the Carnegie Council on Children. New York: Harcourt Brace Jovanovich.

KEOGH, J. F. (1965). *Motor performance of elementary school children.* Monograph of the Physical Education Department, University of California, Los Angeles.

KEPHART, W. M. (1966). The Oneida community. In W. M. Kephart (Ed.), *The family, society, and the individual* (2nd ed.). Boston: Houghton Mifflin.

KERMOIAN, R., & CAMPOS, J. J. (1988). Locomotor experience: A facilitation of spacial cognitive development. *Child Development, 59,* 908–17.

KESSLER, R., & MCRAE, J. (1982). The effect of wives' employment on the mental health

of married men and women. *American Sociological Review, 47,* 216–227.

KETT, J. F. (1977). *Rites of passage: Adolescence in America, 1790 to the present.* New York: Basic Books.

KIEFFER, J. (February–March 1984). New roles for older workers. *Aging, 47,* 11–16.

KIESTER, E., JR. (October 1977). Healing babies before they're born. *Family Health,* pp. 26–30.

KIMMEL, D. C. (1974). *Adulthood and aging: An interdisciplinary view.* New York: Wiley.

KIMURA, D. (September 1992). Sex differences in the brain. *Scientific American.*

KINDERMANN, T. A. (1993). Natural peer groups as contexts for individual development: The case of children's motivation in school. *Developmental Psychology, 29*(6), 970–977.

KINSEY, A. C., POMEROY, W. B., & MARTIN, C. E. (1948). *Sexual behavior in the human male.* Philadelphia: Saunders.

KITZINGER, S. (1981). *The complete book of pregnancy and childbirth.* New York: Knopf.

KLAHR, D., LANGLEY, P., & NECHER, R. (Eds.). (1987). *Production system model of learning and development.* Cambridge, MA: MIT Press.

KLEIGL, R., SMITH, J., & BALTES, P. (1990). On the locus and process of magnification of age differences during mnemonic training. *Developmental Psychology, 26,* 894–904.

KLEIN, B., & RONES, P. (1989). A profile of the working poor. *Monthly Labor Review,* pp. 3–13.

KLEIN, N., HACK, N., GALLAGHER, J., & FANAROFF, A. A. (1985). Preschool performance of children with normal intelligence who were very low birth weight infants. *Pediatrics, 75,* 531–37.

KLIMA, E. S., & BELLUGI, U. (1966). Syntactic regularities. In J. Lyons & R. J. Wales (Eds.), *Psycholinguistics papers.* Edinburgh: University of Edinburgh Press.

KLIMA, E. S., & BELLUGI, U. (1973). As cited in P. de Villiers & J. de Villiers, *Early language.* Cambridge, MA: Harvard University Press, 1979.

KLINE, D. W., & SCHIEBER, F. (1985). Vision and aging. In J. E. Baron & K. W. Schaie (Eds.), *Handbook of the psychology of aging* (2nd ed.). New York: Van Nostrand Reinhold.

KLINNERT, M. D., EMDE, R. N., BUTTERFIELD, P., & CAMPOS, J. J. (1986). Social referencing: The infant's use of emotional signals from a friendly adult with mother present. *Developmental Psychology, 22,* 427–432.

KNIGHT, B., & WALKER, D. L. (1985). Toward a definition of alternatives to institutionalization for the frail elderly. *The Gerontologist, 25*(4), 358–363.

KNOBLOCH, H., MALONE, A., ELLISON, P. H., STEVENS, F., & ZDEB, M. (March 1982). Considerations in evaluating changes in outcome for infants weighing less than 1,501 grams. *Pediatrics, 69*(3), 285–295.

KNOBLOCH, H., PASAMANICK, B., HARPER, P. A., & RIDER, R. V. (1959). The effect of prematurity on health and growth. *American Journal of Public Health, 49,* 1164–1173.

KNOX, S. (1980). Ultra-sound diagnosis of foetal disorder. *Public Health, London, 94,* 362–367.

Koch, H. L. (1956). Sissiness and tomboyishness in relation to sibling characteristics. *Journal of Genetic Psychology, 88,* 213–244.

Koch, R., & Koch, K. J. (1974). *Understanding the mentally retarded child: A new approach.* New York: Random House.

Kochanska, G. (1997). Mutually responsive orientation between mothers and their young children: Implications for early socialization. *Child Development, 68,* 94–112.

Koff, T. H. (1980). *Hospice: A caring community.* Englewood Cliffs, NJ: Prentice Hall.

Kohl, H. (1968). *36 children.* New York: Norton.

Kohlberg, L. (1958). *Stages of moral development.* Unpublished dissertation. University of Chicago.

Kohlberg, L. (1966). A cognitive developmental analysis of children's sex-role concepts and attitudes. In E. Maccoby (Ed.), *The development of sex differences.* Stanford: Stanford University Press.

Kohlberg, L. (1966). Moral education in the schools: A developmental view. *School Review, 74,* 1–30.

Kohlberg, L. (1969). Stage and sequence. The cognitive-developmental approach to socialization. In D. A. Goslin (Ed.), *Handbook of Socialization Theory & Research* (pp. 347–480). Chicago: Rand McNally.

Kohlberg, L. (1978). Revisions in the theory and practice of moral development. *New Directions for Child Development, 2.*

Kohlberg, L. (1981). *Essays on moral development: Vol. 1. The philosophy of moral development.* New York: Harper & Row.

Kohlberg, L. (1984). *Essays on moral development: Vol. 2. The psychology of moral development.* New York: Harper & Row.

Kohn, M. L. (1980). Job complexity and adult personality. In N. J. Smelser & E. H. Erikson (Eds.), *Theories of work and love in adulthood.* Cambridge, MA: Harvard University Press.

Kohn, M. L., & Schooler, C. (1978). The reciprocal effects of the substantive complexity of work and intellectual flexibility: A longitudinal assessment. *American Journal of Sociology, 84,* 24–52.

Kohn, M. L., & Schooler, C. (1983). *Work and personality: Inquiry into the impact of social stratification.* Norwood, NJ: Ablex.

Kohn, R. R. (1985). Aging and age-related diseases: Normal processes. In H. A. Johnson (Ed.), *Relations between normal aging and disease* (pp. 1–43). New York: Raven.

Komarovsky, M. (1964). *Blue-collar marriage.* New York: Random House.

Komner, M., & Shostak, M. (February 1987). Timing and management of birth among the !Kung: Biocultural interaction and reproductive adaptation. *Cultural Anthropology, 2*(1), 11–28.

Kompara, D. R. (1980). Difficulties in the socialization process of stepparenting. *Family Relations, 29,* 69–73.

Kopp, C. B. (1989). Regulation of distress and negative emotions: A developmental view. *Developmental Psychology, 25,* 343–354.

Korner, A. F. (1987). Preventive intervention with high-risk newborns: Theoretical, conceptual, and methodological perspectives.

In J. Osofsky (Ed.), *Handbook of infant development.* New York: Wiley.

Korte, D., & Scaer, R. (1990). *A good birth, a safe birth.* New York: Bantam.

Kosberg, L. (1988). Preventing elder abuse: Identification of high risk factors prior to placement decisions. *The Gerontologist, 28,* 43–50.

Kovar, M. G. (Ed.) (August 1992). Morality among minority populations in the United States. *American Journal of Public Health, 82*(8), 1168–1170.

Kozol, J. (1970). *Death at an early age.* New York: Bantam Books.

Kravitz, S. L., Pelaez, M. B., & Rothman, M. B. (1990). Delivering services to elders: Responsiveness to populations in need. In S. A. Bass, E. A. Kutza, & F. M. Torres-Gil (Eds.). *Diversity in Aging.* Glenview, IL: Scott, Foresman.

Kreppner, K., & Lerner, N. (Eds.). (1989). *Family systems and life-span development.* Hillsdale, NJ: Erlbaum.

Kreppner, K., Paulsen, S., & Schuetz, Y. (1982). Infant and family development: From triads to tetrads. *Human Development, 25*(6), 373–391.

Kropp, J. P., & Haynes, O. M. (1987). Abusive and nonabusive mothers' ability to identify general and specific emotion signals of infants. *Child Development, 58,* 187–190.

Krucoff, C. (March–April 1994). Use 'em or lose 'em. *Saturday Evening Post,* pp. 34–35.

Kübler-Ross, E. (1969). *On death and dying.* New York: Macmillan.

Kübler-Ross, E. (1975). *Death: The final stage of growth.* Englewood Cliffs, NJ: Prentice Hall.

Kuhl, P. K., & Meltzoff, A. N. (1988). Speech as an intermodel object of perception. In A. Yonas (Ed.), *The Minnesota Symposia on Child Psychology: Vol. 20. Perceptual development in infancy* (pp. 235–266). Hillsdale, NJ: Erlbaum.

Kuhl, P. K., Williams, K. A., Lacerda, F., Steven, K. H., & Lindblom, B. (1992). Linguistic experience alters phonetic perception in infants by 6 months of age. *Science, 255,* 606–608.

Kuliev, A. M., Modell, B., & Jackson, L. (1992). Limb abnormalities and chorionic villus sampling. *The Lancet, 340,* 668.

Kurdek, L., & Schmitt, J. (1986). Early development of relationship quality in heterosexual married, heterosexual cohabiting, gay, and lesbian couples. *Developmental Psychology, 48,* 305–309.

Kushner, H. S. (1981). *When bad things happen to good people.* New York: Schocken Books.

Kutza, E. (1981). *The benefits of old age: Social welfare policy for the elderly.* Chicago: University of Chicago Press.

Labouvie-Vief, G. (1984). Chapter in M. L. Commons, F. A. Richards, & C. Armon (Eds.), *Beyond formal operations: Late adolescence and adult cognitive development.* New York: Praeger.

Labouvie-Vief, G. (1985). Intelligence and cognition. In J. Birren & K. Schaie (Eds.) *Handbook of the psychology of aging* (2nd ed., pp. 500–530) New York: Van Nostrand Reinhold.

Labouvie-Vief, G. (1987). Article in *Psychology and Aging, 2.*

Labouvie-Vief, G., & Schell, D. A. (1982). Learning and memory in later life. In B. Wolman (Ed.), *Handbook of developmental psychology.* Englewood Cliffs, NJ: Prentice Hall.

Labov, W. (1970). The logic of nonstandard English. In F. Williams (Ed.), *Language and poverty.* Englewood Cliffs, NJ: Prentice Hall.

Labov, W. (1972). *Language in the inner city: Studies in the black English vernacular.* Philadelphia: University of Pennsylvania Press.

Lachman, M. E., & James, J. B. (Eds.) (1997). *Multiple paths of midlife development.* Chicago: University of Chicago Press.

Ladd, G. W., Kochenderfer, B. J., & Coleman, C. C. (1996). Friendship quality as a predictor of young children's early school adjustment. *Child Development, 67,* 1103–1118.

Ladd, G. W., Price, J. M., & Hart, C. H. (1988). Predicting preschoolers' peer status from their playground behaviors. *Child Development, 59,* 986–992.

Lamaze, F. (1958). *Painless childbirth: Psychoprophylactic method.* London: Burke.

Lamaze, F. (1970). *Painless childbirth: The Lamaze method.* Chicago: Regnery.

Lamb, M. (1996). *The role of the father in child development.* New York: Wiley.

Lamb, M. E. (1979). Paternal influences and the father's role. *American Psychologist, 34,* 938–943.

Lamb, M. E. (1987). *The father's role: Cross-cultural perspectives.* New York: Wiley.

Lamb, M. E. (1996). Effects of nonparental child care on child development: An update. *Canadian Journal of Psychiatry, 41,* 330–342.

Lamb, M., & Lamb, J. (1976). The nature and importance of the father–infant relationship. *Family Coordinator, 4*(25), 379–386.

Lamb, M. E., Ketterlinus, R. D., & Fracasso, M. P. (1992). Parent-child relationships. In M. H. Bornstein, & M.E. Lamb (Eds.), *Developmental Psychology: An Advanced Textbook.* Hillsdale, NJ: Lawrence Erlbaum.

Lamborn, S. D., Dornbusch, S. M., & Steinberg, L. (1996). Ethnicity and community context as moderators of the relations between family decision making and adolescent adjustment. *Child Development, 67,* 283–301.

Lang, A. (1987). Nursing of families with an infant who requires home apnea monitoring. *Issues in Comprehensive Pediatric Nursing, 10,* 122–133.

Lapsley, D., Rice, K., & Shadid, G. (1989). Psychological separation and adjustment to college. *Journal of Counseling Psychology, 36,* 286–294.

Larson, R. (1978). Thirty years of research on the subjective well-being of older Americans. *Journal of Gerontology, 33,* 109–125.

La Rue, A., & Jarvik, L. F. (1982). Old age and behavioral changes. In B. Wolman (Ed.), *Handbook of developmental psychology.* Englewood Cliffs, NJ: Prentice Hall.

La Salle, A. D., & Spokane, A. R. (September 1987). Patterns of early labor force participation of American women. *Career Development Quarterly*, pp. 55–65.

LATHAM, M. C. (1977). Infant feeding in national and international perspective: An examination of the decline in human lactation, and the modern crisis in infant and young child feeding practices. *Annals of the New York Academy of Sciences, 300,* 197–209.

LAUERSEN, N. H. (1983). Childbirth with love. New York: Berkley Books.

LAUMANN, E. (1994). *The social organization of sexuality*. Chicago: University of Chicago Press.

LAUMANN, E. O., GAGNON, J. H., MICHAEL, R. T., & MICHAELS, S. (1994). *The social organization of sexuality: Sexual practices in the United States*. Chicago: The University of Chicago Press.

LAVER, J., & LAVER, R. (1985). Marriages made to last. *Psychology Today, 19*(6), 22–26.

LAWTON, M. P., BRODY, E., & SAPERSTEIN, A. (1989). A controlled study of respite service for care-givers of Alzheimer's patients. *The Gerontologist, 29,* 8–16.

LAZARUS, R. S. (July 1981). Little hassles can be hazardous to health. *Psychology Today*, pp. 58–62.

LEARMAN, L. A., ET AL. (1991). Pygmalion in the nursing home: The effects of care-giver expectations on patient outcomes. *Journal of the American Medical Association, 265,* 36.

LEBOYER, F. (1976). *Birth without violence*. New York: Knopf.

LEE, G. R. (1988). Marital satisfaction in later life: The effects of nonmarital roles. *Journal of Marriage and the Family, 50,* 775–783.

LEHANE, S. (1976). *Help your baby learn*. Englewood Cliffs, NJ: Prentice Hall.

LEHMAN, D., & NISBETT, R. (1990). A longitudinal study of the effects of undergraduate training on reasoning. *Developmental Psychology, 26,* 952–960.

LEO, J. (April 9, 1984). The revolution is over. *Time*, pp. 74–83.

LERNER, R. (1990). Plasticity, person-context relations and cognitive training in the aged years: A developmental contextual perspective. *Developmental Psychology, 26,* 911–915.

LERNER, R. M., ORLOS, J. B., & KNAPP, J. R. (1976). Physical attractiveness, physical effectiveness and self-concept in late adolescence. *Adolescence, 11,* 313–326.

LESTER, B. M., ALS, H., & BRAZELTON, T. B. (1982). Regional obstetric anesthesia and newborn behavior: A reanalysis toward synergistic effects. *Child Development, 53,* 687–692.

LESTER, B. M., & BRAZELTON, T. B. (1982). Cross-cultural assessment of neonatal behavior. In D. Wagner & H. Stevenson (Eds.), *Cultural perspectives on child development*. San Francisco: Freeman.

LESTER, B. M., & DREHER, M. (1989). Effects of marijuana use during pregnancy on newborn cry. *Child Development, 60,* 765–771.

LETTERI, C. A. (1985). Teaching students how to learn. *Theory into Practice*, pp. 112–122.

LEVENTHAL, E.A., LEVENTAL, H., SHACHAM, S. & EASTERLING, D.V. (1989). Active coping reduces reports of pain from childbirth.

Journal of Consulting and Clinical Psychology, 57(3), 365–371.

LEVINE, L. E. (1983). Mine: Self-definition in two-year-old boys. *Developmental Psychology, 19,* 544–549.

LEVINE, R. (1989). Cultural influences in child development: In William Damon (Ed.), *Child development today and tomorrow*. San Francisco: Jossey-Bass.

LEVINE, R. A. (1990). Enculturation: A biosocial perspective on the development of self. In D. Cicchetti & M. Beeghly (Eds.), *The self in transition: Infancy to childhood* (pp. 99–117). Chicago: University of Chicago Press.

LEVINSON, D. (1986). A conception of adult development. *American Psychologist, 41,* 3–13.

LEVINSON, D. (1990). *The seasons of a woman's life: Implications for women and men*. Presented at the 98th annual convention of the American Psychological Association, Boston.

LEVINSON, D. J. (1978). *The seasons of a man's life*. New York: Knopf.

LEVINSON, D. J. (1996). *The seasons of a woman's life*. New York: Ballantine.

LEVINSON, H. (1983). A second career: The possible dream. *Harvard Business Review*, pp. 122–129.

LEVY, B., WILKINSON, F., & MARINE, W. (1991). Reducing neonatal mortality rate with nurse-midwives. *American Journal of Obstetrics and Gynecology, 109*(1), 50–58.

LEVY, G. D., & CARTER, D. B. (1989). Gender schema, gender constancy and gender-role knowledge: The roles of cognitive factors in preschoolers' gender-role stereotype attributions. *Developmental Psychology, 25*(3), 444–449.

LEVY, S. M. (1978). Temporal experience in the aged: Body integrity and social milieu. *International Journal of Aging and Human Development, 9*(4), 319–343.

LEWIS, J. M., OWEN, M. T., & COX, M. J. (1988). The transition to parenthood: III, Incorporation of the child into the family. *Family Process, 237,* 411–421.

LEWIS, M. (1987). Social development in infancy and early childhood. In J. Osofsky (Ed.), *Handbook of infant development*. New York: Wiley.

LEWIS, M. Self-conscious emotions. (1995). *American Scientist, 83,* 68–78.

LEWIS, M., & BROOKS-GUNN, J. (1979). *Social cognition and the acquisition of self*. New York: Plenum Press.

LEWIS, M., & FEINMAN, S. (Eds.) (1991). *Social influences and socialization in infancy*. New York: Plenum.

LEWIS, M., & FEIRING, C. (1989). Infant, mother, and mother–infant interaction behavior and subsequent attachment. *Child Development, 60,* 831–837.

LEWIS, M., FEIRING, C., & KOTSONIS, M. (1984). The social network of the young child: A developmental perspective. In M. Lewis (Ed.), *Beyond the dyad: The genesis of behavior*. New York: Plenum.

LEWIS, M., & ROSENBLUM, L. (Eds.) (1974). *The effect of the infant on its caregiver*. New York: Wiley.

LIEBENBERG, B. (1967). Expectant fathers. *American Journal of Orthopsychiatry, 37,* 358–359.

LIEBERMAN, M. A., & TOBIN, S. S. (1983). *The experience of old age: Stress, coping and survival*. New York: Basic Books.

LIEBOVICI, D., RITCHIE, K., & LEDESERT, J. T. (1996). Does education level determine the course of cognitive decline? *Age and Ageing, 25,* 392–397.

LIEM, R. (December 1981). Unemployment and mental health implications for human service policy. *Policy Studies Journal, 10,* 350–364.

LIN, G., & ROGERSON, P. A. (1995). Elderly parents and the geographic availabiltiy of their adult children. *Research on Aging, 17,* 303–331.

LIPSITT, L. P., & KAYE, H. (1964). Conditioned sucking in the human newborn. *Psychonomic Science, 1,* 29–30.

LISINA, M. I., & NEVEROVICH, Y. Z. (1971). Development of movements and formation of motor habits. In A. Z. Zaporozlets & D. B. Elkonin (Eds.), *The psychology of preschool children*. Cambridge, MA: MIT Press.

LIVSON, F. (1976). Patterns of personality development in middle-aged women: A longitudinal study. *International Journal of Aging and Human Development, 1,* 107–115.

LIVSON, N., & PESKIN, H. (1980). Perspectives on adolescence from longitudinal research. In J. Adelson (Ed.), *Handbook of adolescent psychology*. New York: Wiley.

LLOYD, B. (1987). Social representations of gender. In J. Bruner & H. Haste (Eds.). *Making sense: The child's construction of the world*. London: Methuen.

LOCICERO, A. K. (1993). Explaining excessive rates of Cesareans and other childbirth interventions: Contributions from contemporary theories of gender and psychosocial development. *Social Science and Medicine, 37,* 1261–1269.

LOCK, M. (1993). *Encounters with aging*. Berkeley, CA: University of California Press.

LOCKMAN, J. J., AND THELAN, E. (1993). Developmental biodynamics: Brain, body, behavior connections. *Child Development, 64,* 953–959.

LOEVINGER, J. (1976). *Ego development: Conceptions and theories*. San Francisco: Jossey-Bass.

LOMBARDI, J. (September 1990). Head Start: The nation's pride, a nation's challenge. *Young Children*, pp. 22–29.

LONDERVILLE, S., & MAIN, M. (1981). Security of attachment, compliance, and maternal training methods in the second year of life. *Developmental Psychology, 17,* 289–299.

LONG, H. B., & ROSSING, B. E. (June 1978). Tuition waivers for older Americans. *Lifelong Learning: The Adult Years*, pp. 10–13.

LONGINO, C. F. (1987). *The oldest Americans: State profiles for data-based planning*. Coral Gables, FL: University of Miami Department of Sociology.

LOPATA, H., HEINEMANN, G. G., & BAUM, J. (1982). Loneliness: Antecedents and copying strategies in the lives of widows. In L. A. Peplau & D. Perlman (Eds.), *Loneliness: A sourcebook of current theory, research and therapy* (pp. 310–326). New York: Wiley.

LOPATA, H. Z. (1975). Widowhood: Societal factors in life-span disruptions and alterations. In N. Datan & L. H. Ginsberg (Eds.), *Life-span developmental psychology: Normative life crisis*. New York: Academic Press.

LOPATA, H. Z. (1979). *Women as widows: Support systems*. New York: Elsevier.

LOPATA, H. Z., & BARNEWOLT, D. (1984). The middle years: Changes and variations in social role commitments. In G Baruch & J. Brooks-Gunn (Eds.), *Women in midlife* (pp. 83–108). New York: Plenum.

LORD, L. J., SCHERSCHEL, P. M., THORNTON, J., MOORE, L. J., & QUICK, B. E. (October 5, 1987). Desperately seeking baby. *U.S. News & World Report*, pp. 58–64.

LORD, M. (June 12, 1995). Feathering a shared nest. *U.S. News & World Report*, pp. 86–88.

LORENZ, K. Z. (1952). *King Solomon's ring*. New York: Crowell.

LOURIE, I. S., CAMPIGLIA, P., JAMES, L. R., & DEWITT, J. (1979). Adolescent abuse and neglect: The role of runaway youth programs. *Children Today, 8*, 27–40.

LOVAAS, I. (1977). *The autistic child: Languange development through behavior modification*. New York: Halsted Press.

LOVAAS, O. I. (1962). Effect of exposure to symbolic aggression on aggressive behavior. *Child Development, 32*, 37–44.

LOWENTHAL, M. F., THURNHER, M., CHIRIBOGA, D., & ASSOCIATES. (1977). *Four stages of life*. San Francisco: Jossey-Bass.

LOZOFF, B. (1989). Nutrition and behavior. *American Psychologist, 44*(2), 231–236.

LUBIC, R. W., & ERNST, E. K. (1978). The childbearing center: An alternative to conventional care. *Nursing Outlook, 26*, 754–760.

LUCARIELLO, J., & NELSON, K. (1987). Remembering and planning talk between mothers and children. *Discourse Processes, 10*, 219–235.

LUCKEY, I. (1994). African American elders: The support network of generational kin. *Families in Society: Journal of Contemporary Human Services, 75*(2), 33–36.

MACCOBY, E. E. (March 15, 1979). *Parent–child interaction*. Paper presented at the biennial meeting of the Society for Research in Child Development.

MACCOBY, E. E. (1980). *Social development: Psychological growth and the parent–child relationship*. New York: Harcourt Brace Jovanovich.

MACCOBY, E. E. (1984). Socialization and developmental change. *Child Development, 55*, 317–328.

MACCOBY, E. E. (1990). Gender and relationships: A developmental account. *American Psychologist, 45*, 513–520.

MACCOBY, E. E. (1992). The role of parents in the socialization of children: An historical overview. *Developmental Psychology, 28*(6), 1006–1017.

MACCOBY, E. E., & FELDMAN, S. S. (1972). Mother-attachment and stranger-reactions in the third year of life. *Monographs of the Society for Research in Child Development, 37*(1, Serial No. 146).

MACCOBY, E. E., & JACKLIN, C. N. (1974). *The psychology of sex differences*. Stanford: Stanford University Press.

MACCOBY, E. E., & JACKLIN, C. N. (1980). Sex differences in aggression: A rejoinder and reprise. *Child Development, 51*, 964–980.

MACCOBY, E. E., & MARTIN, J. A. (1983). Socialization in the context of the family: Parent–child interaction. In P. H. Mussen (Ed.), *Handbook of child psychology: Vol. 4. Socialization, personality, and social development*. New York: Wiley.

MACDERMID, S. M., HEILBRUN, G., & GILLESPIE, L. G. (1997). The generativity of employed mothers in multiple roles: 1979 and 1991. In M. E. Lachman, & J. B. James (Eds.), *Multiple paths of midlife development*. Chicago: University of Chicago Press.

MACFARLANE, A. (February 1978). What a baby knows. *Human Nature, 1*, 81–86.

MACGREGOR, S. N., KEITH, L. G., CHASNOFF, I. J., ROSNER, M. A., CHISUM, G. M., SHAW, P., & MINOGUE, J. P. (1987). Cocaine use during pregnancy: Adverse perinatal outcome. *American Journal of Obstetrics and Gynecology, 1*(57), 66–90.

MACK, J., & HICKLER, H. (1981). *Vivienne: The life and suicide of an adolescent girl*. Boston: Little, Brown.

MACKENZIE, C. (1978). Gray panthers on the prowl. In R. Gross, B. Gross, & S. Seidman (Eds.), *The new old: Struggling for decent aging*. Garden City, NY: Anchor Press/Doubleday.

MACKEY, M. C. (1995). Women's evaluation of their childbirth performance. *Maternal-Child Nursing Journal, 23*, 57–72.

MADDEN, J. D., PAYNE, T. F., & MILLER, S. (1986). Maternal cocaine abuse and effect on the newborn. *Pediatrics, 77*, 209–211.

MADDUX, J. E., ROBERTS, M. C., SLEDDEN, E. A., & WRIGHT, L. (1986). Developmental issues in child health psychology. *American Psychologist, 41*(1), 25–34.

MADSEN, M. C. (1971). Developmental and cross-cultural differences in the cooperative and competitive behavior of young children. *Journal of Cross-Cultural Psychology, 2*, 365–371.

MADSEN, M. C., & SHAPIRA, A. (1970). Cooperative and competitive behavior of urban Afro-American, Anglo-American, Mexican-American, and Mexican village children. *Developmental Psychology, 3*, 16–20.

MAEHR, M. L., & BRESKAMP, L. A. (1986). *The motivation factor: A theory of personal investment*. Lexington, MA: D. C. Heath.

MAHLER, M., PINE, F., & BERGMAN, A. (1975). *The psychological birth of the human infant: Symbiosis and individuation*. New York: Basic Books.

MAKIN, J. W., & PORTER, R. H. (1989). Attractiveness of lactating females' breast odors to neonates. *Child Development, 60*, 803–810.

MALINA, R., & BOUCHARD, C. (1990). *Growth, maturation, and physical activity*. Champaign, TL: Human Kinetics.

MANDELL, F., MCCLAIN, M., & REECE, R. (1987). Sudden and unexpected death. *American Journal of Diseases of Children, 141*, 748–750.

MANDLER, J. M. (1983). Representation. In J. H. Flavell & E. M. Markham (Eds.), *Handbook of child psychology: Cognitive development* (Vol. 3). New York: Wiley.

MANDLER, J. M. (1988). How to build a baby: On the development of an accurate representational system. *Cognitive Development, 3*, 113–136.

MANDLER, J. M. (May–June 1990). A new perspective on cognitive development in infancy. *American Scientist, 78*, 236–243.

MANDLER, J. M. (1992). Commentary. *Human Development, 35*, 246–253.

MANNING, B. H., & WHITE, C. S. (1990). Task-relevant private speech as a function of age and sociability. *Psychology in the Schools, 27*, 365–372.

MANTON, K., BLAZER, D., & WOODBURY, M. (1987). Suicide in middle age and later life: Sex and race specific life table and chart analyses. *Journal of Gerontology, 42*, 219–227.

MARATSOS, M. (1983). Some current issues in the study of the acquisition of grammar. In J. H. Flavell and E. M. Markham (Eds.), *Handbook of child psychology: Vol. 3 Cognitive Development*. New York: Wiley.

MARCIA, J. (1980). Identity in adolescence. In J. Adelson (Ed.), *Handbook of adolescent psychology*. New York: Wiley.

MARCOEN, A., GOOSSENS, L., & CAES, P. (1987). Loneliness in prethrough adolescence: Exploring the contributions of a multidimensional approach. *Journal of Youth and Adolescence, 16*.

MARCUS, G. F., PINKER, S., ULLMAN, M., HOLLANDER, M., ROSEN, T. J., & KU FEI, T. J. (1992). Overregularization in language acquisition. *Monographs of Society for Research in Child Development, 57*(4), Serial No. 228, 1–164.

MARET, E., & FINLAY, B. (1984). The distribution of household labor among women in dual-earner families. *Journal of Marriage and the Family*, 357–364.

MARIESKIND, H. I. (1989). Caesarean section in the United States: Has it changed since 1979? In *An evaluation of Caesarean sections in the United States*. U.S. Department of Health, Education, & Welfare.

MARKS, N. F. (1996). Caregiving across the lifespan: National prevalence and predictors. *Family Relations, 45*, 27–36.

MARSH, H. W., CRAVEN, R. G., & DEBUS, R. (1991). Self-concepts of young children 5 to 8 years of age: Measurement and multidimensional structure. *Journal of Educational Psychology, 83*(3), 377–392.

MARTIN, C. L. (1989). Children's use of gender-related information in making social judgments. *Developmental Psychology, 25*(1), 80–88.

MARTIN, C. L. (1990). Attitudes and expectations about children with nontraditional and traditional gender roles. *Sex Roles, 22*(3/4), 151.

MARTIN, C. L., & HALVERSON, C. F., JR. (1981). A schematic processing model of sex-typing and stereotyping in children. *Child Development, 52*, 1119–1134.

MARTINEZ, R. O., & DUKES, R. L. (1997). The effects of ethnic identity, ethnicity, and gender on adolescent well-being. *Journal of Youth and Adolescence, 26*, 503–511.

MARZOFF, D. P., & DELOACHE, J. S. (1994). Transfer in young children's understanding of spatial representations. *Child Development*, 65, 1–15.

MASLACH, C., & JACKSON, S. E. (May 1979). Burned-out cops and their families. *Psychology Today*, pp. 59–62.

MASLOW, A. H. (1954). *Motivation and personality*. New York: Harper & Brothers.

MASLOW, A. H. (1968). *Toward a psychology of being* (2nd ed.). Princeton, NJ: Van Nostrand Reinhold.

MASLOW, A. H. (1979). *The journals of A. H. Maslow*. (R. J. Lowry & B. G. Maslow, Eds.). Monterey, CA: Brooks/Cole.

MASON, R. P. (1993). Aluminum in Alzheimer's disease. *Journal of the American Medical Association*, 270(15), 1868.

MASTERS, W. H., JOHNSON, P. E., & KOLODNEY, R. C. (1982). *Human sexuality* (2nd ed.). Boston: Little, Brown.

MATAS, L., AREND, R. A., & SROUFE, L. A. (1978). Continuity of adaptation in the second year: The relationship between quality of attachment and later competence. *Child Development*, 49, 547–556.

MATES, D., & ALLISON, K. R. (1992). Sources of stress and coing responses of high school students. *Adolescence*, 27(106), 463–474.

MATTHEWS, K., & RODIN, J. (1989). Women's changing work roles: Impact on health, family and public policy. *American Psychologist*, 44, 1389–1393.

MATTHEWS, S. H., & ROSNER, T. T. (February 1988). Shared filial responsibility: The family as the primary care-giver. *Journal of Marriage and the Family*, 50, 185–195.

MATTHEWS, S., WERKNER, J., & DELANEY, P. (1989). Relative contributions of help by employed and nonemployed sisters to their elderly parents. *Journal of Gerontology*, 44, S36–44.

MAURER, D., & MAURER, C. (1988). *The world of the newborn*. New York: Basic Books.

MAURO, J. (1991). *The friend that only I can see: A longitudinal investigation of children's imaginary companions*. Unpublished doctoral dissertation. University of Oregon.

MAY, R. (1986). *Politics and innocence: A humanistic debate*. Dallas, TX: Saybrook, & New York: Norton.

MCADOO, H. P. (1995). Stress levels, family help patterns, and religiosity in middle- and working-class African American single mothers. *Journal of Black Psychology*, 21, 424–449.

MCBEAN, L. D., FORGAC, T., & FINN, S. C. (June 1994). Osteoporosis: Visions for care and prevention—A conference report. *Journal of the American Dietic Association*, 94(6), 668–671.

MCBRIDE, A. (1990). Mental health effects of women's multiple roles. *American Psychologist*, 45, 381–384.

MCBRIDE, S. L. (Fall 1990). Maternal moderators of child care: The role of maternal separation anxiety. *New Directions for Child Development*, 49, 53–70.

MCCALL, R. B., EICHORN, D. H., & HOGARTY, P. S. (1977). Transitions in early mental development. *Monographs of the Society for Research in Child Development*, 42(3, Serial No. 171), 1–75.

MCCARTNEY, K., HARRIS, M. J., & BERNIERI, F. (1990). Growing up and growing apart: A

developmental meta-analysis of twin studies. *Psychological Bulletin*, 107, 226–237.

MCCARY, J. L. (1978). *Human sexuality* (3rd ed.). New York: Van Nostrand Reinhold.

MCCLELLAND, D. C. (1955). Some social consequences of achievement motivation. In M. R. Jones (Ed.), *Nebraska symposium on motivation* (Vol. 3). Lincoln: University of Nebraska Press.

MCCORD, W., MCCORD, J., & ZOLA, I. K. (1959). *Origins of crime*. New York: Columbia University Press.

MCCRAE, R. (1989). Age differences and changes in the use of coping mechanisms. *Journal of Gerontology*, 44, P161–169.

MCCRAE, R. R., & COSTA, P. T., JR. (1984). *Emerging lives, enduring dispositions: Personality in adulthood*. Boston: Little, Brown.

MCCREADIE, C., & TINKER, A. (1993). Review: Abuse of elderly people in the domestic setting: A UK perspective. *Age and Ageing*, 22, 65–69.

MCCUNE-NICOLICH, L. (1981). Toward symbolic functioning: Structure of early pretend games and potential parallels with language. *Child Development*, 52, 785–797.

MCGOLDRICK, M. (1980). The joining of families through marriage: The new couple. In E. A. Carter & M. McGoldrick (Eds.), *The family life cycle*. New York: Gardner Press.

MCGRAW, M. (1935). *Growth: A study of Johnny and Timmy*. New York: Appleton-Century.

MCKNEW, D. H., JR., CYTRYN, L., & YAHRAES, H. (1983). *Why isn't Johnny crying? Coping with depression in children*. New York: Norton.

MCKUSICK, V. A. (1994). *Mendelian inheritance in man: A catalog of human genes and geneitc disorders* (11th ed). Baltimore: Johns Hopkins University Press.

MCKUSICK, Y. (1986). *Mendelian inheritance in man* (7th ed.). Baltimore: Johns Hopkins University Press.

MCLANAHAN, S., & BOOTH, K. (1989). Mother-only families: Problems, prospects, and politics. *Journal of Marriage and the Family*, 51, 557–580.

MCLOUGHLIN, M., SHRYER, T. L., GOODE, E. E., & MCAULIFFE, K. (August 8, 1988). Men vs. women. *U.S. News World & Report*.

MCLOYD, V. C. (1998). Economic disadvantage and child development. *American Psychologist*, 53, 185–204.

MCLOYD, V. C., & WILSON, L. (1990). Maternal behavior, social support, and economic conditions as predictors of distress in children. *New Directions for Child Development*, 46, 49–69.

MCLOYD, V. C., ET AL. (1994). Unemployment and work interruption among African American single mothers: Effects on parenting and adolescent socioemotional functioning. *Child Development*, 65, 562–589.

MCNEILL, D. (1972). *The acquisition of language: The study of developmental psycholinguistics*. New York: Harper & Row.

MEAD, G. H. (1934). *Mind, self, and society: From the standpoint of a social behaviorist*. Chicago: University of Chicago Press.

MEAD, M. (January 1972). A new understanding of childhood. *Redbook*, p. 49ff.

MEAD, M., & NEWTON, N. (1967). Cultural patterning of perinatal behavior. In S. A. Richardson & A. F. Guttermacher (Eds.), *Childbearing: Its social and psychological aspects*. Baltimore: Williams & Wilkins.

MEADOW, K. P. (1975). The development of deaf children. In E. M. Hetherington (Ed.), *Review of child development research* (Vol. 5). Chicago: University of Chicago Press.

MEEHAN, P. J., LAMB, J. A., SALTZMAN, L. E. & O'CARROLL, P. W. (1992). Attempted suicide among young adults: Progress toward a meaningful estimate of prevalence. *American Journal of Psychiatry*, 149, 41–44.

MEISAMI, E. (1994). Aging of the sensory systems. In Timiras, P. S. (Ed.) *Physiological basis of aging and geriatrics* (2nd ed.). Ann Arbor, IN: CRC Press.

MELTZOFF, A. N. (1988a). Infant imitation and memory: Nine month olds in immediate and deferred tests. *Child Development*, 59, 217–225.

MELTZOFF, A. N. (1988b). Infant imitation after a 1–week delay: Long-term memory for novel acts and multiple stimuli. *Developmental Psychology*, 24(4), 470–476.

MELTZOFF, A. N., & BORTON, R. W. (1979). Intermodel matching by human neonates. *Nature*, 282, 403–404.

MELTZOFF, A. N., & MOORE, M. K. (1989). Imitation in newborn infants: Exploring the range of gestures imitated and the underlying mechanisms. National Institute of Child Health and Human Development (HD-22514).

MELTZOFF, A. N., & MOORE, M. K. (1989). Imitation in newborn infants: Exploring the range of gestures imitated and the underlying mechanisms. *Developmental Psychology*, 25(6), 954–962.

MERRIMAN, W. E. (1987). *Lexical contrast in toddlers: A re-analysis of the diary evidence*. Paper presented at the biennial meeting of the Society of Research in Child Development, Baltimore.

MERVIS, C. B. (1987). Child-basic object categories and early lexical development. In U. Neisser (Ed.), *Concepts and conceptual development: Ecological and intellectual factors in categorization*. London: Cambridge University Press.

MESTEL, R. (1997). A safer estrogen: Would you take it? *Health*, 11, no. 8, 73–75.

METCOFF, J., COSTILOE, J. P., CROSBY, W., BENTLE, L., SESHACHALAM, D., SANDSTEAD, H. H., BODWELL, C. E., WEAVER, F., & MCCLAIN, P. (1981). Maternal nutrition and fetal outcome. *American Journal of Clinical Nutrition*, 34, 708–721.

MEYER, B. J. F. (1987). Reading comprehension and aging. In K. W. Schaie (Ed.), *Annual review of gerontology and geriatrics* (Vol. 7) New York: Springer-Verlag.

MEYER, P. H. (1980). Between families: The unattached young adult. In E. A. Carter & M. McGoldrick (Eds.), *The family life cycle*. New York: Gardner Press.

MICHAEL, R. T., GAGNON, J. H., LAUMANN, E. O., & KOLATA, G. (1994). *Sex in America: A definitive survey*. Boston: Little, Brown.

MILES, M. S. (1984). Helping adults mourn the death of a child. In H. Wass & C. A. Corr

(Eds.), *Childhood and death.* Washington, DC: Hemisphere.

MILGRAM, S. (1963). Behavioral study of obedience. *Journal of Abnormal and Social Psychology, 67,* 371–378.

MILLER, B. (1990). Gender differences in spouse caregiver strain: Socialization and role explanations. *Journal of Marriage and the Family, 52,* 311–321.

MILLER, B. C., McCOY, J. K., OLSON, T. D., & WALLACE, C. M. (1986). Parental discipline and control attempts in relation to adolescent sexual attitudes and behavior. *Journal of Marriage and the Family, 48,* 503–512.

MILLER, B. C., & SNEESBY, K. R. (1988). Educational correlates of adolescents' sexual attitudes and behavior. *Journal of Youth and Adolescence, 17,* 521–530.

MILLER, B. C., NORTON, M. C., FAN, X., & CHRISTOPHERSON, C. R. (1998). Pubertal development, parental communication, and sexual values in relation to adolescent sexual behavior. *Journal of Early Adolescence, 18,* 27–52.

MILLER, B. D. (Spring 1995). Percepts and practices: Researching identity formation among Indian Hindu adolescents in the United States. *New Directions for Child Development, 67,* 71–85.

MILLER, J., SCHOOLER, C., KOHN, M. L., & MILLER, R. (1979). Women and work: The psychological effects of occupational conditions. *American Journal of Sociology, 85,* 66–94.

MILLER, M. (1982). *Gray power: A survival manual for senior citizens.* Paradise, CA: Dust Books.

MILLER, P. (1989). *Theories of developmental psychology* (2nd ed.). New York: Freeman.

MILLER, P. H., & ALOISE, P. A. (1989). Young children's understanding of the psychological causes of behavior: A review. *Child Development, 60,* 257–285.

MILLER, P. J., MINTZ, J., HOOGSTRA, L., FUNG, H. J., & POTTS, R (1992). The narrated self: Young children's construction of self in relation to others in conversational stories of personal experience. *Merrill–Palmer Quarterly, 38*(1), 45–67.

MILLER, P., WILEY, A. R., FUNG, H., & LIANG, C-.H. (1997). Personal storytelling as a medium of socialization in Chinese and American families. *Child Development, 68,* 557–568.

MILLER, S. K. (1993). Alzheimer's gene "the most important ever found." *New Scientist, 139*(1887), 17.

MILLSTEIN, S. G. (Winter 1990). Risk factors for AIDS among adolescents. In W. Gardner, S. G. Millstein, & Brian L. Wilcox (Eds.), *New Directions for Child Development: Vol. 50. Adolescents in the AIDS epidemic.* San Francisco: Jossey-Bass.

MILLSTEIN, S. G. (Winter 1990). Risk factors for AIDS among adolescents. In W. Gardner, S. G. Millstein, & B. L. Wilcox (Eds.). *New Directions for Child Development, 50,* 3–4.

MILNE, A. A. (1926/1961). *Winnie-the-Pooh.* New York: Dutton.

MIRINGOFF, N. (February 1987). A timely and controversial article. *Zero to Three,* p. 26.

MOCK, N. B., BERTRAND, J. T., & MANGANI, N. (1986). Correlates and implications of

breastfeeding practices in Bas Zaire. *Journal of Biosocial Science, 18,* 231–245.

MOEN, P. (1998). Recasting careers: Changing reference groups, risks, and realities. *Generations,* Spring, 40–45.

MOERK, E. L. (1989). The LAD was a lady and the tasks were ill-defined. *Developmental Review, 9,* 21–57.

MONEY, J. (1980). *Love and love sickness: The science of sex, gender differences and pair-bonding.* Baltimore: Johns Hopkins University Press.

MONMANEY, T. (May 16, 1988). Preventing early births. *Newsweek.*

MONTAGU, M. F. (1950). Constitutional and prenatal factors in infant and child health. In M. J. Senn (Ed.), *Symposium on the healthy personality.* New York: Josiah Macy Jr. Foundation.

MONTE, C. F. (1987). *Beneath the mask: An introduction to theories of personality* (3rd ed.). New York: Holt, Rinehart and Winston.

MONTEMAYOR, R. (1983). Parents and adolescents in conflict: All families some of the time and some families all of the time. *Journal of Early Adolescence, 3,* 83–103.

MONTEMAYOR, R., & BROWNLEE, J. R. (1987). Fathers, mothers and adolescents: Gender-based differences in parental roles during adolescence. *Journal of Youth and Adolescence, 16,* 281–292.

MOORE, G. (June 1984). The superbaby myth. *Psychology Today,* pp. 6–7.

MOORE, K. (1988). *The developiong human: Clinically oriented embryology* (4th ed.). Philadelphia: Saunders.

MOORE, M. K., BORTON, R., & DARBY, B. L. (1978). Visual tracking in young infants: Evidence for object permanence? *Journal of Experimental Child Psychology, 25,* 183–198.

MOORE, W. E. (1969). Occupational socialization. In D. A. Goslin (Ed.), *Handbook of socialization theory and research.* Chicago: Rand McNally.

MOR, V., SHERWOOD, S., & GUTKIN, C. (1986). A national study of residential care for the aged. *The Gerontologist, 26,* 405–416.

MORGAN, D. (1989). Adjusting to widowhood: Do social networks really make it easier? *The Gerontologist, 29,* 101–107.

MORGAN, L. (1984). Changes in family interaction following widowhood. *Journal of Marriage and the Family, 46*(2), 323–331.

MORRISON, D. M. (1985). Adolescent contraceptive behavior: A review. *Psychological Bulletin, 98,* 538–568.

MOSES, B. (March 1983). The 59-cent dollar. *Vocational Guidance Quarterly.*

MOSHER, W. D., & PRATT, W. F. (1990). Fecundity and infertility in the United States, 1965–88. *Advanced Data from Vital and Health Statistics, 192.* Hyattsville, MD: National Center for Health Statistics.

MOTENKO, A. (1989). The frustrations, gratifications, and well-being of dementia caregivers. *The Gerontologist, 29,* 166–172.

MUELLER, E., & LUCAS, T. (1975). A developmental analysis of peer interaction among toddlers. In M. Lewis & L. A. Rosenblum (Eds.), *Peer relations and friendship.* New York: Wiley.

MUELLER, E. & SILVERMAN, N. (1989). Peer relations in maltreated children. In Dante Cicchettti and Vicki Carlson (Eds.), Child maltreatment: *Theory and research on the causes and consequences of child abuse and neglect.* Cambridge, England: Cambridge University Press.

MUIR, D., & FIELD, J. (1979). Newborn infants orient to sounds. *Child Development, 50,* 431–436.

MURPHY, J., & FLORIO, C. (1978). Older Americans: Facts and potential. In R. Gross, B. Gross, & S. Seidman (Eds.), *The new old: Struggling for decent aging.* Garden City, NY: Anchor Press/Doubleday.

MURPHY, L. B. (1962). *The widening world of childhood: Paths toward mastery.* New York: Basic Books.

MURPHY, P. A. (1993). Preterm birth prevention programs: A critique of current literature. *Journal of Nurse-Midwifery, 38*(6), 324–335.

MURRAY, A., DOLBY, R., NATION, R., & THOMAS, D. (1981). Effects of epidural anaesthesia on newborns and their mothers. *Child Development, 52,* 71–82.

MURSTEIN, B. I. (1980). Mate selection in the 1970s. *Journal of Marriage and the Family, 42,* 777–789.

MURSTEIN, B. I. (1982). Marital choice. In B. Wolman (Ed.), *Handbook of developmental psychology.* Englewood Cliffs, NJ: Prentice Hall.

MURSTEIN, B. I., CHALPIN, M. J., HEARD, K. V., & VYSE, S. A. (1989). Sexual behavior, drugs, and relationship patterns on a college campus over thirteen years. *Adolescence, 24,* 125–139.

MUSICK, J. S. (Fall 1994). Directions: Capturing the childbearing context. *SRCD Newsletter,* pp. 1, 6–7.

MUSSEN, P. H., CONGER J. J., & KAGAN, J. (1974). *Child development and personality.* New York: Harper & Row.

MUTRYN, C. S. (1993). Psychosocial impact of Cesarean section on the family: A literature review. *Social Science and Medicine, 37,* 1271–1281.

MUUSS, R. E. (Summer 1986). Adolescent eating disorder: Bulimia. *Adolescence,* pp. 257–267.

MYERS, N. A., CLIFTON, R. K., & CLARKSON, M. G. (1987). When they were very young: Almost-threes remember two years ago. *Infant Behavior and Development, 10,* 123–132.

MYERS, N. A., & PERLMUTTER, M. (1978). Memory in the years from two to five. In P. Ornstein (Ed.), *Memory development in children.* Hillsdale, NJ: Erlbaum.

MYERS, R. E., & MYERS, S. E. (1978). Use of sedative, analgesic, and anesthetic drugs during labor and delivery: Bane or boon? *American Journal of Obstetrics and Gynecology, 133,* 83.

NAEYE, R. L. (1979). Weight gain and the outcome of pregnancy. *American Journal of Obstetrics and Gynecology, 135,* 3.

NAEYE, R. L. (1980). Abruptio placentae and placenta previa: Frequency, perinatal mortality, and cigarette smoking. *Obstetrics and Gynecology, 55,* 701–704.

NAEYE, R. L. (1981). Influence of maternal cigarette smoking during pregnancy on fetal and childhood growth. *Obstetrics and Gynecology, 57,* 18–21.

NAGEL, K. L., & JONES, K. H. (1992). Sociological factors in the development of eating disorders. *Adolescence, 27,* 107–113.

NAROLL, H. G. (1996). Computers, thinking, and education. In M. G. Luther & E. Cole (eds.), *Dynamic assessment for instruction: From theory to application.* North York, ON, Canada: Captus Press.

NATIONAL ASSOCIATION FOR THE EDUCATION OF YOUNG CHILDREN. (1986). *NAEYC position statement on developmentally appropriate practice in early childhood programs: Birth through age eight.* Washington, DC: NAEYC.

NATIONAL CENTER FOR HEALTH STATISTICS. (1984). Trends in teenage childbearing, United States 1970–81. *Vital and Health Statistics* (Series 21, No. 41). U.S. Department of Health and Human Services.

NATIONAL CENTER FOR HEALTH STATISTICS. (June 3, 1987). Advance report of final marriage statistics, 1984. *Monthly Vital Statistics Report, 36*(2).

NATIONAL CENTER FOR HEALTH STATISTICS. (June 29, 1989). *Monthly Vital Statistics Report, 38*(3). Washington, DC: National Center for Health Statistics.

NATIONAL CENTER FOR HEALTH STATISTICS. (1990). *Health, United States, 1989.* Hyattsville, MD: Public Health Service.

NATIONAL CENTER FOR HEALTH STATISTICS. (August 1990). Advance report of final natality statistics, 1988. *Monthly Vital Statistics Report, 38*(4 Supplement). Hyattsville, MD: Public Health Service.

NATIONAL CENTER FOR HEALTH STATISTICS. (November 28, 1990). Advance report of final mortality statistics, 1988. *Monthly Vital Statistics Report, 39*(7). Hyattsville, MD: Public Health Service.

NATIONAL CENTER FOR HEALTH STATISTICS. (1991a). Births, marriages, divorces, and deaths for January 1991. *Monthly Vital Statistics Report, 40* (1). Hyattsville, MD: Public Health Service.

NATIONAL CENTER FOR HEALTH STATISTICS. (1991b). Advance report of final divorce statistics, 1988. *Monthly Vital Statistics Report, 39* (12, Supplement 2). Hyattsville, MD: Public Health Service.

NATIONAL CENTER FOR HEALTH STATISTICS. (1993a). *Health, United States, 1992.* Washington, D.C.: United States Government Printing 41(9).

NATIONAL CENTER FOR HEALTH STATISTICS. (1993b). Advance Report of Final Natality Statistics, 1990. *Monthly Vital Statistics Report, 41(9).*

NATIONAL CENTER FOR HEALTH STATISTICS (1995). *Monthly vital statistics report* (March 22, 1995), 43, 6(S), 5.

NATIONAL DAIRY COUNCIL. (1977). Nutrition of the elderly. *Dairy Council Digest, 48,* 1.

NATIONAL INSTITUTE OF CHILD HEALTH AND HUMAN DEVELOPMENT (1997). The effects of infant child care on infant-mother attachment security: Results of the NICHD study of early child care. *Child Development, 68,* 860–879.

NATIONAL CENTER ON ADDICTION AND SUBSTANCE ABUSE AT COLUMBIA UNIVERSITY (1996). Substance abuse and the American Woman: Using the law. New York.

NATIONAL INSTITUTE ON DRUG ABUSE. (1984). *Student drug use in America: 1975–1983.* Washington, DC: Government Printing Office.

NATIONAL INSTITUTE ON DRUG ABUSE. (1987). *National trends in drug use and related factors among American high school students and young adults, 1975–1986.* U.S. Department of Health & Human Services.

NATIONAL INSTITUTE ON DRUG ABUSE. (1989). *National trends in drug use and related factors among American high school students and young adults, 1975–1988.* U.S. Department of Health & Human Services.

NEIMARK, E. D., (1975). Intellectual development during adolescence. In F. D. Horowitz (Ed.), *Review of child development* (Vol. 4). Chicago: University of Chicago Press.

NELSON, C. A., & BLOOM, F. E. (1997). Child development and neuroscience. *Child Development, 68,* 970–987.

NELSON, K. (1974). Concept, word and sentence: Interrelations in acquisition and development. *Psychological Review, 81,* 267–285.

NELSON, K. (1981). Individual differences in language development: Implications for development and language. *Developmental Psychology, 17,* 170–187.

NELSON, K. (1986). *Event knowledge: Structure and function in development.* Hillsdale, NJ: Erlbaum.

NELSON, K. (September 1987). What's in a name? Reply to Seidenberg and Petitto. *Journal of Experimental Psychology, 116*(3), 293–296.

NELSON, K., FIBUSH, R., HUDSON, J., & LUCARIELLO, J. (1983). *Scripts and the development of memory.* In M. T. C. Chi (Ed.), *Trends in memory development research.* Basil, Switzerland: Carger.

NELSON, K., & GRUENDEL, J. M. (1986). Generalized event representations: Basic building blocks of cognitive development. In A. Brown & M. Lamb (Eds.), *Advances in developmental psychology* (Vol. 1). Hillsdale, NJ: Erlbaum.

NEMETH, R. J., & BOWLING, J. M. (1985). Son preference and its effects on Korean lactation practices. *Journal of Biosocial Science, 17,* 451–459.

NEUGARTEN, B. (1968/1967). The awareness of middle age. In B. Neugarten (Ed.), *Middle age and aging.* Chicago: University of Chicago Press.

NEUGARTEN, B. L. (1968a). Adult personality: Toward a psychology of the life cycle. In B. L. Neugarten (Ed.), *Middle age and aging.* Chicago: University of Chicago Press.

NEUGARTEN, B. L. (1968b). The awareness of middle age. In B. L. Neugarten (Ed.), *Middle age and aging.* Chicago: University of Chicago Press.

NEUGARTEN, B. L. (1969). Continuities and discontinuities of psychological issues into adult life. *Human Development, 12,* 121–130.

NEUGARTEN, B. L. (1970). The old and the young in modern societies. *American Behavioral Scientist, 14,* 18–24.

NEUGARTEN, B. L. (December 1971). Grow old along with me! The best is yet to be. *Psychology Today,* pp. 45–48ff.

NEUGARTEN, B. L. (1976). *The psychology of aging: An overview.* Washington, DC: American Psychological Association.

NEUGARTEN, B. L. (1977). Personality and aging. In I. Birren & K. W. Schaie (Eds.), *Handbook of the psychology of aging.* New York: Van Nostrand Reinhold.

NEUGARTEN, B. L. (1978). The wise of the young-old. In R. Gross, B. Gross, & S. Seidman (Eds.), *The new old: Struggling for decent aging.* Garden City, NY: Anchor Books/Doubleday.

NEUGARTEN, B. L. (1979). Time, age and the life cycle. *American Journal of Psychiatry, 136,* 887–894.

NEUGARTEN, B. L. (February 1980). Must everything be a midlife crisis? *Prime Time,* pp. 263–264.

NEUGARTEN, B. L., & MOORE, J. W. (1968). The changing age status system. In B. L. Neugarten (Ed.), *Middle age and aging.* Chicago: University of Chicago Press.

NEUGARTEN, B. L., & NEUGARTEN D. A. (1987). The changing meanings of age. *Psychology Today, 21*(5), 29–33.

NEUGARTEN, B. L., WOOD, V., KRAINES, R., & LOOMIS, B. (1968). Women's attitudes toward the menopause. In B. L. Neugarten (Ed.), *Middle age and aging.* Chicago: University of Chicago Press.

NEVILLE, B., & PARKE, R. D. (1997). Waiting for paternity: Interpersonal and contextual implications of the time of fatherhood. *Sex Roles, 37,* 45–59.

NEWCOMB, A. F., BUKOWSKI, W. M., & PATTEE, L. (1992). The influence of teacher feedback on young children's peer preferences and perceptions. *Developmental Psychology, 28*(5), 933–940.

NEWCOMB, M. D., & BENTLER, P. M. (1989). Substance use and abuse among children and teenagers. *American Psychologist, 44,* 242–248.

NEW ENGLAND JOURNAL OF MEDICINE (1997). Postmenopausal hormone-replacement theory—time for a reappraisal? (editorial). *Volume 336,* 1821–1822.

NEWMAN, B. M. (1982). Mid-life development. In B. Wolman (Ed.), *Handbook of developmental psychology.* Englewood Cliffs, NJ: Prentice Hall.

NEWMAN, L. F., & BUKA, S. L. (1991). Clipped wings: The fullest look yet at how prenatal exposure to drugs, alcohol, and nicotine hobbles children's learning. *American Educator, 42,* 27–33.

NEWMAN, L. S. (1990). Intentional and unintentional memory in young children: Remembering vs. playing. *Journal of Experimental Child Psychology, 50,* 243–258.

NEWMAN, L., & BUKA, S. (Spring 1991). Clipped wings. *American Educator,* pp. 27–33, 42.

NEW, R. (1988). Parental goals and Italian infant care. In R. B. LeVine, P. Miller, & M. West (Eds.), *New Directions for Child Devel-*

opment: Vol. 40, Parental behavior in diverse societies (pp. 51–63). San Francisco: Jossey-Bass.

NEW, R. (1990). Excellent early education: A city in Italy has it. Young Children, 45(6), 11–12.

NEWSWEEK. (February 11, 1980). The children of divorce, pp. 58–63.

NEWSWEEK. (November 15, 1976). New science of birth, pp. 62–64.

NEW YORK TIMES. (August 1, 1989). Casual drug use is sharply down. P. A14.

NEW YORK TIMES. (March 4, 1991). Schools are not families. Editorial, p. A16.

NEY, P. G. (1988). Transgenerational child abuse. Child Psychiatry and Human Development, 18, 151–168.

NICHOLS, B. (1990). Moving and Learning: The elementary school physical education experience. St. Louis, MO: Times Mirror/Mosby College Publishing.

NICHOLS, P. L., & CHEN, T. C. (1981). Minimal brain dysfunction: A prospective study. Hillsdale, NJ: Erlbaum.

NICOLOPOULOU, A. (1993). Play, cognitive development, and the social world: Piage, Vygotsky, and Beyond. Human Development, 36, 1–23.

NILSSON, L. (1990). A child is born. New York: Delacorte.

NILSSON, L., & HAMBERGER, L. (1990). A child is born (rev. ed.). New York: Dell.

NOCK, S. (1982). The life-cycle approach to family analysis. In B. Wolman (Ed.), Handbook of developmental psychology (pp. 636–651). Englewood Cliffs, NJ: Prentice Hall.

NORTON, R. D. (1994). Adolescent suicide: Risk factors and countermeasures. Journal of Health Education, November/December, 358–361.

NOZYCE, M., HITTELMAN, J., MUENZ, L., DU-RAKO, S. J., FISCHER, M., & WILLOUGHBY, A. (1994). Effect of perinatally acquired human immunodeficiency virus infection on neurodevelopment during the first two years of life. Pediatrics, 94, 883–891.

NUGENT, J. K. (November 1994). Cross-cultural studies of child development: Implications for clinicians. Zero to Three, p. 6.

NUGENT, J. K., GREENE, S., & MAZOR, K. (October 1990). The effects of maternal alcohol and nicotine use during pregnancy on birth outcome. Paper presented at Bebe XXI Simposio Internacional, Lisbon, Portugal.

NUTRITION TODAY. (1982). Alcohol use during pregnancy: A report by the American Council on Science and Health. Reprint.

NYDEGGER, C. N., & MITENESS, L. S. (1996). Midlife: The prime of fathers. In Ryff, C. D., & Seltzer, M. M. (Eds.) The parental experiment in midlife. Chicago: University of Chicago Press.

OAKLEY, A., & RICHARDS, M. (1990). Women's experiences of Caesarean delivery. In J. Garcia, R. Kilpatrick, & M. Richards (Eds.), The politics of maternity care. Oxford: Clarendon Press.

OB/GYN NEWS. (June 15–30, 1984). In-vitro fertilization comes of age: Issues still unsettled, 19(12), 3.

O'BRIEN, M., & NAGLE, K. J. (1987). Parents' speech to toddlers: The effect of play context. Journal of Language Development, 14, 269–279.

O'BRIEN, S. J., & DEAN, M. (1997). Scientific American, 267 (9), 44–51.

O'BRYANT, S. L. (February 1988). Sibling support and older widows' well-being. Journal of Marriage and the Family, 50, 173–183.

OCAMPO, K. A., KNIGHT, G. P., & BERNAL, M. E. (1977). The development of cognitive abilities and social identities in children: The case of ethnic identity. International Journal of Behavioral Development, 21, 479–500.

OCHS, A., NEWBERRY, J., LENHARDT, M., & HARKINS, S. (1985). Neural and vestibular aging associated with falls. In J. Birren & K. Schaie (Eds.), The handbook of the psychology of aging (2nd ed.). New York: Van Nostrand Reinhold.

OCHS, E. (1986). Introduction. In B. B. Schieffelin & E. Ochs (Eds.), Language socialization across cultures. Cambridge, UK: Cambridge University Press.

O'CONNOR-FRANCOEUR, P. (April 1983). Children's concepts of health and their health behavior. Paper presented at the meeting of the Society for Research in Child Development, Detroit.

O'HARA, M., ZEKOSKI, E., PHILIPPS, & WRIGHT, E. (1990). Controlled prospective study of postpartum mood disorders: Comparison of childbearing and nonchildbearing women. Journal of Abnormal Psychology, 99, 3–15.

O'HERON, C. A., & ORLOFSKY, J. L. (1990). Stereotypic and nonstereotypic sex role trait and behavior operations, gender identity and psychological adjustment. Journal of Personality and Social Psychology, 58(1), 134–143.

OFFER, D., OSTROV, E., HOWARD, K., & ATKINSON, R. (1988). The teenage world: Adolescents' self-image in ten countries. New York: Plenum Medical, 1988.

OHLSSON, A., SHENNAN, A. T., & ROSE, T. H. (1987). Review of causes of perinatal mortality in a regional perinatal center, 1980–84. American Journal of Obstetrics and Gynecology, 1(57), 443–445.

OKTAY, J. A., & VOLLAND, P. J. (1981). Community care program for the elderly. Health and Social Work, 6, 41–46.

OKUN, B. F. (1984). Working with adults: Individual, family and career development. Monterey, CA: Brooks/Cole.

O'LEARY, K. D., & SMITH, D. A. (1991). Marital interactions. Annual Review of Psychology, 42, 191–212.

OLLER, D. K., & EILERS, R. E. (1988). The role of audition in infant babbling. Child Development, 59, 441–449.

OLSHO, L. W., HARKINS, S. W., & LENHARDT, M. L. (1985). Aging and the auditory system. In J. E. Birren & K. W. Schaie (Eds.), Handbook of the psychology of aging (2nd ed. pp. 332–376). New York: Van Nostrand Reinhold.

OLSON, D. H., & LAVEE, Y. (1989). Family systems and family stress: A family life cycle perspective. In K. Kreppner & R. M. Lerner (Eds.), Family systems and life-span development. Hillsdale, NJ: Erlbaum.

OLSON, M. R. , & HAYNES, J. A. (1993). Successful single parents. Families in Society: The Journal of Contemporary Human Services, 74(5), 259–267.

OLSON, S. L., BATES, J. E., & BAYLES, K. (1984). Mother–infant interaction and the development of individual differences in children's cognitive competence. Developmental Psychology, 20, 166–179.

OLTON, R. M., & CRUTCHFIELD, R. S. (1969). Developing the skills of productive thinking. In P. H. Mussen, J. Langer, & M. Covington (Eds.), Trends and issues in developmental psychology. New York: Holt, Rinehart & Winston.

ONI, G. A. (October 1987). Breast-feeding pattern in an urban Nigerian community. Journal of Biosociel Science, 19(4), 453–462.

OPIE, I., & OPIE, P. (1959). The lore and language of school children. London: Oxford University Press.

OPPENHEIM, D., EMDE, R. N., & WARREN, S. (1997). Children's narrative representations of mothers: Their development and associations with child and mother adaptation. Child Development, 68, 127–138.

ORENSTEIN, P. (1994). Schoolgirls: Young women, self-esteem, and the confidence gap. NY: Anchor.

ORLOFSKY, J. L., & O'HERON, C. A. (1987). Stereotypic and nonstereotypic sex role trait and behavior orientation: Implications for personal adjustment. Journal of Personality and Social Psychology, 52, 1034–1042.

ORNSTEIN, P. A., NAUS, M. J., & LIBERTY, C. (1975). Rehearsal and organizational processes in children's memory. Child Development, 46, 818–830.

ORNSTEIN, P. A., NAUS, M. J., & STONE, B. P. (1977). Rehearsal training and developmental differences in memory. Developmental Psychology, 13, 15–24.

OSOFSKY, J. D., & OSOFSKY, H. J. (1984). Psychological and developmental perspectives on expectant and new parenthood. In R. D. Parke (Ed.), The family: Review of child development research (Vol. 7). Chicago: University of Chicago Press.

OSTROV, E., OFFER, D., & HOWARD, K. I. (1989). Gender differences in adolescent symptomatology: A normative study. Journal of the American Academy of Child and Adolescent Psychiatry, 28, 394–398.

OTTO, L. B. (1988). America's youth: A changing profile. Family Relations, 37, 385–391.

OUELLETTE, E. M., ET AL. (1977). Adverse effects on offspring of maternal alcohol abuse during pregnancy. New England Journal of Medicine, 297, 528–530.

PAERNOW, P. L. (1984). The stepfamily cycle: An experimental model of stepfamily development. Family Relations, 33, 355–363.

PALKOVITZ, R. (1985). Fathers' birth attendance, early contact and extended contact with their newborns: A critical review. Child Development, 56, 392–406.

PAPERT, S. (1980). Mindstorms: Children, computers and powerful thinking. New York: Basic Books.

PAPOUSEK, H. (1961). Conditioned head rotation reflexes in infants in the first three months of life. *Acta Paediatrica Scandinavica, 50,* 565–576.

PARIS, S. C., LINDAUER, B. K., & COX, G. I. (1977). The development of inferential comprehension. *Child Development, 48,* 1728–1733.

PARKE, R. D. (1972). Some effects of punishment on children's behavior. In W. W. Hartup (Ed.), *The young child: Reviews of research* (Vol. 2). Washington, DC: National Association for the Education of Young Children.

PARKE, R. D. (1979). Perceptions of father–infant interaction. In J. Osofsky (Ed.), *Handbook of infant development*. New York: Wiley.

PARKE, R. D. (1981). *Fathers.* Cambridge, MA: Harvard University Press.

PARKE, R. D., & COLLMER, C. (1975). Child abuse: An interdisciplinary analysis. In E. M. Hetherington (Ed.), *Review of child development research* (Vol. 5). Chicago: University of Chicago Press.

PARKE, R., & SLAHY, R. (1983). The development of aggression. In P. H. Mussen (Ed.), *Handbook of child psychology* (Vol. 4). New York: Wiley.

PARKE, R., & SLAHY, R. (1983). The development of aggression. In P. H. Mussen (Ed.), *Handbook of child psychology* (Vol. 4). New York: Wiley.

PARKE, R. D., & TINSLEY, B. J. (1987). Family interaction in infancy. In J. D. Osofsky (Ed.), *Handbook of infant development* (2nd ed., pp. 579–641). New York: Wiley.

PARKER, J. G., & ASHER, S. R. (1987). Peer relations and later personal adjustment: Are low-accepted children at risk? *Psychological Bulletin, 102,* 357–389.

PARKER, J. G., & ASHER, S. R. (1993). Friendship and friendship quality in middle childhood: Links with peer group acceptance and feelings of loneliness and social dissatisfaction. *Developmental Psychology, 29(4),* 611–621.

PARKER, W. A. (1980). Designing an environment for childbirth. In B. L. Blum (Ed.), *Psychological aspects of pregnancy, birthing, and bonding.* New York: Human Sciences Press.

PARKHURST, J. T., & ASHER, S. R. (1992). Peer rejection in middle school: Subgroup differences in behavior, loneliness, and interpersonal concerns. *Developmental Psychology, 28(2),* 244–254.

PARMELEE, A. H., JR. (1986). Children's illnesses: Their beneficial effects on behavioral development. *Child Development, 57,* 1–10.

PARTEN, M. B. (1932–33). Social participation among preschool children. *Journal of Abnormal and Social Psychology, 27,* 243–269.

PASLEY, B. K. & IHINGER-TALLMAN, M. (1989). Boundary ambiguity in remarriage: Does ambiguity differentiate degree of marital adjustment and integration? *Family Relations,* 38, 46.

PATTERSON, C. J. (1995). Sexual orientation and human development: An overview. *Developmental Psychology, 31,* 3–11.

PATTERSON, C. J., KUPERSMIDT, J. B. & VADEN, N. A. (1990). Income level, gender, ethnicity, and household composition as predic-

tors of children's school-based competence. *Child Development, 61,* 485–494.

PATTISON, E. M. (1977). *The experience of dying.* Englewood Cliffs, NJ: Prentice Hall.

PAULBY, S. T. (1977). Imitative interaction. In H. R. Schaffer (Ed.), *Studies of mother–infant interaction.* London: Academic Press.

PAVLOV, I. P. (1928). *Lectures on conditioned reflexes.* (W. H. Gantt, Trans.). New York: International Publishers.

PECK, R. C. (1968). Psychological developments in the second half of life. In B. L. Neugarten (Ed.), *Middle age and aging.* Chicago: University of Chicago Press.

PECK, R. F., & BERKOWITZ, H. (1964). Personality and adjustment in middle age. In B. L. Neugarten (Ed.), *Personality in middle and late life: Empirical studies.* New York: Atherton.

PEDERSON, F., ET AL. (1979). Infant development in father–absent families. *Journal of Genetic Psychology, 135,* 51–61.

PEDIATRICS. (1978). Effect of medication during labor and delivery on infant outcome, *62,* 402–403.

PEDIATRICS. (1979). The fetal monitoring debate, *63,* 942–948.

PELLEGRINI, A. D. (1987). Rough-and-tumble play: Developmental and educational significance. *Educational Psychologist, 22(1),* 23–43.

PELLETZ, L. (1995). *The effects of an interactive, interpersonal cirriculum upon the development of self in seventh-grade girls.* Ph.D. dissertation, University of Massachusetts, Amherst.

PERETTI, P. O., & WILSON, C. (1978). Contemplated suicide among voluntary and involuntary retirees. *Omega, 9(2),* 193–201.

PERKINS, S. A. (1977). Malnutrition and mental development. *Exceptional Children, 43(4),* 214–219.

PERLMUTTER, M. (1978). What is memory aging the aging of? *Developmental Psychology, 14,* 330–345.

PERLMUTTER, M., ADAMS, C., BARRY, J., KAPLAN, M., PERSON, D., & VERDONIK, F. (1987). Aging & memory. In K. W. Schaie & K. Eisdorfer (Eds.), *Annual review of gerontology and geriatrics* (Vol. 7). New York: Springer.

PERLS, T. T. (1995). The oldest old. *Scientific American, 272, (1),* 70–75.

PERRY, D. G., & BUSSEY, K. (1984). *Social development.* Englewood Cliffs, NJ: Prentice Hall.

PERRY, D. G., WILLIARD, J. C., & PERRY, L. C. (1990). Peers' perceptions of the consequences that victimized children provide aggressors. *Child Development, 61,* 1310–1325.

PERRY, W. G., JR. (1970). *Forms of intellectual and ethical development in the college years: A scheme.* New York: Holt, Rinehart & Winston.

PERRY-JENKINS, M., & CROUTER, A. C. (1990). Men's provider-role attitudes: Implications for household work and marital satisfaction. *Journal of Family Issues, 11(2),* 136–156.

PERRY-JENKINS, M., & FOLK, K. (February 1994). Class, couples, and conflict: Effects of the division of labor on assessments of marriage in dual-earner families. *Journal of Marriage and the Family, 56,* 165–180.

PETERS, J. M. (1996). Paired keyboards as a tool for Internet exploration of third grade students. *Journal of Educational Computing Research, 14,* 229–242.

PETERSON, A. C., & TAYLOR, B. (1980). The biological approach to adolescence: Biological change and psychological adaptation. In J. Adelson (Ed.), *Handbook of adolescent psychology.* New York: Wiley.

PETERSON, A. C., COMPAS, B. E., BROOKS-GUNN, J., STEMMLER, M., EY, S., AND GRANT, K. E. (1993). Depression in adolescence. *American Psychologist, 48(2),* 155–168.

PETERSON, B. E. , & KLOHNEN, E. C. (1995). Realization of generativity in two samples of women at midlife. *Psychology and Aging, 10(1),* 20–29.

PETROVICH, H., MASAKI, K., & RODRIGUEZ, B. (1997). Update on women's health: Pros and cons of postmenopausal hormone replacement therapy. *Generations, 20, no. 4,* 7–11.

PFEIFFER, D., & DAVIS, G. (1971). The use of leisure time in middle life. *The Gerontologist, 11,* 187–195.

PFEIFFER, J. (Ed.). (1964). *The cell.* New York: Time-Life Books.

PHILLIPS, D. (1984). The illusion of incompetence among academically competent children. *Child Development, 55,* 2000–2016.

PHILLIPS, D., McCARTNEY, K., SCARR, S., & HOWES, C. (February 1987). Selective review of infant day care research: A cause for concern! *Zero to Three,* pp. 18–20.

PHILLIPS, J. L., JR. (1969). *The origins of intellect: Piaget's theory.* San Francisco: Freeman.

PHILLIPS, R. B., SHARMA, R., PREMACHANDRA, B. R., VAUGHN, A. J., & REYES-LEE, M. (1996). Intrauterine exposure to cocaine: Effect on neurobehavior of neonates. *Infant Behavior and Development, 19,* 71–81.

PIAGET, J. (1926). *The language and thought of the child.* London: Kegan, Paul, Trench & Trubner.

PIAGET, J. (1950). *The psychology of intelligence.* (M. Percy & D. E. Berlyne, Trans.). New York: Harcourt Brace.

PIAGET, J. (1951). *Play, dreams and imitation in childhood.* New York: Norton.

PIAGET, J. (1952). *The origins of intelligence in children.* (M. Cook, Trans.). New York: International Universities Press. (Originally published 1936)

PIAGET, J. (1954). *The construction of reality in the child.* (M. Cook, Trans.). New York: Basic Books.

PIAGET, J. (1962). *Plays, dreams, and imitation.* New York: Norton.

PIAGET, J. (1965). *The moral judgment of the child.* (M. Gabain, Trans.). New York: Free Press. (Originally published 1932)

PIAGET, J. (1970). Piaget's theory. In P. H. Mussen (Ed.), *Carmichael's manual of child psychology* (3rd ed., Vol. 1). New York: Wiley.

PIAGET, J. (1972). Intellectual evolution from adolescence to adulthood. *Human Development, 15,* 1–12.

PICHITINO, J. P. (January 1983). Profile of the single father: A thematic integration of the literature. *Personnel and Guidance Journal,* pp. 295–299.

PIETROMONACO, P., MANIS, J., & MARKUS, H. (1987). The relationship of employment to self-perception and well-being in women: A cognitive analysis. *Sex Roles, 17*(7–8), 467–476.

PILLEMER, K., & FINKELHOR, D. (1988). The prevalence of elder abuse: A random sample survey. *The Gerontologist, 28,* 51–57.

PINE, J. M., LIEVEN, E. V. M., & ROWLAND, C. F. (1997). Stylistic variation at the "single-word" stage: Relations between maternal speech characteristics and children's vocabulary composition and usage. *Child Development, 68,* 807–819.

PINES, M. (1979). Superkids. *Psychology Today, 12*(8), 53–63.

PINES, M. (September 1981). The civilizing of Genie. *Psychology Today,* pp. 28–34.

PINES, M. (1984). PT conversations: Resilient children. *Psychology Today, 12*(8), 53–63.

PIOTRKOWSKI, C. S., & CRITS-CHRISTOPH, P. (1981). Women's jobs and family adjustment. *Journal of Family Issues, 2,* 126–147.

PIPER, J. M., BAUM, C., & KENNEDY, D. L. (1987). Prescription drug use before and during pregnancy in a Medicaid population. *American Journal of Obstetrics and Gynecology, 1*(57), 148–156.

PITCHER, E. G., & SCHULTZ, L. H. (1983). *Boys and girls at play: The development of sex roles.* New York: Praeger.

PLECK, J. (1985). *Working wives/working husbands.* Beverly Hills, CA: Sage.

PLECK, J. H. (1985). *Working wives, working husbands.* Beverly Hills, CA: Sage.

PLECK, J. H., & STAINES, G. L. (1982). Work schedules and work family conflict in two-earner couples. In J. Aldous (Ed.), *Two paychecks: Life in dual-earner families.* Beverly Hills, CA: Sage.

PLOMIN, R. (1983). Developmental behavioral genetics. *Child Development, 54,* 25–29.

PLOMIN, R. (1990). *Nature and nurture: An introduction to human behavioral genetics.* Pacific Grove, CA: Brooks/Cole.

PLOMIN, R., & DANIELS, D. (1987). Why are children in the same family so different from one another? *Behavioral and Brain Sciences, 10,* 1–60.

PLOMIN, R., & DEFRIES, J. C. (1998). The genetics of cognitive abilities and disabilities. *Scientific American, 278* (5), 62–69.

PLOWDEN, B. (1967). *Children and their primary schools: A report of the Central Advisory Council for Education in England* (Vol. 1). London: Her Majesty's Stationery Office.

PLUMB, J. H. (Winter 1971). The great change in children. *Horizon,* pp. 4–12.

POE, W., & HOLLOWAY, D. (1980). *Drugs and the aged.* New York: McGraw-Hill.

POEST, C. A., WILLIAMS, J. R., WITT, D. D., & ATWOOD, M. E. (1989). Physical activity patterns of preschool children. *Early Childhood Research Quarterly, 4,* 367–376.

POLLACK, R. H., & ATKESON, B. M. (1978). A lifespan approach to perceptual development. In P. B. Baltes (Ed.), *Lifespan development and behavior* (Vol. 1). New York: Academic Press.

POLLITT, E. (1994). Poverty and child development: Relevance of research in developing countries to the United States. *Child Development, 65*(2), 283–295.

POLLITT, E., GORMAN, K. S., ENGLE, P. L., MARTORELL, R., & RIVERA, J. (1993). Early supplementary feeding and cognition: Effects over two decades. *Monograph for the Society of Research in Child Development, 58* (Serial No. 235).

POLLOCK, L. A. (1983). *Forgotten children: Parent-child relations from 1500 to 1900.* Cambridge, UK: Cambridge University Press.

POLLOCK, L. A. (1987). *A lasting relationship: Parents and children over three centuries.* Hanover, NH: University Press of New England.

POMERLEAU, A., BOLDUC, D., MALCUIT, G., & COSSETTE, L. (1990). Pink or blue: Environmental gender stereotypes in the first two years of life. *Sex Roles, 22*(5/6), 359–367.

POOLE, W. (July/August 1987). The first 9 months of school. *Hippocrates,* pp. 66–73.

POON, L. (1985). Differences in human memory with aging: Nature, causes and clinical implications. In J. Birren & W. K. Schaie (Eds.), *Handbook of the psychology of aging* (2nd ed.). New York: Van Nostrand Reinhold.

POPE, H. G., IONESCU-PIOGGIA, M., AIZLEY, H. G., & VARMA, D. K. (1991). College student drug use: Twenty-year trends. *Harvard Mental Health Letter, 7*(9), 7.

PORTERFIELD, E. (January 1973). Mixed marriage. *Psychology Today,* pp. 71–78.

POSADA, G., GAO, Y., WU, F., POSADA, R., TASCON, M., SHOELMERICH, A., SAGI, A., KONDO-IKEMURA, K., HAALAND, W., & SYNNEVAAG, B. (1995). The secure-base phenomenon across cultures: Children's behavior, mothers' preferences, and experts' concepts. *Monographs of the Society for Research in Child Development, 60,* 27–48.

POTTS, M. K. (1997). Social support and depression among older adults living alone: The importance of friends with and outside of a retirement community. *Social Work, 42,* 348–361.

POWELL, A. G., FARRAR, E., & COHEN, D. K. (1985). *The shopping mall high school: Winners and losers in the education marketplace.* Boston: Houghton Mifflin.

POWER, C., & REIMER, J. (1978). Moral atmosphere: An educational bridge between moral judgment and action. *New Directions for Child Development, 2.*

POWERS, S. I., HAUSER, S. T., & KILNER, L. A. (1989). Adolescent mental health. *American Psychologist, 44,* 200–208.

PRATT, K. C. (1954). The neonate. In L. Carmichael (Ed.), *Manual of child psychology* (2nd ed.). New York: Wiley.

PRECHTL, H., & BEINTEMA, D. (1965). *The neurological examination of the full term newborn infant* (Clinics in Developmental Medicine Series No. 12). Philadelphia: Lippincott.

PRUCHNO, R., & RESCH, N. (1989). Husbands and wives as caregivers: Antecedents of depression and burden. *The Gerontologist, 29,* 159–165.

PRUETT, K. D. (1987). *The nurturing father: Journey toward the complete man.* New York: Warner Books.

PURCELL, P., & SEWART, L. (1990). Dick and Jane in 1989. *Sex Roles, 22*(3/4), 177–185.

PUTALLAZ, M. (1983). Predicting children's sociometric status from their behavior. *Child Development, 54,* 1417–1426.

QUADREL, M. J., FISCHOFF, B., & DAVIS, W. (1993). Adolescent (in) vulnerability. *American Psychologist, 48*(2), 102–116.

QUEENAN, J. T. (August 1975). The Rh-immunized pregnancy. *Consultant,* pp. 96–99.

QUINN, J. F., & BURKHAUSER, R. V. (1990). Work and retirement. In R. H. Binstock & L. K. George (Eds.), *Handbook of aging and the social sciences* (3rd ed., pp. 308–327). New York: Academic Press.

RADBILL, S. (1974). A history of child abuse and infanticide. In R. Helfer & C. Kempe (Eds.), *The battered child.* Chicago: University of Chicago Press.

RADKE, M. J., & TRAGER, H. G. (1950). Children's perceptions of the social role of Negroes and whites. *Journal of Psychology, 29,* 3–33.

RADKEY-YARROW, M., ZAHN-WAXLER, C., & CHAPMAN, M. (1983). Children's prosocial dispositions and behavior. In E. M. Hetherington (Ed.), *Handbook of child psychology: Vol. 4. Socialization, personality and social development.* New York: Wiley.

RAHBAR, F., MOMENI, J., FUMUFOD, A. K., & WESTNEY, L. (1985). Prenatal care and perinatal mortality in a black population. *Obstetrics and Gynecology, 65* (3), 327–329.

RAMEY, C. T. (1981). Consequences of infant day care. In B. Weissbound & J. Musick (Eds.), *Infants: Their social environments.* Washington, DC: National Association for the Education of Young Children.

RAMEY, C. T., & RAMERY, S. L. (1998). Early intervention and early experience. *American Psychologist, 53,* 109–120.

RANDO, T. (1986). A comprehensive analysis of anticipatory grief: Perspectives, processes, promises, and problems. In T. Rando (Ed.), *Loss and anticipatory grief.* Lexington, MA: Lexington Books.

RAPOPORT, R., & RAPOPORT, R. M. (1980). Three generations of dual-career family research. In F. Pepitone-Rockwell (Ed.), *Dual-career couples.* Beverly Hills, CA: Sage.

RATNER, H. H. (1984). Memory demands and the development of young children's memory. *Child Development, 55,* 2173–2191.

RATNER, N. B., & PYE, C. (1984). Higher pitch in BT is not universal: Acoustic evidence from Quiche Mayan. *Journal of Child Language, 11,* 515–522.

RATNER, N., & BRUNER, J. S. (1978). Games, social exchange and the acquisition of language. *Journal of Child Development, 5,* 1–15.

RAUSTE-VON WRIGHT, M. (1989). Body image satisfaction in adolescent girls and boys: A longitudinal study. *Journal of Youth and Adolescence, 18,* 71–83.

REGESTEIN, Q. R. (October 13, 1979). *Insomnia and sleep disturbances in the aged: Sleep and insomnia in the elderly.* Paper presented at a scientific meeting of the Boston Society for Gerontologic Psychiatry.

REICH, P. A. (1986). *Language development.* Englewood Cliffs, NJ: Prentice Hall.

REID, M. (1990). Prenatal diagnosis and screening. In J. Garcia, R. Kilpatrick, & M. Richards (Eds.), *The politics of maternity care* (pp. 300–323). Oxford: Clarendon Press.

REID, M., RAMEY, S. L., & BURCHINAL, M. (1990). Dialogues with children about their families. In I. Bretherton & M. W. Watson (Eds.), *New Directions for Child Development, 48,* 5–28.

REINACH, L. (1901). *de Lelaos.* Paris: Charles.

REINHOLD, R. (June 27, 1981). Census finds unmarried couples have doubled from 1970 to 1978. *New York Times,* pp. A1, B5.

REINHOLD, R. (February 27, 1982). Study reaffirms general doubts over marijuana. *New York Times,* p. C7.

REINKE, B. J., ELLICOTT, A. M., HARRIS, R. L., & HANCOCK, E. (1985). Timing of psychosocial changes in women's lives. *Human Development, 28,* 259–280.

REISS, I. L. (1971). *The family system in America.* New York: Holt, Rinehart & Winston.

REITZES, D. C., MUTRAN, E. J., & FERNANDEZ, M. E. (1996). Does retirement hurt well-being? Factors influencing self-esteem and depression among retirees and workers. *The Gerontologist, 36,* 649–656.

REPETTI, R., MATTHEWS, K., & WALDRON, I. (1989). Employment and women's health: Effects of paid employment on women's mental and physical health. *American Psychologist, 44,* 1394–1401.

RESTAK, R. (1986). The infant mind. Garden City, NY: Doubleday.

REUHL, K. R., & CHANG, L. W. (1979). Effects of methylmercury on the development of the nervous system: A review. *Neurotoxicology, 1,* 21–55.

REYNOLDS, W., REMER, R., & JOHNSON, M. (1995). Marital satisfaction in later life: An examination of equity, equality, and reward theories. *International Journal of Aging and Human Development, 40*(2), 155–173.

RHEINGOLD, H. L., GEWIRTZ, J. L., & ROSS, H. W. (1959). Social conditioning of vocalizations in the infant. *Journal of Comparative and Physiological Psychology, 52,* 68–73.

RHODES, S. (1983). Age-related differences in work attitudes and behavior: A review and conceptual analysis. *Psychological Bulletin, 93,* 328–367.

RICE, M. L., & HAIGHT, P. L. (1986). "Motherese" of Mr. Rogers: A description of the dialogue of educational television programs. *Journal of Speech and Hearing Disorders, 51,* 282–287.

RICE, S. G. (1990). *Putting the play back in exercise.* Unpublished.

RICHARDSON, S. O. (1992). Historical perspectives on dyslexia. *Journal of Learning Disabilities, 25*(1), 40–47.

RICHMAN, A. L., LEVINE, R. A., NEW, R. A., HOWRIGAN, G. A., WELLES-NYSTROM, B., & LEVINE, S. E. (Summer 1988). Maternal behavior to infants in five cultures. In R. A. LeVine, P. M. Miller, & M. M. West (Eds.), *New Directions for Child Development: Vol. 40. Personal behavior in diverse societies* (pp. 81–98).

RICHMAN, C. L., BERRY, C., BITTLE, M., & HIMAN, K. (1988). Factors relating to helping behavior in preschool-age children. *Journal of Applied Developmental Psychology, 9,* 151–165.

RICKS, S. S. (1985). Father–infant interactions: A review of empirical research. *Family Relations, 34,* 505–511.

RIEGEL, K. (1984). Chapter in M. L. Commons, F. A. Richards, & C. Armon (Eds.), *Beyond formal operations: Late adolescence and adult cognitive development.* New York: Praeger.

RIEGEL, K. F. (1975). Adult life crises: A dialectical interpretation of development. In N. Datan & L. H. Ginsberg (Eds.), *Life-span developmental psychology: Normative life crises.* New York: Academic Press.

RIGER, S., & GALLIGAN, P. (1980). Women in management. *American Psychologist, 35,* 902–910.

RILEY, M. W., & WARING, J. (1976). Age and aging. In R. Merton & R. Nisbet (Eds.), *Contemporary social problems* (4th ed.). New York: Harcourt Brace Jovanovich.

RILEY, M. W., & WARING, J. (1978). Most of the problems of aging are not biological, but social. In R. Gross, B. Gross, & S. Seidman (Eds.), *The new old: Struggling for decent aging.* Garden City, NY: Anchor Books/Doubleday.

RIZZO, T. A., & CORSARO, W. A. (1988). Toward a better understanding of Vygotsky's process of internalization: Its role in the development of the concept of friendship. *Developmental Review, 8,* 219–237.

RIZZOLI, R, & BONJOUR, J.-P. (1997). Hormones and bones. *The Lancet, 349, March,* SI20–23.

ROBBINS, D. (1986). Legal and ethical issues in terminal illness care for patients, families, care-givers, and institutions. In T. Rando (Ed.), *Loss and anticipatory grief* (pp. 215–228). Lexington, MA: Lexington Books.

ROBERTS, R., & NEWTON, P. M. (1987). Levinsonian studies of women's adult development. *Psychology and Aging, 2,* 154–163.

ROBERTSON, J. F. (1977). Grandmotherhood: A study of role conceptions. *Journal of Marriage and the Family, 39,* 165–174.

ROBERTSON, M. (1984). Changing motor patterns during childhood. In J. R. Thomas (Ed.), *Motor development during childhood and adolescence.* Minneapolis, MN: Burgess.

ROBINSON, I. E., & JEDLICKA, D. (1982). Change in sexual behavior of college students from 1965–1980: A research note. *Journal of Marriage and the Family, 44,* 237–240.

ROBINSON, R., COBERLY, S., & PAUL, C. (1985). Work and retirement. In R. Binstock & E. Shanas (Eds.), *Handbook of aging and the social sciences.* (2nd ed., pp. 503–527). New York: Van Nostrand Reinhold.

ROCHAT, P. (1989). Object manipulation and exploration in 2– to 5–month-old infants. *Developmental Psychology, 25*(6), 871–884.

RODIN, J., & ICKOVICS, J. (1990) Women's health: Review and research agenda as we approach the 21st century. *American Psychologist, 45,* 1018–1034.

ROE, A. (1957). Early determinants of vocational choice. *Journal of Counseling Psychology, 4,* 212–217.

ROGEL, M. J., & PETERSON, A. C. (1984). Some adolescent experiences of motherhood. In R. Cohen, B. Cohler, & S. Weissman (Eds.), *Parenthood: A psychodynamic perspective.* New York: Guilford.

ROGERS, C. (1980). *A way of being.* Boston: Houghton Mifflin.

ROGERS, C. R. (1961). *On becoming a person.* New York: Houghton Mifflin.

ROGOFF, B. (1990). *Apprenticeship in thinking: Cognitive development in social context.* New York: Oxford University Press.

ROGOFF, B. (1993). Commentary. *Human Development, 36,* 24–26.

ROGOFF, B., & WERTSCH, J. (1984). Children's learning in the "zone of proximal development." *New Directions for Child Development, 23.* San Francisco: Jossey-Bass.

ROGOFF, B., ET AL. (1993). Guided participation in cultural activity by toddlers and caregivers. *Monographs of the Society for Research in Child Development, 58*(8), Serial No. 236, whole issue.

ROSCOE, B., DIANA, M. S., & BROOKS, R. H., II. (1987). Early, middle, and late adolescents' views on dating and factors influencing partner selection. *Adolescence, 12,* 59–68.

ROSE-KRASNOR, L. (1988). Social cognition. In T. D. Yawkey & J. E. Johnson (Eds.), *Integrative processes and socialization: Early to middle childhood* (pp. 79–95). Hillsdale, NJ: Erlbaum.

ROSEL, N. (1978). Toward a social theory of dying. *Omega, 9*(1), 49–55.

ROSENFELD, A. (March 23, 1974b). Starve the child, famish the future. *Saturday Review,* p. 59.

ROSENFELD, A. (September 7, 1974a). If Oedipus' parents had only known. *Saturday Review,* 49f.

ROSENMAN, R. H. (1974). The role of behavioral patterns and neurogenic factors in the pathogenesis of coronary heart disease. In R. S. Eliot (Ed.), *Stress and the heart.* New York: Futura.

ROSENMAN, R., & CHESNEY, M. (1982). Stress, Type A behavior, and coronary disease. In L. Goldberger & S. Breznitz (Eds.), *The handbook of stress: Theoretical and clinical applications* (pp. 547–565). New York: Macmillan.

ROSENSTEIN, D., & OSTER, H. (1988). Differential facial response to four basic tastes in newborns. *Child Development, 59,* 1555–1568.

ROSENTHAL, E. (January 4, 1990). New insights on why some children are fat offers clues on weight loss. *New York Times,* p. B8.

ROSENTHAL, J. A. (1988). Patterns of reported child abuse and neglect. *Child Abuse and Neglect, 12,* 263–271.

ROSENTHAL, R., & JACOBSON, L. (1968). *Pygmalion in the classroom: Teacher expectation and pupil's intellectual development.* New York: Harper & Row.

ROSENWASSER, S. M., LINGENFELTER, M., & HARRINGTON, A. F. (1989). Nontraditional gender role portrayals on television and children's gender role perceptions. *Journal of Applied Developmental Psychology, 10,* 97–105.

ROSE, S. A., GOTTFRIED, A. W., & BRIDGER, W. H. (1981). Cross-modal transfer in 6–month-old infants. *Developmental Psychology, 17,* 661–669.

ROSETT, H. L., ET AL. (1981). Strategies for prevention of fetal alcohol effects. *Obstetrics and Gynecology, 57,* 1–16.

ROSKINSKI, R. R. (1977). *The development of visual perception.* Santa Monica, CA: Goodyear.

ROSOW, I. (1974). *Socialization to old age.* Berkeley: University of California Press.

ROSS, A. O. (1977). *Learning disability, the unrealized potential.* New York: McGraw-Hill.

ROSS, H. S., & LOLLIS, S. P. (1987). Communication within infant social games. *Developmental Psychology, 23,* 241–248.

ROSS, H., & SAWHILL, I. (1975). *Time of transition: The growth of families headed by women.* Washington, DC: Urban Institute.

ROSS, L. (1981). The "intuitive scientist" formulation and its developmental implications. In J. H. Flavell & L. Ross (Eds.), *Social cognitive development.* Cambridge, UK: Cambridge University Press.

ROSSI, A. S. (Spring 1977). A biological perspective in parenting. *Daedalus.*

ROSSI, A. S. (1979). Transition to parenthood. In P. Rossi (Ed.), *Socialization and the life cycle.* New York: St. Martin's Press.

ROSSMAN, I. (1977). Anatomic and body-composition changes with aging. In C. E. Finch & L. Hayflick (Eds.), *Handbook of the biology of aging.* New York: Van Nostrand Reinhold.

ROUG, L., LANDBERG, I., & LUNDBERG, L. J. (February 1989). Phonetic development in early infancy: A study of four Swedish children during the first eighteen months of life. *Journal of Child Language, 16*(1), 19–40.

ROVEE-COLLIER, C. (1987). Learning and memory in infancy. In J. Osofsky (Ed.), *Handbook of infant development* (2nd ed.). New York: Wiley.

ROWE, J. W., & KAHN, R. L. (1997). Successful aging. *The Gerontologist, 37,* 433–440.

ROWE, P. (May/June 1982). Model project reduces alienation of aged from community. *Aging,* pp. 6–11.

ROWLAND, T. W., DONNELLY, J. H., LANDIS, J. N., LEMOINE, M. E., SIGELMAN, D. R., & TANELLA, C. J. (1987). Infant home apnea monitoring. *Clinical Pediatrics, 26*(8), 383–387.

RUBIN, K. H. (1983). Recent perspectives on social competence and peer status: Some introductory remarks. *Child Development, 54,* 1383–1385.

RUBIN, K. H. & COPLAN, R. J. (1992). Peer relationships in childhood. In M. H. Bornstein and M. E. Lamb, (Eds.), *Developmental Psychology: An advanced textbook.* Hillsdale, NJ: Lawrence Erlbaum.

RUBIN, K. H., FEIN, G. C., & VANDENBERG, B. (1983). In P. H. Mussen (Ed.), *Handbook of child psychology* (Vol. 4). New York: Wiley.

RUBIN, K. H., MALONI, T. L., & HORNUNG, M. (1976). Free play behaviors in middle- and lower-class preschoolers: Partner and Piaget revised. *Child Development, 47,* 414–419.

RUBIN, K., & TROTTEN, K. (1977). Kohlberg's moral judgment scale: Some methodological considerations. *Developmental Psychology, 13*(5), 535–536.

RUBIN, L. (1980). The empty nest: Beginning or end? In L. Bond & J. Rosen (Eds.), *Competence and coping during adulthood* (pp. 309–321). Hanover, NH: University Press of New England.

RUBIN, N. J. (1994). Ask me if I care: Voices from an American high school (p. 83). Berkeley, CA: Ten Speed Press.

RUBINSTEIN, C. (1994). *Helping teachers and schools to nip sex bias in the bud.* The New York Times, p. C4.

RUBINSTEIN, E. A. (1983). Television and behavior: Conclusion of the 1982 NIMH report and their policy implications. *American Psychologist, 38,* 820–825.

RUBIN, Z. (1980). *Children's friendships.* Cambridge, MA: Harvard University Press.

RUBLE, D. (1988). Sex-role development. In M. Bornstein & M. E. Lamb (Eds.), *Developmental psychology: An advanced textbook* (2nd ed., pp. 411–460). Hillsdale, NJ: Erlbaum.

RUBLE, D. N., & BROOKS-GUNN, J. (1982). The experience of menarche. *Child Development, 53,* 1557–1577.

RUDD, P., & BALASCHKE, T. (1982) Antihypertensive agents and the drug therapy of hypertension. In A. Gilman, L. Goodman, T. Rall, & F. Murad (Eds.), *Goodman and Gilman's the pharmacological basis of therapeutics* (7th ed., pp. 784–805.)

RUEBSAAT, H. J., & HULL, R. (1975). *The male climacteric.* New York: Hawthorn Books.

RUGH, R., & SHETTLES, L. B. (1971). *From conception to birth: The drama of life's beginnings.* New York: Harper & Row.

RUSHTON, T. P. (1976). Socialization and the altruistic behavior of children. *Psychological Bulletin, 83*(5), 898–913.

RUSSELL, D. (1983). The incidence and prevalence of intrafamilial and extrafamilial sexual abuse of female children. *Child Abuse and Neglect, 7,* 133–146.

RUTTER, M. (1979). Protective factors in children's responses to stress and disadvantage. In M. W. Kent & J. E. Rolf (Eds.), *Primary prevention of psychopathology: III. Social competence in children.* Hanover, NH: University Press of New England.

RUTTER, M. (1983). Stress, coping and development: Some issues and questions. In N. Garmezy & M. Rutter (Eds.), *Stress, coping and development in children.* New York: McGraw-Hill.

RUTTER, M. (1984). PT conversations: Resilient children. *Psychology Today, 18*(3), 60–62, 64–65.

RUTTER, M. L. (1997). Nature-nurture integration: The example of antisocial behavior. *American Psychologist, 52,* 390–398.

RUTTER, M., & GARMEZY, N. (1983). Developmental psychopathology. In P. H. Mussen (Ed.), *Handbook of child psychology* (Vol. 4). New York: Wiley.

RUTTER, M., DUNN, J., PLOMIN, R., SIMONOFF, E., PICKLES, A., MAUGHAN, B., ORMEL, J., MEYER, J., & EAVES, L. (1997). Integrating nature and nurture: Implications of person-environment correlations and interactions for developmental psychology. *Development and Psychopathology, 9,* 335–364.

RYAN, A. S., MARTINEZ, G. A., & MALEC, D. J. (Spring 1985). The effect of the WIC program on nutrient intakes of infants, 1984. *Medical Anthropology,* p. 153.

RYFF, C. D. (1985). The subjective experience of life-span transitions. In A. S. Rossi (Ed.), *Gender and the life course* (p. 97). New York: Aldine.

RYFF, C. D. (1989). In the eye of the beholder: Views of psychological well-being among middle-aged and older adults. *Psychology and Aging, 4*(2), 195–210.

RYNES, S., & ROSEN, B. (1983). A comparison of male and female reactions to career advancement opportunities. *Journal of Vocational Behavior, 22,* 105–116.

SADKER, M., & SADKER, D. (1994). *Failing at fairness: How America's schools cheat girls.* New York: Charles Scribner's Sons.

SAGI, A., ET AL. (1994). Sleeping out of home in a kibbutz communal arrangement: It makes a difference for infant–mother attachment. *Child Development, 65,* 992–1004.

SALEND, E., KANE, R., SATZ, M., & PYNOOS, J. (1984). Elder abuse reporting: Limitation of statutes. *The Gerontologist, 24,* 61–69.

SALT, P., GALLER, J. R., & RAMSEY, F. C. (1988).The influence of early malnutrition on subsequent behavioral development. VII. The effects of maternal depressive symptoms. *Developmental and Behavioral Pediatrics, 9,* 1–5.

SALTHOUSE, T. A. (1984). Effects of age and skill in typing. *Journal of Experimental Psychology: General, 113,* 345–371.

SALTHOUSE, T. (1985). Speed of behavior and its implications for cognition. In J. E. Birren & K. W. Schaie (Eds.), *Handbook of the psychology of aging* (2nd ed.). New York: Van Nostrand Reinhold.

SALTHOUSE, T. (1987). The role of experience in cognitive aging. In K. W. Schaie & K. Eisdorfer (Eds.), *Annual review of gerontology and geriatrics* (Vol. 7). New York: Springer.

SALTHOUSE, T. (1990). Cognitive competence and expertise in aging. In J. Birren & K. W. Schaie (Eds.), *Handbook of the psychology of aging* (3rd ed., pp. 311–319). San Diego: Academic Press.

SALTHOUSE, T., & MITCHELL, D. (1990). Effect of age and naturally occurring experience on spatial visualization performance. *Developmental Psychology, 26,* 845–854.

SALTHOUSE, T., BABCOCK, R., SKOVRONEK, E., MITCHELL, D., & PALMON, R. (1990). Age and experience effects in spatial visualization. *Developmental Psychology, 26,* 128–136.

SALZMAN, C. (1982) A primer on geriatric psychopharmacology. *American Journal of Psychiatry, 139,* 67–74.

SARASON, S. B., & DORIS, J. (1953). *Psychological problems in mental deficiency.* New York: Harper & Row.

SASLOW, R. (Fall 1981). A new student for the eighties: The mature woman. *Educational Horizons,* pp. 41–46.

SASSERATH, V. J. (Ed.). (1983). *Minimizing high-risk parenting.* Skillman, NJ: Johnson & Johnson.

SAUDINO, K. J., & PLOMIN, R. (1997). Cognitive and temperamental mediators of genetic contributions to the home environment during infancy. *Merrill-Palmer Quarterly, 43,* 1–23.

SAVAGE-RUMBAUGH, S., RUMBAUGH, D. M., & MCDONALD, K. (September 1986). Spontaneous symbol acquisition and communicative use by pygmy chimpanzees. *Journal of Experimental Psychology, 115*(3), 211–235.

SCANLON, J. (1979). *Young adulthood.* New York: Academy for Educational Development.

SCARBOROUGH, H. S. (1989). Prediction of reading disability from familial and individual differences. *Journal of Educational Psychology, 81,* 101–108.

SCARR, S., & KIDD, K. K. (1983). Behavior genetics. In M. Haith & J. Campos (Eds.), *Manual of child psychology: Infancy and the biology of development* (Vol. 2). New York: Wiley.

SCARR, S., & MCCARTNEY, K. (1983). How people make their own environments: A theory of genotype/environmental effects. *Child Development, 54,* 424–435.

SCARR, S., PHILLIPS, D., & MCCARTNEY, K. (1989). Working mothers and their families. *American Psychologist, 44,* 1402–1409.

SCARR, S., & WEINBERG, R. A. (1983). The Minnesota adoption studies: Genetic differences and malleability. *Child Development, 54,* 260–267.

SCHACTER, F., & STRAGE, A. (1982). Adult's talk and children's language development. In S. Moore & C. Cooper (Eds.), *The young child: Reviews of research* (Vol. 3, pp. 79–96). Washington, DC: National Association for the Education of Young Children.

SCHAEFER, M. R., SOBIERAJ, K., & HOLLYFIELD, R. L. (1988). Prevalence of childhood physical abuse in adult male veteran alcoholics. *Child Abuse and Neglect, 12,* 141–149.

SCHAFFER, H. R. (1977). *Studies in mother—infant interaction.* London: Academic Press.

SCHAIE, K. W. (1977/1978). Toward a stage theory of adult cognitive development. *Journal of Aging and Human Development, 8,* 129–138.

SCHAIE, K. W. (1983a). The Seattle longitudinal study: A twenty-one year exploration of psychometric intelligence in adulthood. In K. W. Schaie (Ed.), *Longitudinal studies of adult psychological development.* New York: Guilford.

SCHAIE, K. W. (1983b). Twenty-one-year exploration of psychometric intelligence in adults. In K. W. Schaie (Ed.), *Longitudinal studies of adult psychological development.* New York: Guilford.

SCHAIE, K. W. (1986). Beyond calendar definitions of age, period and cohort: The general developmental model revisited. *Developmental Review, 6,* 252–277.

SCHAIE, K. W. (1990). Intellectual development in adulthood. In J. Birren & K. W. Schaie (Eds.), *Handbook of the psychology of aging* (3rd. ed., pp. 291–310). San Diego: Academic Press.

SCHAIE, K. W. (1995). *Intellectual development in adulthood: The Seattle longitudinal study.* New York: Cambridge University Press.

SCHAIE, K. W., & WILLIS, S. L. (1986). *Adult development and aging* (2nd ed.). Boston: Little, Brown.

SCHARDEIN, J. L. (1976). *Drugs as teratogens.* Cleveland, OH: Chemical Rubber Co. Press.

SCHEIER, L. M., & BOTVIN, G. J. (1998). Relations of social skills, personal competence, and adolescent alcohol use: A developmental exploratory study. *Journal of Early Adolescence, 18,* 77–114.

SCHEIN, E. H. (1978). *Career dynamics: Matching individual and organizational needs.* Reading, MA: Addison Wesley.

SCHIEFFELIN, B. B., & OCHS, E. (1983). A cultural perspective on the transition from prelinguistic to linguistic communication. In R. M. Golinkoff (Ed.), *The transition from prelinguistic to linguistic communication.* Hillsdale, NJ: Erlbaum.

SCHILDER, P., & WECHSLER, D. (1935). What do children know about the interior of the body? *International Journal of Psychoanalysis, 16,* 355–360.

SCHLESINGER, J. M. (1982). *Steps to language: Toward a theory of native language acquisition.* Hillsdale, NJ: Erlbaum.

SCHNECK, M. K., REISBERG, B., & FERRIS, S. H. (February 1982). An overview of current concepts of Alzheimer's disease. *American Journal of Psychiatry, 139*(2), 165–173.

SCHNEIDER, M. L., ROUGHTON, E. C., & LUBACH, G. R. (1997). Moderate alcohol consumption and psychological stress during pregnancy induce attention and neuromotor impairments in primate infants. *Child Development, 68,* 747–759.

SCHNEIDMAN, E. (1989). The Indian summer of life: A preliminary study of septuagenarians. *American Psychologist, 44,* 684–694.

SCHOCK, N. (1977). Biological theories of aging. In J. Birren & K. W. Schaie (Eds.), *Handbook of the psychology of aging.* New York: Van Nostrand Reinhold.

SCHOFIELD, J. W. (1981). Complementary and conflicting identities: Images and interaction in an interracial school. In S. R. Asher & J. M. Gottman (Eds.), *The development of children's friendships.* New York: Cambridge University Press.

SCHOFIELD, J. W. (1997a). Psychology: Computers and classroom social processes—a review of the literature. *Social Science Computer Review, 15,* 27–39.

SCHOFIELD, J. W. (1997b). The Internet in school: A case study of educator demand and its precursors. In S. Kiesler (Ed.), *Culture of the Internet.* Mahwah, NJ: Lawrence Erlbaum.

SCHOOLER, C. (1987). Psychological effects of complex environments during the life span: A review and theory. In C. Schooler & K. W. Schaie (Eds.), *Cognitive functioning and social structure over the life course* (pp. 24–49). Norwood, NJ: Ablex.

SCHOOLER, C. (1990). Pyschosocial factors and effective cognitive functioning in adulthood. In *Handbook of the psychology of aging* (3rd ed.). New York: Academic Press.

SCHULMAN, S., LAURSEN, B., KALMAN, Z., & KARPOVSKY, S. (1997). Adolescent intimacy revisited. *Journal of Youth and Adolescence, 26,* 597–603.

SCHULZ, R., & HECKHAUSEN, J. (1996). A lifespan model of successful aging. *American Psychologist, 51,* 702–714.

SCHULZ, R., & SALTHOUSE, T. (in press). *Adult development and aging: Myths and emerging realities.* Upper Saddle River, NJ: Prentice Hall.

SCHULZ, R., MUSA, D., STASZEWSKI, J., & SIEGLER, R. S. (1994). The relationship between age and major league baseball performance: Implications for development. *Psychology and Aging, 9,* 274–286.

SCHWARTZ, J. I. (1981). Children's experiments with language. *Young Children, 36,* 16–26.

SCIENTIFIC AMERICAN (1997). In focus: The start of something big? *276 (5),* 15–16.

SCIENTIFIC AMERICAN (1997). Women's Health: Hold the hormones? *Volume 277,* September, 38–39.

SCOTT, J. P. (1990). Forward. In M. E. Hahn, J. K. Hewitt, N. D. Henderson, & R. H. Benno (Eds.), *Development behavior genetics: Neural, biometrical and evolutionary approaches.* New York: Oxford University Press.

SEARS, R. R. (1963). Dependency motivation. In M. R. Jones (Ed.), *The Nebraska symposium on motivation* (Vol. 11). Lincoln: University of Nebraska Press.

SEBALD, H. (Winter 1989). Adolescents' peer orientation: Changes in the support system during the past three decades. *Adolescence,* 940–941.

SEDLAK, A. J. (1989). *Supplementary analyses of data on the national incidence of child abuse and neglect.* Rockville, MD: Westat.

SEGAL, J., & YAHRAES, H. (November 1978). Bringing up mother. *Psychology Today,* pp. 80–85.

SELIGMAN, M. E. P. (May 1974). Submissive death: Giving up on life. *Psychology Today,* pp. 90–96.

SELMAN, R. L. (1976). The development of interpersonal reasoning. In A. Pick (Ed.), *Minnesota symposia on child psychology* (Vol. 1). Minneapolis: University of Minnesota Press.

SELMAN, R. L. (1981). The child as a friendship philosopher. In S. R. Asher & J. M. Gottman (Eds.), *The development of children's friendships.* Cambridge, UK: Cambridge University Press.

SELTZER, V. C. (1989). *The psychosocial worlds of the adolescent.* New York: Wiley.

SERBIN, L. A., POWLISHTA, K. K., & GULKO, J. (1993). The development of sex typing in middle childhood. *Monographs of the Society for Research in Child Development, 58*(2), Serial No. 232, 1–73.

SHAFFER, D. R. (1988). *Social and personality development* (2nd ed.). Pacific Grove, CA: Brooks/Cole.

SHAFFER, J. B. P. (1978). *Humanistic psychology.* Englewood Cliffs, NJ: Prentice Hall.

SHANAS, E., & MADDOX, G. (1985). Health, health resources, and the utilization of care. In R. Binstock & E. Shanas (Eds.). *Handbook of aging and the social sciences* (pp. 697–726). New York: Van Nostrand Reinhold.

SHANE, P. G. (1989). Changing patterns among homeless and runaway youth. *American Journal of Orthopsychiatry, 59*(2), 208–214.

SHANNON, D., & KELLY, D. (1982). SIDS and near-SIDS. *New England Journal of Medicine, 306,* 961–962.

SHANTZ, C. (1983). Social cognition. In P. H. Mussen (Ed.), *Handbook of child psychology* (Vol. 3). New York: Wiley.

SHANTZ, C. U. (1975). The development of social cognition. In E. M. Hetherington (Ed.), *Review of child development research* (Vol. 5). Chicago: University of Chicago Press.

SHANTZ, C. U. (1987). Conflicts between children. *Child Development, 51,* 283–305.

SHAPIRO, M. (1978). Legal rights of the terminally ill. *Aging, 5*(3), 23–27.

SHARABANY, R., GERSHONI, R., & HOFFMAN, J. E. (1981). Girlfriend, boyfriend: Age and sex differences in intimate friendship. *Developmental Psychology, 17,* 800–808.

SHATZ, C. (1992). The developing brain. *Scientific American (9),* 61–67.

SHATZ, M. (1991). *Using cross-cultural research to inform us about the role of language in development: Comparisons of Japanese, Korean, and English, and of German, American English, and British English* (pp. 139–153).

SHATZ, M., & GELMAN, R. (1973). The development of communication skills: Modifications in the speech of young children as a function of the listener. *Monographs of the Society for Research in Child Development, 38*(152).

SHAW, L. (1983). Problems of labor-market reentry. In L. B. Shaw (Ed.), *Unplanned careers: The working lives of middle-aged women.* Lexington, MA: Lexington Books.

SHAYWITZ, S. E., SHAYWITZ, B. A., FLETCHER, J. M., & ESCOBAR, M. D. (1991). Reading disability in children. *Journal of the American Medical Association, 265,* 725–726.

SHEA, C. H., SHEBILSKE, W. L. & WORCHEL, S. (1993). *Motor learning and control.* New Jersey: Prentice Hall.

SHEEHY, G. (1995a). *New passages: Mapping your life across time.* New York: Random House.

SHEEHY, G. (June 12, 1995b). New passages. *U.S. News & World Report,* p. 62.

SHEIMAN, D. L., & SLOMIN, M. (1988). *Resources for middle childhood.* New York, NY: Garland.

SHEPPARD, H. L., & HERRICK, N. Q. (1977). *Worker dissatisfaction in the '70s.* New York: Free Press.

SHERIF, M., & SHERIF, C. W. (1953). *Groups in harmony and tension.* New York: Harper & Brothers.

SHERIF, M., HARVEY, O. J., WHITE, B. J., HOOD, W. B., & SHERIF, C. W. (1961). *Intergroup conflict and cooperation: The robber's cave experiment.* Norman: University of Oklahoma Press.

SHERMAN, E. (1987). *Meaning in mid-life transitions.* Albany: State University of New York Press.

SHIELDS, A. M., CICCHETTI, D., & RYAN, R. M. (1994). The development of emotional and behavioral self-regulation and social competence among maltreated school-age children. *Development and Psychopathology, 6,* 57–75.

SHIFFRIN, R. M., & SCHNEIDER, W. (1977). Controlled and automatic human information processing: II. Perceptual learning, automatic attending, and a general theory. *Psychological Review, 84,* 127–190.

SHIRLEY, M. M. (1931). *The first two years: A study of twenty-five babies* (Institute of Child Welfare Monograph No. 7, Vol. 1). Minneapolis: University of Minnesota Press.

SHIRLEY, M. M. (1933). *The first two years: A study of twenty-five babies* (Institute of Child Welfare Monograph No. 7, Vol. 2). Minneapolis: University of Minnesota Press.

SHOCK, N. W. (1952a). Aging of homostatic mechanisms. In A. I. Lansing (Ed.), *Cowdry's problems of aging* (3rd ed.). Baltimore: Williams & Wilkins.

SHOCK, N. W. (1952b). Aging and psychological adjustment. *Review of Educational Research, 22,* 439–458.

SHORE, R. (1997). *Rethinking the brain: New insights in early development.* New York: Families and Work Institute.

SHUKIN, A., & NEUGARTEN, B. L. (1964). Personality and social interaction. In B. L. Neugarten (Ed.), *Personality in middle and late life: Empirical studies.* New York: Atherton.

SHULMAN, S., & KLEIN, M. M. (Winter 1993). Distinctive role of the father in adolescent separation–individuation. In S. Shulman & W. A. Collins (Eds.). *New Directions for Child Development, 62,* 41–58.

SHUTE, N. (1997). A study for the ages. *U.S. News and World Report, June 9,* 67–70, 72, 76–78, 80.

SIDNEY, K. H. (1981). Cardiovascular benefits of physical activity in the exercising aged. In E. L. Smith & R. C. Serfass (Eds.), *Exercise and aging: The scientific basis.* Hillside, NJ: Enslow.

SIEBER, R. T., & GORDON, A. J. (1981). Socialization implications of school discipline or how first graders are taught to listen. In *Children and their organizations: Investigations in American culture.* Boston: G. K. Hall.

SIEGLER, I. C., & COSTA, P. T., JR. (1985). Health behavior relationships. In J. E. Birren & K. W. Schaie (Eds.), *Handbook of the psychology of aging* (2nd ed.). New York: Van Nostrand Reinhold.

SIEGLER, R. S. (1986). *Children's thinking.* Englewood Cliffs, NJ: Prentice Hall.

SIEGLER, R. S. (1991). *Children's Thinking.* Englewood Cliffs, NJ: Prentice Hall.

SIEGLER, R. S., & ELLIS, S. (1996). Piaget on Childhood. *Psychological Science, 7,* 211–215.

SIGEL, I. (1987). Does hothousing rob children of their childhood? *Early Childhood Research Quarterly, 2,* 211–225.

SIGNORELLA, M. L. (1987). Gender schemata: Individual differences and context effects. *New Directions for Child Development, 38,* 23–38.

SIGNORIELLI, N. (1989). Television and conceptions about sex roles: Maintaining conventionality and the status quo. *Sex Roles, 21*(5/6), 341–350.

SILVER, C. B., & SILVER, R. C. (1989). The myths of coping with loss. *Journal of Consulting and Clinical Psychology, 57*(3), 349–357.

SILVER, L. B. (October 1990). Learning disabilities. *Harvard Mental Health Letter,* pp. 7, 3–5.

SIMMONS, R. G., BURGESON, R., CARLTON-FORD, S., & BLYTH, D. A. (1987). The impact of cumulative change in early adolescence. *Child Development, 58,* 1220–1234.

SIMONTON, D. (1988). Age and outstanding achievement: What do we know after a century of research? *Psychological Bulletin, 104,* 251–267.

SIMONTON, D. (1990). Creativity and wisdom in aging. In J. Birren & K. W. Schaie (Eds.), *Handbook of the psychology of aging* (3rd ed., pp. 320–329). San Diego: Academic Press.

SIMOPOULOS, A. P. (1983). Nutrition. In C. C. Brown (Ed.), *Prenatal Roundtable: Vol. 9. Childhood learning disabilities and prenatal risk* (pp. 44–49). Rutherford, NJ: Johnson & Johnson.

SIMPSON, W. J. (1957). A preliminary report on cigarette smoking and the incidence of prematurity. *American Journal of Obstetrics and Gynecology, 73,* 808–815.

SINFELD, A. (1985). Being out of work. In C. Littler (Ed.), *The experience of work* (pp. 190–208). New York: St. Martin's Press.

SINGER, D. G., & REVENSON, T. A. (1996). *How a child thinks: A Piaget primer* (rev. ed.). New York: Plume.

SINGER, D. G. & SINGER, J. L. (1990). *The house of make believe: Children's play and developing imagination.* Cambridge, MA: Harvard University Press.

SIQUELAND, E. R., & DELUCIA, C. A. (1969). Visual reinforcement of nonnutritive sucking in human infants. *Science, 165,* 1144–1146.

SKINNER, B. F. (1953). *Science and human behavior.* New York: The Free Press.

SKINNER, B. F. (1968). *The technology of teaching.* New York: Appleton-Century-Crofts.

SKINNER, B. F. (1971). *Beyond freedom and dignity.* New York: Knopf.

SKOLNICK, A. (April 4, 1990). It's important, but don't bank on exercise alone to prevent osteoporosis, experts say. *Journal of the American Medical Association, 263*(13), 1751–1752.

SLADE, P., MACPHERSON, S. A., HUME, A., & MARESH, M. (1993). Expectations, experiences and satisfaction with labour. *British Journal of Clinical Psychology, 32,* 469–483.

SLAVIN, R. E. (1996). Neverstreaming: Preventing learning disabilities. *Educational Leadership, 53,* 4–7.

SLOBIN, D. (Ed.). (1982). *The cross-cultural study of language acquisition.* Hillsdale, NJ: Erlbaum.

SLOBIN, D. I. (July 1972). They learn the same way all around the world. *Psychology Today,* pp. 71–74ff.

SMETANA, J. (1988). Concepts of self and social convention: Adolescents' and parents' reasoning about hypothetical and actual family conflicts. In M. Gunnar & W. Collins (Eds.), *Minnesota Symposia on Child Development: Vol. 21. Development during the transition to adolescence* (pp. 79–122). Hillsdale, NJ: Erlbaum.

SMILANSKY, S. (1968). *The effects of sociodramatic play on disadvantaged children: Preschool children.* New York: Wiley.

SMITH, A. D., & REID, W. J. (1986). Role expectations and attitudes in dual-earner families. *Social Casework, 67,* 394–402.

SMITH, B. S., RATNER, H. H., & HOBART, C. J. (1987). The role of cuing and organization in children's memory for events. *Journal of Experimental Child Psychology, 44*, 1–24.

SMITH, C. D. (1994). *The absentee American: Repatriates' perspective on America.* Bayside, NY: Aletheia.

SMITH, C. D. (1996). *Strangers at home: Essays on the effects of living overseas and coming "home" to a strange land.* Bayside, NY: Aletheia.

SMITH, C., & LLOYD, B. (1978). Maternal behavior and perceived sex of infant: Revisited. *Child Development, 49*, 1263–1265.

SMITH, P. K., & DODSWORTH, C. (1978). Social class differences in the fantasy play of preschool children. *Journal of Genetic Psychology, 133*, 183–190.

SMITH, W. (1987). *Obstetrics, gynecology, & infant mortality.* New York: Facts on File Publications.

SNOW, C. (1989). Understanding social interaction and language acquisition: Sentences are not enough. In M. Bornstein & J. Bruner *Interaction in human development* (pp. 83–104). Hillsdale, NJ: Erlbaum.

SNOW, C. E. (1993). Families as social contexts for literacy development. In C. Daiute (Ed.), *New directions in child development, (61)* (pp. 11–24). San Francisco: Jossey-Bass.

SNYDER, P., & WAY, A. (January & February 1979). Alcoholism and the elderly. *Aging Magazine.*

SOCIAL SECURITY ADMINISTRATION. (1986). Increasing the Social Security retirement age: Older workers in physically demanding occupations or ill health. *Social Security Bulletin, 49*, 5–23.

SOCIETY FOR RESEARCH AND CHILD DEVELOPMENT. (1973). *Ethical standards for research with children.* Chicago: Society for Research and Child Development.

SOLIS, J. M., ET AL. (1990). Acculturation, access to care, and use of preventive services by Hispanics: Findings from HHANES 1982–1984. *American Journal of Public Health, 80* (Supplement), 11–19.

SONENSTEIN, F. L. (1987). Teenage childbearing . . . in all walks of life. *Brandeis Review, 7*(1), 25–28.

SORENSON, R. C. (1973). *Adolescent sexuality in contemporary America: Personal values and sexual behavior, ages 13–19.* New York: World.

SOURCE, J. F., & EMDE, R. N. (1981). Mother's presence is not enough: Effect of emotional availability on infant exploration. *Developmental Psychology, 17*, 737–745.

SPANIER, G. (1983). Married and unmarried cohabitation in the United States: 1980. *Journal of Marriage and the Family*, 277–288.

SPANIER, G., & FURSTENBERG, E. (1982). Remarriage after divorce: A longitudinal analysis of well-being. *Journal of Marriage and the Family*, 709–720.

SPEARMAN, C. (1904). "General intelligence" objectively determined and measured. *American Journal of Psychology, 14*, 201–293.

SPEECE, M. W., & BRENT, S. B. (1984). Children's understanding of death: A review of three components of a death concept. *Child Development, 55*, 1671–1686.

SPELKE, E. S. (1988). The origins of physical knowledge. In L. Weiskrantz (Ed.), *Thought without language* (pp. 168–184). Clarendon Press.

SPENCER, M. B. (1988). Self-concept development. In D. T. Slaughter (Ed.), *New Directions for Child Development, 42. Black children and poverty: A developmental perspective.* San Francisco: Jossey-Bass.

SPIRO, M. E. (1954). Is the family universal? The Israeli case. *American Anthropologist, 56*, 839–846.

SPIRO, M. E., & SPIRO, A. G. (1972). *Children of the kibbutz.* New York: Schocken Books.

SPITZE, G., & LOGAN, J. (1989). Gender differences in family support: Is there a payoff? *The Gerontologist, 29*, 108–113.

SPITZE, G., & LOGAN, J. (1990). Sons, daughters, and intergenerational social support. *Journal of Marriage and the Family, 52*, 420–430.

SPITZER, M. (1988) Taste acuity in institutionalized and noninstitutionalized elderly men. *Journal of Gerontology, 43*, P71–P74.

SPORE, D. L., MOR, V., PARRAT, P., HAWES, C., & HIRIS, J. (1997). Inappropriate drug prescriptions for elderly residents of board and care facilities. *American Journal of Public Health, 87*, 404–409.

SPURLOCK, J. (1984). Black women in the middle years. In G. Bauch & J. Brooks-Gunn (Eds.). *Women in midlife* (pp. 245–260). New York: Plenum.

SROUFE, L. A. (1977). Wariness of strangers and the study of infant development. *Child Development, 48*, 731–746.

SROUFE, L. A. (1978). Attachment and the roots of competence. *Human Nature, 1*, 50–57.

SROUFE, L. A. (1985). Attachment classification from the perspective of infant–caregiver relationships and infant temperament. *Child Development, 56*, 1–14.

SROUFE, L. A., & FLEESON, J. (1986). Attachment and the construction of relationships. In W. W. Hartup & Z. Rubin (Eds.), *Relationships and development* (pp. 51–72). Hillsdale, NJ: Erlbaum.

SROUFE, L. A., FOX, N. E., & PANEAKE, V. R. (1983). Attachment and dependency in a developmental perspective. *Child Development, 54*, 1615–1627.

STAGNER, R. (1985). Aging in industry. In J. Birren & K. Schaie (Eds.) *Handbook of the psychology of aging* (2nd ed., pp. 789–817). New York: Van Nostrand Reinhold.

STAINES, G., POTTICK, K., & FUDGE, D. (1986). Wives' employment and husbands' attitudes toward work and life. *Journal of Applied Psychology, 71*, 118–128.

STAMPFER, M. J., ET AL. (September 12, 1991). Postmenopausal estrogen therapy and cardiovascular disease: Ten-year follow-up from the nurses' health study. *New England Journal of Medicine*, p. 756.

STANGOR, C., & RUBLE, D. N. (1987). Development of gender role knowledge and gender consistency. *New Directions for Child Development, 38*, 5–22.

STANTON, H. E. (1981). A therapeutic approach to help children overcome learning difficulties. *Journal of Learning Disabilities, 14*, 220.

STARFIELD, B. (1992). Child and adolescent health status measures. In R. E. Behrman, (Ed.), *The Future of Children* (25–39). Los Angeles, CA: Center for the Future of Children of the David and Lucile Packard Foundation.

STAUB, E. (1971). The use of role playing and induction in children's learning of helping and sharing behavior. *Child Development, 42*, 805–816.

STECHLER, G., & SHELTON, A. (1982). Prenatal influences on human development. In B. Wolman (Ed.), *Handbook of developmental psychology.* Englewood Cliffs, NJ: Prentice Hall.

STEIN, A. H., & FRIEDRICH, L. K. (1975). Impact of television on children and youth. In E. M. Hetherington (Ed.), *Review of child development* (Vol. 5). Chicago: University of Chicago Press.

STEIN, P. J. (1976). *Single.* Englewood Cliffs, NJ: Prentice Hall.

STEIN, Z. A., & SUSSER, M. W. (1976). Prenatal nutrition and mental competence. In Lloyd, Still, J. D. (Ed.), *Malnutrition and intellectual development.* Littleton, MA: Publishing Sciences Group.

STEINBERG, L. (1980). *Understanding families with young adolescents.* Carrboro, NC: Center for Early Adolescents.

STEINBERG, L. (1981). Transformations in family relations at puberty. *Developmental Psychology, 17*, 833–840.

STEINBERG, L. (1986). Latchkey children and susceptibility to peer pressure: An ecological analysis. *Developmental Psychology, 22*, 433–439.

STEINBERG, L. (1987a). Recent research on the family at adolescence: The extent and nature of sex differences. *Journal of Youth and Adolescence, 16*, 191–198.

STEINBERG, L. (1987b). Single parents, stepparents, and the susceptibility of adolescents to antisocial peer pressure. *Child Development, 58*, 269–275.

STEINBERG, L. (1988). Reciprocal relation between parent–child distance and pubertal maturation. *Developmental Psychology, 24*, 122–128.

STEPHENS, W. N. (1963). *The family in cross-cultural perspective.* New York: Holt, Rinehart & Winston.

STERNBERG, R. (1986). A triangular theory of love. *Psychological Review, 93*, 119–135.

STERNBERG, R. J. (1984). Mechanisms of cognitive development: A componential approach. In R. J. Sternberg (Ed.), *Mechanisms of cognitive development.* New York: Freeman.

STERNBERG, R. J. (1985). *Beyond IQ: A triarchic theory of human intelligence.* Cambridge, UK: Cambridge University Press.

STERNBERG, R. J. (1988a). Lessons from the life span: What theorists of intellectual development among children learn from their counterparts studying adults. In E. M. Hetherington, R. N. Lerner, & M. Perlmutter (Eds.), *Child development* (pp. 259–276). Hillsdale, NJ: Erlbaum.

STERNBERG, R. J. (1988b). Intellectual development: Psychometric and information processing approaches. In M. H. Bornstein & M. E. Lamb, (Eds.), *Developmental psychol-*

ogy: An advanced textbook (2nd ed.). Hillsdale, NJ: Erlbaum.

STERNBERG, R. J. (Ed.) (1990). Wisdom: Its nature, origins, and development. New York: Cambridge University Press.

STERNBERG, R. J. (Ed.) (1982). Advances in the psychology of human intelligence. Hillsdale, NJ: Erlbaum.

STERNGLASS, E. J. (1963). Cancer: Relation of prenatal radiation to development of the disease in childhood. Science, 140, 1102–1104.

STEUVE, A., & O'DONNELL, L. (1984). The daughter of aging parents. In G. Baruch & J. Brooks-Gunn (Eds.), Women in midlife (pp. 203–226). New York: Plenum.

STEVENS, N. (1995). Gender and adaptation to widowhood in later life. Ageing and Society, 15, 37–58.

STEVENS-LONG, J., & COMMONS, M. L. (1992). Adult life: Developmental processes (4th ed., p. 106). Mountain View, CA: Mayfield.

STEVENSON, H. W. (December 1992). Learning from Asian schools. Scientific American, pp. 70–76.

STEVENSON, H., AZUMA, H., & HAKUTA, K. (Eds.). (1986). Child development and education in Japan. New York: Freeman.

STEVENSON, H. W., CHEN C. & LEE S. (1993) Mathematics achievement of Chinese, Japanese, and American children: Ten years later. Science, 53–58.

STEWART, R. B., MOBLEY, L. A., VAN TUYL, S. S., & SALVADOR, M. A. (1987). The firstborn's adjustment to the birth of a sibling: A longitudinal assessment. Child Development, 58, 341–355.

STEWART, W. (1977). A psychosocial study of the formation of the early adult life structure in women. Unpublished doctoral dissertation. Columbia University, New York.

STIFFER, C. A., COULEHAN, C. M., & FISH, M. (1993). Linking employment to attachment: The mediating effects of maternal separation anxiety and interactive behavior. Child Development, 64, 1451–1460.

STIGLER, J. W., LEE, S., & STEVENSON, H. W. (1987). Mathematics classrooms in Japan, Taiwan, and the United States. Child Development, 58, 1272–1285.

STILLION, J. (1985). Death and the sexes: An examination of differential longevity, attitudes, behaviors, and coping styles. Washington, DC: Hemisphere.

STODDART, T., & NIEDERHAUSER, D. (1993). Technology and educational change, Computers in the Schools, 9(2–3), 5–14.

STOEL-GAMMON, C. (1989). Prespeech and early speech development of two late talkers. First Language, 9, 207–223.

STOLLER, E. P., & GIBSON, R. C. (1994). Worlds of differences: Inequality in the aging experience (pp. xvii–xxv). Thousand Oaks, CA: Pine Forge Press.

STOLLER, E. P., & GIBSON, R. C. (1994). Worlds of differences: Inequality in the aging experience, p. 3. Thousand Oaks, CA: Pine Forge Press.

STONE, L. J., SMITH, H. T., & MURPHY, L. B. (Eds.). (1973). The competent infant: Research and commentary. New York: Basic Books.

STONE, R., CAFFERATA, G., & SANGL, J. (1987). Care-givers of the frail elderly: A national profile. The Gerontologist, 27, 616–626.

STRASSBERG, Z., ET AL. (1994). Spanking in the home and children's subsequent aggression toward kindergarten peers. Development and Psychopathology, 6, 445–461.

STRAYER, F. F., & STRAYER, J. (1976). An ethnological analysis of social agonism and dominance relations among preschool children. Child Development, 47, 980–989.

STREISSGUTH, A. P. (1997). Fetal alcohol syndrome: A guide for families and communities. Paul H. Brookes Publishing Co.

STREISSGUTH, A. P., BARR, H., & MACDONALD, M. (1983). Maternal alcohol use and neonatal habituation assessed with the Brazelton scale. Child Development, 54, 1109–1118.

STREISSGUTH, A. P., MARTIN, D. C., BARR, H. M., SANDMAN, B. M., KIRCHNER, G. L., & DARBY, B. L. (1984). Intrauterine alcohol and nicotine exposure: Attention and reaction time in four-year-old children. Developmental Psychology, 20, 533–541.

STREISSGUTH, A. P., SAMPSON, P. D., BARR, H. M., DARBY, B. L., & MARTIN, D. C. (1989). I. Q. at age 4 in relation to maternal alcohol use and smoking during pregnancy. Developmental Psychology, 25(1), 3–11.

STROEVE, M., ET AL. (October 1992). Broken hearts or broken bonds: Love and death in historical perspective. American Psychologist, 47(10), 1205–1212.

STUBER, M. L. (August 1989). Coordination of care for pediatric AIDS. Journal of Developmental and Behavioral Pediatrics, 10(4), 201–204.

STULL, D. E., BOWMAN, K., & SMERGLIA, V. (July 1994). Women in the middle: A myth in the making? Family Relations, 43, 317–324.

STUNKARD, A. J. (1988). Some perspectives on human obesity: Its causes. Bulletin of the New York Academy of Medicine, 64, 902–923.

SUBBOTSKY, E. (1994). Early rationality and magical thinking in preschoolers. Space and time. British Journal of Developmental Psychology, 12, 97–108.

SUBSTANCE ABUSE AND MENTAL HEALTH SERVICES ADMINISTRATION (SAMSHA) (1997). Preliminary results from the 1996 National Household Survey on Drug Abuse. Washington, DC.

SUGARMAN, S. (December 1983). Why talk? Comment on Savage-Rumbaugh et al. Journal of Experimental Psychology, 112(4), 493–497.

SUPER, C. M., HERRERA, M. G., & MORA, J. O. (1990). Long-term effects of food supplementation and psychosocial intervention on the physical growth of Colombian infants at risk of malnutrition. Child Development, 61, 29–49.

SUPER, D. E. (1957). The psychology of careers. New York: Harper & Brothers.

SUPER, D. E. (1963). Career development: Self concept theory. New York: College Entrance Examination Board.

SUPER, D. E. (1974). Vocational maturity theory. In D. E. Super (Ed.), Measuring vocational maturity for counseling. Washington, DC: American Personnel and Guidance Association.

SUTHERLAND, G. R., & RICHARDS, R. I. (1994). Dynamic mutations. American Scientists, 82(2), 157–163.

SUTTON-SMITH, B., & ROSENBERG, B. G. (1970). The sibling. New York: Holt, Rinehart & Winston.

SWOBODA, M. J., & MILLAR, S. B. (1986). Networking—mentoring: Career strategy of women in academic administration. Journal of National Association of Women Deans, Administrators, and Counselors, 49, 8–13.

SZINOVACZ, M. E. (1998). Grandparents today: A demographic profile. The Gerontologist, 38, 37–52.

TAFT, L. I., & COHEN, H. J. (1967). Neonatal and infant reflexology. In J. Hellmuth (Ed.), The exceptional infant (Vol. 1). Seattle: Special Child Publications.

TANNER, J. M. (1978). Foetus into man: Physical growth from conception to maturity. Cambridge, MA: Harvard University Press.

TAVERIS, C. (1983). Anger: The misunderstood emotion. New York: Simon & Schuster.

TAYLOR, M., CARTWRIGHT, B. S., & CARLSON, S. M. (1993). A developmental investigation of children's imaginary companions. Developmental Psychology, 29(2), 276–285.

TEALE, W. & SULZBY, T. (1986). Emergent literacy: Writing and reading. Norwood, N.J.: Ablex.

TELLEGEN, A. D. T., LYKKEN, D. T., BOUCHARD, T. J., WILCOX, K., SEGAL, N. L., & RICH, S. (1988). Personality similarity in twins reared apart and together. Journal of Social and Personality Psychology, 59, 1031–1039.

TELLER, D., & BORNSTEIN, M. (1987). Infant color vision and color perception. In P. Salapatek & L. Cohen (Eds.), Handbook of infant perception (Vol. 1). New York: Academic Press.

TERMAN, L. M., & MERRILL, M. A. (1960). Revised Stanford-Binet Intelligence Scale (2nd ed.). Boston: Houghton Mifflin.

TETI, D. M., & ABLARD, K. A. (1989). Security of attachment and infant–sibling relationships: A laboratory study. Child Development, 60, 1519–1528.

TETI, D. M., GELFAND, D. M., MESSINGER, D. S., & ISABELLA, R. (1995). Maternal depression and the quality of early attachment: An examination of infants, preschoolers, and their mothers. Developmental Psychology, 31, 364–376.

THATCHER, R. W., WALKER, R. A., & GUIDICE, S. (1987). Human cerebral hemispheres develop at different rates and ages. Science, 236, 110–113.

THEILGAARD, A. (1983). Aggression and the XYY personality. International Journal of Law and Psychiatry, 6, 413–421.

THELEN, E. (1987). The role of motor development in developmental psychology: A view of the past and an agenda for the future. In N. Eisenberg (Ed.), Contemporary topics in developmental psychology. New York: Wiley.

THELEN, E. (1989). The rediscovery of motor development: Learning new things from an old field. Developmental Psychology, 25(6), 946–949.

THELEN, E., & FOGEL, A. (1989). Toward an action-based theory of infant development. In J. J. Lockman & N. L. Kazen (Eds.), Action in social context: Perspectives on early development (pp. 23–64). New York: Plenum.

Thomae, H. (1980). Personality and adjustment to aging. In J. E. Birren & R. B. Sloane (Eds.), Handbook of mental health and aging. Englewood Cliffs, NJ: Prentice Hall.

Thomas, A., & Chess, S. (1977). Temperament and development. New York: Brunner-Mazel.

Thomas, L. E. (1979). Causes of mid-life change from high status careers. Vocational Guidance Quarterly, 27, 202–208.

Thompson, A. S. (1977). Notes on career development inventory—adult form. As quoted in R. P. Johnson & H. C. Riker (1981), Retirement maturity: A valuable concept for preretirement counselors. Personnel and Guidance Journal, 59, 291–295.

Thompson, L. (1991). Family work: Women's sense of fairness. Journal of Family Issues, 12(92), 181–196.

Thompson, L., & Walker, A. J. (1989). Gender in families: Women and men in marriage, work and parenthood. Journal of Marriage and the Family, 51, 845–871.

Thompson, R. A. (1990). Vulnerability in research: A developmental perspective on research risk. Child Development, 61, 1–16.

Thompson, S. K. (1975). Gender labels and early sex-role development. Child Development, 46, 339–347.

Thorndike, E. L. (1911). Animal intelligence. New York: Macmillan.

Thornton, A. (1989). Changing attitudes toward family issues in the United States. Journal of Marriage and the Family, 51, 873–893.

Thursher, M., Spence, D., & Lowenthal, M. (1974). Value confluence and behavioral conflict in intergenerational relations. Journal of Marriage and the Family, 36(2), 308–320.

Thurstone, L. L. (1938). Primary mental abilities. Psychometric Monographs, No. 1.

Tieger, T. (1980). On the biological basis of sex differences in aggression. Child Development, 51, 943–963.

Tikalsky, F. D., & Wallace, S. D. (1988). Culture and the structure of children's fears. Journal of Cross-Cultural Psychology, 19(4), 481–492.

Tilgher, A. (1962). Work through the ages. In S. Nosow & W. H. Form (Eds.), Man, work, and society. New York: Basic Books.

Timiras, P. S. (1972). Developmental physiology and aging. New York: Macmillan.

Timiras, P. S. (1978). Biological perspectives on aging. American Scientist, 66, 605–613.

Timiras, P. S. (Ed.) (1994). Physiological basis of aging and geriatrics. Boca Raton, FL: CRC Press.

Timnick, L. (September 3, 1989). Children of violence. Los Angeles Times Magazine, 6–12, 14–15.

Tjian, R. (1995). Molecular machines that control genes. Scientific American, 272(1), 54–61.

Tobias, S. (1989). Tracked to fail. Psychology Today, 60 (9), 54–58.

Tobin, S. S. (1988). The unique psychology of the very old: Implications for practice. Issues in Aging (Monograph No. 4). Chicago: Center for Applied Gerontology.

Tobin, S., & Lieberman, M. (1976). Last home for the aged. San Francisco: Jossey-Bass.

Tomasello, M., Mannle, S., & Kruger, A. C. (1986). Linguistic environment of one- to two-year-old twins. Developmental Psychology, 22, 169–176.

Tonna, E. A. (1977). Aging of skeletal and dental systems and supporting tissue. In C. E. Finch & L. Hayflick (Eds.), Handbook of the biology of aging. New York: Van Nostrand Reinhold.

Torrey, B. B. (1982). The lengthening of retirement. In M. W. Riley, R. P. Abeles, & M. Teitelbaum (Eds.), Aging from birth to death (Vol. 2, pp. 181–195). Sociotemporal perspectives. Boulder, CO: Westview.

Toufexis, A. (1993). Sex has many accents. Time, May 24, 1993.

Troll, L. E. (1980). Grandparenting. In L. W. Poon (Ed.), Aging in the 1980s. Washington, DC: American Psychological Association.

Troll, L. E. (1985). Early and middle adulthood: The best is yet to come—maybe (2nd ed., p. 38). Monterey, CA: Brooks/Cole.

Troll, L. E. (1989). Myths of midlife: Intergenerational relationships. In S. Hunter & M. Sundel (Eds.), Midlife myths: Issues, findings and practice implications (p. 213). Newbury Park, CA: Sage.

Troll, L. E., Miller, S., & Atchley, R. C. (1979). Families of later life. Belmont, CA: Wadsworth.

Troll, L. E., Neugarten, B. L., & Kraines, R. (1969). Similarities in values and other personality characteristics in college students and their parents. Merrill-Palmer Quarterly, 15, 323–336.

Tronick, E. Z. (February 1989). Emotions and emotional communication. American Psychologist, 44(2), 112–119.

Tschann, J. M., Johnston, J. R., & Wallerstein, J. D. (November 1989). Resources, stressors, and attachment as predictors of adult adjustment after divorce: A longitudinal study. Journal of Marriage and the Family, 51, 1033–1046.

Turkington, C. (1987). Special talents. Psychology Today, 21(9), 42–46.

Turnbull, A. P., & Turnbull, H. R., III. (1990). Families, professionals and exceptionality: A special partnership (2nd ed.). Columbus, OH: Merrill.

Turnbull, C. M. (1972). The mountain people. New York: Simon & Schuster.

Udry, J. R. (1988). Biological predispositions and social control in adolescent sexual behavior. American Sociological Review, 52, 841–855.

Uhlenberg, P., Cooneg, T., & Boyd, R. (1990). Divorce for women after midlife. Journal of Gerontology, 45(1), 53–61.

United Nations (1991). Human development report, 1991. New York: Oxford University Press.

University of Michigan (1997). The 1997 Monitoring the Future Study. Ann Arbor, MI.

U.S. Bureau of the Census (1997). Statistical abstract of the United States (117th ed.). Washington, DC.

U.S. Bureau of the Census. (1988). Statistical Analysis of the U.S.: 1988. Washington, DC: Government Printing Office.

U.S. Bureau of the Census. (1990). Current Population Reports. Series P-25, Nos. 519, 917.

U.S. Census Bureau (1997). Statistical abstract of the United States. Washington, DC: U.S. Government Printing Office.

U.S. Department of Commerce, Economics and Statistics Administration, Bureau of the Census (September 1993). We the American elderly, p. 7.

U.S. Department of Commerce, Economics and Statistics Administration, Bureau of the Census (November 1993). Racial and ethnic diversity of America's elderly population, pp.1–8.

U.S. Department of Commerce. (1987). Statistical Abstract of the U.S.: 1987. Washington, DC

U.S. Department of Commerce. (1990). Statistical Abstract of the U.S.: 1990. Washington, DC

U.S. Department of Health and Human Services. (1983). Regulations on the protection of human subjects. 45CFR, 46, Subparts A & D.

Usmiani, S., & Daniluk, J. (1997). Mothers and their adolescent daughters: Relationship between self-esteem, gender role identity, and body image. Journal of Youth and Adolescence, 26, 45–62.

Uzgiris, I. C. (1984). Imitation in infancy: Its interpersonal aspects. In M. Perlmutter (Ed.), Minnesota Symposia on Child Psychology: Vol. 17. Parent–child interaction and parent–child relations. Hillsdale, NJ: Erlbaum.

Vachon, M. (1986). A comparison of the impact of breast cancer and bereavement: Personality, social support, and adaptation. In S. Hobfoll (Ed.) Stress, social support, and women. Washington, DC: Hemisphere.

Vaillant, G. (September 1977). The climb to maturity: How the best and brightest came of age. Psychology Today, p. 34ff.

Van Baal, J. (1966). Dema: Description and analysis of Marind Anim culture, South New Guinea. The Hague: Martinus Nijhoff.

Vandell, D. L., & Corasaniti, M. A. (Fall 1990). Child care and the family: Complex contributions to child development. New Directions for Child Development, 49, 23–38.

Vandell, D. L., & Wilson, C. S. (1987). Infants' interactions with mother, sibling and peer: Contrasts and relations between interaction systems. Child Development, 58, 176–186.

Vasta, R. (1982). Physical child abuse: A dual-component analysis. Developmental Review, 2, 125–149.

Verma, I. M. (November 1990). Gene therapy. Scientific American, pp. 68–84.

Visher, E., & Visher, J. (1983). Stepparenting: Blending families. In H. McCubbin & C. Figley (Eds.), Stress and the family (Vol. 1). New York: Brunner/Mazel.

Vitaro, F., Tremblay, R. E., Kerr, M., Pagani, L., & Bukowski, W. M. (1997). Disruptiveness, friends' characteristics, and delinquency in early adolescence: A test of two competing models of development. *Child Development, 68,* 676–689.

VODA, A. (1982). Menopausal hot flash. In A. Voda, M. Dinnerstein, & S. O'Donnell (Eds.), *Changing perspectives on menopause.* Austin: University of Texas Press.

VOGEL, J. M. (1989). *Shifting perspectives on the role of reversal errors in reading disability.* Paper presented at the April meeting of the Society for Research in Child Development, Kansas City.

VON HOFSTEN, C. (1989). Motor development as the development of systems: comments on the special section. *Developmental Psychology, 25*(6), 950–953.

VONDRA, J. I., BARNETT, D. & CICCHETTI, D. (1990). Self-concept, motivation, and competence among children from maltreating and comparison families. *Child Abuse and Neglect, 14,* 525–540.

VORHEES, C., & MOLLNOW, E. (1987). Behavioral teratogenesis. In J. Osofsky (Ed.), *Handbook of infant development* (2nd ed.). New York: Wiley.

VULLIAMY, D. G. (1973). *The newborn child* (3rd ed.). Edinburgh: Churchill Livingstone.

VYGOTSKY, L. S. (1956). *Selected psychological investigations.* Moscow: Izdstel'sto Akademii Pedagogicheskikh Nauk SSR.

VYGOTSKY, L. (1962). *Thought and language.* Cambridge, MA: MIT Press (Originally published 1934)

VYGOTSKY, L. S. (1978). Mind in society: The development of higher psychological processes. In M. Cole, V. John-Steiner, S. Scribner, & E. Souberman (Eds.). Cambridge, MA: Harvard University Press.

VYGOTSKY, L. S. (1987). Thinking and speech. In R. W. Rieber & A. S. Carton (Eds.) and N Minick (Trans.), *The collected works of L. S. Vygotsky, vol. 1: Problems of general psychology* (pp. 37–285). New York: Plenum. (Original work published in l934.)

WAGNER, R. C., & TORGERSON, J. K. (1987). The nature of phonological processing and its causal role in the acquisition of reading skills. *Psychological Bulletin, 101,* 192–212.

WAINRYB, C. (1995). Reasoning about social conflicts in different cultures: Druze and Jewish children in Israel. *Child Development, 66,* 390–401.

WALFORD, R. L. (1983). *Maximum lifespan.* New York: Norton.

WALKER, L., & WALLSTON, B. (1985). Social adaptation: A review of dual earner family literature. In L. L'Abate (Ed.), *The handbook of family psychology and therapy* (pp. 698–740). Homewood, IL: Dorsey.

WALLACE, P., & GOTLIB, I. (1990). Marital adjustment during the transition to parenthood: Stability and predictors of change. *Journal of Marriage and the Family, 52,* 21–29.

WALLERSTEIN, J., & BLAKESLEE, S. (1989). *Second chances: Men, women, and children a decade after divorce.* Ticknor & Fields.

WALLERSTEIN, J., CORBIN, S. B., & LEWIS, J. M. (1988). Children of divorce: A ten-year study. In E. M. Hetherington & J. Arasteh (Eds.), *Impact of divorce, single-parenting, and stepparenting on children.* Hillsdale, NJ: Erlbaum.

WALLIS, C. (September 10, 1984). The new origins of life. *Time,* pp. 46–50, 52–53.

WALLS, C. T. (Summer 1992). The role of the church and family support in the lives of older African Americans. *Generations,* 33–36.

WALSH, B. T. (1988). Antidepressants and bulimia: Where are we? *International Journal of Eating Disorders, 7,* 421–423.

WALSH, M. (1997). Women's place in the American labour force, 1870–1995. *The Historical Association 1997.* Malden, MA: Blackwell.

WARE, N., & STECKLER, N. (1983). Choosing a science major: The experience of women and men. *Women's Studies Quarterly, 11,* 12–15.

WARE, P. (1992). Anger and occupational well-being. *Psychology and Aging, 7*(1), 37–45.

WASS, H., & CORR C. A. (1984). *Childhood and death.* Washington, DC: Hemisphere.

WATERLOW, J. C. (1994). Causes and mechanisms of linear growth retardation (stunting). *European Journal of Clinical Nutrition, 48* (Supplement 1), s1–4.

WATERMAN, A. S. (1985). Identity in the context of adolescent psychology. *New Directions for Child Development, 30,* 5–24.

WATERS, E. (1978). The reliability and stability of individual differences in infant–mother attachment. *Child Development, 49,* 483–494.

WATERS, E., WIPPMAN, J., & SROUFE, L. A. (1979). Attachment, positive affect and competence in the peer group: Two studies in construct validation. *Child Development, 50,* 821–829.

WATKINS, S. C. , MENKEN, J. A., & BONGAARTS, J. (1987). Demographic foundations of family change. *American Sociological Review, 52,* 346–358.

WATSON, A. J., & VALTIN, R. (1997). Secrecy in middle childhood. *International Journal of Behavioral Development, 21,* 431–452.

WATSON, G. (1957). Some personality differences in children related to strict or permissive parental discipline. *Journal of Psychology, 44,* 227–249.

WATSON, J. B. (1919). *Psychology from the standpoint of a behaviorist.* Philadephia: Lippincott.

WATSON, J. B. (1925). *Behaviorism.* New York: Norton.

WATSON, J. B., & RAYNER, R. (1920). Conditioned emotional reactions. *Journal of Experimental Psychology, 3,* 1–14.

WATSON, J. D., & CRICK, F. H. C. (1953). Molecular structure of nucleic acids. *Nature, 171,* 737–738.

WATSON, J. S. (1972). Smiling, cooing, and "the game." *Merrill-Palmer Quarterly, 18,* 323–339.

WATSON, J. S., & RAMEY, C. T. (1972). Reactions to response-contingent stimulation in early infancy. *Merrill-Palmer Quarterly, 18,* 219–227.

WATSON-GEGEO, K. A., & GEGEO, D. W. (1989) The role of sibling interaction in child socialization. In P. Zukow (Ed.), *Sibling interaction across cultures: Theoretical and methodological issues.* New York: Springer-Verlag.

WEBER, R. A., LEVITT, M. J., & CLARK, M. C. (1986). Individual variation in attachment security and strange situation behavior: The role of maternal and infant temperament. *Child Development, 37,* 56–65.

WECHSLER, D. (1974). *Wechsler Intelligence Scale for Children—Revised.* New York: Psychological Corporation.

WEG, R. (1983). Changing physiology of aging. In D. W. Woodruff & J. E. Bearon (Eds.), *Aging: Scientific perspectives and social issues.* Monterey, CA: Brooks/Cole.

WEG, R. B. (1989). Sensuality/sexuality of the middle years. In S. Hunter & M. Sundel. *Midlife myths: Issues, findings, and practice implications* (pp. 31–47). Newbury Park, CA: Sage.

WEGMAN, M. E. (1990). Annual summary of vital statistics—1989. *Pediatrics, 86*(6), 835–847.

WEIKART, D. P., ET AL. (1984). *Changed lives: The effects of the Perry Preschool Program on youth through age 19.* Ypsilanti, MI: High/Scope Foundation.

WEIKART, D. P., ROGERS, L., & ADCOCK, C. (1971). *The cognitively oriented curriculum* (ERIC-NAEYC publication in early childhood education). Urbana: University of Illinois Press.

WEINBERG, R. A. (1989). Intelligence and IQ: Landmark issues and great debates. *American Psychologist, 44,* 98–104.

WEINRAUB, M., CLEMENS, L. P., SOCKLOFF, A., ETHRIDGE, T., GRACELY, E., & MYERS, B. (1984). The development of sex role stereotypes in the third year: Relationships to gender labeling, gender identity, sex-typed toy preference and family characteristics. *Child Development, 55,* 1493–1503.

WEINSTEIN, C. S. (1991). The classroom as a social context for learning. *Annual Review of Psychology, 42,* 493–525.

WEINSTEIN, G., & ALSCHULER, A. (1985). Educating and counseling for self-knowledge development. *Journal of Counseling and Development, 4,* 19–25.

WEISFELD, G. E., & BILLINGS, R. L. (1988). Observations on adolescence. In K. B. MacDonald (Ed.), *Sociobiological perspectives on human development.* New York: Springer-Verlag.

WEISMAN, A. D. (1972). *On dying and denying: A psychiatric study of terminality.* New York: Behavioral Publications.

WEISS, R. S. (1987). On the current state of the American family. *Journal of Family Issues, 8,* 464–467.

WEITH, M. E. (February 1994). Elder abuse: A national tragedy. *FBI Law Enforcement Bulletin,* pp 24–26.

WELLES-NYSTROM, B. (Summer 1988). Parenthood and infancy in Sweden. In R. A. LeVine, P. M. Miller, & M. M. West (Eds.), *New Directions for Child Development, 40. Parental behavior in diverse societies* (pp. 75–78).

WERNER, E. E. (1979). *Cross-cultural child development.* Monterey, CA: Brooks/Cole.

WERNER, E. E. (1989a). Children of the garden island. *Scientific American, 260*(4), 106–111.

WERNER, E. E. (1989b). High-risk children in young adulthood: A longitudinal study from birth to 32 years. *American Journal of Orthopsychiatry, 59,* 72–81.

WERNER, E. E. (1995). Resilience in development. *Current Directions in Psychological Science, June,* 81–85.

WERSHOW, H. J. (Ed.). (1981). *Controversial issues in gerontology.* New York: Springer.

WESTINGHOUSE LEARNING CORPORATION. (1969). *The impact of Head Start: An evaluation of the effects of Head Start experience on children's cognitive and affective development.* Columbus: Westinghouse Learning Corporation, Ohio State University.

WHEELER, D. (1994). Preterm birth prevention. *Journal of Nurse-Midwifery, 39,* 2 (Supplement), 66s–80s.

WHITBOURNE, S. K. (1986a). *The me I know: A study of adult development.* New York: Springer-Verlag.

WHITBOURNE, S. K. (1986b). *Adult development* (2nd ed.). New York: Praeger.

WHITBOURNE, S. K. (1987). Personality development in adulthood and old age: Relationships among identity style, health, and well-being. In K. W. Schaie & C. Eisdorfer (Eds.), *Annual review of gerontology and geriatrics* (Vol. 7). New York: Springer.

WHITBOURNE, S. K. (February 20, 1991). *Adult development: Life span perspective.* Talk given at the Human Development Colloquium Series, University of Massachusetts, Amherst.

WHITE, B. L. (1971). *Human infants: Experience and psychological development.* Englewood Cliffs, NJ: Prentice Hall.

WHITE, B. L. (1975). *The first three years of life.* Englewood Cliffs, NJ: Prentice Hall.

WHITE, B. L. (1988). *Educating the infant and toddler.* Lexington, MA: Lexington Books.

WHITE, B. L., & HELD, R. (1966). Plasticity of sensorimotor development in the human infant. In J. F. Rosenblith & W. Allinsmith (Eds.), *Causes of behavior: Readings in child development and educational psychology.* Boston: Allyn & Bacon.

WHITE, B. L., & WATTS, J. (1973). *Experience and environment: Major influences on the development of the young child.* Englewood Cliffs, NJ: Prentice Hall.

WHITE, K. J., & KISTNER, J. (1992). The influence of teacher feedback on young children's peer preferences and perceptions. *Developmental Psychology, 28*(5), 933–940.

WHITE, R. W. (1959). Motivation reconsidered: The concept of competence. *Psychological Review, 66,* 297–333.

WHITEHURST, F. L., ET AL. (1988). Accelerating language development through picture book reading. *Developmental Psychology, 24,* 552–559.

WHITESIDE, M. F. (1989). Family rituals as a key to kinship connections in remarried families. *Family Relations, 38,* 34–39.

WHITING, B. B. (Ed.). (1963). *Six cultures: Studies of child rearing.* New York: Wiley.

WHITING, B. B., & EDWARDS, C. P. (1988). *Children of different worlds: The formation of social behavior.* Cambridge, MA: Harvard University Press.

WHITING, B. B., & WHITING, J. W. M. (1975). *Children of six cultures: A psychocultural analysis.* Cambridge, MA: Harvard University Press.

WILDHOLM, O. (1985). Epidemiology of premenstrual tension syndrome and primary dysmenorrhea. In M. Y. Dawood, J. L. McGuire, and L. M. Demers (Eds.). *Premenstrual syndrome and dysmenorrhea.* Baltimore, MD: Urban and Schwartzenberg.

WILKIE, J. R., RATCLIFF, K. S., & FERREE, M. M. (November 1992). Family division of labor and marital satisfaction among two-earner married couples. Paper presented at the annual conference of the National Council on Family Relations, Orlando, FL.

WILLHERT, J. (1993). Hello, I'm home alone. *Time,* 46–47.

WILLIAMS, D. R. (1992). Social structure and the health behavior of blacks. In K. W. Schaie, D. Blazer, & J. S. House (Eds.), *Aging, health behaviors, and health outcomes* (pp. 59–63). Hillsdale, NJ: Erlbaum.

WILLIAMS, F. (1970). Some preliminaries and prospects. In F. Williams (Ed.), *Language and poverty.* Chicago: Markham.

WILLIAMS, H. G. (1983). *Perceptual and motor development.* Englewood Cliffs, N.J.: Prentice Hall.

WILLIAMS, J. D., & JACOBY, A. P. (1989). The effects of premarital heterosexual and homosexual experience on dating and marriage desirability. *Journal of Marriage and the Family, 51,* 489–497.

WILLIAMS, J. E., BENNETT, S. M., & BEST, D. (1975). Awareness and expression of sex stereotypes in young children. *Developmental Psychology, 5*(2), 635–642.

WILLIS, S. (1985). Towards an educational psychology of the older adult learner: Intellectual and cognitive bases. In J. Birren & W. Schaie (Eds.), *Handbook of the psychology of aging* (2nd ed.). New York: Van Nostrand Reinhold.

WILLIS, S. (1990). Introduction to the special section on cognitive training in later adulthood. *Developmental Psychology, 26,* 875–878.

WILLIS, S. L. (1989). Adult intelligence. In S. Hunter & M. Sundel (Eds.), *Midlife myths: Issues, findings, and practice implications* (pp. 97–112). Newbury Park, CA: Sage.

WILLIS, S., & NESSELROADE, C. (1990). Long-term effects of fluid ability training in old-old age. *Developmental Psychology, 26,* 905–910.

WILLSON, J. R. (May 1990). Scientific advances, societal trends and the education and practice of obstetrician-gynecologists. *American Journal of Obstetrics and Gynecology, 162*(5).

WILSON, E. O. (1975). *Sociobiology, the new synthesis.* Cambridge, MA: Belknap Press of Harvard University Press.

WINCH, R. F. (1958). As quoted in B. I. Murstein (1980), Mate selection in the 1970s. *Journal of Marriage and the Family, 42,* 777–789.

WINICK, M., & BRASEL, J. A. (1977). Early manipulation and subsequent brain development. *Annals of the New York Academy of Sciences, 300,* 280–282.

WINN, M. (1983). *The plug-in drug* (2nd ed.). New York: Viking.

WINNER, E. (1986). Where pelicans kiss seeds. *Psychology Today, 8,* 25–35.

WINSBOROUGH, H. H. (1980). A demographic approach to the life-cycle. In K. W. Back

(Ed.), *Life course: Integrative theories and exemplary populations* (pp. 250–282). Washington, DC: American Sociological Association.

WINSLER, A., DIAZ, R. M., & MONTERO, I. (1997). The role of private speech in the transition from collaborative to independent task performance in young children. *Early Childhood Research Quarterly, 12,* 59–79.

WITTERS, W., & VENTURELLI, P. (1988). *Drugs and society* (2nd ed.). Boston: Jones & Bartlett.

WOJAHN, E. (November 1983). A new wrinkle in retirement policies. *INC.,* 174–178. Boston: INC Publishing Company.

WOLFE, D. A., WOLFE, V. V., & BEST, C. L. (1988). Child victims of sexual abuse. In V. B. VanHasselt, R. L. Morrison, A. S. Bellack, & M. Herson (Eds.), *Handbook of family violence.* New York: Plenum.

WOLFENSTEIN, M. (1951). The emergence of fun morality. *Journal of Social Issues, 7*(4), 15–25.

WOLFENSTEIN, M. (1955). Fun morality: An analysis of recent American child-training literature. In M. Mead & M. Wolfenstein (Eds.), *Childhood in contemporary cultures* (pp. 168–178). Chicago: University of Chicago Press.

WOLFF, P. (1966). The causes, controls, and organization of behavior in the neonate. *Psychological Issues, 5*(No. 1, Monograph 17).

WOLFF, P. H. (1969). The natural history of crying and other vocalizations in early infancy. In B. M. Foss (Ed.), *Determinants of infant behavior* (Vol. 4). London: Methuen.

WOLPE, J., SALTER, A., & REYNA, L. J. (Eds.). (1964). *The conditioning therapies: The challenge in psychotherapy.* New York: Holt, Rinehart & Winston.

WOMEN'S REENTRY PROJECT. (1981). *Obtaining a degree: Alternative options for reentry women.* Washington, DC: Project on the Status and Education of Women.

WOODCOCK, L. P. (1941). *The life and ways of the two-year-old.* New York: Basic Books.

WORDEN, J. W. (1982). *Grief counseling and grief therapy: A handbook for the mental health practitioner.* New York: Springer.

WRIGHT, B. (1983). *Physical disability: A psychological approach* (2nd ed.). New York: Harper & Row.

WRIGHT, J., & HUSTON, A. (1983). A matter of form: Potentials of television for young viewers. *American Psychologist, 38,* 835–843.

WURTMAN, R. J. (1979). Symposium of choline and related substances in nerve and mental diseases, Tucson, AZ. (Reported by H. M. Schmeck in *New York Times,* January 9, 1979, p. C1ff.)

WYATT, P. R. (1985). Chorionic biopsy and increased anxiety. *The Lancet, 2,* 1312–1313.

WYDEN, B. (December 7, 1971). Growth: 45 crucial months. *Life,* p. 93ff.

YANKELOVICH, D. (1981). *New rules: Searching for self-fulfillment in a world turned upside-down.* New York: Random House.

YARROW, L. J., RUBENSTEIN, J. L., PEDERSEN, F. A., & JANKOWSKI, J. J. (1972). Dimensions of early stimulation and their differential effects on infant development. *Merrill-Palmer Quarterly, 18*, 205–218.

YONAS, A., & OWSLEY, C. (1987). Development of visual space perception. In P. Salapatek & L. Cohen (Eds.), *Handbook of infant perception* (Vol. 2, pp. 80–122). New York: Academic Press.

YOUCHA, G. (December 1982). Life before birth. *Science Digest, 90*(12), 46–53.

YOUNG, D. (1982). *Changing childbirth: Family birth in the hospital*. Rochester, NY: Childbirth Graphics.

YOUNG, E. W., JENSEN, L. C., OLSEN, J. A., & CUNDICK, B. P. (1991). The effects of family structure on the sexual behavior of adolescents. *Adolescence, 26*(104), 977–986.

YOUNG, K. T. (1990). American conceptions of infant development from 1955 to 1984: What the experts are telling parents. *Child Development, 61*, 17–28.

YOUNISS, J., & KETTERLINUS, R. D. (1987). Communication and connectedness in mother and father adolescent relationships. *Journal of Youth and Adolescence*, 265–280.

ZAHN-WAXLER, C., ET AL. (1992). Development of concern for others. *Developmental Psychology, 28*(1), 126–136.

ZAHN-WAXLER, C., & SMITH, K. D. (1992). The development of prosocial behavior. In V. B. Van Hasselt & M. Hersen (Eds.), *Handbook of social development: A lifespan perspective* (pp. 229–255). New York Plenum.

ZAJONC, R. B., & HALL, E. (February 1986). Mining new gold from old research. *Psychology Today*, pp. 46–51.

ZAJONC, R. B., & MARKUS, G. B. (1975). Birth order and intellectual development. *Psychological Review, 82*, 74–88.

ZAPOROZLETS, A. V., & ELKONIN, D. B. (Eds.). (1971). *The psychology of preschool children*. Cambridge, MA: MIT Press.

ZARIT, S. H., ORR, N. K., & ZARIT, J. N. (1985). *The hidden victims of Alzheimer's disease: Families under stress*. New York: New York University Press.

ZELNICK, M., & KANTNER, J. F. (1977). Sexual and contraceptive experience of young unmarried women in the United States, 1976 and 1971. *Family Planning Perspectives, 9*, 55–71.

ZESKIND, P. S., & RAMEY, C. T. (1978). Fetal malnutrition: An experimental study of its consequences on infant development in two caregiving environments. *Child Development, 49*, 1155–1162.

ZILL, N. (1991). U.S. children and their families: Current conditions and recent trends, 1989. *Newsletter of the Society for Research in Child Development*, pp. 1–3.

ZIMMERMAN, M. A., COPELAND, L. A., SHOPE, J. T., AND DIELMAN, T. E. (1997). A longitudinal study of self-esteem: Implications for adolescent development. *Journal of Youth and Adolescence, 26*, 117–140.

ZURAVIN, S. (1985). Housing and maltreatment: Is there a connection? *Children Today, 14*(6), 8–13.

Créditos de fotografías

■ **CAPÍTULO 1**

35 Wayne Behling, con permiso de Judith Behling Ford **38** Benjamin Harris, Ph.D

■ **CAPÍTULO 2**

54 Photo Lennart Nilsson/Albert Bonniers Forlagen AB

■ **CAPÍTULO 3**

106 Nina Leen/Life Magazine, Time Warner, Inc.

■ **CAPÍTULO 4**

145 Monkmeyer Press **149** Scientific American

■ **CAPÍTULO 5**

172 (izquierda) Nina Leen/Stuart Kenter Associates **172 (derecha)** Harlow Primate Laboratory, University of Wisconsin

■ **CAPÍTULO 6**

202 Robert Brenner/PhotoEdit **203** Mimi Forsyth/ Monkmeyer Press **205** Scott Camazine/ Photo Researchers, Inc. **206** Scott Camazine/ Photo Researchers, Inc.

■ **CAPÍTULO 18**

616 Richard Sheinwald/AP/Wide World Photos

Agradecemos al señor Fernando Sánchez Jiménez por las ilustraciones de las páginas 68 y 89.

■ Índice

LITOGRÁFICA INGRAMEX, S.A.
CENTENO No. 162-1
COL. GRANJAS ESMERALDA
09810 MÉXICO, D.F.

2004